D1378155

250,00
Pes 2 V.
10%

GENÈSE D'UNE VILLE MODERNE
CAEN AU XVIIIe SIÈCLE

ÉCOLE DES HAUTES ÉTUDES EN SCIENCES SOCIALES
CENTRE DE RECHERCHES HISTORIQUES

Civilisations et Sociétés 44

MOUTON • PARIS • LA HAYE

JEAN-CLAUDE PERROT

Genèse d'une ville moderne
Caen au XVIIIe siècle

TOME I

WITHDRAWN

MOUTON • PARIS • LA HAYE

542028

WITHDRAWN

Les cartes publiées dans le présent volume ont été réalisées par le Laboratoire de Cartographie de l'École des Hautes Études en Sciences Sociales

Couverture de Françoise Rojare

© 1975, Mouton & Co and École des Hautes Études en Sciences Sociales
ISBN : 2-7193-0414-X et 2-7132-0024-5

Printed in France

Introduction

Fruits d'une tradition venue de la géographie historique comme des études médiévales ou archéologiques, des repères spatiaux et fonctionnels multiséculaires hantent notre culture urbaine. Le *castrum,* le pont et le *portus,* la croisée des routes, la ville murée, l'aire de foire, les points forts administratifs et religieux forment autant de concepts familiers. Longtemps il parut suffisant d'en surveiller les arrangements locaux pour écrire l'histoire d'une cité. Formellement immobile, la méthode se prêtait à toutes les amplifications. Etudie-t-on le XIXe siècle ? On ajoutera gares et voies ferrées, entrepôts et zones industrielles. Le XXe siècle ? Anneaux de circulation et trames autoroutières. Cette approche d'ailleurs n'est pas seulement française. En méditant sur le destin des villes millénaires, plusieurs fois détruites et rétablies, Mumford, ce Volney de l'urbanisme, engage aussi la pensée anglo-saxonne.

Cette voie fructueuse pour un temps, présente des limites et des dangers. Architecturale et plus encore spatiale, elle conduit rarement à l'observation de la vie quotidienne, des façons et difficultés d'habiter ; là, de meilleures analyses viennent d'horizons différents, d'historiens plus enveloppants et de sociologues. La méthode paraît en effet oublier, mais la pénurie des statistiques l'excuse, que la ville est agglutination d'hommes, lieu de production et de consommation. Pareille démarche se tient ouverte à la vie des formes esthétiques qu'elle déplie selon les concepts rhétoriques de l'influence ou de l'emprunt — sans les confronter d'ailleurs à d'autres niveaux de la réalité —, mais elle parvient mal à rejoindre la démographie ou l'économie. Ambitieuse au point de confesser implicitement que la ville est projection de la société entière, elle laisse en réalité se développer en dehors d'elle des sciences qui la concernent : l'étude de la population répartie en groupes sociaux, l'écologie, la production et répartition des biens, les techniques de construction et de transport. On conçoit les risques. Sur le plan de la connaissance, c'est la perte de l'objet. La littérature urbaine retentit maintenant de ce cri d'alarme. Et dans la pratique politique, c'est Babel, une impuissance que l'incantation des tables rondes interdisciplinaires désigne aujourd'hui mais ne guérit pas encore.

Toute étude historique avertie de cette crise doit retrouver les dimensions réelles de son sujet. Première contrainte. Mais elle peut davantage. Ce n'est pas assez de s'enquérir d'une démographie, d'une économie ou de partis monumentaux spécifiques. Il faut encore entreprendre à leur endroit l'examen des consciences contemporaines, savoir comment se mêlaient alors l'idéologie et la connaissance des réalités urbaines, telles que nous les voyons du moins dans le trouble de nos propres lunettes. Qui fait la ville ? Pour qui ? Dans ce programme difficile, l'observateur ne doit pas choisir n'importe quelle cité, ni même une période indifférente. Expliquons pourquoi les villes moyennes du XVIIIe siècle constituent un domaine privilégié et comment la capitale de la Basse-Normandie, étudiée ici, peut nous aider à retrouver certains commencements de la phase d'urbanisation contemporaine.

Cette proposition ne va pas sans paradoxe. Dans les grandes agglomérations provinciales en effet une trame urbaine de deux siècles disparaît sous nos yeux.

C'était, le plus souvent, sur un espace de quelques centaines d'hectares accessible aux cheminements piétonniers, un triple déploiement d'habitats marqués, non sans redents ni mélanges, du sceau de la géographie et des partages sociaux. L'aire des notables s'éclaircissait de cours et jardins, habités de silence. En tuyaux d'orgue serrés, les quartiers d'artisans et boutiquiers encadraient les principaux marchés, pressaient les églises paroissiales, rejetant tout ce qui ne se greffe point sur l'échange et la marchandise. A tous égards les faubourgs constituaient bien un espace de renvoi : des maisons basses encombrées d'appentis rustiques avec une part appréciable de petites gens et manœuvres à tout faire ; ou bien lorsqu'un pieux testament ne les avait pas ancrés près des hôtels aristocratiques, les noviciats et maisons mères de la Contre-Réforme, ailleurs découragés par le bruit et la spéculation foncière ; et encore les casernes, les asiles de mendiants, les prisons que ne pouvaient plus accueillir des citadelles médiévales désormais assiégées par les bourgeois.

Dès l'ancien régime et pour tout le XIXe siècle, Caen, Amiens, Dijon, Aix, Montpellier, Poitiers, Tours, Orléans, Rennes, etc., appartiennent à ce type. Villes d'universitaires et de négociants, d'évêques ou de parlementaires, d'intendants, de préfets plus tard, ces relais du pouvoir financier, politique et culturel ont alors peu changé. Précisément. Une trajectoire économique et démographique ralentie a donc multiplié ici les traces archivistiques ou visuelles d'une structure socio-économique conçue avant les révolutions effectives de la croissance. Mieux que Paris, mieux que les grands ports où le commerce et l'industrie satellite précipitent les images, toute ville de second rang conquiert le privilège de mettre l'observateur en face d'une évolution *a minima,* partant universelle ; elle le place à l'abri du futur. N'est-il pas évident que l'industrie y ajouta sa marque puissante ici et là, mais qu'elle n'a pas valeur de cause première ? Les problèmes de la cité se sont posés sans elle, on le verra ; ils lui survivent si l'on en juge à l'aune des grandes villes imprégnées d'emplois tertiaires dans les mondes sociaux capitalistes ou socialistes les plus différents. La matrice minérale des agglomérations peut s'avérer finalement plus éphémère que la société qui s'y loge. Cette dernière institue seule de véritables commencements urbains.

Pour discerner l'émergence de la ville moderne indépendamment des phénomènes généraux qui la recouvrent et la cachent souvent, la croissance globale de la population, le démarrage économique, Caen offre alors un des meilleurs champs possibles. Tous les changements qu'elle nous propose s'opèrent dans une hibernation régionale d'autant plus profonde que la partie haute de la province fixait les rumeurs industrielles et océaniques de l'avenir. La Basse-Normandie fut longtemps réduite aux acquêts urbains les moins évitables. Caen, entre toutes, fut une cité de croissance minime jusqu'à ces dernières décennies où la guerre et l'anéantissement précipitèrent le changement. Mais dans un sens moins visible, plus profond, le XVIIIe siècle reste là, comme en toute ville moyenne, au cœur du présent.

D'un mot. Les capitales provinciales agitées d'intenses mouvements migratoires accentuaient alors leur différenciation sociale en face des régions rurales ; ce particularisme gagnait les savoir-faire professionnels, le savoir tout court, les relations quotidiennes, les comportements démographiques. Ainsi des liens de dépendance avec le plat pays s'atténuèrent ; d'autres se dessinèrent par-dessus les campagnes entre les espaces humains agglomérés. Non sans relations frictionnelles, plusieurs niveaux économiques se mirent en mouvement avec une intensité qui restait auparavant l'apanage de quelques grandes places internationales. C'est cette diffusion des échanges qui définit le mieux, en dépit de sa forme abstraite, la nature du phénomène urbain inséparable de la fièvre routière qui l'accompagne sous Louis XV. Dès lors la gratuité des aménagements au plus intime de chaque ville se dissipe. On conçoit les raisons qui plient le monument et la maison à un plan d'ensemble et pourquoi les architectes se font urbanistes sous l'empire des percées nécessaires. Le changement économique permet de donner un sens à l'évolution immobilière qui ne s'engendre pas de rien. Deux domaines retrouvent leur enchaînement.

Celui-là conduit à considérer les citadins, en particulier ceux qui modèlent la ville. Là, le siècle s'avère le plus neuf. Jusqu'à maintenant, la cité de Louis XV ne se détache à nos yeux de son passé que par une intensité constructive, un essor démographique à l'occasion et une activité commerciale plus forte. Simples contrastes de degrés, susceptibles de mesure. Mais il s'ajoute bien davantage. Une véritable découverte de la ville. « L'invention » de la question urbaine surplombe d'un siècle celle de la question sociale, ensuite elles ne se dissocieront plus. Celle-là visualise dans l'espace la seconde, infiniment plus générale mais plus lente à monter dans la conscience commune. Toutes deux, d'un même pas, mobilisent ensuite leurs conservateurs, leurs réformateurs, leurs révolutionnaires, leurs utopistes. Qui peut douter des passerelles entre les hommes et les doctrines ? Or les modalités selon lesquelles apparaissent en histoire les problèmes et leurs remèdes constituent un héritage intellectuel que l'habitude acclimate, « naturalise » très vite. Voilà l'intérêt des périodes d'apprentissage. Il n'est pas vain d'imaginer que l'appréhension de la ville au XVIIIe siècle, avec les pratiques qui découlent, n'ait pesé très lourd sur l'avenir de la société. Disons en sens inverse que les cités d'ancien régime suggèrent précocement le triomphe du capitalisme et de l'utilitarisme social. Ainsi le « bourgeois conquérant » s'entendra dans les deux sens du terme primitif et dérivé.

En effet, des forces sociales et professionnelles, aussi vieilles certes dans leur isolement que les sociétés humaines, se réunissent pour la première fois autour d'un projet de « politique urbaine ».

Dans les parties prenantes, d'abord les représentants de l'autorité centrale, les intendants. L'histoire administrative a depuis longtemps cerné l'importance de Tourny à Bordeaux, Du Cluzel à Tours, Fontette à Caen. Un tableau plus complet place en face d'eux des échevinages à la triste figure, obstinés d'allégements fiscaux que balaie l'urbanisme des Lumières. Mais c'est encore regarder les ombres de la caverne politique.

D'autres forces assiègent la cité. Les négociants qui en ont une vision instrumentale ; la noblesse ou la bourgeoisie des offices qui s'en donnent une image culturelle. Surtout les ingénieurs des Ponts-et-Chaussées, les médecins font irruption vers 1740-1750 dans l'aménagement. A long terme leur succès ne fait pas de doute. Ne mettent-ils pas en œuvre un savoir transparent, indifférent aux intérêts particuliers, illuminé de toutes les bienfaisances que le XVIIIᵉ siècle attache à l'exercice de la raison ? Pourtant on imagine que le déploiement de leurs techniques exigeait le concours de forces sociales réelles, inconsciemment plus exigeantes sur les fins.

Une enquête est nécessaire sur ces carrefours : salons, sociétés de pensée, académies, corps municipal, communautés de métiers, constitués en groupes de pression où se forme l'opinion et se préparent les décisions. Peut-être percevrons-nous, après cela, pourquoi les ingénieurs bâtissent à la fois des marchés et des maisons de force délirantes et comment les médecins revendiquent en même temps le droit de soigner les pauvres et de les disséquer contre leur gré. Au fait, pareilles aventures, toujours récurrentes, menacent quiconque participe à l'exercice d'un pouvoir. Elles ne suffisent pas à identifier le corps ambigu de recettes techniques, de connaissances scientifiques, de préjugés culturels ou sociaux professés par les notables attelés au modelé de Caen.

Derechef la modernité de l'idéologie urbaine du XVIIIᵉ siècle se précise. A la réserve de quelques mal-pensants, n'est-elle pas encore partagée sans difficulté ? Cet édifice complexe plonge en un passé profond que les images littéraires de notre cité feront d'abord sentir.

Jusque dans certains textes administratifs, s'exprime depuis la Renaissance au moins, l'idée que toute ville se définit comme foyer de civilisation. Une suite de notions gigognes, associées par contraires, déplie en tout sens cette intuition. C'est en géographie : l'opposition campagne-ville, en économie : le couple stabilité-progrès, en anthropologie : nature-culture, dans la vie quotidienne : rusticité-urbanité. Les sources antiques de cette philosophie sautent aux yeux ; il n'est pas surprenant que la Renaissance l'ait restituée. Elle court ainsi à travers les pages de l'histoire de Caen écrite par Ch. de Bourgueville au XVIᵉ siècle. Quel est l'homme éclairé de ce temps qui ne la tienne pour l'expression parfaite de la réalité ?

Ailleurs, sans doute devrait-on corriger un peu la raideur de cette proposition. Dans les cités utopiques fidèles à la pureté étymologique du terme, il s'agit toujours d'états à policer du point de vue des mœurs et des institutions, mais dans les pays de vieille économie urbaine comme l'Italie, des œuvres plus précises existent depuis la fin du siècle. C'est en 1588 à Rome que Jean Botero écrivait ses *Delle cause della grandezza e magnificenza delle cità.* En Angleterre l'idée que l'étude des villes est une partie autonome de l'arithmétique politique apparaissait précocement chez Graunt ou Petty. En un sens *La Métropolitée* française de 1682 appartient à la même lignée. En outre cet ensemble d'opinions n'est pas infécond *sub specie æternitatis.* Il aide à comprendre encore maintenant certaines modalités des transferts de richesses ; les investissements différentiels de capitaux et de savoir, les observations relatives aux économies d'échelle s'y rattachent aussi. Mais l'hypothèse ne garde pas jusqu'au bout sa neutralité scientifique. En prêtant aux agglomérations la dignité d'agents éminents de l'histoire, elle a souvent justifié leur domination sur les campagnes. Le système fiscal l'illustre bien. Parce qu'elles abritaient une part importante de privilégiés, les cités, précieux capital à préserver, produisirent à leur tour des privilèges. Et paraissant fonder en raison une supériorité, cette vision « culturaliste » des villes d'autrefois redoublait le satanisme des émeutes paysannes venues défaire l'ordre naturel et gâter le progrès. Jusqu'au milieu du XVIIe siècle, la coalition menaçante des campagnards et des semi-ruraux que restent les habitants des faubourgs a donc conforté une philosophie des « noyaux » urbains, refuges de civilisation, semblables dans cet océan de désordres aux monastères médiévaux.

Après 1660, les progrès de l'absolutisme royal vident en partie l'idéologie de sa substance. Ils soumettent villes et campagnes à la loi commune, tempèrent les autonomies. En outre, le succès des manufactures urbaines privilégiées n'est pas toujours décisif ; enfin une curieuse léthargie intellectuelle gagne les capitales provinciales. G. Roupnel le montre à Dijon : les blasons culturels s'écaillent. Le champ est libre pour d'autres définitions.

A l'origine, nul doute, la chiquenaude vint des économistes. Depuis 1730 les agrariens, depuis 1750 les physiocrates soutiennent une interprétation copernicienne des rapports villes-campagnes qui tire à la fois la leçon des réussites et des échecs du grand règne. Aux premières est imputée désormais la stérilité, aux secondes la production des richesses. Il importe peu que la présentation ait été aussitôt contestée par des inspecteurs de manufactures, par l'abbé Galiani, par des financiers. Elle triomphe chez les moralistes et les romanciers qui opposent à l'envi des citadins inutiles ou corrompus et de vertueux paysans. Elle reçoit l'appui des démographes dénonciateurs de la ville tombeau des populations. Ce retour à la « Nature » a dévasté l'idéologie urbaine.

Mais le vocabulaire courant, comme celui des essayistes, demeurera longtemps fidèle à la tradition sémantique. De tous les mots dérivés de l'*urbs,* le *Dictionnaire de l'Académie* de 1798 retient seulement encore l'urbanité « politesse que donne l'usage du monde ». Rousseau, au livre VIII des *Confessions,* utilise certes urbain au sens de citadin mais l'abbé Coyer, puis S. Mercier parlent toujours d'urbanisme pour désigner la connaissance de l'urbanité. En accord avec son temps, Restif de La Bretonne crée urbaniser en 1785 dans *Mes inscriptions,* mais cela signifie conférer l'urbanité. Des termes nouveaux habillent simplement de vieilles notions. D'un autre côté, sous le silence linguistique, se mettent en place des sujets de réflexion plus étendus. Le *Traité de police* de N. de La Mare posait dès les années trente des jalons qui ramènent aux questions urbaines. En Italie, G. G. d'Arco compose en 1771 son *Dell'Armonia ;* en France, chez Cantillon, Moheau, Forbonnais, Condillac, des considérations économiques, sociales, démographiques sur les villes, pourtant presque toujours de simples fragments. Le plus prestigieux, Cantillon, s'attache à la formation des cités où il voit l'œuvre de forces originales de production, d'un stimulant administratif, d'une riche aire de subsistance, mais il dit peu de choses sur l'évolution urbaine. Il faudra gagner l'ultime ancien régime, 1788, pour lire dans l'*Encyclopédie méthodique* un texte sur la transformation des villes ; souvent les réflexions imprimées s'émiettent selon les découpages des disciplines traditionnelles.

Pourtant la deuxième moitié du XVIIIe siècle allait devenir l'époque d'une nouvelle synthèse, c'est-à-dire en fait d'une nouvelle problématique héritée de l'action concrète. Comment la faire apparaître ? Par l'étude des pratiques professionnelles usitées dans les milieux qui se partagent le pouvoir urbain. Vers 1750, les négociants, les ingénieurs, les médecins et les agents du Roi se mettent à parler en effet un même langage. L'*Encyclopédie* de Diderot manifeste en même temps qu'elle redouble cette unification conceptuelle ; l'alliance des milieux dominants s'en trouve facilitée et expliquée. Sur ce terrain de rencontre la notion de fonction joua un rôle capital. Elle appartenait depuis les années trente au moins à l'outillage de chacun : fonction d'échange, fonction mathématique, physiologique, fonction publique. Le mot lui-même est en expansion rapide au XVIIIe siècle. Sait-on en revanche qu'il n'est attesté qu'une ou deux fois sous Louis XIV ?

Mon propos est de faire apparaître le transfert analogique qui s'est opéré dans le champ de la cité à la faveur de cette rencontre socio-politique et d'assister en quelque sorte à l'« invention » des fonctions urbaines. Il est inutile d'insister sur les vertus opératoires de ce système d'interprétation et sur sa bonne fortune historique. Qui va lui contester derechef aux XIXe et XXe siècles une nouvelle et définitive neutralité scientifique ? Mais ce n'est pas encore le lieu d'entreprendre l'histoire critique de cette méthodologie dont la brièveté serait d'ailleurs édifiante. Reportons-nous vers 1740-1750 à ses origines tâtonnantes. Il conviendra d'étudier pourquoi les changements démographiques ou économiques de Caen, à l'égal des autres processus urbains, suggèrent à ceux qui ont charge de la production, de la santé des habitants, une appréhension neuve des problèmes et comment cette appropriation intellectuelle précipite l'évolution de la ville.

A coup sûr, beaucoup de démarches établies au XVIIIe siècle sont à retenir ou même à retrouver. La méthodologie « fonctionnelle » est plus féconde que la conception culturaliste. Elle attire l'attention sur les rôles spécifiques que remplissent en étages emboîtés tous les éléments d'une cité. Des découvertes successives jalonnent l'histoire de Caen entre 1740 et 1790. C'est d'abord la reconnaissance des fonctions de circulation les plus générales qui font entrevoir la ville comme un lieu d'échange à ouvrir sur l'extérieur, de là des saignées et l'abattis des fortifications ; puis, en dessous le remodelage des quartiers, le déplacement des marchés, l'aménagement du port, l'expulsion des inutiles : mendiants, défunts des cimetières intérieurs, s'opèrent dans l'idée que chaque unité s'articule autour d'un rôle principal. Finalement la maison privée reçoit l'onde à son tour, bien que l'effet s'en amortisse dans les lenteurs propres au renouvellement de l'immobilier ; la spécialisation des pièces, l'autonomie renforcée par l'aménagement de passages, le doublement des escaliers, sont perceptibles statistiquement.

Le fonctionnalisme conduit à une autre découverte qui fonde véritablement la science urbaine. La méthode inclut en effet l'idée de co-variation, d'interdépendance. Les observateurs du XVIIIe siècle pensent à mettre en rapport au sein de la ville, commerce, industrie et population, mortalité et degré de richesse, maladies et activité professionnelle, logement et dimension des familles. Il y eut certes quelques précurseurs, l'économiste Vauban, le médecin Ramazzini, mais la généralisation de la démarche peut être saluée comme une seconde et véritable naissance. Les reliquats statistiques de l'époque paraissent abonder sous une forme recevable, mais l'harmonie préétablie des questions posées hier et aujourd'hui l'explique largement. L'énumération de telles rencontres serait longue. Les rubriques des foires destinées à faire apparaître matières premières et consommation de détail, l'inventaire des aires d'approvisionnement, les recensements de population, la description des quartiers insalubres, le dénombrement des puits publics des faubourgs, les âges à l'entrée dans les hôpitaux appartiennent à un patrimoine réflexif commun pris à sa source. Jamais le possible ne vient si naturellement au-devant du souhaitable dans l'histoire urbaine précédente. Parce que l'esprit de ses urbanistes appartient à notre famille, la ville du XVIIIe siècle est nôtre aussi. Sa modernité fait sa transparence, elle produit des matériaux assez abondants, elle favorise le repliage des investigations présentes sur celles du passé.

Revers de la médaille. Cette proximité rend fort malaisés, peut-être impossibles, les dépoussiérages de l'analyse fonctionnelle. Ce progrès scientifique décisif est en effet embarrassé d'un héritage mental qui facilite une pratique politique. En ce sens les idées urbaines qu'on verra naître à Caen au XVIIIe siècle méritent bien d'être analysées comme une nouvelle idéologie. Saisie par les couches dominantes comme ensemble de fonctions, la ville s'est faite objet physique, mieux, pur être organique. Le danger métaphorique présente alors deux niveaux. Le premier empêtre notre vocabulaire urbain de termes anatomiques et physiologiques : les artères, le cœur de la cité et maintenant les poumons, l'asphyxie. Simples commodités en fin de compte : la transplantation des mots leur fait perdre assez vite toute vigueur biologique. Mais le passage illégitime de l'analyse en terme d'organisation à l'analyse en terme d'organisme fait courir des dangers plus subtils. Selon le vieil adage des membres et de l'estomac, il faudra accepter l'idée d'une hiérarchie des fonctions inscrite dans les choses. Alors la paraphrase urbaine de Mercier de La Rivière s'imposera ; avec de telles prémices, l'Ordre naturel et essentiel de la société devient infranchissable. Qui veut lui commander doit lui obéir. L'aménagement des villes se donne pour objet d'accélérer les seules évolutions perçues. Les preuves normandes d'une telle obturation intellectuelle abondent. L'histoire de Caen ne se lira pas comme la prise de conscience d'un avenir industriel ; c'est, à l'époque, le privilège de rares anticipateurs comme J. Holker et ses manufacturiers de Rouen. Mais le capitalisme marchand, universellement triomphant dans l'économie française, y est délibérément assumé. Il faudra donc montrer comment toute la ville résonne au diapason de l'échange commercial et comment les préliminaires d'une analyse scientifique des remèdes virent de couleur au profit de la dynamique sociale. La méthode fonctionnelle s'est soumise à une politique, celle du négoce.

Malheur inévitable de l'organicisme dont le succès gagne au début du XIXe siècle de longs chapitres chez Saint-Simon, l'économie chrétienne de Villeneuve-Bargemont et même, à travers les *Ages de l'humanité,* Auguste Comte ; ce système servira fréquemment de caution à une philosophie politique d'ordre social en même temps que de clé pour l'interprétation pathologique des révolutions. Il est prudent de garder ses distances.

Pourtant qui peut se flatter d'adhérer fidèlement à quelque ligne épistémologique ? L'empirisme de l'étude qui commence lui fait peut-être faire fausse route. Du moins me semblait-il nécessaire de préciser de quelle tradition elle devait se détacher pour se placer en va-et-vient continuel entre les techniques de maintenant et l'horizon des Lumières. Au reste, par l'examen critique du passé, l'historien s'associe toujours au présent et de tous les livres, il écrit les plus éphémères.

CHAPITRE PREMIER

La crise des reflets culturels et des définitions urbaines

I. LES DOCUMENTS DU XVIIIe SIÈCLE NOUS PLACENT AU BERCEAU DES SCIENCES HUMAINES

De la fin du XVIe à celle du XVIIIe siècle, beaucoup de textes évoquent la ville de Caen et aident à comprendre comment elle apparaissait aux habitants et aux voyageurs.

Les ouvrages érudits, les lambeaux de correspondance et les rapports des administrateurs, les discours académiques, les bouts rimés ou les poésies offertes aux concours scolaires, les proverbes, les dessins crayonnés sur un carnet d'architecte peuvent bien décourager d'abord par leur éparpillement et leur insignifiante répétition. Une lecture plus sérieuse inspire moins de dédain et il m'a semblé que, de la réunion de ces mille éclats on pouvait encore faire quelque miroir utile. En vérité des images cohérentes de la cité apparaissent et surtout une évolution se dessine dont la flexion se place, on le verra, dans la première moitié du XVIIIe siècle. Ainsi les contemporains nous restituent bien leur ville.

A partir de là, l'historiographie des XIXe et XXe siècles montre aisément comment s'est compliquée progressivement la connaissance urbaine, mais cette démarche affadirait sans doute l'impression familière que procurent les documents vers la fin de l'Ancien Régime. Ne nous placent-ils pas devant une sorte de printemps des sciences humaines ? Il ne serait pas vain alors de vouloir y chercher les germes de nos questions démographiques et économiques puisque nous y trouvons bien les éléments de la réponse. De ces réflexions découle le parti d'entendre dès maintenant les contemporains et de revenir ensuite fréquemment à leurs opinions, dans l'espoir d'éclairer ainsi la part « d'invention » que tout travail historique emporte nécessairement avec lui.

1. IMAGES CULTURELLES DE LA VILLE, XVIe-XVIIe SIÈCLES

Au XVIIIe siècle certains discours, naguère tenus sur la cité, se taisent peu à peu, de même s'effacent des images de la ville dessinées depuis les guerres de religion. Comparons-les à ces *vedute* des villes italiennes que les peintres rapportaient de leur voyage outre-mont : le désir de ramasser en une évocation aussi courte que familière la définition des villes entraînait alors historiens, poètes et dessinateurs à un arrangement rhétorique et plaçait d'emblée leur représentation dans l'univers culturel.

Voici la ville de Caen selon Charles de Bourgueville, lieutenant général au bailliage en 1572, « au jugement de chacun qui la voit et contemple » c'est, dit-il, « l'une des plus belles, spacieuse, plaisante et délectable » [1] ; mais la description tourne court et s'épuise aussitôt en énumération essoufflée dans laquelle l'agrément de la cité est rapporté à sa « situation, structure de murailles, de temples, tours, pyramides, bastimens, hauts pavillons et édifices ». Est-ce pauvreté de la vision concrète ? On ne peut le croire puisque notre historien se fait poète ronsardien — il est né à l'aube du siècle — pour évoquer quelques lignes plus bas les rives de l'Orne et de l'Odon « auxquelles les habitans et jeunesse se pourmenent, prennent plaisir... mesmes les escoliers de l'Université à sauter, luiter, courir, jouer aux barres, nager en la rivière » tandis qu'en « ce beau printemps vernal l'on y oit le chant et ramage mélodieux des rossignols qui fleuretissent, fredonnent et dégoissent dedans ceste cercle et jardins prochains ». La capitale de la Basse-Normandie n'est donc aux yeux de l'auteur qu'un théâtre où les lois récréatives sont manifestement celles de la Renaissance : promenades et jeux. Il ne craint pas même ce paradoxe d'ouvrir un livre d'histoire et de réflexion urbaines par le tableau des félicités rustiques dont jouissent les habitants puisque l'important est de montrer les citadins usant de la nature autrement que les paysans. Mille autres passages du livre répètent d'ailleurs comme à satiété la même définition de l'*urbs,* refuge des âmes raffinées, lieu privilégié du commerce des esprits où l'on retrouve ses pairs. Et l'auteur de biffer tout ce qui pourrait faire douter de la civilité de sa province, qu'il appelle la Neustrie pour lui donner ses quartiers de noblesse classique (et dont il chasse les rustres Normands disant « nous autres ... habitans, vrais Gaullois et non de la région du North »). Et de rêver à des généalogies mythologiques qui lui font rattacher Cadomus à Cadmus et blasonner tour à tour « *Cadomus quasi casta domus* », « *Cadomus : Caii Caesaris domus* »...

Durant plus d'un siècle, écrivains et peintres, officiers du roi et clercs sont restés fidèles à ce canon urbain.

Ainsi, lorsque Gabriel du Moulin évoque l'excellence des Normands, c'est d'abord leur épopée aux rives du monde antique qu'il retient : ils ont « possédé la Pouille, subjugué la Sicile, assiégé la cité de Constantinople ... et arboré leurs léopards dans Hiérusalem et Antioche » [2]. La ville de Caen se mesure à la même aune, « la meilleure partie des beaux esprits qui ont paru depuis cent ans et paroissent encore sur l'horizon de la France en sont sortis et des places voisines » [3]. Une guirlande de précieuse rhétorique commente indéfiniment la sécheresse de du Moulin. C'est J. R. de Segrais en 1659 :

> Caen... « Charmant séjour
> Ma célèbre patrie et mon premier amour ;
> L'Orne délicieuse arrose un saint bocage
> Que Malherbe autrefois sur ce plaisant rivage
> Panta de ses lauriers sur le pin cueillis
> Et dont est ombragé tout l'Empire des Lys. » [4]

1. Ch. de Bourgueville, 1833, part. 2, p. 6.
2. Du Moulin, 1631, pp. 18-20.
3. *Id.*, p. 20.
4. J. R. de Segrais, *Portrait de Mademoiselle,* 1659.

C'est l'ode latine de Halley [5], présentée au concours du jury de poésie de 1667 qui module de nouvelles variations étymologiques de Cadomus, la ville nourricière d'illustres personnages et carrefour des grands esprits, « le boulevard de la Basse-Normandie » disent plus maladroitement mais plus fortement les lettres patentes de Louis XIV qui confirment ses privilèges en 1674 [6]. Bayle déclare à son tour « l'une des plus illustres villes de France à cause de son élite de beaux esprits » [7]. « Caen la plus jolie ville, la plus avenante, la plus gaie, la mieux située, les plus belles rues, les plus beaux bâtiments, les plus belles églises, des prairies, des promenades et enfin la source de tous nos plus beaux esprits, j'en suis charmée », mande à sa fille Madame de Sévigné en 1689 [8] et le fantasque abbé de Saint-Martin évoque en termes voisins les délices de sa ville adoptive vers la fin du siècle [9].

La démonstration serait faible, à ne citer que des sources littéraires. Il faut montrer que les administrateurs ne parlaient pas d'autre langage. Ainsi le *Mémoire* de l'intendant Foucault de 1699 s'attarde lui-même à rapporter le mot d'un voyageur italien — évidemment bon connaisseur des humanités, en raison de son origine — qui regarde cette contrée « comme un des plus beaux miroirs du monde » [10]. On sait tout le poids onirique d'un tel langage auprès de lecteurs familiers de la culture du XVIe siècle. Et l'intendant reprend « agréable par sa situation, Caen ne l'est pas moins par ses édifices, par plusieurs places et par la beauté de ses églises et des pyramides. Ses habitans sont naturellement polis et studieux... ».

Charme, civilité, érudition, les clés symboliques de la ville se transmettent ainsi depuis plus d'un siècle sans usure. Les dessinateurs ou les peintres ne font pas obstacle à cette vision par des détails d'un réalisme intempestif. Bignon, qui grave en 1672 la *Vue de Caen des carrières de Vaucelles* [11], compose un paysage sans dissonance avec la glose : au premier plan, la prairie et ses promenades, puis les remparts, les tours et les églises, ramassées sans souci des distances en un archétype urbain. L'année suivante, Jollain copie son prédécesseur [12]. Trois générations plus tard, la *Vue de Caen présentée à Messire François de Franquetot, duc de Coigny,* si différente par ailleurs dans son besoin de dire vrai, conserve encore une apparence du dessein général jailli du livre de Bourgueville en présentant les promeneurs de la prairie devisant au pied de la ville [13].

5. Palinod de 1667. Coll. Mancel, *Recueil des Poésies qui ont été couronnées sur le puy de l'Immaculée Conception de la Vierge, tenu à Caen...*, 1666-1793.
6. Arch. dép. Calv., C 1097, copie de 1759. L'expression s'entend au sens militaire, puis le déborde.
7. *Nouvelles de la République des Lettres* (1684-1718), nov. 1685.
8. Madame de Sévigné, 1953, t. 3, pp. 433-435, lettre du 5 mai 1689.
9. Coll. Mancel, mss. 295, f° 333, fin XVIIe siècle.
10. Bibl. mun. Cherbourg, mss. 58, chap. 7.
11. J. C. Perrot, 1963, n° 15, p. 90.
12. *Id.*, n° 16.
13. *Id.*, n° 32.

2. LE TOURNANT DE LA PREMIÈRE MOITIÉ DU XVIIIe SIÈCLE

C'est cependant dès les premières années du XVIIIe siècle que se défait cette alchimie verbale qui réduisait si vigoureusement, jusque sous la plume des administrateurs, les images de la ville à un mythe poétique et culturel. L'initiative de cette révolution semble bien appartenir à Pierre-Daniel Huet, évêque d'Avranches, grand érudit, ami de Bochart, qui entend avec ses *Origines de la ville de Caen,* publiées en 1702, puis revues en 1706, écrire un ouvrage nouveau. L'auteur entreprend une purification du mythe urbain en lui assignant son ordre : celui de la poésie, mais il blâme les historiens de leur paresse mentale, n'ont-ils pas « débité ces fables comme des vérités » [14] ? Le langage de Pierre-Daniel Hut sonne haut et fort, il est désagréable comme une psychanalyse de la connaissance [15] : au diable ces origines illustres, ce destin d'immortalité vanté au XVIIe siècle. La capitale de la Basse-Normandie, écrit-il, est « l'ouvrage du hasard, comme il paraît plus vraisemblable », et il ajoute « qui peut savoir quand la première maison, quand la première cabane, quand la première hutte a été bâtie au lieu où est Caen maintenant ? » [16].

Il n'est pas besoin de souligner l'audace critique de ce vocabulaire démythifié. Un nouveau mode de réflexion urbaine est en train de naître, aussitôt mis à l'épreuve lorsque l'évêque d'Avranches, quelques pages plus loin, discute en géographe des avantages de la situation et du site de Caen, pesant sa fertilité, la salubrité de son air, l'abondance de ses fontaines, comparant ici l'Odon et l'Orne, là la Seine et le Robec [17]. L'entreprise est si neuve que Huet ne doute pas qu'elle déplaira, les habitants de Caen la désavoueront. D'ailleurs, la ville s'endort intellectuellement vers la fin du règne de Louis XIV à l'instar de la capitale bourguignonne de Roupnel et il y a de la mélancolie dans cette préface de Pierre-Daniel Huet : « Si la même fleur d'esprit qui vous a rendue autrefois si célèbre, ma chère Patrie, y brilloit encore comme au temps de ma première jeunesse, je me promettrois de vous avec confiance un accueil favorable pour cet ouvrage ... mais maintenant ... que vous avez laissé éteindre chez vous la gloire de la littérature, vous n'avez plus été sensible au désir de vous connoitre. » [18]

Les siècles précédents proposaient une illustration bien courte de l'humanisme caennais. Huet assigne à la science urbaine une valeur thérapeutique que la pensée européenne va lui reconnaître unanimement à partir de la fin du XVIIIe siècle dans l'œuvre de Boulée et Ledoux, puis chez les penseurs sociaux du XIXe siècle : Owen, Fourier, Cabet, Proudhon [19]. Mais l'évêque normand a déjà trouvé dans l'antiquité une phrase saisissante pour résumer

14. P.D. Huet, 1706, p. 9.
15. G. Bachelard, 4e éd., 1965, *passim.*
16. P.D. Huet, 1706, p. 13.
17. *Id.,* p. 14.
18. *Id.,* préface.
19. N. Ledoux, 1804 ; Owen, 1836 ; Fourier, 1849 ; Cabet, 1840 ; Proudhon, 1865. Cf. l'étude de M. Ozouf sur Ledoux, 1966.

le rôle bienfaisant de la science des villes qui réveille et redouble la conscience de soi en même temps qu'elle apaise l'inquiétude qui naît devant l'ignorance des origines et redonne à chaque homme la maison de ses pères. Il cite ces paroles de Cicéron sur l'œuvre du géographe Varron : « Nous étions errans et vagabonds dans notre propre pays, comme des étrangers. Vos écrits nous ont servi de guides pour retourner chez nous et retrouver notre demeure ; et vous nous avez enfin fait connoitre qui nous sommes et où nous sommes. »[20] C'est la naissance de l'histoire urbaine.

A l'unité de la notion culturelle ancienne se substitue donc maintenant la richesse de multiples points de vue. On accepte de définir la ville comme centre économique, comme collection d'habitants. On s'habitue lentement à prendre la ville pour un organisme vivant capable de fonctions. Cet âge d'or de la réflexion urbaine commence en Basse-Normandie, surtout vers 1740-1760 et il serait précieux de savoir si ces préoccupations atteignaient, vers le même instant, d'autres provinces de la France. On pourrait montrer sans peine, en tout cas, la richesse et peut-être aussi le danger de cette pensée analogique. Sa fécondité nous aura valu deux siècles d'anatomie, de physiologie ou de pathologie urbaines, disons, s'il faut traduire, de topographie, d'étude de croissance, d'étude des fonctions et des difformités des villes. L'analogie était ressentie en profondeur au XVIIIe siècle déjà. Dans son étude sur l'urbanisme à Nantes[21], P. Lelièvre s'attarde sur le projet d'un architecte, Rousseau, qui songeait à ceindre, en 1760, la ville de boulevards en forme de cœur, avec deux lobes séparés d'un grand axe ; circulation urbaine et circulation du sang se mêlaient dans son rêve. Au XIXe siècle la parenté des sciences de l'homme et de la vie s'exprime journellement depuis Saint-Simon[22] ; mais à l'inverse, jusqu'où faudrait-il remonter le temps pour voir naître cette idée analogique ? Dans *La Métropolitée* de 1682, Alexandre Le Maître se propose déjà l'anatomie des villes[23], vieille idée transposée de Platon.

Cette tournure de pensée montre bien aussi la part majeure que les médecins prirent aux XVIIIe et XIXe siècles dans la réflexion sociologique, notamment les épidémiologistes et les hygiénistes. A la suite de la Faculté, qui nous a laissé son vocabulaire, nous parlons encore « d'organisme » urbain, de maturité, de sénescence, de croissance harmonieuse ou monstrueuse de la ville. Mais qui ne sent, par exemple, le phantasme de cancer qui persiste à se cacher sous une telle expression, chez les urbanistes d'aujourd'hui, disons chez un Mumford[24] ? Et une autre étude pourrait sans doute diagnostiquer dans cette hypostase biologique, une maladie de la connaissance. Se confier aux métaphores de la vie, n'est-ce pas une nouvelle paresse mentale que pourfendrait derechef notre évêque d'Avranches ? Combien de fois l'image vitaliste n'a-t-elle pas tenu lieu d'explication depuis Sébastien Mercier ?

Pour l'instant, il est temps d'évoquer dans le petit monde concret de la Normandie le moment et les péripéties de cette révolution des problèmes.

20. P.D. Huet, 1706, « Préface ».
21. P. Lelièvre, 1942, p. 205.
22. H. Saint-Simon, 1876, t. 5, « Mémoire sur la Science de l'homme », pp. 1-313.
23. A. Le Maitre, 1682.
24. L. Mumford, 1964, *passim*.

3. IMAGES FONCTIONNELLES DE LA VILLE, SECONDE MOITIÉ DU XVIIIe SIÈCLE

Tout d'abord, dans la première moitié du XVIIIe siècle, disparaissent, comme le souhaitait Huet, les textes qui rattachaient l'agglomération aux plus nobles et aux plus anciennes origines. Le dernier plaidoyer connu est l'œuvre de La Londe. Son *Mémoire sur l'origine de Caen,* d'ailleurs inachevé — mais comment finir une pareille tâche ? — est une émouvante guirlande des siècles [25]. L'auteur souligne au début son immense désir de « contenter » ses lecteurs. D'emblée, quel contraste ! Huet savait déplaire et comme il faut se méfier de ces ouvrages que le public attend ! Deux styles historiques s'opposent ici, davantage deux philosophies de la connaissance. Ne condamnons cependant pas trop vite cette ultime apologie des antiquités de Caen. Cette œuvre du passé contient de l'insolite. L'auteur se préoccupe en effet surtout de prouver l'antériorité de Caen à la conquête romaine et son brillant éclat. Ainsi le troisième chapitre de l'ouvrage entend parler « Des druides, de leur nombre immense, de leur pouvoir, du temps qu'ils ont habité la Basse-Normandie à Bayeux et à Caen ». Ces nobles prêtres gaulois sont de bonne race puisque avec leur peuple, sous le nom de Gomerittes, ils descendaient, nous dit-on, de Gomer, fils de Japhet. Avec ces héritiers occidentaux de Noé, les valeurs mythiques sont celtes ou bibliques et non plus romaines comme naguère ; il nous semble être pris dans les premiers accords de la sensibilité préromantique où devait s'illustrer un autre historien de Caen, l'abbé de La Rue, avec ses *Essais sur les Bardes* [26]. Le passé et l'avenir se mêlent chez La Londe.

D'autre part, s'avance en même temps un cortège de définitions urbaines et de thèmes nouveaux. On conçoit de saisir la ville par sa population ou son économie. Alors qu'en 1666 le recensement des bourgeois de Caen [27] n'avait qu'un but fiscal, d'où l'on ne songeait à tirer aucune connaissance démographique, Vauban et l'intendant Foucault proposent à la fin du siècle les premiers nombres. Celui-là profite de sa mission d'inspection des côtes pour dresser la liste des feux par paroisse [28] et le second présente une estimation des résidents [29]. Ces démarches démographiques vont fructifier, notamment à travers le *Mémoire sur la Généralité* de l'intendant de Vastan en 1731 [30] pour aboutir en 1775 au premier recensement pur de toute intention fiscale ou militaire.

Un progrès identique est perceptible dans la définition du rôle industriel ou commercial de la ville, à travers les rapports des inspecteurs des manufactures, les délibérations du conseil municipal, les requêtes de la chambre consulaire si bien que ces thèmes sont familiers à beaucoup depuis les années 1750.

25. Coll. Mancel, mss. 93, s.d. (milieu du XVIIIe siècle), f°s 6-57.
26. G. de La Rue, 1834.
27. Arch. mun. Caen, BB 133.
28. Arch. Génie, Vincennes, Place de Caen, 1699.
29. Dans son *Mémoire,* l'intendant Foucault fait allusion au voyage de Vauban et c'est d'ailleurs dans le même chapitre (Bibl. mun. Cherbourg, mss. 58, chap. 7) qu'il traite de la population.
30. Bibl. Caen, mss. in-fol. 43.

C'est la définition qu'en donnent seize capitaines de navires dans un mémoire de 1755 [31], c'est la thèse que défend l'ingénieur en chef des Ponts-et-Chaussées dans son projet sur la navigation de la rivière d'Orne (1778) [32] : l'arrière-pays de Caen serait repoussé jusque vers Argentan moyennant quelques travaux et la démolition d'une poignée de moulins, le Maine tomberait alors probablement lui-même dans l'aire économique de Caen.

Plus qu'aux structures, le XVIIIᵉ siècle s'attache d'ailleurs à réfléchir aux fonctions urbaines. Le premier thème débattu est celui de la beauté et de l'utilité. L'abbé Charles-Gabriel Porée, frère du célèbre père Charles, jésuite et maître de Voltaire à Louis-le-Grand, écrit à Caen en 1744, pour les *Nouvelles littéraires,* un « Discours sur la naissance et le progrès des Sciences et des Arts » [33]. L'analogie des canons de la beauté des villes avec l'organisme vivant est soulignée fortement. La qualité urbaine n'est-elle pas faite de symétrie, de proportion, de simplicité et d'unité [34] ? Et si la laideur apparaît dans la cité du XVIIIᵉ, c'est par l'anarchie des constructions, le désordre des places et des rues, jouets du hasard. Tout à l'heure, on devinait une intention, un finalisme ; maintenant c'est le chaos sans signification des maisons, une sorte de désert de symboles humains. Sous la plume de l'abbé Porée, apparaît alors l'image de Babel, propre à donner à sa dissertation une violence persuasive. La tour inachevée, c'est la ville impossible par la confusion des langues. Les hommes qui conservaient « des idées des choses » ne purent les communiquer, les ordonner selon un plan et se dispersèrent. C'est assez dire que la ville veut son langage et qu'elle est un langage.

Aux yeux de l'abbé Porée, nos villes du XVIIIᵉ sont trop babéliennes, « assemblage informe de maisons bâties par nécessité, sans symétrie » [35] devant lesquelles on rêve, non sans chagrin, d'une ville imaginée. Du moins l'auteur leur reconnaît un secret attrait tiré de la convenance des structures et des fonctions : commodes aux habitants, elles offrent également bien des facilités au commerce. Si l'utilité compense la beauté, l'auteur n'a pas voulu en disserter, mais n'est-ce pas justement un problème vide, puisque dans le monde de la vie où se rangent les villes, subsiste toujours une certaine beauté de l'utile ?

Une méthode d'étude comparative transparaît des réflexions de l'abbé Porée. On conçoit désormais des parallèles de ville à ville qui ne soient plus fondés sur la majesté des monuments ou la renommée, mais sur l'aptitude à remplir un rôle, sur la fonction, *mutatis mutandis.* Les académiciens de Caen percevaient au milieu du siècle ce mouvement de pensée — d'où sort notre géographie urbaine. En somme, écrivait en 1747 un de leurs correspondants, « Caen, suivant ce que vous m'en dites, peut passer pour un extrait assez raisonnable de Paris » [36]. Un extrait raisonnable, c'est-à-dire un modèle aux proportions réduites et convenables, mais aussi un abrégé raisonné.

31. Arch. dép. Calv., C 4092.
32. *Ibid.,* C 4095.
33. Notice biographique des deux Porée, in : Frère, 1858, t. 2, p. 402. Le manuscrit de Charles-Gabriel est à la Bibliothèque municipale de Caen, mss. in-4° 247.
34. *Id.,* p. 24.
35. *Id.,* p. 30.
36. Bibl. mun. Caen, mss. in-fol., 202, Lettre de Jean le Petit de Montfleury à Monsieur d'Ifs.

Deux communications du même auteur à l'Académie des Belles-Lettres en 1750, consacrées à la forme et à la fonction des agglomérations, plaident en faveur de ce dernier thème. On entend Ch. G. Porée se prononcer contre les « grandes villasses qui n'ont point un air de vie » et présenter l'apologie des villes moyennes « d'une grandeur médiocre, plus cultivées, plus fortes et où tout est en mouvement » [37]. Il faut souligner la date : dans la décennie qui commence, J. J. Rousseau écrit le grand livre du XVIIIe siècle : *La Nouvelle Héloïse.* Au fil des lettres des deux amants « habitans d'une *petite ville* au pied des Alpes » courent des arguments analogues. Seules les cités de taille modeste restituent à l'homme son véritable horizon et peuvent « rendre le goût des vrais plaisirs » [38]. Les mêmes idées apparaissent dans la lettre à d'Alembert écrite en marge des épîtres de Julie et Saint-Preux (octobre 1758). La force persuasive de ces thèmes culturels est à ce point que les apologistes des villes (les défenseurs du luxe) s'ingénient à recommander l'augmentation de la densité pour combattre l'étendue des agglomérations [39].

Ces réflexions sur l'optimum urbain sont partagées, on le sait, par la monarchie qui s'est efforcée — sans succès d'ailleurs — de modifier le développement parisien [40]. Mais l'argumentation diffère, l'abbé Porée ne songe pas aux difficultés administratives, n'envisage pas le coût alimentaire des habitants supplémentaires ; une image organique l'entraîne, c'est la crainte qu'un grand corps urbain lymphatique ne vienne à s'assoupir. La vie végétale — dès lors végétative — fournit encore ici la matière d'une analogie puissante qui confère les apparences de la raison à une pure métaphore. En somme le XVIIIe siècle parcourt un cheminement analogique inverse des auteurs médiévaux. L'homme y semblait un microcosme à l'image de la nature, paré de la forêt de ses cheveux, nanti d'une forge pulmonaire et son destin était scandé par des saisons comme la végétation : printemps - jeunesse, été - maturité, etc. Ici, c'est la société urbaine qui se fait corps et le macrocosme se déchiffre à l'aide du microcosme. L'agglomération démesurée mourra de son gigantisme et l'auteur la décrit « comme un arbre sans feuille couché par terre, étendant ses branches comme autant de bras sans proportion ni symétrie ». En revanche, il opte pour les villes fortifiées à la moderne, c'est-à-dire à la Vauban, pour les cités qui se serrent dans le corset de leurs murs. Ce n'est plus ici l'image de l'être vivant qui conduit la pensée, mais une autre qui l'enveloppe, celle du vêtement, et l'académicien appelle d'ailleurs les villes murées, assez joliment, les « françoises en panier ».

L'attrait exercé par les places fortes n'est pas un hasard et une cité digne de ce nom doit assurer la tranquillité, la sûreté des habitants. Les textes du XVIIIe siècle abondent de développements sur cette autre fonction cardinale.

37. Arch dép. Calv., 2 D. 1438, « Résomption d'une dissertation de M. Porée sur la forme des villes », mars 1750.
38. J.-J. Rousseau, 1961. Consulter les notes de B. Guyon. Cf. également P. Burgelin, 1952 ; J. Starobinski, 1958 ; R. Mauzi, 1960.
39. G. de Bory, 1776. Les partisans déclarés de l'essor des villes sont fréquemment issus de pays restés longtemps en marge de l'Europe urbaine : J. P. Willebrand, 1765.
40. M. Reinhard, 1964, part. 1.

Tantôt, comme chez Porée, la cité fortifiée s'identifie alors à un symbole de la loi, l'une matérialise l'autre et toutes deux concourent à la paix des citoyens [41]. Plus souvent encore, la ville commémore par ses murailles une fidélité monarchique. Il est curieux de voir fleurir ce thème dans les concours de poésie du XVIIIe, tandis que le XVIIe n'en offrait aucun exemple [42]. Cela peut se comprendre. Le XVIIe normand est trop bouleversé par le souvenir des Nu-Pieds et des incartades urbaines [43] ; on n'ose parler dans la maison des rebelles. Mais au bout d'un siècle, la mémoire de l'événement s'est brouillée ; on vantera désormais l'attachement de la Normandie envers le souverain et, pour éviter les allusions malséantes, on parlera surtout de la fidélité urbaine sous la Ligue.

Ainsi, tour à tour, les jurys du puy de poésies retiennent en 1746 le sonnet de M. Morin, étudiant en droit : *La ville de Caen toujours fidèle à son roi* [44], vers 1759-1761, un dixain : *La fidélité de Caen à ses rois, surtout dans le temps de la Ligue* [45] ; puis les stances de Louvel : *Caen toujours fidèle à nos rois,* et enfin une ultime et furtive illustration du thème désormais caché sous la rhétorique latine, le *Carmen Iambicum* de Mousson, en 1775 : *Cadomus rebellionis expers* [46]. La mémoire collective semble donc soulevée d'une houle de longue amplitude. Mais les textes dédiés à l'attachement monarchique et à la sécurité urbaine prennent également leur appui dans les événements quotidiens. Deux preuves.

C'est à la mi-temps du XVIIIe siècle où disparaissent les murailles de la ville que les écoliers et les étudiants chantent la paix que connut la cité dans l'enclos de ses remparts lorsque la discorde attisait les troubles :

> « Illustres habitants de ma chère Patrie
> Vous bravez ses efforts...
> Tel au sein de la mer un rocher immobile
> Des flots impétueux défiant le courroux,
> A la fureur des vents oppose un front tranquille
> Et méprise leurs coups... » [47]

De quel pressentiment de grande peur veut-on guérir par là une ville ouverte désormais sur la campagne ? Et pense-t-on seulement aux Anglais comme l'ingénieur Du Portal l'écrivait en 1763 [48] ?

De même, c'est au fort des luttes entre la municipalité et l'intendant que la poésie scolaire brode cette allégorie du bon gouvernement urbain, où l'on ne saura jamais combien d'épithètes sont à comprendre par antiphrase :

41. Arch. dép. Calv., 2 D 1438 ; compte rendu d'une dissertation de C. G. Porée sur la destination des villes.
42. Les poésies primées et conservées recouvrent la période 1666 à 1792, à quelques années près.
43. B. Porchnev, 1963 ; Ch. P. Séguier, 1842.
44. Arch. dép. Calv., D 1245.
45. *Ibid.*, D 490.
46. *Ibid.*, D 1251.
47. *Ibid.*, D 1257, poème de Louvel, 1759-1761.
48. Bibl. mun. Caen, mss. in-fol. 76 : « La ville de Caen, vu les ouvertures qu'on y a faites depuis quelques années, n'est nullement à l'abri d'un coup de main. »

« Caen brulant pour son Roi d'une fidèle ardeur
Sçut toujours conserver sa première innocence
Cette ville jamais ne connut d'autre loi
Que l'intérêt du Prince et ceux de la Patrie. »[49]

Ou bien encore :

« *Verum Cadomus, animos insignis Curia*
Dum legibus regit, annonamque temperat
Quiescit placida inter tumultus horridos. »[50]

La ferveur monarchique est-elle un sentiment qu'on ranime en le faisant dire par les enfants ?

Depuis la deuxième moitié du XVIIIe siècle une parenté rapproche tous les thèmes de réflexion urbaine, c'est leur contenu optatif. Là se manifeste une révolution des esprits, naguère appliqués à rêver le passé fabuleux de la ville, maintenant soucieux de développement, d'aménagement. Désormais le présent et le futur sont les temps privilégiés du discours.

Le présent : certes depuis très longtemps le compte des heures éloigne à jamais la ville des rythmes campagnards. Mais observons pour la première fois cette assimilation substantielle de la cité au temps commun dans ce plaidoyer de l'échevinage en faveur de l'horloge municipale, composé en 1754. On y démontre la nécessité d'une règle universelle qui régisse le service divin, les juridictions, les bureaux, l'Académie des Sciences et Belles-Lettres, le concert « en même temps qu'un nombre infini d'ouvriers et d'artisans »[51]. C'est l'aube de la ville manufacturière qui vivra sous l'empire de la mesure.

Au-delà des valeurs du présent apparaît surtout la référence au futur et il n'est plus guère de discours sur la ville qui ne porte la trace de quelque projet. 1750 est l'année des *Réflexions patriotiques sur les moyens d'embellir la ville de Caen*[52] et des *Observations d'un second patriote sur les moyens faciles de rétablir la ville de Caen et lui procurer les avantages dont elle a besoin*[53]. Tout parle ici le langage de l'avenir jusqu'à l'emploi précoce du mot patriote et peut-être plus encore de l'adjectif patriotique. F. Brunot l'a montré. Mais le contenu des projets est lui-même révélateur : on y traite de la hauteur des bâtiments, de la largeur des places, de la circulation, de l'hygiène des marchés, des matériaux, à l'intention d'un public éclairé. Le *Journal* d'Abraham Le Marchand montre d'ailleurs au même moment l'intérêt que ce citadin parmi tant d'autres portait aux travaux sur les murailles de la ville, à la construction des puits, au percement des rues[54].

Bien entendu, cette attitude comptable, prospective, n'étonne pas lorsqu'on ouvre les mémoires des officiers des fortifications, comme celui de Du Portal de 1763, bien qu'on y trouve un raffinement prévisionnel qui va

49. Arch. dép. Calv., D 1245.
50. *Ibid.*, D 1251.
51. Arch. mun. Caen, DD 37, requête de l'hôtel de ville aux trésoriers de France pour le maintien de la porte sur le pont Saint-Pierre.
52. *Ibid.*, DD 58 *bis*, in-4°, 14 p.
53. G. Lavalley, 1910-1912, t. 3, p. 107 ; L. Musset, 1955, pp. 268-274.
54. Bibl. mun. Caen, in-4° 120. L'auteur vécut de 1693 à 1768.

jusqu'aux aspects sanitaires (nombre de lits des hôpitaux) ou alimentaires de la ville (capacité de cuisson du pain chez les boulangers). Elle ne surprend pas chez les échevins et les trésoriers de France qui font graver en 1778 les noms des rues aux angles des maisons pour que la ville devienne lisible aux étrangers [55]. Elle est bien légitime aussi dans les mémoires douze fois répétés de 1747 à 1782, des négociants sur les difficultés du commerce maritime et les perspectives d'essor urbain qui suivraient l'aménagement de la vallée [56] ; dans les plans des Ponts-et-Chaussées qui depuis 1775 proposent une séquence de modelés de Caen où le possible et l'imaginaire se mêlent.

Mais au-delà de ces témoignages, c'est l'ensemble des écrits que gagnent inexorablement les thèmes économiques et les problèmes de la société urbaine. Il faut rouvrir les annales poétiques scolaires, sensible instrument de mesure d'une opinion publique déjà formée puisque transmise à travers les classes. Aux dernières années de l'Ancien Régime, la versification des collèges prend tout l'insolite d'un manteau d'arlequin sur un corps étrange. La cité commerçante, sa plèbe d'ouvriers laborieux résument désormais ce qu'on doit dire de la ville. Ecoutons en 1782 ce naïf sonnet *Sur le bassin maritime de Caen* par M., écolier de philosophie :

> « Nous verrons donc enfin désormais l'abondance
> Par un nouveau canal couler chez les humains... » [57]

ou telle ode composée aux lendemains de la guerre d'Amérique sur le retour de la prospérité chez les petites gens :

> « Dans tes murs fortunés, O Caen, O ma patrie,
> Mes yeux vont contempler un plus riant tableau ...
> Déjà la faim livide à l'œil sombre, au teint blème
> De l'utile artisan n'engourdit plus les bras. » [58]

L'âge d'or dont on croit observer ici les prémices n'a plus de fondement culturel et la renommée de la ville va sans ses savants et ses beaux esprits. On engrange d'autres moissons. La meilleure cité de maintenant ? Mais elle « administre équitablement ses citoyens » [59], davantage, elle sait reconnaître et nourrir « la troupe mourante » de ses pauvres. Voici que se dessinent en effet les premières évocations du paupérisme, toutes figées encore dans la raideur et les cadences venues du discours latin :

> « Privés du plus vil nécessaire
> Condamnés aux plus durs travaux
> Ils gémissoient ...
> Chaque jour redoubloit leurs maux. » [60]

La ville et la misère sociale sont en train de nouer un pacte qui renforce de tout son poids inavouable les attraits de la nature : Madame de Livry

55. Arch. dép. Calv., dépôt de Bayeux, G 879, mss. Dufour, f° 79.
56. *Ibid.*, surtout C 4093 à C 4096. Les requêtes datent de 1747, 1751, 1755, 1762, 1764, 1766, 1768, 1770, 1771, 1777, 1778, 1782.
57. *Ibid.*, D 496.
58. *Ibid.*, D 498.
59. *Ibid.*, D 490 : « Sur l'heureux gouvernement de Mgr Fédeau de Brou, intendant de la Généralité de Caen », 1783-1787.
60. *Ibid.*, D 494, « Sur Mgr l'intendant Feydeau, à son arrivée à Caen ».

écrivait déjà en 1732 au professeur Cotelle, agrégé aux droits de la Faculté de Caen :

> « C'est loing de l'enceinte des villes
> Qu'on goûte des plaisirs tranquilles. » [61]

Après Jean-Jacques, au temps de Bernardin de Saint-Pierre, combien de riches citadins ne rimaient-ils comme elle ?

> « De nos oiseaux le doux ramage
> Et les agréments du bocage
> Ont pour moy beaucoup plus d'apas
> Que le tumulte des villes. » [62]

S. Mercier note à la veille de la Révolution l'attrait des demeures de campagne auprès des Parisiens [63]. La province ne sentait pas autrement. Les échevins, les gentilshommes, bien des notables ne vivaient guère à Caen ; le conseil municipal ne tenait plus que des assemblées sporadiques depuis les années quatre-vingts. Il faut lire dans cette première « émigration » plus que l'effet des sortilèges champêtres : l'apparition d'une nouvelle conscience de la réalité urbaine.

4. CONCLUSION. CES THÈMES, REFLETS DE LA VILLE, DÉSIGNENT LE XVIIIe SIÈCLE COMME UN MOMENT PARTICULIER DE LA CIVILISATION URBAINE

Du début du XVIIe siècle à la fin de la monarchie, la mue des représentations de Caen ne laisse pas subsister ainsi grand-chose de l'héritage primitif. Les esprits cultivés ont longtemps conçu la ville comme le lieu d'élection d'une illustre académie, un vallon sacré. Puis vint Pierre-Daniel Huet et la ville perdit son blason : plus rien ne la relie aux dieux ; demeure seul le devoir d'étudier ses origines dans la trame d'une histoire sans grandeur. Le début du XVIIIe siècle écarte ainsi un rideau de conventions littéraires. Désormais d'autres thèmes étaient possibles ; de fait on les rencontre bien depuis les années cinquante.

Si les concepts du XVIIe siècle définissaient la ville comme le lieu où souffle l'esprit, le XVIIIe transporte ses images dans le monde des corps et nous demeurons souvent prisonniers de ce corps urbain. Cependant, par le truchement de l'analogie, la pensée trouve un accès facile à l'étude des fonctions et de la croissance. On a cherché à dater l'apparition de telles réflexions à travers des textes poétiques ou des dissertations de sociétés savantes qui nous garantissaient, par les lois mêmes de leurs genres que de nouvelles tournures d'esprit venaient à gagner l'ensemble de la société éclairée, et les administrateurs ne parlaient pas un autre langage. Sans doute, on aimerait savoir aussi comment les boutiquiers, et sous eux, les compagnons et les journaliers ressentaient la présence urbaine ; mais ils n'en disent rien franchement, fût-ce devant

61. Bibl. mun. Caen, in-fol. 150.
62. D. Mornet, 1907, développe tous les aspects culturels du sentiment de la Nature.
63. L. S. Mercier, 1779, 1782-1788.

le lieutenant de police qui les interroge au lendemain d'une émeute de subsistances. Vers la fin du siècle, en tout cas, la présence de ces « industriels » — selon le terme de Saint-Simon — s'alourdit dans la ville au point d'être perçue comme un traumatisme et de reposer le dialogue ville-campagnes sous un nouveau jour.

Par-dessus la continuité du réel, l'opinion collective venait ainsi de prendre la ville dans un nouveau filet de relations, et les problèmes se nouaient pour longtemps autour de la démographie et de l'hygiène, de l'économie et de la société. Là se renforce la proximité de la seconde moitié du XVIIIe siècle et du XIXe siècle, que A. de Tocqueville observait dans l'ordre politique. Comment se cacher, plus encore, la parenté de ces réflexions avec notre méthodologie contemporaine ?

Une si frappante communion de pensée suggère bien des remarques et fait naître autant d'hypothèses de travail. L'urbanisation où ne cesse d'aboutir notre horizon culturel du XIXe et du XXe ne se dessinait-il pas dès le XVIIIe siècle ? Sinon, quelle nécessité eût poussé les hommes du roi comme les particuliers à entreprendre le compte en apparence insensé des citadins, ou celui de la circulation des richesses qui postule si impérieusement, en dépit de nos économistes aux champs, les physiocrates, la pulsion motrice des classes urbaines. Pourquoi, depuis Louis XV, tant de recherches sur l'alimentation, sur l'insalubrité, les contagions, les maladies sociales ou professionnelles, sur le péril moral qui frappe en ville le paysan « parvenu » et bientôt « perverti » ?

Depuis une dizaine de générations, une même famille de problèmes semble donc se répéter. Pourtant, cette cohérence, cette unité de la civilisation urbaine ne pouvaient m'entraîner à parcourir deux siècles d'histoire et même davantage. Si les villes modernes et contemporaines appartiennent à un temps imperceptiblement mobile à l'instar des campagnes méditerranéennes que F. Braudel observait durant la génération de Philippe II, c'est par leurs rues ou leurs pierres, par les pleins et les déliés d'une écologie où la richesse seule s'est figée ; mais tant de distances économique et démographique séparent tout de même la ville du XVIIIe de la nôtre que l'objet se serait dissous dans l'à-peu-près.

En ce sens, l'histoire séculaire ne pouvait être que fille de la pénurie archivistique et en dépit de juin 1944, tel n'était pas le cas en Normandie. Outre les pièces innombrables éparpillées dans les bibliothèques parisiennes, les sources départementales et nationales demeurent ; leur richesse passe la renommée. L'irréparable, sur place, n'a touché que l'état civil des XVIe et XVIIe siècles. Ainsi, dans le court espace géographique de la cité et de son aire d'influence, c'est le renouvellement, entrevu tout à l'heure dans les représentations de la ville, stables depuis le XVIe siècle, qui m'arrêtera. Il faut sortir de ces images reflets et voir la réalité du passage. Comment mène-t-il à l'ascension urbaine du XIXe siècle ?

II. LA CRISE DES DÉFINITIONS RATIFIE CELLE DES REFLETS CULTURELS

1. CONFUSION DU VOCABULAIRE URBAIN DANS LA FRANCE MODERNE

L'imprécision du vocabulaire qui désigne les phénomènes urbains à l'époque moderne ne surprend pas. On sait bien comment la précision des mots s'use à travers la fréquence de l'emploi ; tant augmente l'usage, tant diminue l'information. Et les concepts de ville et de cité, de citadelle et château, de bourg, faubourg, de terroir, dépendances, hameaux ou écarts, de banlieue font ainsi dans l'album de Caen, comme ailleurs, une collection de clichés assez brouillés. Depuis le Moyen Age, en effet, il est aisé de montrer des emplois de plus en plus équivoques, où les termes se combinent par paires ou par trio.

D'abord, comme l'a remarqué d'une manière générale F. de Dainville, la cité primitivement épiscopale est devenue synonyme de ville [64] ; ici, on emploie ce mot couramment bien que le siège de l'évêché fût à Bayeux mais le terme de château est lui-même entendu au sens de citadelle et il désigne, à Caen, l'ensemble de l'espace inscrit dans des fortifications autonomes (la maison du gouverneur, l'église Saint-Georges, l'échiquier, le donjon, divers magasins et arsenaux, une place d'armes) [65] ; de même l'usage du mot faubourg recouvre celui de bourg [66] : on trouve ainsi chez Bourgueville « de ces quatre fauxbourgs, le premier ... est le bourg l'abbé », et dans Pierre-Daniel Huet : « le faubourg Saint-Gilles qu'on nommoit autrefois le bourg l'abbesse » [67]. A son tour, la ville désigne également le terroir, les dépendances, hameaux et écarts ; la banlieue enfin, synonyme des environs, est en passe de se confondre au XVIIIe siècle avec le pays puisque la législation reporte en certaines circonstances jusqu'à trois lieues des faubourgs en tous sens et en d'autres à une lieue seulement, le début de la vraie campagne : à l'extrémité du siècle on ne sait même plus bien de quoi on parle et la communauté des bouchers demande à l'autorité royale de préciser, en 1784, les campagnes comprises dans son ressort [68].

Il est clair que cette dérive de l'emploi des mots ne se fait pas dans n'importe quel sens. Du château à la citadelle, de la cité, cœur de la ville au XVIIe siècle, à la ville [69], de celle-ci à son terroir, de la banlieue au pays, chaque notion primitive se voit dotée d'un sens en expansion. Que la partie vienne ainsi désigner le tout, signifie bien quelque chose d'un point de vue historique. C'est la marque d'une familiarité croissante avec les réalités désignées ; l'utilisateur sait qu'il sera compris ; on l'entend à demi-mot, c'est-à-dire,

64. F. de Dainville, 1964, p. 216. Caen, Délibération du Conseil municipal, *passim.*
65. Arch. du Génie, Plans de Caen.
66. Arch. dép. Calv., C, Rôles de dixième, vingtième, capitation.
67. Ch. de Bourgueville, 1833, p. 33 ; P. D. Huet, 1706, p. 188. Remarques voisines dans le livre ancien et toujours intéressant de A. Babeau, 1880, chap. 1.
68. Arch. dép. Calv., 1 B 2008, Procès-verbal de la réunion du 11 mars.
69. F. de Dainville s'appuie notamment sur Sanson, 1681-1697, et Furetière, 1690.

en réalité, à demi-sens et ce que la confusion du vocabulaire traduit n'est finalement que la montée du fait urbain dans la société : sa « vulgarisation ».

Ces considérations, toutes formelles, font entrevoir quel intérêt on pourrait prendre à dater, dans les divers milieux sociaux, cette contamination des mots par un autre sens, mais les documents explicites font défaut. Du moins permettent-ils de voir comment on est passé des premières notions relativement claires aux secondes, très ambiguës. Entre le milieu du Moyen Age et le XVIIIe siècle, quelques siècles ont été nécessaires pour que la ville légale se perde peu à peu sous la ville réelle selon une loi que nous voyons se répéter depuis la Révolution jusqu'à nos jours.

2. BOURG, COMMUNE ET VILLE DANS LE DROIT PUBLIC ET PRIVÉ EN NORMANDIE

C'est à la collation des ordonnances royales et à la rédaction de la Coutume réformée (1583) que la ville de Caen doit en effet la passagère et partielle fixation de son vocabulaire urbain. Celui-ci a bénéficié d'un effort de réflexion dont le contenu, fût-il de droit privé, restait touché par la législation publique. On peut même tenir pour particulièrement provincial cet esprit de la Coutume qui fonde le pouvoir surtout dans les communautés plus que dans les individus et ne descend guère vers ceux-ci par exemple au-delà des lignages[70]. De 1583 à 1791, d'autre part, le droit privé est fixé. Seuls les articles placités de 1666 y ajoutent quelques corrections tirées de la jurisprudence et d'ailleurs étrangères au domaine des collectivités. De même les ordonnances royales du XVIe au XVIIe siècle remettent davantage en cause des modes de fonctionnement de l'administration urbaine que des définitions. C'est donc en dépit de la stabilité juridique qu'évolueront les notions urbaines dans ce laps de temps.

La Coutume de Normandie ne fait aucun sort particulier à des termes tels que faubourg, écart ou village ; elle ne définit les dépendances que d'un point de vue féodal (ex. : le droit de colombier est une dépendance du fief). Le *Dictionnaire* juridique de Houard[71] décrit à peine le hameau, « habitation dépendante du village ». En revanche, la Coutume connaît la ville et la banlieue, c'est-à-dire les deux notions extrêmes du vocabulaire que nous étudions et ce n'est d'ailleurs pas une innovation de la réforme du XVIe siècle : dans le très ancien droit normand ces notions apparaissaient déjà. La ville se définit d'abord comme le lieu géographique où s'exercent certains droits (chapitre des privilèges des Communautés). Bien entendu, ceux-ci sont d'ampleur variable selon les cas. Plus l'ancienneté des franchises est attestée, plus grande en général est leur extension. A Bayeux, par exemple, la ville, mais aussi les faubourgs et la banlieue jouissaient de nombreux droits ; la terre y échappait à l'emprise féodale, une administration autonome, un système de police étaient reconnus aux habitants. En outre, des libertés plus ou moins étendues peuvent avoir été fondées ou complétées par le roi, les seigneurs ou l'Eglise à des dates plus tardives.

70. Besnier, 1935 ; J. Yver, 1952. Le texte de la Coutume figure dans Bourdot de Richebourg, 1724, t. 4, p. 56 sq.
71. Houard, 1780.

En tout cas, lorsqu'au XVIe siècle le droit normand se fige, toutes les villes et bourgs possèdent leur cartulaire qui les distingue des campagnes [72]. Aux premières pages de ces recueils, figure généralement la charte de fondation du bourg, mais elle a pu disparaître, ou peut-être, en raison de son ancienneté, n'être jamais écrite au long. Caen forme ainsi, dès le début du XIe siècle, un bourg ducal avec son terroir et c'est sous ce nom que cet établissement apparaissait dans une donation de dîme à l'abbaye de Fécamp [73]. Mais on a perdu la trace précise de la fondation. En tout cas, outre des cultures, prés et vignes, le lieu comptait déjà une foire, un port, un tonlieu. On connaît très bien, en revanche, les circonstances dans lesquelles il fut augmenté vers la fin du même siècle. Avec des terres distraites de la première fondation [74] ou complétées par acquisition, Guillaume et Mathilde dotèrent les abbayes Saint-Etienne et La Trinité [75]. Chacune devint le chef d'une seigneurie et d'un bourg. Ces trois établissements, puissamment patronnés, comblés à l'origine de privilèges identiques [76], d'abord fonciers et commerciaux qui se différencieront plus tard [77], englobent progressivement à la suite de divers rachats quelques petits fiefs indépendants qui restaient enclavés dans leurs terres ou bien les bordaient. Au XVe siècle, cette expansion s'achève par le rattachement au Bourg-l'abbé du Manoir de Brucourt [78].

Il faut souligner fortement que cette division du sol est entièrement distincte du découpage paroissial, même s'il y eut quelques tentatives ici et là dans le Bourg-l'Abbé ou le Bourg-l'Abbesse pour harmoniser les deux [79]. Mais les limites des bourgs et de leur terroir dépendent d'abord des frontières domaniales. Autour de Saint-Etienne, les habitants resteront partagés jusqu'à la Révolution entre trois paroisses urbaines, Saint-Nicolas, Saint-Ouen et Saint-Martin en partie ; le terroir empiète même un peu sur le finage de Venoix dans la banlieue de Caen [80]. Le principe de division du sol est ici en quelque sorte économique et démographique puisque par la création des bourgs, on attribue des privilèges fonciers et qu'on cherche le peuplement. La confusion des notions urbaines vient de là pour une part : de la difficulté jamais résolue d'adapter le bourg, population groupée dans une seigneurie et dotée progressivement de franchises, à une administration fondée surtout depuis la fin du Moyen Age sur la base paroissiale.

72. P. Carel, 1888. Par suite d'un incendie, le texte lui-même est presque inutilisable (Arch. mun. Caen, AA 1 et 2).
73. A. du Monstier, 1663, p. 217, « Do et decimas telonii de Burgo qui dicitur Cadomus et unum hospitium ». M. Fauroux, 1961. Sur les origines de Caen, cf. G. Huard, 1918 ; L. Lelièvre, s.d. ; J. F. Lemarignier, 1948 ; R. et L. Musset, 1949 ; B. Pont, 1866 ; H. Prentout, 1918.
74. On distingue bien au XIe siècle le bourg lui-même (*burgus*) et le terroir qui l'entoure : « villa quae Cadomum dicitur ». Cf. H. Legras, 1911, p. 28 et 36 sq.
75. Arch. dép. Calv., H 1830, Charte de Saint-Etienne, 1080 ; H. Trinité, cartulaire, 1082, f° 2. Cf. *Regesta regum Anglo-normannorum,* 1913-1956, et H. Prentout, 1936.
76. Arch. dép. Calv., H 1830, Charte de Saint-Etienne : « et omnes consuetudines quas habeo in meo (burgo), habeat sanctus in suo ». Sur la différenciation entre les bourgs, cf. H. Legras, 1911, *passim.*
77. A. Giry, 1883-1885, t. 1, p. 24.
78. H. Legras, 1911, pp. 29 et 30.
79. Arch. dép. Calv., H, Trinité, Charte de 1082, f° 7, pour la paroisse Saint-Gilles.
80. *Ibid.,* H 2096, H 2098, H 2100.

En tout cas, la lointaine influence de la politique ducale des trois bourgs s'inscrit encore largement au milieu du XVIIIe siècle dans la géographie urbaine où persistent ces noyaux que sont venus compléter, il est vrai, ceux de deux faubourgs au nord et au sud : Saint-Julien et Vaucelles. Une histoire médiévale, d'ailleurs partiellement écrite entre les lignes du livre de H. Legras, pourrait montrer comment le bourg ducal, plus ancien, le *Major Burgus* comme l'appelle déjà la charte de Saint-Etienne [81], favorisé de lois plus évolutives, paré de l'éminente dignité de bourg royal à la suite du rattachement de la province à la couronne, l'emporta sur les bourgs abbatiaux, retombés dans la langue courante, comme dans le vocabulaire législatif, au rang de faubourgs. Ceux-ci n'en participaient pas moins évidemment aux privilèges que le droit normand résume dans la notion de bourgage [82].

Il faut se garder de confondre ce bourgage avec le droit de bourgeoisie [83]. Celui-ci est un privilège conféré aux personnes, celui-là est géographique et s'attache aux biens. C'est le bourgage qui fait le bourg. La Coutume réformée le saisit au terme d'une évolution qui se poursuivit du XIe au XVe siècle et le définit comme le lieu où la transmission des héritages est réglée par les articles 103, 138 et 270 : non seulement les droits seigneuriaux, en particulier le relief et le treizième n'y sont pas connus puisque nous sommes là en terre d'alleu ou de tenure franche, mais des règles bien faites pour qu'on en garde obstinément la mémoire y sont observées. Ainsi les frères et les sœurs s'y partagent également les successions foncières contrairement aux dispositions générales de la Coutume qui attribuent les deux tiers des immeubles au sexe masculin quel que soit le nombre de filles. Les bourgs et les villes se caractérisent donc par la fluidité des biens à travers les familles, mobilité que renforce la permission capitale et unique en Normandie d'acheter et de vendre les fonds comme des meubles [84]. La ville est relativement à l'archaïsme féodal des campagnes le lieu d'une certaine liberté de disposer des biens ; au patrimoine familial du plat pays s'oppose ici la possession individuelle ; constatons que si le bourg ou la ville ne se définissent pas nécessairement en Normandie par leur marché, bien qu'il y ait en réalité presque toujours concordance, des conditions favorables aux transactions foncières y sont inscrites *a priori*.

Enfin, il est bien clair que ces notions héritées d'un passé souvent lointain et que fixe la Coutume du XVIe siècle, ne préjugent en rien du volume de la population réunie. Si l'Eglise, les ducs de Normandie ou leurs vassaux ont conféré des privilèges pour attacher les habitants à leur terre et les y voir se multiplier, la réussite n'est pas toujours venue [85]. Ainsi le petit village de Carpiquet, aux portes de Caen, fut érigé en bourg par l'abbaye de la Trinité, mais il a végété malgré son titre que les administrateurs des XVIIe et XVIIIe siè-

81. Arch. dép. Calv., H 1830, Charte de 1080.
82. Outre H. Legras, 1911, cf. R. Genestal, 1900 ; R. Carabie, 1943 ; J. Massiet du Biest, 1956.
83. Houard, article Bourgage.
84. De nombreuses dispositions de la Coutume générale freinent le droit de vente (par exemple, des immeubles dotaux).
85. L. Musset, 1960 ; H. Legras, 1911, p. 40 sq., pour les bourgs de Caen.

cles finissent par oublier[86]. A la rigueur, un domaine, résidu d'un lieu de peuplement délaissé, pourrait avoir le statut d'un bourg[87]. Quoi qu'il en soit, il est clair que les définitions gelées dans la rédaction de la Coutume et les Chartes des ducs et rois étaient déjà peu pertinentes devant la réalité des choses à la fin du XVIe. Quels ne devaient pas être leurs inconvénients à la veille de la Révolution ! D'ailleurs le droit normand et les lois royales, passables dans la définition des villes et bourgs, sont obscures sur les différences qui règnent entre les deux.

Au fond, les villes ne seraient-elles pas simplement des bourgs ou des réunions de bourgs ? Le Très Ancien Coutumier normand[88] emploie en tout cas les deux termes comme des synonymes. Il est vrai que dans cette province, les institutions municipales ne sont venues que tardivement compléter les privilèges commerciaux et fonciers anciens[89] et les étapes de ce passage du bourg primitif à la ville sont obscures. Lorsque des textes apparaissent, ils sanctionnent généralement des faits en usage antérieurement ou se réfèrent implicitement aux Etablissements de Rouen[90]. C'est ainsi qu'une charte du 17 juin 1203 confirme à Caen le statut de commune[91]. Mais ce texte de Jean sans Terre se réfère à la situation courante « *cum omnibus libertatibus et liberis consuetudinibus ad communam pertinentibus* »[92]. Et les confirmations et compléments de Philippe Auguste en juin 1204[93] puis novembre 1220[94] ne sont pas plus explicites. Les thèses de Ch. Petit-Dutaillis trouvent donc ici leur application[95]. La commune ne créait pas nécessairement une situation nouvelle. Elle prit acte en quelque sorte d'une organisation qui s'était imposée entre la fin du XIe siècle et la fin du XIIe. Celle-ci s'était manifestée par le développement du droit de bourgeoisie — qui compose, en proportion diverse, des privilèges fiscaux et juridiques — et l'acquisition de franchises collectives, dont certains aspects sont une conquête de la *Conjuratio* des habitants.

Dans ces conditions, il ne faut pas s'étonner du commentaire de Houard sur la Coutume de Normandie ; il se borne en 1780 à résumer les effets sans se prononcer sur les causes et décrit la commune de façon très brève comme « un corps d'habitants d'une même ville ou d'un même bourg, lorsqu'ils y suivent des règles de *police particulière* »[96]. C'est réduire l'institution communale à un rang modeste mais sans surprise, puisqu'elle a connu une longue

86. Arch. dép. Calv., H, cartulaire de la Trinité, f° 62 v°, début XIIe.
87. L. Musset, 1960.
88. *Très ancien coutumier,* J. Tardif, 1881 et 1903, col. 37, paragr. 2 et 5.
89. A. Cheruel, 1843-1844, et A. Giry, 1883-1885, t. 1.
90. A. Giry, 1883-1885, t. 1, p. 1 sq. Les Etablissements de Rouen inspirent toutes les organisations urbaines normandes, puis celles de nombreuses villes de l'Ouest et du Midi aquitain. Ils datent de la deuxième moitié du XIIe siècle. Cf. aussi H. Prentout, 1929 ; E. Le Parquier, 1931.
91. P. Carel, 1886, p. 21 ; S. Deck, 1960, p. 322.
92. Caen appartient évidemment au groupe des Etablissements de Rouen ; cf. *Historiens de France,* 1738-1876, t. 23, 1876, p. 684.
93. L. Delisle, 1852, part 2, p. 15, n° 1072.
94. *Ordonnances des Rois de France de la troisième race,* 1723-1847, t. 12, p. 295.
95. Ch. Petit-Dutaillis, 1947, p. 43 sq., et A. Luchaire, 1911 ; F. Lot, 1935 ; M. Pirenne, 1939.
96. D. Houard, 1780, article Commune.

décadence depuis le XIIIe-XIVe siècle. Les rois de France oubliaient eux-mêmes, dans leurs ordonnances, de faire la part des villes de simples franchises et des villes de communes et, seulement attentifs à la force démographique, à la richesse économique, employèrent bientôt l'expression de « bonne ville »[97]. Le terme est utilisé en Normandie pendant la reconquête du XVe[98] et François Ier en use pour désigner Caen ; il est, semble-t-il, le premier[99].

Bref, l'accession au rang de ville provient moins d'un acte officiel que d'une évolution lente dans cette province, à partir de l'institution du bourg ; le succès démographique des établissements était ensuite sanctionné par des franchises nouvelles et enfin assez souvent par la reconnaissance de la Commune. Il faut évidemment mettre à part les « cités », c'est-à-dire les villes épiscopales, mais Caen n'en faisait pas partie et se trouvait rattachée au diocèse de Bayeux. Les termes du Très Ancien Coutumier ne sont pas démentis. Toutefois, dans l'ascension des bourgs, les fortifications jouèrent sans aucun doute un rôle important en garantissant une certaine sécurité aux habitants. La clôture introduisait dans l'espace urbain une césure qui survécut à sa disparition en divisant l'agglomération en ville et faubourgs. Assistons à la naissance de ces nouveaux partages.

3. VILLE MURÉE ET FAUBOURGS

S'il est certain que les trois établissements primitifs de Caen ont été fortifiés et dotés d'un service de guet[100], les abbayes ne paraissent jamais avoir pu ceindre réellement autre chose que leurs bâtiments et jardins conventuels ; beaucoup plus tard, il n'y aura pas davantage trace à Caen de tentatives pour protéger les faubourgs comme cela s'était pratiqué à Rouen au temps de la Fronde[101]. Face à toutes ces habitations ouvertes sur la campagne, le bourg ducal et royal possède seul la plénitude des attributs urbains. Cela ne veut pas dire que les fortifications aient été mieux que rudimentaires pendant une longue période médiévale. La citadelle campée sur son éperon et le bourg furent fortifiés au temps de Guillaume, vers 1058, si l'on suit J. Yver et H. Prentout qui s'appuient sur la chronique de R. de Torigni[102]. La méthode des fouilles archéologiques peut dire seule si cette très ancienne fortification était bien d'un mur de pierres continu[103]. Il est possible que les défenses du

97. Ch. Petit-Dutaillis, 1947, pp. 148-149 ; le terme apparaît sous Saint Louis.

98. Après Formigny, en 1450. Cf. Bibl. mun. Poitiers, mss. « Magni Jacobi ordinis S. Augustini Sophologium ».

99. Arch. mun. Caen, BB 1, registre des délibérations, f° 18 ; cf. P. Carel, 1886, p. 214.

100. Les murs de l'abbaye-aux-Hommes figurent encore sur les plans du XVIIe siècle. Cf. H. Legras, 1911, p. 71, sur l'ancienneté des fossés ; les plans, in : J. C. Perrot, 1963, n° 6.

101. A. Floquet, 1840-1842, t. 5, p. 311, cite les travaux de mars 1649 autour du faubourg Saint-Sever et du faubourg Cauchoise (Registre secret du Parlement).

102. J. Yver, 1957, p. 58 ; H. Prentout, 1936, p. 57 ; R. de Torigni, 1872-1873, t. 1, p. 164.

103. Le Centre de recherches archéologiques médiévales s'est d'abord attaché au château.

Fortifications et portes de Caen (tracé de N. de Fer, 1703)

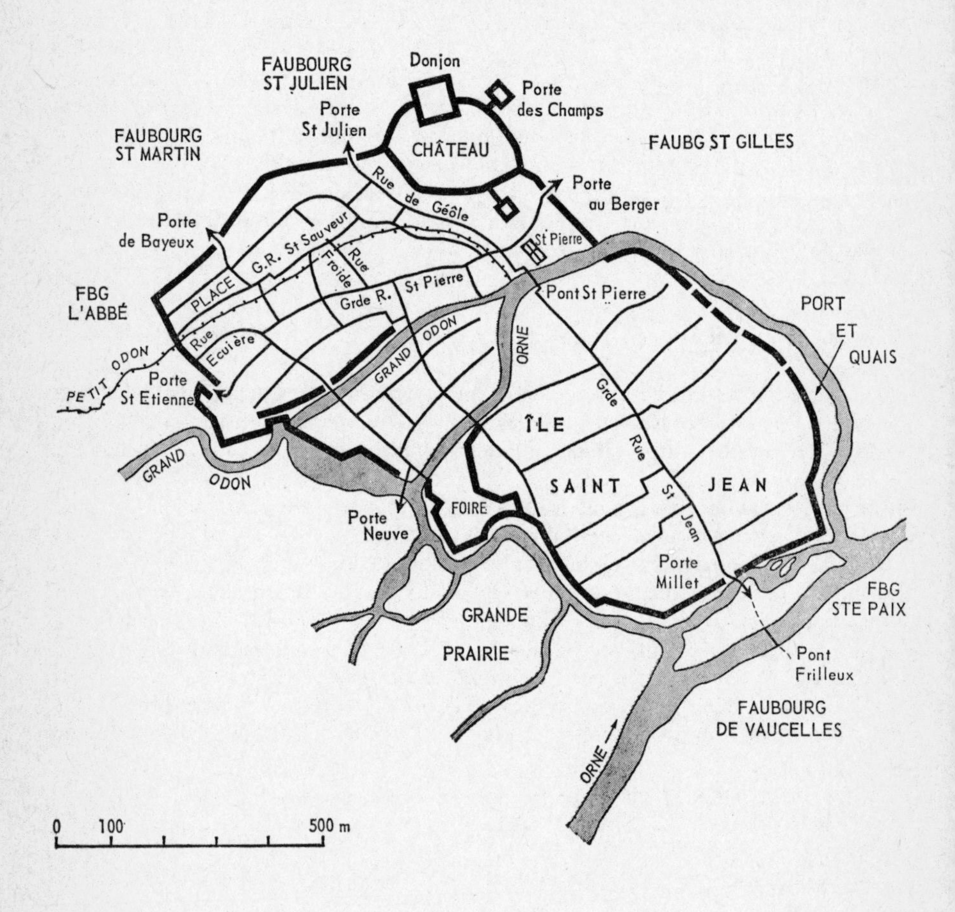

bourg fussent seulement constituées des rivières et de quelques levées de terre, murettes ou palissades sans lendemain. Henri Ier, au XIIe siècle, semble en tout cas ne s'être soucié que de la citadelle en y ajoutant un donjon [104]. Deux siècles plus tard, une telle situation était encore courante dans la province et Froissart s'en étonnait : « Trouverez, écrivait-il, en Normandie, grosses villes bâties qui point ne sont fremées » [105]. C'est la guerre de Cent Ans qui fit murer les dernières villes normandes.

La première prise de Caen date de juillet 1346 et si le château ne se rendit point, le Bourg-le-Roi sans clôture fut entièrement pillé par Edouard d'Angleterre. La même année, les Lettres Patentes de Philippe de Valois du 8 octobre donnent à la ville la permission de s'entourer de fossés, murs et portes à ses frais [106]. Dès lors la chaîne de textes relatifs aux fortifications de Caen est continue jusqu'au XVIIIe siècle. Des Lettres Patentes de Charles V de novembre 1365 montrent qu'on y travaillait encore à ce moment-là [107], tandis que l'abbaye Saint-Etienne hors les murs avait obtenu de construire des tours pour sa défense [108].

Pour l'essentiel le tracé de l'enceinte au XIVe siècle est celui que connaît encore le XVIIIe siècle, à l'exception de la face ouest où l'emplacement de la Foire franche, puis la construction du collège et de l'église de la Compagnie de Jésus, gagnés sur les prés au XVIIe, ont entraîné la construction de bastions plus récents appuyés sur la Porte neuve [109]. En tout cas, la césure offre peu d'énigmes ; d'innombrables textes y font allusion ; les historiens de la ville, Bourgueville, Huet, de La Rue ont longuement décrit les tenants et aboutissants de chaque tour et porte. Les ingénieurs des fortifications, à l'époque classique, ont levé plan sur plan, sans parler des croquis des dessinateurs des Ponts-et-Chaussées qui furent chargés des démolitions partielles ; enfin les érudits normands ont fait le point des vestiges qui subsistaient au XIXe et au XXe siècle. Sur ces documents repose la carte (voir p. 34).

Il faut s'arrêter sur cette clôture de quatre siècles qui vit s'écouler une époque de vie urbaine si lourde ; il en est juste temps d'ailleurs puisqu'au-delà des années 1750, très vite, par le vœu de l'administration et des habitants, ces murs vont tomber, effaçant dans leur chute plus qu'un panorama urbain, une géographie de la circulation, une mécanique des relations économiques et sociales, des liens sensibles avec l'habitation : des habitudes.

Est-il nécessaire d'insister d'abord sur le sentiment de propriété très fort que les bourgeois éprouvaient, de ces murailles dont ils ont financé la construction et qu'ils entretenaient de leurs deniers [110] tandis que le roi se bornait à mettre la citadelle en défense et que les bourgs ecclésiastiques, mal protégés,

104. J. Yver, *ibid.*, p. 97.

105. Froissart, 1869, livre 4. Ces propos sont placés dans la bouche des conseillers d'Edouard.

106. Arch. mun. Caen, BB 1 à 96 ; P. Carel, 1886, p. 75 sq.

107. P. Carel, 1886, p. 101 ; Arch. mun. Caen, AA, cartulaire, vol. 1, f° 32.

108. Arch. nat., Trésor des Chartes, reg. 84, n° 83, Lettres de Jean le Bon, 4 décembre 1354.

109. La célèbre Compagnie a contribué à ces travaux ; cf. Arch. du Génie, place de Caen, carton 1 ; J.C. Perrot, 1963, n° 556, p. 272.

110. P. Carel, 1886, *passim* et notamment les Lettres Patentes de Charles V le 7 novembre 1365.

végétaient dans l'inquiétude et le ravage, au point que Du Guesclin dut les exempter de taxes [111] et que le roi d'Angleterre les emporta aussi rapidement en 1417 que les Français les reprirent au duc de Sommerset en 1450 [112] ? C'est bien là une coupure ville-faubourgs, et d'autant plus sévère que ces derniers cotisaient aux frais de fortifications sans en ressentir les avantages directs [113].

Il y a plus : ces défenses coûteuses, bâties et retapées à coups de taxes d'octroi [114], ont tranché dès l'origine au vif du tissu urbain, dans le mépris des rues et des maisons. Le premier acte de cette géographie volontaire prend sa source dans les Lettres Patentes du dauphin Charles V (11 mars 1355) qui font abattre « les maisons et jardins qui pourroient estre préjudicieux à la closture d'icelle ville » [115]. Jusqu'à la fin du XVIe, la priorité donnée ainsi à la défense urbaine ne cessera pas non plus de creuser ce partage ville-faubourgs. L'ordonnance du gouverneur de Normandie qui provoque en 1580 la destruction d'une partie des murs le long des quais pour la facilité du commerce maritime n'est qu'un timide et précoce indice du renversement des attitudes dont la pesée se fait sentir, mais tout juste cent cinquante ans plus tard [116]. En revanche, l'époque classique adhère parfaitement à cette césure rehaussée de murailles : les ressortissants des faubourgs comprennent leur intérêt à vivre de plain-pied avec la campagne et à tricher à l'octroi par les venelles et les jardins ; *intra muros,* les bourgeois ressentent une certaine délectation à jauger leur différence, à lire ainsi en 1678 dans le mémoire de l'ingénieur-philosophe Vauban que « la ville est embarrassée de quatre grands fauxbourgs » [117]. Par ses murs, la ville close appartient à une aristocratie urbaine, dût-elle en revanche, et outre le guet, acquitter des taxes et répondre aux emprunts du roi [118].

Il est enfin certain que cette barrière si présente dans le ciel de la ville entraîne les juristes les plus avertis à commettre des erreurs. Ainsi lorsque Houard, en 1780, écrit que le bourgage selon « un principe constant » a pour limite l'enceinte des villes, il se trompe tout à fait car un certain terroir hors les murs est toujours compris dans le privilège ; mais cette erreur illustre bien la victoire fatale du principe militaire sur la notion juridique et l'administration royale sacrifie elle-même perpétuellement à cette vision des choses en usant depuis le XIVe siècle surtout des termes « chasteau, ville et fauxbourgs » pour embrasser la réalité urbaine [119]. Le XVIIe et le XVIIIe font plus encore, et stade extrême de la simplification volontaire, considèrent les murailles comme limi-

111. Bibl. nat. Fr., 22469, p. 77, Lettre du 21 janvier 1364.
112. P. Carel, 1886, p. 120.
113. Lettres patentes de Henri IV, juin 1424.
114. La réfection est attestée par les Archives municipales, BB 1 à 93, et celles du Génie. Principales campagnes : 1424, 1484, 1505, 1527, 1536, 1574, 1588-1589, 1594, 1615, 1626, milieu XVIIe, 1713-1716, 1731, 1736, 1744. Plus rien ensuite. Sur ces travaux, cf. aussi Arch. dép. Calv., C 1131.
115. Arch. mun. Caen, AA 1, f° 19 ; P. Carel, 1888, pp. 110-111.
116. Arch. mun. Caen, BB 20, Délibérations de la ville, f° 23.
117. Arch. du Génie, place de Caen, carton 1.
118. *Cahiers des Etats de Normandie sous le règne de Henri III,* 1887-1888, t. 2, pp. 200-201 et p. 227 ; Etats de novembre 1586 et octobre 1587.
119. Par exemple dans l'Ordonnance des Trésoriers de France en 1364, Arch. mun. Caen, AA 1, f° 65. Puis, vers 1450, de nombreux textes utilisent le même vocabulaire et notamment le manuscrit de la Bibliothèque de Poitiers, cité plus

tant les paroisses alors que toutes les circonscriptions religieuses sont à cheval sur la ville et les faubourgs. Un arrêt du parlement de Rouen distingue ainsi en 1631 cinq paroisses de ville, sans y compter celle du château, et sept paroisses des faubourgs [120]. Nicolas de Fer, géographe des années 1700, devrait être plus attentif aux nuances topographiques, mais il entérine pourtant à peu près cette division [121]. A bien des égards les fossés et les murs étaient donc apparus comme les seules limites nettes de l'agglomération. Mais c'était une vue archaïque des choses que l'affaiblissement des dangers militaires allait rendre caduque. La division paroissiale du sol ne cessa de l'emporter.

4. LIMITES DE PAROISSES

Au milieu du XVIIIe siècle, Caen se compose de treize paroisses : Notre-Dame-de-Froide-Rue, Saint-Etienne-le-Vieux, Saint-Georges-du-Château, Saint-Gilles, Saint-Jean, Saint-Julien, Saint-Martin, Saint-Nicolas, Saint-Ouen-de-Villers, Saint-Pierre, Saint-Sauveur, et les deux paroisses dont le chef est sur la rive droite de l'Orne : Saint-Michel-de-Vaucelles et Sainte-Paix. Les limites administratives et religieuses de la ville sont identiques. En dépit de divergences éparses en Normandie, c'est tout de même une situation courante. D'ailleurs toute la jurisprudence de l'Ancien Régime s'inspire de l'idée que les limites paroissiales ne dépendent pas seulement de l'Eglise, mais du pouvoir temporel chargé de les préciser et de les authentifier. Basnage rapporte par exemple, dans ses *Commentaires,* comment l'Official fut déclaré incompétent à décider des limites de deux paroisses de Rouen qui se disputaient, pour le baptiser, l'enfant né dans une maison limitrophe ; le Parlement, en 1657, renvoya l'affaire au Conseil [122]. Une telle laïcisation des limites ecclésiastiques fait comprendre un peu mieux l'attitude de l'Assemblée nationale dans le remaniement de la carte religieuse du pays ; en même temps ces contestations montrent les inachèvements et les obscurités de la géographie ancienne que A. Friedmann a étudiée dans un livre de grand mérite pour la capitale du royaume [123].

Le cas de la ville de Caen est heureusement moins embrouillé ; mais cette impression consolante ne viendrait-elle pas seulement du silence des textes ? On peut le craindre parfois. En tout cas, les limites générales des paroisses proviennent toujours de documents indirects ; au contraire, lorsque les textes sont précis et traitent ouvertement des ressorts religieux, nous n'en tirons plus que des pointillés trop espacés le long des lignes de partage.

Dans la première catégorie, les registres fiscaux forment la source éminente. Dixièmes, vingtièmes et capitation sont établis par rue et par paroisse. Comme ces rôles sont plus ou moins explicites sur les impasses, cours et venelles, il

---

haut. De même les Lettres de Grâce aux habitants en juin 1450 (P. Carel, 1888, p. 134 sq.). Au XVIe, ces termes sont courants : cf. les *Cahiers des Etats de Normandie...,* R. de Beaurepaire, 1876-1891.

120. P. Carel, 1888, pp. 203-205.
121. N. de Fer, 1703, pl. 28 ; J.C. Perrot, 1963, n° 26, p. 94.
122. H. Basnage, 1778, t. 1, p. 16.
123. A. Friedmann, 1959.

convient de les rapprocher les uns des autres ; ce qui a été fait pour les taxes de confirmation de franc-alleu de 1692 [124], les dixièmes de 1734 [125], de 1741-1742 [126], les vingtièmes de 1750 [127], de 1788-1789 [128], la capitation des nobles, privilégiés et bourgeois de 1768-1769 [129]. La nature des documents fiscaux rend leur emploi convenable lorqu'on ne veut pas atteindre une très grande précision. Mais comme les immeubles ne sont pas numérotés avant la Révolution le lecteur est embarrassé pour estimer où passait une limite paroissiale lorsqu'elle coupait une rue.

Les contemporains eux-mêmes se querellaient assez souvent là-dessus. Les archives judiciaires, celles des cures et les plans peuvent donc compléter cette première esquisse. Une telle dispute s'est élevée par exemple entre les curés de Vaucelles et Saint-Jean pour la démarcation de leur ressort rue Saint-Jean en 1760 et il ne fallut pas moins de deux notaires pour garantir la transaction passée entre les prêtres : un bourgeois venait de rendre l'âme, chacun des clercs voulait enterrer ce mort au plus vite pour ne point laisser à son confrère quelques sous de chandelle ; devant le mutisme des textes, les parties convinrent enfin de confirmer une allée, une manière de petit couloir comme limite paroissiale au sein du logis du défunt ; la crainte d'une instance au Conseil avait *in extremis* raccommodé nos deux larrons [130]. Dans un autre cas, pour faire cesser toute contestation, on avait scellé dans les murs des anneaux de fer sur les maisons, et s'aidant d'une transaction du XVe siècle, la puissante abbesse de la Trinité, Madame de Belzunce de Castelmoron, fit compléter ces précautions en ordonnant qu'on levât vers 1764 « la Carte géométrique » de sa paroisse Saint-Gilles [131], « ensemble les limites des neuf paroisses qui l'environnent ».

Ailleurs, la nouveauté de l'accroissement de la ville avait contraint les autorités royales, à la demande des habitants, à procéder officiellement. Le 8 janvier 1718, un arrêt du Conseil réunissait par exemple à Caen le terroir de Sainte-Paix, issu de la paroisse de Mondeville. Toutes sortes de difficultés durent s'élever puisque l'intendant fut obligé de dépêcher, onze ans plus tard, Gohier de Jumilly, lieutenant au bailliage, et deux arpenteurs chargés du partage. Rien de plus légitime puisqu'il s'agissait d'une section nouvelle, mais le procès-verbal montre que les limites anciennes du côté de Saint-Michel-de-Vaucelles pouvaient également prêter à discussion. D'ailleurs, la relation des deux géomètres est intéressante à plusieurs égards. Elle montre comme il devenait délicat de reconstituer les paroisses à l'aide des actes notariés des XVe et XVIe siècles, eux-mêmes chargés de confusions [132].

124. Arch. mun. Caen, CC 43-70.
125. Arch. dép. Calv., C 4942-4953.
126. *Ibid.,* C 4957.
127. *Ibid.,* C 5514.
128. *Ibid.,* C 5516 à C 5528.
129. *Ibid.,* C 4548, C 4619, C 4637, C 4656 ; le recensement de population de 1775, rédigé par quartier de police, ne rend pas le même service.
130. Arch. dép. Calv., G, paroisse Saint-Jean de Caen, sans cote.
131. *Ibid.,* H, abbaye de la Trinité, sans cote. Cf. J. C. Perrot, 1963, n° 312, pp. 191-192.
132. Arch. dép. Calv., G, paroisse de Sainte-Paix. Procès-verbal du 20 octobre 1729. Le cas Mondeville-Sainte-Paix est particulièrement confus. Eléments intéressants sur ce sujet dans L. Musset, 1965, pp. 181-188.

C'est pourtant ainsi que procéda G. Huard pour les limites de Saint-Pierre dans un ouvrage jamais en défaut sur ces questions ; c'était, il est vrai, une paroisse située au cœur de la ville, à peu près entièrement construite, où les localisations foncières étaient sans doute plus faciles [133]. De même G. Hippeau dans son *Abbaye de Saint-Etienne,* se fonda sur un terrier de 1474 pour distinguer les paroisses Saint-Nicolas et Saint-Ouen [134]. L'un et l'autre avaient d'ailleurs un illustre prédécesseur : dès le début du XVIIIe siècle, Pierre-Daniel Huet s'était appuyé sur les anciens titres ; plus que ses *Origines de Caen,* assez brèves sur cette question, il faut consulter ses propres archives dans les manuscrits de la Bibliothèque nationale [135] pour y puiser des éléments de reconstitution de Saint-Nicolas et Saint-Etienne.

A toutes ces recherches, ajoutons ici les contrats de vente ou d'achat et les baux adjugés aux chandelles par la municipalité qui élargit ses rues ou lotit des terrains dûment localisés. De la sorte, se précise le rattachement paroissial des zones publiques : le champ de foire (à Notre-Dame) [136], la place Saint-Sauveur (partagée entre trois paroisses : Saint-Etienne, Saint-Martin et Saint-Sauveur) [137]. Et faisons état surtout d'un texte qui par sa clarté et son extension vaut souvent mieux que les sources fiscales. C'est le rôle du patrimoine de ville, rédigé en septembre 1749 à l'intention du roi, où apparaissent tous les espaces municipaux par ressort paroissial : les places publiques, les fortifications, la prairie de Caen, les promenades [138], les limites dans le terroir de Caen.

Dès qu'une terre est consacrée au jardinage, à la paissance, au labour et qu'il n'est plus âme qui y vive, nul ne se soucie généralement de relater l'appartenance paroissiale ; on va simplement dire que telle pièce est sise au terroir de Caen et l'un des exemples les plus irritants de cette imprécision constante des textes est le registre factice de minutes notariales et papiers divers sur les prairies de Caen, qu'on feuillette en vain, malgré l'échelonnement des dossiers sur quatre siècles, de 1564 à 1808 [139].

Les deux arpenteurs de Sainte-Paix ont rencontré en 1729 toutes ces difficultés. Leurs démarches comportent un enseignement. Comme leur perplexité augmentait dès qu'ils eurent passé les maisons, ils revinrent aux textes, quitte à vérifier plus tard sur le terrain. Hélas, en pure perte : « Nous avons marché, écrivent-ils, pour connoistre la vérité de l'énoncé des titres ... et ayant reconnu qu'il n'était pas possible de faire aucun partage fondé sur les dits titres, nous avons jugé qu'il étoit plus à propos pour la tranquillité et la paix des habitans des deux paroisses de commencer à prendre un alignement ... sans avoir égard aux titres produits. »

133. G. Huard, 1925, *passim.* Plan de la paroisse, h.t., pp. 28-29.

134. C. Hippeau, 1855, pp. 474-482.

135. Bibl. nat., mss. fr. 11911.

136. Arch. mun. Caen, DD 19.

137. *Ibid.,* DD 58 *bis.*

138. Arch. nat., Q 190 : « Déclaration que donnent au Roy notre Sire, les Maires et Echevins de la ville de Caen, des maisons, prés, tours, murs, portes, fossés, remparts, contrescarpes, ponts et autres héritages, que la communauté des habitans de ladite ville tient de sa Majesté en franc-alleu, franc-bourgage et franche-bourgeoisie ».

139. Arch. mun. Caen, DD 19. Dans les contrats, on oppose toujours la paroisse de Louvigny et, globalement, la prairie de Caen.

Saint-Michel-de-Vaucelles, Sainte-Paix et Mondeville ne relevaient pas d'une abbaye toute proche comme une partie des paroisses Saint-Gilles ou Saint-Ouen, Saint-Martin et Saint-Nicolas et n'eurent pas les honneurs de plans terriers aussi minutieux [140]. Avec le plan de l'abbesse de Saint-Gilles, la tâche des géomètres eût été faite, comme avec le terrier de 1667 dans le Bourg-l'abbé que l'arpenteur-juré enrichit de relevés et d'une « table pour trouver les paroisses et dellages » [141].

Faute de titre précis, il restait encore aux habitants de Sainte-Paix, outre l'invention pure et simple de nouvelles limites, un dernier recours : l'examen du terrain. Les procès-verbaux rappellent en effet que les paroisses de la ville étaient bornées vers l'extérieur par des fossés. On retrouva, par exemple, sans mal celui qui départageait Saint-Michel-de-Vaucelles et Sainte-Paix [142]. En l'absence de révolution technique agricole, on peut se fier d'une façon générale à l'ancienneté de ces voies d'écoulement des eaux, comme à leur permanence. D'ailleurs, en voici la preuve : sur le plan anonyme que l'abbaye de Fécamp fit dresser du terroir de Sainte-Paix et des environs, vers 1780, on peut suivre, par ces canaux, la limite des paroisses le long du marais de Sainte-Paix, puis des labours dont une pièce garde même le plus évocateur des noms : la delle du Fossé Morière [143].

Aux confins occidentaux de la ville, la série des plans ordonnés par l'archevêque de Narbonne, Mgr Arthur-Richard Dillon, abbé de Saint-Etienne, vers 1782, révèle la même situation, en particulier la *Cinquième carte de Saint-Nicolas* [144] et la limite de la paroisse Saint-Ouen de Caen avec Venoix est bien effectivement soulignée d'un double fossé. Cent vingt ans auparavant, sur les plans terriers de 1667, ce mode de séparation était déjà signalé et trente ans plus tard, ces fossés figureront toujours sur la feuille cadastrale de 1810 où ils sont devenus symboles des limites de communes. Permanence ainsi, de 1660 à 1810, dans la région des prairies tourbeuses qui divisent le terroir de Caen, d'ouest en est.

En revanche, il ne paraît pas que fossés et levées de terres, s'ils ont jamais existé systématiquement, se soient aussi bien conservés sur les labours au nord et au sud de la ville. Etaient-ils nécessaires ? Autant le canal de drainage était important dans la vallée inondable, autant pouvaient être fragiles les rigoles des limons. D'ailleurs maints autres signes ont pu conserver un temps, dans le paysage, leur valeur de démarcation ou de référence. Les haies d'abord, dont Marc Bloch a noté le recul dans la plaine de Caen, à l'époque révolutionnaire [145]. Les noms des pièces de terre autour des maisons de la ville, en conservent le souvenir répété, paroisse Saint-Ouen (Delles de la Haie Pedes, de la Haie Vignet), paroisse Saint-Gilles (Delles des Neuf Acres ou de la Haie Bailly, Delle de la Haye Mareuse), paroisse Saint-Michel-de-Vaucelles (le clos Saffard). Puis les moulins : paroisse Saint-Nicolas (Delles du Moulin à

140. Sainte-Paix était sous la juridiction de l'abbaye de Fécamp. Un seul plan anonyme et sans date (vers 1780) a été conservé.
141. Arch. dép. Calv., H 2018 ; J. C. Perrot, 1963, n° 197, pp. 153-154.
142. *Ibid.*, G, Sainte-Paix, 1729.
143. *Ibid.*, H 4761 ; J. C. Perrot, 1963, n° 348, pp. 204-205.
144. Arch. dép. Calv., H 2173 ; J. C. Perrot, 1963, n° 213, p. 160.
145. M. Bloch, 1952, p. 212.

Vent, de l'Eguillon du Moulin à Vent, du Moulin à Voisde), paroisse Saint-Gilles (le moulin au Roy) ; les croix, comme à Saint-Nicolas où figurent les delles des Croix de pierre ou celle de la Croix de Baupte. Enfin les limites paroissiales, souvent indifférentes aux chemins, en épousent cependant d'aventure les sinuosités : ainsi pour Saint-Gilles, de la Pigacière à la Croix Guérin ou le long de Saint-Contest, la Sente aux bœufs ; ainsi pour Saint-Nicolas entre la Maladrerie et la communauté voisine de Saint-Germain-la-Blanche-Herbe [146].

Cette reconstitution des paroisses, dont on peut prendre connaissance en annexe [147], n'a donc pas utilisé d'emblée les dossiers révolutionnaires, pourtant fort explicites en la matière ; mais c'était dans l'intention de préserver leur valeur comme instrument de contrôle des archives anciennes. A cet égard, trois documents doivent être consultés.

Dans l'ordre des temps, c'est d'abord la délimitation de la commune conformément à la loi du 22 décembre 1789. On sait que les nouvelles unités devaient en principe succéder à une paroisse rurale en campagne, fût-elle composée de plusieurs portions, tandis qu'en ville une commune urbaine remplaçait l'ensemble des cellules religieuses. Les archives du département et du comité de division de l'Assemblée permettent de préciser davantage [148]. On observe d'abord que le projet général de conversion de la province en cinq départements, élaboré par Le Couteulx de Canteleu et finalement ratifié le 7 janvier 1790 [149], s'est montré très respectueux des données issues de la tradition historique. Même après des réunions de paroisses, les limites globales demeurent celles de l'Ancien Régime ; en particulier, le projet n'apportait aucun changement à la région de Caen et les limites de la commune, bien connues par le cadastre de 1810, peuvent servir à contrôler celles des anciennes paroisses vers l'extérieur [150]. Les voix éprises d'innovation vinrent plutôt des autorités intermédiaires, par exemple celles des districts que certains espoirs d'extension avaient bercées un temps et qui pensèrent opposer en quelque sorte les « raisons géographiques » aux « raisons de l'histoire », la nature à la culture [151]. Plusieurs années n'étaient pas de trop pour échanger les arguments d'un tel combat qui se poursuivit jusqu'en 1791 pendant que sous son ombre s'élaboraient deux autres travaux essentiels pour nous.

146. Pour situer l'emplacement de tous ces lieux-dits, consulter aux Arch. dép. Calv., H 2098, terrier de 1667 ; H, abbaye de la Trinité, plan sans cote, et J. C. Perrot, 1963, n° 312, pp. 191-192.

147. Cf. annexe 1.

148. Arch. dép. Calv., L, non classé, et Arch. nat., D IV bis 1.

149. E. Frère, 1858, t. 2, p. 188. La carrière de ce grand notable économiste est exemplaire. Né d'un père qui devint premier président de la Cour des Comptes de Normandie, Jean Barthelémy Le Couteulx de Canteleu se fit connaître des gens éclairés en participant contre Dupont de Nemours au débat sur le Traité de Commerce avec l'Angleterre ; député aux Etats généraux et à l'Assemblée nationale, plus tard membre des Cinq Cents, puis sénateur, enfin pair de France, il meurt en 1818.

150. Arch. dép. Calv., Collection des plans cadastraux, Caen.

151. *Ibid.*, L. District de Caen, divers. Mémoire du district de Caen, contre celui de Pont-l'Evêque, novembre 1790 : « N'est-il pas évident que la nature elle-même a séparé dans cet endroit le district de Caen et celui de Pont-l'Evêque, puis-

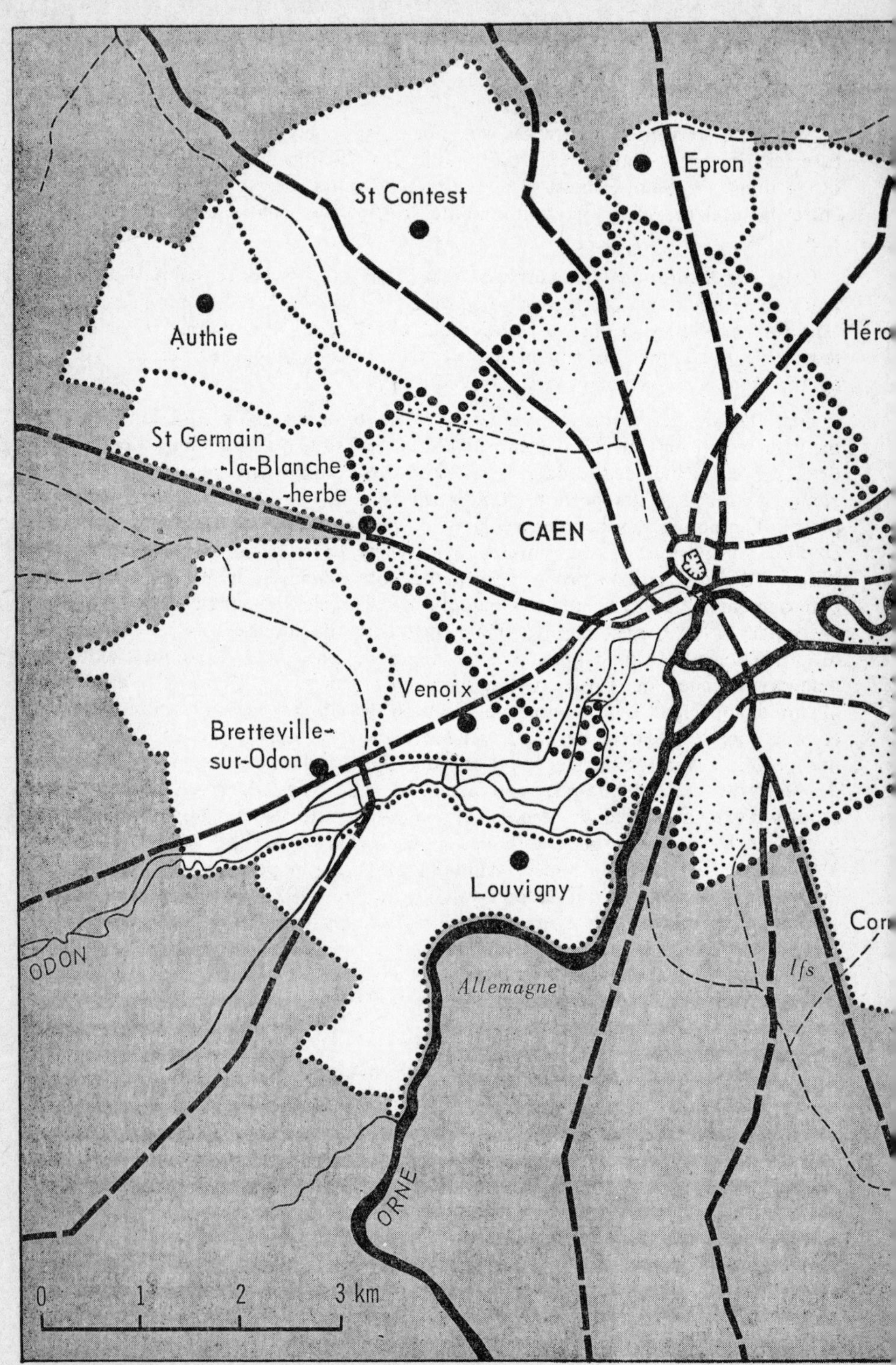

LA SERGENTERIE DE LA BANLIEUE DE CAEN

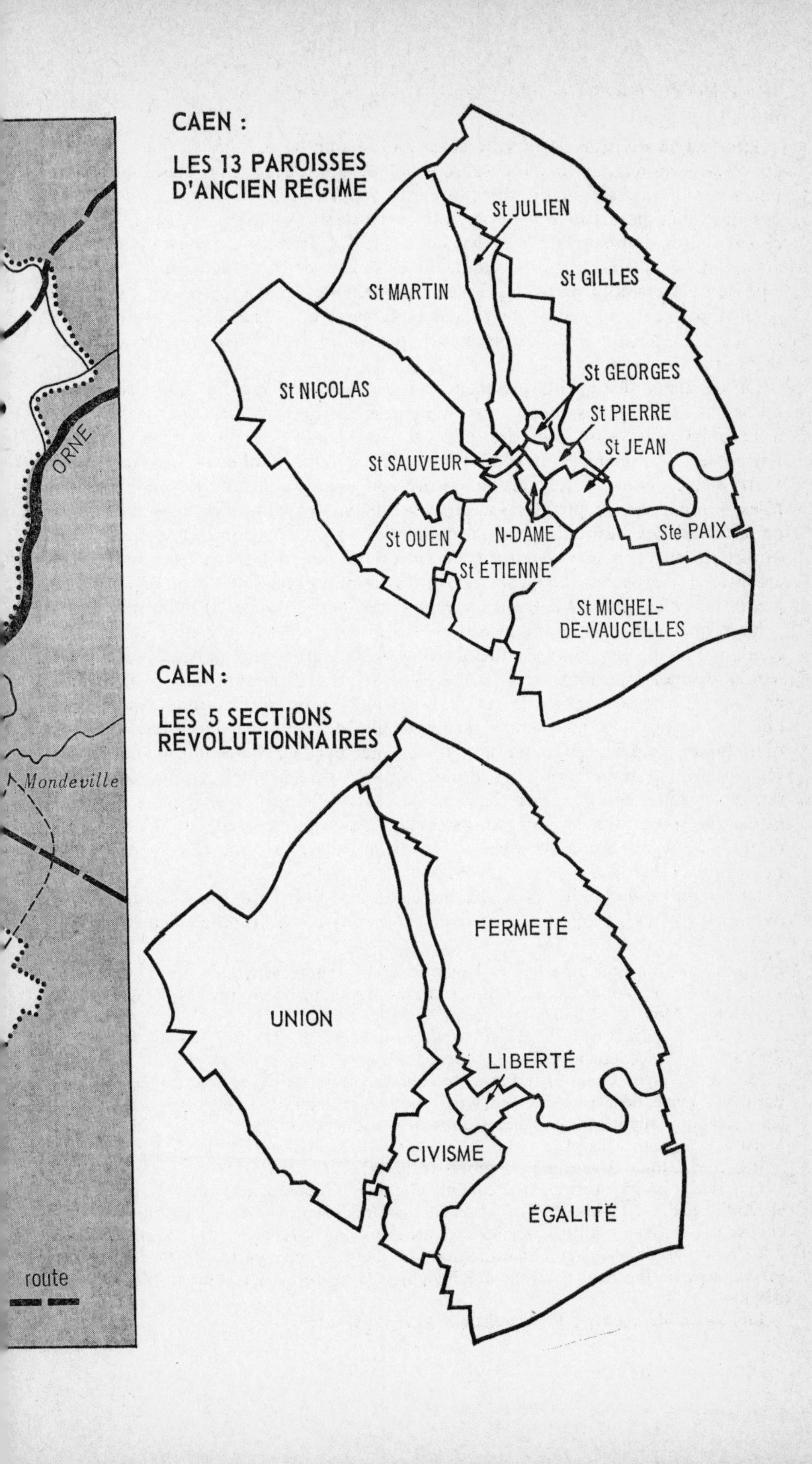
CAEN :
LES 13 PAROISSES D'ANCIEN RÉGIME
St JULIEN
St GILLES
St MARTIN
St NICOLAS
St GEORGES
St PIERRE
St JEAN
St SAUVEUR
St OUEN
N-DAME
Ste PAIX
St ÉTIENNE
St MICHEL-DE-VAUCELLES
CAEN :
LES 5 SECTIONS RÉVOLUTIONNAIRES
FERMETÉ
UNION
LIBERTÉ
CIVISME
ÉGALITÉ
ORNE
Mondeville
route

L'un est la division de la ville en sections pour les justices de paix, adoptée au conseil municipal le 23 octobre 1790 et approuvée cinq jours plus tard par les administrateurs du directoire du département [152]. L'autre, la fixation des nouvelles paroisses religieuses, ramenées de treize à sept. Etudiée par des commissaires nommés le 22 février 1791, elle fut arrêtée le 3 avril et transmise au début de juin au comité ecclésiastique de l'Assemblée nationale [153]. Le principe de ces nouvelles partitions, les réalités urbaines qu'elles révèlent, l'influence qu'elles peuvent exercer sur la vie des citadins seront étudiés mais ces divisions ne sont intéressantes en ce moment que pour leurs références à l'Ancien Régime.

Or les deux documents évoquent constamment les ressorts paroissiaux traditionnels. Les limites judiciaires ajoutent même une précision nouvelle grâce à la numérotation récente des maisons. De plus il est bien intéressant de rencontrer les mêmes procédés de repérage des limites anciennes qu'au XVIIIe siècle ; sous la Révolution encore, on compulsait les anciens titres, les rôles d'impôt ou de population, puis on visitait les quartiers un à un ; enfin on affichait les résultats que la population pouvait venir démentir [154]. Les historiens ont dès lors rarement l'occasion de rencontrer des sources mieux établies. Les procès-verbaux des nouvelles limites paroissiales furent par exemple discutés et vérifiés à quatre reprises par des instances différentes [155].

Vers quel savoir nous mène cette liste si généreuse de dossiers et de vérifications ? A la connaissance précise des tracés paroissiaux d'Ancien Régime ? Voire, disons, au moins à la connaissance que les hommes du XVIIIe siècle en avaient, armés de plus de textes, confrontés à un décor urbain, guidés par une familiarité avec leur temps que personne ne peut leur disputer. Dira-t-on qu'il fallait recourir en outre aux textes médiévaux ? Ce serait rêver qu'il y régnait un mythique âge d'or administratif et penser que ces limites idéales ont été perdues au long des siècles. Mais Ch. de Bourgueville, au XVIe siècle, ne sait rien de plus sur les paroisses de Caen que les échevins et les curés de 1789. S'il reste une ou deux imprécisions dans les tracés, n'y furent-elles pas depuis toujours ?

Une requête du maire de Caen au Conseil d'Etat, sous la Restauration [156], montre qu'après l'arrêt du Conseil de 1718 qui séparait officiellement Sainte-

---

qu'une rivière navigable... » Outre l'énorme bibliographie générale dont J. Godechot, 1951, p. 87 sq., donne la mesure, cf. P. Le Brethon, 1893, pp. 746-773, et 1894, pp. 96-124, 236-277, 372-402.

152 Arch. mun. Caen, I 315, et Arch. dép. Calv., F 3211, « Division de la ville de Caen en 5 sections », Caen, Le Roy, 1791, in-4°, 8 p.

153. Arch. mun. Caen, D 1. Parmi les quatre commissaires et les deux suppléants, un d'eux avait déjà participé quelques mois avant, au découpage en section. Sur les opérations administratives nécessaires à la fixation, voir Arch. mun. Caen, p. 75, et Arch. nat., D IV bis 94.

154. Arch. mun. Caen, I 315, Procès-verbal du 23 octobre 1790.

155. *Ibid.*, p. 75 (Lettres des administrateurs du département du 1er avril 1795) et Arch. nat., D IV bis 94. On observe des modifications dans les paroisses des environs de Caen. Authie reçoit les hameaux de Francheville, Cussy, l'abbaye d'Ardennes et Saint-Louet ; Saint-Contest, La Folie et une partie de Buron. Venoix est rattaché à Bretteville, Athis à Louvigny, Cormelles à Ifs, Colombelles à Mondeville.

156. Arch. dép. Calv., F. Acquisition Levardois, 1923.

Paix et Mondeville, après le partage concret de 1729, après la création des nouvelles paroisses révolutionnaires, subsistait encore une portion commune de 33 arpents, civilement rattachée à Mondeville, mais oubliée par ailleurs et notamment sur le plan religieux. Quelle importance pouvait avoir d'ailleurs ce bout de marais où les pauvres des deux paroisses menaient quelques vaches en été ? Et qui ne sait combien de nos jours encore, les titres de propriété du sol sont parfois indéchiffrables sur le terrain. Il faut savoir résister au vertige des précisions et les statisticiens nous apprennent tout le comique qu'une pareille illusion peut susciter dans les sciences humaines. S'il était besoin d'une nouvelle démonstration, l'étude de la banlieue nous l'apporterait.

5. UNE NOTION JURIDIQUE VIEILLIE : LA BANLIEUE

Le *Dictionnaire de la Coutume* définit la banlieue comme un terrain de poursuite [157] ; c'est la région où peuvent être directement appréhendés ceux qui ont commis des délits au préjudice des habitants. Au-delà de ce critère commencent malheureusement les difficultés, car les autres privilèges de la banlieue proviennent des usages locaux fixés lors de la réforme de la coutume, et postérieurement, par arrêt du parlement de Rouen [158]. Houard donne quelques exemples. Dans la capitale de la province, on admet que les biens situés en banlieue sont dévolus suivant les règles de bourgage. Mais cette décision n'est pas antérieure au 16 mars 1697 ; et il faut croire qu'auparavant il n'y avait point de règle. D'ailleurs ce serait une erreur d'en tirer une loi générale ; le commentaire rappelle en effet que cette pratique est adoptée parce qu'on se trouve sur des alleux et si les terres avaient fait partie d'une seigneurie, leur rattachement au bourgage n'aurait pas eu lieu. Ainsi s'explique la décision du Parlement du 23 juillet 1749 qui range, en sens inverse, la banlieue de Fécamp, comme cela se voit en beaucoup d'autres villes, avec les campagnes. Enfin, le même laxisme juridique caractérise les limites extérieures de la banlieue qui peuvent se situer entre une lieue et une lieue et demie des villes en suivant généralement les contours des terroirs paroissiaux. Bref, la définition de ce ressort par le droit privé n'est pas claire. Revenons à son contenu judiciaire.

A cet égard, la banlieue de Caen conserve en apparence une existence très proche des définitions juridiques du XVIe et semble une circonscription aux limites limpides. C'est avant tout le territoire d'une sergenterie. Ce ressort judiciaire, particulièrement important en Normandie, servait de cadre aux activités d'un officier, souvent noble, qui pouvait louer d'ailleurs l'exercice de sa charge. Le Règlement du 18 juin 1769 sur la justice en Normandie reconnaissait encore aux sergents l'exclusivité des exploits, significations ou saisies et les prérogatives de l'officier n'ont cessé d'être appropriées à la définition du ressort [159] ; de telles circonscriptions gardaient une réalité au

157. D. Houard, 1780. Article Banlieue.

158. On retrouve la même diversité dans le Nord de la France. Cf. H. Van Werveke, 1937.

159. Voir plus haut ; sur les sergenteries, M. Marion, 1923 ; sur le règlement, H. Basnage, 1778, t. 1, Usages locaux, pp. 41-61.

XVIIIe siècle ; ainsi les deux recensements de Saugrain classent généralement les paroisses normandes, au sein des élections, en sergenteries ; les Mémoires des intendants adoptent le même ordre.

L'enquête de l'intendant de Vastan, en 1727, fournit une liste des paroisses de la banlieue valable jusqu'à la Révolution. Leur nombre s'élevait à neuf : Authie, Bretteville-sur-Odon, Cormelles, Hérouville, Louvigny, Saint-Contest, Saint-Germain-la-Blanche-Herbe (ou la Blanche-Lande), Saint-Ursin-d'Epron et Venoix [160]. Dans ces lieux on observait une identité parfaite des communautés taillables et du nombre des paroisses religieuses. La situation pourrait sembler tout à fait claire, si les difficultés n'apparaissaient sur la carte.

Il s'en faut en effet que ces neuf paroisses constituent autour de la ville une auréole conforme aux commentaires traditionnels de la Coutume. Presque en aucun sens, le ressort de la banlieue n'atteint l'espace officiel d'une lieue et pis encore, vers le sud et l'est, aucun territoire de banlieue n'isole le domaine urbain du plat pays. La ville jouxte directement les communautés d'Allemagne [161] et de Mondeville qui font partie l'une et l'autre de la sergenterie d'Argences [162]. Mieux, le seul rattachement dont la ville de Caen fut bénéficiaire au XVIIIe, celui de la communauté de Sainte-Paix [163], s'était produit au détriment de Mondeville et n'appartenait donc pas jusque-là au domaine de banlieue.

Lorsqu'on s'enquiert auprès de Saugrain ou des enquêtes des intendants de ce qui se passe autour des autres villes, on est moins surpris. En réalité, les sergenteries de banlieue accompagnent quelques villes seulement dans les trois généralités de Normandie : par exemple Rouen (29 paroisses), Bayeux (14 paroisses), Vire (7 paroisses) et Caen. Ailleurs les cités sont à la tête d'une sergenterie qui réunit paroisses urbaines et rurales dans un même ressort ; c'est notamment la règle dans la généralité d'Alençon. Les circonscriptions de banlieue, inadéquates à la définition commune, forment tout juste des exceptions. Est-il même certain que leur contenu ait fini par l'emporter là où elles existaient ? Dans quelques domaines, c'est possible ; par exemple les audiences de police distinguent les infractions en ville et en banlieue [164] ; mais une réponse catégorique serait discutable, les exceptions ne manqueraient pas : Basnage fait ainsi allusion aux bornes qui, autour de Bayeux, signalaient l'extension des privilèges de la ville et des faubourgs de telle sorte qu'il y avait comme deux auréoles de banlieue [165].

La situation de Rouen ressemblait beaucoup à celle-là. Outre la banlieue, ressort de sergenterie, s'était précisée, à travers maintes contestations, une banlieue fiscale au sein de laquelle les habitants devaient être affranchis de

160. Arch. dép. Calv., C 277. Les sergenteries normandes ont une origine mal connue, cf. Ch. H. Haskins, 1925, pp. 115-118 et 182-183; M. de Bouard, 1957, pp. 1-33 ; sur cette institution dans la région de Caen, cf. H. Navel, 1929 et 1952 ; sur son fonctionnement, cf. P. Jubert, 1965.

161. Allemagne était divisée en deux paroisses : Saint-Martin et Notre-Dame, avec le même patron, l'abbé de Saint-Etienne de Caen.

162. J. Saugrain, 1720, part. 2, p. 46.

163. A tort dans Saugrain : « Sainte-Paix ».

164. Ainsi, Arch. dép. Calv., I B, 2061, sentence de police du 27 janvier 1762 : Venoix « dans la banlieue dudit Caen »...

165. H. Basnage, 1778, t. 1, Usages locaux, p. 3.

la taille et assimilés aux bourgeois[166]. Il apparaît que ce privilège fut conquis par les communautés paroissiales de haute lutte, que le Parlement se pliait très mal aux lettres patentes du roi et retardait de son mieux leur enregistrement, secondé par l'échevinage rouennais. Les paroisses de Notre-Dame et Saint-Pierre-de-Francqueville, appuyées sur une décision favorable du roi, furent ainsi aux prises avec leurs puissants voisins en 1520. De 1540 à 1571, c'était la communauté de Saint-Etienne-du-Rouvray ; de 1595 à 1597, à son tour, Roncherolles-sur-le-Vyvier cherchait à faire entériner ses lettres.

Chaque démarche s'accompagnait de vérifications et d'un arpentage longuement relaté dans les registres de la Cour des aides où l'on ne manquait jamais de transcrire une périphrase assez révélatrice sur « la bonne lieue autrement dicte banlieue de Rouen ». En tout cas le travail des jurés mesureurs est intéressant. On partait des murailles de la ville ou des portes et non des limites paroissiales, puis on mesurait en droite ligne « traversans la rivière de Seine, jardins, fossés, ysles, prairies, terres labourables ... hayes, murs... » un espace de 1 000 perches ou tours de roues ; on plaçait alors, fût-ce en pleins champs, une borne qui faisait la limite de la banlieue. Le calcul montre qu'on devait se trouver à quelque 5,9 km du point de départ[167] ; cette distance ne coïncide pas avec la valeur des différentes lieues en usage et n'est pas davantage conforme à la définition d'Antoine Loysel qui avance le chiffre de 2 000 pas (de 5 pieds), soit 3,2 km[168]. En tout cas, c'est la délimitation la plus rigoureuse qui se puisse imaginer ; indifférente aux paroisses comme aux espaces bâtis, elle pouvait, le cas échéant, doter le même corps de logis de deux régimes fiscaux opposés. Autour de Caen, jamais pareille situation n'est apparue, puisque toutes les paroisses circum-urbaines étaient sujettes à la taille.

On garde bien l'impression que la diversité de ces régimes jetait un certain discrédit sur la notion même de banlieue ; le XVIIIe siècle normand la laissait tomber progressivement dans l'oubli, du moins dans la langue courante.

6. UNE NOTION BIEN VIVANTE : LE TERRITOIRE FISCAL

Où se terminent les faubourgs ? Où commencent les écarts ? La question s'est posée surtout aux fermiers des droits d'octroi et d'aide depuis le XVe siècle où fut établi un tarif à l'entrée de la ville, ou plutôt à l'entrée de l'agglomération. Pour faire cotiser les manants il fallait se soucier des limites exactes de l'espace bâti et entrer par là dans une nouvelle définition du fait urbain ; le terroir et les écarts acquirent de ce fait, dans l'esprit des administrateurs, une place, utilitaire sans doute, qu'ils n'avaient pas jusque-là.

Les plans de la ville traduisent cette évolution, mais avec beaucoup de retard sur la réalité économique et fiscale. Au XVIe siècle encore, ils présentent surtout une illustration de la cité et ne semblent pouvoir s'attacher à des

166. Pour tout ce qui suit, cf. *Cahiers des Etats de Normandie...* 1891, pp. 249-255 ; *ibid.*, 1880, t. 1, pp. 237-238. La situation fiscale de la banlieue de Rouen est longuement étudiée par Vauban, 1707, p. 48.

167. Cette perche vaut 18 pieds 8 pouces 1/2 à 12 pouces le pied.

168. A. Loysel, 1845, paragr. 261.

réalités aussi triviales que les faubourgs et hameaux du terroir. Ainsi *Le vray pourtraict de la ville de Caen* de 1575 ne peut être tenu pour tel[169]. Le dessinateur s'est obstiné à céler la moitié de l'agglomération puisque telle est bien la proportion d'habitants que les échevins eux-mêmes, l'année précédente, accordaient aux faubourgs[170]. Il faut attendre longtemps, jusqu'à la deuxième moitié du XVIIe siècle, pour que les relevés cessent d'offrir une transcription idéale et se fassent pédagogiques. Ainsi passent-ils de la ville platonicienne, non pas à la réalité géographique — cela signifierait que tous les problèmes d'échelle, de surface et d'orientation sont résolus — mais, du moins, à la réalité appréhendée par les citadins. Le plan de Jacques Gomboust, gravé en 1657[171], ouvre par exemple dans la ville des voies qui viennent, comme on en a bien le sentiment en promeneur, se casser à l'équerre sur le château mais, indifférent à leur largeur réelle, il leur donne une ampleur qui correspond à leur fréquentation et à leur rôle dans la circulation. Ainsi la rue Saint-Pierre, dont on sait le resserrement vers les goulets de l'Odon jusqu'à moins de quatre mètres — d'après les projets d'élargissement de 1756[172] — vaut chez J. Gomboust autant que la place Saint-Pierre (trente mètres).

Dans ce système de représentation, la barrière d'octroi est une réalité qui mérite de figurer sur la carte puisqu'elle signifie non seulement l'acquittement des taxes, mais arrêt de la circulation, écoulement de temps, rédaction de congés : formalités, c'est-à-dire changement des formes de transport.

De fait, le plan gravé par François Bignon en 1672, d'après les dessins de J. Gomboust, obéit à cette conception[173]. Son parti d'évoquer la réalité perçue l'incite à regarder attentivement les contacts indécis des labours, des jardins et des clos de pommiers avec les premières maisons des faubourgs. Il fait ainsi partager à l'observateur les images de l'entrée de ville et souligne l'emplacement des barrières. D'autres plans partiels, levés dans les mêmes années, complètent celui-là[174] et confrontés aux archives de l'octroi permettent d'établir l'existence d'un double système de bureaux : les uns se trouvaient aux portes de la ville murée et le long du quai maritime, les autres, aux confins des faubourgs. A leur tour, les postes excentriques se dédoublaient en un bureau de perception et une barrière de contrôle[175]. Comme la ville n'a pas eu son mur des fermiers, les plans et les dossiers réunis sur la fraude peuvent seuls faire connaître le fort et le faible de la zone fiscale. Rien de plus instructif que ces affûts en compagnie des commis d'octroi, dans le petit chemin de la paroisse Saint-Nicolas qui longe le clos Caillet et les jardins des sœurs

169. François de Belleforest, 1575, t. 1, part. 2, pp. 121-122 ; J.C. Perrot, 1963, n° 3, p. 86.

170. Arch. mun. Caen, BB 13, f° 83.

171. Gaspar Merian, 1657, *Die fürnehmste und bekannteste Städte und Plätze in dem Herzogthum Normandie,* part. 8, pp. 8-9. Voir Bibl. nat., Cartes et plans, Ge FF 748 (II). J.C. Perrot, 1963, n° 6, p. 87.

172. Arch. dép. Calv., C 1129 et 1142 ; Arch. nat., F 14141 ; J.C. Perrot, 1963, n°s 463-467, pp. 242-244.

173. Bibl. nat. Estampes, Va 21 ; Bibl. mun. Caen, Atlas de Normandie ; J.C. Perrot, 1963, n° 14, p. 89.

174. Arch. dép. Calv., H 2098 ; J.C. Perrot, 1963, n° 197, pp. 153-154.

175. Cinquante à cent toises séparaient le lieu de perception du poste de contrôle.

de la Visitation par où se faufilent les fraudeurs [176] ; que le guet, les nuits sans lune au Vaugueux près des murs du château [177], près de la Porte neuve qu'affectionnent les soldats et cavaliers aux fontes pleines [178] !

Il y aura donc lieu de réfléchir sur la portée économique de cette perméabilité, mais seule nous intéresse ici la controverse que la fraude soulevait entre les administrations, la justice et les habitants, car il en est sorti de nombreuses tentatives pour cerner le fait urbain, définir son aire de rayonnement. Où le bât blesse les fermiers de l'octroi, c'est bien sûr dans l'existence de cette frange urbaine indécise où les maisons sans étage s'éparpillent aux rives des prés, le long des Odons à Saint-Ouen et sur les pentes maraîchères de Saint-Gilles ; ou encore, vers la plaine, après les ruines du temple des huguenots, ces petits héritages tenus par des herbières à l'orée des labours qui vous mènent d'un trait à la Maladrerie ponctuée de sa chapelle du Nombril-Dieu. Là, tout est suspect. Le cidre, dans la cave ? vient-il du Bessin ? Il aurait dû payer l'octroi. Le tire-t-on des pommes qui tombent autour de la masure ? Il est exempté. La vache de l'étable n'est-elle pas destinée à quelque boucher de la ville ? Et cette pièce de toile ?... Les fermiers n'ont jamais cessé de rêver à l'utopie d'une muraille sans faille, les ingénieurs des Ponts-et-Chaussées qui l'auraient construite abondaient parfois dans leur sens et rédigeaient des notes où se reconnaîtrait le délire d'un Piranèse, pour inciter tel ou tel habitant à édifier des murs de douze pieds de haut le long de son jardin [179] ; ou bien les commis sollicitaient, parfois avec succès, la clôture totale d'une porte, voire même la suppression des ruelles [180]. Ces velléités dépassaient le possible — au demeurant on sait toutes les imperfections du mur murant Paris [181] — si bien que les fermiers et l'administration s'attachèrent en province à la solution de deux autres difficultés.

1) Tenter de définir, au loin de la ville, une aire campagnarde de contamination urbaine, si l'on peut dire, où rien ne se passerait exactement comme aux champs. L'histoire des variations de cette zone au XVIIIe siècle est elle-même révélatrice, non seulement d'hésitations et de contradictions, mais d'une évolution qui réduisit le souhaitable, une fois de plus, au rang du possible. Nul doute à ce titre que la législation de 1725 ait eu la faveur du gouvernement : dans un arrêt du Conseil sur la collecte des aides [182], le contrôle des fermiers se trouvait étendu à trois lieues à la ronde des faubourgs. Rappelons que localement la perception des octrois municipaux et des aides relevait des mêmes commis. Malgré les protestations réunies des échevins et des marchands de vin, les entrepôts furent donc interdits [183]. Pensons bien qu'il s'agissait alors de surveiller une superficie d'environ 530 km^2, ville comprise ; c'était

176. Arch. nat., F 14 141. Enquête du Parlement du 15 novembre 1755.
177. Arch. dép. Calv., C 1458, Procès-verbal des commis de la porte au Berger, 14 juillet 1788.
178. *Ibid.*, C 1439. Mémoire des fermiers en 1739 contre les cavaliers du régiment Dauphin.
179. *Ibid.*, C 1126 ; note de Loguet, ingénieur des Ponts, du 29 janvier 1759.
180. Arch. nat., F 14 141.
181. R. Dion, 1959.
182. Arch. dép. Calv., 6 E, 16, Arrêt du Conseil du 8 mai 1725.
183. *Ibid.*, Arrêt des 11 septembre et 23 octobre 1725.

une tâche infaisable. En 1730, une sentence de l'échevinage proscrit les réserves de denrées sujettes à l'octroi et aux aides dans un périmètre inférieur à deux lieues des faubourgs de ville [184]. Un espace ambitieux de 250 km^2 restait encore sous surveillance ; mais le plat pays astreint au paiement des droits sur les bestiaux subit au XVIIIe une évolution semblable. Après une période floue jusqu'au milieu du siècle durant laquelle ce périmètre était probablement celui des aides [185], voici qu'un arrêt du Conseil le fixa à une lieue des villes en 1782, si bien qu'il n'enfermait plus qu'une aire de 80 km^2 [186]. Ces retraites géographiques ont peut-être la signification d'un renforcement administratif. En tout cas il faut bien dire que les variations sont sans influence sur la notion de banlieue, dotée en Normandie, à Caen particulièrement, d'un contenu juridique ; il n'est question en ce moment que d'espace fiscal et par conséquent économique.

Finalement c'est au plus près de l'agglomération que les fermiers ont élaboré les enquêtes les plus fructueuses pour les définitions urbaines. Depuis les grands textes législatifs sur les aides de 1680, diverses déclarations avaient abouti à dresser les listes d'écarts ou hameaux des villes sujettes aux droits d'entrée [187]. Derechef les difficultés nées des textes sont intéressantes.

Il faut relever que les ordonnances et les déclarations royales introduisent une notion nouvelle : celle de lieu dépendant. Les commentaires de l'intendant de Vastan montrent qu'en Normandie on n'a jamais fait de difficultés à comprendre les limites de la zone de dépendance comme celle des paroisses. Le titre 24 de l'ordonnance des aides de juin 1680 le recommandait d'ailleurs expressément quand il astreignait au paiement les hameaux bâtis à moins de cinq cents toises (un peu moins d'un kilomètre) du clocher, exonérant ceux qui étaient plus éloignés, nonobstant leur rattachement à une paroisse assujettie. On ne voit pas d'entorse à cette base géographique dans la déclaration de 1688 : elle ne modifiait que la législation des lieux dépendants, les autres restaient exclus de la subvention à l'entrée [188] quand bien même une rue, un chemin, un pont ou rivière les aurait seulement séparés des faubourgs astreints à la taxe.

2) D'autre part l'application de la fiscalité indirecte conduisit l'administration à préciser une autre donnée : celle de l'espace bâti continu. L'intendant incluait dans la continuité les maisons jointives et celles que ne séparent rien d'autre qu'une chaussée ou un cours d'eau ; il considérait comme écart tout habitat isolé. Voyez-là des méthodes fécondes puisqu'elles donnaient droit de cité à l'idée d'évolution ; il est bien clair que si la ville croissait, des hameaux peu à peu allaient disparaître ; les listes seraient à réviser périodiquement. C'est ce qui eut lieu en 1727, contradictoirement en présence des fermiers et des habitants. Cette opération fit apparaître la netteté des limites du terroir de Caen. Entre le hameau de la Folie qui s'y rattache [189] et la

184. Arch. mun. Caen, CC 101, Sentence contradictoire du 6 mars 1730.
185. *Ibid.*, Sentence du 2 mai 1739.
186. Arch. dép. Calv., C 1423, Arrêt du Conseil du 1er avril 1782.
187. *Ibid.*, C 14, C 15, C 26, C 34, Ordonnance de juin 1680, Déclarations royales des 4 mai et 8 août 1688, du 10 avril 1714, Arrêt du Conseil du 2 septembre 1727.
188. *Ibid.*, C 295, Commentaire de l'intendant de Vastan du 15 décembre 1729.
189. *Ibid.*

paroisse Saint-Contest, un chemin fait la séparation que seuls les fermiers, aveuglés par leur intérêt, refusent de voir ; même situation entre la Maladrerie et Saint-Germain-la-Blanche-Herbe ou bien en bordure de Venoix ; mieux, l'intendant avait eu ainsi l'occasion pratique de polir encore sa définition de l'espace et d'y inclure, selon un usage repris au XIXe siècle pour le calcul de la population agglomérée, les maisons isolées bâties dans des jardins jointifs. M. Reinhard a bien montré d'ailleurs la maturation progressive de l'idée de population réunie au chef-lieu, à travers la pensée de Moheau et la législation fiscale de l'Empire, fortement inspirée on le voit de l'Ancien Régime [190].

Ce coup de sonde dans la pratique des impôts ramène ainsi deux thèmes essentiels à la définition moderne de la ville : l'idée que son terroir est celui des paroisses ; ces circonscriptions ecclésiastiques apparaissent fondamentales à la fin de l'Ancien Régime, les physiocrates, en particulier Turgot et Dupont de Nemours, constatent qu'elles doivent être la base de toute administration [191] ; on sait que la Révolution en a tiré généralement le découpage communal. En second lieu, la notion d'habitat groupé et continu exprime une réalité urbaine qui renie la dualité ville-faubourg et prépare l'invention du concept d'agglomération. Il n'est pas douteux que ces idées cheminaient silencieusement dans l'administration, peut-être dès l'apparition des termes de « bonne ville ».

CONCLUSION : UNE THÉORIE DE L'ÉVOLUTION URBAINE AU XVIIIe SIÈCLE

Plus d'un siècle après la dernière rédaction des Coutumes, les textes du XVIIIe siècle montrent bien où tendent les nouvelles définitions de la ville. L'œuvre de F. de Dainville indique déjà le sens de l'évolution [192] qui, partant de la place forte, nous mène à considérer ensuite la ville des bourgeois aux maisons contiguës, puis enfin l'agglomération que caractérise sa densité. Le XVIIIe siècle connaît bien ce terme de physique qu'il emploie souvent mais n'étend pas son usage aux populations ; cependant des Pommelles [193] et surtout de Fourcroy [194] avaient conscience de la relation du nombre des habitants à la surface occupée. A ce *Langage des Géographes,* j'aurais souhaité ajouter ici celui des urbanistes et des économistes qui ne le contredit pas

190. M. Reinhard, 1954, n° 2, pp. 279-288.

191. Cf. Œuvres de Turgot, 1922, t. 4, p. 568 sq. Sur les circonstances dans lesquelles fut rédigé par Dupont de Nemours le *Mémoire sur les Municipalités,* cf. p. 574 le *Mémoire* lui-même et notamment p. 581 sq.

192. F. de Dainville, 1958 et 1964.

193. Ch. des Pommelles, 1789.

194. F. de Dainville, 1958. L'auteur attribue à Fourcroy le mémoire jusque-là connu sous la signature de Jean-Louis Dupain-Triel : *Essai d'une table poléométrique, ou Amusement d'un amateur de plans sur les grandeurs de quelques villes...* (Paris, 1782, in-4°, 45 p.).

mais lui restitue en outre du mouvement [195]; mais ce serait une longue digression; un ou deux exemples, à chacune des extrémités du siècle, vont suffire à montrer qu'il existe bien une théorie démo-économique de l'évolution urbaine au XVIIIe siècle.

Chez Nicolas de La Mare, dès la première page [196], s'affirme l'idée que ce sont les degrés inégaux de croissance des habitats humains qui justifient l'emploi d'un vocabulaire diversifié : « de leurs cabanes », les hommes « formèrent d'abord des hameaux et des villages. Du progrès de ces faibles commencemens, les villes ont ensuite pris naissance », écrit-il. Mais dans la suite de son ouvrage, de La Mare s'attache moins fidèlement qu'il ne le prétendait d'abord à cette idée que les faits urbains sont continus et qu'il faut chercher à inventer des seuils pour les décrire; son vocabulaire bute sur les usages et tantôt sur les définitions juridiques. Lecler du Brillet, qui ajoute à l'œuvre entreprise un tome IV, commet les même confusions. Au titre X (« De l'embellissement et de la décoration des villes ») figurent un chapitre « Etendue, bornes et limites de la ville de Paris », un autre sur les « Changemens arrivés ... à l'occasion de ses nouveaux accroissemens » et enfin le commentaire de la déclaration du Roi du 18 juillet 1724 qui s'efforce de resserrer Paris « dans de justes bornes » [197]. Dans ces pages, la ville se définit par son enceinte, les faubourgs par la leur, distinction de fait et en quelque sorte cartographique sur laquelle Lecler ne s'attarde pas [198]. Mais à quelques lignes de là, commentant l'érection du quartier du Roule en faubourg, il se fonde sur les privilèges juridiques des corporations désormais associées avec la ville pour faire ressortir la nature du phénomène. Après la thèse affirmée en tête du tome I et qui allait être si féconde, on soupire devant ces piétinements [199].

A la fin du siècle, en revanche, le point de vue initial de N. de La Mare l'emporte universellement. En 1764, l'édit qui règle l'administration des villes et principaux bourgs du royaume, et deux ans plus tard celui qui s'applique aux lieux de moindre importance [200] adoptent des critères de taille, distinguant les villes de 4 500 habitants et plus, les villes de moins de 4 500 habitants, les bourgs de 2 000 habitants et moins. Il est remarquable de voir combien le parlement de Normandie et notamment son premier président Miromesnil entrent dans ces vues [201]. A son tour le *Dictionnaire de l'Académie,* dans son édition de l'an VII, présente une pyramide de définitions qui se fondent

195. En fait, F. de Dainville nous transmet beaucoup plus que la langue des géographes sur ce point. Il a beaucoup utilisé Richelet, Furetière, Trévoux, le *Dictionnaire de l'Académie Française,* l'*Encyclopédie,* mais la seule référence vraiment économique, par exemple, est le *Dictionnaire* de Chomel, 1741.

196. N. de La Mare, 1713, tome 1, livre 1, titre 1, « De la police en général ».

197. Tome 4, 1738, pp. 404, 412, 419.

198. Lecler du Brillet reprend à son compte sans difficulté le texte de la Déclaration de 1724 qui tendait selon ses propres termes à « distinguer l'enceinte des villes de celles des fauxbourgs ».

199. Dans Edme de la Poix de Fréminville, éd. revue de 1771, aucune rubrique ville, village, bourg, etc.

200. Arch. dép. Calv., C 1048. Analyse dans Ch. Petit-Dutaillis, 1947, p. 330.

201. Miromesnil, 1899-1903, t. 3, p. 373.

sur la taille de l'habitat. « Le hameau est un petit nombre de maisons »[202], le village est « composé de maisons de paysans », le bourg est un « gros village », la ville est « un assemblage ... de maisons disposées par rues ». On ne peut rien espérer de plus précis d'un ouvrage qui concerne les usages de la langue courante. Mais quelques années avant, l'*Encyclopédie* de Panckoucke avait consacré à la ville un long article où s'exprime le point de vue des spécialistes[203]. Démeunier, qui rédige les quatre tomes de l'*Economie politique* à la place de l'abbé Baudeau défaillant, part de la conception dynamique de N. de La Mare.

Il décrit d'ailleurs en même temps la croissance urbaine d'après les idées d'A. Smith. Que des artisans viennent à s'établir ensemble, que d'autres les rejoignent, voilà le noyau d'une petite ville ou d'un village, lieu de production puis lieu d'échange, « marché continuel » ; c'est l'essence de la ville, c'est par là qu'il faut la définir, en scandant les temps de son essor. Sur ce point, les économistes de la fin du XVIIIe siècle ont fait beaucoup mieux qu'adopter le langage un peu mou du vulgaire. Ils ont réfléchi sur les relations de la ville avec l'économie globale et distingué une croissance « naturelle » et une croissance dirigée des agglomérations urbaines.

D'une part, sans l'intervention de l'Etat, « le progrès de la richesse et de l'accroissement des villes se seroit dans toute société politique proportionné à l'amélioration et à la culture du territoire du pays ». La ville, mesure de toutes choses économiques en somme, s'insérerait au bout de la chaîne :

Agriculture et mines → Matières premières → Transformation, Vente
Campagnes ... Villes

Agriculture et mines →	Matières premières	→ Transformation, Vente
Campagnes		Villes

Mais l'auteur du *Dictionnaire d'économie politique* constate aussi que l'essor des villes chemine bien souvent par d'autres voies, c'est le privilège juridique ou commercial, la garantie de la sécurité offerte par l'enceinte qui créent la manufacture dont les exigences en matières premières entraînent alors l'économie rurale. Entre ces agents économiques : les campagnards, les industriels, le pouvoir, des hiérarchies temporaires s'ébauchent, dont l'histoire rythme l'évolution urbaine. C'est en pressentant combien le sens de ces influences est aléatoire que le XVIIIe siècle est inventif et c'est en analysant les habitats humains sous l'angle du développement qu'il tend à remettre ordre et unité dans les définitions plurielles et tâtonnantes de la ville.

202. La dernière partie de la définition « des maisons écartées du lieu où est la paroisse » est incompréhensible. Les académiciens voulaient-ils dire église en écrivant paroisse ?

203. *Encyclopédie méthodique, Economie politique,* 1784-1788. Le dernier tome où figure l'article « Ville » date de 1788.

CHAPITRE II

Attraits et servitudes de la ville

I. ASPECT GÉNÉRAL DE LA VILLE

Deux paysages urbains assez attendus composent le visage de Caen au XVIIIe siècle ; ils affirment avec force la parenté de la ville, née à quatre lieues de la mer [1], avec les autres cités riveraines de la Manche et de la mer du Nord.

Au septentrion, des bosses calcaires sont adoucies de limon ; dessus s'édifièrent au Moyen Age les principaux établissements du site, en autant de microcosmes : la citadelle et son château, le Bourg-l'Abbé, le Bourg-l'Abbesse. Au sud, la rive droite du fleuve s'élève en une pente plus décisive, mais de même nature ; les faubourgs de Vaucelles et Sainte-Paix s'y sont installés, peuplés mais pauvres ; aisément les brouillards dissimulent aux yeux des purs citadins leurs églises trapues qui doivent peu au style vertical que la pierre de Caen a fait fleurir à l'abbaye aux Hommes et jusqu'aux confins des terres anglo-normandes [2].

Entre ces faibles hauteurs, voici maintenant les plaines alluviales de l'Orne et des Odons tant de fois inondées, boursouflées de sources et trouées de mares, effleurées par les mouettes et la marée. La fin du Moyen Age et le XVIe siècle les ont pleinement conquises, mais non sans péril et non sans deniers, terres précieuses comme l'attestent les hautes maisons étriquées et de guingois des paroisses Saint-Pierre ou Notre-Dame, terres dangereuses, la tour penchée de l'église Saint-Jean, qu'il fallut laisser en plan, le rappelle. Depuis le siècle de Louis XIV au moins, les quartiers bas l'emportent en richesses et en activité ; la ville marchande s'étend sur deux ou trois paroisses (Saint-Etienne, Notre-Dame, Saint-Pierre) jusqu'au quai maritime ; sur l'argile fine propice aux pelouses et aux charmilles épaisses sont édifiés aussi les vastes hôtels des nobles provinciaux et des fonctionnaires du roi : c'est la paroisse Saint-Jean.

Seuls échappent donc à cette tyrannie de l'eau et de l'humidité, les faubourgs bâtis autour des abbayes ou bien agglomérés spontanément aux portes de la ville et que l'essor urbain étire le long des routes en haut sur la plaine : vers La Maladrerie, en direction de Bayeux ; vers l'esplanade de

1. L'origine de la ville est étudiée par R. et L. Musset, 1949. L'état de la question est résumé dans le petit livre de synthèse de R. Musset, 1960.
2. Cf. R. Musset, 1960, p. 139 ; et encore Félice, 1907, p. 424 sq.

Sainte-Paix dans le sens de Paris ; au-delà du château et de l'abbaye de la Trinité, vers la mer. Ajoutons ici avec indulgence, et malgré des rues étroites et des murs moussus, une partie de la paroisse Saint-Sauveur et de la paroisse Saint-Martin, que se sont arrogés la basoche et le monde universitaire en hygiénistes avisés. Tous ensemble, ces privilégiés sont bien moins de la moitié des habitants.

Bref, cette ville prospère peut-elle être comparée aux cités hollandaises ? L'eau sans doute est une source de richesses possibles ; à l'échelle des temps, la capitale de la Basse-Normandie est à peu près équidistante de Londres et de Paris ; Rouen, Le Havre, la Bretagne sont à ses portes : un rôle commercial l'attend. L'eau a d'autres générosités encore ; sur les limons fluviatiles, en amont et jusqu'au sein de la cité se déroule la nappe profonde des prairies qui tapissent d'anciennes tourbières ; les pâturages plantureux que les étés ne jaunissent point relaient ainsi les plaines à froment de la banlieue et sont gage d'argent. Vocation maritime, vocation agricole ? Il n'est pas temps de dire si le XVIIIe siècle a choisi, ni comment. D'ailleurs l'humidité du site est à la fois adjuvant et obstacle au développement de la cité. L'eau ne s'y présente pas franchement, elle sourd insidieusement dans les caves ou les rues, elle ébranle les fondations, elle envahit subitement les chaussées aux grandes marées refoulantes ; en revanche, le port s'envase, les boues séjournent en longs atterrissements, les navires s'échouent dans les méandres de l'Orne. Un monde marécageux rappelle inlassablement sa présence dans l'histoire urbaine, dicte partiellement sa loi à l'essor économique, sépare parfois les classes sociales, isole ainsi le faubourg révolutionnaire de Vaucelles du reste de la ville, introduit couramment en tout cas l'insolite dans une cité d'où il a disparu grâce à l'urbanisme du XIXe et surtout du XXe siècle. C'est sous cet angle qu'il faut présenter la ville de Caen.

1. LES PRAIRIES ET LE RÉSEAU HYDROGRAPHIQUE

Et d'abord les proportions : les contenances des treize anciennes paroisses urbaines remodelées mais seulement dans leur tracé interne ont été arpentées sous le Premier Empire à partir de 1807 ; en 1810 l'ouvrage est achevé, Després et Simon terminent le plan d'ensemble au 1/10 000 [3]. La superficie totale se monte à 2 169 arpents métriques (nos hectares). Huit sections cadastrales sur vingt, deux autres encore en partie sont faites d'un sol de prairie, de terres inondables ou de plans d'eau. Bref, ces portions représentent à peu près le quart de la surface totale. Avec une marge infime d'incertitude : cinq cents hectares [4] gris et noirs, voilés sous les brouillards, si un coup de vent à la Ruysdaël ne venait tout à coup de la mer redonner au ciel sa légèreté.

3. Sur la qualité de ces opérations anciennes, étayées par une longue tradition cartographique, voir R. Herbin et A. Pebereau, 1953, p. 65 sq. Pour Caen, J. C. Perrot, 1963 a, pp. 71-74, dans l'introduction à l'inventaire des plans ; dorénavant je citerai plus brièvement : « Inventaire ». D'après le *Recueil Méthodique* (1811), les levés étaient rejetés si les différences entre les longueurs mesurées sur les lieux et celles qu'on lisait sur la carte dépassaient 1/200e dans les grandes dimensions et 1/50e dans les parcelles bâties. Ce ne fut pas le cas pour la commune.

4. J'obtiens ce résultat en totalisant les surfaces bâties et terrains non imposa-

Il faut avouer que la simplicité du réseau hydrographique contemporain rend mal compte de la situation antérieure. Les méandres de l'Orne ont été recoupés, des bras du fleuve ont disparu, les deux Odon furent rectifiés, canalisés et finalement recouverts. Les cours d'eau du XVIIIe siècle étaient bien plus nombreux dans la ville et à ses portes. Les documents concernant les travaux d'urbanisme, notamment ceux du port, les contestations des riverains, les archives des abbayes et par-dessus tout les plans conservés en grand nombre facilitent la reconstitution. Regardons-les.

Après être passée par-dessus la chaussée du moulin de Montaigu, l'Orne se divise dans la ville en trois branches que les travaux de la fin de l'Ancien Régime vont ramener à deux. Le plus méridional de ces cours semble avoir été de loin le plus vaste : il pouvait avoir une quarantaine de mètres de large que le pont de Vaucelles franchissait en quatre arches de presque cinq toises chacune [5]. Le deuxième chenal, beaucoup plus petit, s'écartait du premier à la sortie de la grande prairie, une île étroite et longue les séparait avec ses terres molles et fécondes jusqu'aux abords de la Tour au Marescal. Le troisième cours de l'Orne, enfin, est sans doute celui qui compte le plus dans la topographie urbaine, il entoure complètement le quartier Saint-Jean qu'il transforme en île. Fut-il aménagé artificiellement, à diverses époques, par les habitants ? Huet, dans ses *Origines de Caen* [6], La Rue, dans ses *Essais historiques* [7], décrivent ces travaux menés dès l'époque de Robert, duc de Normandie. L'eau y aurait été amenée, ajoutent-ils, par une sorte de digue en amont de la ville : la chaussée ferrée, dont le nom évoque pourtant aux historiens une origine plus reculée.

C'est également dans la cité que les deux Odons rejoignent le fleuve principal. Le Grand (ou vieil) Odon arrose la partie méridionale des jardins de l'abbaye aux Hommes, ils rejoint sous les murs de la ville, au pied du jardin des jésuites, le cours septentrional de l'Orne près de la Porte neuve. Peut-être était-ce là son chenal principal, voire unique dans le haut Moyen Age ; de La Rue adopte cette opinion [8]. En tout cas, au XVIIIe siècle, la majeure partie de ses eaux traverse les quartiers les plus densément peuplés et va rejoindre l'Orne beaucoup plus en aval après avoir fait tourner vaille que vaille le moulin Saint-Pierre [9]. Le Petit (ou encore le nouvel) Odon suit dans la ville

---

bles des sections de la vallée de l'Orne et des Odon (sections C, F, H, J, N, O, R, S, la moitié de G, les deux tiers de P), les surfaces non bâties cadastrées en jardins, prés, ruisseaux, rivières et port.

5. Cf. le plan du cours principal de l'Orne à travers la ville, Bibl. mun. Caen, mss. in-fol. 182, pl. 5. (« Inventaire », n° 126). Egalement le « Vieux dessin du pont de Vaucelles », Arch. dép. Calv., L, sans cote (« Inventaire », n° 146) et le « Pont de Vaucelles sur l'Orne à Caen », même série (« Inventaire », n° 147).

6. Pierre-Daniel Huet, 1706 ; les références sont relatives à la deuxième édition, augmentée ; cf. ici les chapitres III et IV.

7. Abbé de La Rue, 1820, t. 1, p. 66 sq.

8. *Op. cit.*, p. 62. L'auteur s'appuie sur Ch. de Bourgueville, *Les Recherches et antiquités de la province de Neustrie...*, Caen, 1588.

9. Cf. les plans généraux de la ville (« Inventaire », chap. 1) et celui d'une portion de la ville comprise entre la rue Ecuyère, la rue Saint-Laurent, les Jésuites et la prairie, Arch. gén., place de Caen, cartons 1, 2 (« Inventaire », n° 556).

un cours parallèle au premier, distant de trois à quatre cents pas vers le nord. La cité devait-elle ce ruisseau, comme l'ont soutenu les vieux mémorialistes, à ses « premiers ducs de Normandie », notamment Richard II [10] ? C'est à une étude de géographie médiévale de se prononcer. Quoi qu'il en soit, dans les temps modernes, le petit Odon, surplombé d'une multitude de ponceaux et de passerelles pourries, parfois caché sous les maisons ou bien sous les frondaisons des jardins, parvient au moulin de Gémare où l'odeur des eaux dormantes se conjugue avec celles des écuries et des granges [11]. Peu après, ce sont les goulets de Saint-Pierre et le confluent avec l'Orne. La petite rivière a collecté les eaux usées à travers les îlots industriels, notamment celles des tanneries, et elle ajoute ainsi ses boues aux vases refoulées par la marée le long des quais du port.

Bref, si les hommes du Moyen Age ont eu moins de part au tracé des cours d'eau que ne le disent les annalistes [12], ils ont eu sans doute à choisir dans un réseau abondant et incertain et à privilégier peu à peu telle voie commode au commerce. Ainsi les rivières d'Ancien Régime ne sont plus que le résumé déjà bien humanisé d'un écheveau confus qui survit dans les mares et les résurgences des quartiers surpeuplés ou dans les pièces d'eau des résidences de la paroisse Saint-Jean [13].

D'ailleurs le paysage de la plaine alluviale, à peine remodelé, est là, dans la ville même, sous nos yeux. A l'est, c'est la prairie Saint-Gilles, propriété de l'abbesse qui en conserve de nombreux plans dans ses archives [14]. L'un d'eux éclaire tout particulièrement l'hydrographie de la vallée, il provient des habi-

10. Huet, *op. cit.*, p. 31. La Rue, *op. cit.*, t. 1, p. 63 sq. L'auteur s'appuie sur Ch. de Bourgueville, *Les Recherches et antiquités de la province de Neustrie...*, Caen, 1588.

11. Cf. le « Plan des cours du Grand et Petit Odon passants au travers de la ville de Caen », Arch. dép. Calv., 2152 (« Inventaire », n° 461). Les textes descriptifs sont également nombreux. Le moulin de Gémare, évoqué en 1760 par son propriétaire, l'abbé d'Ardennes, est pour ainsi dire une exploitation rurale en pleine ville (cf. Arch. dép. Calv., C 1146). On peut également consulter l'analyse du fonds donnée dans les baux conservés dans la série H.

12. Selon la tradition, on devrait considérer le port, près de la rue des quais, pour artificiel en grande partie. Le bras de l'Orne qui coule sous les tours du pont Saint-Pierre, emprunterait un canal creusé sur une certaine longueur. Cependant le « Plan de distribution du terrain de la place du pont Saint-Pierre » de 1756 (« Inventaire », n° 529), de même que le plan d'assemblage du cadastre, incitent à attribuer à ce chenal entre 10 et 15 mètres de large ; près du pont Saint-Louis, il est vrai, les dimensions étaient plus modestes ainsi que le montrent d'autres plans (« Inventaire », n° 368 sq). De toute façon, de semblables percées présentaient encore à la veille de la Révolution des difficultés presque insurmontables en raison de la nature des sols ; le dossier des travaux du port le souligne à chaque page.

13. De très nombreux bassins apparaissent sur les plans : par exemple, au couvent de l'Oratoire rue Saint-Jean (« Inventaire », n° 425), chez les Ursulines entre les quais et la rue Frementel (« Inventaire », n° 433), à l'hôtel de Brassac (« Inventaire », n° 436), à l'hôtel d'Harcourt (« Inventaire », n° 439), etc. Même lorsqu'elles sont creusées, ces pièces d'eau tirent profit, bien entendu, des conditions naturelles.

14. Cf. « Inventaire », principalement le chapitre 2, « Les rivières, les prairies et le port ».

Relief et réseau hydrographique depuis 1780 (tracé de l'I.G.N.)

Équidistance des courbes : 10 mètres
En gris, zone d'altitude inférieure à 20 mètres
En pointillé, la limite de Caen

tants de la paroisse voisine de Mondeville qui traversaient souvent les lieux pour la fenaison et la paissance des troupeaux [15]; comme ils étaient dérangés dans leurs habitudes par les travaux du port, ils firent dessiner en 1789 le tracé des cours d'eau pour obtenir un bac et une chaussée. La cause était facile à plaider si l'on en croit le document. A l'ouest de la ville, à travers la Grande Prairie que les rivières encadrent, la densité des ruisseaux est plus claire encore et mieux connue [16], puisque Huet avait constitué un dossier sur ce sujet à l'occasion de son ouvrage sur les origines de la ville [17]. Les plans qui en proviennent montrent deux petits cours d'eau, visibles d'ailleurs sur presque toutes les cartes du XVIIIe siècle également, qui vont des Odon à l'Orne : la Grande et la Petite Noe [18]; il faut ajouter en outre de larges fossés : celui de Louvigny qui sert de limite aux paroisses de la ville [19], est sans doute œuvre humaine comme le fait supposer sa régularité, mais ses eaux vont en partie à l'Orne, en partie à la Grande Noe, remarque la légende, et c'est une preuve supplémentaire des incertitudes du drainage; de même plus près de la ville, la pièce d'eau du Fort alimente un nouveau canal qu'enjambe le pont aux vaches. Un peu partout des passages donnent accès à une mosaïque capricieuse de prés isolés par les eaux : ponts de la Luchette, du Mesnil, de la Planque au Prestre, de la Drovinière [20]...

Le charme des noms de lieux normands qui enchantait Maupassant et Marcel Proust fera-t-il pardonner la minutie d'une telle description? Elle trouve cependant d'autres justifications s'il est vrai que chaque quartier d'une ville possède son individualité, faite de nuances géographiques fines.

2. SOLS ET SOUS-SOL DE CAEN

Une nouvelle dimension s'ajoute nécessairement à ce dessin linéaire lorsqu'on prend en considération la nature des sols, après le réseau hydrographique. Les tâches de la reconstruction de la ville après les bouleversements de la dernière guerre ont demandé des études minutieuses et systématiques de la qualité des sols [21]; elles complètent les descriptions antérieures des géographes et géologues, faites généralement dans des perspectives beaucoup plus

15. Cf. le « Plan relatif à la requête présentée par les habitans de la paroisse de Mondeville », Arch. dép. Calv., 6 C, carton 1 (« Inventaire », n° 103).
16. « Inventaire », chap. 2, « La prairie de l'Orne et des Odons », p. 123 sq.
17. Bibl. nat., mss. fr. 11 911, et Bibl. mun. Caen, mss. in-fol. 95.
18. D'après Moisy, 1887, le mot « noe », très utilisé dans la province, peut prendre cinq ou six sens évocateurs de réalités voisines : c'est la gouttière entre deux toits, ou une rigole; c'est une fosse pour le trop-plein d'un moulin; c'est une mare abandonnée par la mer sur une grève; enfin, deux définitions conviennent mieux ici, la noe désigne une prairie dont le niveau est inférieur à celui du cours d'eau et encore « la partie du lit d'une rivière rentrant dans les terres et où le courant ne se fait pas sentir », traduisons : un bras mort.
19. Cinquième carte de Saint-Nicolas (1782), Arch. dép. Calv., H 2173 (« Inventaire », n° 213).
20. Bibl. mun. Caen, mss. in-fol. 95, f.4 (« Inventaire », n° 111).
21. Cf. par exemple L. Mornod, 1948.

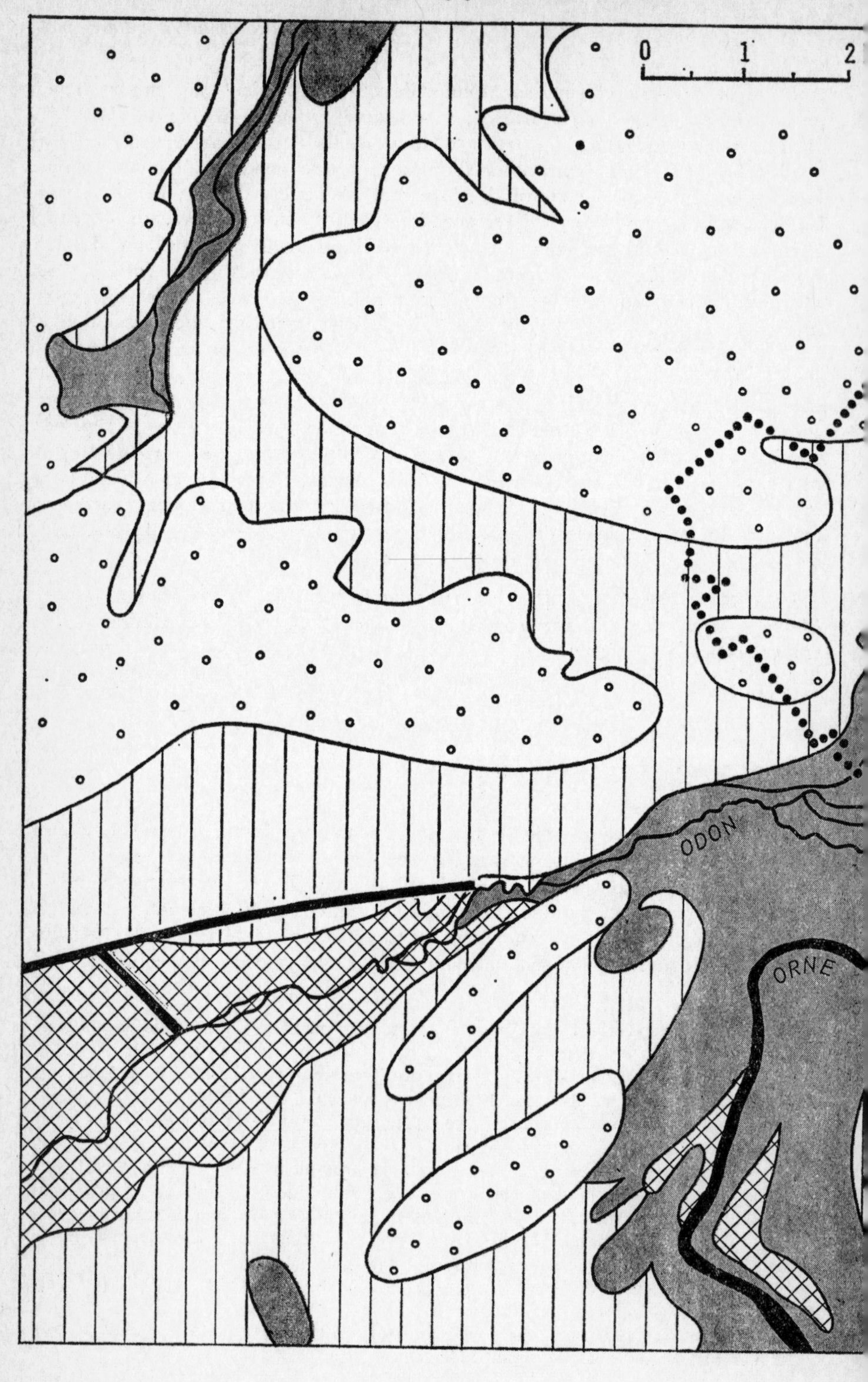
0
1
2
ODON
ORNE

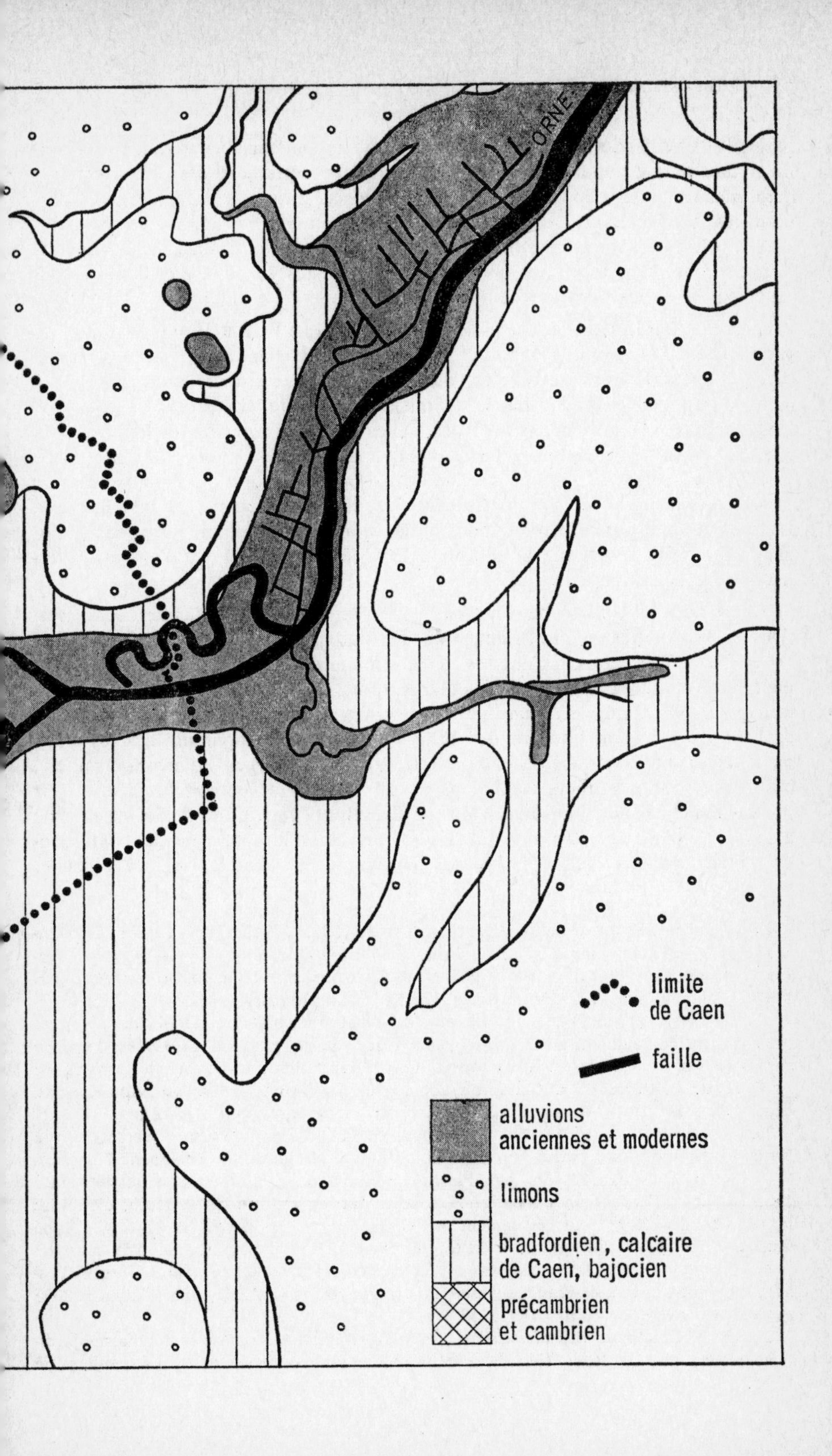
ORNE
limite
de Caen
faille
alluvions
anciennes et modernes
limons
bradfordien, calcaire
de Caen, bajocien
précambrien
et cambrien

vastes[22]. L'utilisation de ces travaux à des fins historiques requiert évidemment une part d'hypothèse, il faut admettre une certaine fixité des conditions naturelles du site depuis deux siècles. Cela ne fait pas trop de difficultés pour les parties hautes de la ville, mais il n'en va pas de même pour les plaines alluviales ; sur ce sujet capital pour la cité d'autrefois, les documents sont heureusement assez nombreux et précis ; on les consultera toujours simultanément avec les études récentes.

Creusée dans les assises jurassiques, la vallée de l'Orne provient, selon les géographes[23], du remblayage d'un ancien estuaire flandrien ; sur ses flancs, divers dépôts se sont accumulés, de sorte que la roche apparaît bien rarement, excepté le long des fossés aménagés autour du château.

Ces limons comportent en aval des sables quartzeux parfois mélangés à des graviers plus grossiers provenant du colmatage d'anciennes vallées sèches comme au Vaugueux, à l'est du Château, où leur coloration d'un brun clair varie selon la masse de l'argile de décomposition épandue par le ruissellement. Leur double aptitude comme terrain de fondation et comme sol de maraîchage se repère aisément sur les plans d'Ancien Régime[24], où l'on voit alterner les maisons denses et les jardins.

Toutefois leur qualité ne vaut pas celle des alluvions anciennes, épais vestiges de la vallée monastirienne de l'Orne qui s'enfonce selon Bigot et Félice jusqu'à trente-cinq mètres de profondeur sous l'estuaire de maintenant[25]. Ces alluvions affleurent donc surtout en amont de la ville ; on les trouve en abondance au quartier Saint-Julien et au Bourg-l'Abbé. Le terroir de l'abbaye leur doit une grande partie de sa richesse, apparente dès les plans parcellaires du XVIIe siècle, sur lesquels figurent vergers d'arbres fruitiers, clos plantés de pommiers et champs de sainfoin où se perçoit la dîme[26]. Sur un sol analogue, non loin du chemin de Creully, la faculté de médecine dessine à partir de 1736 son jardin royal des Plantes dont le catalogue de 1781 montre la richesse[27] et le plan, les nombreuses serres chaudes où les planches

22. Pour la Basse-Normandie, A. Bigot, 1890-1891, 1894, 1900, 1942 ; L. Dangeard (in : A. de Lapparent) ; Dollfus, 1900 ; A. Madeline, 1944-1945 ; Munier-Chalmas, 1891 et 1892. Il existe quelques travaux sur la région de Caen : A. Bigot, 1898, 1903 a et b ; F. Gidon, 1915, 1917, 1918 ; J. Mercier, 1934.

23. Cf. l'ouvrage de Félice, les travaux de Bigot, les sondages de Mornod.

24. Cf. principalement la « Carte géométrique de la paroisse St Gilles de Caen ensemble les limites des neuf paroisses qui l'environnent, levée par les ordres de Madame de Belsunce de Castelmoron abbesse de Ste Trinité de la Dte ville », Arch. dép. Calv., H, fonds de la Trinité, sans cote (« Inventaire », n° 312).

25. Félice, *op. cit.*, p. 41. Selon Mornod, ces dépôts forment une masse de 3 à 5 mètres en moyenne, parfois un peu moins et par accident, ils atteignent 7 mètres.

26. Les six cartes dressées par Pierre Legendre pour illustrer son terrier entre 1665 et 1667. L'arpenteur a mentionné à cette date la culture du sainfoin, c'est dire la fertilité des terres. Cf. également la « Description des terres du Bourg l'Abbé tant du domaine fieffé que non fieffé appartenant à l'abbaye de Saint-Etienne de Caen s'étendant dans les paroisses de Saint-Nicolas, Saint-Ouen, Saint-Martin, Vesnoix à Saint-Germain-la-Blanche-Herbe et aux environs », Arch. dép. Calv., H 2096 et 2098 (« Inventaire », n°s 189 à 197).

27. Cf. le *Catalogue des plantes du jardin botanique de Caen* par M. Farin, jardinier, Caen, G. Le Roy, 1781. Un exemplaire est conservé dans les papiers de

sont tracées en plein terreau. Sur la rive droite du fleuve apparaît également une étroite bande des mêmes alluvions : on devait y planter, paroisse Sainte-Paix, une pépinière vers 1778 [28].

Dans les régions les plus élevées de la ville, où le promeneur ne domine cependant pas la vallée de plus d'une trentaine de mètres, le calcaire de Caen est près d'affleurer généralement, mais il est parfois surmonté d'une autre variété de jurassique, plus grossière, tout juste bonne à faire des moellons [29]. Sur la roche, l'argile de décalcification est inégalement répandue ; elle peut prendre un peu d'épaisseur sur la plaine céréalière que cultivent les paysans des écarts rattachés aux paroisses urbaines : la mare du hameau de La Folie ou la mare Cauchette à La Maladrerie ont de l'eau en tout temps au XVIIIe siècle [30] ; mais la règle générale est la légèreté du sol superficiel comme l'atteste la toponymie des delles : la Sablonnière dans le terroir du Bourg-l'Abbé, les Sablons du Calvaire à Saint-Gilles. En ville, la couche d'argile est bien mince ; ainsi lorsqu'à la suite de l'ordonnance de la Cour du Parlement de Rouen de juin 1783 [31], l'échevinage fit des travaux préparatoires au transfert des cimetières hors les murs, il dut abandonner l'idée d'utiliser le Clos Beuvrelu, paroisse Saint-Martin ; à un pied et demi de profondeur apparaissaient des lits de pierres plates ; un pied plus bas, c'était la roche en place. Celle-ci tient évidemment grande place dans le développement urbain. A sa qualité de belle pierre à bâtir qui durcit à l'air [32], permet les constructions en hauteur et partant les fortes densités, Caen doit l'originalité qui la distingue des autres grandes cités normandes, Rouen notamment où l'emportent les maisons de bois [33].

La plaine alluviale, façonnée par l'Orne et les Odon, est d'une étude plus délicate ; en même temps elle est plus attrayante aux yeux de l'historien car la nature des sols a imprimé dans ces lieux des marques sensibles à la vie urbaine.

Les géologues remarquent en premier lieu l'épaisseur des couches qui reposent sur les dépôts reconnus antérieurement le long des pentes : c'est à peu près une dizaine de mètres de terrains fort variés. Le sol superficiel est fait d'humus, de cailloux, de débris de coquillages sur des profondeurs variables ; il recouvre des alluvions de l'époque flandrienne accumulées lors de la transgression ; ici quatre étages peuvent être reconnus de haut en bas, les vases sableuses, la tourbe, les vases verdâtres à vivianites, les vases sableuses

---

l'Université (Arch. dép. Calv., série D 963). On y trouve un « Plan du jardin royal des Plantes » en hors-texte (« Inventaire », n° 300). Cf. également O. Lignier, 1904, et F. Gidon, 1933, pp. 274-284.

28. Arch. dép. Calv., C 2777.

29. C'est l'oolithe miliaire du bradfordien inférieur, selon la carte géologique.

30. Ces mares ont évidemment une grande importance pour la vie des hameaux étant donné que les puits sont profonds et coûteux à construire ; il est donc important de connaître leur emplacement. Outre la feuille d'assemblage du cadastre, on consultera le terrier de Legendre et le plan de Saint-Gilles déjà cités.

31. Le texte de cette ordonnance figure dans Arch. dép. Calv., C 6485, et dans Arch. mun. Caen, DD 47.

32. Félice, *op. cit.*, p. 429.

33. Quenedey, 1926, et également Huard, 1926-1927, p. 499 sq.

verdâtres [34]. Les étages supérieurs du flandrien sont plus consistants, les vases du fond sont au contraire très instables et peuvent se « liquéfier » comme l'ont constaté les ingénieurs contemporains [35].

Sans leur attribuer évidemment un faciès précis, les entrepreneurs du XVIIIe siècle connaissaient bien ces terrains. D'ailleurs les érudits qui ont écrit à la charnière du XVIIIe siècle et de l'époque contemporaine avaient également une bonne connaissance théorique de la géologie locale ; La Rue, par exemple [36]. Les premiers ont cependant des descriptions plus précieuses à nos yeux que les seconds. Les devis de réparation du bureau des finances, situé rue Saint-Jean, établissent par exemple, en 1745, que les fondations du bâtiment doivent être refaites partiellement [37]. On y soulignait le caractère marécageux et « très aquatic » du sol. Quand on construit dans ce quartier, ajoutait-on, « les tranchées pour les fondements ne se creusent point plus bas qu'une certaine croute de terre noirâtre que l'on appelle le fond du pré, qui n'a tout au plus que 7 pouces d'épaisseur et que l'on se donne bien de garde de percer parce qu'alors il faudrait se servir de pilotis entés peut-être de plus de 30 ou 40 pieds de long ». En dessous, c'est l'instabilité que les travaux du port, commencés dans les années 1780, ont confirmée à chaque coup de pelle. Un des entrepreneurs, Martin, signale le 1er décembre 1788 à l'intendant [38] qu'il a trouvé à 6 pieds sous le sol du canal, après les couches de tourbe, une glaise fluide qui s'affaisse sans fin. Mêmes doléances dans l'entreprise Migniot et Cie à laquelle est lié le précédent [39] : le sol de la prairie est fait de vases liquides. L'ingénieur des Ponts-et-Chaussées Didier, chargé d'une information sur ces plaintes, conclut son rapport le 5 juillet 1789 en soulignant que les couches supérieures sont « d'une nature de terre végétale et de glaise beaucoup plus pesantes que les couches inférieures extrêmement mélangées de tourbe quelquefois plus légères que l'eau même et délayées » [40].

A la jonction de ces deux types de terrains : une couche plus solide, sable ou galets, qu'il ne faudrait pas avoir à percer, comme le répète Migniot en août 1790 qui abonde dans le sens de l'ingénieur Didier ; en dessous, dit-il, c'est tantôt un sable noir « tellement perméable à l'eau que les fondations en furent sur le champ inondées », comme dans l'île Saint-Jean, tantôt, comme à Vaucelles, « un petit sable de la nature de la tangue ... qui tremble sous le poids de l'homme » [41]. Bref, la majeure partie de la ville est ainsi édifiée sur un fond inconsistant qu'on ne peut creuser. Dans une lettre à la Commission intermédiaire, Migniot déniait qu'on puisse y faire des tranchées, même sur un profil de 45 degrés [42]. Sont-elles creusées ? Elles se remplissent aussitôt d'une eau têtue qu'on ne peut épuiser. « Quoique la machine n'ait

34. Cf. la série stratigraphique de Mornod ; *op. cit.*, p. 5 sq.
35. Mornod, *op. cit.*, p. 64.
36. La Rue, 1820, t. 1, p. 42 sq.
37. Arch. dép. Calv., C 6496.
38. Cf. la requête de Martin dans Arch. dép. Calv., C 4105.
39. Cf. la requête de P. Migniot du 14 janvier 1789, dans Arch. dép. Calv., C 4107.
40. Arch. dép. Calv., C 4107.
41. Cf. le devis des accidents survenus pendant le creusement du canal, rédigé le 16 août 1790, dans Arch. dép. Calv., C 4108.
42. Cf. la lettre du 9 septembre 1789, dans Arch. dép. Calv., C 8550.

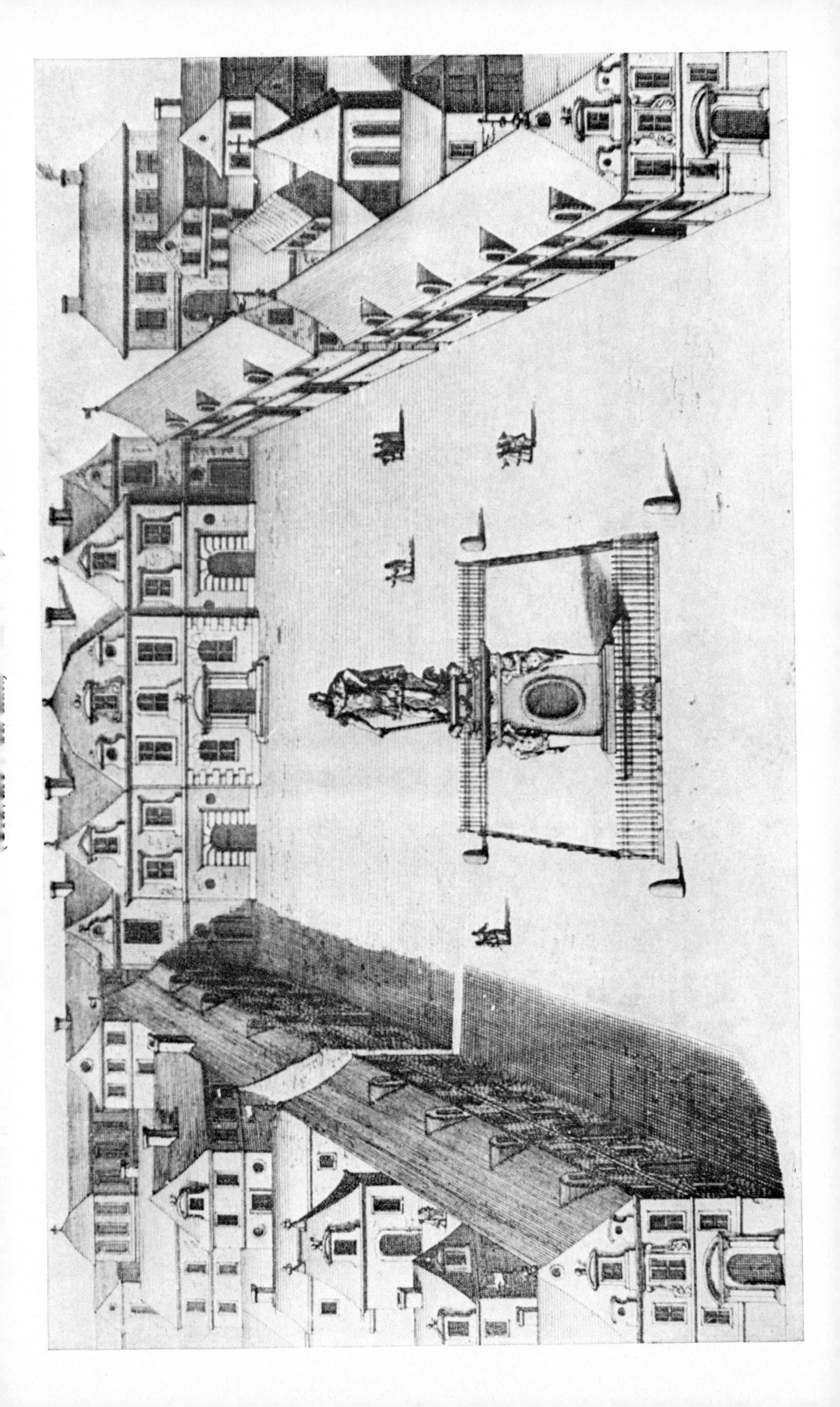

Le port de Caen au XVIIIe siècle
(Coll. Viollet)

pas cessé de marcher depuis hier, excepté l'heure de la marée, l'eau n'a pas baissé à nous permettre de tracer la cuvette ni de fouiller dans le fossé tendant au puisard» écrivait Desclosets lors des premiers travaux du port[43]. D'où vient cette eau « sourcilleuse », quel est son niveau, quelles portions de la ville menace-t-elle ?

3. LES NAPPES SOUTERRAINES ET LES EAUX DE SURFACE

Les sondages récents, préparatoires à la reconstruction de la ville, ont reconnu trois nappes d'eau souterraines[44].

L'une d'elles, plus proche du sol, filtre à travers les alluvions anciennes de la vallée quaternaire antérieure à la transgression de l'Orne ; on la rencontre à des profondeurs variables de 4 à 6 mètres. Un sondage au centre de la prairie[45] la repère à 3,92 m ; en revanche, elle est plus basse ailleurs : 4,90 m environ dans le quartier des rues Saint-Jean et Frementel[46] ; plus profonde encore dans la paroisse Saint-Michel-de-Vaucelles[47]. Cette nappe est la seule pourvoyeuse en eau potable de la plaine alluviale. Les forages étaient faciles ; les propriétaires du quartier, aisés et parfois fort riches : de nombreux puits avaient été creusés au XVIIIe siècle. Certains plans les indiquent avec précision, tel celui de l'hôtel de Brassac[48] ou mieux encore celui de la communauté de l'Oratoire qui fut dessiné au début de la Révolution, alors qu'on cherchait à morceler le fonds pour de nouveaux propriétaires qui allaient évidemment demander des points d'eau[49].

Les deux autres nappes sont retenues dans les terrains jurassiques. Au niveau du calcaire de Caen, la nappe vésulienne apparaît à une profondeur de 10 à 12 mètres d'après les sondages de la rue du Gaillon et de la rue de Géole[50]. L'eau se trouve sous une faible pression : ainsi les deux sources anciennement utilisées de la rue de la Boucherie et du carrefour Gémare-Teinturiers que les citadins avaient pourvues d'un petit bassin si l'on en croit les plans de 1767[51], et qui débordaient auparavant de manière anarchique[52]. Mais c'est le seul exemple urbain. Aucune autre fontaine jaillissante, remarquent François et Jacques Quersin, puisatiers lillois, dans leur rapport au

43. Cf. la lettre du 23 juin 1784, dans Arch. dép. Calv., C 4101.
44. Mornod, *op. cit.*, pp. 67-71.
45. Cf. le sondage 3.
46. Cf. les sondages 41 et 47, « Frémentelle » est une orthographe plus récente.
47. Cf. les sondages 67, 68, 76, 91 où l'eau se situe entre 5,09 et 6,27 m.
48. « Plan de la maison et jardin qu'occupe Mr. de Brassac avec celui des batimens à acquérir du côté de la rue Saint-Jean, n° 2 », Arch. dép. Calv., C 208 (« Inventaire », n° 434).
49. Plan de l'Oratoire de l'inspecteur Guéret, Arch. dép. Calv., Q, Biens nationaux, Jésuites-Oratoriens, sans cote.
50. Cf. les sondages 15, 16, 19, 26 de Mornod.
51. Cf. l'élévation et la coupe de la fontaine Gémare, dans Arch. mun. Caen, DD 48, 5 (« Inventaire », nos 549 à 551).
52. Plan de la Venelle au fort Quatrans, joint à une requête de mars 1629, dans Arch. dép. Calv., C 1144 (« Inventaire », n° 543). Cf. aussi Lépecq de la Cloture, 1778, t. 2, p. 383, qui en outre signale deux autres sources hors de la ville et quelques fontaines particulières.

subdélégué en 1782 [53]. Tout au plus, au hameau de Cally, distant d'une demi-lieue, une eau qui « pourrait servir » sourd d'un jardin et court, inutilisée, vers les prés voisins. Du Feugray, dans ses *Recherches* [54], n'en fait pas de cas au milieu du XIXe siècle. Ainsi, même dans le quartier Gémare, devait-on recourir à des forages que les petites gens n'avaient pas le luxe de s'offrir. Le puits public de l'Epinette, encore appelé puits des Croisiers au carrefour Guérin, ravitaillait plusieurs îlots entiers [55].

La dernière nappe d'eau repose dans les oolithes du bajocien ; son niveau par rapport à la surface change beaucoup d'un lieu à l'autre : 5 à 6 mètres au cœur de la ville, vers la place Saint-Pierre, plus de 25 mètres devant l'église de l'abbaye aux Dames, sur la hauteur [56]. On trouverait des profondeurs semblables dans les puits de la rue de Bayeux au nord-ouest de la ville et leur relative rareté découle évidemment des difficultés du creusement autant que de la modestie des propriétaires ; le plan du faubourg l'Abbé, levé dans la deuxième moitié du XVIIIe siècle, signale six points d'eau seulement dans ce quartier depuis la place des Petites-Boucheries jusqu'à l'orée de la campagne [57], sur 700 à 800 mètres.

Si l'eau filtrée ne manque pas trop à la vérité dans la ville, elle est donc parfois d'un accès coûteux au point qu'on a pensé, en 1782, à capter les eaux de sources des coteaux d'Allemagne (maintenant Fleury-sur-Orne), les élever au moyen d'une machine hydraulique et les distribuer aux fontaines et aux bourgeois [58]. Ce projet de fin de siècle n'eut pas de suite et le recours aux eaux superficielles s'est donc imposé à travers tout le XVIIIe siècle pour de multiples usages, le lavage bien sûr et peut-être bien aussi la cuisine [59].

Le niveau des eaux de surface dépend du mouvement de la marée, fort sensible jusqu'à l'écluse édifiée à l'entrée de la ville au XIXe siècle. Dans les âges anciens, l'influence de la mer s'exerçait beaucoup plus haut en amont. L'enquête de Duhamel du Monceau [60], opérée en 1748, signale que la marée se faisait sentir encore à trois lieues en-deçà de Caen. Pendant le flux, le plan d'eau douce s'élevait considérablement. Aux équinoxes, il dépassait le niveau des chaussées des moulins de Montaigu et de Bourbillon qui « cessent de tourner jusqu'à ce que la marée soit retirée » [61]. Nulle surprise alors, que les géologues de maintenant aient constaté la légère salinité des eaux superfi-

53. Arch. dép. Calv., C 1116.

54. L. du Feugray, 1851 ; consulter l'exemplaire de la Bibl. mun. de Caen, interfolié et annoté (mss. in-8° 103).

55. Cf. un plan des années 1700 à la Bibl. nat., mss. fr. 11910, pièce 188 ; et un autre de 1757-1760, dans Arch. dép. Calv., C 1146 (« Inventaire », nos 545 et 547).

56. Mornod, *op. cit.*, sondages nos 34, 36 et 65.

57. Cf. le plan du faubourg l'Abbé dans la collection des études préparatoires au grand plan de Caen ; Arch. dép. Calv., C 6861 (« Inventaire », n° 218).

58. Mémoire de Delapoterie, élève des Ponts-et-Chaussées, présenté en janvier 1782, dans Arch. dép. Calv., C 1116. Lui est adjoint le « Plan de la machine hydraulique pour élever les eaux sur les buttes d'Allemagne, à l'aide des moulins de Montaigu » (« Inventaire », n° 100).

59. Plusieurs bateaux-lavoirs étaient affermés par la ville. Arch. mun. Caen, BB notamment.

60. Cf. la transcription de cette étude par M. de La Londe dans Arch. dép. Calv., C 4090.

61. Cf. la deuxième partie du mémoire.

cielles qui imbibent le sol de la ville[62], bien que les cours d'eau soient aujourd'hui protégés de l'action directe de la mer.

Les sondages récents donnent une idée impressionnante de ce milieu amphibie qu'il faut pourtant considérer comme en-deçà de la réalité ancienne. Dans la prairie de Caen, ils révèlent que ces eaux mêlées sont à 0,30 m de la surface[63]. Au-delà du léger dos d'âne présenté par la plaine alluviale dans les zones bâties, le niveau des eaux se retrouve, sur l'emplacement de l'ancien port de Caen, à moins d'un mètre : le sondage 54, à l'angle du quai de Juillet et du quai Vendœuvre, révèle 0,80 m ; le sondage 59, quai Vendœuvre, avoue 0,90 m avec, il est vrai, des anomalies toutes proches[64]. Fait plus grave, le sol du XXe siècle, au sein de la ville, est une éponge : dans l'ancienne île Saint-Jean, l'eau est en gros à 1,50 m[65]. La zone instable est d'ailleurs fort épaisse, à l'extrémité nord de la rue Saint-Jean, on compte 32 % d'eau dans la vase du sous-sol sous 6,50 m de profondeur et le bon sol à bâtir est à plus de 10 mètres ; à l'angle de la rue Saint-Jean et de l'Oratoire, l'eau sourd depuis la base des alluvions quaternaires, soit pratiquement 12,50 m, et les fondations lourdes doivent s'enfoncer jusqu'à 14 mètres. Une bonne partie des anciennes paroisses où se développait le quartier des affaires est logé à la même enseigne : dans la paroisse Saint-Etienne, la nappe superficielle est à 2,25 m[66] ; rue des Teinturiers, elle se trouve à 0,70 ou 0,80 m[67], de même sous une partie de la place Saint-Pierre[68]. Près de la maison de la Monnaie, la nappe est encore à 1,25 m[69] ; rue de Geôle, en moyenne à 2 mètres[70]. Les quartiers plus élevés, notamment sur la frange nord et nord-ouest, sont évidemment plus secs ; il faut descendre à 4, 5 et 6 mètres pour rencontrer l'eau[71]. Nulle part, en tout cas, elle n'est vraiment difficile à atteindre. Combien de citadins impatients ou désargentés se bornaient-ils autrefois à creuser leur puits dans cette saumure au lieu d'atteindre les nappes souterraines plus pures ? Il faut renoncer à répondre, malgré qu'on en ait ; toutefois un dossier semble plaider en faveur de l'option la plus fâcheuse pour la santé des habitants. Il est alimenté d'une foule de condamnations en police parce que les puits communautaires ne sont pas nettoyés[72]. Sans doute, les coupables incriminent des voisins mal intentionnés qui ont

62. Mornod, *op. cit.*, p. 67.

63. On se reportera à Mornod, *op. cit.*, p. 14 sq., pour tous ces sondages, ainsi qu'aux seize coupes géologiques à travers la ville qui en résument les résultats (planche II).

64. Le sondage 57, à l'angle de la rue des Carmes, donne 2 mètres ; le sondage 56, quai Cafarelli, 1,70 m ; ceux des anciennes paroisses Sainte-Paix et Saint-Michel-de-Vaucelles : 1,50 à 4,40 m sur le sol, évidemment très remanié, de la gare.

65. Cf. en particulier les sondages 40, angle des rues Saint-Jean et de l'Oratoire : 1,55 m ; 41, angle des rues Saint-Jean et Frémentel : 1,55 m ; 59, boulevard des Alliés, près de la tour Guillaume : 1,25 m.

66. Cf. le sondage 9.

67. Cf. les sondages 28 et 31.

68. Cf., dans la portion sud-est, le sondage 36.

69. Cf. le sondage 32.

70. Cf. les sondages 29 et 30.

71. Cf. les sondages 11, rue Pasteur ; 12, rue E.-de-Beaumont; 13 à 19, quartier Saint-Martin et Gaillon.

72. Arch. dép. Calv., série 1 B, *passim.*

jeté des immondices par-dessus la margelle. La véritable raison tient cependant à l'accumulation des vases entraînées avec l'eau des terrains quaternaires récents : les puits n'ont atteint que la nappe superficielle.

Au surplus, la description de l'état présent rend-elle bien compte du passé ? De combien différait le niveau des eaux autrefois ? Si les documents anciens peuvent décrire, en effet, une réalité géographique originale, c'est par excellence en ce domaine hydrologique où l'on discerne à l'échelle de la vie humaine elle-même les effets de l'alluvionnement, des modifications des estuaires et du dessin des côtes, sans parler des contre-coups des travaux urbains sur le drainage, tels que les ponts, les bassins artificiels ou les écluses de chasse ; sans omettre non plus, ces amples oscillations séculaires du climat qu'historiens et géographes commencent à déchiffrer d'un commun accord[73]. Ces réflexions commandent impérieusement un retour aux documents d'archives.

4. LES MARÉES ANCIENNES

Le régime des eaux douces et salées qui commande aux variations de la nappe superficielle imbibant le sol de Caen au XVIIIe siècle ne paraît clair que si on demeure dans les généralités. Veut-on préciser des niveaux ? De véritables difficultés apparaissent ; elles prennent leur source, en général, dans les bouleversements qu'ont fait subir au drainage les travaux de rectification de l'Orne commencés en 1780, interrompus en l'an II, repris un peu plus tard, puis finalement abandonnés en 1811 pour la construction d'un canal latéral à la rivière[74]. Certes, il y a quelque remède à côté du mal : des nivellements précis et nombreux datent de cette époque ; c'est un profitable contraste avec les rares mesures antérieures qui n'étaient souvent que des estimations. Il est donc légitime de partir des données les plus claires et de leur comparer textes et chiffres des XVIIe et XVIIIe siècles.

Un petit problème irritant s'offre d'entrée : celui du choix d'un repère fixe. Les anciens ont eu chacun le leur, plus judicieusement déterminé à chaque enquête ; Vauban, en 1678, comptait à partir des basses mers de grande marée à l'embouchure[75] ; Duhamel du Monceau, en 1748, note les hauteurs de l'eau depuis le fond du port[76] ; un mémoire rédigé en 1767 par l'ingénieur des Ponts Viallet emploie les mêmes conventions et choisit le fond de l'Orne devant la tour du Petit Château, à l'extrémité des quais[77] ; le nivellement général de l'Orne opéré en septembre 1779 par Boizard, Lair et Cauvin, sur

73. Citons des textes d'ampleur toute différente mais de conceptions identiques : P. Pédelaborde, 1957, 2 vol., et E. Le Roy Ladurie, 1967.

74. Le décret impérial ordonnant la construction du canal est du 25 mai 1811, mais les travaux ont tardé à commencer. En 1815, l'ingénieur Pattu a rédigé l'exposé d'un projet, présenté en 1812, sur les travaux du port. Un résumé commode des plans d'aménagement de l'Orne y figure. Ce texte a été publié postérieurement dans les *Mémoires de la Société royale d'agriculture et de commerce de Caen,* s.d. L'auteur est revenu souvent sur ce sujet. Cf. E. Frère, 1858, article Pattu.

75. Cf. le « Mémoire sur la rivière d'Orne et la fosse de Colleville », Bibl. Génie, in-4°, mss. 38, pp. 99-108.

76. Cf. la copie qu'en a faite La Londe, le 27 mars 1749 ; Arch. dép. Calv., C 4090, et Arch. mun. Caen, DD 71.

77. Cf. les observations du 22 décembre 1767 ; si l'auteur des mesures est resté anonyme, Viallet a signé en tout cas les commentaires ; Arch. dép. Calv., C 4094.

l'ordre de Lefebvre, ingénieur en chef, convient que la pierre de niveau 0 sera celle de la chaussée de Montaigu dans la rivière, en amont de la ville [78] ; enfin, les mesures de 1807 [79], 1811, 1816, 1827 adoptent comme repère la tablette du mur de quai au port de Caen, à la jonction de la branche de Vaucelles et de celle de Saint-Pierre [80]. D'étape en étape, le progrès est évident ; le dernier repère présente les qualités rassurantes d'un point géodésique. On se fiera donc en premier lieu aux mesures du XIXe siècle ; encore fallait-il pouvoir traduire les données antérieures aux travaux des années 1780 dans ce nouveau système de références. Le nivellement de 1779 favorise cette opération [81], car il fournit, en fonction du repère de Montaigu, l'altitude des casernes construites près de l'Orne, donnée par ailleurs, dans les mesures du XIXe siècle, en fonction du niveau du quai [82].

Les études de l'époque impériale conduisent à distinguer deux types de variations : celles qui sont dues au mouvement de la marée et celles des eaux douces du fleuve. Bien entendu, dans la réalité, ces éléments se combinent, s'ajoutant ou se neutralisant en une infinie variété concrète, retouchée en outre par la force du vent [83]. Si d'après les cartes, l'amplitude totale de la marée entre la Seulle et l'Orne s'établit à 7,48 m, elle semble un peu plus forte, très légèrement, à l'estuaire même du fleuve ; on observe entre les basses mers de syzygie et les hautes eaux d'équinoxe 7,53 m lors du nivellement corrigé en 1827 et on a même enregistré 7,92 m en des circonstances exceptionnelles [84]. Il faut savoir ce qui parvient de ces variations dans la ville, à 4 lieues de là, en amont, alors que les sept derniers méandres viennent d'être rectifiés par les travaux. L'expérience a été faite sous l'Empire, vers 1807 probablement, lors d'une marée banale de 0,85 selon la cote de l'annuaire du bureau des longitudes [85] ; on observe ce jour-là une amplitude de 3,07 m

78. Cf. les instructions de Lefebvre du 24 septembre 1779 ; Arch. dép. Calv., C 4095.

79. C'est le nivellement de Brémontier, le plus précis. Cf. Bibl. mun. Caen, mss. in-fol. 182, pl. 24.

80. Les géomètres choisissent, pour des raisons de commodité, un niveau imaginaire à 10 mètres au-dessus du mur de quai construit en 1788-1789 (cf. Arch. nat., F 14, 535 : mesures de 1816 ; F 14, 10114 : nivellement de 1827) ou encore à 200 mètres (*Plan de Caen et de son territoire,* par Desprez et Morel, mis à jour jusqu'en 1855, dans Arch. nat., F 14, 10219). La convention est donc la même.

81. « Profil général de la rivière d'Orne dressé vers 1780 par M. Lefebvre », Arch. dép. Calv., 6 C, carton 2 (« Inventaire », n° 95).

82. D'après le document du XIXe siècle (carte de Desprez et Morel), la place Dauphine, devant les casernes, est à 1,52 m au-dessus du quai. Ce terre-plein était terminé au XVIIIe siècle et dans les observations de 1779, la place devant la porte de la caserne est à 9 pieds 11 pouces 6 lignes au-dessus de la chaussée de Montaigu (3,21 m) ; donc la chaussée de Montaigu est à 1,69 m au-dessous du quai. Il est clair que tous ces résultats n'ont qu'une apparence de précision ; ils nous servent simplement à comprendre le mécanisme des niveaux relatifs des eaux en fonction de la surface du sol, ils ne sont pas satisfaisants au centimètre près.

83. Les observations de 1767 ont été faites par vent d'est ; celui-ci pouvait majorer légèrement la hauteur des eaux. Au XIXe siècle, les hauteurs de marée sont enregistrées par temps calme pour éviter ce coup de pouce (cf. la carte de Desprez).

84. Arch. nat., F 14, 10114.

85. *Ibid.,* F 14, 10114.

à l'estuaire et de 2,27 m au port, par conséquent une réduction de 26 % environ. De plus un retard à la hausse de 2 heures se fait sentir à Caen, si bien que la mer est étale au quai, tandis qu'elle a commencé à refluer à l'embouchure. Cette situation n'est pas défavorable à la navigation qui bénéficie, pour la remontée du fleuve toujours périlleuse, d'un niveau des eaux plus longtemps élevé ; en revanche, elle contraint les navires à des sorties rapides ; en effet, le décalage entre le reflux au port et à l'embouchure n'offre pas la même ampleur (50 à 60 minutes seulement), de telle sorte que l'oscillation marine dure 8 heures au port contre 9 sur la côte. D'autre part, les plus hautes marées enregistrées de l'an VII à 1827 portent l'eau à 30 centimètres du rebord du quai [86], les hautes mers des équinoxes à 75 centimètres, celles de vive eau de solstice à 1,39 m et celles des plus basses mortes eaux à 2,19 m. Comme le fond des quais atteignait déjà 4,40 m en l'an VII [87], on voit que l'influence de la marée s'exerçait quotidiennement à longueur d'année dans la ville.

L'amplitude selon laquelle peut varier le niveau des eaux fluviales n'est pas moins imposante. Les plus hautes eaux douces dépassent de 5 centimètres le niveau du quai ; les plus basses sont à 3,80 m en dessous ; légèrement en amont, le confluent de l'Orne et du Grand Odon est à 3,68 m pendant l'étiage. Le fleuve n'a donc pas les caractères d'une rivière océanique, car l'équilibre du régime pluviométrique est contrarié par les effets dus aux sols souvent imperméables du bassin [88] ; cependant cette irrégularité ne s'exprime pas en terme de moyenne mensuelle [89] puisque domine malgré tout une alimentation équitable toute l'année, mais, d'aventure, elle bouscule la courbe du régime quotidien ; des gonflements inopinés se dessinent, fruit de pluies violentes, immédiatement restituées, surtout à la fin de l'hiver, comme le montrent les données publiées dans le *Bulletin mensuel de la Commission météorologique du Calvados* [90] ; c'est ainsi que le volume des eaux de l'Orne, en amont de la ville, au pont d'Harcourt, peut passer, dans l'année, de moins de 10 mètres cubes/seconde à 300, lors des grosses crues [91]. On conçoit l'ampleur du péril tandis que s'ajoutent aux grandes marées de mars les effets de ces hausses brutales et que les vents du nord-est menacent de se mettre de la partie [92].

Caen est ainsi une ville dangereuse où les nappes superficielles reconnues si proches de la surface du quartier Saint-Jean aujourd'hui, étaient déjà,

86. Ces données sont résumées sur la figure relative aux niveaux des eaux. Autre source concordante : Lépecq de La Cloture, 1778, II, p. 382 ; la pleine mer touche « le niveau des degrés qui sont au bas de la rue du Moulin » ; il ajoute « le niveau de la ville comparé à la basse mer est inconnu, on pense qu'il ne dépasse pas quinze à vingt pieds ». Les nivellements de la fin du XVIIIe-début XIXe permettent d'en savoir plus et de raccorder les séries de chiffres anciennes aux modernes.

87. Entre l'an VII et 1816, le fond du port a été creusé jusqu'à 5,80 m.

88. Félice, 1907, p. 268 sq.

89. *Id.*, p. 270. La hauteur moyenne mensuelle des eaux au pont d'Harcourt varie de 0,75 à 1,50 m environ de manière très attendue.

90. *Passim* et notamment 1902.

91. Félice, 1907, p. 269.

92. *Id.*, p. 572. D'après les tableaux de l'auteur, portant sur la période 1880-1890, en mars les vents du nord, nord-est et est ont une fréquence de 382 pour 1 000 ; en avril de 426 pour 1 000.

à l'orée du XIXe siècle, imbibées en permanence par l'action marine, tandis qu'au gré des crues de l'Orne, prairies et maisons disparaissaient sous une épaisse couche d'eau. Mais les travaux entrepris depuis 1780 pour rectifier le cours de l'Orne en aval de la ville et approfondir le port avaient peut-être déjà modifié la nature des choses.

Essayons, par conséquent, de voir plus haut dans le XVIIIe siècle. On peut supposer en premier lieu que la marée ne se faisait pas sentir avec la même vigueur puisque le flot devait franchir les détours de plusieurs méandres supplémentaires largement encombrés de hauts fonds. Il est possible de comparer, à cet égard, des observations relevées par marée de vive eau de solstice sous l'ancien régime hydrologique (le 22 décembre 1767 exactement) avec celles du XIXe siècle [93]. Les données du XIXe siècle concernent une marée de 0,85 ; les marées de vive eau de solstice ont au contraire un coefficient de 100 environ ; les deux données ne sont pas identiques. Toutefois, en traduisant les mouvements réels en pourcentage de variation, on peut comparer l'évolution des phénomènes au moins en durée ; encore faut-il ajouter que les mesures ont été faites aux deux extrémités amont et aval du quai, distantes de 400 mètres peut-être. On observe un net retard [94] de la marée du XVIIIe siècle sur celle du XIXe. Ici, l'eau monte franchement ; là, un laps de temps de 1 heure 20 minutes s'écoule depuis l'étiage jusqu'à ce qu'une hausse rapide se produise ; pendant cette durée les eaux n'ont pris que 1 ou 2 pouces et courent toujours vers l'aval, c'est un gain modeste dans lequel l'ouverture des petites vannes du moulin Saint-Pierre a peut-être eu sa part, de surcroît ; puis l'influence de la marée se fait sentir brutalement et le niveau monte selon l'observateur d'un pouce par minute, au même rythme par conséquent qu'au XIXe siècle. Le décalage est encore de 1 heure 10 minutes au maximum du flux, mais il s'atténue pendant la descente de la marée pour ne plus représenter qu'une demi-heure à la fin du cycle. Ainsi la marée du XVIIIe siècle est une marée raccourcie. La rectification des méandres de l'Orne à partir de 1780 a donc bien eu pour résultat, aux yeux des hydrologues comme des navigateurs, de rapprocher en quelque sorte la ville de la mer.

Mais cette courte marée d'Ancien Régime était-elle, en même temps, plus faible que celle du XIXe siècle ? C'est évidemment le problème d'amplitude qu'il faut résoudre pour expliquer le niveau des eaux dans la ville. A ce sujet, les documents sont catégoriques. Ils soulignent avant tout des ressemblances importantes. Ainsi les marées, même les plus basses, sont sensibles dans l'Orne jusqu'au port. Telles les décrivent, par exemple, les échevins en répondant en 1735 au procureur de l'amirauté et au comte de Maurepas [95], « le flux de la mer qui arrive deux fois par jour ... fait remonter l'eau de cette rivière jusqu'au quay de Caen ». Cela est fort compréhensible lorsqu'on se reporte aux nivellements de 1751 et 1767 qui attribuent au débarcadère des profondeurs de 2,5 à 4 mètres [96]. C'est plus qu'il n'en faut. D'autre part Duhamel du Monceau a noté dans les années 1748-1749 les différentes

93. Arch. dép. Calv., C 4094.
94. Cf. les graphiques de la marée.
95. Arch. dép. Calv., C 1112, Observations du 26 septembre 1735.
96. *Ibid.*, C 4092, l'Examen des profondeurs d'eau de l'Orne, sans date et anonyme, mais postérieur à 1750 et œuvre de La Londe probablement. Par marée haute de vive eau, on a 5 pieds 1/2 d'eau dans le fond du port et 9 en moyenne à son

Amenuisement et retard de la marée au port de Caen

Marée d'amplitude 0,85. Relevés postérieurs aux travaux de l'Ancien Régime, antérieurs au creusement du canal latéral

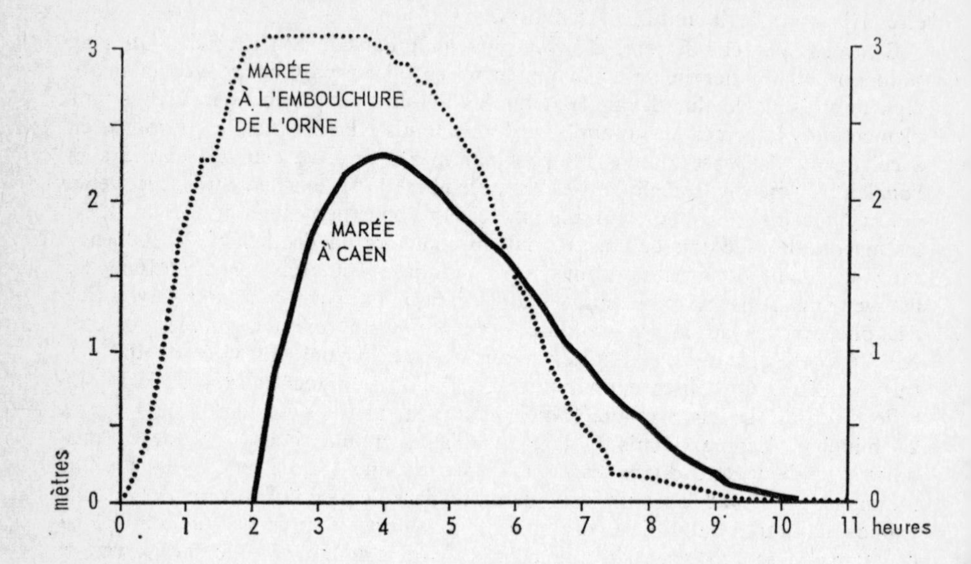

Evolution de la marée au port de Caen, avant et après les travaux réalisés sur l'Orne, à la fin de l'Ancien Régime

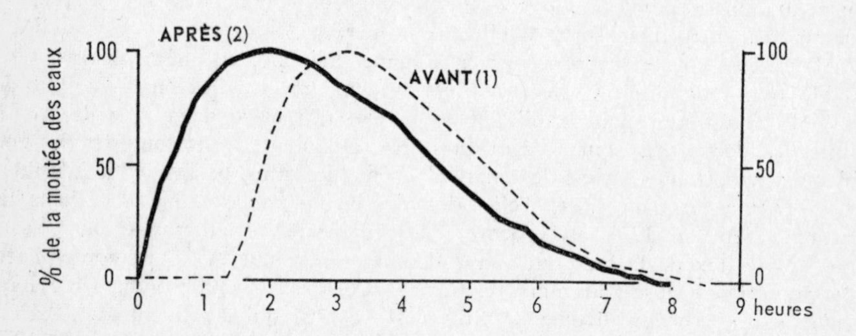

(1) Avant : marée de vive eau de solstice du 22 décembre 1767, devant la tour du Petit-Bateau.

(2) Après : marée d'amplitude 0,85 ; mesures postérieures aux travaux de l'Orne, au rond-point du quai.

Niveau des eaux, au fond du port et au fond des rivières, par rapport au quartier Saint-Jean

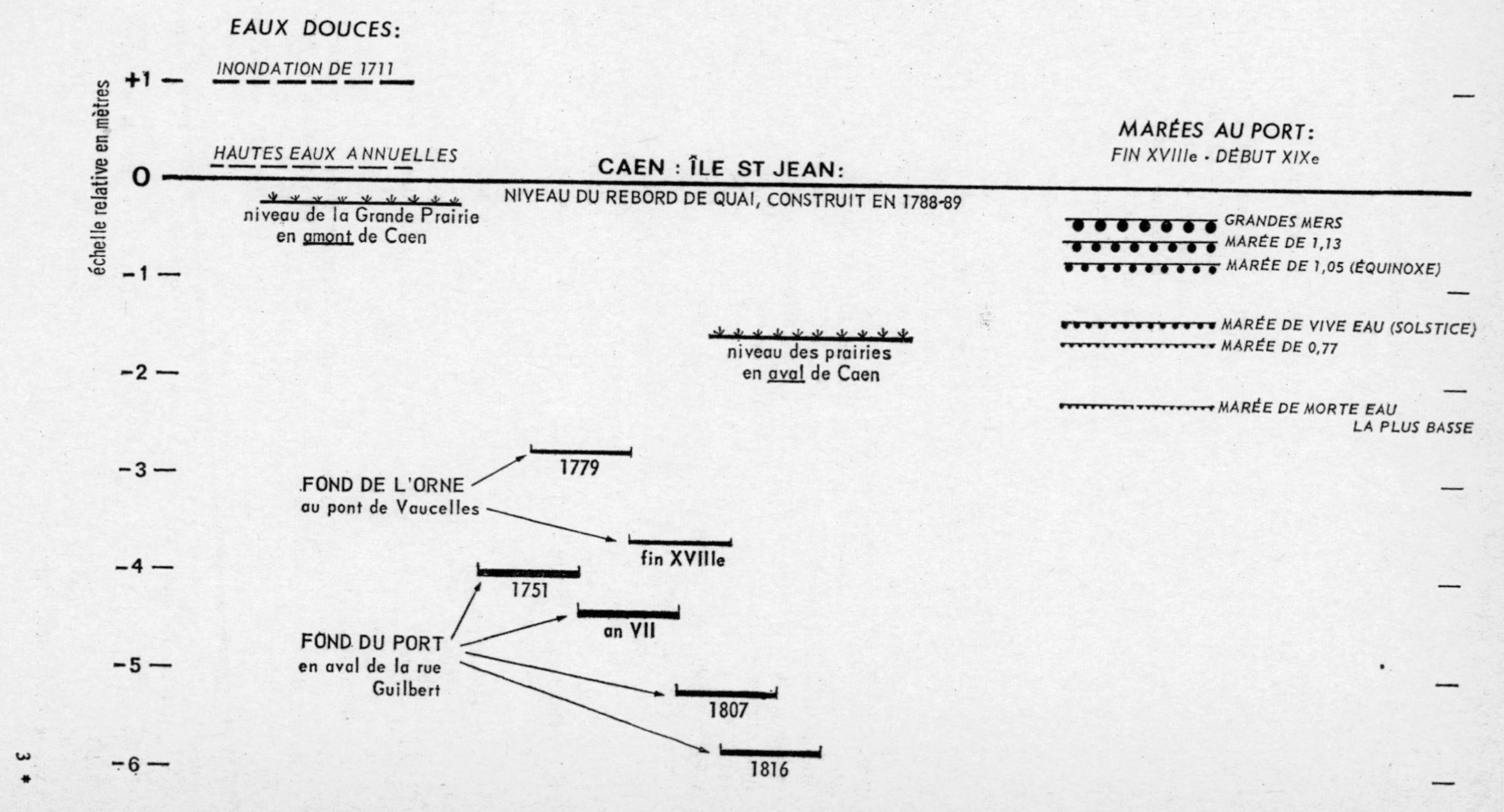

hauteurs de l'eau dans le port par vive et morte eau : soit 6 pieds, c'est-à-dire 1,94 m[97] ; entre les pleines mers de morte eau les plus basses et les grandes mers on relevait au XIXe siècle 1,89 m : l'analogie est donc complète.

5. LES RIVIÈRES, AGENTS DE CATASTROPHE

C'est dans la profondeur des rivières que se manifestent surtout les différences puisqu'on a creusé à partir de 1780. Ainsi les Odons roulent quelques centimètres d'eau seulement sur un fond de vases. En amont du pont Saint-Pierre, le bras de l'Orne qui entoure l'île Saint-Jean n'est envahi que par des marées d'équinoxe. Communément la remontée des eaux marines fait tout juste tomber le courant d'eau douce et s'arrêter les moulins[98]. Voilà une situation bien propice à l'alluvionnement, source de pestilence, pertinemment analysée à l'époque d'ailleurs ; les échevins écrivent entre autres en 1735 « qu'il est impossible d'empescher ce limon de s'accumuler et de produire les atterrissements qui se forment aux deux rives de la rivière et qui rétrécissent insensiblement son lit »[99]. Les habitants ne cessent de se plaindre de ces chenaux superficiels et presque horizontaux, emplis d'une eau dormante propre à amollir le sol et coupés de moulins paresseux. Contre cette règle générale, on n'observe qu'une exception : le cours de la rivière le plus proche de Vaucelles est plus rapide, l'eau dévale sur les cailloux en cascadettes avec une pente de 2 pour 1 000 environ[100]. Ailleurs le sens de l'écoulement est si précaire que les gens du XVIIIe l'ont vu parfois se renverser. Le lit de rivière qui alimente le quai est « si rempli de vases », disent encore les échevins en 1735, « qu'un écoulement d'eau qui se faisoit de la grande rivière à travers la prairie et venoit grossir son cours est forcé de refluer dans le second cours qui fait moudre le moulin ».

Le plus grave est évidemment que ces eaux hésitantes soient à fleur de terre, journellement grâce à la marée ou passagèrement par la faute du régime de l'Orne. Le nivellement de 1779 constate par exemple qu'entre les ponts Saint-Jacques et Saint-Pierre, l'eau entre dans les caves[101]. Mieux, la moitié

---

débouché. Rappelons que ces vives eaux équinoxiales montent à 75 centimètres du quai choisi comme repère.

Cf. également Arch. dép. Calv., C 4094, l'observation de vive eau de solstice, de décembre 1767. L'eau s'est élevée de 1,20 m depuis la marée basse, le fond est à 1,40 et notre repère à 1,39, soit en tout 2,79 m.

97. Arch. dép. Calv., C 4090.

98. Arch. mun. Caen, DD 19, notamment « Mémoire pour Son Eminence Mgr le Cardinal de Fleury, MM. les Maire et échevins de la ville de Caen et Mme de Carbonnel contre Messieurs de Mecflet et autres », 1737, et la réponse.

99. Cf. la réponse à la lettre de Maurepas du 6 septembre 1735, Arch. dép. Calv., C 1112. On citerait volontiers bien d'autres témoignages. A marée basse, un simple filet d'eau serpente dans la boue depuis le moulin Saint-Pierre jusqu'au fond du port. Cf. l'examen des profondeurs d'eau de l'Orne, vers 1751, le nivellement de 1779, etc.

100. Ces calculs sont tirés du mémoire anonyme de nivellement postérieur à 1750 ; ils révèlent 3,20 m dénivellation pour 1 300 m sur la carte.

101. Cf. le « Profil général de la rivière d'Orne dressé vers 1780 par M. Lefebvre », Arch. dép. Calv., 6 C, carton 2.

sud de l'île Saint-Jean est à 30 ou 50 centimètres du quai [102]. La hauteur d'une marche sépare le pavé, à peine, des hautes eaux attendues en hiver. Si les crues inopinées n'épargnent même pas la belle saison [103], c'est à la Toussaint qu'on entre dans les mois dangereux jusqu'au Carême. D'un terme à l'autre du XVIIIe siècle, les témoins ont enregistré d'innombrables inondations ponctuées de paroxysmes. En 1771, l'ingénieur des fortifications Delangrune [104] dresse la carte des méfaits de l'Orne, l'hiver précédent : en amont de la ville sur la prairie, 2 mètres d'eau environ, les flots ont enfoncé les murs de ville, bien vétustes, se sont étendus, aux dires des témoins parfaitement accordés avec les résultats des nivellements postérieurs, sur une partie de Saint-Jean et de Vaucelles, recouvrant en particulier la rue Frémentel, la rue des Carmes, la rue Saint-Louis, la grande rue de Vaucelles jusqu'à la rue d'Auge. En règle générale, les inondations atteignent encore le cœur de la ville avec le pont Saint-Pierre, encombré de maisons jusqu'au deuxième quart du siècle, dans lesquelles on « n'oze coucher dans le tems des grandes eaux » [105].

Et cette géographie calamiteuse ne cesse de se répéter. En 1755, par exemple, un citadin propose la construction d'un mur de protection qui éviterait les inondations « comme elles le font aujourd'huy » et il ajoute la traditionnelle litanie des zones touchées « principalement dans la rue des Carmes, de Guilbert, des Cordes et de la Poste » [106]. A la Toussaint de 1762 ce sont les toiles à blanchir sur les prés de Caen qui ont été charriées à la mer [107] ; en 1784, à la fonte des neiges [108], nouveau désastre plus général encore : 35 boutiquiers de Vaucelles cherchent secours près de l'intendant, il y avait plus de 3 pieds liquides dans leur éventaire et ils ont manqué tout le bénéfice qu'ils se promettaient de la foire du premier lundi de carême ; les commer-

102. Le niveau des rues n'a pas changé jusqu'au début du XIXe siècle, en l'absence de grands travaux dans ce quartier. D'après le plan de Desprez et Morel, soigneusement coté, on observe à l'angle de la rue Frementelle et de la rue Saint-Jean : 28 cm au-dessus du quai ; au niveau des rues des Carmes et des Carmélites : de 51 à 70 cm ; près de la rue de Bernières : 92 cm. De même, dans Vaucelles, on compte seulement 12 cm dans le bas de la Grande Rue et 46 cm dans celui de la rue d'Auge.

103. Arch. mun. Caen, DD 72 ; la crue de juillet a fait perdre toutes les bottes de foin de la prairie. Elle est encore évoquée en 1766 dans un mémoire noirci sur quatre pages in-folio de signatures de mécontents. Autre exemple dans Arch. dép. Calv., C 4099 : Brémontier écrit le 15 août 1782 : « Une crue d'eau extraordinaire vient de couvrir tous nos travaux et de les suspendre au moins pour quelques jours. On n'aperçoit plus dans les prairies de Saint-Gilles que les terres provenant des fouilles du canal, et la surface de la rivière est si haute qu'elle fait refouler les eaux jusque dans la rue des Carmes et dans toutes celles qui aboutissent vers le quay de ce côté. »

104. Arch. Génie, Place de Caen, carton 1, 6 : « Plan de la ville de Caen et de ses environs, où est marquée en jaune la brèche, cotée F, faite par le débordement des eaux l'hiver dernier et l'endroit B C, où l'on peut détourner la rivière pour éviter un banc A qui est causé par la rencontre des eaux qui empesche les batimens d'entrer que dans les grandes vives eaux », dessiné le 26 septembre 1711.

105. Arch. mun. Caen, DD 37, Procès-verbal de Loguet, ingénieur du roi en 1754.

106. Cf. le devis du 12 février 1755 dans Arch. dép. Calv., C 4092.

107. Arch. dép. Calv., C 4094.

108. *Ibid.*, C 957. L'inondation a eu lieu les 23 et 24 février 1784.

çants de la rue Saint-Jean ont dû fermer plusieurs jours également. Des cas d'espèce retiennent l'attention, Louis Morice, constructeur de barques, n'a pas retrouvé ses charpentes ; l'entrepreneur des fournitures aux casernes, occupait un logement à deux pieds et demi au-dessous du niveau de la chaussée, c'est tout dire. Ne parlons pas non plus de Dussaussai, l'infortuné directeur des bains publics construits près des promenades [109] : ses citernes, ses fourneaux et canalisations sont brisés, les baignoires sans compter le linge sont emportés.

Le mécanisme de ces crues, appelées avalaisons ou crétines dans la langue du pays, est toujours identique. Un mémoire de 1755 le résume très bien : « les crétines n'arrivent que parce que la mer en montant fait refluer l'eau douce dans toutes les prairies deux fois par jour et forme un rempart à l'écoulement des crues de la rivière lors des temps de pluye » [110]. L'inondation « gagne les prairies au-dessus et au-dessous, ce qui fait que dans certains temps de l'année, toutes les caves de la ville sont pleines d'eau dans l'Isle Saint-Jean ». Ainsi l'événement provient-il d'effets accumulés : un drainage difficile, gêné par la marée qui renforce l'alluvionnement et compromet encore davantage l'écoulement des eaux.

Dans ces conditions, les choses n'allaient-elles pas de mal en pis au long du XVIIIe siècle, même dans l'hypothèse d'une stabilité du volume des crues ? On peut le soutenir. Tandis que les riverains, notamment les abbayes d'Ardennes et de Saint-Etienne, luttaient au temps de Louis XIV contre l'envasement de l'Odon, par exemple, ils cessent partiellement leurs efforts dans les années 1720-1730 [111]. L'hôtel de ville nettoyait de son côté le lit de l'Orne sous les ponts, mais les derniers paiements effectués régulièrement à ce titre par le receveur des deniers du patrimonial datent de 1734 : on désespère de pouvoir aboutir [112]. Une illusoire sentence de la maîtrise des Eaux-et-Forêts de 1762 montre d'ailleurs le chemin parcouru, elle demande l'enlèvement des « atterrissements, assablemens, jardins et plantations dans le cours de la rivière » [113] de l'entrée de la ville jusqu'au pont Saint-Pierre ! Et ceux qui réfléchissent éprouvent vraiment le sentiment que la situation s'aggrave lentement,

109. Ce personnage était estimé de l'intendant parce qu'il s'était efforcé d'apprendre aux petites gens un peu de propreté en installant deux salles de bains pour les pauvres. On lui promet 600 livres d'indemnité.

110. Cf. un mémoire anonyme et sans date, au plus tôt de 1755, dans Arch. dép. Calv., C 4093.

111. Les dossiers qui évoquent les embarras du cours de l'Odon et le curage du lit sont nombreux. Un nettoyage complet avait été réalisé en 1663-1664 (Arch. mun. Caen, DD 78). Les riverains voyaient peser sur eux l'obligation de l'entretien et surveillaient jalousement leurs voisins suspects de négligence ou d'initiatives contraires au bon écoulement. De grosses liasses de procédure en gardent le souvenir : telle l'enquête de 1695 menée par les trésoriers des Finances (Arch. dép. Calv., 4 C, voiries), le procès en parlement entre les deux abbayes (Arch. dép. Calv., H, Ardennes, 241, et F, don Deville, 1922), le procès entre la ville et le cardinal Fleury en 1730 (Arch. mun. Caen, BB 77, Délibérations du 3 juillet). Dans les Lettres Patentes de 1769, qui ratifient des échanges de terrains, la mention du curage de l'Odon n'est plus qu'une survivance (Arch. dép. Calv., C 6491).

112. Cf. les comptes du receveur des deniers patrimoniaux dans Arch. mun. Caen, CC, *passim.*

113. Arch. dép. Calv., C 4093.

depuis des temps immémoriaux. Duhamel du Monceau cite de Bras pour montrer la vanité des travaux anciens [114] ; de même les aménagements de 1679 n'ont apporté qu'un mieux temporaire ; l'auteur se souvient avoir aperçu autrefois au port un navire de 220 tonneaux, tirant 8 à 9 pieds d'eau ; on avait construit à quai un bâtiment de 350 tonneaux de 11 à 12 pieds de tirant ; mais au moment où il écrit, dans les années 1748-1749, c'est un passé révolu. Le chenal de l'Orne entre Caen et la mer comporte lui-même des passes sans cesse plus délicates. Sans doute dans les endroits les plus profonds — du moulin de Clopée jusqu'à Ranville — peut-on espérer jusqu'à 6 mètres de profondeur par marée haute [115]. Mais près de l'estuaire, la fange et le sable bordent la rivière qui divague. Devant Sallenelles, il n'y a plus à marée basse que 2 à 3 pouces d'eau. Les très nombreux levés topographiques de cet estuaire établissent l'ampleur des bancs de sable, tel celui de Merville [116], allongé sur 300 mètres depuis les herbages de Ranville, ou celui des Solettes et dans l'embouchure celui de l'Ormesse [117]. Enfin, raison plus sérieuse encore des difficultés caennaises, il faut rappeler le déplacement de l'embouchure vers l'est, très sensible au XVIIIe siècle. La rivière ronge l'anse de Sallenelles : « Tous ces endroits remplis de bancs de sable que la mer couvre actuellement ont été autrefois des herbages, il y avait des arbres plantés et des moulins qui ont été emportés par la violence de la mer » consigne l'enquête de 1751 [118]. Tous les observateurs ne sont pas évidemment de la même force, Le Cloustier et Regemorte, en 1753, en veulent principalement aux lapins de garenne, responsables au premier chef de ces méfaits [119], ils percent des terriers dans lesquels le vent s'engouffre et fait des entonnoirs si bien « qu'ils détruisent aussi le peu d'herbe qui pouroit croître sur la surface ». Mais d'autres topographes analysent bien les transformations de l'estuaire, surtout l'avancée en bec de canard des dunes de la rive gauche à Ouistreham : ils établissent des comparaisons à une trentaine d'année de distance [120] et sont d'autant plus attentifs à cette évolution qu'un musoir mieux dessiné vers l'est mettrait l'Orne à même d'envahir les riches herbages de la vallée de la Dives, protégés de la mer par des dunes et placés plus bas que le niveau des hautes marées de 9 pieds environ [121]. En attendant, le poulier de sable protège la

114. Ils avaient eu lieu notamment en 1531 et 1556.

115. Cf. les sondages postérieurs à 1750, dans Arch. dép. Calv., C 4092.

116. Cf. « L'embouchure de la rivière telle qu'on la voit de la dune de Salnelle la mer montante » et le « Plan de l'embouchure de la rivière et de l'état actuel des bancs qui s'y sont formés levé relativement au mémoire de Mr. de Caux », Arch. dép. Calv., C 4124 (« Inventaire », nos 77 et 78). Ces deux dessins datent de 1751. Cf. aussi une copie de M. de La Londe probablement, d'après le plan de Vauban, dans Bibl. mun. Caen, mss. in-fol. 176, feuille 40 (« Inventaire », n° 50).

117. Cf. le chapitre 2 de l'« Inventaire », *passim.*

118. Enquête de 1751, Arch. dép. Calv., C 4092.

119. Arch. nat., F 14 142 A.

120. Arch. dép. Calv., C 4126, le plan de 1712 collé au XVIIIe siècle à celui de 1749 (« Inventaire », nos 54 et 65).

121. Cf. le « Fragment du plan des dunes et rivage de Savenelle où est figurée en jaune la digue et les épis qu'on se propose d'y faire, pour empêcher la mer de pénétrer et de se répandre sur le terrain au derrière », Arch. nat., F 14 142 A. Les problèmes propres à la vallée de la Dives sont abordés dans R. N. Sauvage, 1911, p. 245 sq.

basse rivière d'un véritable lavage marin, il brise l'action du vent, modère l'impétuosité de la marée, allonge les divagations du fleuve sur un sol sans vraie pente ; on voit aisément la part de cette évolution côtière dans les difficultés hydrologiques de Caen.

On devine aussi le poids de ces obstacles dans le développement de la ville, sans parler des contre-coups sur la santé des habitants, donc sur la démographie. Par bien des côtés, l'histoire de Caen se rattache ainsi à un concert très général que ces pages se devaient d'établir : combien de villes inondables sur les rives des mers bordières de l'Europe du Nord, combien de ports envasés, de populations et d'économies régionales étouffées en quelques siècles de Bruges à Honfleur et Caen !

II. LES DEGRÉS DE DÉPENDANCE DE LA VILLE A L'ÉGARD DU MILIEU NATUREL

La cité subit-elle les lois de son milieu naturel ? Parvient-elle à s'en affranchir ? La réponse est balancée.

Les moins contestables des servitudes sont sans doute celles qu'entraînent l'abondance et la rareté des matériaux ou l'humidité conjuguée du climat et des sols. Elles imposaient une certaine adaptation selon les quartiers : des inconvénients durables résultent du piège en lequel tournent les constructeurs, usagers de beaux matériaux lourds et victimes de sols souvent instables.

Mais il est impossible d'aller plus loin sans avoir mesuré les espaces construits, ou du moins le périmètre de l'agglomération et la part de la ville qui défiait ainsi l'élément liquide, avant le coup de pioche des premiers travaux d'urbanisme (vers 1750).

1. ÉTENDUE DE L'AGGLOMÉRATION AU XVIIIe SIÈCLE. ÉTABLISSEMENT DES FAITS

Jusqu'aux années révolutionnaires qui s'achèvent, cartographiquement, par le cadastre impérial, le musée imaginaire des cartes et plans, vues cavalières, dessins ou profils de Caen ne compte pas moins de sept cents pièces disséminées au Génie, à la Bibliothèque nationale, aux Archives municipales et départementales. Ce *corpus* d'une richesse stupéfiante méritait un inventaire critique qui puisse asseoir la valeur de chaque feuille, je devais déterminer des dates, des échelles et rendre l'ensemble parfaitement instrumental. Travail minutieux, mais en somme attrayant et d'une sève très nourrissante pour la question qui se pose ici.

Ma conclusion paraîtra-t-elle paradoxale ? Mais j'observe en tout cas un périmètre d'agglomération tout à fait stable du milieu du XVIIIe — et même du milieu du XVIIe au début du XIXe siècle. Cet espace aggloméré peut être défini comme l'entendaient déjà en 1727 les bureaux de l'intendance : il comprend les maisons jointives et les clos urbains fermés juxtaposés ou non, susceptibles d'abriter un corps d'habitation et intercalés entre les parcelles construites ; il exclut prés et pâtures, labours et bois, carrières et terrains vagues, jardins contigus des champs. Tout en préférant cette notion assez proche de la géographie humaine, je me suis assuré pour chacune des sections cadastrales qu'il n'y avait pas de contradiction avec le concept de l'agglomération selon l'Institut national de la statistique et des études économiques en usage dans les derniers recensements [122] (c'est-à-dire « l'ensemble des maisons dont aucune n'est distante de la plus proche de plus de 200 mètres »). En réalité, la superficie prise en considération d'après les deux définitions est la même. Ainsi l'accroissement urbain, s'il y en eut un, ne s'est pas produit vers les champs, mais sans doute par entassement de bâtiments adventices dans les cours, surélévation des édifices anciens, lotissements des jardins urbains. On pressent l'intérêt d'une enquête démographique à venir, de ses prolongements dans l'économie, l'urbanisme, l'hygiène sociale, mais pour l'instant il s'agit de démontrer le plus solidement possible la stabilité de l'espace ainsi défini.

Considérons d'abord un ensemble de documents généraux suffisamment distants pour restituer le cas échéant une évolution et dûment datés et critiqués. Ce sera le plan « Cadomus » gravé par Bignon en 1672 et le « Plan de la ville de Caen capitale de la Basse-Normandie. Avec son château et ses fauxbourgs » gravé par Ph. Buache en 1747 [123] ; pour contrôle : la feuille d'assemblage du cadastre de 1807-1810 dans l'atlas portatif déposé aux Archives départementales [124] et sur laquelle furent portées les surfaces bâties et les jardins.

L'étude des plans anciens m'a autrefois convaincu qu'il fallait d'abord s'assurer de leur provenance. Il n'y a rien à dire en effet de l'évolution urbaine en partant de deux gravures successives tirées d'un même dessin manuscrit, où les variations ne seront que des dérives maladroites ou volontaires (le « grand goût » a parfois sévi dans les représentations des villes au détriment du réel). Bien que 75 années d'intervalle rendent cette crainte assez vaine pour l'instant, la vérification est aisée à faire ; ces deux plans célèbres sont parfaitement cernés dans leur milieu historique. G. Lavalley leur a consacré des notices importantes qui sont complétées dans l'« Inventaire » [125].

Le plan « Cadomus » est évoqué dans les *Origines de Caen* de P.-Daniel Huet, évêque d'Avranches [126]. J. Gomboust avait reçu en 1649 le privilège royal d'en lever le dessin en même temps que ceux de Paris et Rouen. D'après un manuscrit de la Chambre des députés [127] son œuvre fut continuée par Zacharie Haince, peintre ordinaire du Roi, époux de Marie Gobert, veuve Gomboust, et probablement achevée vers 1665. Bignon en commença la

122. *Recensement de 1962, Population légale et statistiques communales complémentaires,* 1963.

123. « Cadomus » : Bibl. mun. Caen, Atlas Normandie, plans de Caen, f°s 3 et 4 ; ou Bibl. nat., Estampes Va 21. Le plan de Buache est plus courant : Bibl. nat., Estampes, Va 21 ; Bibl. nat., Cartes et plans, reg. C 1919, ou encore Ge C 2899 ; Arch. dép. Calv., plans antérieurs à 1789.

124. La qualité de ces atlas anciens n'est plus à démontrer : ils servaient de base aux travaux d'expertise cadastrale. Cf. R. Herbin, 1953, p. 74.

125. G. Lavalley, 1910-1912, t. 3, p. 187 et p. 435. « Inventaire », 1963, pp. 89 et 96.

126. P. D. Huet, 1706, p. 145.

127. Mss. 343, t. 6. f° 230.

gravure avec un soin tel que l'opération allait être longue et déficitaire, à ce point que la ville de Caen dut en 1668 accorder 200 livres à l'artiste pour le perfectionnement de l'ouvrage ; il ne fut achevé qu'un lustre plus tard ou peu s'en faut [128]. De même que le XVIe siècle caennais avait été illustré par le plan inséré dans la *Cosmographie universelle* de Belleforest [129], le XVIIe devait l'être par cette œuvre de Gomboust attentivement étudiée et critiquée par Huet et dont les gravures en toutes dimensions qu'on en tira constituent une famille importante, à la mesure de la réputation du dessinateur ; de 1657 au XVIIIe siècle il en existe au moins sept versions simplifiées sans compter l'œuvre magistrale de Bignon [130].

Le plan gravé par Ph. Buache en 1747 provient d'un autre géographe bien connu en Normandie, F. R. de La Londe. Historien embarrassé de rhétorique comme on l'a vu, notre homme était excellent lorsqu'il devenait économiste et urbaniste ; deux « côtés » se partageaient sa vie, celui de l'Académie des arts et belles-lettres où l'on faisait fi plus ou moins de ses préoccupations techniques, celui du commerce et de l'administration où il était admiré en secret mais dénigré hautement pour ses meilleures intuitions [131]. De Gomboust à La Londe, il y a révolution dans les procédés de représentation (de la perspective cavalière oblique au plan vertical), dans les figures (relief en hachures, symboles des types de végétation), dans les calculs d'orientation et et de triangulation [132]. D'ailleurs La Londe a laissé dans les collections publiques vingt plans détaillés et des sondages du port qui nous le font rencontrer sur le vif de son travail [133]. Voici donc des œuvres différentes, originales, que le petit tableau ci-après met en parallèle avec le plan d'assemblage :

« Cadomus »	*Ville de Caen capitale...*	*Plan d'assemblage*
Gomboust et Bignon	La Londe et Buache	Desprès et Simon
85 × 63 cm	66 × 41 cm	100 × 64 cm
Echelle homogène calculée		
1/3 700	1/7 900	1/10 000

Il n'est pas difficile d'éprouver la qualité de ces diverses représentations. Qualité des échelles : les erreurs atteignent rarement plus de 10 % sur la

128. Sur les cartes et les cartographes de Caen, « Inventaire », 1963, p. 69 sq.

129. « Le vray pourtraict de la ville de Caen », hors-texte de la *Cosmographie universelle de tout le monde...*, par F. de Belleforest, comingeois, Paris, Michel Sonnius, 1575. Bibl. nat., cartes et plans, rés. Ge DD 459.

130. Ce sont les plans de Caen qu'on peut voir dans les *Topographiae Galliae* de G. Merian, les *Beschrijving van Vrankrijk* de Cnobbert ou de Van Meurs, dans les *Délices de la France* de J. Moukee, Pierre Mortier, Théodore Haak, dans la *Galerie agréable du Monde* de P. Van der Aa. On aura reconnu les atlas des grandes villes d'imprimeurs, Francfort, Anvers, Leyde, Amsterdam.

131. Latrouette, 1850 ; A. R. R. de Formigny de La Londe, 1854 ; sur la jalousie des ingénieurs des Ponts à l'égard de Richard de La Londe, Arch. dép. Calv., C 4094, Rapport de Loguet sur l'aménagement du port en janvier 1765.

132. J. L'Hermitte, 1955-1956.

133. J. C. Perrot, 1963, « Inventaire », n°s 49, 50, 57-69, 77-79, 87, 131, 680.

gravure de Bignon. Sur la ville de Buache, la précision est surprenante pour les coordonnées géographiques comme pour la triangulation ; ainsi la distance des clochers de l'abbaye de la Trinité et de Saint-Jean donne 378 toises soit 733 mètres ; j'ai refait les mesures sur le plan cadastral et obtenu 720 mètres. L'erreur est de 1,5 % environ.

Qualité de la documentation d'autre part. « Cadomus », unique parmi les plans généraux d'autrefois, fournit l'emplacement des barrières et des guérites de bois où se percevait l'octroi, donnée qui est seule capable d'éclairer les obscurités topographiques qu'on rencontre dans les procédures de fraude fiscale. Le plan de 1747 mentionne de son côté, entre autres, les étranglements des rues authentifiés quelques années plus tard dans les relevés de traversée sous Trudaine comme dans le parcellaire cadastral du XIXe siècle [134].

Eh bien, superposés, les trois périmètres de Caen donnent l'image de la stabilité, presque de la fixité ; la ville emprisonnée dans ses prairies médianes ne s'est pas étendue à l'ouest-sud-ouest en amont, non plus qu'à l'est-nord-est en aval. Quelques maisons de surcroît s'éparpillent de-ci, de-là aux confins de l'agglomération, le long de la rue Basse, paroisse Saint-Gilles, dans les jardins maraîchers par exemple, ou dans les écarts et c'est fort peu de chose à vrai dire, sauf à La Maladrerie où une vingtaine de maisons supplémentaires ont poussé autour du dépôt de mendicité postérieur à 1750. On se reportera à l'*Inventaire* où ces comparaisons ont déjà été faites sur les plans partiels [135].

Le test décisif demeure celui de l'évolution de la ville dans ses plus importants faubourgs, le long des grandes voies de circulation, notamment la route royale de Paris à Cherbourg, c'est-à-dire à la sortie de Vaucelles vers Paris, au Bourg-l'Abbé vers Bayeux et Cherbourg. Ici les cartes générales ne suffisent plus mais il existe des terriers, des plans de traversée à confronter avec le parcellaire cadastral.

Pour la sortie cherbourgeoise, on peut retenir la « Description des terres du Bourg-l'Abbé... » de 1667 [136], la quatrième feuille du « plan de la traverse des fauxbourgs » de 1768 [137], les sections U et Q du cadastre 1807-1810. Un même caractère rapproche la figuration du lieu, sa netteté ; les maisons sont jointives jusqu'à la dernière puis la campagne vient franchement. Or la rupture se produit au même endroit du XVIIe au XIXe : c'est en 1667 au niveau du carrefour de la route de Bayeux et de la rue Damozane ; en 1768, à 20 toises près en-deçà, sur le bord sud de la route et 33 toises au nord. D'ailleurs, le plan de 1768 est déjà un parcellaire sur lequel on peut retrouver les divisions cadastrales : les ultimes maisons sont en section Q, d, parcelle 8 et section U, parcelle 113. A deux ou trois parcelles près c'est aussi la limite construite en 1810.

Dans la direction parisienne, point d'images du XVIIe mais de bonnes pièces du XVIIIe, la plus ancienne, antérieure aux travaux d'urbanisme. C'est le Plan de la sortie de ville dessiné par l'ingénieur des Ponts et annexé à un arrêt

134. Notamment rue Saint-Pierre, « Inventaire », nos 466-467, et cadastres sections nord et ouest.

135. *Id.*, no 62 ; voir encore pour le hameau de La Folie les plans 308 et 312, La Maladrerie, nos 250-251, Couvrechef, no 312.

136. Arch. dép. Calv., H 2098, no 197 de l'« Inventaire ».

137. Arch. dép. Calv., C 3500, « Inventaire », no 205.

L'espace bâti, à Caen, en période de stabilité
(fin XVIIe-début XIXe siècle)

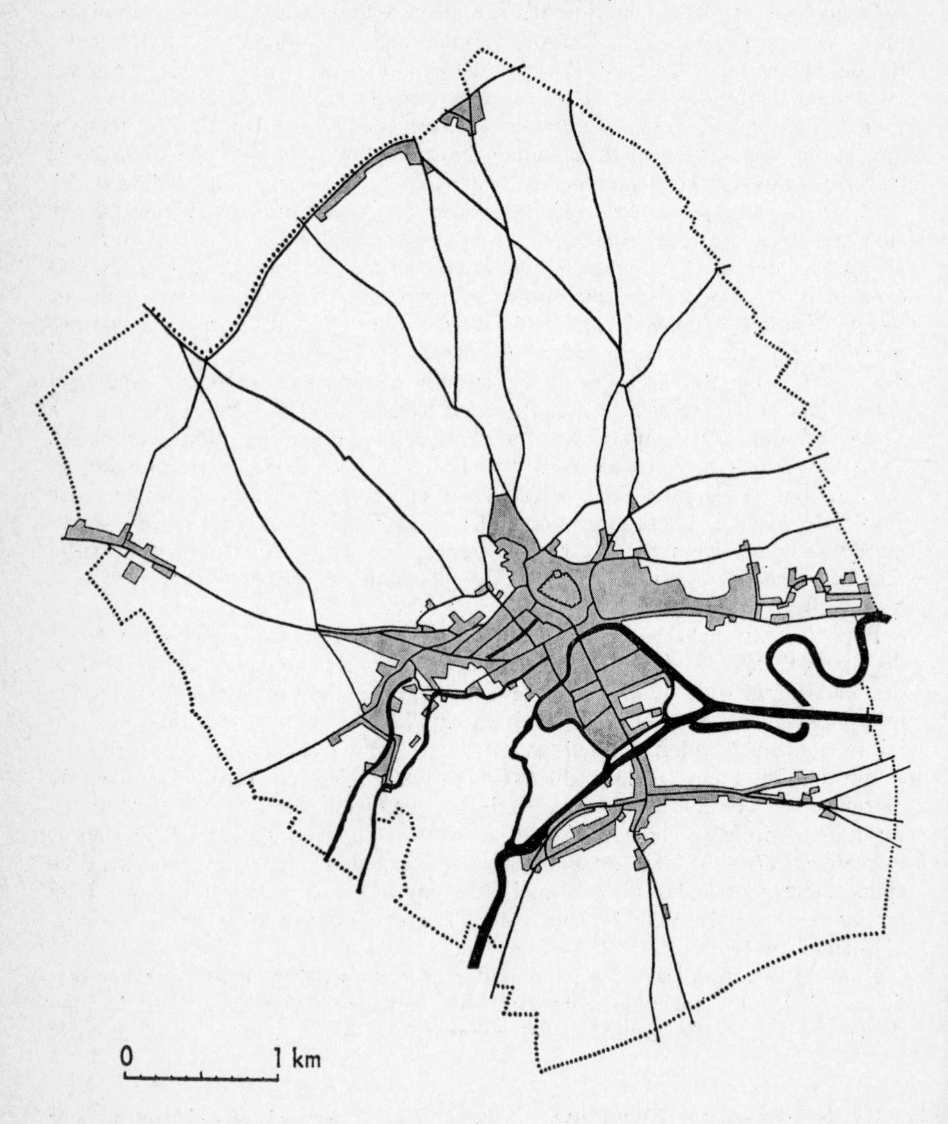

du conseil en 1758[138], le Plan itinéraire de la grande route de Paris (bien sommaire)[139], mais surtout le Plan des maisons de la paroisse Sainte-Paix avec les noms des propriétaires, en 1784[140], les sections E et F du cadastre. La reconnaissance des parcelles construites au XVIIIe n'est compliquée que par la dispersion des premières masures entre le carrefour de la Demi-Lune de Sainte-Paix et la rue d'Auge à la hauteur de la venelle Coqueret ; soit à gauche, en sortant de la ville, 18 corps de construction (sur le parcellaire : section F, 2e feuille, lots 244, 248 bis à 251 bis, 263-266, 271-272, 277, 285, 289) et à droite neuf maisons (section E, parcelles 318, 322-325, 328, 330, 342). De même la limite des maisons jointives est aisément retrouvée à gauche, section F, parcelle 239, et à droite en E, 308. C'est pratiquement celle de 1807. Les plans permettent ainsi de s'assurer que l'extension piétinait aussi loin qu'on puisse remonter dans le XVIIIe et parfois même dans le XVIIe siècle.

La surface de toutes les parcelles privées riveraines de la traversée de Caen par la route Paris-Cherbourg représente 53 ha dans l'espace aggloméré vers 1750. C'est moins du centième de cette superficie qui devait être gagné jusqu'en 1807-1810. On ne saurait mieux prouver la stabilité des surfaces urbanisées.

Il est donc possible de tirer maintenant parti de ces délicates confrontations en se reportant aux mesures des surfaces cadastrales. Avec la précision désirée, il en sortira la part de l'agglomération et des écarts dans le terroir de Caen à la fin de la première moitié du XVIIIe siècle. Telle était la situation :

Espace urbanisé aggloméré (*défini plus haut selon les critères complémentaires de l'intendance et de l'Institut national de la statistique et des études économiques*) *dans les écarts :*

La Folie	7 ha (section A)
Couvrechef et Calix	7 ha (section B)
La Maladrerie	5 ha (section T)

Agglomération au chef-lieu :

Somme des sections cadastrales I, K, L, M, N, O, P, Q, R		217,5 ha
Section E	: rues, places, promenades, cimetière, espaces bâtis et jardins	14,1
Section F	: *id.*	19,4
Section G	: chemins, cimetière, propriétés bâties et jardins	27,6
Section H	: toute la surface à l'exception des prés et terres vagues	28,8
Section S	: le moulin du Pont Créon seul	0,4
Section U	: jardin des Plantes, cimetière, mare, parcelles bâties en bordure de la rue Bicoquet	5,9
Total		313,7

L'ensemble des zones d'agglomération couvrait ainsi 332 à 333 ha du terroir, soit 15 % de sa superficie totale ; le reste était consacré aux labours

138. Arch. nat., Q 1, 90 ; « Inventaire », n° 339.
139. Arch. dép. Calv., C 3484, f° 3 ; « Inventaire », n° 342.
140. *bid.*, H 4762.

pour 66 % et 10 % aux prés et pâtures, non compris les jardins, conquis sur les champs, carrières et terrains vagues.

Dès lors ce n'est plus qu'un jeu de trouver la part de la zone urbanisée en terrain fluviatile. On rapprochera les connaissances hydrologiques et pédologiques rassemblées plus haut des éléments quantitatifs désormais débrouillés. La région humide et instable comprend les sections I, N, O, R en entier, la moitié de G, les deux tiers de P. Elle couvre 140 ha. C'est 45 % de l'espace urbain aggloméré au chef-lieu, où se posent des problèmes dans l'art de bâtir. Les maîtres d'œuvre abordent leur tâche, sans pouvoir combattre l'hydrotropisme traditionnel des villes, tel qu'ici, les surfaces dangereuses comptent pour la moitié ou presque dans l'agglomération alors qu'elles ne couvrent pas même le quart dans l'ensemble du territoire.

2. LES PROBLÈMES DE CONSTRUCTION : LA RARETÉ DU BOIS

Le XVIIIe comme le siècle précédent, utilise en effet universellement la pierre de Caen dans tous les édifices somptueux ou modestes. Cependant on avait fait ici un emploi général du colombage jusqu'au XVIe. R. Quenedey et G. Huard estiment que cette pratique s'était développée dans les villes de Normandie tant que la construction des étages sur encorbellement était autorisée [141] ; à Caen même, la maison de bois était assez courante pour que s'élaborent des techniques locales de construction : pour asseoir l'encorbellement on greffait de fausses poutres sur les poteaux longs tandis qu'à Lisieux on entait les fausses poutres sur le sommier et qu'on utilisait des pigeatres à Rouen [142]. Mais depuis l'interdiction de construire en avancée, l'emploi du matériau recula très vite. Il faut ajouter que le triomphe du bois en Basse-Normandie était resté de toute façon fragile, menacé par la pénurie croissante depuis le XVIe siècle, autant que par les législations urbaines [143]. Dans les deux derniers siècles de l'Ancien Régime, les bonnes charpentes sont rares. Ainsi, les ingénieurs des Ponts-et-Chaussées corrigent d'un mur de refend supplémentaire le projet de grenier à froment conçu par Duhamel du Monceau [144] pour la place Saint-Sauveur en 1758 ; à La Maladrerie, il en est de même en 1774, car les poutres de 45 pieds (14,5 m) font défaut [145].

141. R. Quenedey, 1926, 430 p. ; G. Huard, 1926-1927, p. 499 sq. Pendant l'occupation anglaise, la Normandie livre ses pierres outre-Manche. C'est l'âge d'or de la construction en bois caennaise.

142. R. Quenedey, 1926, p. 366 ; 1927 ; 1930, pp. 492-501 ; R.N. Sauvage, 1934. Sur le vocabulaire technique, cf. R. Quenedey, janv. 1928 et avr. 1928.

143. Contrairement aux pratiques rouennaises, les habitudes se figent à Caen dans l'usage des poteaux longs qui traversent plusieurs étages. Ce sont les plus difficiles à trouver.
C 1119.

144. Cf. J.C. Perrot, 1963, « Inventaire », Introduction, p. 66 et Arch. dép. Calv.,

145. Cf. le « Plan et profil relatif à une aile de 50 pieds de largeur hors d'œuvre que M. de Fontette se propose de substituer pour la maison de force de Beaulieu à une aile de 27 pieds hors d'œuvre projetée par l'ingénieur des Ponts-et-Chaussées », Arch. dép. Calv., C 650.

Des raisons permanentes, d'autres propres à l'époque font comprendre cette rareté. Aussi loin que puissent faire remonter les documents historiques et en-deçà les analyses polliniques des dépôts quaternaires, il faut constater que la forêt n'a jamais existé sur le sol steppique de la plaine de Caen [146]. Au XVIIIe siècle, les bouquets d'arbres demeurent l'exception et les progrès ou reculs de la haie vive y sont plus qu'ailleurs frappés des rythmes qu'impose l'évolution de l'exploitation rurale. Seules quelques plaques de sable exiguës offrent un terrain propice à la bonne venue des arbres, tel le Cinglais. Dans le pays d'Auge et le Bessin les fossés plantés sont courants, mais la forêt ne se rencontre qu'une fois à Balleroy ; au-delà, elle n'existe plus que dans les régions où les difficultés de transport l'ont mise à l'abri de l'exploitation : dans le lointain Cotentin où les chênes, les hêtres et les bouleaux de Saint-Sever et de Brix couvrent encore de grandes étendues [147] ; puis au sud, où les massifs d'Andaine, d'Ecouves et de Gouffern abondent en madriers qu'on ne peut transporter puisque l'Orne n'est pas navigable.

D'autre côté, l'usage artisanal du bois croît sûrement, et même très vite dans les pays de la petite métallurgie du Perche que relaient vers l'ouest des forges plus conséquentes [148]. Mais surtout, les emplois domestiques s'étendent au cours du XVIIIe siècle. Et les besoins, mal ressentis au XVIIe, de ce fait rarement relatés, s'expriment en litanies depuis les années cinquante du règne de Louis XV. La quête des commodités de la vie entraîne l'ensemble de la société à se chauffer enfin. C'est en 1757 qu'on installe un foyer dans le corps de garde de Saint-Pierre [149], dans les aîtres du dépôt de mendicité, la chronologie est précise : les plans de 1769 ne portent pas de cheminée, ceux de 1771 les voient apparaître enfin, les projets de bâtisse mis en chantier entre 1780 et 1785 prévoient un foyer pour trois salles au pire et, très généralement, un dans chaque pièce [150]. La garde de nuit, les mendiants et leurs hôtes, les fous et les galeux sont gens pour lesquels on prend peu de manières, éternels oubliés sur la voie de la douceur de vivre, mais peut-on dire que le reste de la société les a précédés de tant ? Non pas, l'apprentissage de la chaleur domestique est contemporain de la deuxième moitié du XVIIIe siècle dans tous les milieux. Un exemple le montre clairement, en son bref raccourci : depuis la fin du XVIIe siècle les séminaires bordent sur plus de 50 toises la place Royale, nul indice de lésinerie dans ce beau bâtiment que dominent les courbes nerveuses et pleines de l'église, pourtant on ne compte pas plus d'une

146. Gidon, 1915.

147. Cf. la carte de Cassini et surtout, aux Arch. nat., G 3 14, le «Précis de l'Etat des forêts et bois appartenant au roi en 1784, dans l'étendue de la Généralité de Caen et des causes de leur déprédation », remis à Calonne en mars. La connaissance des forêts privées à la même date demanderait une étude particulière. En tout cas, les lignes générales sont connues à partir des travaux de M. Devèze, 1953, 1961, 1962, 1966.

148. J. Vidalenc, 1936 et 1957 (tableau tardif pour nous — 1815 — mais encore valable), et G. Richard, 1963.

149. Arch. dép. Calv., C 1111.

150. Cf. par exemple, Arch. dép. Calv., C 6871, plan n° 20. Evidemment, on peut se demander si les effets du chauffage ne sont pas anéantis par la multiplication des baies et la légèreté croissante des murs qui réduit l'isothermie.

cheminée par étage et lorsque les autorités révolutionnaires songent à l'utiliser en 1791-1792, leur premier soin est d'en faire ouvrir une dans chaque salle [151].

D'ailleurs, mille autres faits témoignent de l'essor des besoins. Outre la recherche, parfois intempestive, des tourbières [152], l'exploitation, à la limite du possible, des veines de charbon de Littry [153], il faut rappeler la montée très raide des prix. L'enquête rédigée pour Calonne souligne que la corde de bois est passée de 3 et 4 livres à 20-24, du début à la fin du XVIIIe siècle, soit 600 % d'augmentation [154], et Gaugain, soucieux d'exploiter des tourbières, déclare en 1786 : « la cherté du bois dans les environs de Caen est si grande que beaucoup de personnes y souffrent quelquefois autant et peut-être plus du froid que de la faim » [155]. Mais les textes montrent que c'est la sensibilité des habitants qui s'est affinée et leurs besoins qui ont crû : les officiers municipaux écrivent au Directoire du département en avril 1791 : « quoique l'ordonnance ait fixé au premier l'époque où doit cesser le chauffage ... les citoyens qui font le service de la Garde nationale ne pourront encore se passer de feu », et l'autorisation d'allumer les bûches jusqu'au début du mois de mai est accordée [156].

Or, en maintes circonstances, les usages domestiques entrent en concurrence avec les besoins de la construction : les cheminées brûlent les merrains que recherchent les parqueteurs, les marmenteaux bons à faire des gouttières. Le XVIIIe siècle passe ainsi d'une pénurie à l'autre et Rosnel, dans son mémoire sur les forêts de la généralité, doit constater que « les bois propres à bâtir ... deviennent très rares » [157]. D'ailleurs on sait combien les massifs forestiers sont mal entretenus : dans le domaine royal de ce département, ils ont diminué de moitié en vingt ans [158], soit par défrichement direct, soit par aliénation qui mène à un essartage différé de peu. A Saint-Sever, en 1784, sur 2 852 arpents, 900 sont de terres vaines, 1 100 de mauvais taillis, la belle futaie n'occupe plus qu'un dernier carré de 200 arpents. Les bois privés, dont on connaît d'ailleurs l'exiguïté en regard des forêts domaniales [159], ne sont pas plus florissants. « Les abatis se font sans autorisation », constate la même enquête, « sur la seule indication des gardes qui ne savent pas choisir ». L'Hôtel-Dieu de Caen avait mis, par exemple, en réserve en 1746, le quart de ses bois de La Rouelle, vastes de 130 arpents, pour les vendre en 1768 [160]. A l'échéance, il faut constater qu'un tiers de la surface escomptée est peuplé

151. Cf. Arch. mun. Caen, M 3.
152. Cf. Arch. dép. Calv., C 3020, Mémoire de Gaugain à M. de Gonneville, subdélégué à Caen, le 8 septembre 1785.
153. Sur ces mines, la documentation abonde aux Arch. dép. Calv., C 3020 sq. Cf. aussi l'étude importante de G. Lefebvre, 1926, et plus loin, l'étude économique.
154. Arch. nat., série G 3, 14, « Précis de l'état des forêts... ».
155. Arch dép. Calv., C 3020, Requête de Gaugain, 17 janvier 1786.
156. Arch. mun. Caen, S 6.
157. Arch. nat., G 3, 14.
158. De 1764 à 1784, on est passé de 33 513 arpents à 15 600. Depuis l'essor de l'élevage en Basse-Normandie, les forêts du roi sont mises au pillage et les gardes se font jusqu'à 3 000 et 4 000 livres de rentes en vendant, sans droit, des permissions de pacage, souligne de Rosnel.
159. M. Devèze, 1961, t. 2, p. 393, ainsi que les cartes.
160. Arch. nat., Q 1, 103, 1. Procès-verbal de visite du bois de La Rouelle (paroisse de Curcy), 1767.

de bruyères et de halliers, cependant que le reste planté de chênes et de hêtres cinquantenaires dépérit en cimes. Les entrepreneurs de bâtiment, les administrateurs ont tiré, dès le milieu du siècle, la conclusion de ce gâchis ; l'intendant écrivait à Laverdy en 1765 : « la pierre à Caen étant à bien meilleur compte que le bois, il y a à gagner à voûter ... et à faire l'escalier en pierre » [161].

La maison de bois n'est donc plus au XVIIIe siècle que la demeure du passé. Coûteuse et dégradée, elle subsiste dans les quartiers anciens et l'on désespère de l'entretenir bien que les constructions en pierre l'épaulent maintenant de toutes parts. Seules, les administrations, certaines riches familles, avec quelles peines, supputent des devis de charpentiers, tentent des rafistolages, puis abandonnent la partie. En 1697, on répare encore, au bureau général des finances, rue Saint-Jean, à côté d'éléments en pierre, une façade en colombage vers la cour ; en 1732-1733, nouveaux travaux, puis en 1745, puis en 1754-1758, en 1768, en 1770 alors que l'ingénieur Viallet note que « le bois est plus cher qu'à Paris » ; malgré le double enduit à l'huile posé sur les parois extérieures, un nouveau devis de travaux est nécessaire en 1772 ; en 1782 le bâtiment menace ruine et selon les présidents-trésoriers, les usagers risquent leur vie, si bien que la salle des procureurs est vouée définitivement à la démolition, le mois suivant [162]. La misère des maisons de bois est la même, tout près de là, rue Neuve-Saint-Jean, où le plan du géomètre Noël levé en 1755 montre qu'elles comptent pour le cinquième des édifices [163].

3. BEAUTÉ ET PROFUSION DE LA PIERRE

La maison de bois était coûteuse et exigeante. Le triomphe du calcaire ne va pas sans avantage : son grain très fin peut s'imprimer des moulures les moins appuyées, les ornements des façades y prennent un air de politesse précise et raffinée dans toutes les notables demeures comme aussi dans les édifices publics ou religieux, l'escalier demeure à Caen, l'exercice où l'on juge la stéréotomie experte du maître d'œuvre, ainsi le cloître et les degrés des bâtiments de Guillaume de La Tremblaye à l'abbaye aux Hommes ou le décor des hôtels de la paroisse Saint-Jean qu'a étudié Le Vard [164]. Enfin, les nuances de la pierre sous des cieux si changeants restent harmonieuses : A. Siegfried parcourait au début de ce siècle, la métropole de la Basse-Normandie pour son

161. Arch. dép. Calv., C 6774.

162. *Ibid.*, C 6496, Collection de devis et comptes des réparations effectuées. effectuées.

163. *Ibid.*, C 1147. Le « Plan de la rue de la Poste ou Neuve-Rue-Saint-Jean avec Saint-Jean avec la face régulière des maisons tant en bois qu'en pierre et le nom des propriétaires, par Noël, géomètre à Caen, rue des Capucins », permet un compte précis. On dénombrait cinq maisons de bois sur seize du côté de la nouvelle poste aux lettres ; en face, trois sur dix-huit vers le collège du Cloutier et l'hôtel de l'Evêque.

On pourrait citer bien d'autres témoignages de l'effacement des maisons de colombage à travers le XVIIIe siècle. Ainsi, près du pont Saint-Pierre, dans les années 1760-1770, les immeubles de la veuve Chuquet (Arch. mun. Caen, DD 10).

164. G. Le Vard, 1911 a, 1911 b, 1918.

enquête sur les populations de l'Ouest, on se souviendra des visions colorées que lui suggérait cette ville figée dans la stagnation économique du XIXe siècle, si proche encore à tant d'égards de l'Ancien Régime ; c'était pour lui tour à tour, une autre Salamanque « avec ses pierres éclatantes et la campagne nue qui l'entoure » lorsque, d'aventure le ciel est clair, puis bien plus souvent « sous un ciel humide et bas, avec ses cloîtres et ses clochers normands, une autre Oxford »[165], la cité en somme, des teintes fanées et pâles, porteuses d'une certaine tristesse, mais aussi auxiliatrices favorables à l'intimité des décors et à la méditation apaisée.

Les architectes du XVIIIe siècle qui recourent au calcaire de Caen misent en outre sur une qualité éminente du matériau ; sa solidité, traditionnellement reconnue, avant même qu'on ne l'éprouve par des expériences[166]. La pratique leur a fait classer les provenances selon l'emploi. Les assises des bâtiments provenaient de Blainville ou de Ranville en aval sur l'Orne[167], les façades, des carrières urbaines de Saint-Julien et Saint-Michel-de-Vaucelles[168] ou bien des proches banlieues. Carpiquet[169], La Maladrerie[170] ; les matériaux imperméables pour les descentes d'eau, revêtement des fosses, auges, canalisations sont en pierre de Quilly[171], qui sert aussi de pierre de taille[172] ; les pavés viennent des portes de la ville, surtout du petit village d'Allemagne[173]. Au sein de ces grandes catégories de matériaux, les entrepreneurs avertis faisaient

165. A. Siegfried, 1913, p. 323.

166. Arch. nat., F 14, 10114, Rapport sur la chaux hydraulique et notamment sur celle du Calvados, par Pattu, présenté le 24 janvier 1824 à la Société royale d'Agriculture et de Commerce de Caen. La pierre locale possède une résistance aux pressions à peine moins grande que celle des nouveaux mortiers hydrauliques utilisés à cette date.

167. Arch. mun. Caen, BB 89 ; Bannie de la Construction du Corps de Garde de la place Saint-Pierre, 9 juillet 1762. Cf. aussi Arch. mun. Caen, EE 30, Devis de construction d'un bâtiment des nouvelles casernes, avril 1785 ; et Arch. dép. Calv., C 8319, Rapport sur les travaux des casernes, et C 8551, Rapport de Guéret en juin 1790 au sujet de la construction du mur de quai : la pierre dure de Ranville est « très belle et très bonne ».

168. Cf. les mêmes références et Arch. dép. Calv., C 6496, Procès-verbal de réparations à faire au Bureau général des Finances (1732-1733), Arch. mun. Caen, BB 90, Devis d'un bâtiment à l'hôpital des Filles Renfermées (délibération municipale du 23 avril 1768). Arch. dép. Calv., C 6495, Réparations à l'Intendance en 1775-1776.

169. Arch. dép. Calv., C 6774, Devis de construction de 1784 ; la pierre de Carpiquet est de qualité plus courante, mais les gisements sont tout proches de la maison de Détention de Beaulieu qui l'emploie.

170. Arch. mun. Caen, BB 91, Bannie d'une maison à construire pour le fermier du bac de l'Orne (délibération municipale du 11 juillet 1780).

171. *Ibid.*, BB 89, Bannie des ouvrages pour achever le bâtiment des casernes de la place Dauphine et 4 écuries (déc. 1762). Quilly est sur la commune de Bretteville-sur-Laize.

172. *Ibid.*, BB 88, Adjudication pour les casernes en septembre 1757 ; également BB 89, Ouvrages à faire pour construire une nouvelle salle des malades à l'hôtel-Dieu (Délibération municipale du 11 mars 1760).

173. Arch. dép. Calv., C 6496, Devis estimatif des réparations à faire au Bureau général des Finances (1772). Cet emploi de la pierre d'Allemagne était constant depuis le début du siècle ; cf. Arch. dép. Calv., C 6497, Construction d'un pavillon à l'Hôtel des Monnaies, et C 1295, Construction du Bailliage

encore des distinctions. Le cahier de la bannie du Pont-aux-Vaches à l'entrée de la prairie, spécifie qu'il faut des pierres de taille de Vaucelles de la meilleure qualité, non pas celles des carrières Saint-Julien [174].

De toute façon, le matériau venait de lieux tout proches, d'une lieue de distance au pire. De nombreuses carrières étaient percées dans le terroir urbain depuis des époques reculées : la toponymie en porte le souvenir, il existe sur les rôles fiscaux du XVIIIe siècle une rue des Carrières Neuves, une rue des Vieilles Carrières paroisse Saint-Julien et une rue des Carrières Saint-Gilles. Ces terrains ont parfois cessé d'être exploités et Daniel Huet, dans ses *Origines,* écrites à l'extrême fin du XVIIe siècle, observe qu'il ne reste que des traces des carrières de Saint-Gilles par exemple [175]. Les plans des XVIIe et XVIIIe siècles montrent d'ailleurs bien d'autres emplacements d'où l'on tirait la pierre, par exemple dans le Bourg-l'Abbé [176], dans le faubourg Sainte-Paix [177], à Saint-Michel-de-Vaucelles [178]. Toutefois il apparaît que leur exploitation avait décru au siècle de Louis XV, si l'on en croit les devis de construction, conservés en grand nombre aux archives de l'intendance, en faveur des carrières de la grande banlieue. C'est un indice de l'urbanisation de la ville ; parallèlement le métier de « carrieux » devenait une activité paysanne [179]. Mais les géologues n'ont-ils pas une autre clé de ce transfert géographique quand ils notent combien le calcaire est diaclasé à Caen [180] ?

Si l'on exclut le calcaire de Carpiquet qui servait d'ailleurs, tout près de là, dans la construction du dépôt de mendicité de Beaulieu, la géographie des gisements exploités hors de la ville est dictée par le souci d'amener les matériaux par voie d'eau [181]. Sans doute est-ce impossible pour la pierre de Quilly, car la Laize n'est qu'un ruisseau, difficile même à Allemagne, pourtant situé près de l'Orne, puisque les chaussées des moulins coupent la rivière, mais Blainville et Ranville fournissaient d'énormes quantités de blocs de fondation que des barques plates menaient au port. En revanche, l'apparition de la

174. Arch. mun. Caen, BB 85, Adjudication au cours de la délibération municipale du 30 avril 1744.

175. *Op. cit.,* p. 94. On consultera en outre Thierry, 1805.

176. Cf. Arch. dép. Calv., H 2096, *Cinquième Carte* du Terrier de Legendre, pp. 121, 122, 123, 124. On observe des carrières dans les delles de Lerguillière, de Cocaigne et des Costils. Une autre existait rue Damozanne, au milieu des jardins et l'abbaye la « fieffe » à un sieur Houel en 1769 : Arch. dép. Calv., H 2179.

177. On tirait la pierre au carrefour des routes de Paris et de Rouen : cf. le Plan d'alignement de l'entrée du faubourg Sainte-Paix, Arch. dép. Calv. 4 C, sans cote (voir l'« Inventaire », n° 344), et le « Plan d'une partie de la route de Caen à Trouarn depuis la sortie du Fauxbourg Ste Paix jusqu'à la chaussée de Banneville », Arch. dép. Calv., C 3569.

178. De même, il existe des carrières près de la route de Falaise, cf. les « Plans des routes de France. Généralité de Caen. Route de Caen à Alençon par Falaise », Arch. nat., série F 14 bis, 8470, carte 26 ; ou encore le « Plan du chemin de Caen au bourg de Harcourt », Arch. dép. Calv., C 3644.

179. Cf. outre les rôles fiscaux et les registres paroissiaux, un exemple exhaustif avec le dénombrement nominatif du village de Cheux de 1774, Arch. dép. Calv., C 178.

180. Cf. M. Mornod, 1948, p. 12. Bigot a décrit, d'autre part, un système de failles dans la prairie de Caen, en amont : 1898, 1903, 1942.

181. On constate le même souci à Rouen, cf. Quenedey, 1926, pp. 122 et 123.

pierre d'Aubigny, village distant de sept lieues dans les terres, pour les réparations de Saint-Etienne, est un fait tardif et isolé [182].

Bref la pierre est abondante et solide. On en est peu avare. On n'emploie pas de briques pour les façades, on n'use même pas de la construction de bloc étayée par des pierres de taille disposées en chaîne ; non celles-ci sont posées en assises régulières et les murs de façades ont communément un demi-mètre d'épaisseur ; les murs de refend en moellons mesurent 30 ou 40 centimètres, quand bien même la bâtisse ne dépasse pas un étage [183]. Les planchers intérieurs surtout sont extrêmement épais, conférant aux maisons leur assise, aux pièces des températures égales et une parcelle de ce silence que la densité des habitants comme l'enchevêtrement des locataires contribuaient fréquemment à chasser [184]. D'innombrables maisons sont ainsi dépourvues de parquets de bois et pavées de pierres d'Allemagne. Elles reposent, par exemple à l'Hôtel de la Monnaie agrandi en 1720, sur un bain de mortier, lui-même coulé sur la classique pierre à plâtre, encore utilisée au XIXe siècle [185]. La nouvelle salle des malades de l'Hôtel-Dieu, en 1760, est plus cossue ; sur les solives de chêne, seront disposées les pierres à plâtre, puis un crépi, ensuite on va étendre du chaume fin ou de la « recoupe » de pierre, par-dessus un mortier de chaux, sable et plâtre, enfin les dalles de calcaire épaisses de trois centimètres qu'on enduira d'huile de lin bouillante. Bien mieux, non seulement les marches d'escalier sont en pierre, mais les passages, dans les étages, sont le plus souvent voûtés [186]. Les combles sont à la mesure de cette solidité et portent d'ailleurs fréquemment encore au XVIIIe siècle un double étage de mansardes qui appelle les hauts faîtages [187]. On pourchasse, en outre, jusque dans les édifices utilitaires, tout autre bois que le cœur de chêne et l'orme est à peine toléré pour les escaliers de greniers [188] ; sur les chevrons et les lattes reposent de lourds manteaux de tuiles et si l'ardoise gagne du terrain, elle ne l'emporte que de justesse dans la seconde moitié du siècle, sur de vastes édifices avant tout, où la considération du poids triomphe des habitudes. C'est

182. Arch. dép. Calv., Q, Biens nationaux, séquestre de Saint-Etienne, devis de réparations en brumaire an X.

183. La construction à chaîne de pierres est courante à Rouen (cf. Quenedey, *op. cit.*, p. 253). A Caen, pas du tout, cf. Arch. mun. Caen, BB 89, délibération municipale du 9 juillet 1762 pour établir le cahier de bannie d'un nouveau corps de garde.

184. Arch. dép. Calv., C 6637, « Plans figurés des maisons appartenantes aux Srs Roussel, Langlois et Vve Bachelet ». On lira dans l'« Inventaire », n° 624, la description de ces aîtres minuscules, encastrés les uns dans les autres. Sur les contestations permanentes qui naissaient entre voisins, voir les Archives de la Lieutenance de Police, 1 B, *passim*.

185. Arch. dép. Calv., C 6497, Cahier d'adjudication pour la construction d'un pavillon ; et aussi Arch. dép. Calv., C 644, Adjudication de 1765 au dépôt de mendicité de Beaulieu.

186. Arch. mun. Caen, BB 89, Délibération municipale du 11 mars 1760.

187. Arch. dép. Calv., C 2209, « Elévation d'une partie d'une des ailes des casernes de Caen ». On pourrait citer beaucoup d'exemples (cf. « Inventaire », *passim*). La rue Saint-Pierre ou la rue Ecuyère du XXe siècle en comptent encore quantité.

188. Arch. mun. Caen, BB 90, Délibération municipale du 21 avril 1768 et devis pour la construction d'un local sur la tour du moulin de l'Hôtel-Dieu.

en ce sens qu'on modifie la toiture de l'hôpital général en 1769 [189] et que sont prévues les réparations de l'hôtel d'Escoville [190]. En toute circonstance d'ailleurs, est mis en place un pesant appareil d'écoulement des eaux, que le climat inspire : les larmiers sont en bon mortier gras [191], les gouttières, en bois plein, sont bardées de lames de plomb [192].

Enfin, les constructeurs sacrifient de bon gré au goût de la province pour les décors généreux. Les maisons des particuliers, plus encore les édifices publics, s'ornent de corniches, d'attiques, de frontons à bas-relief : le corps de garde de la place Saint-Pierre présente un attique, un trophée d'armes couronne la façade, exubérante pour ce bâtiment d'un étage [193]. Le dépôt de mendicité de Beaulieu est rehaussé d'une porte monumentale, surmontée d'un fronton au-dessus duquel sera placé un lanternon et il faut toute la tenacité de l'intendant pour revenir à des formes plus simples au nom des économies budgétaires et d'une sensibilité parisienne nouvelle qui n'a pas encore gagné les provinces [194]. Fronton, également, au bureau des finances, sur la place des juridictions [195]. Les casernes, le long de l'Orne, comportent des balustrades ornementales [196] ; les maisons du pont Saint-Pierre qu'on projette de reconstruire en novembre 1756 en posséderont aussi [197] ; l'hôtel de l'intendant également [198]. Le grenier aux grains, jamais édifié place Saint-Sauveur, devait s'orner d'un péristyle à colonnes. Enfin les dessinateurs multiplient les projets d'entrées monumentales. La porte triomphale de la route de Bayeux devait compter trois voies [199] et s'élever jusqu'à huit mètres de haut. Les pilastres du pont Saint-Louis atteignaient près de trois mètres et s'alourdissaient de guirlandes de pierre et de pots à feu dans le projet de Lefebvre de 1782 [200]. Surtout, de la beauté de la matière, est sorti l'amour des volumes, qu'on voit s'épanouir, à la veille de 1789, au bâtiment des juridictions de façade courte et puissante, dans la manière de Ledoux [201], et dans les projets de Gilet pour

189. Cf. Arch. dép., Calv., H sup., Délibération de l'Hôpital général, mars 1769, vol. 33.

190. Arch. mun. Caen, DD 38, Hôtel du Grand Cheval (ou d'Escoville).

191. *Ibid.*, BB 90, Devis d'un bâtiment pour les filles renfermées, le 23 avril 1768.

192. *Ibid.*, DD 38, Hôtel du Grand Cheval.

193. *Ibid.*, BB 89, Délibération du 9 juillet 1762.

194. Arch. dép. Calv., C 6871, 28, Elévation de la façade principale de Beaulieu.

195. *Ibid.*, C 1132, projet de Loguet, 1758.

196. *Ibid.*, C 2209, « Elévation d'une partie d'une des ailes des casernes de Caen », 1785.

197. Cf. Arch. mun Caen, série DD 10, « Elévation des bâtimens à faire sur le pont St Pierre... » (1756).

198. Cf. Arch. dép. Calv., C 215 et 228, Elévations postérieures à 1768.

199. *Ibid.*, C 1132, Plan du 31 mars 1757.

200. *Ibid.*, C 1138, « Plan et Elévation de deux pilastres pour terminer les extrémités du mur de ville de Caen dans l'ouverture qui y a été faite au bout de la rue St Louis et qui communique au nouveau pont que l'on vient de construire... » (1782).

201. Arch. dép. Calv., F, acquisition 1957, « Vue géométrale des façades principales et latérales des bâtimens destinés à réunir les différentes jurisdictions royales de la ville de Caen... » (1781).

le théâtre, plus musicaux avec leur cadence de huit colonnes composites posées sur un podium de quatre degrés tout juste, mais à peine moins énergiques [202].

4. LA REVANCHE DE L'EAU

Hélas, les bâtisseurs affrontent trop souvent une ville à l'assiette d'argile. Leurs réussites sont sans histoire dans les quartiers marginaux comme la paroisse Saint-Martin, le faubourg Saint-Julien, le Bourg-l'Abbé, les hauts de Vaucelles ou dans les édifices forains, tel le dépôt de Beaulieu. Mais au cœur de la cité, le tapis alluvial défie les habitudes professionnelles, quand il ne les voue pas à l'échec. Dès qu'il est percé, le sol fuyant se dérobe sous les fondements si lourds des maisons de pierre.

Une solution ancienne consistait à s'en tenir à la surface. Ele est communément employée dans les édifices de bois des XVe et XVIe siècles qui reposent sur un piètement de calcaire, mais elle est insuffisante pour les autres matériaux ; le XVIIIe siècle ne l'utilise que dans les maisons légères, sans étage. Voici, pour 800 livres, la maison du passeur, au bord de l'Orne, construite par la ville aux moindres frais [203] : les murs de parpaing ont 7 à 9 pouces d'épaisseur, l'entrepreneur est autorisé à faire une charpente en sapin du pays — aux yeux des autochtones c'est tout dire —, les pierres de fondation seront posées sur la terre battue à 80 centimètres du sol, en assises décroissantes depuis le fond. Dans les maisons plus cossues et les édifices communautaires, il faut recourir à des fondations profondes et les entrepreneurs sont pris à leur propre piège. Le poids des caves voûtées s'ajoute à celui de l'édifice qui s'enfonce dans le marais ou s'incline. La demeure de l'intendant penche sur la rue Saint-Jean de 5 à 6 centimètres en avant, les murs sur une des cours ont un surplomb de presque 10 centimètres ; l'origine du mal vient des tassements de la cave « humectée tous les hivers par les inondations » [204]. Il a fallu soutenir la voûte par deux piliers mais « il n'y a pas de sûreté à habiter les apartemens dessus ». De même le mémoire des réparations à faire au bureau général des finances, situé non loin de là, insiste sur la difficulté « d'y asseoir des fondemens propres à soutenir le poids d'un édifice de la grandeur de celuy-cy » [205]. Même cause : « les caves de tous les bâtimens sont pleines d'eau, un tiers de l'année », mêmes effets : la salle des procureurs penche « en dehors considérablement en sorte qu'elle surplombe de 16 à 18 pouces sur sa hauteur » [206]. Pareil inconvénient se retrouve dans le quartier du pont Saint-Louis ou à la tour Châtimoine dont le cachot de basse-fosse est tellement imbibé, remarque l'intendant en 1784, que plusieurs fois l'an, on est obligé « d'y pomper l'eau » [207]. Le point faible de ces édifices de guingois vient des joints et des lits de mortiers, dès lors que des poussées latérales se font

202. Cf. les quinze plans, élévations et vues cavalières de Gilet, à la Bibl. mun. de Caen, in-fol. 182.

203. Arch. mun. de Caen, BB 91, Bannie de la construction le 11 juillet 1780.

204. Arch. dép. Calv., C 6495, Procès-verbal de l'ingénieur des Ponts-et-Chaussées du 31 mars 1759.

205. Arch. dép. Calv., C 6496, texte sans date (début du siècle).

206. *Ibid.*, Devis de réparations à faire en 1745.

207. *Ibid.*, C 452.

sentir. Les expériences de Pattu, entreprises au début du XIXe siècle, le mettent en évidence. L'Ancien Régime caennais ignore la chaux hydraulique et mélange traditionnellement la chaux d'Ussy et le sable de mer[208] ; la barre de mortier obtenue casse sous une pression de 3,7 kilogrammes ; dans les mêmes conditions de volume, la pierre de Caen cède sous une charge de 13 kilogrammes, mais la solidité de l'ensemble est évidemment réduite à celle de l'élément le plus fragile.

Les constructeurs ont souvent usé d'un remède qui ne supprime pas le mal, mais en repousse de quelques années les effets, en arrêtant les fondations des maisons sans avoir atteint un sol réellement stable, par exemple aux environs de cinq pieds dans l'île Saint-Jean, sur la couche de galets. C'est le cas de l'hôpital des Filles renfermées, rue Frémentel, où les murs reposent sur une semelle de lits de pierre superposés, pour répartir les pressions[209]. Toutefois, dans la deuxième moitié du siècle, on voit apparaître pour asseoir des bâtiments plus lourds, des procédés dont les ponts ou les murs de quai avaient jusque-là l'apanage.

Le déblaiement du terrain est protégé par des bâtardeaux de gazon ou d'argile pressée[210]. Lorsque les terrassiers sont arrivés à la profondeur recherchée pour l'élévation des murs, ils enfoncent dans le sous-sol des pieux de quatre mètres environ en les battant ; c'est une opération délicate qu'il faut exécuter prestement pour éviter l'ennoyage et qui requiert une abondante main-d'œuvre employée à lutter contre la vase[211]. Les charpentiers installent dessus une ossature de bois appelée grillage et l'assemblent morceau par morceau, fort péniblement en raison des eaux infiltrées et des boues ; ou bien ce réseau, préparé à l'avance, est fait d'un quadrillage de longerines et de traversines. Dans les lieux voisins du port et non loin des rivières on ajoute un rigide bouclier à ces fondations ; « il a été battu, dit le rapport de l'architecte Guéret sur les casernes et le port en juin 1790, au devant dudit grillage un rang de palplanches jointives de 8 pieds 6 pouces de longueur sur 3 pouces d'épaisseur »[212]. Cette paroi sans souplesse est à l'origine de tous les maux. Elle interdit les mouvements isostatiques de la glaise, elle subit des pressions énormes et cède brutalement, entraînant le gauchissement des murs.

Après ces travaux préparatoires, des ouvriers garnissent aussitôt les cases du grillage en maçonnerie de moellons, terre glaise, éclats de pierre ; parfois un nouveau plancher de madriers est chevillé sur la charpente primitive et calfaté, ainsi que pour les murs du quai[213]. Enfin sont posées par-dessus les assises de « libages », pierres taillées d'une vingtaine de centimètres d'épaisseur soudées par des joints de mortier, de chaux et sable. Les murs qui s'élèvent

208. Tous les devis apportent les mêmes précisions sur la composition utilisée : 1/3 de chaux, 2/3 de sable de mer.

209. Arch. mun. Caen, série BB 90, Devis du 23 avril 1768.

210. *Ibid.*, série BB 87, Bannie de la reconstruction du Pont de Vaucelles (15 mai 1753) ; Arch. dép. Calv., 6 C, carton 4, Construction des murs de quai ; pour l'application de ces procédés aux bâtiments, voir Arch. mun. Caen, EE 30, Arch. dép. Calv., C 2209 et Bibl. nat., Estampes, Va 21 b.

211. Arch. dép. Calv., C 4108 ; on demande au port des vieillards, des adolescents, des femmes ou filles en « état d'être employés à ce genre de travail ».

212. Arch. dép. Calv., C 8551.

213. *Ibid.*, C 4104 et 8551, Rapport de Guéret en juin 1790.

ensuite flottent donc en quelque sorte sur des plateaux de bois arrimés à des pieux dans la tourbe et les vases profondes. La réussite de l'entreprise dépend de cet équilibre. On pourrait croire que les entrepreneurs vont alléger de leur mieux les masses. C'est l'inverse, ils cherchent à provoquer des tassements : on se félicitera de la « très belle et très bonne pierre de Ranville » [214], on vantera les murs de 6 pieds sur les grillages ; on lit dans une adjudication de 1786 qu'il faut couvrir la maçonnerie de madriers et de rangs de pierre à enlever lors de la prochaine campagne de construction, pour peser sur le sol [215]. A ce moment, la glaise, un instant chassée, jaillit en « regonflements ». Les maçons gémissent en leur langue savoureuse que « les eaux se font une multitude de transpirations » [216] ; leur origine, presque toujours campagnarde, les a accoutumés aux sols fermes de la plaine de Caen où le poids des bâtiments est toujours synonyme de solidité.

Dans la ville, c'est à l'inverse le lieu de toutes les traîtrises de l'eau et de la boue.

Mais au débotté, l'étranger s'étonne surtout de l'état pitoyable des rues et des cours. Les autochtones sont évidemment blasés. C'est au point qu'ils soulignent comme une exception les quartiers accessibles. Ainsi les officiers du bureau des finances, chargés des voies publiques, tracent-ils à Trudaine le tableau du quartier de la foire en 1771 comme « un des plus brilland, plus commode et mesme plus agréable par la beauté de ses promenades » [217] car les pavés y sont alignés de façon méritoire sur le sol de la prairie ; encore faut-il ajouter que les propriétaires des loges commerciales sises rue des Toiliers et rue de Vire avaient sollicité deux ans plus tôt la réfection de leurs voies où les boues croupissaient, où l'eau dormante stagnait entre les pavés déformés [218].

En tout cas le reste de la ville ne vaut pas ce quartier. L'intendant Fontette, assiégé par les inondations, demandait simplement avec une pointe de philosophie aux Ponts-et-Chaussées en 1769 de relever le pavé au droit de son hôtel et des immeubles voisins pour que le public puisse venir jusqu'à ses bureaux [219]. Son successeur, à peine arrivé, écrit à l'ingénieur en chef : « j'ai été frappé, Monsieur, de la dégradation où sont les principales rues de la ville de Caen, les moyens mis en usage pour y pourvoir sont précaires et ne peuvent guère produire l'effet qu'on peut en désirer » [220].

D'ailleurs l'absence de drainage provoque des engorgements plus détestables encore. On redoute pendant les travaux de la rue Saint-Guillaume que les eaux envahissent les cachots de la tour Châtimoine [221]. De mémoire d'homme, en tout temps, une mare croupissante stagne sous la porte Saint-Etienne [222]. De même la rue des Jacobins n'a pas de pente sur 50 toises de longueur, les eaux communiquent avec la cour de l'hôpital et comme les administrateurs

214. Arch. dép. Calv., C 8551.
215. *Ibid.*
216. *Ibid.*, C 4107, Rapport de Didier le 5 juillet 1789.
217. *Ibid.*, C 6543, Lettre des officiers à Trudaine (août 1771).
218. Arch. mun. Caen, HH 45 bis, Requête des propriétaires en 1769.
219. Arch. dép. Calv., C 214, Lettre à Viallet, 15 mai 1769.
220. *Ibid.*, C 6494, Lettre du 11 février 1778 à l'ingénieur Lefebvre.
221. *Ibid.*, C 1132, Lettre du maire à l'intendant, vers 1757.
222. *Ibid.*, C 1143, Requête des religieux de Saint-Etienne à Trudaine, 1754.

élèvent des « cochons sous la grande porte d'entrée ... les eaux infectées par les animaux s'écoulent vers la rue, l'obstruent et l'infectent »[223]. Même spectacle aux abords des tueries installées par les bouchers au cœur de la ville depuis le XVIe siècle[224] et rue Branville depuis le XVIIe siècle[225].

Enfin huit goulets dont le contenu coule en permanence à la rivière et déborde fréquemment mettent un comble à la dégradation. Le recensement de ces égouts à ciel ouvert, opéré en 1752[226], dans lesquels, en temps de crue, peuvent refluer en sens inverse les rivières tandis que plus quotidiennement, y dérivent les ordures et les eaux innommables des abattoirs, est un élément de la carte des défis lancés aux urbanistes par les eaux. La statistique exhaustive des réfections de voies pavées, « corruées » ou englouties l'enrichit de faits précis. Entre 1750 et 1789, indépendamment des travaux neufs, 25 rues anciennes ont été refaites. Toutes sauf deux (la rue de Bayeux avec sa porte, la rue de l'Académie) sont situées dans la zone des goulets ou dans le périmètre inondable, la plupart dans l'île Saint-Jean[227]. Les pavés lourds en pierre de Ranville qui bordaient le couvent des Jacobins furent remplacés quatre fois en quarante ans. Lutte sans trêve qui tient constamment la municipalité en éveil.

Ainsi quel paradoxe ! La maison de pierre au XVIIIe siècle a depuis deux cents ans pris la place des édifices en bois pour lesquels on cherchait en vain des matériaux, mais voici qu'elle exige à son tour d'énormes quantités de charpentes enterrées. Construction délicate, construction coûteuse, car elle se dégrade vite, on le verra. Le pourrissement menace les bois, le salpêtre gagne les murs, les aires planes se disloquent. C'en est trop pour les petites fortunes. Au cœur de la cité, la propriété foncière est l'apanage des notables ; eux-mêmes ne bâtissent pas sans appréhension. De là les spéculations et partant, la puissante hausse que confessent les baux de location à travers le XVIIIe siècle. C'est ici le fin mot d'une situation piquante : les riches s'assemblent dans les régions insalubres ; il est vrai qu'ils surent se montrer orfèvres de la nature, vouant aux jardins, aux bosquets et aux bassins comme en l'île Saint-Jean, l'espace qu'elle leur refusait à l'habitation.

5. LES JARDINS

Une tradition ancienne et un goût nouveau font des espaces plantés et des jardins le trait le plus frappant des villes du XVIIIe siècle. A Caen, cette double influence trouvait, au propre, un terrain combien favorable ! Pourtant

223. *Ibid.*, C 1121, note des Ponts sur une requête des administrateurs de l'hôpital Saint-Louis en juin 1784.

224. Arch. mun. Caen, D 5 ; rien n'a changé jusqu'à la Révolution, cf. les décisions municipales du 21 vendémiaire an VI.

225. Arch. dép. Calv., 4 C, voirie, requête de 1615.

226. Arch. mun. Caen, BB 87, 22 févr. 1752, et DD 78, 22 juin 1752 ; liste des goulets : cimetière Saint-Etienne et rue des Jésuites, goulet Saint-Pierre, Hamon, de la venelle aux chevaux, de Froide rue, des Teinturiers, du Tour-des-Terres, de Saint-Jean.

227. Ces travaux sont exécutés par adjudication aux frais de la ville. Liste des rues : paroisse Saint-Jean : rues Guilbert, de l'Oratoire, des Carmes, Coupée, Hôtel-

la superficie végétale au milieu du siècle est difficile à calculer dans l'agglomération. On a vu en effet que l'étendue urbaine ne s'était pas agrandie à la périphérie, rien ne permet de dire pour l'instant qu'il en était de même à l'intérieur. A la vérité une gamme de quartiers très divers se présente : les zones commerçantes de la paroisse Saint-Pierre et de Notre-Dame étaient entièrement occupées dès le XVIe siècle (comme le montre en particulier l'iconographie du XVIIe siècle[228]; les appentis et les maisons sur cour avaient poussé de toutes parts : voyez près de la rue Froide, les cours au Sens, Bonnet, Lecoq. Dans les vestiges contemporains de la ville d'autrefois, entre la rue Monte-à-Regret (la rue des condamnés au pilori), la rue Saint-Pierre, la rue des Croisiers, l'enquêteur retrouve encore aujourd'hui, au fond des passages, les fenêtres de la Renaissance dégradées, soulignées d'une accolade et divisées d'un meneau de pierre fine.

Dans l'île Saint-Jean, protégée des ajouts par une appropriation conventuelle et nobiliaire, c'était en revanche la permanence des frondaisons, des bassins et des boulingrins. Chez les oratoriens, 920 toises carrées de jardins plus les cours ; aux carmélites, 1 800 toises ; derrière la maison des ursulines, 5 000 toises ; des bosquets, une pièce d'eau à l'hôtel de Brassac, 1 800 toises de cours et de massifs chez le duc d'Harcourt[229]; tandis que l'autre branche, celle de Monsieur le Comte, lançait la mode des jardins-fermes à Paris[230]. A Saint-Jean, où nous avons la certitude par les plans qu'aucune bâtisse n'est venue s'ajouter puisque les hôtels nouveaux s'édifient après démolition et que les couvents n'ont jamais rien loti à l'exception de 250 pieds à l'Oratoire[231], les surfaces cadastrales nous restituent une situation gelée d'autre part par le séquestre révolutionnaire et fort bien cartographiée. Les proportions du milieu du XVIIIe siècle y sont conservées. Un quart des 60 hectares de l'île était consacré à Flore. De presque rien à 25 %, guère plus, telle est bien aussi la part qu'on retrouverait dans les autres quartiers.

Après 1750, on connaît bien chez les aristocrates et les bourgeois aisés, la force du sentiment qui allait les pousser à préserver jalousement jusqu'à l'époque romantique, leurs verts paradis. Tandis que les parterres à la française et les charmilles taillées d'une main plus traditionnelle prospéraient encore dans les maisons religieuses[232], c'était vers 1755-1760 les jardins à la chinoise, puis bientôt, sous le ciel fraternel de la Normandie, les bosquets et les

---

Dieu, casernes ; paroisse Saint-Etienne : rues Ecuyère, Belle-Croix, place Fontette, rue Saint-Laurent ; paroisse Saint-Pierre : porte au Berger, carrefour Saint-Pierre, Petites murailles ; paroisse Notre-Dame : pont Saint-Jacques, champ de foire près des Jacobins.

228. Plan d'une partie de la rue Froide et de la rue des Croisiers. Arch. dép. Calv., F, acquisition Genty 1927, longuement étudié dans l'« Inventaire » n° 544.

229. « Inventaire », p. 225 sq., nos 413-459, pour l'analyse et la mesure des surfaces. Nous avons la requête des ursulines (Arch. mun. Caen, GG 464) qui sollicitent en 1628 le jardin de La Fontaine pour y bâtir leur monastère. La situation est « basse et marécageuse », avouent-elles en espérant par leur « bon mesnage » l'assécher assez pour y vivre.

230. D. Mornet, 1907, p. 90.

231. Arch. dép. Calv., H, Oratoriens, Lotissement du XVIIe siècle.

232. Les plus somptueux nous sont conservés sur les plans de l'abbaye aux Hommes (Saint-Etienne).

CHAPITRE III

Enquête sur les dénombrements de la population

La stabilité des espaces construits pendant le XVIIIe siècle, peut-être même durant le XVIIe, ressort des études précédentes. Mais la portée de cette observation n'apparaîtra pas avant les bilans démographiques qui vont permettre de rapprocher les hommes de leur habitat et d'atteindre ainsi les véritables points de vue de l'urbanisme.

J'examinerai donc ici le volume de la population de Caen, dans le cadre géographique des paroisses défini plus haut, comprenant la ville murée, les faubourgs et les écarts, à l'exclusion de la banlieue : dans les 2 169 hectares de son territoire [1].

Il est vrai que durant l'époque moderne, la France fit l'apprentissage progressif de la rigueur statistique. Mais dans quelle confusion, avec combien de piétinements ! En démographie, les historiens ont maintenant placé des balises au bord de cet océan d'incertitude, rappelé les textes officiels qui prescrivaient les dénombrements, analysé les grands traits des résultats venus jusqu'à nous [2]. Quelques monographies urbaines ont illustré d'autre part ces enquêtes nationales, y ajoutant la richesse des archives locales [3]. Voici des

1. Cette entité urbaine, on l'a vu, est immuable, à l'exception du rattachement de Sainte-Paix en 1718. Cf. Expilly, 1762-1770, art. « Normandie » : « Les diverses paroisses... sont réunies pour ne former qu'un seul et même corps de communauté ». On trouve aux Arch. dép. Calv., 2 C, des rôles de taille pour la petite paroisse rattachée, qui procurent le nombre de feux.

2. Les sources générales sont indiquées dans E. Levasseur, 1889-1892, t. 1 ; A. des Cilleuls, 1885, 1895, 1899 ; R. Mols, 1954-1956, pp. 49-58 ; E. Esmonin, 1964, pp. 113-130, 261-266, 267-272, 273-313, 315-328 ; B. Gille, 1964 ; F. de Dainville, 1952 ; M. Reinhard, 1950, 1954, 1961, 1963, 1965, 1968 ; J. Dupâquier, 1968. Les publications anciennes commencent à l'échelle du Royaume avec Saugrain, 1709, 1720, se poursuivent notamment à travers J. Expilly, 1762-1770. Le dénombrement de l'an II est resté inédit jusqu'à P. Meuriot, 1918 ; par contre, depuis 1801 il existe des publications contemporaines des recensements : *Tableau général de la nouvelle division, 1802* ; enfin les volumes de tête de la *Statistique* (1837-1851) publient des renseignements rétrospectifs. A. d'Angeville, 1836, est plein d'intérêt mais ne fait pas d'incursions dans le passé d'Ancien Régime.

3. Les villes italiennes ont été mieux étudiées que celles du midi de la France et de même *La Catalogne* de P. Vilar, 1962, t. 2, pp. 15-185. Pour les villes du Royaume, il faut consulter les bibliographies courantes et rétrospectives des *Etudes et chroniques,* 1964, devenues *Annales de Démographie historique 1965, 1966, 1967,* etc. Les thèses régionales récentes contiennent toujours des développements sur le nombre des hommes. De nombreuses notes dispersées peuvent être retrouvées grâce à Ph. Dollinger, Ph. Wolff, S. Guenée, 1967. Enfin sur quelques grandes

voies complémentaires qui additionnent en quelque sorte l'expérience acquise à travers l'espace géographique et le temps historique, mais la seule méthode accessible dans le champ d'une ville est évidemment l'observation chronologique. Les travaux de comptage ou l'estimation démographique révèlent en effet aussi bien des progrès précoces que des survivances à peu près inamovibles et si tel recensement isolé ne vaut rien, plusieurs font ensemble un outil valable, comme deux équations successives permettent de chasser l'inconnue d'un problème algébrique. Sans doute n'est-ce là qu'une image vouée à rassurer nos pas ; en vérité dans la série des premiers dénombrements, étalés sur un siècle et demi, tout est douteux, tout demeure l'inconnue : les procédés de mesure comme la chose mesurée elle-même, âge inconfortable de la relativité généralisée.

Que les malheurs de la science des populations viennent de ses origines « honteuses », de ses origines fiscales, rien de plus certain ; dès l'aube des temps modernes la méfiance des collectivités devant les enquêtes gouvernementales s'est alimentée à la même crainte [4].

Un exemple entre beaucoup va souligner cette hostilité réflexe en Normandie. Vers la fin de l'année 1570, Guillaume Postel, sieur des Fourneaux, reçut commission du roi qui l'habilitait à faire faire une description générale des biens et des facultés de tous les habitants de la province pour parvenir à l'égalisation de l'assiette des tailles [5]. Ce fut aussitôt l'exaspération générale couronnée par le refus du procureur des Etats et de la Cour des aides.

Passons deux siècles : en 1768, l'enquête d'Expilly auprès des intendants et des curés menée pour obtenir les balances du mouvement de la population (1690-1701 et 1752-1763) pâtit d'être lancée en Normandie en même temps que les essais gouvernementaux de taille réelle et proportionnelle. N'était-ce pas le moment où l'évêque d'Avranches envoyait de surcroît une feuile imprimée aux prêtres de son diocèse pour établir l'état des habitants et des communiants ? Le parlement ne réagit point autrement que la Cour du XVIe et par deux arrêts de juillet 1768, défendit à quiconque de répondre à ces enquêtes [6].

---

villes, il existe des travaux d'importance et de valeur. A Bordeaux, R. Nicolai, 1909 ; à Montauban, D. Ligou, 1962 ; pour Dijon, G. Bouchard, 1953 ; Grenoble : E. Esmonin, 1957 ; pour Beauvais, P. Goubert, 1960 ; Amiens, P. Deyon, 1967. Il reste beaucoup à faire pour l'étude de Paris après les brèves considérations de A. Landry, 1935 ; sous la direction de M. Reinhard, de nombreux chercheurs s'y emploient ; voyez la série des *Contributions*, 1962, 1965, 1970. Les grandes villes européennes du Nord ont fait également l'objet d'enquête, notamment l'un des berceaux de la démographie, la Suède : G. Utterström, 1949. Localement, en Normandie, peu de choses avant les travaux d'étudiants conduits par M. Reinhard et P. Chaunu. Toutefois Ch. de Robillard de Beaurepaire, 1872 ; Ch. Bréard, 1887. Les travaux récents utilisent les registres paroissiaux et presque jamais les recensements : M. Reinhard, 1956, P. Girard, 1959, E. Gautier et L. Henry, 1958, P. Gouhier, 1962.

4. Méfiance enracinée dans la longue pratique normande des rôles de fouage, impôt par feu et principale source du savoir démographique médiéval ; cf. F. Lot, 1929, 1945 et localement N. Simon, 1961.

5. *Cahiers des États,* 1891, p. 235 sq.

6. A. Floquet, 1840-1842, t. 6, pp. 595-596, répond sur ce point à E. Esmonin,

La méfiance invoquée par les magistrats était ainsi venue à bout de deux entreprises intéressantes. La thèse parlementaire est indéfendable en l'espèce, mais en vérité l'administration financière d'Ancien Régime était bien souvent dominatrice ; les autres branches des affaires publiques s'en détachèrent, certes, mais avec une irritante lenteur. Dans les vingt dernières années de la Monarchie, sous la Révolution même, il n'est pas rare de rencontrer encore des opérations ambiguës, mi-fiscales, mi-démographiques ; on pourrait citer la statistique des citoyens actifs, les rôles de la mobilière, complétés du dénombrement des familles et domestiques, les listes de citoyens passifs [7].

En revanche, il est permis de soutenir que l'administration s'arrachait simultanément à l'emprise des soucis fiscaux ; elle poursuivit à la même époque une pluralité d'objectifs à Caen, peut-être dès le recensement de 1775, mais certainement, à travers des desseins militaires (la conscription), politiques (la fixation du nombre des juges, le découpage des circonscriptions), voire économiques (les subsistances), lors du recensement de 1793. Bref l'âge de la démographie asservie déclinait sans disparaître tout à fait : c'est une famille de documents qui s'offre à notre observation où règne, dans les premières générations, le lignage fiscal.

De là, le devoir de ne rien démembrer et de regarder au plus loin du passé classique comme au-delà de la Révolution, de 1666 à 1806, un siècle et demi d'évolution urbaine.

Soit la liste foisonnante mais hétérogène des évaluations ou recensements attestés [8]. Plus de trente données numériques traduisent en désordre des feux, des habitants au-dessus de 8 ou de 20 ans, des catégories sociales, des ordres et même la population complète. Encore cette liste ne comprend-elle pas les décomptes trop partiels, inutiles à la démographie comme les rôles de propriétaires dont il existe plusieurs séries à la fin du XVIIe puis vers 1730 avec les dixièmes de biens-fonds et régulièrement après 1750 dans les vingtièmes [9]; pas davantage les listes de familles nobles ou les états partiels du clergé qui seront pourtant utilisés en temps opportun. Il faut donc procéder à divers rangements.

I. LA POPULATION DE CAEN SELON LES ESTIMATIONS

La prudence la plus sommaire incite à mettre d'abord de côté les pures fantaisies. Ecrivains, administrateurs et simples citadins se hasardaient aventureusement dans ce domaine. Il est clair que leurs appréciations ne doivent pas figurer dans une enquête démographique, mais dans une étude d'opinion puisqu'ils nous font connaître la population telle qu'on l'imaginait ; il existe ainsi sur le volume de Caen une tradition qui défie toute raison, celle de cinquante mille habitants.

1964, p. 297, qui déplorait n'avoir pu trouver la trace précise de l'hostilité des parlements à Expilly.

7. J. C. Perrot, 1966 a.

8. *Id.,* 1966, a, p. 63, les données les plus connues.

9. Arch. mun. Caen, CC 59-60 (propriétaires de 1693) ; Arch. dép. Calv., C 4942 à 4953 (dixième de biens-fonds de 1734) ; C 5514 sq. (vingtième de biens-fonds).

Brion de La Tour la signale dans les œuvres de Robert le professeur, chez Masson de Morvillier et Busching, dans les *Etrennes nationales*[10]. Le *Dictionnaire* de Robert de Hesseln[11], très répandu, s'en fait le champion. Il est plus grave encore que des citadins, sans doute flattés par l'ampleur des chiffres, aient repris à leur compte et même amplifié ces fantaisies. Duperré de Lisle, lieutenant général du bailliage, donnait 50 000 à 60 000 habitants à la ville dans sa lettre au garde des sceaux d'avril 1789[12]; le procureur de la commune en octobre 1791, également 50 000[13].

En fait on voit bien pourquoi de telles surestimations persistaient. Le statut administratif urbain, le volume de la représentation politique dépendaient de la population. Quelques textes des premières années révolutionnaires montrent le dur contact avec la réalité des chiffres qui va s'imposer progressivement. Lorsqu'il s'agissait en septembre 1790 de fixer le nombre des juges du tribunal de district, la ville devait avoir un magistrat de plus au-dessus de 50 000 habitants. Tous les décomptes antérieurs étaient nettement inférieurs. Comment était-ce possible ? On se détermina à recommencer un recensement : « au surplus, nous nous en rapportons à cet égard au patriotisme qui dirige toutes vos actions » terminait l'administration du district dans sa lettre aux échevins[14]. On compta 37 795 habitants ; c'est peut-être un bon résultat, mais il déplut beaucoup par sa médiocrité[15]. L'année suivante, le Directoire du département ne parvenait pas encore à s'habituer à cette infamie du sort : « Nous avons vu avec beaucoup d'étonnement le résultat du dénombrement arrêté lors des dernières assemblées primaires. Cet état nous a semblé trop faible et au-dessous de la population effective »[16]. On se prenait à espérer qu'il y eût quelque sous-enregistrement, fruit des préjugés anciens qui rattachaient le dénombrement à l'impôt, mais ce fut en vain ; après 1791, le rêve des cinquante mille citadins disparut.

A côté de ces données imaginaires, il existe bien sûr des estimations plus sérieuses ; il est même probable que telle ou telle d'entre elles, formulée après des dénombrements attestés mais perdus, ait repris des comptes précis. Il convient donc de classer par famille, cette deuxième catégorie de sources.

1) Sans doute rien ne subsiste des dénombrement antérieurs à 1666 (sauf quelques rôles de la taxe des aisés). Mais un premier groupe d'estimations peut s'ordonner autour de la Capitation de 1695. L'universalité de l'imposition ne permettait pas de se contenter des listes de taillables et dans les villes franches ou tarifées notamment, on dut compter les habitants. Le livre de raison d'un bourgeois en décembre 1694 et janvier 1695 précise le déroulement des opérations à Caen qui servirent en apparence à fixer en même temps l'ustensile et le nouvel impôt : « L'on a esté dans les maisons des bourgeois scavoir combien l'on estoit de personnes, le nombre des enfants, des servi-

10. Brion de la Tour, 1789, p. 21.
11. R. de Hesseln, 1771.
12. Arch. nat. B III, 40.
13. Arch. mun. Caen, D 1.
14. *Ibid.*, F 1.
15. *Ibid.*, Résultats du 23 octobre 1790.
16. *Ibid*, et Arch. dép. Calv., L, District de Caen, Élections.

teurs et servantes. »[17] Ainsi, visite des enquêteurs à domicile comme dans nos recensements et rôle des chefs de famille avec le nombre de gens résidant sous leur toit : c'est le feu fiscal excellemment défini par E. Esmonin[18].

Le résultat de ce dénombrement n'est consigné nulle part. Mais il est à peu près certain que Vauban l'ait repris purement et simplement sur le relevé qu'il a laissé s'égarer dans les papiers du roi concernant la défense des places[19], puisqu'on lit en tête : « Nombre des familles qui se sont trouvées les années précédentes dans les paroisses de la ville et faubourgs de Caen, 1699 ». En effet, on ne trouve aucune autre mention de recensement entre 1695 et 1699 dans les délibérations municipales où ces enquêtes sont toujours mentionnées. D'ailleurs le décompte paroissial de ces 5 855 feux indique assez que les résultats du maréchal proviennent d'opérations qui se sont effectivement déroulées, sinon nous n'aurions qu'un chiffre global.

Quant au montant de la population (26 147 habitants), aucun doute n'est permis ; le document spécifie que c'est le produit des feux par le multiplicateur 4,5 (le résultat est d'ailleurs entaché d'une erreur car on devrait trouver 26 347).

Dans les mêmes années l'intendant Foucault eut à composer son mémoire sur la généralité à partir de sources analogues[20]. Il ne se prononça pas toutefois de façon précise sur la population de la ville ; il semble bien qu'il ait hésité sur le multiplicateur et le tableau des calculs faits sur les chiffres de Vauban montre comment se situent les 20 000 à 25 000 habitants que l'intendant attribuait alors à Caen :

Base probable Capitation de 1695, connue de Vauban	*Multiplicateurs*	*Habitants*
	3,5	20 492
5 855	4	23 420
	4,5	26 347
	5	29 275

Foucault s'est donc arrêté au coefficient 4 en se donnant une marge de 10 % d'erreurs[21].

17. G. Vanel, 1904, pp. 37-38. Ce recensement, antérieur de deux mois à l'arrêt du Conseil du 22 février 1695 (complété par celui du 22 novembre 1695, voir les textes dans M. Marion, 1910) servit à l'établissement de la capitation. L'auteur caennais ajoute : « la taxe par tête est différente, les uns plus, les autres à moins... J'ay esté taxé à 6 livres... ».

18. E. Esmonin, 1913. Pour la Haute-Normandie : M. Bouloiseau, 1962.

19. Arch. Génie, Place de Caen, carton 1.

20. Il faut prendre la bonne version (Bibl. Cherbourg, mss) du *Mémoire* de Foucault selon l'étude que M. P. Gouhier a préparée et non pas les copies postérieures et souvent aberrantes (ex. : Arch. nat., KK 1317). Des mémoires préparatoires, par élection, peuvent subsister (ex. : Election de Coutances en 1698, Arch. dép. Calv., C 281) ou être repris dans des documents postérieurs (ex. : Élection de Saint-Lô, C 286, Bayeux, C 275).

21. Ce problème irrite tout le monde. P. Goubert, 1960, lui consacre un développement, p. 251 ; M. Bouloiseau, 1962, un article. R. Mols, 1954-1956, t. 2, pp. 100-130,

2) Les rôles de feux capités urbains dans la première moitié du XVIIIe siècle ont également disparu. Seuls subsistent des registres d'ustensiles, de portée évidemment moins étendue et dont il sera fait état plus loin. En attendant, nous retrouvons le domaine des hypothèses probables. Faut-il admettre que, des impôts directs provenaient les chiffres publiés par Saugrain en 1709 (repris par Masseville [22] en 1722) et ceux du deuxième Saugrain de 1720 (repris par P. Doisy [23] en 1753) ? C'est la conclusion à laquelle parvient J. Dupâquier qui les a comparés aux rôles de taille ; pour les villes qui y échappaient, la capitation pouvait seule servir de substitut.

Même situation pour les relevés du contrôleur général Desmarets de 1713 [24]. Comme on constate une évolution, d'ailleurs très plausible, entre toutes ces données, il faut admettre que les variations de l'une à l'autre étaient ou bien le fruit de la conjecture ou bien le produit de comptages réels plus ou moins espacés. Et comme les arithméticiens de cette époque (Masseville et Doisy le prouvent) n'hésitaient pas à recopier des données antérieures, que Saugrain et Desmarets ne l'aient pas fait, nous incite à croire qu'ils avaient eu connaissance des rôles fiscaux successifs.

3) Avril 1725 : nouveau dénombrement demandé à la ville par une lettre du contrôleur général Dodun [25] ; nouvelle perte. Quel était le but de cette opération ? Quelques éléments permettent de répondre : l'assiette de l'impôt sur le sel.

Avec onze autre provinces la Normandie appartenait aux pays de grande gabelle où les sujets du roi étaient obligés de consommer un minot de chlorure annuel pour quatorze personnes âgées de plus de 8 ans [26]. Or, en l'absence d'adjudicataires, la ferme des impôts avait été mise en régie à la suite de l'arrêt du Conseil du 5 janvier 1721. Régie détournée de son véritable esprit si l'on songe que les administrateurs de la chose publique étaient des créatures du précédent fermier Lambert [27]. Aussi le fonctionnement de l'impôt ne cessa-t-il assez intentionnellement de s'alourdir et dès l'année suivante, on pouvait prévoir un retour aux fermes. Les régisseurs entreprirent alors, aux

---

avait traité la question de façon très complète ; il n'a pas manqué de souligner la faiblesse relative du multiplicateur normand tel qu'il ressort au XVIIIe des calculs de Messance (cf. Messance, 1788, et surtout 1766, pp. 8, 26, 62-65). Pour la Haute-Normandie, le coefficient urbain est 3,8 à 3,9. Il en est de même à Caen (voir chapitre suivant).

22. Masseville, 1722.

23. P. Doisy, 1753.

24. J. Dupâquier, 1968. Les documents sont à la Bibl. nat., mss fr. 11384-11387.

25. Arch. mun. Caen, BB 76, délibération du 30 avril 1725.

26. Ordonnance de Colbert de mai 1680 (cf. M. Marion, 1923, p. 247). Le minot est de 72 litres, pesant en moyenne 100 livres.

27. P. Roux, 1916 ; sur la ferme de Lambert, p. 308 sq ; pour la suppression et le rétablissement voir p. 314 sq. L'intérêt démographique des opérations des Gabelles a été souligné par E. Esmonin, 1964, pp. 267-272. J. Dupâquier n'y revient pas en 1966, pp. 31-42 et en 1967, pp. 233-239, mais propose d'utiliser d'autres rôles fiscaux : les tailles dans la même optique. Pour les Gabelles, il faut lire à la Bibl. nat., mss fr. 23917, p. 23 sq. le « Fragment de l'instruction distribuée à tous les receveurs des grandes gabelles où sont établis les principes de l'opération des dénombrements ».

frais de l'Etat, une série de recensements qui s'avéreraient très utiles aux futurs bénéficiaires des baux.

Par arrêt du 9 juillet 1726 la régie fut ensuite abandonnée puis un nouveau bail général consenti à Carlier[28]. Ce dernier fit une série de vérifications et recommença parfois immédiatement des comptes de population. Ainsi à Caen, le journal intime d'Abraham Le Marchand[29] en fait mention dans les deux premiers mois de 1727 ; le narrateur précise qu'il était lui-même « député de la paroisse (Saint-Michel-de-Vaucelles) pour faire les rôles des habitants au-dessus de huit ans » et qu'il y travailla six journées de sept heures.

Les résultats ne nous sont pas connus autrement que par les récapitulations de la Bibliothèque nationale mais on y apprend beaucoup. Les dénombrements des gabelles devaient être transmis chaque année en mars d'après l'ordonnance de 1680 (titre VI, art. 7), mais ces formalités, tombées en désuétude ou peut-être jamais exécutées, ne furent exigées qu'à partir de 1724 (lettres patentes du 9 mai, déclaration du 29 août). Le receveur se faisait remettre par les maires, des rôles nominatifs de la capitation (ou de la taille en campagne) et un état de chaque collectivité : couvents, hôpitaux, collèges. Renseignements abondants dont il faut déplorer la perte : les noms et surnoms, professions des chefs de famille, la cote d'impôt, le nombre et l'âge de chaque personne au foyer avec les domestiques, le nombre et les espèces de bestiaux. A partir de 1725 en outre dans les lieux de vente volontaire du sel (dont la ville de Caen) les contribuables étaient divisés en deux classes, aisée et pauvre sur le critère de 30 sols de capitation ; chaque omission était pénalisée de 15 l. d'amende.

Que mesurent les données paroissiales récapitulatives ?

Années	*Feux*	*Nombre des collectivités*	*Habitants de + de 8 ans*	*Habitants de + de 8 ans et personnes des collectivités*
1724	5 084	19	14 834	16 024
1725	7 656	19	20 223	21 629
1726	7 858	12 (7 omissions)	19 915	20 947 (sur le pied de 1725 : 21 238)

Visiblement deux séries d'opérations se sont déroulées. En 1724, il fallait aller vite et établir le document *ex nihilo :* c'est alors la reprise pure et simple du dernier rôle de capitation disponible : d'ailleurs cette année-là il n'y eut pas de dénombrement comme le prouve le silence des Archives municipales d'habitude si explicites sur ce genre de corvée. En revanche, depuis 1725, c'est un recensement authentique par députés de paroisses, les témoignages locaux l'attestent. Alors le nombre des contribuables bondit brutalement, puis se perfectionne légèrement en 1726.

Nous parvenons ainsi à deux résultats importants. 1) Les dénombrements des gabelles sont des documents très complets (puisque les nobles, les ecclé-

28. Texte du bail dans J. J. Expilly, 1762-1770, article « Ferme ».
29. G. Vanel, 1904, p. 72.

siastiques, les membres des collectivités, outre les bourgeois sont répertoriés) améliorés grâce à un travail incessant qui a débuté par des enquêtes préparatoires dès 1722 et s'est poursuivi en 1725-1726 par des dénombrements annuels qui n'ont d'ailleurs pas cessé localement, comme le feraient croire les trois bilans résiduels de la Bibliothèque nationale. 2) Les rôles de capitation, base d'une multitude de dénombrements de feux dans les villes franches ou tarifées sont très incomplets en dépit de la confiance que des historiens démographes leur ont accordée faute de mieux. L'étude des listes de Capités ratifiera-t-elle ces critiques ? Nous le verrons bientôt.

Les gabelles, la taille à la campagne, l'impôt par tête dans les villes, à toutes ces sources le mémoire de l'intendant Vastan puise également dès l'année suivante. Ce dernier avait demandé depuis le 8 avril 1727 des renseignements aux receveurs d'élection et aux subdélégués pour son travail. Les réponses subsistent en partie [30] avec la synthèse de l'intendant, réclamée par le contrôleur général en août 1728 et terminée à la fin du mois de novembre [31]. Dans l'ébauche de 1728, le marquis de Vastan avance le total de 115 000 habitants pour l'élection de Caen. Est-ce le chiffre de feux taillables et capités affecté d'un coefficient ? C'est possible, mais dans le mémoire de 1731, construit sur les mêmes matériaux [32], il parle de 72 000 à 75 000 habitants, non compris les enfants de 8 ans et au-dessous. On reconnaît bien l'origine « gabelante » de ce recensement. Il n'y a donc pas lieu de déplorer l'absence d'un compte particulier à l'agglomération puisque les chiffres de base nous sont connus par ailleurs.

Doit-on situer dans cette tradition numérique la population de Caen donnée par le *Dictionnaire* de Saugrain en 1726 et les « Mémoires concernant la situation des peuples du Royaume de France en l'année 1745 » du contrôleur général Orry [33] ? Il faut répondre oui. En effet, on observe d'abord une parenté formelle : en ces temps de dénombrement par feux, l'un et l'autre donnent des volumes de population globale. Ceux-ci ne diffèrent d'ailleurs que du 1/30e et cette différence est peu significative puisque Saugrain apporte une donnée manifestement arrondie (36 000 habitants contre 34 784 chez Orry), mais ces résultats proviennent peut-être aussi d'un multiplicateur puisque les gabelles ne recensent pas les enfants.

Reprenons la table qu'on peut dresser à partir des rôles de gabelle de 1726 :

Base : gabelle de 1726	*Multiplicateurs*	*Résultats*
7 858	3,5	27 303
	4	31 432
	4,5	35 361
	5	39 290

30. Arch. dép. Calv., C 277-278 : Election de Caen ; C 279 : Carentan ; C 282 : Coutances ; C 284 : Saint-Lô ; C 287 : Mortain ; C 288 : Valognes ; C 272 : Avranches ; C 276 : Bayeux. Les éléments de l'enquête de Vastan sont parfois repris d'un point de vue comparatif dans les mémoires de Fontette 1761-1764 : par exemple, pour les élections d'Avranche : C 273 ; Carentan : C 280 ; Coutances : 283 ; Saint-Lô : C 286 ; Vire : C 291.
31. Arch. dép. Calv., C 269.
32. Bibl. mun. Caen, mss. in-fol. 43, Mémoire de décembre 1731.
33. F. de Dainville, 1952.

On constate que les données de Saugrain comme celles de Orry encadrent, avec une latitude de 2 % en plus ou en moins, les résultats obtenus par le multiplicateur 4,5 utilisé localement depuis Louis XIV. En prenant les données de 1725, les meilleures peut-être, on arrive presque aux résultats du contrôleur Orry : 34 452 en face de 34 784.

4) L'estimation suivante émane de l'ingénieur Du Portal le 1er octobre 1759 ; la ville compterait alors 26 000 habitants des deux sexes au-dessus de 8 ans. L'origine de ces renseignements ne fait pas de doute puisqu'on y retrouve le critère en usage chez les fermiers des gabelles. Mais il est possible d'aller plus loin et de savoir dans quelles conditions ont été obtenus les résultats. Deux dénombrements sont en effet attestés à Caen en 1753 et 1758.

Le premier peut être considéré comme une source certaine de l'ingénieur. En 1753 ce fut effectivement un nouveau recensement des gabelles. Les difficultés qui se sont élevées à ce propos font saisir un nouveau tournant dans l'élaboration de tels documents. On sait que depuis avril 1725 des députés paroissiaux rédigeaient les dénombrements en recevant les déclarations des habitants que les commis du receveur vérifiaient dans les trois mois. Ce fut la dernière fois en 1753 [34]. Lorsqu'on lui reprocha d'avoir donné un rôle incomplet (347 personnes auraient été omises) la ville répondit qu'en somme c'était bien peu pour une grande cité de treize paroisses, que les habitants avaient pu augmenter en trois mois par le retour des soldats, l'arrivée de nouveaux domestiques, d'enfants en âge d'être comptés ; au surplus, ajoute-t-elle « presque toutes ces personnes omises sont notoirement si pauvres qu'elles ne sont point comprises dans les rôles de capitation » : voilà qui confirme la différence entre la gabelle et l'impôt par tête ! Quoi qu'il en soit, le receveur du grenier à sel reçut l'ordre de s'en tenir dorénavant à la copie du rôle de capitation [35]. Ce glissement constant d'une catégorie de renseignements administratifs vers des usages adventices est une loi de l'Ancien Régime dont la bureaucratie était insuffisamment développée dans le domaine fiscal, notamment comme je l'ai montré ailleurs [36]. Cela jettera encore beaucoup de suspicion sur les premiers dénombrements « désintéressés » des années 1775.

Le recensement de 1758, lui, découle de l'imposition du don gratuit réclamée par l'édit du mois d'août [37]. La ville tenait à s'acquitter par les octrois et le fermier désirait une fiscalité plus sélective. Pour trancher, le Conseil du Roi demande alors un tableau des habitants rangés en quatre classes de fortune à remettre à la fin de novembre. Comme cette décision fut transmise au début du même mois, il n'y avait encore qu'un recours en un laps de temps si bref : la capitation, unique table des facultés de la population ; ce recensement de 1758 nous renvoie donc aux opérations antérieures.

5) Je vais essayer de démontrer que l'estimation adoptée par l'intendant Fontette en juin 1765 dans une lettre au contrôleur général appartient à la

34. Arch. mun. Caen, BB 94, délibération municipale du 5 novembre 1753.
35. *Ibid.*, BB 94, délibération municipale du 6 mai 1757.
36. J. C. Perrot, 1966, b.
37. Arch. dép. Calv., C 1442.

même arithmétique démographique [38]. Caen aurait alors une population « qui passe 40 000 habitants ».

On ne peut croire en effet que le commissaire départi ait disposé de nouvelles données en dépit de l'ordonnance du 2 décembre 1761 qui prescrivait derechef un dénombrement [39]. Car on peut suivre le sort qui allait être réservé à ce commandement. Les échevins montrèrent d'abord toute l'impossibilité de l'opération ; puis devant le silence qui accueillait ces doléances, on décida de procéder par députés de paroisses, mais avec tant de retard que rien ne commença avant novembre 1765 ; c'est dire que l'intendant en juin ne pouvait faire état de quoi que ce soit.

En réalité, il était parti des résultats de l'ingénieur Du Portal en 1759. Pour connaître la proportion des enfants, il disposait au moins — comme nous — des travaux effectués par l'intendant Vastan entre 1728 et 1731 ; les habitants de 8 ans et plus représentaient alors 65 % de la population de l'élection de Caen [40]. C'est tout à fait insuffisant et E. Esmonin admet en pareille circonstance une proportion nationale moyenne de 78 à 80 %, on observe même en 1764 dans l'élection de Bayeux 83 % en campagne, mais en suivant comme l'intendant, les données tendancieuses, on trouverait 14 000 enfants. Ce calcul donne bien à la ville une population totale de 40 000 habitants. Ajoutons que d'après les barêmes de M. Esmonin, les citadins de Caen s'établiraient à 32 500 et selon la table des survivants de Duvillard à 31 700.

6) Les estimations de l'abbé d'Expilly dans son *Dictionnaire géographique* doivent être regardées de près.

A l'article *Caen* [41] publié en 1764, figure un tableau des paroisses, des feux, des taillables, des familles nobles et de la population pour l'ensemble de la généralité et des relevés par sergenterie et paroisse. Ed. Esmonin, dans ses travaux si documentés [42], indique combien il convient de se méfier des premiers relevés de l'abbé démographe, obtenus à l'aide du deuxième Saugrain dont il suit fidèlement le découpage géographique. De fait, la population de Caen y apparaît avec les 5 680 feux qui figuraient dans le *Dénombrement* de 1720.

A l'article *Normandie,* qui sort en 1768, les données sont restituées à leur place chronologique, non sans une légère entorse il est vrai, puisque l'auteur rapporte à 1726 les renseignements de 1720 [43]. En outre, pour la première fois, d'autres données récentes avouent ouvertement leur origine : les rôles de taille et de capitation de 1766.

38. *Ibid.,* C 1127, Lettre au Contrôleur général le 18 juin 1765.

39. Arch. mun. Caen, BB 95, délibérations municipales du 14 janvier 1762 et du 26 novembre 1765.

40. Élection de Caen en 1728 : 115 000 hab. ; 1731, habitants de plus de huit ans : 72 000 à 75 000. L'écart chronologique dans la rédaction des documents n'a pas de portée puisqu'ils proviennent des mêmes travaux préparatoires des subdélégués. Le recensement de l'élection voisine de Bayeux est en C 175.

41. J.-J. Expilly, 1762-1770, t. 2, pp. 6-22. Ce volume date de 1764.

42. E. Esmonin, 1964, p. 306.

43. Expilly n'aurait-il pas confondu le deuxième *Dénombrement* de Saugrain, 1720 et le *Dictionnaire,* 1726 ? Parmi les historiens contemporains, personne ne distingue d'ailleurs comme il faut Joseph et Claude-Marin Saugrain qui en sont les éditeurs respectifs.

A ce sujet, une nouvelle mise au point est nécessaire. Il se trouve en effet que nous pouvons partiellement reconstituer les sources de l'abbé d'Expilly. C'est l'intendant qui, dans la généralité comme en bien d'autres, lui a fourni des renseignements. En février 1764, le commissaire avait demandé aux subdélégués un état comparatif du nombre des contribuables à la taille en 1730 et 1763 qui a échappé aux investigations de Ed. Esmonin car il figure dans la partie de la série C dont l'inventaire n'est pas imprimé [44]. Or ce sont les résultats de cet état qui figurent dans Expilly à la date de 1766. Ainsi deux inexactitudes de dates dans le même tableau.

Dans ces conditions, que vaut la colonne suivante qui passe pour fournir, également à la date de 1766, et grâce à la capitation, le nombre des feux des villes franches, tarifées ou abonnées à la taille, ainsi que les contribuables de l'ordre de la noblesse, les exempts et privilégiés ? Nous ne le savons pas dans l'élection de Caen puisque les séries fiscales régulières débutent en 1768-1769 seulement. En tout cas le chiffre de 5 005 cotes rapporté pour le chef-lieu est plausible si l'on spécifie qu'il omet entièrement les cotes de domestiques — hors feux en quelque sorte.

7) Dans un mouchoir de poche enfin se présentent les estimations de la fin de l'Ancien Régime : celle de Necker en 1784 (32 000 habitants) ; de Calonne en 1787 : 31 266 ; de Messance en 1788 : 31 374, estimation différente de la valeur extraite des papiers de La Michodière (30 706 habitants) et qui confirme après tant de preuves qu'il s'agit bien de deux personnes [45] ; celle, anonyme enfin de 1789 : 31 902 habitants.

Le procédé de calcul est bien connu et il est exposé tout au long au moins deux fois : dans l'ouvrage de Necker [46] et dans ceux de Messance [47]. Les auteurs ont utilisé l'année moyenne des naissances, calculée sur la période 1771-1780, et un coefficient variable selon les agglomérations qui est, en l'occurrence, fixé pour Caen à 27. Dans l'esprit des auteurs, ce critère convient mieux aux villes moyennes, il serait de 25 dans les villages, de 29 dans les grandes métropoles où le nombre des immigrants le fait monter, disent-ils, sans évoquer franchement dans le même sens la possibilité d'une fécondité urbaine plus faible.

Comment ne pas s'étonner de la dissemblance de leurs résultats ? Les données de Necker sont évidemment arrondies au millier supérieur. Messance a transcrit ouvertement quant à lui sa base de naissances moyennes : 1 162. Il est bon de se reporter au mouvement de la population tel qu'il avait été relevé sur les ordres de l'administration dans la ville depuis 1751 [48]. On constate alors que cette moyenne n'existe pas et qu'elle se situe dans une fourchette : les naissances des 13 paroisses de la ville donnent dans la même période une année commune de 1 077 enfants ; on en compte au contraire

44. Arch. dép. Calv., C 6360.

45. E. Esmonin, 1964, p. 259.

46. J. Necker, 1784, t. 1, p. 205. E. Levasseur, 1889-1892, t. 1, p. 252, écrit que la période de référence est 1771-1779. En d'autres passages d'ailleurs, il rectifie.

47. Messance, 1788, p. 49 sq. E. Levasseur, 1889-1892, t. 1, p. 215, se trompe lorsqu'il laisse entendre que les *Nouvelles Recherches* ne sont qu'une nouvelle édition des *Recherches.*

48. Arch. dép. Calv., C 163.

1 235 lorsqu'on prend en considération les enfants abandonnés, baptisés à l'hôpital. La moyenne de ces moyennes donne 1 156 naissances, proches des données de Messance. Faut-il penser que nos auteurs ont dans ce cas estimé qu'un abandon sur deux était le fait de parents campagnards venus perdre leur enfant à la ville ? En tout cas, selon le même multiplicateur, les résultats réels sont les suivants :

Naissances	*Population*
1 077	29 079
1 156	31 312
1 235	33 345

Constatons ces discordances de même que celles de Calonne à l'assemblée des notables, de La Michodière ou celles de 1789, en soulignant qu'elles sont proches de la valeur moyenne ; mais il resterait encore à savoir dans les trois derniers cas si les années de référence sont bien restées les mêmes. Pour son compte l'*Encyclopédie méthodique* s'était fondée aventureusement sur trois années seulement 1771-1773 [49]. Au surplus la méthode, peut-être valable au niveau du royaume, devient de plus en plus contestable lorsqu'elle s'applique à des volumes géographiques particularisés comme la région ou la ville.

8) Depuis les travaux de M. Reinhard, on connaît bien la liste vraiment surprenante des dénombrements demandés par l'administration révolutionnaire [50]. L'étude aussi exhaustive que possible des enquêtes effectivement réalisées sous cette impulsion et des traces qu'elles ont laissées dans les archives a été menée à bien dans l'ancienne Seine-et-Oise comme dans le Pas-de-Calais [51]. En m'inspirant d'une méthode analogue, j'ai réuni autrefois ce qu'on pouvait savoir sur le département du Calvados [52]. Les véritables recensements y sont si nombreux et présentent, toutes proportions gardées, de telles garanties qu'on est toujours un peu surpris de voir encore fleurir malgré tout des appréciations démographiques intuitives. Que la statistique était donc chose désagréable, dans sa nouveauté, et que de peine les esprits ressentaient à s'y plier [53] !

a) A cette arrière-garde mentale appartiennent les relevés des curés de la ville (42 000 habitants) [54] qui ne reposent sur aucune opération précise et que reprennent les membres du Conseil général communal le 10 juin 1791 ; dans un sens opposé, quelques jours plus tard, les mêmes administrateurs feront état d'ailleurs de « 35 000 et tant d'âmes » en évoquant le recensement de 1790 dont leurs archives ont pourtant conservé les données exactes, soit 37 795 habitants ! Ces fluctuations ne sont pas sérieuses.

b) Il faut d'ailleurs se demander ce que valent aussi les opérations de recensements révolutionnaires dont nous n'avons conservé que des bilans récapi-

49. *Encyclopédie Méthodique, Economie Politique,* 1784-1788, article « Population ».
50. M. Reinhard, 1961.
51. *Id.*, 1963 ; P. Bougard et M. Reinhard, 1963.
52. J. C. Perrot, 1966 a.
53. Le refus d'utiliser un autre langage que celui du discours classique reçoit jusqu'à notre époque le renfort persistant d'esprits talentueux, comme le montre l'ouvrage de M. L. Chevalier, 1968.
54. Arch. mun. Caen., D 1, Délibération municipale du 10 juin 1791.

tulatifs, mal lestés de quelques remarques méthodologiques. La liste est assez longue.

— Aux frontières de la démographie et de l'enquête administrative : d'abord la liste de citoyens actifs demandée dès le mois de décembre 1789 [55]. Elle fut dressée de façon désordonnée à Caen où l'on attendait encore un an plus tard que les citoyens viennent se faire inscrire [56]. En raison de l'étirement chronologique, les résultats allaient donc varier entre 3 566 et 3 800, notablement inférieurs à la réalité puisque le livre de contrôle de la Garde nationale donne plus de 4 000 noms sans comprendre les ecclésiastiques [57].

— Ensuite le recensement de 1790, ordonné en juillet par le Comité de Division pour aboutir au tracé de sections démographiquement équilibrées. Sept notables, deux simples citoyens, un curé, parmi lesquels l'érudit de l'histoire locale reconnaîtrait au moins trois hommes de loi, deux négociants et un architecte dessinateur, furent chargés du travail [58]. Comment allaient-ils parvenir en deux mois et demi à peine, au total, inquiétant dans sa précision de 37 795 habitants, résultat d'ailleurs dépourvu de la ventilation par sexe, âge (enfants), par statut politique (les actifs) qu'on avait demandée ? Il faut avouer son ignorance tout en remarquant les parentés que présente ce résultat avec celui du recensement de 1775 amputé de sa population flottante (étudiants, prisonniers, hospitalisés). Ajoutons qu'il est cependant assez précis pour qu'on puisse reconstituer le découpage des anciennes paroisses.

— D'ailleurs, au moment où l'on achevait les tâches de division, il n'était bruit que d'une nouvelle opération démographique sous les auspices du Comité de Mendicité (circulaire de juillet 1790). Surcharge, lassitude : « Tout ce qu'il a été possible de faire s'est réduit à expédier aux municipalités des tableaux envoyés par le Comité » conclut en novembre le rapporteur au Conseil général [59]. Réitérations du département auprès des communes en avril 1791 puis en juin [60] tandis que le travail, en cours [61], ne sera pas envoyé encore en décembre [62]. Ce recensement, auquel on aurait procédé par quartier dans la ville accorde finalement 37 572 habitants au canton de Caen, qui est à cette date identique à la Commune [63]. La parenté avec ce qui précède est satisfaisante.

55. M. Reinhard, 1961, p. 23 sq. ; J. C. Perrot, 1966 a, pour le Calvados.

56. Arch. mun. Caen, D 7, Arrêté municipal du 22 juillet 1790 : « la presque totalité des citoyens ne s'est point fait inscrire » à la mi-novembre.

57. Arch. mun. Caen, D 1, Délibération municipale du 10 juin 1791.

58. *Ibid.*, F 1, Délibération du Conseil général du 14 octobre 1790.

59. Arch. nat., F 1 C III, Calvados 7, Séance du 18 novembre 1790.

60. Arch. mun. Caen F 1, Lettres du 4 avril 1791 et du 15 juin 1791.

61. Arch. dép. Calv., L, Élections, Lettre des officiers municipaux du 27 juin 1791.

62. Arrêté départemental qui presse les districts de faire l'expédition le 13 décembre 1791.

63. La Révolution a utilisé trois types de groupements cantonaux. En 1790, on compte dans ce département 6 districts et 86 cantons. La loi du 28 pluviôse an VIII crée 6 arrondissements et 72 cantons. L'arrêté du 6 brumaire an X conserve 6 arrondissements mais condense les cantons en 37 unités. Cf. Arch. nat. D IV bis 1 et D IV bis 94. Le découpage primitif est utilisé dans les recensements antérieurs à l'an VIII, exemples : F 20 311, Recensement de l'an II an III. Le canton de Caen comprend uniquement la commune avec ses écarts : La Maladrerie, Couvrechef, La Folie à l'exclusion de toute banlieue.

— A l'origine de l'appréciation suivante se situe un arrêté municipal qui constatait la prolifération frauduleuse des cartes de ravitaillement en grains le 29 fructidor an III (15 septembre 1795) [64]. Pour y remédier on décida un recensement général en dépit des résultats — vieux de dix-huit mois seulement — du recensement nominatif de 1793, clos le 28 nivôse an II (17 janvier 1794). Un comité de subsistance de trois officiers municipaux (comprenant deux négociants) et trois notables (parmi lesquels deux hommes de loi) devait former les nouveaux rôles. D'après une lettre de la ville à l'administration départementale [65], l'opération fut menée à bien en vendémiaire an IV (octobre 1795). Le résultat transcrit d'un bloc s'élève à 43 336 habitants. Il est certain que les édiles ont été Gros-Jean comme devant et que la rouerie des citadins leur a fait compter beaucoup de rations décadaires fantômes.

— Le recensement de l'an VIII, prescrit le 26 floréal et dans lequel on voit souvent le point de départ de la statistique régulière en France, s'est déroulé en Basse-Normandie sous de bien fâcheux auspices. D'abord la confusion : comme le recensement de vendémiaire an IV (dont on possède le détail, on le verra plus loin) avait tardé jusqu'en ventôse an VI pour se confondre finalement avec l'établissement de la liste civique, les autorités locales, dès vendémiaire et brumaire an VII [66] avaient lancé l'idée d'une nouvelle opération conforme aux critères de 1791 ; les modalités de floréal sont venues bouleverser les préparatifs de ce recensement particulier.

En second lieu, l'incertitude des temps lors de l'effondrement de la Chouannerie normande travestit les dénombrements en opération policière. Le commissaire du Directoire exécutif tançait en vain les officiers municipaux de Caen : « Il n'est pas douteux que ... les Chouans qui auront échappé au feu républicain se réfugieront dans les grandes communes et surtout dans celles où ils savent que leur retraite reste inconnue » et l'administration préfectorale fera valoir plus tard la guerre, l'émigration, les proscriptions pour expliquer les lacunes de l'enregistrement.

Enfin il semble bien que le pouvoir se soit affronté à une véritable crise de confiance : les citoyens se sont dérobés devant les appels du maire jusqu'à la fin de l'an VIII ; il fallait solliciter une douzaine de citadins pour trouver un seul auxiliaire. En janvier 1801, un dixième du recensement faisait toujours défaut et le ministre ne reçoit l'état qu'en floréal an IX, encore doit-il le renvoyer en l'an X pour des corrections. Le maire n'a qu'une excuse, les retards, dit-il, garantissent l'exactitude des chiffres, mais il avoue : « je crois cependant qu'il s'est encore glissé quelques erreurs en moins ». En l'absence des documents de base, adhérons à cette litote.

L'importance de ce recensement tient donc moins aux résultats, dont on nous confie volontiers la médiocrité (30 923 habitants), qu'à la nature des renseignements collectés. En distinguant les habitants selon l'état civil (célibat, mariage, veuvage) et selon le sexe, l'administration inaugure un système simple auquel elle va demeurer fidèle en 1806 et au-delà jusqu'aux recensements

64. Arch. mun. Caen, D 3.

65. Arch. dép. Calv., L, Recensement de population. Cf. aussi Arch. nat., F 20 311. et une copie postérieure à mon sens fautive dans F 20 14. Arch. mun. Caen, F 1, pièce 27. J'ai étudié toutes ces sources dans un article cité plus haut.

66. Arch. dép. Calv., M, Recensement de population.

professionnels. La continuité console de l'imperfection initiale, elle permettra plus tard de rectifier par comparaison bien des erreurs sur chaque élément du dossier.

— La dernière estimation dépourvue des documents originaux est tardive. Elle émane de l'« Etat de Population du Département du Calvados dressé en exécution de la circulaire du Ministre de l'Intérieur en date du 18 pluviose an XII », arrêté par le préfet le 18 floréal (8 mai 1804)[67]. En réalité le but de cette enquête était militaire ; il s'agissait de dresser avec précision l'état des soldats de l'armée de terre (conscrits de 20 ans au 1er vendémiaire an XIII, active et réserve) et les marins (inscrits en activité ou non, ouvriers des arsenaux). La population n'intervenait qu'à titre de référence ; il est plausible de subodorer, comme tout à l'heure, une sous-évaluation qui devait mettre la ville à l'abri d'une surcharge.

c) Jusqu'à l'Empire, l'administration conserva une allure effervescente, il était inévitable qu'un certain nombre de décisions fussent reléguées dans l'oubli. On garde ainsi le souvenir de dénombrements partiels ou généraux dont il ne subsiste rien parce qu'ils ne furent probablement pas effectués ; par ce trait la Révolution se rattache encore à l'Ancien Régime : il en est ainsi du Tableau des personnes absentes (1792), puis c'est le Recensement des citoyens qui logent des soldats (1793), le Tableau des indigents et des familles de défenseurs de la Patrie (germinal an II), le Recensement des agriculteurs de la ville (fructidor an II), le Recensement de frimaire an IV, le Tableau des citoyens électeurs de nivôse an IV, le Tableau des marins (an V), l'Etat des absents (thermidor an VI), le Recensement des jeunes gens mobilisables (vendémiaire an VII).

A l'ère napoléonienne, l'activité devint étale, les recensements, on le sait, s'espacèrent ; mais une fois prescrits, ils furent inexorablement conduits à leur terme. Un autre âge statistique se dessinait.

II. LES RECENSEMENTS CONSERVÉS AVEC LEURS DOCUMENTS DE BASE

L'enchevêtrement et l'incertitude des données précédentes laissent perplexe, pourtant il est trop tôt pour s'abandonner au découragement. Il existe une dernière catégorie de recensements familiaux ou nominatifs où l'observation, désormais privilégiée, peut pénétrer jusqu'aux cellules de la population et même jusqu'aux individus. On y apprendra la valeur des procédés de comptage, la qualité des agents recenseurs, on saura enfin qui était dénombré, on verra se constituer des traditions administratives qui permettront de jauger le poids des estimations précédentes. C'est un paragraphe d'une grande histoire de l'organisation sociale et comme les premiers pas dans l'univers des nombres.

Je disposais, pour cette recherche fondamentale, de neuf séries de registres nominatifs appartenant tantôt à la branche fiscale tantôt au rameau démographique naissant :

67. *Ibid.*

Documents fiscaux :

Dénombrement des bourgeois de 1666.
Rôles de l'ustensile de 1689 à 1705.
Matrices de capitation des bourgeois, nobles, privilégiés et exempts, 1768-1769 et 1790.
Matrice de la contribution mobilière et rôle complémentaire des citoyens passifs, 1792.

Documents démographiques :

Recensement de 1775.
Recensement de 1793.
Recensement des habitants de plus de 20 ans du sexe masculin, an VI.
Recensement de 1806.

Je me propose maintenant d'établir la valeur relative de ces sources.

1. DOCUMENTS FISCAUX

Le dénombrement des bourgeois de 1666 : est-il plus beau document que ce recensement nominatif des habitants par lequel s'ouvre à Caen la liste des dossiers détaillés de population [68] ? Certes, ces deux registres sont moins exceptionnels qu'il ne paraît. Ed. Esmonin citait un dénombrement des habitants de Dunkerque la même année [69], également un état bourguignon [70] ; B. Gille, un recensement de Lille [71]. La liste des réponses aux circulaires de Colbert s'allongera sans doute lorsque l'étude systématique en sera faite.

Une lettre de l'intendant Chamillart aux échevins le 4 août 1666 confirme bien ici que l'initiative de l'opération était royale et qu'elle durait depuis quelque temps. Elle prit peut-être naissance dans la ligne des enquêtes demandées en 1664, qui aboutirent, en Haute-Normandie du moins, à la rédaction du *Mémoire* de Voysin de La Noiraye de 1665 [72] ; mais c'est plus certainement le nouveau règlement sur les tailles (même année 1664) qui l'a motivée, comme on va le voir. En effet les ordres du roi avaient été réitérés plusieurs fois à l'intendant avant l'été soixante-six et nous reportent aux années antérieures ; un premier état ne convenait pas, la ville avait sans doute présenté une estimation puisque l'intendant se plaignit d'avoir eu des renseignements qui ne le mettaient pas sur un pied certain ; pour y parvenir il ne restait plus qu'à « prendre un estat véritable et certiffié de tous les habitans ».

La solennité de l'événement présente une valeur exemplaire. Sur l'ordre du lieutenant de bailliage, les curés l'avaient annoncé en chaire le 7 août et les

68. Arch. mun. Caen, BB 133. Les enquêtes de la première moitié du siècle n'ont pas laissé de traces (cf. E. Esmonin, 1964, p. 249 sq).
69. Bibl. nat., Mélanges Colbert, vol. 142, f° 660.
70. Arch. dép. Côte-d'Or, C 2882-2883 ; B. Gille, 1964, p. 24 sq.
71. B. Gille, *ibid.*
72. E. Esmonin, 1913. Les préoccupations fiscales et démographiques sont très présentes dans le *Mémoire* de Voysin de la Noiraye, 1665. Cf. dans le chapitre V, « Les finances », les paragraphes sur les villes, p. 137, sur la population de Dieppe, p. 143.

trompettes sonnaient aux carrefours pour en fixer l'ouverture deux jours plus tard. Les habitants devaient se rendre au vieux pont Saint-Pierre, à l'hôtel de ville qui enjambe l'Orne, pour décliner leur identité, leur paroisse, leur profession, leur âge ; de plus chaque résident signalait l'origine de son père, le cas échéant, attestait son existence sur le rôle de 1624 dont nous entendons parler cette unique fois ; sinon il fallait préciser lieu de naissance et durée du séjour en ville. Enfin la déclaration était contresignée.

L'intendant avait conseillé de faire trois parts : celle des bourgeois d'origine ; celle des résidents depuis dix ans et moins ; enfin on mentionnerait « ceux qui n'y ont résidé depuis ledit temps et n'y résident encore à présent qu'en certains iours, appelés vulgairement bourgeois du samedy ou bissaquiers ». E. Esmonin a souligné l'existence à Rouen de ces campagnards qui ont pris un domicile légal à la ville pour exploiter leurs fermes en exemption de taille, resquilleurs que les vrais citadins clabaudent lorsqu'ils les voient se montrer à la messe dominicale avec un bissac noué sur la miche de pain qui les soutient en chemin [73].

Ces dispositions montrent l'origine fiscale du dénombrement. L'article 60 du règlement de janvier 1634 avait en effet astreint les nouveaux habitants des villes franches à cotiser pendant les dix premières années de leur résidence [74]. Mais le règlement de 1664 étendit aux villes abonnées une partie des statuts des villes franches. Caen était anciennement tarifée, mais l'abonnement lui fut précisément concédé en 1664 [75]. Et le rôle des bourgeois est l'outil de cette nouvelle faveur.

Le document suggère plusieurs questions. Il faut d'abord lui appliquer les règles de la critique matérielle car il a été endommagé lors d'un incendie des Archives municipales, en 1891. Les feuillets ont été réunis tous roussis mais il en a disparu quelques-uns : à trois reprises des articles commencés en bas de page ne se poursuivent pas à la suivante (vol. II, f°s 128, 188, 255). Cela représente moins de 1 % de l'ensemble (total : 491 feuillets) ; mais lorsque les articles finissaient avec la page, comment apprécier les pertes ? L'enregistrement des dates sur le premier feuillet chaque matin, donne une indication car le recensement a été continu dans les plus grandes paroisses pendant 10 et 11 jours. Dans les trois paroisses les plus peuplées on relève 30 dates sur 32 sur les registres mutilés. C'est donc un défaut de 6 %. Dans les paroisses peu conséquentes, la même pesée n'est pas possible car le registre n'était pas ouvert tous les jours et il arrive que deux séances consécutives de recensement tiennent sur le même feuillet, mais on ne voit pas pourquoi le feu les aurait traitées autrement ! Par conséquent lorsqu'on adopte ce taux moyen de 6 % de disparition, le résultat est majoré de quelque 380 familles et atteint environ 5 900 articles.

Et maintenant, que représente ce volume ? Topographiquement, aucune difficulté. L'aire du recensement est celle des onze paroisses : Sainte-Paix ne fut pas rattachée avant 1708 et Saint-Georges-du-Château n'hébergeait pas d'invalides avant la fin du règne de Louis XIV ; des civils y résidaient sans

73. E. Esmonin, 1913, p. 270 ; J. Moisant de Brieux, 1672.
74. Nouveau Code des Tailles, 1740, t. 1, p. 115.
75. A. Fontaine, 1953, p. 229. L'auteur de cet excellent article n'a pas fait le rapprochement nécessaire entre la nouvelle législation des tailles et le rôle.

doute en petit nombre et l'évêque D. Huet rappelle qu'on avait même fieffé des parcelles de l'enceinte à quelques particuliers [76], mais on les couchait sur les listes de Saint-Pierre comme cela se pratiquait encore parfois au XVIIIe siècle ; enfin il est certain que les faubourgs furent recensés ; l'intendant en avait signifié l'ordre dans sa lettre aux échevins et les paroisses entièrement hors les murs (ex. : Saint-Ouen) sont au registre ; si les écarts ne sont pas expressément mentionnés, c'est que cette notion n'acquit de la consistance, on l'a vu, qu'après l'Ordonnance de 1680 sur les aides ; d'ailleurs, les paroisses qui ont un terroir cultivé fournissent leur contingent de laboureurs et jardiniers.

Affaire plus délicate : comment apprécier le volume social qui allait échapper à ce dénombrement ? C'est évidemment la législation des tailles qui peut nous renseigner.

Il faut d'abord s'attendre à l'absence des nobles, exonérés pourvu qu'ils exhibent leurs titres. A cette nécessité répondit précisément la *Recherche* de l'intendant Chamillart engagée la même année dans la généralité [77] et dont l'usage doit être parallèle à ces listes de bourgeois. Les anoblis de fraîche date craignaient-ils de se voir disputer leur qualité, ou bien obéissaient-ils à la lettre des dispositions [78] ? Il en est en tout cas pour avoir pris les deux précautions et s'être présentés à l'enrôlement des bourgeois ; cette inscription les préservait de toute façon de la taille. Dix-sept nobles figurent ainsi ouvertement sur ce registre : deux d'entre eux ne précisent pas la date de leur anoblissement mais avouent leur origine étrangère à la ville, ajoutons une demoiselle, veuve, qui avait peut-être épousé un bourgeois ; les autres sont de condition récente, à une exception près leurs lettres sont postérieures au rôle de 1624 et s'étalent entre 1630 et 1663, ils sont nés à Caen. On peut comparer ce groupe au bilan des Lettres de noblesse délivrées à des Caennais dans le même laps de temps qui s'élève selon l'abbé Lebeurier à vingt-quatre [79]. En faisant la part, faible sans doute, de ceux qui ont peut-être quitté la ville ou sont venus, en comptant surtout ceux qui pouvaient être à leur campagne en ces journées d'août, on voit que la plupart des plus récents anoblis, la totalité peut-être des présents s'était fait enregistrer.

Deuxième groupe d'exempts : les ecclésiastiques. Or treize d'entre eux ont signé avec les bourgeois. C'est trop ou trop peu ; mais la législation des tailles donne la clé de cette anomalie. Les règlements de 1634, 1643, 1664 excluent de l'exemption les clercs pour les biens qu'ils ont achetés [80]. Les acquéreurs de fonds, mal protégés par les privilèges de l'Ordre, cherchaient donc à bénéficier des avantages de leur résidence.

Cette attitude permet de comprendre celle des officiers. Dans la mesure où certaines charges ne donnaient droit qu'à une exemption d'impôt viagère ou contestée, les bénéficiaires avaient intérêt à l'inscription qui conférait en bourgeoisie des droits permanents. Une cinquantaine ont choisi cette voie.

76. P.D. Huet, 1706, p. 41.
77. Plusieurs copies : Bibl. mun. Caen, in-fol. 64 ; Arch. dép. Calv., C 6426.
78. L'intendant voulait les noms de tous les habitants « de quelque qualité et condition qu'ils soient ».
79. P.F. Lebeurier, 1866.
80. Long exposé de cette question dans le *Mémorial alphabétique,* 1724, 4e éd., p. 147 sq.

Ces décisions donnent au dénombrement de 1666 sa physionomie propre : c'est la déclaration des chefs de famille, des maisonnées, des « feux ». Mais quels « feux » ? Ni ceux de la taille, ni ceux de la gabelle que M. Bouloiseau étudiait naguère dans la Haute-Normandie de 1789 [81]. La finalité se renverse curieusement dans ce rôle « fait-pour-ne-pas-cotiser ». Aussi bien ne cherche-t-on pas à s'y soustraire, on se précipite à l'hôtel de ville, les malades se font représenter, les épouses de marchands en tournées d'affaires — c'est le temps de la Guibray — signent pour leurs maris ; peut-on souhaiter concours plus joyeux, dénombrement plus exhaustif ?

Soit. Pourtant il faut craindre quelque trop-plein. Quelques « bissaquiers », Caennais du dimanche, se seront glissés assurément dans la foule ; encore le temps de la moisson ne se prête-t-il pas beaucoup à cette démarche et l'administration qui bâcle l'enregistrement en dix jours avait bien une idée en tête. D'ailleurs le corps des bourgeois authentiques avait un égal intérêt à ne pas galvauder ses distinctions pour éviter les susceptibilités d'un plat pays attentif à poursuivre les privilèges frauduleux [82]. Si minimes soient-elles, des échappatoires existaient pourtant. Saisissons au collet ces quatorze étudiants en chambre qui se sont fait enregistrer bourgeois de Caen, manifestement soucieux de l'avenir que leur ménageait l'héritage paternel dans les campagnes alentour.

A l'opposé, les lacunes. Comment les petites gens, journaliers, domestiques, veuves besogneuses et filles sans dot auraient-ils songé à s'enfler d'un titre de bourgeois, eux les sans-terre ? Auraient-ils bravé toute timidité au moment où l'épithète de citadin s'alourdissait de privilèges et d'une pesanteur sociale flatteuse ? L'observation des statuts économiques reportés sur le dénombrement permet d'esquisser une réponse. Soit deux agrégats : a) *les salariés et travailleurs dépendants de l'industrie et du commerce ;* ils comprendront les journaliers et manœuvres spécialisés ou non, les ouvriers et compagnons de métiers, les garçons de boutique, employés et commis, les gens de maison, les travailleurs à façon, les matelots ; b) *les entrepreneurs :* dispensateurs de services, patrons artisans, commerçants, négociants. Mon intention est de ne considérer ici que des critères économiques tels qu'ils apparaissent sur les registres à la colonne de la profession pour ne pas trouver dans ma conclusion un classement social qui dépendrait de moi. C'est la place des gens dans la production et la circulation des richesses, indépendamment des niveaux de fortune, qui opère le tri.

Par leur disproportion, les résultats montrent où se trouve le sous-enregistrement [83] : a) 607, b) 3 287. Quand bien même certains compagnons de métiers auraient omis de mentionner intentionnellement ou non leur statut de salariés et figureraient en b au lieu de a, ce qui serait d'ailleurs faire bon marché d'une opinion sensible aux hiérarchies, l'écart serait considérable et même en ce cas, demeurerait l'insignifiance de catégories comme celles des journaliers (238 personnes) et surtout des domestiques (57 cas). Moins la population est ancrée dans la ville par la propriété (tout entrepreneur dispose au

81. M. Bouloiseau, 1962.

82. A. Fontaine, 1953, montre bien la pression des campagnes qui cherchent à enfermer les bourgeois dans la ville en contraignant les demi-citadins à se déclarer ouvertement habitants des campagnes.

83. Voir plus haut, les résultats de 1666. On a dit qu'ils étaient sous-estimés de 6 % environ.

moins de biens meubles), la fonction ou la situation de famille, plus elle néglige son inscription.

Les défauts et qualités du rôle de 1666 sont donc maintenant plus clairs ; son ancienneté et son mode d'élaboration le placent à la tête d'une lignée fondamentale : ces détails n'étaient pas inutiles. De ce document émerge une société qui cherchait à refuser l'ombre où maints petites gens dépendants vivront jusqu'au soleil des comptabilités révolutionnaires, société qui atteint ce degré d'aisance où la notabilité n'est plus ressentie comme dérisoire, mais comme délectable et avantageuse. A ces voisins des bourgeois hollandais, le recensement tient lieu de tableau de corporation.

Les rôles de l'ustensile, conservés dans les archives de la ville, concernent les années 1689 et 1690, 1692 et 1693, 1705 [84].

On sait que cette imposition était destinée à fournir aux soldats le bois, la chandelle, le sel et le vinaigre et qu'elle se conjuguait avec une autre charge militaire qui pesait sur les villes, le logement des gens de guerre [85]. L'hébergement changea selon les époques [86] mais l'allocation de l'ustensile (1 sou par jour aux hommes, 2 sous aux sergents) incombait régulièrement en temps de guerre aux habitants en proportion des tailles ; dans les villes exemptes ou tarifées, il fallait donc dresser des listes d'imposés qui devraient recouvrir exactement, aux yeux de la loi, celles du recensement de 1666 : pas de nobles, pas de clercs, aucun officier, aucun exempt. Identique aussi, la collecte ; par exemple, l'ordonnance municipale du 23 octobre 1691 [87] commande à tous les « bourgeois, manans et habitans » de se présenter dans les trois jours au greffe de l'Hôtel pour décliner leur nom et leur paroisse.

Mais la finalité de l'enquête est inverse de la précédente : ici, il faudra payer. Pendant tout l'Ancien Régime, on observera deux types principaux de fuite fiscale qui réduisent l'universalité de ce document. Comptons d'abord les bourgeois qui se retirent en campagne et se trouvent exemptés faute de domicile où on puisse les imposer [88] : en quelque sorte, l'envers des bissaquiers. Mais surtout les abstentions de tout repos obtenues par les charges et fonctions publiques ont une propension invincible à se multiplier, en dépit du règlement de Poitiers, des ordonnances de 1687 et plus tard de 1750. Outre les officiers de justice et finances (jusqu'aux huissiers et greffiers), les officiers municipaux, les menus employés des villes, les commis des fermes même n'auront guère à s'inquiéter. L'intendant le déplorait encore en octobre 1763

84. Arch. mun. Caen, CC 14 à 20.

85. G. Girard, 1921 ; A. Naveau, 1924 ; A. Corvisier, 1964, pp. 823 et 249.

86. Avant le *Règlement touchant le logement des gens de guerre...* du 25 octobre 1716, les soldats sont reçus chez l'habitant (G. Vanel, 1904, pp. 45-46). De 1716 à 1724 (Arrêt du Conseil du 11 octobre), l'obligation personnelle est remplacée par une taxe pour louer des maisons sous la responsabilité des corps de ville ; puis le logement chez l'habitant est réintroduit jusqu'à la construction des premières casernes qui débute à Caen en 1740 (cf. Arch. mun. Caen, BB 83, les délibérations municipales du 23 mai transcrivent la cérémonie de la première pierre). Le travail n'avance pas avant 1750. Après vingt ans de projets et de discussions, nombreux agrandissements dans la seconde moitié du siècle (Arch. dép. Calv., notamment C 2173).

87. Arch. mun. Caen, CC 17.

88. *Ibid.*

dans une lettre à d'Ormesson [89], mais si quelque pusillanime s'inscrivait sur les rôles, la ville le passait bientôt dans les « non-valeurs » dont on compose chaque année un état supplémentaire [90].

Aux deux extrémités de notre série résiduelle, le registre de 1689 avoue 3 410 contribuables, celui de 1705, 3 959. En regard des volumes de 1666 (5 800 personnes compte tenu des pertes), c'est l'effondrement. Mais effondrement fiscal ou démographique ? Faut-il penser à la Révocation de l'Edit de Nantes ?

Le cahier de 1689 est contemporain de l'exode protestant, celui de 1705 est rédigé lorsque la cadence des fuites s'est déjà apaisée. On sait par ailleurs que le nombre moyen annuel urbain des naissances d'enfants réformés pour la période décennale 1659-1668 s'élevait à 119 [91]. Avec les critères chers aux démographes du XVIIIᵉ siècle, peut-être trop forts pour le XVIIᵉ siècle, c'est quelque 3 200 protestants qu'il fallait donc compter dans la ville. Le ministre Du Bosc évaluait de son côté ses fidèles en 1664 à près de 4 000 personnes [92], mais n'exagérait-il pas ? Bref, disons de 700 à 840 feux selon les taux de conversion démographique usités à Caen.

Dans cette population, que représentent les départs ? Des renseignements approximatifs font apparaître un nombre élevé de conversions au catholicisme (1 100 dans la deuxième quinzaine de novembre 1685, par exemple) [93] ; d'autre part, la proximité des refuges et leur facilité d'accès — îles anglo-normandes, Angleterre, Provinces-Unies — entraînaient les réformés à s'absenter temporairement ou à laisser une partie de leur famille en terre normande pour éviter la saisie de leurs biens ; une semblable situation se reproduira durant l'émigration royaliste. Ainsi l'exode paraît plus réfléchi, mieux préparé qu'en d'autres provinces continentales ; en même temps, il s'étalait dans le temps. Plaçons-nous en 1699, avec l'intendant Foucault pour apprécier les résultats : 300 familles protestantes demeurent encore à Caen, dit-il dans un texte où il est porté à compter généreusement les exils pour expliquer le marasme [94]. Ainsi, tiendrait-on pour négligeables ceux qui ont accepté réellement depuis quinze ans la conversion et sont en procès d'assimilation, 400 à 500 feux au plus manqueraient à l'appel des recensements. Ce déficit maximum (10 % du volume de 1666) est encore beaucoup trop faible, même conjugué aux effets de mortalités passagères qui atteignent les individus plus que les feux [95], et des difficultés économiques pour rendre compte de la chute des cotes de l'ustensile (42 %).

D'ailleurs le recensement de 1695 connu, rappelez-vous, par les estimations de Vauban et chronologiquement intercalé entre les rôles extrêmes de l'ustensile, se tient sur un pied d'égalité avec 1666. Ainsi la déflation numérique de ces derniers ne peut tenir qu'à la fermeture de l'angle d'observation

89. Arch. dép. Calv., C 2187.
90. Arch. mun. Caen, également CC 14 à 20.
91. S. Beaujour, 1877, p. 305 ; A. Galland, 1898, p. 61.
92. Ph. Legendre, 1694, p. 366.
93. A. Galland, 1898, p. 216.
94. Foucault, 1862, pp. 308 et 331.
95. Le mouvement de la population ne peut être connu avant 1737 en raison des pertes de 1944. Il serait impensable de chercher un substitut de connaissance dans le plat pays très varié qui entourait la ville.

fiscale. Tout d'abord vers le haut. Un exemple : les officiers et commis menus ou moyens des administrations royales, seigneuriales et ecclésiastiques représentent 185 personnes en 1666 (où pourtant les officiers d'un rang élevé ne sont inscrits qu'occasionnellement puisque leur charge les dispense de la taille) tandis que dans le plus ouvert des ustensiles, en 1705, on les voit réduits à cinquante-deux unités ; voilà 75 % de sous-enregistrement dû aux exemptions. En revanche, les bourgeois aisés, dépourvus de titre, ne sont pas épargnés, cela était prévisible :

Rentiers de 1666	1 109 personnes
Rentiers de 1705	1 052 personnes

Deuxième question, le champ d'observation du rôle s'est-il déporté vers les petites gens ? En reconstituant les agrégats professionnels de 1666, on voit qu'il n'en est rien :

Agrégats	*1666*	*1705*
a) Salariés	607	162
b) Entrepreneurs	3 287	2 394

Les salariés représentent 15 % des gens de métiers en 1666 et seulement 6 % en 1705. D'une année à l'autre la contraction de a s'élève à 74 % et celle de b ne va qu'à 32 %. Ainsi en bas de la société urbaine comme en haut, l'ampleur des variations, indépendamment de toute évolution réelle de la population active, suggère que le filet fiscal s'est simplement ramassé et qu'il néglige une fraction inconnaissable mais certainement écrasante de la population salariée ou dépendante. Les années 1689, 1705 aggravent donc les défauts de 1666. Ici, les petites gens ne s'étaient pas souciés de profiter d'avantages fiscaux illusoires pour eux ; là, c'est l'administration qui néglige les pauvres hères.

Les capitations des bourgeois (1768), des nobles, privilégiés et exempts (1769), plus tard la capitation unifiée de 1790, se détachent sur un fonds d'expériences fiscales diverses dont on vient de voir l'ancienneté. Doit-on espérer après ces tâtonnements d'un siècle, un progrès qui rapprocherait les rôles de contribuables du document démographique que nous cherchons : un état exact des feux réels masculins et féminins ?

L'histoire nationale de cet impôt est bien connue depuis les travaux de G. Lardé[96] et surtout de Marion[97]. Créée par la déclaration du 18 janvier 1695, la capitation impose à chaque feu ou famille (l'équivalence est explicite dans le titre) une taxe fixée selon vingt-deux classes d'états socio-professionnels. On sait d'emblée que certaines catégories de la population sont exclues des rôles : les mendiants, les taillables frappés de moins de 40 sols ; ainsi se perpétue une tradition ancienne. Il faut se demander tout de suite d'ailleurs, comment était établie cette barrière inférieure dans les villes abonnées dépourvues de rôles de taille et admettre provisoirement, en l'absence de textes locaux explicites, qu'on l'a fixée empiriquement. D'autre part, le

96. G. Lardé, 1906. Les rôles de capitation évoqués ici sont classés dans Arch. dép. Calv., à partir de C 4524.
97. M. Marion, 1910 et 1927.

clergé dispensé en partie dès l'origine (les ordres mendiants) est incité à acheter sa part, ce qui fut promptement fait ; il n'apparaîtra plus jamais, sauf erreur de scribe [98]. Progrès décisif en revanche : les nobles, officiers, privilégiés et exempts doivent cotiser tandis que les domestiques, éternels absents de l'âge pré-statistique, figurent, au moins en 1768, sur les registres puisque les employeurs doivent payer à leur sujet une livre par tête.

La transformation de la capitation de 1701 en impôt de répartition, les permissions de rachat octroyées dès 1708-1709 [99], puis abolies en 1715, les tentatives sporadiques pour dresser une taxe séparée sur les corps de métiers, localement en 1757 [100], appartiennent à l'histoire fiscale et n'ont guère de conséquence sur les rôles postérieurs.

En revanche, il est utile de connaître comment ceux-ci étaient établis dans la généralité et spécialement à Caen [101]. La part du second ordre et des exempts était fixée au Conseil pour chaque élection, sur les indications fournies par les bureaux de l'intendance, d'après la pratique des années antérieures, le tarif de 1695 pour les officiers et les indications des commissaires de la noblesse quand ils subsistaient ; ce n'était plus le cas dans la ville [102]. L'impôt des paroisses rurales était imputé au prorata de la taille et s'établissait vers le milieu du siècle à 9 sols 9 deniers 1/2 pour livre (soit 48 %) [103]. La contribution des villes franches et abonnées constituait un dernier lot résiduel qu'on retouchait par tâtonnements lorsqu'il venait à varier par trop ; pour cela l'intendance rédigeait chaque année une « carte préparatoire de la capitation » et une « carte définitive » [104] à l'intention du Contrôle général.

Ce mode de répartition aboutit, on le voit, à créer trois sous-ensembles distincts et deux d'entre eux (nobles-exempts, bourgeois) étaient arrêtés en Conseil. Ces usages n'ont pas varié depuis la déclaration de 1701. Une lettre de Necker le rappelle en 1777 [105] et l'intendant Esmangart ne proposera

98. Ces exceptions sont à négliger. Je relève tout de même dans la capitation bourgeoise de Caen en 1768, au mépris des lois un prêtre : le sieur Dessillons (Arch. dép. Calv., C 4548, article 3662) taxé à 6 livres parce qu'« il est héritier pour un tiers du Sieur son père ». C'est la perpétuelle confusion des registres fiscaux. Une tradition issue de la pratique de la taille, mais toujours mise en échec en dépit du pouvoir, dans la perception du vingtième des biens-fonds, tendait à imposer les clercs pour leurs biens patrimoniaux.

99. M. Marion, 1910, p. 52.

100. Arch. dép. Calv., C 4564 à 4618.

101. J. C. Perrot, 1966 b, pp. 49-59.

102. Ces commissaires ont progressivement disparu au XVIIIe siècle sans être renouvelés. Il n'en subsiste plus que deux (à Valognes et Mortain) dans la dernière décennie de l'Ancien Régime ; Bibl. nat., coll. Joly de Fleury vol. 1444, Lettre de l'intendant Esmangart du 31 octobre 1781, publiée par M. Marion, 1910, pp. 258-264. C'est Necker (Arch. dép. Calv., C 4703) qui avait lancé cette enquête fiscale peu avant.

103. Cf. Le « *Tableau à suivre pour la répartition de la capitation des paroisses taillables* », vers 1762, dans Arch. dép. Calv., C 4701.

104. Voir, par exemple, celles de 1788 dans Arch. dép. Calv., C 4703 bis. Une vérification sérieuse a lieu au Contrôle général et la carte définitive peut être remise en chantier : ainsi, à Caen, en 1764 (*ibid.*, 4702).

105. La fixation de la part bourgeoise est réglée par la méthode des tâtonnements successifs ; voir encore les *Observations sur la manière de répartir la capitation*

pour sa part en 1781 à Joly de Fleury que des aménagements infimes [106] ; enfin, les prérogatives des Commissions intermédiaires issues de l'Assemblée provinciale de 1787 n'ont rien modifié au fond, puisqu'elles ont seulement hérité des tâches de l'intendant pour l'impôt des non-taillables [107].

Plaçons-nous maintenant au niveau urbain et observons les qualités et lacunes des rôles. Le cas des nobles est clair. Recensées au niveau de la généralité, de pareilles familles ne peuvent jouer d'un double domicile pour échapper à l'enregistrement. Ainsi Madame de Kerguezec termine ses jours en 1776 dans un couvent de Caen [108] ; ses fonds sont en Bretagne, elle paiera la capitation à Caen selon l'ensemble de ses facultés ; si ses biens, au mépris de l'esprit de la législation, sont imposés au-delà du Couesnon, elle présentera une quittance à valoir sur son imposition normande.

Pour les privilégiés, officiers de judicature et employés, même efficacité : l'administration se procure les listes auprès des corps intéressés [109] ; les rôles sont donc exhaustifs à deux exceptions près : a) jusqu'à la fin de l'Ancien Régime, les anciens officiers militaires, pensionnés du roi, étaient censés payer la capitation à l'armée, mais s'en dispensaient souvent ; pour recevoir leur allocation, ils présenteront en 1790 une quittance [110] ; dix nouveaux contribuables sont alors inscrits à Caen ; b) depuis 1783, les receveurs de taille cessent de figurer sur le rôle car on pratique désormais à leur égard la retenue à la source, sur leurs gages [111].

La capitation des bourgeois, bien plus volumineuse, présentait des difficultés d'établissement et chaque instance a tenté au XVIIIe siècle de s'en débarrasser. Jusqu'au mandement du 4 juillet 1765 [112], les articles sont rédigés dans les bureaux de l'intendance sans la participation des officiers municipaux, donc avec un arbitraire que nous pouvons, au pire, conjecturer puisque ces rôles ont disparu. Depuis lors, la municipalité a pris la relève avec beaucoup de compétence et d'efficacité comme le reconnaît l'administration elle-même dans ses rapports au Contrôle général [113] ; mais c'est au prix d'une surcharge bureaucratique considérable qui la pousse à s'adjoindre à partir du 16 février 1788 les notables élus qui composent l'Assemblée générale élargie de la ville ; et trois jours plus tard, ce parlement fiscal recrute encore quatre députés par paroisse.

J'ai étudié ailleurs l'origine géographique, professionnelle et sociale de ces

---

des non-taillables de la généralité (Arch. dép. Calv., C 4703 bis). Pour la Commission intermédiaire (14 novembre 1788) le rôle des bourgeois est complémentaire de celui des employés. La lettre du 14 août 1777 est aux Arch. dép. Calv., C 4703.

106. M. Marion, 1910, pp. 258-264.

107. Arch. dép. Calv., C 4703 bis. Lettre du directeur général des finances Necker aux membres de la Commission intermédiaire (14 décembre 1788).

108. Dossier de Kerguezec dans Arch. dép. Calv., C 234.

109. Arch. dép. Calv., C 4703.

110. *Ibid.,* C 4703 bis, correspondance de mars 1789.

111. *Ibid.,* C 4526.

112. Les grands textes sont les suivants : Arch. mun. Caen, CC 32, requête des maires et échevins de Caen à l'intendant Fontette en décembre 1756. Arch. mun. Caen, BB 90, 92, 93, assemblées générales de ville, délibérations sur la capitation du 1er juin 1767, du 2 juillet, du 16 février 1788, du 14 mai 1789.

113. M. Marion 1910, pp. 258-264.

quatre-vingt-sept agents occasionnels du fisc[114]. Mes conclusions ? C'est le sérieux de la représentation : un rédacteur pour moins de 100 feux, mais évidemment la sur-représentation des paroisses riches (Saint-Jean, Saint-Martin) et la sur-représentation des classes aisées de la population (moyenne de capitation des années antérieures parmi les députés fiscaux : nobles, 220 livres ; négociants, 77 livres ; officiers, 54 livres ; rentiers, 48 livres ; commerçants-artisans, 22 livres ; laboureurs, 15 livres). Dans les divisions patentes qui opposent à Caen nobles et roturiers, commerçants et officiers, réside la source principale de l'objectivité de l'impôt en milieu aisé, mais que penser de l'inscription des petites gens ?

A ce sujet, aucun doute n'est possible. L'enregistrement des chefs de foyer pauvres continue d'être tout à fait déficient ; c'est la volonté même de l'administration. Lorsqu'il envoie son mandement en 1788 aux officiers municipaux, l'intendant leur annonce un dégrèvement de 2 178 livres. « Je vous prie de l'employer, ajoute-t-il, à supprimer de votre rolle une infinité de malheureux qui ... m'accablent de requêtes. »[115] D'autre part, voici qu'à cette date les apprentis, facteurs, compagnons logés et domestiques cessent d'être décomptés à l'exclusion des maîtres d'hôtel, suisses et jardiniers[116].

Reprenons nos tests professionnels :

	1768-1769 (avec les domestiques)	*1768-1769 (sans les domestiques)*	*1790*
Agrégat A (salariés)	2 638	347	117
Agrégat B (entrepreneurs)	2 821	2 821	2 205
Agrégat C (rentiers)	1 029	1 029	1 247

Ainsi, d'un rôle à l'autre, la part des salariés passe de 11 à 5 % du secteur industriel et commercial ; cette dérobade fiscale des petites gens se conçoit bien dans le bouillonnement de 1789. Au contraire, l'affaissement de B, moins net, pourrait venir de variations démographiques aussi bien que d'un transfert partiel vers la catégorie C (rentiers) en raison du marasme des affaires.

Des conclusions sur la valeur de la capitation se dessinent donc ; sans doute enregistre-t-elle de façon constamment perfectionnée les familles de contribuables situées entre la petite aisance et la richesse ; la dernière touche de ces progrès est en 1790 l'entrée du clergé sur les rôles. Mais on ne peut pas esquiver plus longtemps le problème fondamental. A quel niveau de base cessait l'observation de la pyramide sociale réelle ? Je ne quitterai pas les rôles de capitation sans faire deux analyses susceptibles d'éclairer cette question.

114. J. C. Perrot, 1966 b, pp. 55-57.
115. Arch. dép. Calv., C 4706, lettre du 29 novembre 1788.
116. Arch. mun. Caen, Délibération du 1er juillet 1766 et CC 33, mandements pour 1772, 1773, 1779, 1785-1789.

a) Etude de la répartition professionnelle des contribuables imposés à la cote minimale. Voici ce qu'il en était :

Catégories professionnelles	*1768-1769* Cotes de base	Catégorie (%)	*1790* Cotes de base	Catégorie (%)
Agriculteurs de statut imprécis	8	16	7	14,9
Salariés agricoles	1	100	0	
Jardiniers	29	35,3	22	32,8
Matelots	2	50	0	
Domestiques	2 285	100	0	
Journaliers	129	91,4	8	100
Compagnons	59	71	21	95,5
Travailleurs en chantiers	33	67,3	15	71,4
Journaliers spécialisés	30	35	36	54,8
Commis	2	2,8	20	32,2
Petits officiers et employés de l'administration	11	5,7	19	13,4
Artisans	233	13,8	436	38,9
Patrons pêcheurs	1	5	1	11,1
Marchands des rues	29	33,3	16	25
Commerçants	132	13,8	109	11,5
Menus capacitaires	25	9,1	15	6,5
Rentiers	152	12	244	23
Toutes professions réunies				
(avec domestiques)		43		
(sans domestiques)		17		25

De 1768-1769 à 1790, il faut observer la disparition des domestiques, des salariés agricoles et des matelots. Mais surtout, mesurons bien que la part des contribuables de base augmente dans tous les secteurs professionnels concernés qui se tassent ainsi vers le plancher fiscal à l'exception des petits marchands des rues et des titulaires de menues capacités, tandis que l'ensemble, en valeur absolue, s'enfonce en-dessous de la ligne de flottaison, dans l'obscurité.

b) Comparaison de la capitation avec les données issues des registres paroissiaux. L'état civil fournit une base entièrement pure de toute contamination fiscale et d'une exhaustivité incontestable comme on le montrera plus tard. Parmi les treize paroisses de la ville, l'enregistrement des professions à Saint-Gilles est complet jusqu'en 1785 pour les mariages et jusqu'au début de la Révolution pour les inhumations. Dans cette circonscription ecclésiastique, où d'autre part les migrations sont les plus faibles de la ville, nous disposons donc de la ventilation professionnelle de 75 % des conjoints à leur entrée dans la vie matrimoniale et de plus de 90 % de toute la population à la conclusion de l'existence. Je propose de cumuler ces deux séries de données pour couvrir toute la durée de la vie active et parvenir à la répartition par grandes masses professionnelles de la population dans son ensemble. Les lacunes de la capitation apparaissent bien à la lumière de ce rapprochement :

Secteurs professionnels	*Capitation 1768-1769 (%)*	*Capitation 1790 (%)*	*État civil 1756-1792 (%)*
Agriculture (statut imprécis)	12	13,1	10,5
Industrie, commerce (salariés)	20	4,5	43,5
Industrie, commerce (chefs d'entreprises)	40	29	24
Services publics	2,4	5	6
Professions libérales	1,6	4	2
Rentiers (privilégiés et roturiers)	24	44,3	6,4
Pauvres (assistés ou non)	0	0,1	7,6
Total	100,0	100,0	100,0

Ce tableau paroissial exclusivement consacré à la population masculine montre comment l'impôt néglige les pauvres et sous-estime gravement les travailleurs salariés ou dépendants ainsi que les employés. Indirectement, à travers la lentille fiscale, les catégories détentrices d'un capital mobilier ou foncier (artisans, commerçants, rentiers) prennent un volume trompeur et si les professions libérales n'obéissent pas en apparence à la même illusion d'optique, c'est qu'elles recèlent beaucoup de petites gens (régents de pédagogie, chirurgiens besogneux, maîtres d'armes, musiciens) à côté des avocats ou des médecins.

Ces résultats minutieusement établis sont importants. Ils permettent d'affirmer la parenté de presque tous les dénombrements fiscaux urbains de 1666 à 1790 : rôles de bourgeois non taillables, ustensiles, capitation. Non seulement il ne s'agit que de feux, mais les bilans de ces feux sont défaillants, tantôt plus (ustensile, capitation de 1790), tantôt moins (bourgeois de 1666, capitation de 1768-1769). Voici donc une grande différence avec la taille des campagnes dont J. Dupâquier a fait un usage démographique si pertinent [117]. Seuls les recensements des gabelles échappent à ce lot entre 1725 et 1753 puisqu'ils ont été dressés à ce moment-là indépendamment des rôles de capitation et que toutes les familles, même les plus pauvres, étaient astreintes à l'impôt sur le sel.

Ainsi se trouve réduit à beaucoup moins le foisonnement de nos données primitives. En réalité, il faut attendre la Révolution pour obtenir par la fiscalité des données vraiment convenables sur les feux.

La contribution mobilière et le rôle complémentaire des citoyens non imposables : la mutation est brutale, le progrès exceptionnel puisque la population

117. J. Dupâquier, 1966.

pauvre apparaît en pleine clarté comme je l'ai montré dans une étude précédente [118].

La loi du 13 janvier 1791, créatrice de la mobilière [119], prescrivait d'abord « un état de tous les habitants domiciliés dans la commune », accessible au public ; les intéressés déclaraient ensuite nom et prénoms, situation matrimoniale, domesticité, profession, le revenu de leurs fonds, leur loyer ou son équivalent en valeur locative, leur revenu global. Déclaration également susceptible d'être contredite.

Laissons de côté les aspects financiers du rôle sauf l'un d'eux, à vrai dire fondamental : comment s'établissait la distinction des citoyens imposables et non imposables ? ou encore, ce qui revient au même pour la population masculine, des citoyens actifs et passifs [120]. L'instruction jointe à la loi apporte toute précision. Dans le lot des pauvres, exonérés, inscrits, « soigneusement et sans exception » figuraient « tous ceux à qui un travail journalier ne procure en salaire que le prix des journées arrêté par le département et qui n'ont pas d'autres revenus » ; le salaire journalier minimal local s'élevait à 16 sols 8 deniers.

Le calendrier des opérations est bien connu. Deux recensements successifs ont eu lieu, conduits par une double série de quinze et dix-sept citoyens nommés par la municipalité et renouvelés aux deux tiers. La première équipe se donnait pour base géographique le tracé des nouvelles paroisses en juin 1791, la seconde en décembre, les sections [121]. La rédaction de la liste unique des habitants fut donc étayée sur une double enquête, fait exceptionnel. En janvier 1792, le secrétariat de la municipalité commençait à recueillir les déclarations des contribuables et des exemptés ; pour le classement des documents et leur vérification, les commissaires s'adjoignirent d'autres citoyens de bonne volonté : ils seront en tout quatre-vingt-dix-huit rédacteurs, issus de bonnes familles de la robe, du négoce, de l'artisanat. La municipalité les secondait de son mieux, proclamant aux habitants : « Ne voyez ... (en eux) que des amis, des frères et non comme dans l'Ancien Régime des exacteurs qui ne cherchoient qu'à enrichir le fisc au dépens des malheureux » [122], d'ailleurs la mobilière n'était-elle pas plus légère que la gabelle seule ? Enfin, pour les irréductibles, des sanctions viendraient. Les déclarations s'échelonnèrent sur les trois premiers mois de 1792. En avril on composa les matrices ; le premier rôle fut levé en 1793.

Cette source statistique s'affirme complète ; mettons-la en face de la capitation :

	Capitation	*Mobilière 1792*		*Rapport 1790-1792*	
	1790	*Imposés*	*Non imposés*	*Imposés*	*Total*
Contribuables	4 477	6 965	4 265	64,5 %	39,8 %

118. J. C. Perrot, 1962.
119. Texte au tome 17 des *Procès-Verbaux de l'Assemblée constituante.*
120. Les distinctions entre les imposés et les exonérés, l'identité des catégories fiscales aux catégories politiques (actifs/passifs) sont précisées au titre I, art. IV, et au titre II, art. 11 à 13.
121. Arch. mun. Caen, D 1, délibération du 10 juin 1791 et du 12 décembre 1791.
122. Arch. dép. Calv., F 3210 (5).

Si l'on tient pour vraisemblable que le volume de la population ni sa répartition par grande masse professionnelle n'ont changé fondamentalement en dix-huit mois, la différence très considérable des deux niveaux provient d'abord d'une définition plus fine du feu imposable. Deux sœurs, filles « anciennes », logées sous le même toit, faisaient une seule cote de capitation, mais comptent pour deux lignes à la mobilière ; les vieilles gens qui ont mis en commun le feu et le pot sont désormais séparés. L'inflation de feux qui en résulte est mesurable puisqu'on peut consulter les listes nominatives maison par maison, d'où ce deuxième tableau, construit sur des définitions identiques du « ménage » :

	Capitation 1790	*Mobilière 1792*		*Rapport 1790-1792*	
		Imposés	*Non imposés*	*Imposés*	*Total*
Contribuables	4 477	6 637	3 990	67,4 %	42,1 %

L'opposition des deux sources persiste ; on peut l'apprécier par ensemble professionnel.

Secteurs professionnels	*1790 (%)*	*1792*		
		Imposés (%)	*Non imposés (%)*	*Total (%)*
Agriculture (statut imprécis)	2,5	4,3	0,1	2,8
Industrie, commerce (salariés)	2,6	29,1	67,5	43,4
Industrie, commerce (chefs d'entreprises)	49	39,6	6,3	26,8
Services publics (personnel responsable)	2,4	1,8	0	1,1
Services publics (personnel subalterne)	3,2	1	7,1	3,3
Professions libérales	5,1	4,5	0,4	3
Rentiers	34,8	19,4	0	12
Pauvres (assistés ou non)	0	0,3	19	7,7

Une foule de petits commis, de compagnons et de pauvres gens négligés dans la capitation apparaît en 1792, ne fût-ce qu'anonymement comme les domestiques ou les apprentis domiciliés. Et d'ailleurs, sans même parler des citoyens exonérés, les seuls actifs formaient un milieu plus étendu numériquement et socialement plus ouvert que les capités de la fin de l'Ancien Régime. Avec l'ensemble des ménages repérés en 1792, la dissemblance est encore plus forte, comme le montre, ci-après, le rapport 1790/1792 par secteurs professionnels.

Secteurs professionnels	*Rapport 1790-1792 (%)*
Agriculture (statut imprécis)	38,3
Industrie, commerce (salariés)	2,5
Industrie, commerce (chefs d'entreprises)	77,1
Services publics (personnel responsable)	86,9
Services publics (personnel subalterne)	42,3
Professions libérales	72,1
Rentiers	91,5
Pauvres (assistés ou non)	0

La hiérarchisation professionnelle des écarts confirme toutes nos hypothèses précédentes sur les rôles d'Ancien Régime ; bien entendu, il reste à présenter des contrôles de la mobilière elle-même, qui puisant à d'autres sources diront si ses ambitions d'exhaustivité sont bien justifiées.

Il est possible de répéter l'expérience de la paroisse Saint-Gilles en prélevant dans le rôle fiscal révolutionnaire la population inscrite dans les limites religieuses de l'Ancien Régime et bien que le résultat fut plus contestable que tout à l'heure en raison de la distance chronologique, le voici :

Secteurs professionnels	*Saint-Gilles État civil 1756-1792 (%)*	*Impôt 1792 (%)*
Agriculture (statut imprécis)	10,5	6,6
Industrie, commerce (salariés)	43,5	44,6
Industrie, commerce (chefs d'entreprises)	24	12,6
Services publics (personnel responsable)	2,3	0,3
Services publics (personnel subalterne)	3,7	3
Professions libérales	2	1
Rentiers	6,4	10
Pauvres (assistés ou non)	7,6	21,9
Total	100,0	100,0

Ce n'est pas le lieu de remarquer toutes les discordances qui apparaissent entre la société modale selon l'état civil et la population en crise de 1792 : on peut laisser de côté ce qui exprime le mieux la conjoncture, la forte raréfaction des entrepreneurs et artisans indépendants, l'augmentation des « rentiers » (sans doute forcés, pour une part), le triplement des pauvres, des mendiants, des malades, etc. Il suffit ici de relever qu'il n'y a pas de sous-enregistrement relatif des salariés sans perdre de vue que bien des glissements catégoriels s'étaient sans doute produits.

2. DOCUMENTS DÉMOGRAPHIQUES

De surcroît, les dénombrements de population proprement dits ne peuvent-ils pas venir à notre secours ? Nous allons aborder ce dernier aspect de l'enquête.

Premier document exclusivement démographique, le Recensement de 1775 appartient aux initiatives bien connues de l'abbé Terray. Les derniers travaux d'E. Esmonin ont en effet établi la dimension nationale des prescriptions du contrôleur général [123], qui, après avoir demandé le relevé du mouvement des baptêmes, mariages et sépultures par une circulaire du 14 août 1772, en vint à demander aux intendants, suivant les leçons de Messance [124], le dénombrement des villes et d'un échantillon de villages pour établir le rapport des naissances à la population [125].

Dans la généralité de Caen, subsistent de nombreux vestiges de ces opérations ; ainsi Bayeux et trois villages de la subdélégation, Arganchy, Formigny, Saint-Germain-d'Ectot, de même Coutances, Saint-Lô, Valognes, Vire, etc. [126]. Mais la correspondance relative aux recensements n'a pas été aussi bien conservée qu'en Haute-Normandie [127] où l'on portait depuis La Michodière un grand intérêt à la démographie ; cependant les pratiques étaient les mêmes. Les subdélégués fournissaient l'état de leur ville de résidence et d'une douzaine de paroisses rurales au moins ; ils devaient prendre en compte, à Caen comme à Rouen, les pensionnaires des collèges (à Caen, on ouvre pour eux une rubrique des habitants comptés à part), les apprentis, les domestiques et la règle générale était qu'on enregistrait tous les domiciliés effectifs plus les absents momentanés ou périodiques.

L'inquiétude des populations ne contraignit pas l'administration à employer en Basse-Normandie des subterfuges à l'instar de Neufchatel [128], mais il est certain que les langues allaient bon train contre les commissaires de police chargés du travail [129]. On les voyait braver les « mortifications » dans l'espoir d'une rémunération que l'intendant suggère lui-même proportionnelle au volume recensé. Pour la commodité des contrôles, les états étaient dressés par

123. E. Esmonin, 1964 b.

124. Messance, 1766, fonde son ouvrage, on l'a vu, sur cette méthode ; il y revient dans ses *Nouvelles recherches*, 1788.

125. Voir dans E. Esmonin, 1964, des références à ces dénombrements en 1773-1774, pour l'Auvergne (p. 61), la Champagne (p. 64) ; en mars 1774 pour l'ensemble du pays (p. 65) et un peu plus tard la Provence (p. 69), la généralité d'Alençon (p. 71), etc.

126. Arch. dép. Calv., C 175 à 190.

127. Arch. dép. Seine-Maritime, C 115 à 117.

128. *Ibid.*, Lettre du subdélégué de Neufchatel à l'intendant de Rouen, le 10 août 1774. Celui-là propose d'utiliser le subterfuge de l'Ordonnance sur le numérotage des maisons (1er mars 1768) pour réaliser en sourdine le recensement des habitants ; un autre subdélégué (celui de Gournay, voir C 116) mobilise dans chaque rue des « espèces de commères » qui « connoissent les plus petites circonstances des ménages du quartier ». On sait le rôle persistant des concierges dans les recensements contemporains.

129. Arch. dép. Calv., Lettre de l'intendant de Caen au contrôleur général le 10 juin 1775. Pourtant l'idée de transcrire la population des villes dans les guides et itinéraires est courante à la même époque ; citons précisément L. Dutens, 1775.

paroisse, rue, maison et cour. L'intendant affirme qu'il a fait faire des vérifications et que les résultats sont à Caen « aussi exacts qu'on veut le désirer ». A Gournay, dans la généralité de Rouen, on avait utilisé l'épreuve des rôles de taille, ceux du grenier à sel, les visites de porte à porte, l'avis des curés [130] ; mais ici, on ignore la nature des vérifications du XVIIIe siècle. Il faut donc y substituer les nôtres. Les recensements d'Ancien Régime et même souvent ceux de la Révolution ne portent pas de mention professionnelle, mais nous pouvons les observer sous l'angle de la répartition des sexes et celui de la géographie.

a) *Test de la répartition des sexes* [131]. L'examen qui va suivre est valable parce que nous connaissons très bien l'emplacement et la population des couvents dont on doit commencer par éliminer l'influence. Il s'agit maintenant de voir si le recensement traduit de façon adéquate les deux grands types de peuplement urbain périphérique et central : au cœur de la ville, la répartition des sexes est perturbée par la présence d'une domesticité masculine très abondante ; là, de même, affluent compagnons, apprentis, écoliers célibataires ; on doit s'attendre à une proportion élevée d'hommes pour femmes. Dans les paroisses dont le centre de gravité est dans les faubourgs, la situation se renverse : au mieux quelques servantes et point de portiers ni de cochers, pas de collèges, mais des veuves pauvres, des filles célibataires dentellières et regratières attirées par la faiblesse des loyers.

L'expérience montre qu'autour d'un taux moyen urbain de masculinité de 95,5, on observe bien, même en se bornant au découpage religieux pourtant imparfait en ce cas, une césure qu'il n'est pas pensable que les commissaires, également astreints à recenser chacun une portion de ville et de faubourg, aient songé à respecter s'ils avaient voulu tricher :

Paroisses	*Hommes*	*Femmes*
Centre urbain		
Notre-Dame	2 015	1 820
Saint-Étienne	1 378	1 274
Saint-Georges	45	28
Saint-Jean	2 922	1 747
Saint-Pierre	4 397	4 869
Saint-Sauveur	889	1 074
Total	11 646	10 812
Masculinité : 107		

130. Arch. dép. Seine-Maritime, C 116, Lettre du subdélégué à l'intendant le 9 août 1774.
131. Sur cette question, il faut se laisser guider par les réflexions méthodologiques de L. Henry, 1948, notamment p. 103 sq.

Paroisses	*Hommes*	*Femmes*
PÉRIPHÉRIE		
Saint-Gilles	1 462	1 951
Saint-Julien	970	1 245
Saint-Martin	605	750
Saint-Michel-de-Vaucelles	1 689	2 248
Saint-Nicolas	2 026	2 483
Saint-Ouen	515	541
Sainte-Paix	236	237
Total	7 438	9 455
Masculinité : 80		

b) *Test de la concordance paroissiale entre le recensement et l'état civil.* La vérification précédente ne fournissait qu'une présomption générale sur la qualité du dénombrement. Celle-ci sera plus décisive : je propose de comparer la ventilation paroissiale de la population de 1775 (déduction faite des couvents) à celle des mariages célébrés sur la même base dans les cinq années 1773-1777 ; en dépit d'une tradition qui tire ses lettres de noblesse du XVIIIe siècle même, il ne faut pas chercher de rapports entre la population des paroisses et le volume des naissances en ville car il existe des lieux précis et consacrés pour l'abandon des enfants par exemple ; il en serait de même en observant les morts puisque les hôpitaux sont réunis à Caen sur une seule circonscription ecclésiatique. Restaient donc les mariages, à propos desquels, au surplus, on a construit une moyenne quinquennale centrée sur l'année 1775 qui tamisera les écarts accidentels :

Paroisses	*Part de la population (%)*	*Part des mariages (%)*
Notre-Dame	10,1	10,3
Saint-Étienne	6,5	6,1
Saint-Georges	0,2	0,2
Saint-Gilles	8,3	7,4
Saint-Jean	13,9	14,1
Saint-Julien	5,4	5,8
Saint-Martin	3,3	3,2
Saint-Michel-de-Vaucelles	10	11,2
Saint-Nicolas	11	10
Saint-Ouen	2,5	2,9
Sainte-Paix	1	1
Saint-Pierre	23	22,7
Saint-Sauveur	4,8	5,1

Une parenté remarquable ressort de ces deux colonnes de chiffres. Evidemment, on doit s'interdire de tirer parti des différences terme à terme car ce serait supposer la nuptialité rigoureusement identique d'une paroisse à l'autre, ce qui ne peut pas être : donc pas de calcul d'écart moyen. Mais en sens inverse pour retirer sa signification à ce parallèle, il faudrait admettre qu'à treize reprises, chaque fois que l'un des quatre agents recenseurs négligeait de compter des habitants par paresse ou mauvais vouloir, la nuptialité était par hasard plus basse dans des proportions voisines ou croire encore que l'inverse se produisait si le commissaire ajoutait des citadins pour augmenter sa rémunération. La probabilité que de pareilles compensations se rencontrent dans tous les cas semble bien faible. Resterait que les commissaires aient pu se concerter et augmenter ou diminuer ensemble leurs résultats, manœuvre qui disparaîtrait dans nos bilans, mais pour qu'il en soit ainsi il conviendrait que les recenseurs aient fait leurs ajouts ou leurs soustractions en fonction du volume des paroisses qu'ils cherchaient précisément. Il est enfin impossible qu'ils aient eu recours aux données de l'état civil pour fixer ces proportions puisque les limites de chacun de leurs ressorts ne coïncidaient pas avec les paroisses. Je crois donc qu'on peut suivre l'intendant lorsqu'il affirme la qualité de ce recensement.

Les conditions nationales et locales dans lesquelles fut opéré le dénombrement suivant, prescrit par le décret du 11 août 1793, ont déjà été étudiées partiellement[132] et j'ai fait état de la valeur respective des documents départementaux conservés.

A l'échelle réduite de la ville, nous allons faire quelques découvertes heureuses de plus, parce que l'élaboration du travail fut assez lente et si la liste générale de Caen est bien datée du 28 nivôse an II (6 janvier 1794) on ne conclura pas que le recensement fut réalisé à la hâte car il répondait en même temps à des circulaires de l'été 1791 exigeant un registre municipal de population et à une initiative du Comité de division de juin et juillet 1793. Nous avons la trace du harcèlement administratif que le district faisait subir à la municipalité dès le début du mois d'août, puis chaque mois suivant par courrier, sans parler de demandes réitérées « nombre de fois verbalement ».

Pour l'opération, les sections furent divisées en cinq ou six quartiers confiés à des commissaires (deux à quatre par quartier) dépendants de l'hôtel de ville. Ainsi soixante-dix à quatre-vingts agents ont contresigné leur œuvre ; on se souvient que la capitation d'Ancien Régime exigeait un volume analogue d'artisans. Les rôles nominatifs subsistent pour quatre sections urbaines sur cinq et pour la dernière (section de l'Union) ne demeurent que des bilans par rue. Des rubriques élémentaires imprimées prévoyaient : 1) la désignation de chaque maison par son numéro et par le nom du principal occupant ; 2) le nombre d'individus (fussent-ils temporairement absents, comme les soldats) ; 3) le nombre d'électeurs (majorité civique : 21 ans).

La présentation du recensement n'est pas homogène. Certains cahiers sont surchargés, des colonnes sont rayées (pour l'ancienne paroisse de Vaucelles) ; tantôt la liste minutieuse a été calligraphiée. Quelques agents se bornaient à la lettre du décret (J. Biot et P. Fauvel à Vaucelles), d'autres (à Saint-Jean et Saint-Julien) ont relevé, en plus, par unité de logement, la profession des adultes, leurs liens de parenté avec la distinction des enfants par sexe et leur

132. P. Meuriot, 1918 ; M. Reinhard, 1961 ; J. M. Lévy, 1959-1960. J. C. Perrot, 1966 a. L'importance des listes nominatives, à travers toutes les époques est soulignée par J. N. Biraben, 1963.

âge. L'enquête n'a pas eu lieu partout en même temps ; le quartier le plus zélé paraphe son rôle le 28 septembre 1793, le plus retardataire, dans les derniers jours de décembre. Il est vraisemblable que des délais comparables s'écoulèrent en 1775, mais la preuve en fait défaut. En tout cas, ces recensements ne donnent qu'une vue approximative de la population du moment.

Cette imperfection, on le présume, ne fait que s'ajouter à d'autres et les comptes de population de maintenant n'ont pas entièrement levé cette difficulté. En période de stabilité démographique, l'erreur est évidemment très inférieure à la marge d'approximation générale du document. Or sur le plan de la balance des naissances-décès, 1793 est justement une année calme avec un solde positif de soixante-huit naissances (taux de croissance annuel : 0,2 %), mais il resterait à prouver que les mouvements migratoires étaient négligeables au cours du dernier trimestre de l'année ; dans la situation politique du moment, c'est une hypothèse trop risquée, qu'il ne faut pas faire.

Parmi les examens du document, il est impossible de retenir le premier de ceux qui furent utilisés pour l'année 1775 ; en 1793 la loi n'exigeait pas la répartition par sexe et certains commissaires ne l'ont pas donnée. En revanche, après avoir recomposé le tableau des anciennes paroisses rue par rue, on dressera un parallèle de la ventilation démographique avec celle des mariages dans les dernières années où ils furent enregistrés sur cette base (1787-1791) :

Paroisses	*Population en 1793 (%)*	*Mariages en 1787-1791 (%)*
Notre-Dame	12,9	10,1
Saint-Étienne	5,2	5,9
Saint-Gilles	7,3	8,1
Saint-Jean	13,1	13
Saint-Julien	5	4,2
Saint-Martin	3,5	3
Saint-Michel-de-Vaucelles et Sainte-Paix	13	12
Saint-Nicolas	13,4	11,2
Saint-Ouen	2,4	3,6
Saint-Pierre / Saint-Georges	20	23,3
Saint-Sauveur	4,2	5,6

Il ressort de ce tableau une concordance générale assez bonne entre les données mais elle ne vaut pas celle de 1775, car l'état civil ne permet pas de situer la moyenne annuelle des mariages sur 1793 mais en fait autour de 1789 ; or, en période de crise économique, les années comptent. Et pour voir de quelle manière, reprenons la distinction commode du centre urbain et de la périphérie qui recouvre — nous le montrerons plus tard — des dénivellations de richesse [133].

133. J'ai abordé cette question en 1962.

Par une période de temps calme économique relatif, en 1775, 58,5 % des mariages avaient lieu dans les paroisses du centre de la ville, habité lui-même par 58,5 % de la population. Inversement, dans la périphérie on observait 41,5 % des mariages pour 41,5 % de la population. En 1787-1791, 57,9 % des mariages sont conclus au centre et 42,1 % à l'extérieur, mais le recensement du Comité de division fait apparaître en 1790 56,6 % de la population au centre contre 43,4 % à la périphérie. Dès lors, deux décalages étaient déjà sensibles : un dépeuplement relatif du centre ; une baisse relative de la nuptialité à la périphérie où il est normal que la crise économique ait incité les célibataires mariables démunis d'argent en plus grande nombre, à différer leur union pendant quelques mois. Or, en 1793, le recensement témoigne de la persistance du dépeuplement central qui n'abrite plus que 55,4 % des habitants. Il n'est pas nécessaire de postuler de nouvelles variations de nuptialité pour expliquer les écarts de 2,5 % en chaque sens, observés dans les deux groupes de paroisses, entre la ventilation des habitants en 1793 et les mariages de 1787-1791. Ajoutons enfin que les cahiers les mieux tenus et les plus raturés sont également répartis entre le centre et les paroisses du pourtour ; le sous-enregistrement n'a donc pas touché particulièrement le centre et au demeurant un cahier raturé est un cahier amélioré.

Bref, notre recensement passe cette épreuve avec succès et c'est tant mieux car j'ai dû renoncer à fonder le moindre contrôle sur la colonne des électeurs qui devrait fournir la population masculine de 21 ans accomplis. Mais certains commissaires n'ont recensé que les citoyens actifs selon la Constitution de 1791 (ex. : paroisse Saint-Jean) ; d'autres ont confondu les gens habilités à voter aux assemblées primaires et aux assemblées communales. Les districts étaient d'ailleurs avertis de ces incohérences [134] mais ne purent en corriger qu'une partie. Au surplus, ces données par âge tellement appréciables semblent se présenter dans le document que nous allons analyser maintenant.

Le tableau des habitants de plus de 12 ans, conformément à la loi de vendémiaire an IV (octobre 1795) fut envisagé à Caen depuis le 18 germinal (avril 1796) [135]. Malheureusement les intentions du législateur étaient en partie policières [136] ; on se souciait des adolescents et des adultes seuls, on désirait contrôler leurs déplacements en notant la date de leur arrivée dans la commune, car une des grandes parades contre-révolutionnaires au régime et à la conscription était plus que le départ outre-frontières, la migration intérieure ; on négligeait les femmes dont on croyait, sans doute à tort, n'avoir rien à redouter politiquement ; on voulait pouvoir identifier rapidement les suspects, d'où ces numéros d'ordre, ce classement par ordre alphabétique incroyable dans un recensement.

Enfin le déroulement des opérations était bouleversé puisque les citoyens allaient passer eux-mêmes déclaration de leur identité, profession et âge à l'Hôtel de Ville. Des générations d'efforts vers l'autonomie administrative des dénombrements étaient anéanties ; le régime de la déclaration volontaire n'est-il

134. Arch. nat. D IV bis, 40, Lettre du district de Bayeux au Comité de Division (25 fructidor an II).

135. Arch. mun. Caen, D 4.

136. Procès-verbal de la Convention, 1 au 15 vendémiaire an IV, p. 162. Les titres I et II disent ouvertement qu'il s'agit des « moyens d'assurer la police intérieure de chaque commune ».

pas celui qu'on emploie traditionnellement pour les revenus, les récoltes, les bestiaux et les équipages ? La nature tracassière de cette formalité explique sans doute les retards de l'exécution ; un premier délai fut consenti à la ville le 17 thermidor an V (août 1797), une nouvelle réclamation en novembre demeurait sans effet et le tableau communal fut tout juste paraphé le 29 ventôse an VI (19 mars 1798) avec un retard exceptionnel de deux ans et demi. Cette lenteur ne fut pas même le signe de la perfection et sur les huit colonnes imprimées des états, l'une des plus importantes du point de vue de l'identification judiciaire, le lieu de naissance reste vide ; de plus, contrairement aux intentions primitives, les chefs de maison ne déclarent qu'eux seuls ; enfin, les jeunes classes d'âge ne sont pas enregistrées et le rôle ne s'étoffe qu'à l'arrivée des adultes ; qu'on en juge :

Age des Citoyens (ans)	*Citoyens recensés*
16	1
17	1
18	4
19	4
20	4
21	118

En réalité, tout cela s'explique par une confusion paresseuse ; pour ne pas rédiger deux listes, la municipalité a mêlé le recensement de l'an IV et le rôle des citoyens électeurs conforme à la constitution de l'an III ; l'expression de « registre civique » employée une fois met sur la voie de la supercherie. On sait que la Constitution [137] accordait le titre de citoyens aux Français âgés de 21 ans, domiciliés, imposés aux contributions directes à moins qu'ils ne soient défenseurs de la patrie. *Grosso modo,* c'était la résurrection d'une liste censitaire comme en 1791-1792, encore diminuée, à la date de ce recensement, par la proscription des réfractaires, des émigrés et parents d'émigrés. Quelques comparaisons professionnelles vont permettre d'apprécier le déficit de l'an VI.

Secteurs professionnels	*Capitation 1790 (%)*	*Mobilière (%)*	*An VI (%)*
Agriculture (statut imprécis)	2,5	4,3	3,9
Industrie, commerce (salariés)	2,6	29,1	8,8
Industrie, commerce (chefs d'entreprises)	49,4	39,6	56,6
Services publics (personnel responsable)	2,4	1,8	2
Services publics (personnel subalterne)	3,2	1	4
Professions libérales	5,1	4,5	10,2
Rentiers	34,8	19,4	14,1
Pauvres (assistés ou non)	0	0,3	0,4

137. J. Godechot, 1951, p. 398.

On doit constater que la barre fiscale se rapproche plus de la situation de 1790 que de celle de la mobilière, d'ailleurs lorsqu'on rapporte les volumes d'ensemble aux recensements voisins la même parenté éclate aux yeux :

Capitation 1790 / recensement de 1790	11,8 %
Mobilière de 1792 / recensement de 1793	18,9 %
Dénombrement « civique » de l'an VI / recensement an VIII	12,8 %

Peut-être même 1790 et l'an VI sont-ils tout à fait semblables si l'on tient les proportions de l'an VI légèrement faussées par le sous-enregistrement de l'an VIII.

Le tableau professionnel précédent est d'ailleurs intéressant dans les détails. Bien sûr, on voit que le nombre des personnes pauvres retenu est négligeable à chaque fois ; par nécessité économique celui des personnes employées à la terre souffre peu de changements et d'ailleurs un petit nombre en valeur absolue peut entraîner des modifications relatives sans signification discernable (de 2,5 % à 4,3 %).

Pour donner un sens au reste du tableau, il faut observer qu'en raison de la conjoncture et des événements politiques, d'importants glissements dans la place des gens se sont produits entre 1791 et 1798 : des officiers dépossédés de leur charge sont devenus des rentiers ou bien ils pratiquent des professions libérales (tels que les hommes de loi, les agents d'affaires), d'autres occupent de nouvelles fonctions publiques, électives ou non ; le corps universitaire, avec la disparition momentanée des facultés, est rendu au préceptorat et à sa clientèle (médecins, avocats), l'armée, le ravitaillement des troupes ouvrent des carrières aux anciens officiers militaires, aux fermiers des impôts, aux bourgeois prêteurs de fonds. A cet égard, le trait dominant est l'effritement de la catégorie des rentiers dont on ne peut imaginer pourtant qu'elle échappe à l'impôt. Mais simultanément, la part de la haute fonction publique et des professions libérales s'accroît, après les incertitudes de 1791-1792 sur la redistribution des emplois, au point que la réunion des trois catégories forme un bloc très stable : 25,7 % en 1791, 26,3 % en 1798.

Demeure l'ensemble massif des entrepreneurs et salariés de l'industrie et du commerce ; ici, le trait essentiel est l'effondrement de la catégorie salariée. L'examen des chiffres bruts montre qu'ils ne sont pas devenus des artisans et boutiquiers, en dépit de l'abolition des corporations, puisque les chefs d'entreprise sont eux-mêmes en régression de 2 603 à 2 179 (bien qu'en hausse relative de 39,6 % à 56,6 %), mais qu'ils ont simplement disparu sous l'horizon.

L'analyse par secteur économique confirme bien que ce recensement-liste civique de l'an VI est moins représentatif que la mobilière et à peine plus que la capitation de 1790. C'est avec une incroyable indulgence que les contemporains parlaient de dénombrement. Accordons-leur une circonstance démographique atténuante car les âges des intéressés sont toujours rapportés et observons la pyramide qui en résulte.

Evidemment, les déclarations d'âge manifestent tous les défauts classiques, spécialement l'attraction des nombres ronds (20, 30, 40 ans) et la faiblesse des générations mobilisées. On s'en convainc mieux en comparant la répartition par tranche d'âge des plus de vingt ans aux données analogues calculées d'après les tables de M. J. Bourgeois-Pichat pour la France de 1796 et 1801[138] :

Groupes d'âge (ans)	*Citoyens de Caen an VI (volume)*	*(%)*	*France 1796 (%)*	*France 1801 (%)*
20-24	271	6,9	13,1	13,7
25-29	249	6,3	12,6	12,2
30-34	700	18,2	12,7	11,7
35-39	575	14,7	12	11,6
40-44	534	13,6	11	11
45-49	445	11,4	9,2	9,8
50-54	380	9,7	7,8	8,2
55-59	265	6,7	6,7	6,7
60-64	286	7,3	5,6	5,5
65-69	138	3,5	4,2	4,3
70-74	50	1,3	2,7	2,8
75-79	14	0,3	1,5	1,6
80-84 et plus	4	0,1	0,9	0,9

On pourrait encore ajouter à ce parallèle la répartition de la population du Calvados calculée à partir de la table de survie masculine que j'ai présentée naguère[139], mais bien que les dates fussent plus tardives (1807-1815) et qu'elle partît de la méthode imposée par les sources des décès cumulés, les conclusions seraient voisines.

Celles-ci apparaîtront mieux à partir de ce résumé : entre 20 et 39 ans sont réunis :

46,1 % des Caennais de plus de 20 ans recensés en 1798,
50,4 % des Français de plus de 20 ans en 1796,
49,2 % des Français en 1801, de même.

L'écart global peut s'expliquer soit par un sous-enregistrement dû aux circonstances politiques et administratives, soit par le vieillissement relatif de la population normande par rapport à l'ensemble français, ou simplement le vieillissement urbain. Mais avant tout, le sous-enregistrement est certain chez les jeunes de 20 ans et moins (on est citoyen électeur à 21 ans seulement) ; en outre, seul un tout petit nombre de soldats a passé déclaration et les mobilisés absents n'intéressaient pas les services de sûreté ; enfin les trois quarts du déficit 20-29 ans sont relativement compensés par un solde positif entre 30 et 39 ans par rapport à l'ensemble français. Ainsi y avait-il donc surtout mensonge sur l'âge, plus que refus de déclaration car le reliquat représente un ordre de grandeur comparable à la pesée militaire[140]. Le vieillisse-

138. Les erreurs volontaires ou non sur les âges persistent au XXe siècle dans les pays en voie de développement et posent des problèmes méthodologiques aux démographes : K. V. Ramachandran, 1965. On connaît d'autre part les articles classiques de J. Bourgeois-Pichat, 1951, 1952.

139. J. C. Perrot, 1965.

140. *Ibid.*

ment relatif de la Normandie est d'autre part connu de longue date [141], il est accentué ici du fait qu'il s'agit finalement d'une liste des aisés (comme le montrait déjà Deparcieux au XVIIIe). D'ailleurs on le retrouve dans la tranche des vingt années suivantes : entre 40 ans et 59 ans sont réunis :

41,4 % des Caennais de plus de 20 ans en 1798,
34,7 % des Français en 1796,
37,7 % des Français en 1801.

On va m'objecter que cette hypothèse n'est pas confirmée par la dernière tranche d'âge (60 ans et plus) où les proportions sont respectivement 12,5 %, 14,9 %, 15,1 %.

C'est vrai, mais deux faits peuvent expliquer cette différence. Il ne faut pas perdre de vue un trait caractéristique de la démographie urbaine : ses échanges avec l'extérieur et cette tradition ancienne qui pousse les vieilles gens à se « retirer » à la campagne. En second lieu, redisons le caractère policier puis électoral du document. Un vieillard qui a passé 80 ans n'est pas un suspect bien redoutable ; ensuite ses ressources peuvent avoir diminué depuis la fin de sa vie active, et dans ce cas il court le risque de disparaître des contribuables ; au surplus, peut-il physiquement aller se déclarer commodément aux autorités révolutionnaires ? Et d'ailleurs le veut-il ? Si ces explications sont bonnes, le décalage entre la liste civique caennaise et la réalité française va croître avec l'âge des déclarants. C'est ce qui se produit. Le déficit apparaît surtout après 75 ans, c'est-à-dire chez ceux qui amorçaient la fin de leur vie active au début de la Révolution.

La répartition par âge de la population recensée à Caen obéit donc à des raisons repérables mais elle ne constitue qu'un échantillon de la population urbaine et tandis que, d'après M. J. Bourgeois-Pichat, les hommes de plus de 20 ans constituaient 28 % de la population globale française en 1796, ils représentent ici une part plus faible des habitants.

L'opération de 1806 clôt l'ère des tâtonnements. Elle se veut exhaustive, elle fixe pour la première fois une date précise à la photographie de la population : celle du 1er janvier ; elle reprend les catégories simples de l'an VIII, en distinguant simplement en outre les veufs et les veuves du groupe des gens mariés, soit sept rubriques en tout. Et voilà une circulaire toute limpide et presque modeste : celle du ministre de l'Intérieur Champagny qui présente le 9 frimaire les modalités du travail et souligne les deux écueils du passé : le patriotisme de clocher qui inclinait à la surestimation, la méfiance fiscale qui poussait à minimiser les hommes.

Il est certain que le préfet reçut l'ordre de surveiller exactement la composition des listes ; sa correspondance témoigne à travers tout le département de nombreux renvois et mises au point [142]. Au maire de Caen, par exemple : il faut multiplier les bonnes volontés, « on en trouvera même d'autant plus qu'on leur donnera moins d'ouvrages à faire, tout le succès de l'opération

141. Demonferrand, 1838.

142. Arch. dép. Calv., M, mouvement de la population de 1806 à 1809, Recensement de 1806. Cette entreprise intervient après la diffusion dans le public éclairé de nombreux travaux de statistiques et notamment, J. Peuchet, an XII-1803, 1805.

consiste donc ... en une division très exacte des parties dont vous attribuerez le recensement à tel ou tel individu et dans le rapprochement également exact de tous ces matériaux » et le préfet recommande d'imprimer des feuilles avec rues et numéros des maisons données à recenser. Seule ambiguïté : les militaires et marins en activité de service ; les seconds devraient être enregistrés à la colonne de leur statut matrimonial, les premiers, dans une rubrique spéciale sans répétition dans les colonnes d'état-civil.

Les contrôles préfectoraux se sont avérés efficaces ; il est vrai qu'ils émanaient d'une administration plus méticuleuse et moins pressée par l'événement que naguère ; le premier fonctionnaire du département avait d'ailleurs été ponctuellement obéi. La ville avait été divisée en 140 secteurs environ, soit 250 à 260 personnes par agent recenseur ; on voit que le personnel était en augmentation d'une bonne moitié en regard du XVIIIe siècle et le maire osait affirmer à une administration préfectorale sourcilleuse qui avait déjà fort maltraité d'autres cantons : « il n'est pas possible ... de garantir que les opérations que je vous présente soient exemptes de toutes erreurs, mais au moins, j'ai la satisfaction de croire qu'il y en a bien peu ».

A mon tour, j'ai recommencé des vérifications pour trouver finalement une unité d'erreur en 353 pages. Donc qualité des totalisations. Malheureusement des contrôles plus détaillés sont impossibles car la géographie des secteurs de recensement n'a pas été conservée et les professions ne sont pas relevées. Une seule comparaison reste possible grâce aux catégories communes avec le recensement de l'an VIII.

Statut civil	*An VIII* *Données*	*(%)*	*1806* *Données*	*(%)*	*Variations en % de l'an VIII*
Garçons	6 998	22,6	8 617	23,8	+ 23,1
Filles	9 913	32	11 434	31,5	+ 15,3
Hommes mariés			6 195	17,1	
Veufs			592	1,6	
Mariés et veufs	6 449	20,8	6 787	18,7	+ 5,2
Femmes mariées			6 405	17,6	
Veuves			2 395	6,8	
Mariées et veuves	7 422	24,2	8 800	24,4	+ 18,5
Soldats	141	0,4	593	1,6	+ 320
Total	30 923		36 231		+ 17,1

En regard du recensement de l'an VIII, manifestement médiocre comme je l'ai montré autrefois [143], ce tableau met en valeur un gain dont les multiples origines sont confondues. Sans doute pense-t-on au retour des enfants perdus de la Chouannerie normande, mais si cet événement explique l'augmentation des garçons principalement, il est douteux qu'il ait touché beaucoup de filles ou de femmes mariées ; il faudrait penser aussi à l'amélioration des procédés du recensement et peut-être envisager une forte hausse de la population ;

143. J.C. Perrot, 1965.

celle-ci ne pourrait provenir que de l'immigration car la balance du mouvement de la population de 1801 à 1805 est déficitaire de 152 unités. Bref notre tableau comparatif n'éclaire pas 1806 de façon définitive ; deux faits restent assurés : le travail de 1806 est soigneusement rédigé, celui de l'an VIII, dont au surplus nous n'avons pas les documents d'origine, est douteux.

CONCLUSION

Il me reste à dire pourquoi cette recension s'arrête en 1806, mais on l'a sans doute deviné. Dans l'histoire des dénombrements, plusieurs coupures sont apparues.

Au XVIIe, puis dans les deux premiers tiers du XVIIIe siècle, la parenté de la démographie avec la fiscalité, si évidente au niveau de l'observation locale, ne serait pas difficile à établir également sur le plan national ; après tout, c'est dans la *Dîme Royale* qu'est relatée la méthode du dénombrement des peuples. Sans doute, et très accessoirement, d'autres préoccupations pouvaient entraîner l'élaboration d'un recensement : l'étude des épidémies par exemple. Citons le cas assez exceptionnel de la peste méridionale de 1720. Le bureau de santé d'Avignon avait alors fait rédiger par l'un des siens, Jean-François Palasse, une *Méthode ou instruction pour faire le dénombrement de la ville...* [144], inspirée de celle de Vauban et marquée aussi de soucis économiques (distinguer la population utile et inutile, les réserves de grains). Mais les théoriciens, Boisguilbert jusqu'à Ange Goudar et même Mirabeau [145] n'eurent pas un accès suffisant à l'administration royale pour orienter son attention vers l'étude conjointe de l'économie et de la population. Le siècle en avait pourtant les moyens intellectuels et pratiques comme on s'en convainc en lisant par ailleurs les rapports des inspecteurs des manufactures. Une sorte de ségrégation épistémologique a constamment privé d'un côté les « arithméticiens » de données statistiques en les contraignant à la logique formelle économique et de l'autre, les administrateurs, des outils conceptuels propres à la réalisation d'une bonne collecte. A cet égard, l'échec de Vauban à se faire entendre prend une dimension symbolique.

Ce n'est pas le lieu d'étudier comment, dans les générations de 1760, ce fossé mental s'est comblé sous l'effort cumulé d'administrateurs (La Michodière, Terray), de savants (Expilly, Moheau, Messance) et de médecins (les correspondants de la Société de Médecine). Un âge d'or fugitif s'instaurait : celui de l'intelligence et du pouvoir, qui dépasse les sciences économiques et humaines ; nous recueillons aujourd'hui ses fruits à travers les relevés du mouvement de la population comme au fil des pages de recensement (celui de Caen en 1775 par exemple).

La Révolution est héritière de ces deux traditions. D'un côté, la crise financière et céréalière devait nécessairement réveiller, à la fois chez les

144. J. F. Palasse, 1720.

145. Boisguilbert, 1966 ; on connaît d'ailleurs ses malheurs. A. Goudar, 1756 ; V. R. Mirabeau, 1756-1758.

administrés et les fonctionnaires d'antiques confusions. Recenser ensemble les hommes, les conscrits, le bétail, les réserves de blé n'est pas de bonne politique pour obtenir des données sincères. Mais en même temps la réflexion méthodologique se développait aussi sans coupure avec l'Ancien Régime comme M. Reinhard l'a montré [146]. Ses ambitions culminent dans l'extraordinaire enquête comparative de Chaptal dont on a conservé dans le Calvados d'appréciables vestiges et qu'il faudra bien étudier plus tard d'un œil critique [147]. Enfin la Révolution ajouta sa marque et en un sens sa déformation propre à la statistique démographique en introduisant, par des perspectives électorales, la ségrégation sociale ou politique dans certains de ses recensements.

Tant d'aspects étrangers mêlés à l'étude de la population jetaient un malaise, voire un découragement que les contemporains ont senti. A la statistique des années 1800, certains reprochent ses ambitions. Nos tableaux, lit-on dans un rapport des bureaux de l'Intérieur en floréal an VIII, « sont si compliqués, ils embrassent des détails si minutieux et multipliés qu'il n'est pas étonnant qu'on n'en ait tiré aucun résultat... On n'a rien obtenu parce qu'on a trop demandé ». Et les auteurs de préconiser tout juste un dénombrement par sexe au-dessous et au-dessus de la puberté puisque tout le reste est « curiosité de philosophe », « recherches métaphysiques » [148]. Un étonnant débat s'engage ainsi en l'an IX autour du ministère. Duquesnoy tient pour le développement du savoir ; au sein de tant de livres sur la science administrative, observe-t-il, persiste l'ignorance de la « matière administrée ». C'est la marque d'un retard intellectuel français ; « nos livres de géographie politique, de géographie commerçante ne sont que des compilations, ils sont remplis d'erreurs grossières... Pas assez de dénombrements, pas assez de faits » [149]. Il faudra se hausser au niveau des connaissances allemandes et anglaises [150].

Ainsi la controverse oppose minimalistes et maximalistes de la statistique. Mais elle dresse aussi des administrateurs timorés et routiniers contre ceux qui ont gardé, en dépit des exaltations chauvines du temps, le goût des Lumières et une curiosité européenne. Plus au fond encore deux conceptions du pouvoir se combattent : pour les uns le fin mot des décisions revient à l'intuition, pour les autres, à la connaissance. Duquesnoy place en effet très justement l'enjeu de la statistique à cette hauteur dans un rapport de l'an XI : « Toutes les branches de l'administration, dit-il, donnent lieu à une multitude d'événements que le gouvernement ne peut ni prévenir, ni diriger ou parce qu'il les ignore, ou parce qu'il ne les sait qu'imparfaitement ». Administrer reviendrait donc à apprendre, mais la connaissance a un prix très lourd : la lenteur ; vers 1806, le bureau des statistiques faisait lui-même remarquer

146. M. Reinhard, 1950.

147. Arch. dép. Calv., M, Enquête 1789 — an IX. Cf. les rubriques de cette enquête dans M. Reinhard, 1961.

148. Arch. nat., F 20 103.

149. *Ibid.*, Lettre du 29 pluviôse an IX.

150. W. Petty, J. Child, J.P. Sussmilch... L'étude comparée des procédés de collecte et de l'élaboration de l'arithmétique politique en Europe reste à faire. Beaucoup de documents peuvent être retrouvés comme le montre l'effort de l'Institut national d'études démographiques en direction de Cantillon, Quesnay, Boisguilbert.

« dans un travail de cette nature, la perfection est tout, le temps n'est rien » [151].

Dès lors l'arbitrage du gouvernement, hésitant et provisoire en l'an VIII (puisque l'année suivante Lucien Bonaparte cautionne l'enquête comparative 1789 - an IX) est rendu en 1806. Et il est conforme au génie d'un régime qui se méfie des idéologues, se veut efficace par empirisme et se plaît à marquer toutes choses du sceau de fondation. Avec le recensement de 1806, le XIXe siècle statistique commence, peu raffiné mais sûr. En même temps la coupure est accomplie avec le voisinage fiscal, médical ou militaire. C'est là qu'il fallait ancrer ce chapitre d'investigations.

Est-il bien clair qu'une part considérable de mes conclusions prochaines vont reposer sur cette étude de sources ? Alors on m'en pardonnera la longueur. Au demeurant, l'histoire a surtout observé jusqu'ici des flux économiques ou démographiques (prix, mouvements de population). N'est-il pas opportun de chercher à analyser les stocks, si l'on veut sortir progressivement de l'étude sérielle nécessaire et insuffisante pour entrer dans l'histoire quantitative dont J. Marczewski a tracé au moins le programme [152]. Sans doute trop souvent, l'aporie persistera par la faute de la documentation. Du moins est-il temps de dire fermement que ce n'est pas l'état des sources qui doit instituer les problèmes historiques.

151. Arch. nat., F 20 103, rapport anonyme.
152. J. Marczewski, 1965.

CHAPITRE IV

Les principaux traits de l'évolution démographique de Caen au XVIIIe siècle

I. CHOIX DES MEILLEURES DONNÉES TIRÉES DE L'ENQUÊTE PRÉCÉDENTE

1. TROIS RÔLES NOMINATIFS ET TROIS SOURCES COMPLÉMENTAIRES

Ainsi l'analyse précédente garantit la valeur de trois dénombrements dont subsistent les rôles nominatifs : 1775, 1793, 1806. Elle conduit à rejeter au contraire, comme des estimations moins significatives, certains résultats tirés de multiplicateurs sur la valeur desquels nous sommes trop peu renseignés. Le cas échéant, c'est à leur vraisemblance qu'ils devraient d'être pris en compte et il serait illégitime d'en déduire je ne sais quelle évolution démographique.

La plus experte sans doute de ces opérations d'arithmétique politique fut celle de Vauban à partir du recensement préliminaire à la capitation de 1695. Recensement fiscal dont l'existence ne fait pas de doute, mais dont l'universalité, en dépit des textes royaux, est fort improbable et dont la date, au lendemain des crises de 1693-1694, est mal choisie sous l'angle démographique. Le multiplicateur, soit 4,5 par feu, peut-être adéquat à la province entière plus qu'à une ville isolée, est impossible à tester dans le moment même. Un contrôle précis n'est permis qu'un siècle plus tard, lors du recensement nominatif par ménage de 1793 et la moyenne urbaine s'établissait alors à 3,8 habitants par feu. Au total, les résultats de Vauban ne sont peut-être pas invraisemblables, mais il faut bien voir qu'ils émanent d'un nombre de feux sous-évalué et d'un coefficient probablement trop fort.

Trois données supplémentaires échappent cependant, on s'en souvient, à ces critiques. Ce sont régressivement : a) le recensement du Comité de Division, b) le dénombrement des gabelles de 1753 transmis par Du Portal, c) celui de 1725.

Le premier nous est connu quartier par quartier. Les deux derniers traduisent des volumes de population âgée de plus de huit ans.

La table de Duvillard dont on commence à mieux connaître la valeur et les imperfections [1] : sources hétérogènes mais réparties sur tout le siècle, indi-

1. W. G. Jonckheere, 1965.

que que la population au-dessus de 8 ans représente environ 82 % de l'ensemble, selon la manière dont on comptait les âges lors du recensement. Elle permet de restituer une population urbaine de 27 000 habitants en 1725 et 32 000 en 1753. Il est possible de montrer que cette restitution n'est pas une manipulation hasardeuse et qu'elle approche d'assez près la réalité.

Un premier argument de vraisemblance ressort du recensement de 1725 pour lequel nous avons des données doubles et indépendantes en feux et habitants. Sur les bases retenues au paragraphe précédent, le nombre de personnes par feu s'élève à 3,6, ce qui nous met très près de la proportion de 1793 ; en l'absence de tout changement majeur dans le comportement démographique de la population, cette concordance serait un argument très fort.

Deuxième examen d'un genre différent sur le recensement de 1753. Selon Duvillard, attribuons donc à la ville de Caen, 6 000 enfants négligés par la gabelle. Ces enfants sont nés au cours des années 1745 à 1752 ; ce volume peut se décomposer ainsi :

A. Entrées par naissance en ville ;

B. Entrées par immigration d'enfants nés dans la période (arrivées de familles avec enfants + retour des enfants placés en nourrice) ;

C. Sorties par émigration d'enfants nés dans la période (départs de familles + mises en nourrice) ;

D. Sorties par décès.

A est connu et s'élève à 7 511. D est connaissable au prix de longs calculs à travers plus de 7 000 actes de décès : il s'agit en effet de faire la somme des enfants de moins de 8 ans morts en 1752, de moins de 7 ans morts en 1751, de moins de 6 ans en 1750, etc. J'ai utilisé un échantillon au 1/7e fondé sur les paroisses Notre-Dame et Saint-Etienne dont les conditions géographiques, économiques, les pyramides professionnelles sont diversifiées, pour obtenir le rapport D/A. Sur cette base D = 1 500 décès. B et C ne peuvent pas être précisés numériquement tout de suite, mais on peut discuter successivement les variables qui entrent en compte. On songera que les migrations familiales intéressantes ici sont sans doute à l'arrivée comme au départ assez faibles, car elles concernent des cellules humaines qui viennent de s'installer dans la vie économique et pourvues d'enfants en bas-âge ; c'est évidemment une incitation fondamentale à la stabilité. Dès lors la variable principale concerne la mise en nourrice. A cet égard les sorties l'emportent évidemment sur les retours en raison de la mortalité ; il n'est pas difficile d'étudier le sort accablant des enfants abandonnés en ville et transférés à la campagne sur ordre des hôpitaux, comme on le verra par la suite, mais le placement des nourrissons par les familles elles-mêmes, certainement beaucoup moins meurtrier, nous échappe complètement. En faisant abstraction de ce déficit, les enfants de Caen âgés de 0 à 7 ans révolus seraient 6 011 (A — D). On voit que l'emploi de la table de Duvillard qui nous conduit au chiffre de 5 700 est parfaitement raisonnable ; il n'y a donc pas lieu de se priver des recensements de gabelles en 1725 et 1753, complétés des calculs, sans doute approximatifs, mais sensés qui évaluent le volume des enfants.

Dès lors voici le tableau de la population de Caen tiré des meilleures sources :

1695 - Recensement attesté	Feux paroissiaux de capitation + taille de Sainte-Paix Multiplicateur 4,5	26 500
1725 - Recensement attesté	Gabelles + évaluation des enfants	27 000
1753 - Recensement attesté	Gabelles + évaluation des enfants	32 000
1775 - Recensement conservé	Rôle nominatif pour la moitié de la ville ; ailleurs, récapitulation	40 858
1790 - Recensement attesté	Résultats par quartiers	37 795
1793 - Recensement conservé	Rôle nominatif complet	34 996
1806 - Recensement conservé	Rôle nominatif complet	36 231

Le chapitre précédent a fourni quand c'était possible — bien rarement — la matière d'un calcul d'erreur relative. Mais pourquoi ne pas faire le point maintenant qu'apparaissent en pleine lumière des séries de chiffres dont la précision ne garantit pas l'exactitude, cela va sans dire ? A cet égard je répondrai d'abord que je suis resté fidèle à une tradition consacrée par la Statistique de la France en rapportant les résultats des dénombrements tels qu'ils ressortent de mes comptes sur les documents originaux[2], à moins qu'il ne s'agisse bien entendu de produits du calcul, dès lors exprimés à la centaine près. Au reste, plusieurs sortes d'indéterminations coexistent.

Les erreurs des agents recenseurs dans leur cabinet de travail sont de deux types : faute de récapitulation des recensements nominatifs (ex. : 1806 = 0,3 % des pages récapitulées fausses) ; erreur de calcul (ex. : recensement Vauban de 1695 = 0,7 % du résultat). De toute façon, voilà des maladies statistiques curables, du moment qu'il est resté plus qu'un simple total.

Mais les imperfections et les négligences de recensement proprement dites restent d'un diagnostic plus réservé, voire impossible, sauf occurrence privilégiée : en 1753, le dénombrement fut exécuté en double par les agents de la ville en même temps que les commis des gabelles ; écart 347, soit en erreur relative ± 0,6 %, c'était bien peu. En 1793, autre exemple, il existe une section plus déficiente que les autres : celle de l'Egalité où les habitations trouvées fermées ne sont pas revisitées : manque à gagner de 28 sur 1 424, soit 2 %. Mais pour d'autres statistiques le calcul d'erreur relative me paraît, pour l'instant, impossible à donner. Ce n'est pas que nous soyons entièrement dépourvus de tests, comme on l'a vu précédemment. Les épreuves cumulées de cohérence spatiale (volume démographique par paroisse) et temporelle (enchaînement des évolutions) que j'ai utilisées autrefois pour l'étude des recensements régionaux[3] trient fort bien les données aberrantes.

En réalité les statistiques démographiques comme tant d'autres documents intègrent deux types d'erreurs ; des erreurs aléatoires (calcul, récapitulation de l'observateur au XVIIIe comme au XXe siècle). Ce sont les seules qui puissent se compenser parfois. Mais il existe des erreurs systématiques que nulle totalisation n'efface si les mêmes motifs produisent les mêmes effets à travers toute l'enquête. Ainsi l'utilité de l'analyse des sources consistait justement

2. A la suite d'étalonnages répétés, notamment sur des rôles fiscaux mis en fiches, mes erreurs de compte s'élèvent à 2 ‰ environ. Les récapitulations sur listes sont plus sûres puisqu'il n'existe pas de maniement de matériel. Ajoutons que tous les calculs sont faits à la machine.

3. J.C. Perrot, 1965.

à faire rejeter de notre tableau les opérations démographiques engagées sous le signe de la méfiance fiscale comme à l'inverse de l'inflation numérique compétitive.

Des résultats retenus découle la série des variations suivantes :

Dates	*Durées (ans)*	*Variations*
1695-1724	30	
1725-1752	28	+ 5 000
1753-1774	22	+ 8 858
1775-1789	15	— 3 063
1790-1792	3	— 2 799
1793-1805	13	+ 1 235

Cette évolution correspond à une moyenne annuelle évidemment assez modeste :

Dates	%
1695-1724	0
1725-1752	+ 0,6
1753-1774	+ 1,1
1775-1789	— 0,6
1790-1792	— 2,5
1793-1805	+ 0,2

Et numériquement, la balance des naissances-décès pourrait à la rigueur en rendre compte toute seule !

Bien que ces résultats soient tributaires des coupures chronologiques choisies par l'administration du XVIIIe pour ses recensements et ne restituent sans doute pas les véritables cadences d'essor ou de déclin de la ville, il faut s'arrêter à quelques remarques. Il est certain, par exemple, que le renversement de 1775 s'est produit un peu plus tard ou un peu plus tôt même si l'enregistrement est décalé par l'observateur. Et le trait essentiel semble bien la succession de deux périodes conformes à un mouvement général de la démographie française.

Précédée d'un temps de récupération après la crise de la fin du Grand Règne, que nous ne mesurons pas commodément, c'est une époque de croissance d'abord lente ; mais le long espace de 1725 à 1752 pourrait bien cacher encore des oscillations comme celles qu'observe J. Dupâquier à l'échelle plus vaste de la région parisienne [4]. Puis l'augmentation urbaine, plus rapide, est repérée à Caen entre les recensements de 1753 à 1775. Elle coïncide avec l'évolution de la population française mieux connue depuis 1750 en l'état actuel et animée d'une hausse nette [5], d'ailleurs encore très forte dans la généralité de Caen vers les années 1772 d'après les balances des baptêmes et sépultures [6].

Il est certain d'autre part que, successivement, dans la décade 1770-1780, des régions entières (dont la cartographie réelle resterait à faire, mais qu'on

4. J. Dupâquier, 1968.
5. *Id.*, 1968 ; P. E. Vincent, 1947.
6. E. Esmonin, 1964, p. 103.

saisit déjà très bien dans les limites administratives de l'ancienne France) échappent à la prospérité démographique et versent dans une instabilité où mal an, les décès l'emportent même franchement sur les naissances ; en 1779 ainsi, dans la généralité de Caen, 25 044 sépultures contre 24 773 baptêmes ; mais il est fâcheux que ces balances normandes du mouvement de la population soient déficientes de 1775 à 1779 car la chronologie du renversement de tendance échappe ainsi à une observation facile. Sur un plan très général on sait en tout cas que la précarité de l'essor démographique s'est prolongée au moins jusqu'en 1784[7] ; dans le ressort de l'intendance de Caen, le bilan de 1785 est encore déficitaire de 539 unités. Et il est plausible d'imaginer, bien que, derechef, les récapitulations fassent défaut, qu'il en fut de même lors de la pénurie alimentaire de 1788-1789.

Enfin les pertes de Caen de 1790 à 1792 et la récupération partielle de 1793 à 1806, peut-être l'une et l'autre artificiellement gonflées par les circonstances politiques, sont contemporaines d'une croissance régionale très paresseuse qui fait progresser, dans un cadre désormais réduit de moitié, la population du département d'un dixième entre 1791 et 1806. Mieux vaudrait ne rien dire, peut-être, de l'évolution du pays tout entier au même moment. Les événements révolutionnaires entretiennent en effet trop de discordance entre les régions. Et la place de la Normandie, sur la route de l'émigration anglaise comme aux confins des champs de bataille de l'Ouest royaliste explique peut-être l'atonie démographique dont elle semble frappée à la charnière des deux siècles[8].

2. COMPARAISON INDICATIVE DE LA POPULATION URBAINE AVEC CELLES DE LA PROVINCE ET DU ROYAUME

Pour être plus précis, je vais établir, à mes risques et périls, un tableau comparatif de la population de la ville et de la généralité avec quelques repères nationaux. Comme ce n'est pas le lieu de développer trop longuement ces données qui ont au plus valeur de référence, je me bornerai à présenter les quantités retenues pour la généralité. Au niveau du Royaume, les difficultés ont été étudiées par les auteurs de l'*Histoire de la population mondiale ;* les superficies nationales que je retiens ici sont homogènes et excluent Lorraine et Corse.

Au temps de Vauban, la généralité de Caen ne nous est pas tout à fait aussi bien connue que celle d'Alençon. J. Dupâquier a publié partiellement le recensement des années 1695. Mais après toutes sortes de recherches qui permettent de retrouver les chefs de famille (soit 131 164), il se révèle encore incomplet des femmes et des veuves. Malgré tout, on doit préférer à la population calculée avec les feux et le coefficient 4 ou 4,5, ce recensement des personnes complété pour la catégorie en déficit, au prorata des observations faites dans la deuxième généralité de Basse-Normandie, celle d'Alençon[9].

7. J. Dupâquier, 1968, p. 59 ; M. Reinhard, A. Armengaud, J. Dupâquier, 1968, p. 241 sq.

8. L. de la Sicotière, 1889.

9. Pour les feux, voir A. des Cilleuls, 1895 ; E. Levasseur, 1889-1892, p. 203 sq. D'autre part, le recensement de la généralité d'Alençon montre que veuves + femmes

J'ai cherché ensuite les données les plus proches des dates de recensement à Caen. Le dénombrement des gabelles qu'Expilly devait reprendre à son compte, est très adéquat chronologiquement mais il faudrait ensuite pouvoir compter sur les mises à jour de notre abbé démographe. Au tome V du *Dictionnaire* (article « Normandie ») il se fonde sur l'enquête comparative des feux en 1730 et 1763 menée par l'intendant [10], et il choisit le coefficient 4,5. Ce multiplicateur 4,5 est constamment utilisé par les arithméticiens nationaux depuis Vauban ; il n'est pas prouvé qu'il convienne sous l'Ancien Régime à une province qui se distinguait de l'ensemble français par des taux de natalité et de mortalité un peu plus bas : d'où les familles assez étroites, l'abondance des foyers désertés de leurs enfants, les « demi-foyers » de veuves, etc. D'ailleurs l'observateur le plus sagace de l'endroit, l'intendant Foucault, qui rédige le *Mémoire sur la généralité* au tournant des deux siècles, ne s'y trompait pas et utilisait le coefficient 4. Dans le Beauvaisis voisin comme dans le lointain Dijonnais, les taux n'atteignaient pas non plus, semble-t-il, 4,5 [11]. Il est prudent de suivre Foucault, en attendant de nouvelles précisions, pour exprimer les résultats de 1725. Quant à l'enquête de 1763, elle est trop tardive pour être rapprochée du recensement urbain de 1753.

	Caen	*Généralité*	*Royaume*
Vauban	26 500	618 000	19 000 000
1725	27 000	626 000 (feux par 4)	
1753	32 000		
1775	40 858		
1776			24 600 000 (Bourgeois Pichat dans les limites de Vauban)
1771-1780		736 000 (Necker, naissances par 29)	
1778-1787		705 626 (des Pommelles)	
1790	37 795		
			25 300 000 (Comité des impositions, mêmes limites)

On a vu plus haut pourquoi les évaluations de la fin de l'Ancien Régime (Necker, Messance) sont fautives dès qu'on se propose d'appliquer un coefficient national de l'année moyenne des naissances pour retrouver la population régionale. M. Reinhard en a d'ailleurs donné la démonstration d'ensem-

mariées = 104 % des hommes + veufs. J'applique le même coefficient pour évaluer les femmes et veuves de la généralité de Caen ; hommes + veufs = 131 164, femmes + veuves = 136 000.

10. J.-J. Expilly, 1762-1770, t. 5, p. 236, article Normandie. L'enquête comparative est aux Arch. dép. Calv., C 6360. Antérieurement à 1730 voir Bibl. nat., mss fr. 11385 : population de la généralité de Caen = 151 936 feux, et Saugrain, 1720 = 156 341 feux.

11. P. Goubert, 1960, p. 251 sq.

ble[12]. En revanche, lorsqu'on applique un coefficient local, le grief s'efface ; je choisirai donc d'utiliser, sur les bases de Necker, les multiplicateurs rectifiés de M. Reinhard pour obtenir la population de la généralité dans la période 1771-1780. La même opération peut s'établir facilement avec les données du chevalier Des Pommelles (1778-1787) pour la fin de l'Ancien Régime.

Le tableau de la période révolutionnaire est moins redoutable à construire et les résultats départementaux, déjà tout critiqués[13], sont prêts à l'utilisation. Comme chez P. Meuriot, les données nationales s'entendent dans les limites de 1790 moins la Corse.

	Caen	*Département du Calvados*	*France*
1790-1791	37 795	448 000	27 170 000 (limites du moment)
1793	34 996	484 000	27 500 000
1806	36 231	505 000	28 830 000

Le changement de ressort régional et national en 1790, qu'on aurait pu pallier grâce à de longues reconstitutions, ne modifie pas de toute façon les taux d'évolution suivants, par rapport à chaque période initiale :

	Caen (%)	*Généralité (%)*	*France de 1695 (%)*
1695-1774	+ 55	+ 19	+ 30
1775-1789	— 7	— 4	+ 3

	Caen (%)	*Département (%)*	*France de 1790 (%)*
1790-1792	— 7	+ 8	+ 1
1793-1805	+ 3	+ 4	+ 5

Ne commentons pas longuement la médiocrité du développement démographique d'un ensemble régional vraiment hétérogène puisqu'il comprend le Cotentin, le Bessin, le Bocage, la plaine de Caen et les confins du Pays d'Auge. Trop d'imprécisions subsistent en l'état de nos connaissances, de la fin du XVIIe siècle à celle de Louis XV, et il n'existe pas dans les études publiées à ce jour par l'Institut national d'études démographiques ou le très actif Centre historique de Caen[14] de moyens de contrôle suffisants. Oserai-je proposer deux hypothèses que l'étude de la période postérieure suggère avec insistance ?

Tout d'abord on sait qu'en dépit d'une mortalité assez faible, la balance du mouvement naturel n'a jamais été fortement positive au soir du XVIIIe siècle ; les taux de natalité vigoureux observés dans la France méridionale de Le Roy Ladurie sont bien loin[15] ! Et il est probable que l'ombre portée de

12. M. Reinhard, 1965, p. 257 sq.
13. J. C. Perrot, 1965, 1966 a et b.
14. E. Gautier et L. Henry, 1958 ; P. Gouhier, 1962 ; P. Chaunu et divers, 1963.
15. E. Le Roy Ladurie, 1965.

tels comportements démographiques s'étendait assez loin en arrière dans le XVIIIe siècle. De plus, le bagage de connaissances — bien léger, hélas — qu'on peut recueillir sur les migrations normandes à partir de certains points d'observation privilégiés et notamment de Paris révolutionnaire, peut faire croire à un solde légèrement négatif, au détriment de la Normandie. De quand datait ce faible glissement des couches démographiques d'ouest en est, vers le centre du Bassin parisien ? Et qui va répondre ? Je ne sais, mais quelques indices le font aussi pressentir au XVIIIe siècle [16]. Bref, inertie relative des masses humaines, voire même fragilité des équilibres, si ce n'est pas trop s'aventurer en commentant à la lettre les données reconstituées vers la fin de l'Ancien Régime à partir de coefficients [17].

En tout cas la comparaison de la ville de Caen avec sa généralité nous place sur un terrain beaucoup plus solide car les déclivités observées dans l'évolution des deux termes sont d'une ampleur que ne peut plus expliquer l'erreur relative prévisible des estimations normandes. Il semble qu'on puisse résumer ce parallèle en trois propositions de certitude croissante.

1) Un décalage chronologique existe sans doute entre l'essor de la population urbaine et celui de la région. Tandis, par exemple, que le bilan de la généralité semble légèrement positif entre 1695 et 1725 (mais les comptes de 1695 interviennent après les années terribles et le gain enregistré est surtout une compensation), celui de la ville dans les mêmes repères chronologiques pourrait bien être nul, sanctionnant l'échec de la récupération. Et sous la Révolution, voici que le même phénomène se répète : la pente départementale se raidit dès 1790, mais le réveil urbain tarde jusqu'en 1793 au moins et peut-être davantage.

2) Dans les périodes difficiles, au contraire, le mouvement urbain restitue sans délai la courbe de l'appauvrissement démographique régional. La crise des quinze dernières années monarchiques illustre ce propos. Au recul, ou pour le moins, si mes chiffres ne sont que probables, au piétinement de la généralité, correspond aussitôt un solde urbain négatif.

3) De toute façon, dans les temps de prospérité démographique, comme aux époques malheureuses, la cité exagère l'amplitude des mouvements régionaux dans les deux sens, en hausse comme en baisse ; une croissance martiale l'entraîne à une cadence plus de deux fois supérieure à celle de la généralité dans les années 1725-1775 ; en proportion, elle triple ses pertes dans la période de régression de la fin du XVIIIe siècle.

Cette inertie temporelle variable, avec des accélérations puis des freinages, ces oscillations excessives de la démographie urbaine ne sont pas intellectuellement si obscures que cela. Est-il besoin de rappeler que les stocks de population évoluent sous la double influence du mouvement naturel (balance naissance-décès) et du mouvement géographique (balance migratoire) ? On conçoit bien que des facteurs analogues puissent peser dans le même sens sur le solde naturel de la population urbaine et campagnarde. Encore n'est-ce pas toujours le cas, ni pour le mouvement saisonnier qui obéit à des rythmes

16. M. Reinhard et divers, 1970.

17. L'imprécision des coefficients employés dans les calculs rectifiés de Necker et des Pommelles pourrait exagérer l'ampleur de la perte (— 4 %) et celle de la récupération (+ 8 %).

propres aux activités économiques différenciées, ni pour le mouvement annuel, car il existe par exemple une localisation précise des endémies et même des épidémies. Encore les proportions n'y sont-elles pas puisque tour à tour c'est la ville ou le plat pays qui enregistre telle variation à l'origine ou seulement son reflet. Au contraire, il est certain que les balances entrées-sorties par migration peuvent être des variables entièrement indépendantes lorsqu'on passe de l'analyse de la ville à celle de la généralité ; les moteurs principaux du mouvement relèvent ici de l'économie spatiale saisie, par définition, à deux niveaux différents.

Essayons d'éclaircir ces faits mal connus, sinon dans le cadre de la généralité où la réponse fait défaut pour l'instant, du moins au niveau de sa capitale où bien des difficultés subsistent encore. Elles doivent s'aborder, évidemment, par leur face la moins abrupte : la balance des naissances et décès.

II. LES MOUVEMENTS

1. LE MOUVEMENT NATUREL DES NAISSANCES ET DÉCÈS

La collection municipale des registres paroissiaux a brûlé dans l'incendie de Caen allumé par la guerre en 1944. Cette perte prive les historiens de tout renseignement sur le mouvement naturel de la population avant 1737. Depuis cette date, au contraire, les séries du bailliage dressées conformément à la célèbre ordonnance royale sur la tenue des actes en double exemplaire est complète, à d'infimes exceptions près, touchant deux paroisses sur treize pendant deux ou trois mois [18]. De même, il faut signaler le défaut de conservation des registres de l'Hôtel-Dieu (naissances et décès) et de l'hôpital général (décès) jusqu'en 1747. Dans la décennie suivante, ce déficit représente moins de 10 % des décès et 3,7 % des naissances dans les paroisses ; pour restituer aux séries chronologiques leur aptitude comparative, j'ai donc majoré dans les mêmes proportions la première décade 1737-1747. Au reste, ces registres paroissiaux sont d'excellente qualité en dépit de difficultés d'écriture ; les actes n'ont pas été recopiés après coup, tous sont authentifiés par les signatures de plusieurs témoins. J'en ferai d'ailleurs plus loin une analyse qui précisera les modes d'emploi retenus, en abordant l'étude des familles de la paroisse Saint-Gilles. Enfin, les récapitulations de l'année 1792 posent des problèmes plus délicats en raison de la désorganisation des ressorts paroissiaux traditionnels et des fusions de cures ; cette année-là, de nouveau, les hôpitaux font défaut et derechef, je comble cette lacune par des estimations tirées de la moyenne des années voisines.

Heureusement, d'un autre côté, la présence de la petite communauté protestante ne perturbe pas sérieusement l'état civil. La naissance des Réformés,

18. Arch. dép. Calv., 4 E Caen, 1 à 232. Les lacunes des actes de baptême concernent Saint-Gilles : janv.-févr. 1737 ; Saint-Pierre : oct.-nov.-déc. 1738 ; décès, Saint-Pierre : oct.-nov.-déc. 1738. Il existe des récapitulations pour la période 1751-1791 dans C 163 à 166.

selon une coutume très générale au Royaume depuis la Révocation, est inscrite sur les registres de catholicité, leur décès fait l'objet de procès-verbaux du lieutenant général de police, dont la collection subsiste pour l'ensemble du bailliage [19] ; les mariages, généralement inaccessibles, nous sont donnés pour la plupart avec un grand luxe de détails dans les déclarations des lignages protestants de 1787-1789 [20].

Enfin, depuis 1793, l'état civil laïcisé ne présente plus d'autres difficultés que celle du calendrier révolutionnaire ; au prix d'un peu de temps, j'ai converti toutes les données en grégorien pour ne pas briser cette précieuse série de résultats [21].

Au cours des soixante-dix années qui séparent en gros les premiers ministres de Louis XV de la consolidation de l'Empire, voici trente-huit années positives et trente-deux négatives. Gain total des bonnes années : un peu plus de 6 800 personnes (moins de 180 par an, en moyenne) ; pertes cumulées des années déficitaires : 4 176 (130 l'an). Le solde général naturel est donc insignifiant avec ses 2 600 naissances excédentaires sur quelque 80 000. Il n'explique rien des variations volumétriques de la ville telles que les recensements les enregistrent. L'ajustement des séries statistiques sur le temps chronologique des dénombrements met bien en vedette ce phénomène structural et permet de calculer par différence les soldes migratoires depuis le milieu du siècle :

Années	*Population*	*Evolution*	*Naissances*	*Décès*	*Solde naturel*	*Solde migratoire*
1725	27 000					
1737			?	?	?	?
1753	32 000	+ 5 000	15 357	15 371	— 14	?
1775	40 858	+ 8 858	24 197	22 671	+ 1 526	+ 7 332
1790	37 795	— 3 063	18 650	19 080	— 430	— 2 633
1793	34 996	— 2 799	5 053	3 842	+ 1 211	— 4 010
1806	36 231	+ 1 235	14 562	14 229	+ 323	+ 912

Ce tableau suggère de nouvelles propositions étayées sur la période postérieure à 1753.

1) L'évolution du solde naturel et de la balance migratoire apparaissent de même signe (positif ou négatif) lorsque l'époque considérée n'est pas secouée par une remise en cause socio-économique fondamentale. Ainsi en est-il des périodes 1753-1775 et 1775-1790 ; sous un régime juridique, militaire, économique différent mais assez homogène, de même 1793-1806. Alors les facteurs en œuvre cumulent leurs forces si bien qu'on s'explique mieux la rapidité de certaines croissances par bon vent, lorsqu'on voit le solde migratoire amplifier entre trois fois (1793-1806) et 4,5 fois (1753-1775) l'excédent naturel. Mais la ville semble en échange aussi vite quittée que gagnée et dans la

19. Arch. dép. Calv., C 1581 à 1587.
20. *Ibid.*, 4 E Caen et C 1585.
21. Cf. en annexe 2 la récapitulation du mouvement naturel de la population.

période grise (1775-1790) les départs auront sextuplé les pertes par excédent des décès.

2) Les brèves années 1790-1793 sont celles des ruptures sociales et économiques, politiques et religieuses, à la faveur desquelles un nouvel *habitus* s'instaure. Une « anomalie » des soldes démographiques apparaît. Un assez fort excédent naturel est contemporain d'un très important déficit des migrations. Tout se passe comme si la crise chassait les uns sans les condamner à mort ni détourner les autres, qui demeurent, d'avoir des enfants. Ce phénomène appelle des commentaires économiques et sociaux que je réserverai encore ; d'ailleurs il est temps de nuancer ces propositions 1) et 2).

En effet la portée des remarques précédentes reste hypothétique dans la mesure où les durées observées en 1) sont beaucoup plus longues (22, 15 et 13 ans) que la période triennale de 2). Nous subissons toujours des dates de dénombrements, elles nous font changer d'unité de temps et il se pourrait qu'une troisième proposition soit substituable aux deux premières.

3) A l'échelle décennale, le mouvement migratoire urbain et le solde naturel ont tendance à s'orienter dans le même sens, tandis que dans les périodes de crise intercyclique, cette parenté peut se rompre. On voit que pour préciser ces diverses hypothèses nullement contradictoires d'ailleurs, le recours à l'analyse économique se révélera encore une fois indispensable.

En tout cas, une certitude demeure à travers toutes les vicissitudes de l'interprétation : le moteur essentiel de la prospérité urbaine ou de son déclin réside dans les migrations et c'est d'autant plus désolant que les obstacles s'accumulent ici devant nous ; il faut tenter de les franchir.

2. LES MOUVEMENTS MIGRATOIRES

L'administration royale n'a jamais complètement négligé l'importante question de la mobilité géographique. Trop d'aspects du contrôle policier (surveillance des errants), militaire (les déserteurs), religieux (les nouveaux convertis) et surtout fiscal (le pouvoir est confronté au déguerpissement devant la taille, aux villes franches-refuges) étaient partie prenante au phénomène.

Si l'Etat ignorait la fiche d'identité, il utilisait communément le registre de translation de domicile, il délivrait des sauf-conduits ou des congés. Mais ces opérations souffrent en regard de nos desiderata de deux imperfections fondamentales ; leur finalité extra-démographique les rend suspectes car on doit supposer une intention de fraude de la part de ceux qui en étaient l'objet ; en outre, elles n'offriront jamais, au mieux, qu'une vue partielle des migrations ; au reste les documents individuels tels que les divers permis de circuler, si souvent éparpillés dans les fonds de famille, nourrissent l'anecdote, enrichissent un tableau de la société d'un peu de pittoresque mais sont entièrement déficients à donner des proportions.

La Révolution, pour des raisons de contrôle politique évidentes, est en ce domaine l'héritière de l'Ancien Régime, dont elle perfectionne les méthodes sans atteindre pleinement la dimension démographique. A ce sujet il faut évoquer les Cartes de Sûreté dont on a fait sur l'initiative de M. Reinhard,

Balance des naissances et décès à Caen (1751-1806)

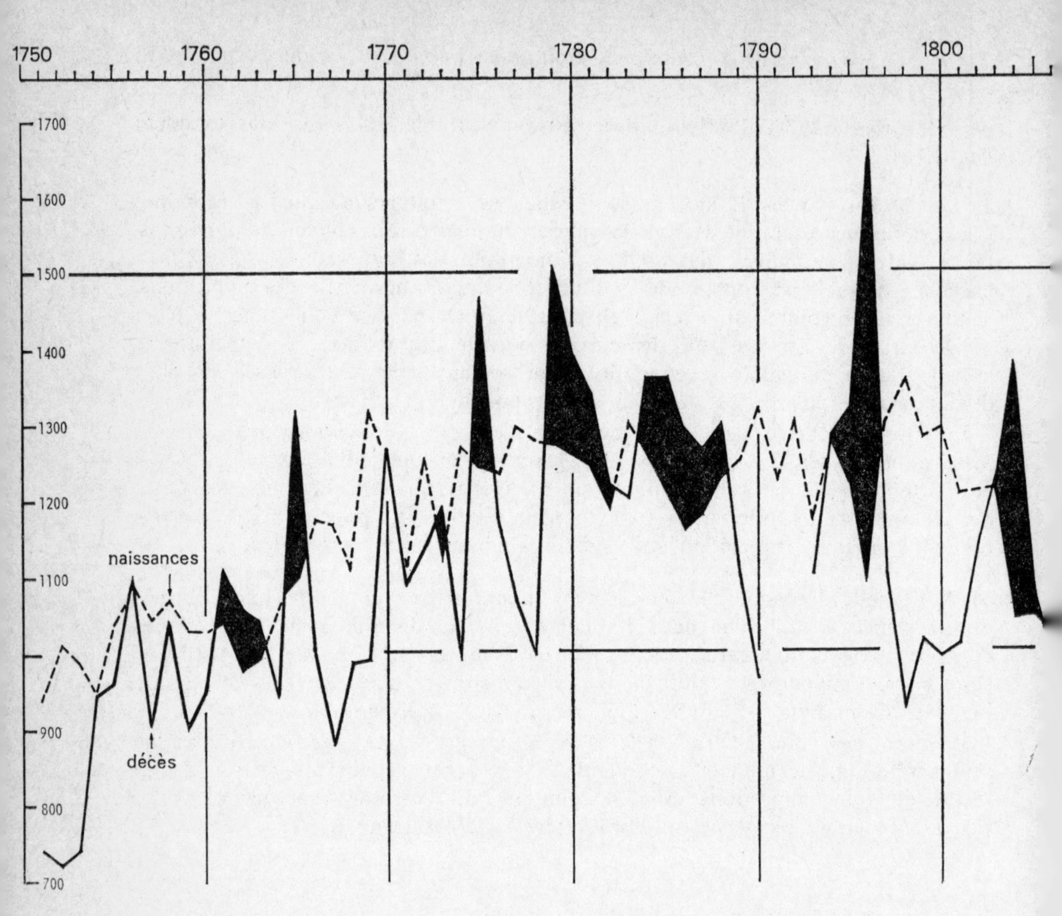

Volume des constructions et des biens fonciers inoccupés, de 1755 à 1790
(en milliers de livres de revenus locatifs)

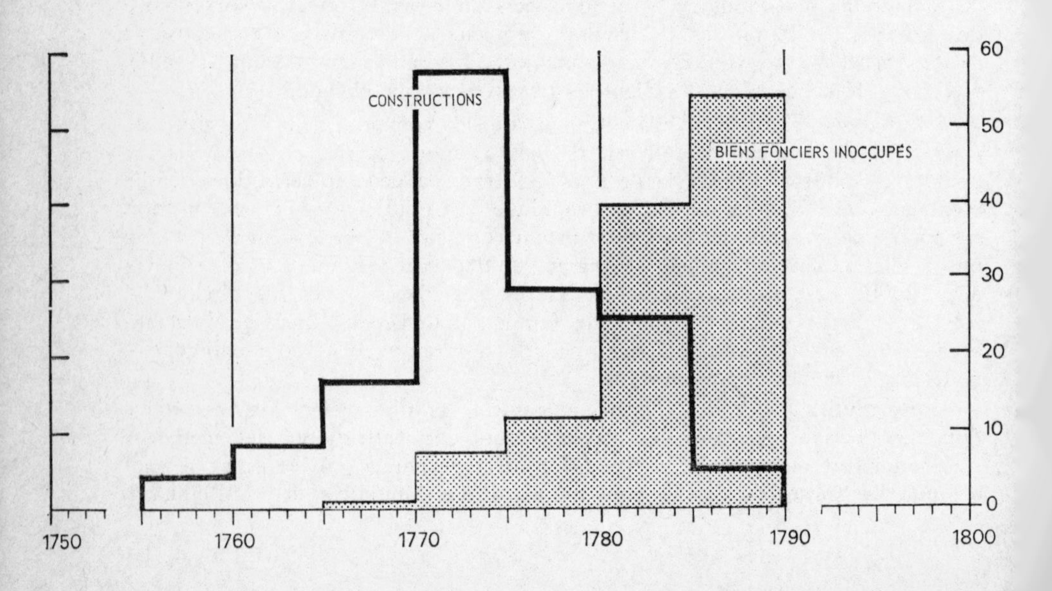

un usage si fécond à Paris[22]. Mais il n'en reste pas à Caen. De même les déclarations d'aubergistes devaient porter devant la police la liste des voyageurs et leur origine : ce ne sont là que des migrations temporaires. Le recensement de l'an IV, lui, prévoyait expressément d'inscrire l'origine des habitants. On s'est borné dans cette ville à mentionner les citoyens autochtones ou horsains sans relater les lieux ; c'est déjà beaucoup.

Pour avoir des points de vue plus généraux, il faut hélas sortir de notre période d'observation et gagner l'apogée impérial. D'ailleurs on recherchait encore à ce moment-là des éclaircissements plus économiques que démographiques puisque les enquêtes préfectorales portent sur les migrations saisonnières des ouvriers[23]. C'est la Restauration qui parvient la première aux comptabilités migratoires en voulant faire l'économie de recensements rapprochés : elle tient à jour le tableau de la population communale par la balance naturelle et le mouvement géographique pour établir l'évaluation de la population française officielle de 1827[24]. Pourtant ce progrès décisif et si précieux est encore insuffisant car, en ne spécifiant pas l'origine spatiale des déplacements, le document ne permet pas de totalisation au niveau départemental. Prenons le cas du Calvados : il n'est pas impossible que les maires ruraux aient fait consciencieusement leur travail, tant les circonscriptions (plus de 750 à l'époque) étaient petites et, de ce fait, les habitants repérables ; dans les villes, en dépit du concours des commissaires de police, c'est déjà moins sûr, mais passons. De 1820 à 1825, les déplacements cumulés font apparaître 25 965 arrivées dans les communes et 22 245 départs. Une fraction inconnaissable de ces transferts est interne, on ne saura donc jamais rien des tendances régionales. Aussi G. Désert fut-il contraint d'utiliser pour le XIXe siècle, comme les modernistes, des indices détournés de la mobilité[25].

A mon échelle urbaine, et par-delà des témoignages littéraires sans doute non négligeables[26], mais que je ne puis citer comme des preuves suffisantes dans ce chapitre quantitatif, trois documents permettent en tout d'aborder l'analyse des migrations sous l'Ancien Régime et la Révolution. Aux deux extrémités de l'observation : le dénombrement des bourgeois de 1666 et le recensement de l'an VI ; dans l'entre-deux, les actes de mariage où sont toujours relatées les origines des époux. Documents incommodes, on peut le prévoir sans se tromper. En tout cas, ils présentent du moins l'avantage d'éliminer les déplacements saisonniers et de nous restituer, convenablement interrogés, le domicile durable.

Ab initio, donc, une belle époque : celle du colbertisme, des finances stables et du développement industriel. Il est hors du sujet d'en donner l'analyse chiffrée maintenant, mais les rapports des manufactures, les études démographiques et les premiers résultats de l'enquête sur la production agricole, présen-

22. M. Reinhard et divers, 1970.
23. Pour le Calvados, voir Arch. nat., F 20 434. Aussi quelques études générales J. Mathorez, 1917, 1919, G. Mauco, 1932 et surtout normandes : A. Dubuc, 1951, 1954, M. Le Pesant, 1961.
24. Arch. dép. Calv., M, recensements, an VIII, 1826.
25. G. Désert, 1960, 1963.
26. J. C. Perrot, 1961. Intéressant témoignage du XVIIIe siècle chez J. Gautier, 1787.

tés par E. Le Roy Ladurie[27], permettent de conjecturer l'éclat de ces années fortunées durant lesquelles un soleil plus clément fournit quelques surplus céréaliers aptes à nourrir l'artisanat léger, puis de proche en proche les tissus industriels plus épais : bâtiment, textile.

Doit-on s'étonner après cela que ce recensement des « bourgeois » — le terme désigne en 1666, on l'a vu, un curieux mixte où déjà la créature de Louis-Philippe perce sous l'ancienne — fasse apparaître une proportion de chefs de famille immigrants de 38,5 %, demeurés sur place ? Non sans doute, et P. Deyon a montré, grâce à l'étude du recrutement des apprentis amiénois, la concordance entre les cycles de l'activité économique et la pulsion des immigrants[28]. Toutefois l'ampleur de cette mobilité était sans doute fort variable ; P. Goubert, dans l'observation de Beauvais, cité plus modeste, la décèle à peine[29]. A Paris, au contraire, elle est ancienne et fréquemment attestée[30], si bien qu'on peut se demander si le poids démographique des cités, à l'image de la physique newtonienne, n'a pas son influence propre d'attraction.

Les recherches démographiques sur le XVIIe siècle qui se développent rapidement apporteront sans doute bientôt des réponses satisfaisantes. L'intérêt de cette investigation pour mon propos est de démontrer que des mouvements de grande amplitude ont eu lieu en certaines circonstances. Et ceux-ci témoignent, dès que la conjoncture paraît s'y prêter, d'une propension des hommes au déplacement que nous retrouvons au XVIIIe siècle. C'est alors qu'il convient de faire très attention à la portée des comparaisons qui viennent à l'esprit d'une période à l'autre, et pour commencer on analysera le phénomène ancien.

La nature du document de 1666 qui entraîne un déficit d'enregistrement des familles les plus modestes, outre celui des gentilshommes et des clercs, perturbe peut-être la mesure de l'immigration. L'examen des statuts professionnels va dévoiler la nature de ces torsions :

Catégories professionnelles	*Immigrants (%)*
Agriculture (impossible de préciser davantage)	35
Industrie, commerce (salariés)	54
Industrie, commerce (chef d'entr.)	43
Services publics	36
Professions libérales	20
Rentiers	25
Divers : 15 cas indéterminés	

Les compagnons et ouvriers salariés constituent la catégorie la plus fortement imprégnée d'immigrants, mais c'est le groupe le plus déficitaire du recense-

27. Communication au Colloque de la Société des économistes français, Paris, 11 et 12 janvier 1969. Voir l'économie du XVIIe à travers H. Sée, 1948-1951, P. Boissonnade, *passim*, et surtout, 1927, les articles de P. M. Bondois. Ces travaux anciens sont renouvelés localement par de grandes œuvres P. Goubert, 1960, E. Le Roy Ladurie, 1966, P. Deyon, 1967, etc.

28. P. Deyon, 1967, p. 7 sq., et graphiques p. 495.

29. P. Goubert, 1960, p. 65 sq.

30. Travaux du Centre de Recherches sur l'Histoire de l'Europe Moderne évoqués par R. Mousnier, C.D.U., s.d.

ment. En sens inverse, les professions libérales, les rentiers et sans doute, s'ils avaient été enregistrés, les gentilshommes, ont des taux d'immigrants voisins des niveaux les plus faibles. On ne saurait dire qu'aux deux extrémités de l'échelle professionnelle, ces écarts opposés se compensent complètement ; la masse numérique des basses classes sous-enregistrées tend donc à minimiser la moyenne car on vient plus souvent en ville pour y travailler que pour y vivre de ses rentes. Ainsi le taux général de 38,5 % était un minimum peut-être dépassé ; avec un volume de population salariée identique à celui que la ville abritait sous le ministère Fleury, par exemple, et sous l'empire des mêmes taux migratoires, la proportion viendrait s'établir à 40 %.

Que l'élément majeur de l'immigration soit le salariat, c'est ce qu'illustre encore mieux la répartition des âges à l'arrivée en ville (statistique sur 1 071 adultes de 1666 pour lesquels l'âge et la durée du séjour sont connus ; la période d'arrivée s'étale de 1580 à 1645).

Ages d'entrée (ans)	*Immigrants observés en 1666 (%)*
0 - 4	5,4
5 - 9	12
10 - 14	30
15 - 19	28
20 - 24	12,8
25 - 29	6,2
30 - 34	3,2
35 - 39	1,2
40 - 44	0,6
45 - 49	0,2
50 - 54	0,3
55 - 59	0,1

Exception faite des premières années de la vie où le jeune immigrant a suivi ses parents, les grandes périodes de déplacement commenceraient vers 12-14 ans avec le temps de l'apprentissage ou du placement pour s'achever après l'âge de la cristallisation professionnelle, vers 30 ans. Y a-t-il des raisons de penser que la base numérique de notre compte opéré, faute de mieux, sur la moitié des migrants, pervertit les proportions ? C'est peu probable ; plus on va vers des âges d'arrivée tardifs, plus l'événement était proche de la mémoire des déclarants ; en outre, la proportion relativement forte d'enfants en très bas-âge parmi les migrants plaide en faveur du déplacement des couples parentaux dès les premières années ; enfin il ne s'agit que d'adultes dans l'observation. La prise en compte de toute la population, si c'était possible, accentuerait encore l'importance des arrivées dans la deuxième décennie de la vie.

Donc mobilité des jeunes générations, stabilité des adultes et des gens âgés à moins qu'un mouvement de sens contraire que nous ne pouvons saisir les ait emportés en d'autres lieux. En tout cas, on peut avancer qu'une immigration appréciable existait déjà dans la génération des années 1630 ; lors du recensement de 1666, 20 % des bourgeois nés à Caen avaient des pères qui étaient eux-mêmes des arrivants (684 sur 3 396). Il faut retenir ainsi comme un mécanisme ancien, le rôle de la ville qui aspire, principalement des campagnes comme il sera vu plus loin, une main-d'œuvre juvénile, peut-être excédentaire aux champs, généralement inexperte de ses mains et dotée d'outils conceptuels très frustes. Beaucoup d'illettrés apparaissent en effet dans ces milieux en procès d'assimilation lente à la ville :

	Une croix pour signature	*Signature dessinée*	*Ecriture cursive*
Gens du dehors	824	857	469
Autochtones	734	1 300	1 250
Indéterminés : 92			

En pourcentage de chaque catégorie, les immigrants représentaient :

53 % des croix,
39 % des idéogrammes,
27 % des paraphes cursifs.

Sur ce fond de mobilité ancestrale, le XVIIIe siècle offre des traits originaux que nous allons étudier à l'autre frontière de notre espace chronologique, en 1798. Le recensement de l'an VI présente en effet dans les qualités comme les défauts, des analogies remarquables avec 1666 : notamment tous deux regardent la population masculine adulte.

Eh bien, en l'an VI, 51,8 % des citoyens sont des étrangers. Caen n'appartient plus à ses habitants autochtones, les immigrants ont conquis la majorité. L'événement manifeste des forces puissantes dans le tellurisme urbain, obscures cependant car il est vrai que les contemporains ne mesuraient pas nettement la dimension du phénomène même s'il se produisait avec une vigueur presque analogue dans les villes normandes plus modestes [31], mais peut-être beaucoup moins forte en d'autres régions de France pour commencer, sur les marches de l'Est, à Nancy ou Strasbourg [32] ou même en Occitanie, dans la capitale toulousaine étudiée par J. Coppolani [33]. Bref c'est encore la situation parisienne que suggère cette amplitude migratoire [34], comme déjà un siècle et demi plus tôt.

Mais les analogies avec 1666 s'arrêtent là. Des transformations qui pourraient bien être irréversibles se manifestent dans la structure du mouvement. En effet le statut professionnel révèle maintenant une très faible dispersion des niveaux de migration :

Catégories professionnelles	*Immigrants (%)*
Agriculture	43
Industrie, commerce (salariés)	51,5
Industrie, commerce (chefs d'entr.)	52,8
Services publics	50,8
Professions libérales	46,5
Rentiers	52,7

31. M. El Kordi, 1965, p. 111 sq.
32. P. Clémendot, 1965 ; Y. Le Moigne, 1965.
33. J. Coppolani, 1965.
34. *Contributions à l'histoire démographique de la Révolution française*, 1re série, 1962 ; 2e série, 1965 ; 3e série, 1970.

Les petits paysans bocains en quête d'un métier ne sont plus les seuls à arpenter les beaux plans de routes gravillonneuses qui débouchent tout à coup sur la vallée d'Orne. Mais en même temps qu'il affecte l'ensemble des statuts économiques, le mouvement change sans doute de nature ; il faudra étudier sa projection spatiale, il serait bien curieux qu'elle offrit les mêmes contours qu'au temps des fondrières et des brigands de la forêt de Saint-Sever [35].

D'ailleurs on présume d'autres rapports entre les migrations et la conjoncture, des liaisons finalement plus complexes que l'absorption brutale de main-d'œuvre salariée puisque l'écho se répercute maintenant dans tous les milieux. Ainsi la concomitance avec des faits économiques comme le mouvement des prix céréaliers, fort plausible, me semble devoir être moins radicale qu'on ne l'a dit en étudiant la ville voisine de Bayeux [36] où d'ailleurs la démonstration est peu probante en l'absence d'une étude par cohorte.

Le mouvement d'immigration qui écrête maintenant toute la société sourd de motivations autonomes. Les quinquets de la grand-ville, ses auberges et ses bouchons, ses embarras, son luxe, son anonymat, la compétition des talents qui s'y exercent, attirent les audacieux de ce grand pays demeuré paysan et les détournent peut-être plus qu'en d'autres nations européennes de courir l'aventure outre-mer. Que de « Découvertes australes », que d'« Iles flottantes » et de singularités, le monde rural tout rassasié de traditions, aperçoit-il en gagnant les villes ! Quelle illusion de liberté d'autre part, pour des citadins qui voudraient changer de port d'attache, et surtout quelle propédeutique culturelle et sociale : le compagnon y apprend de nouveaux savoir-faire, les servantes se muent en d'accortes soubrettes, les enfants s'y barbouillent de rhétorique. Toutes les œuvres littéraires du demi-siècle, des grands aux petits maîtres, nous renvoient l'image de ce rêve urbain si prégnant, dans son parfum de fruit défendu [37] et trois miroirs de la société jalonnent le chemin parcouru par les Français dans la tentation comme aussitôt dans le regret : Marivaux vers 1740, Rousseau vers 1760, Restif de La Bretonne dans les années 1780 [38].

En même temps que l'immigration gagne en étendue et en homogénéité dans la société, on observe à Caen sans surprise que l'échelle des âges à l'arrivée se desserre dans la période 1717-1778 où l'observation est complète pour les plus de vingt ans en 1798 :

35. Arch. dép. Calv., C 4393 ; dernières attaques de voitures dans les bois de Saint-Sever, Cerisy ou près de Vire, 1722, 1760, 1763.
36. M. El Kordi, 1965, graphique p. 112.
37. Quelques mots de ces problèmes dans J. C. Perrot, 1968. L'édition de *La Nouvelle Héloïse* en Pléiade contient des notes précieuses. M. Deloffre dans sa présentation des textes de Marivaux (chez Garnier) laisse généralement cet aspect de côté. Sur Restif, il y a tout à la fois trop et trop peu.
38. Marivaux, 1735-1736 ; J.-J. Rousseau, *La Nouvelle Héloïse,* 1761 ; E. Restif de la Bretonne, 1776.

Age d'entrée à Caen (ans)	*Immigrants en 1798 (1977 chefs de famille enregistrés sur 2012)* (%)
0 - 4	2,6
5 - 9	3,3
10 - 14	8,6
15 - 19	17,8
20 - 24	20,8
25 - 29	17,3
30 - 34	10,9
35 - 39	7,3
40 - 44	4,5
45 - 49	3,5
50 - 54	1,9
55 - 59	1,1
60 - 64	0,9
65 - 69	0,5

Certes, la migration d'apprentissage existe toujours, peut-être d'ailleurs décalée de quelques années vers l'aval. Certes les jeunes générations entre 15 et 29 ans demeurent les foyers principaux de mobilité et par conséquent l'entrée dans la vie professionnelle reste l'effet (ou la cause ?) du déplacement mais enfin c'est après cinquante ans seulement que l'ankylose des positions sociales tarit l'arrivée de nouveaux immigrants. Des traits identiques apparaissent d'ailleurs dans les sociétés contemporaines où les migrations sont justement, comme l'a montré G. Pourcher, un problème fort complexe[39]. Au surplus, avec le recensement de 1798, il n'est pas possible de mesurer tout ce qu'on voudrait : les premiers déplacements sont inaccessibles dans cet état démographique du moment et l'âge des immigrants à l'arrivée en ville n'est pas nécessairement celui du départ primitif ; enfin les mesures se font par rapport à la population d'accueil mais l'envers fait défaut.

Pour regagner, après cet utile détour, l'examen de l'évolution démographique urbaine, on est curieux de savoir maintenant ce qui a pu se passer entre 1666 et 1798.

Une première méthode d'approche consiste à poursuivre l'étude du recensement de l'an VI puisque la situation du moment intègre une grande partie du mouvement migratoire passé. Mais sans doute peut-on laisser tout de suite de côté la répartition brute de l'ancienneté de résidence en ville (ou ce qui revient au même, les arrivées selon le millésime) qui traduit essentiellement des faits de mortalité. Il n'est pas intéressant de prouver que les gens installés voici 50 à 60 ans sont moins nombreux que les nouveaux venus !

D'ailleurs on peut conjurer l'effet de la mort en rapprochant par tranche d'âge (ou millésime) les immigrants et la population totale qui survivent en 1798 dans la ville :

39. G. Pourcher, 1966 ; voir aussi D. J. Bogue et P. M. Hauser, 1965 ; sans oublier A. Girard, H. Bastide, G. Pourcher, 1964.

Année de naissance	*Age en 1798 (ans)*	*Immigrants/ Population totale (%)*
1773-1777	20 - 24	31
1768-1772	25 - 29	40,1
1763-1767	30 - 34	54,1
1758-1762	35 - 39	50,6
1753-1757	40 - 44	53,5
1748-1752	45 - 49	56,1
1743-1747	50 - 54	53,6
1738-1742	55 - 59	51,7
1733-1737	60 - 64	50,6
1728-1732	65 - 69	50,7
1723-1727	70 - 74	
1718-1722	75 - 79	48,5
1713-1717	80 - 84	

Ces résultats présentent un grand intérêt pour l'étude de la composition démographique de la ville. A supposer que la mortalité des deux groupes soit analogue[40], on peut lire notamment que les plus fortes proportions d'étrangers ne peuvent pas se rencontrer dans les groupes d'âge où s'opèrent les immigrations maxima, mais au-delà lorsque se font sentir les taux cumulés d'entrées aux divers stades de la vie. Mais précisément pour l'analyse du mouvement urbain, les proportions ci-dessus contiennent une variable de trop car la durée pendant laquelle a pu se dérouler la migration varie pour chaque groupe d'âge.

Un second tableau est donc nécessaire. Il va rapprocher les immigrants en fonction des périodes d'arrivée et la population totale attestée au début de chacune des mêmes époques.

Avant de procéder au calcul, il est nécessaire d'analyser à quelles conditions les données dont nous disposons permettront de reconstituer un taux d'immigration réel par période.

A) On sait déjà que le recensement de 1798 ne concerne que les personnes de sexe masculin. En fondant nos calculs sur cette base, nous obtiendrons des rapports d'immigrants hommes à la population masculine. Mais qu'en était-il des femmes ? Il est heureusement possible de comparer la mobilité des deux sexes en examinant, dans l'état civil, la proportion des conjoints nés hors de la ville et y résidant au moment de leur mariage, par rapport à l'ensemble des époux et épouses domiciliés ; et pour plus de sûreté, on n'utilisera que les premières noces car les remariages ne se distribuent pas indifféremment entre les sexes ni peut-être selon l'origine géographique :

40. C'est aussi l'hypothèse retenue dans les travaux de G. Pourcher, 1966, p. 369. On reviendra sur cette question au cours de ce chapitre.

Périodes	*Hommes*	*Femmes*
1740-1749	14	14,3
1750-1759	24,5	23,2
1760-1769	32,3	29,5
1770-1779	39	38,2
1780-1789	42,8	43,7

On constate donc que jusqu'à l'âge du mariage (dont le mode est situé, nous le verrons plus tard, entre 25 ans et 30 ans, c'est-à-dire également après les périodes de la vie où les migrations sont les plus fréquentes) la propension à venir habiter Caen est remarquablement identique chez les hommes et les femmes. Les premiers l'emportent légèrement en trois décennies, les secondes en deux ; sauf une fois (10 %) les écarts n'arrivent pas à 5 %. C'est pourquoi on peut s'en tenir sans inconvénient aux immigrants masculins pour calculer des taux généraux.

B) On sait aussi que le dénombrement n'atteint que les hommes d'au moins 20 ans (c'est-à-dire ceux qui sont nés avant 1778). Les proportions de migrants qui pourraient être avancées pour les années postérieures sont donc frappées d'un déficit qui comprend les individus nés en 1779, immigrants de 0 à 19 ans, les individus nés en 1780, immigrants de 0 à 18 ans, ceux de 1781 venus de 0 à 17 ans, etc. Il est possible de corriger cette lacune en attribuant aux nouveaux venus, nés après 1778 la même répartition par âge à l'entrée en ville qu'à leurs aînés immédiats. Ainsi on majorera les volumes bruts de migration tirés du recensement de 26,4 % pour la décennie 1778-1787 et de 5,9 % pour 1788-1797, conformément à la table transcrite plus haut. Mais cette opération est-elle légitime ? Oui, dans la mesure où la ventilation des âges à l'entrée est un phénomène structural qui défie les temps courts.

C) Il existe une troisième difficulté car le rôle de 1798 n'enregistre pas la totalité des citoyens les plus modestes. Cette lacune n'est cependant pas susceptible de faire varier les taux de migration puisque l'analyse par secteur professionnel a montré que les proportions dans la catégorie la plus défavorisée (salariés de l'industrie, du commerce et des services) étaient pratiquement analogues aux données d'ensemble : 51,5 % contre 51,8 %.

D) Inconvénient supplémentaire : les dates d'entrée sont reconstituées à partir de l'ancienneté de résidence exprimée en années. L'attraction des nombres ronds agglutine une partie des migrants autour des durées 10, 20, 30 ans... L'usage de moyennes mobiles aurait pu compenser cette torsion, mais sans profit pour une étude à l'échelle annuelle. J'ai donc préféré me borner à considérer des périodes décennales qui éliminent la difficulté.

E) Enfin les deux dernières hypothèses imposées par les données tiennent aux obstacles qu'on rencontre dans toute étude de survivants. On suppose d'abord que la mortalité est la même chez les immigrants et les indigènes. Mais puisque les arrivées atteignent maintenant des parts sensiblement égales de chaque catégorie professionnelle, il n'y a pas de crainte que des taux différentiels selon les milieux sociaux bouleversent les résultats. Les arguments avancés en sens contraire par le R. P. Mols [41] sont vagues et se réfèrent dans les meilleurs des cas à la mortalité professionnelle justement.

F) A côté des sorties par décès, il existe en outre un déficit dans l'observation provoqué par l'émigration antérieure à la date du recensement. Pour que nos documents soient entièrement utilisables, il faut supposer que la propension au départ est identique chez les entrants et chez les autochtones. Sans nier l'existence de relais migratoires, occurrence surtout plausible dans le cas des villes modestes, c'est admettre que ceux qui partent ne sont pas nécessairement ceux qui sont venus.

On pourrait essayer de vérifier cette hypothèse par des sondages dans l'état civil régional, à condition d'avoir la certitude que tous les domiciles extérieurs précédents des migrants ont bien été enregistrés, mais comme c'était la catholicité des gens dont on voulait s'assurer (par exemple lors du mariage) on retenait surtout la paroisse d'origine (pour l'acte de baptême) et le dernier séjour (pour la pratique des sacrements). Je substituerai donc à cette vérification un autre contrôle que je crois intéressant. Il s'agira de savoir si les migrants sont aussi enracinés dans leur domicile caennais que les autochtones ; s'il en était ainsi, l'assimilation du point de vue de la mobilité serait prouvée.

L'expérience concernera les premiers mariages féminins. Les domiciles des filles sont toujours attestés avec rigueur ; au surplus on a souvent écrit qu'elles se déplaçaient plus volontiers que les garçons [42].

Dates	*Filles originaires de Caen*		*Filles nées hors de Caen*	
	1er changement en ville (%)	*2e changement en ville (%)*	*1er changement arrivée en ville (%)*	*2e changement en ville (%)*
1740-1749	1,9	0	100	0,3
1750-1759	3,6	0	100	1,1
1760-1769	3,7	0	100	1,2
1770-1779	7,6	0	100	0,8
1780-1789	12,3	0	100	0,7

Ce tableau montre que la propension des immigrantes à un second déplacement en ville est très faible (jamais plus de 1,2 % des arrivantes) et voisine de celle des indigènes qui est, elle, presque nulle. L'impression est très forte que les étrangères adoptent à leur arrivée le comportement qu'elles trouvent sur place. Il est très plausible d'admettre qu'il en allait de même dans le cas d'un déplacement hors de Caen, sauf à fournir la preuve du contraire ; mais un doute subsiste.

41. R. Mols, 1954-1956, t. 2, pp. 339-393.

42. Sauf mention explicite et contraire, le mariage se déroule toujours à Caen, dans la paroisse de la fiancée. L'Edit de mars 1697 fixe une loi civile moins sévère que la coutume et permet le mariage dans la paroisse de fait d'un des époux. Cf. Le Ridant, 1753, « De l'empêchement de la clandestiné », section XII, p. 277 sq.

Bref les deux dernières hypothèses peuvent se résumer simplement. Pour chaque année x, $x + 1$, $x + 2$, ... nous avons un nombre d'immigrants $I = i\,1$ survivants en 1798 + $i\,2$ décédés (dans les années 1798 — x) + $i\,3$ émigrés (dans les années 1798 — x). En x de même une population totale P. $P = p\,1$ survivants + $p\,2$ décédés + $p\,3$ émigrés.

Les hypothèses envisagées signifient que :

$$\frac{i\,2 + i\,3}{p\,2 + p\,3} = \frac{i\,1}{p\,1} \quad \text{et que} \quad \frac{i\,1}{p\,1} = \frac{I}{P}$$

Dans la mesure où nos six conditions sont bien établies, le tableau ci-après apporte une esquisse du taux de migration décennal calculé à partir de la population au début de chaque période.

Dates	*Immigrants*	*Population attestée en début de période*	*Majoration (cf. condition B) (%)*	*Taux des entrées (%)*
1788-1797	689	3 134	5,9	23,2
1778-1787	428	2 698	26,4	21
1768-1777	421	1 941		21,1
1758-1767	269	1 128		23,8
1748-1757	132	598		22
1738-1747	45	191		18

Deux périodes d'activité migratoire plus intense apparaissent : la première est contemporaine de la guerre de Sept Ans ou de ses lendemains immédiats, la deuxième est celle de la Révolution. Ces apogées sont préparés depuis la fin de la première moitié du siècle par une croissance régulière des volumes d'immigrants que le ralentissement de la fin de l'Ancien Régime ne résorbe pas entièrement, si bien qu'une fois atteint le palier des 2 % de moyenne annuelle interdécennale, le mouvement ne reviendra pas en arrière et somme toute ce dernier présente une régularité que n'aurait jamais pu identifier l'observation brute des arrivées. Comparés aux proportions d'étrangers résidents lorsqu'ils se marient (voir la discussion en A), ces taux permettent quelques remarques de plus. On est frappé de voir que les volumes relatifs d'étrangers qui se marient à Caen augmentent beaucoup plus fortement que l'ensemble des migrants, ce qui permet d'augurer une diminution du célibat chez ces derniers sans qu'on puisse la chiffrer précisément par millésime puisque les âges au mariage ne sont pas connus dans tous les cas.

Au lieu d'utiliser des périodes décennales, il est possible de reprendre la chronologie des recensements pour établir un modèle de l'évolution démographique de Caen dans le cadre des hypothèses A à F. Le voici :

	1753-1774	*1775-1789*	*1790-1795*
Evolution selon les recensements	+ 8 858	— 3 063	— 2 799
Mouvement naturel	+ 1 526	— 430	+ 1 211
Solde migratoire d'après les données précédentes	+ 7 332	— 2 633	— 4 010
Rapport des immigrants de chaque période à la population finale correspondante [43]	21,7 %	25 %	5,8 %
Résultats numériques :			
Immigrants	8 824	9 949	2 029
Ordre de grandeur de l'émigration déduite de l'immigration et du solde	1 532	11 082	6 039

Divers autres modèles de balance générale pourraient être proposés en faisant varier l'hypothèse F (par exemple : les immigrants ont une propension au départ 10 %, 20 %, 30 % plus ou moins forte que les autochtones, etc.) mais dans l'état actuel des recherches, il n'y avait pas moyen de les vérifier ; je me bornerai donc au commentaire du tableau précédent dont j'ai éprouvé, victorieusement je crois, les présupposés.

L'ampleur des déplacements surprend tout le monde. On peut alimenter cette réflexion en transcrivant le mouvement moyen annuel entre les périodes de recensement :

	Entrées annuelles moyennes	*Sorties annuelles moyennes*
1753-1774	422	73
1175-1789	630	740
1790-1793	507	1 500

Si les hypothèses énoncées plus haut sont exactes, la nature de l'émigration diffère donc profondément du mouvement de sens contraire par l'intensité de ses variations comme leur brusquerie. Sans doute y a-t-il des causes permanentes d'émigration au premier rang desquelles figurent les mariages des filles de la ville avec des époux étrangers non domiciliés qui ne s'installaient certainement pas tous à Caen par la suite. Le phénomène est parfaitement connu, relativement stable et faible :

43. On a pris les périodes finales pour que les calculs numériques portent sur les recensements solides de 1775, 1790 et 1793 au lieu d'utiliser d'abord l'estimation de 1753.

Dates	*Moyenne annuelle de tels mariages*	*Dans l'ensemble des premières noces (%)*
1740-1749	40	17
1750-1759	33	13
1760-1769	33	12,5
1770-1779	42	15
1780-1789	36	12

Le placement des enfants à la campagne est une autre raison de départ continu et l'on sait qu'il ne s'agit pas toujours d'une migration temporaire car il y a bien des décès pendant les mois de nourrice. Ce mouvement échappe entièrement à la statistique s'il relève de l'initiative individuelle, mais il est saisi avec précision au sein des organismes hospitaliers d'assistance. Les enfants abandonnés sont élevés dans quelques paroisses du Bocage Virois dont nous reparlerons. Il suffit d'observer ici que la moyenne annuelle par période décennale de ces nourrissons recueillis ne cesse de croître et de même par conséquent les départs définitifs de ceux qui, malmenés par un premier abandon, la vie collective et le voyage ne survivront pas :

	Moyenne annuelle
1740-1749	42
1750-1759	63
1760-1769	103
1770-1779	156
1780-1789	254

Ainsi dans la période 1753-1774, il est très probable que ces deux sources constantes d'émigration ait constitué la majeure partie du mouvement des départs. Mais après quelle différence ! Phénomène pulsé, espèce de ressac de l'économie, le volume des sorties marquerait sa sensibilité à l'événement, à l'inverse de l'afflux nourricier immigrant. En voudrait-on un exemple limite ? Je citerais l'exode des étudiants à la fermeture des quatre facultés en 1791 ! Au bout du compte, l'essor urbain se produisait lorsque la ville savait retenir ses habitants, ainsi dans le troisième quart ascendant du XVIIIe siècle. La décadence, au sens propre une hémorragie, s'amorça temporairement avec les années déséquilibrées de la monarchie en déclin et les débuts périlleux de la Révolution. Une fois de plus, c'est la nécessité de recourir aux explications économiques, sociales et politiques qui s'impose à ce tournant de l'analyse.

III. LE RETOURNEMENT DE LA TENDANCE DÉMOGRAPHIQUE URBAINE

Auparavant il faut forcer la lumière sur deux aspects de la population urbaine encore obscurs; l'un, chronologique, concerne le moment exact du retournement de la tendance ; l'autre, numérique, regarde la population flottante.

C'est le hasard des dates de recensement qui articule en 1775 le passage de l'essor au recul de la population et préciser d'abord les véritables scansions temporelles du volume urbain n'est pas chose commode. Impossible de se fier aux suggestions du mouvement naturel qui n'a aucun rôle inducteur ; impossible d'utiliser non plus le mouvement d'immigration qui fonctionne comme un flux passablement constant. L'analyse des quantités d'émigrants serait indispensable, mais comme celles-ci ont été obtenues par soustraction à la date des recensements, voici l'impasse. A moins de retrouver indirectement l'effet des changements volumétriques humains par l'observation d'un champ extérieur et covariant à la population. Il est clair que le domaine de l'urbanisme remplit parfaitement ces conditions.

Deux sortes d'indicateurs sont souhaitables : celui des constructions ajoutées, celui des logements vacants. Aussi exorbitantes que soient de pareilles exigences documentaires, le précieux parcellaire élaboré de 1750 à 1789 pour la levée des vingtièmes des biens-fonds et nourri d'une expérience antérieure considérable — rôle des propriétaires de 1693[44], rôle des dixièmes de 1734[45] — contient tous les éléments de réponse[46]. Les conditions générales de la fiscalité caennaise sont déjà connues[47] mais il s'agit ici d'utiliser les contrôles systématiques d'immeubles entrepris à Caen et dont la mention, accompagnée de références et de pièces justificatives (actes notariaux et contrats divers), figure à la colonne des observations.

Chaque construction ou reconstruction immobilière qui affecte, d'abord en l'obérant, puis en le valorisant, le revenu du propriétaire est mentionnée par les contrôleurs. Chaque vacance temporaire, toute démolition définitive (par vétusté, incendie) qui l'anéantit est signalée par le propriétaire. D'ailleurs, il est peu de domaines où la dissimulation soit plus difficile. Mais attention, les deux séries qui découlent de ces données n'entretiennent pas les mêmes rapports avec les faits de population.

Le volume des constructions immobilières, exprimé en revenus locatifs, se répartit ainsi par tranches de cinq ans[48] :

44. Arch. mun. Caen, CC 59. L'Edit du roi d'août 1692 confirmait les privilèges de franc-alleu, franc-bourgage et franche bourgeoisie à tous les propriétaires moyennant le paiement d'une année de revenus. Le rôle de Caen fut levé en application d'un arrêt du Conseil du 5 mai 1693 pour un montant de 75 000 livres avec les 2 sols/livre sur les roturiers comme sur les privilégiés. Ordonnance d'exécution de Foucault, l'intendant, le 23 juin 1693.

45. Arch. dép. Calv., C 4942 sq.

46. *Ibid.*, C 5514 : Vingtièmes de Caen, 1750-1758 ; C 5515 : 1760-1765 ; C 5516 à 5527 : 1764 à la fin de l'ancien régime. La liaison d'un registre à l'autre est assurée par des numéros de rappel. D'ailleurs le rôle de 1764 fournit dans une première colonne l'état des revenus mis en recouvrement en 1760, fruit de la dernière mise au point de la minute utilisée entre 1749 et 1759 et arrêtée le 19 décembre 1758.

47. J. C. Perrot, 1966 b.

48. On est passé du revenu fiscal au revenu locatif réel grâce aux très nombreux contrôles exercés sur les baux et intéressant toutes les paroisses de la ville. Le rapport moyen entre les deux est de 45 %. Je reviendrai sur cette question en traitant de l'évolution des revenus.

Dates	*Livres*
1755-1759	4 440
1760-1764	8 580
1765-1769	17 130
1770-1774	57 770
1775-1779	28 770
1780-1784	25 350
1785-1789	5 280 [49]

La poussée du bâtiment s'exerce donc régulièrement jusque vers les années 1770 ; dans les cinq années suivantes, une brutale accélération du rythme porte les constructions à un niveau qui ne sera plus atteint. Cette fièvre s'éteint à travers deux paliers inégaux 1775-1784 et 1785-1789. Mais la netteté du renversement qui se dessine en 1775 ne permet pas de conclure à celui de la démographie. Car l'urbanisme manifeste une triple inélasticité devant l'essor des populations.

La première tient aux délais nécessaires à la construction. L'examen des dossiers d'édifices publics et parallèlement, les contrôles de vingtième montrent qu'un laps de temps de trois à quatre ans au moins était nécessaire à la réalisation d'une maison de moyenne importance. La deuxième indétermination introduit un jeu plus ouvert encore : elle tient à la situation économique générale. En matière de logements comme ailleurs, il ne suffit pas que des besoins se fassent sentir pour qu'ils soient satisfaits. Des réserves d'argent doivent être disponibles ; si le gain attendu n'est pas attrayant, c'est-à-dire si le taux des loyers ne l'emporte pas largement sur celui de l'argent, l'épargne peut s'orienter vers la terre, le commerce ou la thésaurisation. Bref, l'évolution des constructions dépend aussi de la structure passagère de l'économie et c'est peut-être à ce troisième moteur que se rattachent indépendamment l'un de l'autre l'essor de la population et celui du bâtiment entre les années 1750 et 1770.

Au surplus il existe une indépendance plus fondamentale encore puisqu'une part des nouveaux habitants ne se présente pas même sur le marché de la demande de logements et s'entasse certainement dans les vieilles bâtisses et les courettes du centre de la ville, comme le montrera l'étude de la densité par secteurs. Bref, s'il y a coïncidence des mouvements longs de la construction et de la population, nulle garantie de parallélisme ni de proportionnalité n'existe dans le court terme. L'instrument n'est pas précis.

Aussi bien faut-il passer sans tarder à l'examen de la deuxième série statistique, celle des vacances d'immeubles. Elle présente des garanties beaucoup plus fortes de restituer sans délai et sans intermédiaire causal le mouvement de repli de la population. En somme le lien des deux phénomènes est l'inverse du précédent : sensibilité dans le court terme, tandis qu'à longue échéance un certain desserrement des îlots plus peuplés doit faire disparaître les vides par le jeu d'un affaissement du prix des baux. Et cette fois, la démonstration est éclatante, elle sera d'ailleurs confirmée plus tard surabondamment par l'examen des revenus immobiliers :

49. Voir la figure relative aux constructions et aux biens inoccupés.

Revenus locatifs des maisons vacantes

Dates	*Livres*
1755-1759	0
1760-1764	0
1765-1769	580
1770-1774	7 380
1775-1779	11 940
1780-1784	39 900
1785-1789	54 660

La décrue s'amorce sérieusement, on le voit, dans ce même quinquennat où culminaient les constructions terminées. Et comme les maisons désertées sont anciennes (voir les registres de vingtièmes) il n'est pas possible d'invoquer le coût du loyer comme un frein à l'occupation. C'est bien la traduction d'un changement de cap dans les mouvements migratoires. Il nous semble donc qu'au moment où le recensement de 1775 permet de fixer le visage démographique urbain et d'établir les balances d'entrées et de sorties, depuis peu de temps déjà, deux ou trois ans peut-être, le sommet était franchi, la pente descendante s'amorçait. En tout cas, il s'agissait de définir de plus près une chronologie que les recensements fixaient au hasard, c'est chose faite.

IV. LA POPULATION TEMPORAIRE

L'étude de la population flottante rencontre des difficultés presque insurmontables et pose d'abord un problème de définition.

L'examen des dénombrements au chapitre précédent éclaire l'idée que le XVIIe et le XVIIIe siècle se faisaient de la population stable. Les agents bénévoles, commissaires ou officiers municipaux entendaient surtout connaître la population domiciliée de façon continue c'est-à-dire plus de six mois consécutifs : ils tenaient compte par exemple de l'effectif des communautés religieuses (recensement des gabelles et suivants), des étudiants en chambre et apprentis (rôle des bourgeois de 1666, recensement de 1775), des invalides du château, prisonniers en geôle, malades des hôpitaux et, après leur installation, des enfermés de la maison de force (1775). N'étaient pas même oubliés les pauvres honteux ou mendiants explicites, domiciliés en des masures de fortune, notamment dans les carrières.

En revanche, l'usage d'Ancien Régime fut de ne jamais retenir dans les recensements les voyageurs ou les soldats et officiers en quartier d'hiver ou à l'étape. Pas de preuve, non plus, que les miliciens ou les troupiers de corps réglés soient compris comme absents temporaires. Le régiment est la véritable patrie du soldat et cette patrie-là possède par ailleurs son « dénombrement » : le contrôle de troupe. Tandis que les autorités révolutionnaires, lors de la conscription, se trouvèrent, les premières, aux prises avec cette difficulté. Elles la résolurent de façon uniforme en ouvrant, en chaque lieu, une rubrique spéciale de « soldats aux frontières ». En postulant qu'ils reviendraient à leur domicile, la Révolution assimilait ainsi les soldats aux migrants temporaires ; elle les réintégrait en sorte dans la société civile, corollaire de la Nation en armes. Bref, les problèmes viennent de l'Ancien Régime et l'on souhaiterait à ce propos deux genres d'éclaircissements : l'ampleur du recrutement qui faisait s'échapper pour plusieurs années à tout le moins certains jeunes gens de la ville ; et facteur plus considérable en démographie urbaine : les fluctuations de la garnison.

Sur le premier plan, j'ai bénéficié de l'aide de M. A. Corvisier dont on connaît les travaux sur la société militaire [50]. Son enquête de 1763, à l'issue de la guerre de Sept Ans, portait sur vingt-huit bataillons d'infanterie et huit régiments de cavalerie et dragons, soit le 1/6e et le 1/7e des effectifs ; elle laissait de côté l'artillerie, corps relativement modeste, et la marine (mais l'inscription maritime de Caen, comme les recensements, montrent la rareté des matelots). A l'apogée numérique de l'armée royale, le tableau des soldats de Caen se présente ainsi dans le sondage :

Notre-Dame	2	Saint-Michel-de-Vaucelles	8
Saint-Etienne	3	Saint-Nicolas	7
Saint-Georges	0	Saint-Ouen	3
Saint-Gilles	5	Sainte-Paix	1
Saint-Jean	16	Saint-Pierre	23
Saint-Julien	4	Saint-Sauveur	3
Saint-Martin	2	Total	77

Voilà peut-être 400 hommes ou 450 éparpillés dans l'ensemble des régiments et dont l'engagement s'échelonne sur une quinzaine d'années antérieures. Mais c'est une situation exceptionnelle ; comme le montre l'ouvrage de A. Corvisier, le contrôle de 1737 fait apparaître des effectifs inférieurs des trois quarts. On peut admettre que hors temps de guerre la vie militaire retenait au loin une dizaine d'hommes par an.

Pour juger en sens inverse du rôle de la cité comme ville de garnison, les documents ne semblent pas manquer et de volumineux dossiers relatifs au casernement encombrent les archives de l'intendance [51]. En réalité, tout y est confondu de façon inextricable : les sergents en tournée de recrutement, les petits détachements de la remonte, les quartiers d'hiver, les passages de régiment, les garnisons de plusieurs années. Tout défie l'analyse précise sauf en l'année 1789 que M. Besnier a scrutée avec minutie pour son importance politique [52].

Les possibilités de logement, beaucoup mieux connues, rendent compte toutefois des maxima. Jusqu'à la mi-temps du siècle, les régiments de passage sont cantonnés dans les loges du champ de foire, ce qui ne va pas sans charger les bourgeois lorsque le commerce doit en disposer. Alors « les uns sont obligés de se découcher, les autres font un effort pour louer un lit 4 ou 5 livres par mois et tous sont accablés » résume l'intendant en 1759 [53]. Dans ces conditions,

50. A. Corvisier, 1964.
51. Arch. dép. Calv., C 2173 sq., 2455 sq., 6582 sq.
52. M. Besnier, 1948-1951.
53. Arch. dép. Calv., D 79, Lettre du 19 janvier 1759 à M. de Brassac, maréchal de camp.

l'effectif absorbable ne dépassait guère 400 à 500 hommes en quartier d'hiver et les échevins parvenaient généralement à obtenir leur départ définitif pour la grande foire de Pâques. L'édification des casernes depuis les années soixante constitue un aspect passionnant de l'urbanisme et des mœurs sociales en contribuant à isoler l'armée, j'y reviendrai ; observons qu'elle élargit les possibilités d'accueil militaire comme le résume un état du logement des troupes de 1778 [54].

Pavillon des officiers	16 personnes	(16 lits)
Petite caserne	62 hommes	(31 lits)
Grand corps	792 hommes	(264 lits)
Pavillon Fontette	237 hommes	(80 lits)
	et	
	2 lieutenants	
Château	3 officiers	
	114 hommes	(57 lits)
Total	1 226 hommes	

Désormais la situation n'évoluera plus jusque sous l'Empire. L'espace gagné permet au plus de desserrer les chambrées. La garnison habituelle, déclare le préfet en 1811, est de 1 216 hommes [55]. Bon an mal an, 2 % à 3 % de soldats s'ajoutaient donc à la population urbaine et l'armée formait en ville un corps équivalent à celui des écoliers des quatre facultés, auquel elle disputait du moins le record des tapages nocturnes.

L'entrée de la belle jeunesse en armes, les timbales et les fifres de Vaussieux lors de l'expédition d'Amérique, faisaient tourner la tête de plus d'une Normande. Beaucoup d'anciens soldats sont revenus épouser les filles de Caen, de même beaucoup de canonniers du château. Cette population naguère flottante, s'est-elle stabilisée par ses attaches familiales ? Le livre de A. Corvisier permet d'en douter, qui voit dans l'armée l'école de la mobilité. En tout cas, cette voie d'intégration n'était pas négligeable comme le montre la statistique décennale des mariages de soldats et bas-officiers dans les paroisses de Caen :

1740-1749	37
1750-1759	77
1760-1769	83
1770-1779	60
1780-1789	122

Le véritable obstacle à la connaissance des populations flottantes n'est évidemment pas le fait des armées, souvent pionnières de la statistique, mais du vagabondage, de l'errance. Ce phénomène social présente les contours les plus indécis. Comment distinguer précisément les vagabonds des voyageurs les plus pauvres, ceux qui errent sans but de ceux qui font leur tour de France. D'ailleurs certaines coutumes économiques : les moissons en campagne, les foires en ville, attiraient à la fois des travailleurs en déplacement régulier et cyclique, des chômeurs occasionnels, des errants « professionnels ». Les migrations temporaires forment d'autre part une section intéressante de l'histoire économique,

54. *Ibid.*, C 2208.
55. Arch. nat., F 1 C III, Calvados, 13.

un peu mieux connue depuis l'Empire [56] ; pourtant il ne s'agit pas de cela en ce moment, mais des gens sans aveu, soit pour reprendre le vocabulaire des recensements : ceux qui n'avouent aucun domicile. La plupart d'entre eux n'avaient pas de ressources fixes ; on les a souvent confondus avec les mendiants ; cependant les deux notions ne se recouvrent pas en droit car on peut concevoir des vagabonds qui travaillent de place en place pour leur subsistance tandis qu'il existe de nombreux mendiants domiciliés.

La législation royale, dans ses proclamations comme ses repentirs, montre un effort pour démêler ces confusions et sortir du sentiment sommaire que tout vagabond est un mendiant et tout mendiant un voleur en puissance, en somme un gibier de potence. C'est le XVIIe siècle qui avait généralisé les maisons de pauvres où l'on se proposait d'enfermer vagabonds ou quêteurs et de les faire travailler. L'opération, conduite à Caen par les robins qui entouraient Jean Eudes, revêtit un aspect de sauvetage religieux explicite et d'exploitation économique inconsciente qui offre bien des parentés avec le modèle anglais [57]. En fait tout au long des âges, la pénurie financière tempéra fortement les principes ; la répétition des textes législatifs dénonce la persistance du problème. Edit royal de 1724, ordonnance de l'intendant de 1730 : les vagabonds quitteront les églises, les rues des villes ; les archers des pauvres se saisiront des récalcitrants [58] — non sans mal d'ailleurs car les recors se faisaient souvent rosser [59]. De toute façon, les vagabonds étaient trop nombreux : une instruction de 1741 précisa qu'en temps de presse, on ne les garderait pas plus de quinze jours, mais qu'on leur rendrait désagréable la relégation pour leur retirer l'envie de récidiver [60].

La déclaration de 1750 analysa le phénomène avec beaucoup plus d'attention et proposa une thérapeutique par palier. On cherchait surtout à faire disparaître le vagabondage en contraignant les déracinés à revenir au lieu de leur naissance ; en somme que chacun reconnaisse les siens. Une sévérité particulière (les galères pour les hommes, le fouet pour les femmes) frappait les simulateurs : faux estropiés, faux soldats, tandis que les ouvriers saisonniers étaient explicitement exceptés de la loi, ce qui indique *a contrario* de fréquentes confusions de fait. Mais avant tout, la mendicité, phénomène beaucoup plus irrépressible que la mobilité géographique, fut pratiquement tolérée dans le lieu du domicile ; d'ailleurs, comme l'avait expliqué peu avant Saint-Florentin à l'intendant, il y avait mendiants et mendiants, il convenait de mettre les chômeurs à l'abri d'une arrestation [61] ; ces instructions, on le sait, furent soigneusement transmises aux brigades de maréchaussée, chargées des arrestations.

C'est bien les errants que vise plus directement encore la déclaration de 1764, rédigée au lendemain de la guerre dans un pays fourmillant de soldats en congés absolus. A leur arrestation, les infirmes, les filles, les femmes seraient enfermés, les enfants iraient dans les hôpitaux et tout ce qui est

56. Réponses des préfets au ministre de l'Intérieur, Arch. nat., F 20 434, Calvados, Eure, Manche ; *ibid.*, F 20 435, Orne, Seine-Inférieure.

57. Arch. dép. Calv., H sup. ; Arch. mun. Caen, BB, Délibérations municipales.

58. Arch. dép. Calv., C 6479.

59. *Ibid.* Trois mendiants sont au cachot pour avoir blessé un archer.

60. Arch. dép. Calv., C 592.

61. *Ibid.*, C 593, texte de la Déclaration du 20 octobre 1750 ; et dans C 602, Lettre du 5 mars 1750.

valide, de 16 à 70 ans, aux galères. Un arrêt du Conseil dut avouer en 1767 que ces décisions n'étaient pas applicables [62] et les circulaires de Laverdy (1768) rappelèrent ouvertement la distinction vagabondage/mendicité [63]. Les instructions aux deux brigades de Caen furent en réalité plus précises encore [64] : le périmètre toléré pour les mendiants domiciliés se restreignit à une demi-lieue à l'entour, la durée du séjour à six mois. D'ailleurs, l'ambition de Versailles allait à constituer un fichier national des vagabonds [65], jalon extrêmement intéressant de la centralisation et de la pesée du pouvoir sur la société si fluide d'autrefois, en même temps prélude au dénombrement général des peuples.

L'imagination politique prit brièvement le pouvoir avec Turgot. De novembre 1775 à mai 1776, il n'était bruit que d'élargir les vagabonds captifs, de fermer les maisons de force, de bannir la violence des rapports sociaux par la suspension des captures [66], d'associer les travailleurs des ateliers au produit net en créant des compagnies d'ouvriers provinciaux. Le retour au *statu quo ante* sanctionna, à quinze jours près, la disgrâce du ministre [67] et désormais les arrestations reprirent leur train ; il n'est rien moins que prouvé d'ailleurs que la clémence ait eu le temps de se faire sentir localement. L'ordonnance du roi du 30 juillet 1777 [68] retrouvait les termes de celle de 1764 et en 1790 encore, la chasse aux vagabonds s'efforça de faire le vide dans la région parisienne [69].

Nonobstant les cinq mois de 1775-1776, la législation du vagabondage présente donc une remarquable homogénéité du milieu du siècle à la fin de la monarchie. Mais en dressant la statistique des arrestations en flagrant délit qui vous conduisent tout droit aux geôles de la prévôté avant l'élargissement ou le transfert à la Force, que mesurons-nous [70] ? Moins sans doute le niveau absolu du vagabondage qu'une construction statistique mixte, où se composent le rythme propre des marées d'errance qui battent les murs de la ville et plus amplement modulé, celui de la répression sociale du phénomène : une donnée de la sensibilité collective. Une certaine malice du chiffre repose dans ces tableaux décennaux :

Flagrants délits de vagabondage dans le ressort des deux brigades de Caen

1750-1759	44
1760-1769	308
1770-1779	476
1780-1789	404

62. Arch. dép. Calv., C 595, Arrêt du 21 octobre 1767.

63. *Ibid.*, C 605, Lettre de l'intendant de Caen du 7 octobre 1767 et réponse de Laverdy le 21 janvier 1768.

64. *Ibid.*, C 606, Instruction du 20 juillet 1768.

65. *Ibid.*, Lettre du contrôleur général du 27 décembre 1768 : « que toutes les déclarations faites dans les divers dépôts soient réunies dans un seul bureau ».

66. G. Schelle, 1913-1923, t. 4, pp. 515-520. Correspondance de Turgot des 21, 22, 27 novembre et 11 décembre 1775.

67. Arch. dép. Calv., C 613, Lettre du contrôleur général aux intendants, le 29 mai 1776.

68. *Ibid.*, C 595.

69. *Ibid.*, Lettres Patentes du Roi sur le décret de l'Assemblée nationale le 30 mai 1790. Beaucoup d'études négligent la distinction entre mendicité et vagabondage ; cf. F. Mourlot, 1902. Pour Paris et la région parisienne, récemment deux études neuves : M. Vovelle, 1961 et J. Kaplow, 1967.

70. Ecrou de la prison de Caen, Bailliage criminel, Arch. dép. Calv., 1 B 1872 et

Ainsi doit-on dire que l'errance a décuplé ou qu'elle est devenue dix fois plus intolérable ? En réalité la deuxième proposition fixe des structures mentales, la première rend compte des événements. C'est pourquoi la répartition annuelle des arrestations présente de l'intérêt :

Dates	*Hommes*	*Femmes*	*Total*
1750	5	3	8
1751	2	0	2
1752	2	0	2
1753	10	0	10
1754	2	1	3
1755	2	0	2
1756	6	3	9
1757	0	0	0
1758	5	1	6
1759	2	0	2
1760	19	0	19
1761	2	0	2
1762	5	0	5
1763	2	0	2
1764	13	0	13
1765	9	0	9
1766	18	0	18
1767	28	4	32
1768	73	22	95
1769	71	40	111
1770	47	31	78
1771	30	24	54
1772	40	11	51
1773	53	9	62
1774	20	3	23
1775	35	10	45
1776	32	9	41
1777	43	5	48
1778	27	9	36
1779	26	12	38
1780	28	7	35
1781	21	2	23
1782	23	4	27
1783	55	6	61
1784	45	2	47
1785	19	3	22
1786	33	5	38
1787	34	4	38
1788	54	17	71
1789	39	3	42

Ce tableau montre combien la législation royale est fille du moment, en dépit de son intemporalité de langage. Ainsi les décisions de 1766 venaient après trois années de crue du vagabondage ; celles de Turgot pouvaient réussir dans l'étiage des années 1775.

Mesure absolue ou relative du phénomène ? Il est trop délicat d'en décider ; en tout cas il est sûr que la conscience urbaine ne cessait de croire à la montée des périls qui semble s'exagérer après les années soixante-cinq. Après tout la fumée ne va pas sans feu, pourquoi le vagabondage n'aurait-il pas obéi à la même pulsion que l'immigration ? Et quel transplanté n'a jamais ressenti, au fort des difficultés, qu'il était un peu un errant ? Mais prendre conscience qu'en poids spécifique social tous les hommes d'une ville ne se valent pas, c'est anticiper sur d'autres développements et sortir de ce chapitre où le propos était de s'avancer le plus loin possible dans l'appréhension des masses statistiques.

1879 bis (1750-1791). Le ressort géographique des brigades a été fixé en 1719-1720 pour tout le royaume (cf. C 2125). La ville de Caen en reçut deux qui lui furent conservées jusqu'en 1790. La première surveillait la région de l'Orne à la Dives, la deuxième de l'Orne à la Seulle ; la limite sud était fixée à Préaux sur la route de Laval. En 1770 divers remaniements eurent lieu (C 2121 et 2122) qui n'affectent pas le ressort puisque les postes de Croissanville, Tilly-d'Orceau (Tilly-sur-Seulle) et Villers ne sont que des sous-brigades. J'ai laissé de côté les arrestations émanant des autres brigades.

CONCLUSION

De ce point de vue, comme il serait précieux de marquer pour finir la place de Caen dans le monde urbain français et ses variations relatives ! L'état présent des recherches rend pourtant cette entreprise bien téméraire si l'on veut sortir des généralités.

Incontestablement, un groupe de neuf villes domine à toutes les époques la capitale de la Basse-Normandie [71]. Quatre ports : Marseille, Bordeaux, Rouen, Nantes, cinq villes de l'intérieur : Paris, Lyon, Lille, Toulouse, Strasbourg. En dépit de l'ouverture à la mer qui donne à son économie une certaine ambivalence, Caen doit être rangée dans les cités terriennes du dixième rang, qui à un moment ou un autre du XVIIIe siècle paraissent bien avoir atteint les quarante milliers d'habitants : Amiens, Metz, Nîmes, Orléans, Versailles, peut-être Rennes.

Bien sûr, il est impossible de dresser des parallèles entre cette demi-douzaine de grandes villes tant que les sources démographiques locales n'auront pas été entièrement repérées et appréciées. D'ici là, nulle analyse des rythmes de changement. R. Mols a d'ailleurs bien pressenti que l'évolution urbaine au XVIIe était loin de l'homogénéité [72]. Il faudra certainement en dire autant au XVIIIe siècle. Sans même compter des catastrophes telles que les incendies dont le retentissement pouvait être considérable dès qu'ils touchaient des dizaines d'îlots (pensons à Rennes [73]) ou les grandes épidémies (la peste de Marseille), il est clair qu'une sensibilité plus ou moins vive à la conjoncture régionale ou nationale multipliait décrochages et accélérations dans l'essor des villes. A cet égard les façades maritimes étaient épidermiques, les villes continentales dans un tissu plus lourd pouvaient prendre d'étranges retards. L'évolution de Caen gagnerait à un double parallèle avec les ports : Rouen, Le Havre, Lorient, Nantes, Bordeaux et avec l'intérieur : Lille, Amiens, Orléans, Rennes.

Enfin souvent déjà un « oikoumen » est apparu dans les chapitres précédents où la ville de Caen prend place aisément. La proximité des mers poissonneuses et grises, de sols limoneux à céréales riches, de vertes vallées textiles : à 40 lieues de Dieppe en tout sens, c'est la civilisation franco-anglaise de la Manche et de ses arrière-pays de plaines ; le lieu des populations denses et méthodiques dans leur appétit tranquille des biens de ce monde. Les plus grandes métropoles mondiales du XVIIIe, Paris et Londres, sont en orbite à la périphérie de cette zone de gravité démographique où se trouvent les plus fortes concentrations françaises du temps [74] comme certaines des très lourdes densités

71. R. Mols, 1954-1956, t. 2, p. 513 sq. La médiocrité du tableau, p. 515, tient à des sources où le plus contestable est réuni : Saugrain dont on sait peu de choses, le très défectueux recensement d'Orry, les évaluations à base de multiplicateurs (Necker, Calonne, 1789) et pour finir le plus mauvais des recensements généraux : 1801. Ch. H. Pouthas, 1956, p. 98, donne un tableau qui fait suite chronologiquement à Mols.

72. R. Mols, 1954-1956, t. 2, p. 515.

73. H. Fréville, 1953 ; P. Banniat, 1909 ; H. Sée, 1923.

74. J. Dupâquier, 1968 ; M. Reinhard, 1965, cartes pour 1789 et 1793, pp. 272-273.

anglaises[75]. Du côté des Lys, par palier de 20 000 habitants, deux très grandes villes : Lille la terrienne et Rouen la fluviale (entre 60 000 et 80 000 habitants) ; puis des capitales de région vers les quarante mille âmes : Amiens dont l'âge d'or est si bien connu depuis les travaux de P. Deyon[76] et Caen ; enfin les villes de commerce en ascension rapide à l'exception de Valenciennes et qui passent les 20 000 habitants en 1789 : Dunkerque, Arras, Le Havre. Négligeons les gros bourgs de foire, innombrables et parfois réputés (Falaise-Guibray) et même les villes épiscopales si communes de part et d'autre du Chanel, Canterbury, Bayeux, Lisieux, Beauvais, d'une si fine culture urbaine pourtant, mais dont la « dormition » est patente dès le début du siècle[77] ; resteraient encore quelque 300 000 à 350 000 citadins de grande ville, en constantes relations réciproques, comme le montrera l'analyse des aires économiques caennaises, de même qu'en état d'équilibre momentané avec le noyau parisien. En Angleterre comme en France, plus tôt ou plus tard entre 1750 et 1850, c'est le poids de l'industrie charbonnière née sur ses marges qui vint déranger ce beau paysage physiocratique.

75. Ph. Deane et W. A. Cole, III, « Industrialisation and Population change », 1964, pp. 98-135. Cf. aussi Ph. Dean et B. R. Mitchell, I, « Population and Vital statistics », 1962, pp. 1-53.
76. P. Deyon, 1967.
77. P. Goubert, 1960, p. 254. Sur Bayeux, M. El Kordi, 1970.

CHAPITRE V

Les aires de subsistance de la population

Si réelles que soient les lacunes documentaires de la démographie ancienne et la nécessité d'utiliser en cours de route certaines hypothèses, l'exploration économique, plus synthétique encore, rencontre des obstacles autrement embarrassants dans ses méthodes et sa documentation.

Le débat qui oppose les économistes et les historiens autour de l'histoire quantitative est au cœur du sujet [1]. A quelques égards on souhaiterait même qu'un conflit si salutaire se poursuive, car il aide à expliciter des méthodes et ne mène pas à des positions inconciliables ; il me semble discerner de toutes parts une identité remarquable des fins ; atteindre les totalités, parvenir à des explications sans résidu. Ainsi l'économie quantitative se refuse à privilégier une série de faits contre d'autres : production, échanges, prix, main-d'œuvre, elle se tourne vers leurs rapports, les relie dans une suite d'équations covariantes. Fort bien. Quel historien refuserait de souscrire à l'hypothèse de tels rapports ? Tout au plus, P. Vilar recommande-t-il d'être attentif aux avatars historiques qui peuvent frapper dans les économies pré-industrielles certains concepts dégagés des observations contemporaines et l'auteur, de prendre l'exemple de la formation du capital [2]. Il y aurait d'ailleurs d'autres illustrations, ainsi l'épargne égalée aux investissements intérieur et extérieur [3], le salaire qui intervient dans l'équation 2 de J. Marczewski (définition de la production intérieure [4]), l'emploi dans les entreprises [5] — équation 7 —, la productivité brute du travail (équation 8 et 14 [6]), etc. Pourtant, après tout, il n'y a pas là d'obstacle théorique infranchissable ; on peut bien supposer que certaines valeurs s'annulent pour une économie d'un type donné ou prennent à l'inverse un poids écrasant.

En revanche, il existe d'autres difficultés à la mise en œuvre du quantitatif. En premier lieu, bien entendu, celle des sources. Difficultés temporaires pour certaines branches industrielles comme le textile où la documentation existe, qu'il faut élaborer et critiquer [7] ; difficultés à moyen terme pour la métallurgie, beaucoup plus mal connue et difficilement connaissable en raison de la nébulosité de la production, de la diffusion des usages qui défie le compte global et

1. J. Marczewski, 1965 ; P. Vilar, 1965 ; P. Chaunu, 1964.
2. P. Vilar, 1965, p. 305.
3. J. Marczewski, 1965, p. 16.
4. *Id.*, p. 53.
5. *Id.*, p. 55.
6. *Id.*, p. 56.
7. T. Markovitch, août 1968.

surtout en raison des réemplois, des reprises en sous-œuvre de matériel d'équipement périmé ; pour les industries du cuir, même remarque ; difficultés à long terme pour le bâtiment, autre branche lourde de l'ancien temps, car l'octroi, lorsqu'il existe, mélange couramment la taxation sur la pierre, le carreau ou la chaux avec tel droit sur le papier ou les cuirs, car le volume des matériaux extraits des carrières n'est pas connu, pas plus que le volume de la main-d'œuvre puisque les maçons n'appartiennent pas généralement aux corporations réglées, etc. ; impasse également dans le secteur dominant de la production agricole à propos duquel E. Le Roy Ladurie a montré la fragilité des estimations globales d'arithméticiens [8].

Mais une fois encore il n'est pas interdit d'entreprendre et c'est même une nécessité si l'on ne veut pas stériliser l'histoire économique qui fit de si beaux progrès avec l'étude chiffrée des prix et des revenus ; entreprendre en sachant que pendant longtemps les erreurs relatives dans l'évaluation de la production l'emporteront largement sur l'évolution de la production elle-même et qu'il faudra calculer de nombreuses variables historiques par différence, ce qui enlèvera tout contrôle de validité aux équations [9]. Bref la comptabilité économique antérieure au XIXe siècle doit choisir entre deux voies également tortueuses :

1) Tenir compte des activités réelles des agents économiques ; alors inférer des volumes de production ou de consommation globale à partir de la population active ou totale, des surfaces cultivables, etc., et de coefficients calculés sur des échantillons accidentellement connus comme le faisaient les économistes du temps eux-mêmes. Cette première solution est vraiment celle de la misère statistique, elle est largement tautologique, puisque les résultats dépendront de la validité des critères retenus ; elle est indiquée pour de courts espaces géographiques homogènes, non pour l'aire nationale.
2) Repérer les statistiques silencieuses, les ajuster vaille que vaille, même si l'image bouge de quelques années. M. Markovitch adopte cette démarche plus précise pour l'industrie lainière.

Il faut alors se demander si une tare grave ne défigure pas cependant chaque quantité mise en équation. Il est caractéristique de voir qu'en s'attaquant seulement au secteur le plus industrialisé du XVIIIe siècle, à celui qui est entré depuis des siècles déjà dans l'économie d'échange : la manufacture de drap, M. Markovitch observe avec embarras une grave fissure quantitative : c'est l'auto-production et la consommation en circuit privé. Depuis le XIXe siècle, dans presque tous les domaines, celles-ci sont devenues progressivement négligeables

8. E. Le Roy Ladurie, sept.-oct. 1968, p. 1086 sq.

9. T. Markovitch, août 1968, p. 1654 sq., semble admettre que la production textile des campagnes était comptabilisée aux bureaux de marque tout au long du XVIIIe siècle à l'exception de l'autoconsommation paysanne. Il faut le vérifier au niveau local. Les documents du XVIIIe siècle qui montrent une évasion de la production grandissante depuis l'affaiblissement administratif et politique des années 1775 sont légion, notamment dans le textile normand où le Cotentin entre tôt en dissidence économique. L'auteur, après avoir rappelé cependant que la marque rémoise du début du XVIIIe siècle pouvait avoir laissé passer peut-être jusqu'à 50 % de la production (p. 1661), prend courageusement parti sur le montant global de la production française. Sans doute, c'est ainsi qu'il faut faire provisoirement. Mais que signifiera une croissance de 10 % ou même de 20 % pour telle période observée ?

et n'affectent pas gravement les calculs ; d'ailleurs on dispose alors de critères d'appréciation. Antérieurement, il n'en est rien. On sait que, des classes aisées aux plus modestes, chacun était parfaitement en droit de faire filer et tisser, par exemple, des pièces qui n'étaient pas enregistrées, de faire tailler des vêtements par des « chambrelans » hors du circuit corporatif, de consommer les produits de sa ferme, en un mot de faire produire à la demande. Les inspecteurs des manufactures n'enregistrent au mieux, encore pour des secteurs très spécialisés de la production, que ce qui entre dans un circuit d'échange monétaire. Toute étude, fût-elle conduite avec précaution, soigneusement exprimée en unités cohérentes [10], convenablement traduites en livres constantes, appréhende seulement la ligne de flottaison de la production commercialisée sur la masse opaque de l'économie globale.

M. Markovitch admet par exemple que cette auto-production consommée hors statistique représente sous Louis XIV dans l'industrie lainière, 5 % de la valeur produite en se fondant sur le fait qu'en 1938, elle était encore comptée pour 1 % [11]. Peut-être a-t-il raison, mais pourquoi 5 % ? Avec l'emploi de telles intuitions, que devient l'ambition de totalité de cette économie historique ? Ne vaudrait-il pas mieux convenir que si les objectifs demeurent, il faut achever la traversée de l'histoire sérielle, c'est-à-dire de l'histoire partielle et partiellement significative. En vérité, la quantification sérielle comme la conçoivent M. Chaunu et la plupart des historiens avec lui, ne pêche pas par son insuffisance de sens, mais par son excès : chaque analyse chiffrée peut être rapportée à plusieurs variables ; nous sommes, dans l'ancien régime économique, toujours étouffés de variables superflues et inconnaissables.

M. Markovitch, au demeurant, fait de l'histoire sérielle car il n'atteint pas la production globale. Supposons une hausse au XVIIIe siècle des courbes lainières ; deux interprétations se présentent et il y a excès de signification : a) la courbe traduit une hausse de la production globale ; b) la courbe traduit une hausse de la production commercialisée. Pour que a) soit exact — en ce cas, les quantités repérées seraient seulement indiciaires —, il faudrait supposer invariable en pourcentage le montant de l'auto-consommation ; ce postulat se vérifiera peut-être sur des cycles courts, mais au long de périodes décennales ou trentenaires, il heurte le bon sens car le passage de l'économie rurale à l'ère industrielle signifie précisément la réduction du circuit domestique. Il serait bien extraordinaire de plus que cette réduction ait été régulière : facilités monétaires ou déthésaurisation (évaluée au mieux, par différence !) et le circuit commercial fleurit, les colonnes des bureaux de marque s'allongent mais la production globale ne peut en être déduite qu'en postulant la stabilité des structures économiques.

On vient de retrouver le lien nécessaire, déjà familier, entre l'outil sériel et le raisonnement hypothétique ; l'un commande l'autre. Il n'y aurait sous l'Ancien Régime qu'un type de données dont le commentaire épuise la portée (encore par indulgence, supposerons-nous la contrebande anodine), c'est l'entrée et la consommation des produits exotiques. Des bois de rose de l'ébéniste

10. Voir l'étude très neuve de T. Markovitch sur les quantités de tissus produites, compte tenu des variations d'aunage.

11. T. Markovitch cite A. de Cambiaire, 1952. Sur la même question, un développement de J. Marczewski, 1965, pp. 90-92.

au café désormais goûté jusqu'au fond des provinces, tout ce qui s'offre à l'achat est entré par le circuit commercial et devrait figurer dans les balances nationales si on peut leur faire confiance [12]. Ajoutons en gros la population et passé cela toute comptabilité globale est seulement indicative et donc sérielle sans se l'avouer. Les « dénombrements entiers » n'ont acquis leur validité logique qu'au XVIIe siècle avec le *Discours de la méthode,* mais le domaine statistique a deux siècles de retard sur Descartes.

Ces remarques conduisent à un autre problème maintenant qu'il s'agit de définir l'économie d'une ville. L'histoire quantitative propose d'observer un univers clos, du moins sérieusement contrôlé aux entrées et sorties ; à ce sujet une grande parenté existe aux deux extrémités, entre les comptes de l'entreprise et ceux de la Nation, que des matrices, imitées de celles de Léontief [13], peuvent très bien résumer. Mais pour les espaces intermédiaires, la région ou la ville, l'établissement d'un compte des entrées et sorties se heurte, même de notre temps, à des difficultés de documentation presque insurmontables, non moins qu'à des problèmes de signification logique ; le compte rendu des colloques de 1961-1962 consacrés à la structure et à la croissance régionales [14], une énorme littérature dont on peut prendre connaissance à travers la *Revue économique* et surtout le beau livre de M. Cl. Ponsard [15] en témoignent. L'histoire quantitative n'est pas encore complètement adaptée à ce niveau de recherche.

De prime abord, il est certain que les éléments de la comptabilité urbaine seront extrêmement difficiles à rassembler. Sans doute les bases démographiques sont un domaine privilégié de l'étude quantitative et peuvent être intégrées dans l'observation économique ; une certaine partie des entrées matérielles est susceptible de tomber dans le champ de collecte des octrois. Mais il n'en est pas de même des sorties. D'autre part les transferts monétaires et les livraisons en nature dus à la rente foncière échappent au chiffre ; comme le placement immobilier et toutes les autres formes d'investissement en campagne ou en d'autres villes de l'épargne urbaine. Des méthodes d'attaque, pour tous ces problèmes, peuvent être inventées au moyen d'enquêtes dans le contrôle des actes notariés, menées sur une échelle suffisamment vaste ; mais il s'agira de plusieurs milliers de registres in-folio de quelques centaines de pages chacun à utiliser, ou mieux, de sondages soigneux.

D'autre part, avant de s'avancer aussi loin que possible dans cette voie, il est indiqué de délimiter les espaces rattachés à la vie de l'agglomération, non pas celui de la ville proprement dite, ce qui a été suffisamment éclairci, mais les aires qui répondent à la demande urbaine. Sans cette opération, l'objet de l'étude resterait incomplet. D'un point de vue empirique, cette préoccupation est partagée de longue date par quelques économistes comme R. Maunier [16], par la géographie régionale française ; les historiens ne l'ont pas négligée non plus et l'ancien colloque *Villes-Campagnes* présidé par G. Friedmann [17] en témoigne. Cependant, il conviendrait d'aborder aussi les démarches d'économistes moins pratiqués en France puisqu'ils se rattachent à la pensée allemande

12. B. Gille, 1964, pp. 95-97.
13. Léontief, adapté principalement par W. Isard, nov. 1951, p. 318 sq.
14. J. R. Boudeville, oct. 1962.
15. Cl. Ponsard, 1955, également 1958.
16. R. Maunier, 1908, 1910 a et b.
17. G. Friedmann, 1953.

(depuis Thünen), scandinave et anglo-saxonne (A. Lösch, Miksh, W. Isard, T. Palander, B. Ohlin et pour nous surtout W. H. Dean [18]) ; la réflexion économique est susceptible de conduire l'histoire vers plus de généralité et de clarté.

Toute agglomération doit être considérée successivement comme le lieu où s'exerce une offre et une demande globales ; il faut étudier les espaces géographiques concernés en commençant par la demande, car la satisfaction de celle-ci est une donnée immédiate de la survie de la ville ; les secteurs d'offre au contraire, services, produits fabriqués n'apparaissent que dans l'analyse ex-post, comme seconds par rapport à la satisfaction des besoins alimentaires et des fournitures de matières premières, du moins dans les économies d'autrefois. Ces remarques découlent déjà de la théorie fonctionnelle des villes exprimée dans l'*Encyclopédie méthodique* du XVIIIe siècle qui se présente une fois de plus comme le berceau des réflexions ultérieures.

Mais l'éventail des demandes urbaines se déployait tout autrement que dans les sociétés industrielles ; le secteur alimentaire y dominait en poids et souvent en valeur, il a perdu progressivement cette suprématie au cours du XIXe siècle au profit des matières énergétiques et industrielles ; ne contribuait-il pas auparavant à la localisation des villes ? Enfin, il faut remarquer que ce secteur était ici prépondérant puisque la deuxième demande pondéreuse de la ville, les matériaux de construction, était satisfaite sur place ; les consommations alimentaires suscitaient autour de la cité des zones d'approvisionnement qui s'enveloppaient généralement les unes les autres selon les aptitudes géographiques des terroirs, les nécessités du transport ou de la fréquence de renouvellement des stocks : l'examen ira de l'intérieur vers le dehors.

I. L'AIRE DU MARAICHAGE

Ainsi, contrainte par la nature périssable des denrées plus que par leur poids, la ceinture maraîchère et laitière de Caen ne s'est jamais étendue très loin au XVIIIe siècle. Déjà le terroir urbain nous est apparu très souvent marqueté de jardins, ajoutons que les nappes de la grande prairie ou des prés de l'abbesse ont fait l'objet d'une parcellisation de la propriété et de l'exploitation qui n'a été contenue que par l'Eglise.

Lors des travaux de redressement de l'Orne en 1785 [19] le paiement des indemnités d'expropriation en aval de la ville s'éparpille entre vingt-six ayants droits, sept reçoivent moins de 500 livres ; seuls le marquis de Sourdeval avec 13 000 livres (maison comprise), puis un avocat, M. de Prébois (12 075 livres) distancent nettement le lot et louent spéculativement leurs herbages à des bouchers associés [20]. L'arpentage réalisé quelques années plus tôt, vers 1781-

18. A. Lösch, 1944 ; L. Miksch, 1951 ; W. Isard, 1952 ; T. Palander, 1935 ; W. H. Dean, 1938.
19. Arch. dép. Calv., C 4103, Ordonnance de paiement des indemnités.
20. Il est possible également qu'une expropriation ait été pour les possesseurs les plus importants une occasion d'espérer un profit. Cf. les Lettres de Prébois à l'intendant (Arch. dép. Calv., C 4099) : « Vous m'avez toujours dit que le remboursement de mes herbages étoit de l'or en barre... »

1782, donnait une vue d'ensemble des propriétaires qui confirme cette impression[21] :

50 centiares-5 ares	5-50 ares	50-500 ares	Plus de 500 ares
6	19	26	2

En amont de la ville, la situation était la même dès le XVIIe siècle comme le montre le plan conservé dans les archives de l'abbaye Saint-Etienne[22] ; à côté de l'abbé, possesseur majoritaire, près de 150 parcelles allaient aux citadins ou aux trésors des paroisses. Dès la première fenaison engrangée d'ailleurs, les prés appartenaient à tous les habitants pour la pâture de leurs bêtes, à condition que chacun n'y mette qu'une ou deux têtes, jamais plus de cinq en tout cas, et qu'elles ne soient destinées qu'à la consommation domestique — qu'il faut entendre d'abord de produits laitiers, accessoirement de boucherie ; la vigilance des habitants, notamment à Vaucelles, empêcha jusqu'en 1788 que les propriétaires ne clôturent leurs prés pour en faire des jardins car l'herbe était indispensable à la ville[23]. Et c'est la même pression alimentaire qui a fait concéder très tôt, bien avant le mouvement d'appropriation des terres vagues, depuis 1751, les garennes ou « varets » des faubourgs ou de la banlieue : Allemagne (32,35 ha), Ifs (68,17 ha), Cormelles (79,24 ha), Mondeville (28,13 ha), Sainte-Paix (18,83 ha), soit une surface totale de 226,72 ha[24].

Il serait intéressant de savoir maintenant comment la pression de la demande en légumineuses et en produits laitiers pouvait contrarier les aptitudes céréalières de la plaine aux environs de la ville. Pour répondre, il existe heureusement l'enquête sur les surfaces ensemencées en l'an III qui sont redevenues, après l'abandon partiel des cultures de l'an I et II, identiques à celles de l'Ancien Régime, comme l'a souligné Festy[25]. L'aire d'influence de la ville peut apparaître par la comparaison de divers échantillons campagnards que la structure du commerce urbain permet de délimiter.

Depuis le XVIe siècle, le négoce de ces produits journaliers était aux mains d'une multitude de petits détaillants sans boutique (à l'exception des croquetiers-beurriers-potiers, corporation de très pauvres gens) ; ils s'installaient en tout temps au coin des rues et des places où venaient les rejoindre les jardiniers[26]. Ces gens ne possédaient pas d'attelage et portaient tout leur fonds en deux ou trois paniers ; ils venaient à pied chaque matin des villages de ceinture. Or, sous la poussée démographique urbaine, leur nombre s'est simplement gonflé pour répondre à l'essor de la demande sans qu'il y ait concentration du

21. Arch. dép. Calv., C 4099, Arpentage de 1781.
22. *Ibid.*, H 2151.
23. Arch. mun. Caen, DD 18, Règlement pour la prairie de Caen, Ordonnance de la maîtrise des eaux et forêts du 8 mai 1750. Arch. dép. Calv., C 6483, Pétition des habitants de Vaucelles contre les jardins légumiers cultivés au détriment de la prairie le 10 août 1788.
24. Arch. nat., Q 1, Aliénation de 1751.
25. O. Festy, 1947.
26. Innombrables allusions aux « herbiers » dans tous les documents : les procès-verbaux de la Lieutenance de police (Arch. dép. Calv., 1 B, Bailliage de Caen) ; les livres de raison (J. Vanel, *Journal d'un bourgeois de Caen,* 1904, p. 29) ; les délibérations municipales (Arch. mun. Caen, BB).

marché et une délibération municipale, sous la Révolution, résume les murmures qui s'élevaient en ville contre cette nuée de marchands ambulants : « le nombre des vendeurs et revendeurs de fruits et légumes s'est tellement multiplié sur la place de la Raison que la voye publique qui lui sert d'enceinte en est embarrassée au point que les voitures ne peuvent la parcourir »[27], déclarent les officiers de la cité. Ainsi l'aire d'approvisionnement n'a qu'un très court rayon : une lieue et demie tout au plus.

C'est à peu près le territoire de la sergenterie de la banlieue auquel il faut ajouter vers le sud les deux paroisses d'Ifs et d'Allemagne bien irriguées par la route de Guibray ou de Mayenne, mais non pas à l'est Colombelles et Mondeville plus capricieusement rattachées à Caen par des bacs soumis aux marées. Soit onze communautés rurales sur une surface totale de 5 475 ha. La répartition des espaces cultivés va se comparer avec celle de groupes villageois de la plaine distants au moins de quatre heures de marche à pied et davantage, où ne peuvent s'approvisionner dans une matinée « herbiers » ou laitières. J'ai choisi deux ensembles de communautés en couronne autour de petites halles rurales, Creuilly et Argences, elles-mêmes situées entre 15 et 20 km de la ville, versions campagnardes de la disposition caennaise[28] :

Surfaces consacrées à la grande culture,
à l'exception des jardins et des prés naturels

Cultures	*Caen (terroir) (1 800 ha)* (%)	*Ceinture de Caen (5475 ha)* (%)	*Région de Creuilly (10 034 ha)* (%)	*Région d'Argences (7 051 ha)* (%)
Céréales panifiables	59,5	63,9	65,1	56,4
Avoine	6,3	7,9	10	21
Total	65,8	71,8	75,1	77,4
Fourrages artificiels	28	20,7	17,4	21,2
Légumes	6,2	4,1	5	0,9
Total	34,2	24,8	22,4	22,1
Plantes oléagineuses	0	2	0,7	0
Plantes textiles	0	1,4	1,8	0,5

27. Arch. mun. Caen, D 6.

28. Région de Creuilly, vingt-deux communes : Amblie, Anguerny, Basly, Bény, Bernières-sur-Mer, Cainet, Colomby, Coulombs, Courseulles, Cully, Douvres, Fontaine-Henry, Le Fresne-Camilly, Fresné-le-Crotteur, Langrune, Lantheuil, Luc, Moulineaux, Pierrepont, Reviers, Tailleville, Thaon. Région d'Argences, douze communes : Airan, Bellengreville, Beneauville, Billy, Cesny, Chicheboville, Moult, Ouezy, Saint-Pierre-Oursin, Poussy, Valmeray, Vimont.

A Caen, l'acre est de 100 perches à 24 pieds de 12 pouces. Pour la région de Caen et de Creuilly, je me suis reporté au tableau de conversion par commune de Fauque, 1858, car les données de l'an III sont trop lacunaires. Pour la région d'Argences, Fauque est corrigé par les tables de conversion de la Révolution (Arch. dép. Calv., L, district de Caen, Subsistances). Cf. aussi H. Navel, 1932.

Dans le terroir de Caen [29] les céréales couvrent 65,8 % de la surface cultivée, le froment et l'orge sont prépondérants, le seigle, le sarrasin, l'avoine très résiduels. Les fourrages artificiels (28 %) se composent de vesces, trèfles, luzerne, sainfoin, turneps et les légumes (fèves, lentilles, pois, quelques pommes de terre depuis les années 1780) représentent 6,2 % des cultures. Dans les autres zones, la décroissance des surfaces consacrées aux légumes et à l'alimentation des bovins cerne très bien la portée de l'influence urbaine compte tenu de la structure d'un commerce très atomisé qui n'est doté d'aucune force de transport. Les contrastes seraient d'ailleurs plus accusés encore, si les statistiques des surfaces, au lieu de valoir seulement pour les ensemencements, prenaient aussi en compte les jardins domestiques et les herbages naturels des bords de l'Orne qui valent à Caen les surfaces consacrées aux fourrages artificiels (environ 360 ha).

Il est clair d'autre part qu'en raison de la permanence de ces modes de transport primitifs à travers le XVIIIe siècle, que nous attestent les règlements de police des marchés [30], la fixité des aires répondant à la demande urbaine est certaine. L'incapacité du marché à modifier ses structures faisait bénéficier ces 55 km^2 circum-urbains d'une véritable rente de situation qui provoqua au cours du temps, avec l'essor démographique, un renchérissement du prix des légumes susceptible d'être mesuré.

Il est difficile d'apprécier le poids des denrées ainsi drainées vers la ville par les voies de ce commerce trotte-menu, et toujours délicat d'évaluer des consommations sur la base des ventilations hospitalières ; pareils calculs ont déjà fait l'objet de nombreuses critiques [31] ; mais il faut toujours y revenir car ce sont les seules bases chiffrées que nous possédions. Elles ne sont d'ailleurs peut-être pas si mauvaises puisqu'elles concernent, en l'occurrence, un éventail de 1 000 à 1 500 consommateurs d'âge très étalé : on peut se fonder ici sur la maison des Petits renfermés (enfants en bonne santé de 0 à 12 ans) sur l'Hôtel-Dieu (malades des deux sexes de tous âges et d'origine pauvre), sur l'Hôpital général (soldats, mendiants, vagabonds) et sur le dépôt de mendicité (mendiants, pensionnaires, prisonniers sur lettre de cachet) ; à chaque fois, s'ajoute la nourriture des domestiques, infirmiers et de leur famille. Au surplus, les observations des médecins et des administrateurs qui seront utilisées plus tard montrent que l'enrichissement de la société, sauf dans une mince élite de notables, incite moins à des éliminations alimentaires qu'à des additions.

De toute façon les consommations de Caen se répartissent selon des normes bien connues. Les légumes tiennent une place modeste dans l'alimentation dont les céréales représentent la part maîtresse : environ 120 grammes par jour pour chaque personne ; le lait est très rare ; dans la préparation de divers plats il apparaît au compte-gouttes : un pot [32] pour vingt-cinq rations et le déjeuner du matin est arrosé de petit cidre. C'est tardivement que l'intendant

29. Arch. mun. Caen, F 11.

30. Procès-verbaux de la Lieutenance de police. Collection complète sous forme de registres reliés. Sur leur utilisation, J. C. Perrot, 1958.

31. Voir les dossiers de l'« Enquête alimentaire » des *Annales E.S.C.* depuis mai-juin 1961 : « Vie matérielle et comportements biologiques », bulletin n° 1.

32. Le pot, mesure de Caen, vaut 1 litre 82 centilitres. Voir Fauque, 1858, p. 28. Cf. également l'Ordonnance du Lieutenant de police sur les aunes et mesures de

de Brou, en 1786, recommande d'augmenter sensiblement la part des légumes (jusqu'à 300 grammes) dans le dépôt de mendicité ; pourtant en 1790, dans la même maison, la ration réelle (en hiver il est vrai) ne dépasse pas 85 grammes tandis que le lait, moins qu'un aliment, est considéré comme l'excipient des drogues [33].

Sur ces bases, 2 000 litres de lait, 5 000 kg de légumes suffisent quotidiennement à la ville. Ces données sont parfaitement compatibles avec les forces de nos marchands des rues dont le nombre dépassait largement la centaine puisqu'en 1791-1792, les rôles de la mobilière et des citoyens passifs avouent 140 jardiniers, marchands des quatre saisons et herbiers ambulants. Voyons-les cheminer dans les rues, hélés par les servantes, comme leurs cousins émigrés à Paris, que Dunker a gravés pour illustrer les tableaux de L. S. Mercier ; avec une brouette, deux grands paniers ou une « pouche » [34], 30 kg de marchandises, 10 litres de lait dans un pot de cuivre battu à Villedieu-les-Poëles ; ajoutaient-ils quelques douzaines d'œufs dont les Petits renfermés comme beaucoup d'habitants de Caen faisaient une consommation tri-hebdomadaire ? C'est possible ; mais là, comme pour la consommation de fromages attestée dans les livres de compte des croquetiers en boutique et des hôpitaux, l'aire d'approvisionnement resterait très difficile à cerner faute de document. Heureusement la demande céréalière qui exprime un besoin fondamental dont la satisfaction intéresse la paix urbaine a suscité des archives plus précises.

II. L'AIRE DES CÉRÉALES

1. BESOINS DE LA VILLE

Peut-être n'est-il pas mauvais précisément de commencer par apprécier les besoins de la ville en ce domaine. Il n'est pas douteux que l'essentiel de la demande de cette riche région ait porté sur le froment non seulement chez les bourgeois, mais dans une notable portion du petit peuple ; c'est en gagnant l'ouest de la généralité, les terres lourdes du Bocage ou du Domfrontais notamment, qu'on voit la consommation de l'orge, du seigle et pour finir du médiocre sarrasin l'emporter sur la fine fleur de farine. Toutefois, même à Caen en année commune, le pain de troisième catégorie inclut outre une forte proportion de son, de l'orge et du méteil [35] ; les pain des hôpitaux comprend une moitié de froment et une moitié d'orge [36]. Il faut donc tenir compte ensemble des

---

Caen le 14 janvier 1736, dans Arch. dép. Calv., 1 B 1976, et les Enquêtes de l'intendant de 1755, 1764, 1768 (*ibid.,* C 2767).

33. Arch. dép. Calv., C 6774 et pour 1790, voir C 703 : Consommation de 160 livres 14 onces de légumes pour 929 rations en janvier. Voir aussi en fructidor an II, les Arch. mun. Caen, Q 8 ; l'hôpital possède un pré dans son enceinte avec deux vaches « à l'effet d'assurer les laitages nécessaires à la préparation des remèdes ordonnés par les officiers de santé ».

34. Un sac à légumes. Cf. H. Moisy, 1887.

35. Mélange de froment et de seigle semés en même temps.

36. Arch. dép. Calv., C 656, Rations de Beaulieu, consacrées par un Règlement de 1776 ; même chose à l'hôpital, chez les Petits renfermés.

céréales panifiables acquises pour les boulangers : froment, orge, méteil, seigle, sarrasin où la part du moins succulent l'emporte en période de cherté.

Deux types de données permettent des calculs de demande globale. Comparons-les.

Tout d'abord, des essais primitifs de comptabilité régionale élaborés par les intendants dans leurs *Mémoires* (ceux de 1728-1731, déjà mentionnés lors de l'analyse des recensements, plus que ceux de 1698-1699 et de 1769-1770, surtout industriels [37]) ressort une première approximation. La consommation annuelle de grain se monte à 10 boisseaux, mesure de Caen par tête. Ces boisseaux de 14 pots pèsent en moyenne 40 livres [38] et le calcul montre que la demande journalière s'établissait alors aux environs de 535 grammes par tête [39]. Sous la Révolution apparaissent d'autres tableaux de la production et de la consommation [40]. Le plus complet d'entre eux émane de la Commission des subsistances du district en l'an III, rédigé sous l'égide d'un négociant, Cécire le Jeune. L'administration évalue alors la consommation annuelle par tête à 4 quintaux. Il faut bien prendre garde qu'il s'agit selon la coutume de l'époque de quintaux poids de marc ; ainsi la consommation annuelle représente 195 kg et nous revenons à nos 535 grammes journaliers. Ces calculs de consommation reposent sur une tradition très solide que des administrations aussi différentes ne remettent pas en cause et qu'elles traduisent dans les systèmes métrologiques du moment. Mais ce sont des minima et la preuve en est que si les pouvoirs veulent apprécier le maximum de réserves que chaque habitant est autorisé à garder par devers lui en période de crise, ils tolèrent 10 livres pesant par semaine soit 700 grammes de grain par jour [41].

Que valent ces données à la lumière des consommations hospitalières ? Celles-ci, du moins, sont sans ambiguïté. Les enfants jusqu'à 10 ans reçoivent à Caen une livre de pain poids de marc, par jour ; les adolescents et les adultes, une livre et demie. Le cahier des charges en l'an VI pour les dépôts de mendicité adopte des quantités équivalentes : 740 g de pain mi-seigle mi-froment (24 onces poids de marc) pour les adultes, 490 g pour les enfants de moins de 9 ans. Il est vrai que ces rations pouvaient être occasionnellement augmentées — ou diminuées ; on avait ainsi donné deux ans auparavant dans les maisons de Caen jusqu'à 730 g aux enfants et presque 1 kg aux adultes [42]. Le pain reste donc pour ces communautés, comme pour l'immense majorité des citadins, une base de l'alimentation.

Passer, dès maintenant, du pain aux grains n'est pas très difficile car de nombreuses expériences de mouture et de cuisson ont eu lieu tout au long

37. Mémoire de 1698-1699, Bibl. de Cherbourg, mss. ; Mémoire de 1728-1731, Arch. dép. Calv., C 269, 277, 278 et Bibl. mun. Caen, mss. in-fol. 43 ; Mémoire de 1769-1770, Arch. dép. Calv., C 6379.

38. La livre poids de marc = 489 grammes CGS.

39. Sur la consommation dans la région parisienne au XVIIe siècle, E. Mireaux, 1958, pp. 175-176.

40. Arch. dép. Calv., L, Subsistances.

41. *Ibid.*, C 2645, Ordonnance de F. Richer, intendant, le 19 juillet 1725.

42. Par exemple, Arch. dép. Calv., C 656, pour le XVIIIe siècle. Arch. mun. Caen, Q 1 et Q 22, pour la Révolution.

du siècle afin de fixer les bénéfices des boulangers sous le contrôle des autorités de police et des gardes-jurés : en 1725, 1743, 1755, 1769, 1772, 1775-1776, 1778, 1784 et 1793[43]. Il ressort de cette foule d'essais opérés dans des conditions minutieusement décrites que le rapport poids du pain/poids de grain est en moyenne de 0,88 pour la meilleure qualité, 0,96 pour le pain « à la seconde » mouture et 1,04 pour le plus grossier. Ces fractions connaissent une certaine amélioration au cours du siècle ; l'évolution des techniques de meunerie, assez mal étudiée, paraît en être responsable. Disons tout de suite qu'entre 1743 et 1775 où se déroulent les expériences les plus précises, le gain est de 4 % à 5 % selon les qualités. Ainsi le poids de grain journalier qui sert au pain des hôpitaux et maisons de force s'élève à 470 g pour les enfants et 705 g pour les adultes. Pour la même consommation de pain dans les classes aisées il faudrait 555 g et 830 g.

Il faut observer que ces consommations sont légèrement supérieures à celles que relève Lavoisier[44], mais très inférieures aux données de Tessier émanant de l'*Encyclopédie méthodique ;* mais toutes ces estimations ne sont pas absolument comparables puisqu'elles s'étalent dans le temps et l'espace ; elles ont cependant bénéficié d'un effort de réflexion sur la diététique commencé depuis longtemps[45], poursuivi en 1781 par Lorrey dans son *Essai sur les aliments* et les années suivantes par Legrand d'Aussy et le docteur Leroy[46].

Il est possible de regrouper ces indications locales en fonction de la population, de sa répartition approximatixe par âges (23,5 % d'enfants de moins de dix ans selon les travaux de P. Vincent et J. Bourgeois-Pichat[47]), des données administratives et hospitalières, dans l'hypothèse, bien entendu, d'une stabilité de la consommation individuelle sur trois générations.

43. 1725 : Arch. dép. Calv., C 2645 ; 1743 : *ibid.,* C 242-250 et C 2655 ; 1775 : *ibid.,* C 2658 ; 1776 : *ibid.,* C 242-250 ; 1778 : *ibid.,* C 2661 ; 1784 : *ibid.,* C 2663 ; 1793 : Arch. mun. Caen, D 2 ; la panification est un problème souvent abordé par les économistes et les médecins. Voir, par exemple, Tessier, 1789 ; Parmentier, 1786, surtout la troisième partie, p. 217 sq. ; M. Arpin, 1948. Une mise au point récente pour Paris : A. Birembaut, 1965.

44. A. L. Lavoisier, 1784 ; Tessier, *Encyclopédie méthodique,* « Agriculture », t. 3. M. Reinhard, 1964 sq., a longuement étudié les subsistances parisiennes. Il est très utile de comparer tout cela avec les travaux rétrospectifs de Husson, 1856, et Benoiston de Chateauneuf, 1821. Ce dernier reprend l'idée d'une ventilation de la demande par sexe et âge à Tessier (*Encyclopédie méthodique*) et à Paucton, 1780. Il distingue six classes de consommateurs ; l'adulte de sexe masculin exige 28 onces (850 g environ), la femme adulte, 14 onces (425 g), le vieillard, une demi-livre (240 g), etc. Moyenne de la population parisienne d'après ce barème : 18 onces. La réalité observée en 1817 était de 16 onces.

45. Les médecins ne se sont jamais désintéressés de cette question. Mais leurs travaux sont forcément empreints, au XVIIe siècle, d'idéologie médicale, comme chez Michel Le Long, 1660. La médecine cependant s'oriente vers l'observation dès le début du XVIIIe siècle : L. Lemery, 1702. Un nouveau pas est franchi au milieu du siècle, voir la traduction célèbre de J. Arbuthnot, 1741.

46. A. Ch. Lorry, 1781 ; P. J. B. Legrand d'Aussy, 1782 ; A. V. L. A. Leroy, 1798.

47. P. Vincent, juin 1947, p. 44 sq., J. Bourgeois-Pichat, 1951 et 1952.

Consommation journalière de céréales dans la ville de Caen
(poids en quintaux CGS de gains)

	Estimation conforme		
	au Mémoire *de l'intendant et aux calculs du district : 535 g*	*aux données hospitalières pondérées par âge* Pain de 3e catégorie : 648 g	Pain de 1re catégorie : 764 g
1725	144	175	206
1753	171	207	244
1775	218	264	311
1790	202	244	288
1793	187	226	266
1806	194	234	276

De ces trois séries, la plus élevée n'a de valeur que référentielle puisqu'elle suppose que toute la ville est soumise au régime quantitatif des plus pauvres et qualitatif des plus riches. La deuxième aligne la consommation globale sur le modèle contraignant des hôpitaux, mais l'observation est précise car on se fonde non seulement sur les menus officiels mais sur les fournitures. La première colonne, de 20 % inférieure, donne évidemment des résultats plus grossiers mais elle a l'ambition de tenir compte de toutes les catégories sociales. Il est possible de tirer parti de ces deux dernières estimations pour présenter une moyenne qui réserverait la possibilité d'une erreur de + ou de — 10 % environ.

Consommations journalières et annuelles approximatives
(poids en quintaux CGS de grains)

1725	159	58 000
1753	189	69 000
1775	241	88 000
1790	223	81 000
1793	206	75 000
1806	214	78 000

2. RÔLE DE LA HALLE ET PROBLÈMES DE TRANSPORT

Voici donc un ordre de grandeur de la demande ; il faut savoir comment s'organisait le marché destiné à la satisfaire et dans quelle limite il y parvenait. Malheureusement le volume annuel des grains réellement entrés dans la ville est inconnu parce qu'il existe des apports parallèles au marché public. Tout d'abord observons que ces derniers sont loin d'être négligeables.

En tête viennent les réserves des décimateurs, toujours soupçonnés d'amas dans les moments difficiles. Sans doute en 1725, 1757, 1775, 1789 et 1792, on oblige par des visites domiciliaires, les fermiers des abbayes, des paroisses et des grands propriétaires à commercialiser leurs stocks [48], mais bien que cette lutte soit constante jusqu'en 1770 et déborde même les périodes de crise [49], elle manifeste surtout un besoin de tranquillité publique, nullement un souci de comptabilité globale ; elle cède d'ailleurs, par intermittence devant le libéralisme physiocratique, en 1770, en 1775 [50] ; elle se heurte à la structure de la rente foncière perçue, pour une part difficile à chiffrer, en nature, si bien qu'à travers mille canaux, des prestations privées alimentaient la ville. En temps normal, en revanche, cette voie parallèle présentait peu d'avantages. Comme aucun droit d'entrée en ville ne frappait les grains, elle exonérait tout au plus des taxes de mesurage, au demeurant assorties d'une garantie d'étalonnage et dont le montant de 2 sols 3 deniers par sac de 320 livres pesant était infime [51] ; inversement elle faisait courir le risque des saisies. Une fois nourris, les propriétaires portaient leurs surplus aux halles.

Si ce mécanisme est exact, la comptabilité en poids du marché des grains doit faire apparaître des quantités analogues à la consommation en période courante et même peut-être des excédents d'offre ; au contraire, elle va s'en éloigner durant la pénurie saisonnière ou cyclique. Alors, outre le négoce des nantis, les boulangers et blatiers eux-mêmes étaient occasionnellement autorisés à acheter en campagne dans les greniers des paysans, fût-ce à un taux supérieur aux dernières apprécies [52]. Est-il possible de constater réellement ce balancement ?

C'est à l'époque révolutionnaire seulement que les quantités négociées à la halle sont quelquefois relatées dans les conjonctures normales. Je prendrai pour exemple la période du 10 brumaire au 10 frimaire an III (1-30 novembre 1794) au lendemain d'une récolte que les paysans normands jugeaient moyenne [53] en comparaison de la belle moisson de 1793. Les transactions

48. En 1725, Arch. dép. Calv., C 2645, visite chez Dieuavant, fermier de M. de Fréjus au Bourg-l'Abbé, visite chez Foubert Despalières, décimateur de Saint-Gilles, etc. En 1752, Arrêt du Parlement dans le même sens (Arch. dép. Calv., C 2595 ; pour 1757, Arch. dép. Calv., C 2650 et C 2601 ; en 1768, *ibid.*, C 2652 ; en 1775, *ibid.*, C 2592 ; en 1789, *ibid.*, C 2665 ; en 1792-1793, Arch. mun. Caen, D 2, Délibération du 9 janvier 1793.

49. Ordonnance de l'intendant du 20 janvier 1739 (Arch. dép. Calv., C 2594) ; puis Ordonnance du 23 novembre 1751 (*ibid.*, C 6386). Ensuite Arrêt du parlement de Rouen du 16 mai 1752 (*ibid.*, C 2595). Arrêt de 1768 (*ibid.*, C 2598). Avec l'Arrêt du Conseil du 12 août 1770, cassant les ordonnances du Lieutenant de police de Caen (*ibid.*, C 2601) commence l'ère de la libéralisation du commerce des grains.

50. Arrêt du Conseil du 3 juin 1775 suspendant tous les droits sur le commerce des grains (Arch. dép. Calv., C 2592).

51. Arch. dép. Calv., C 1356, droits de mesurage.

52. Longue description de cette ré-orientation du marché de crise pour l'année 1757 dans Arch. dép. Calv., C 2650.

53. Arch nat., F 11 325. Lettre des administrations du canton de Bretteville-l'Orgueilleuse en ventôse an IV à l'administration militaire des subsistances à Caen sur la qualité des récoltes depuis 1793.

portaient alors sur 636 à 1 019 quintaux de grains poids de marc, par marché selon le tableau ci-dessous [54] (poids en quintaux) :

11 brumaire	860	21 brumaire	940	1er frimaire	1 019
13	805	23	828	3	813
15	786	25	750	5	932
17	939	27	736	7	734
19	929	29	636	9	972

Variations de faible amplitude des quantités apportées à chaque halle, régulation de l'offre et de la demande au cours de deux marchés successifs, tout annonce le calme et concourt à démontrer que les besoins urbains sont satisfaits. La moyenne journalière s'établit à 422 q poids de marc, soit 206,3 q CGS. Deux cent six quintaux, telle était également la demande en 1793 que j'avais calculée avec les données alimentaires et démographiques. La concordance est totale dans les premiers mois de l'année frumentaire.

A l'inverse, il s'en faut de beaucoup que la halle ravitaille la cité lors de la soudure. A cet égard, les données de l'an II sont intéressantes puisqu'elles portent sur la bonne récolte de 1793. En février-mars 1794, on avait vu arriver en moyenne 184 q CGS par jour ; c'était déjà un peu moins que la demande ; mais à la fin de juillet (1er au 10 thermidor an II) l'offre n'était plus que de 33 q par jour, soit 1/6e de la consommation. La remontée ne fut sensible (97 q par jour) qu'après le 8 août (décade du 20 au 30 thermidor) [55]. Or il n'existe aucun témoignage de famine aiguë en cette occurrence où l'on devrait s'attendre au pire ; simplement, même dans une année favorable, il est vrai grevée ici de quelques réquisitions militaires, la demande est mal satisfaite à la halle dont les arrivages ne portent plus témoignage de la consommation.

Pendant les crises cycliques, l'écart entre les besoins et l'offre des halles n'est pas plus important mais il s'étale sur l'année entière. En 1775, la comptabilité des halles fait apparaître un flux de 200 sacs de grains par marché, soit 100 sacs de 320 livres pesant par jour : 156 q CGS en moyenne [56]. En 1724-1725, au cours de l'année agricole peut-être la plus rigoureuse du siècle, dans la première décade de juillet 1725 la halle ne négocie plus que 66 q par jour [57] et la quantité de pain vendue par l'ensemble des boulangers dans la troisième décade tombe à 45 q par jour [58], en dépit des tournées qu'ils faisaient en campagne, si bien que les transactions à la halle étaient probablement inférieures à ces quantités, là encore le 1/5e ou le 1/6e de la demande comme en 1794.

La crise empêche donc le bon fonctionnement des mécanismes du marché. Elle accentue évidemment la dispersion des prix conclus dans le secret des greniers, suscitant des écarts qu'il faudrait étudier, si l'on pouvait, à partir des

54. Arch. dép. Calv., L, Subsistances, District de Caen. Dans L m, Mercuriales, il existe des états pour les ans IV-V, mais je n'ai pas dû les retenir car il me manque à côté des froments apportés à la halle, les autres bleds panifiables.
55. *Ibid.*
56. Arch. dép. Calv., C 2658.
57. *Ibid.*, C 2645.
58. *Ibid.*, C 2646.

travaux théoriques de Gibrat[59] ; elle fragmente les transports dont le tarif est ainsi porté à augmenter au moment où haussent également les valeurs véhiculées.

Or, les frais de circulation des grains sont dotés d'une extraordinaire mobilité sous l'Ancien Régime et comme l'a montré J.H. de Thünen[60] pour le Mecklembourg, ils dessinent les traits des aires d'offre et même toute la géographie économique des régions. C'est l'uniformité ferroviaire qui abolira après 1850 une partie des rentes de situation qu'on pouvait croire perpétuelles et qui pourtant avaient reçu dès 1739 un premier coup par l'abolition de tous droits de péage, passage et pontonnage sur les céréales[61].

Bref, diversité géographique des coûts de transport : on observe en l'année 1757 où la pénurie oblige les édiles de Caen à explorer toutes les sources d'approvisionnement, que l'acheminement par voie terrestre, depuis le Bassin parisien revient à 17 deniers/km pour le sac de 320 livres pesant[62] ; dans cette direction privilégiée, une lourde pression de la demande s'exerce sur les possibilités de roulage, de plus il s'agit d'un transport à longue distance qui exige des étapes. Mais à la même date, à l'ouest de Caen, l'acheminement sur une distance moitié moindre, de Granville à Avranches vers la capitale de la Basse-Normandie, par Villedieu, Torigni, Tilly, ne revient qu'à 6,5 deniers/km, soit presque trois fois moins[63]. Pour des frais identiques, l'aire d'approvisionnement de la ville peut donc s'étendre inégalement selon les points cardinaux car il n'est pas nécessaire de faire entrer en compte les transports fluviaux : l'Orne est coupée, en amont de Caen, de nombreuses chaussées de moulins tandis qu'en aval aucun embarcadère n'existe sur les 15 km qui séparent le port de l'embouchure. L'approvisionnement courant est donc tout entier continental.

A côté des contrastes géographiques, apparaissent de surprenantes variations temporelles des prix. Non seulement l'hiver coupe les chemins de traverse et embourbe la circulation qui se ranime juste pour la grande foire de Pâques, mais en été les travaux agricoles immobilisent rouliers et bêtes de somme. Les coûts de transport à la fin août décuplent même dans les régions du Bocage occidental où les paysans sont toujours à l'affût d'un travail d'appoint. Ainsi le roulage des grains entre Caen et Mortain sur un itinéraire qui ressemble comme un frère à celui d'Avranches avec ses successions de plateaux et vallées, revient à 69 deniers/km pour le sac de 320 livres en 1770. Même si l'on corrige ce tarif en tenant compte de la hausse des prix de l'avoine pour les chevaux[64], c'est encore un coût multiplié par plus de 6 qu'on observe dans

59. Gibrat, 1931. Sans raffiner autant sur les méthodes de calcul, indiquons la dispersion des prix payés par les boulangers le même jour, en octobre 1784 (Arch. dép. Calv., C 2663) : Mode : 43 livres le sac ; décile inférieur : — 16 % de la valeur modale ; décile supérieur : + 18 %.

60. J.H. de Thünen, 1826.

61. Arrêt du Conseil d'Etat du 10 novembre 1739 (Arch. dép. Calv., C 2593).

62. Arch. dép. Calv., C 2650. Correspondance entre l'Intendant des Finances de Courteille et le Commissaire départi de Caen ; transport début août 1757.

63. *Ibid.*, C 6388 ; transport de juillet 1757. Peu d'études sur cette question, cependant Letaconnoux, 1908-1909 ; A. Rémond, dans son ouvrage inachevé, 1956, donne quelques indications bibliographiques.

64. Calcul réalisé grâce aux Arch. dép. Calv., C 2693, qui fournissent le poids de marc et la capacité du boisseau de Caen pour l'avoine (= 2 boisseaux mesure

ces semaines de rareté. Ces deux sensiblités spatiales et temporelles des transports éclairent à la fois les contours de l'aire régionale où se satisfait la demande courante, la politique prévisionnelle, privée et publique, de stockage des grains qui tempère les prix et l'aire exceptionnelle du ravitaillement de crise. D'ailleurs les trois aspects sont liés comme il reste à le montrer.

3. L'AIRE LOCALE

Le XVIIIe est jalonné de trois enquêtes exhaustives sur les aires régionales où se satisfait la demande de Caen. Les deux premières datent des années de crise : juin 1725 [65] (on pourrait y joindre l'inventaire partiel et parallèle des ressources de 1739) et juin 1757 [66]. Ces documents délimitent, à l'époque de la soudure, des espaces minimaux d'approvisionnement urbain. La troisième enquête concerne brumaire an III (exactement le 10 novembre 1794 [67]) ; la récolte de l'été, fort convenable, venait d'être ensachée [68] ; le tableau restitue un espace de ravitaillement en année commune qu'on peut comparer aux précédents grâce aux tableaux de l'annexe [69]. Plusieurs remarques :

1) En dépit de la liberté du commerce des grains de 1763, et de la déclaration de 1770 qui laissait aux vendeurs le choix de leur marché [70], les limites extérieures de la zone n'ont pratiquement pas changé au cours du XVIIIe siècle. C'est, en gros, la vallée de la Seulle à l'ouest, la Dives à l'orient, au nord la mer évidemment et la forêt du Cinglais vers le sud. Voici une curieuse frontière céréalière qui fait ressortir, à la fois, des données pédologiques au sud où les terres médiocres créent l'insécurité alimentaire à chaque creux cyclique ; la contre-épreuve en est facilement fournie par la carte des distributions de riz en campagne organisées en 1757 sous l'égide du roi [71] ; mais aussi des données économiques et marchandes car il existe dans cet espace caennais une couronne de points attractifs secondaires mais permanents comme les onze marchés hebdomadaires que fréquentent les blatiers [72] ; des

---

de Paris). Les sources sont aux Arch. dép. Calv., 14 B 1938, apprécies des grains, froment, orge, avoine de 1700 à 1756 ; *ibid.*, 1 B, Lieutenance de police, *passim*, déclaration des mesureurs ; *ibid.*, C 2714 sq.. Etat du prix des grains et denrées 1761-1789. Sur ces bases, le boisseau d'avoine vaut 28 sols en 1757 et 45 sols en 1770, soit une hausse de 60 %.

65. Arch. dép. Calv., C 2647, Ravitaillement en 1725. Parenté frappante, village après village, de l'approvisionnement de 1739 avec le précédent (*ibid.*, C 2648).

66. *Ibid.*, C 2651.

67. Arch. mun. Caen, F 18.

68. Sur les récoltes de 1793 à 1796, Arch. nat., F 11 325, Lettre des administrateurs du Canton de Bretteville-l'Orgueilleuse.

69. Cf. aire d'approvisionnement en grains, 1725, 1757, an III par paroisse avec les quantités. Carte de 1725 et de l'an III, annexe 3.

70. Arch. dép. Calv., C 2599 et C 2600 ; Législation du commerce des grains pour le Royaume et la Généralité de Caen.

71. Cf. la carte des distributions de riz en 1757.

72. Arch. dép. Calv., C 2591 sq., C 2601, C 2650 ; sur l'implantation des marchés ruraux, voir les Mémoires des Intendants, notamment 1728-1731 (*ibid.*, C 277) ; constater que la liste n'a pas changé en l'an II - an III. Cf. Arch. nat., F 20 311 (Sta-

données administratives enfin car l'approvisionnement céréalier de la ville est tout entier contenu dans les limites de l'élection[73] qu'il ne remplit pas en entier, mais dont il épouse les bornes occidentales et orientales, alors même qu'elles n'ont pas de significations agricoles ou marchandes. D'ailleurs ces divisions d'Ancien Régime et leurs sous-multiples (tels que les sergenteries) sont à la fois constitués de vieux pays et constituants. Il faut s'attendre qu'une vie sourde les anime encore après que la Révolution les ait abolis : l'espace alimentaire de Caen s'arrêtera toujours en l'an II - an III aux rives de la Seulles ou de la Dives selon d'antiques limites, à une vingtaine de kilomètres de la ville.

2) Cette zone commerciale traditionnelle se mesure aisément. Elle couvre 667 km² (131 communes en l'an III), c'est-à-dire un peu plus de la moitié de la surface de l'ancienne élection. En période de crise, le périmètre ne diminue pas, mais l'aire se parsème d'alvéoles villageoises vides de grains et les terroirs utiles occupent alors moins d'espace. Mesurées dans les circonstances analogues, les surfaces de 1725 et 1757 se superposent presque entièrement l'une l'autre. Dans chaque cas quatre-vingt-trois communautés rurales : ici 437 km², là 474 km² (bien que le niveau des réserves appréciées ait augmenté du simple au quadruple d'une crise à l'autre). Dans ces conjonctures extrêmes, on peut donc compter qu'un tiers environ des communautés villageoises (valant aussi un tiers de la superficie) sont défaillantes à ravitailler le chef-lieu, soit que leurs rendements soient plus faibles, leur propre population plus élevée ou leur capacité de dissimulation plus efficace. Il faut souligner l'inertie du marché des grains ; il ne s'adapte pas spontanément, par un élargissement géographique à la hausse des prix céréaliers alors que le coût de transport diminue pourtant en proportion dans la cote de la halle. Cette rigidité spatiale explique les surprofits des boulangers et surtout des blatiers, autorisés à se pourvoir en campagne en période de pénurie[74] et leur paresse à prospecter des villages plus éloignés reçoit ainsi une récompense inattendue.

3) Il s'en faut cependant que cette zone stable d'approvisionnement contribue de façon homogène au ravitaillement de la ville. Et il existe évidemment un parallélisme attendu entre la fertilité des sols et le volume des apports. Doit-on redire, après d'innombrables témoignages historiques concordants, la qualité générale de la plaine de Caen, célèbre grenier jusqu'au temps présent[75] ? Peu de bois, quelques herbages plantureux le long de l'Orne et de

---

tistique démographique et commerciale) et F 20 325, plus détaillé pour l'est du département, région de Lisieux. Liste de ces marchés : Bretteville (dimanche), Evrecy (jeudi), Douvres (samedi), Creully (mercredi), Cheux (mardi), Tilly (lundi), Troarn (samedi), Villers-Bocage (mercredi), Argences (jeudi), Clinchamps (samedi), Bretteville-sur-Laize (samedi).

73. Les limites de l'Election sont connues avec une bonne précision dans les enquêtes de l'Intendant de 1728-1731 (Arch. dép. Calv., C 277).

74. La critique du mécanisme des profits de la boulangerie est particulièrement vive en 1772. Cf. Arch. dép. Calv., C 2601, Sentence de police générale du bailliage de Caen du 19 août 1772 qui fixe le prix du pain.

75. La description géographique de la Basse-Normandie est dispersée. Les documents sur la qualité des sols sont souvent insuffisants. Voir R. de Félice, 1907 ; M. Elhaï, 1963, carte intéressante en annexe ; R. Musset, 1960 ; les travaux du géologue Bigot sont récapitulés chez Elhaï ; carte géologique, feuille de Caen, n° 29.

Aire de subsistance de la ville :
stocks de grains pour l'approvisionnement, en 1725

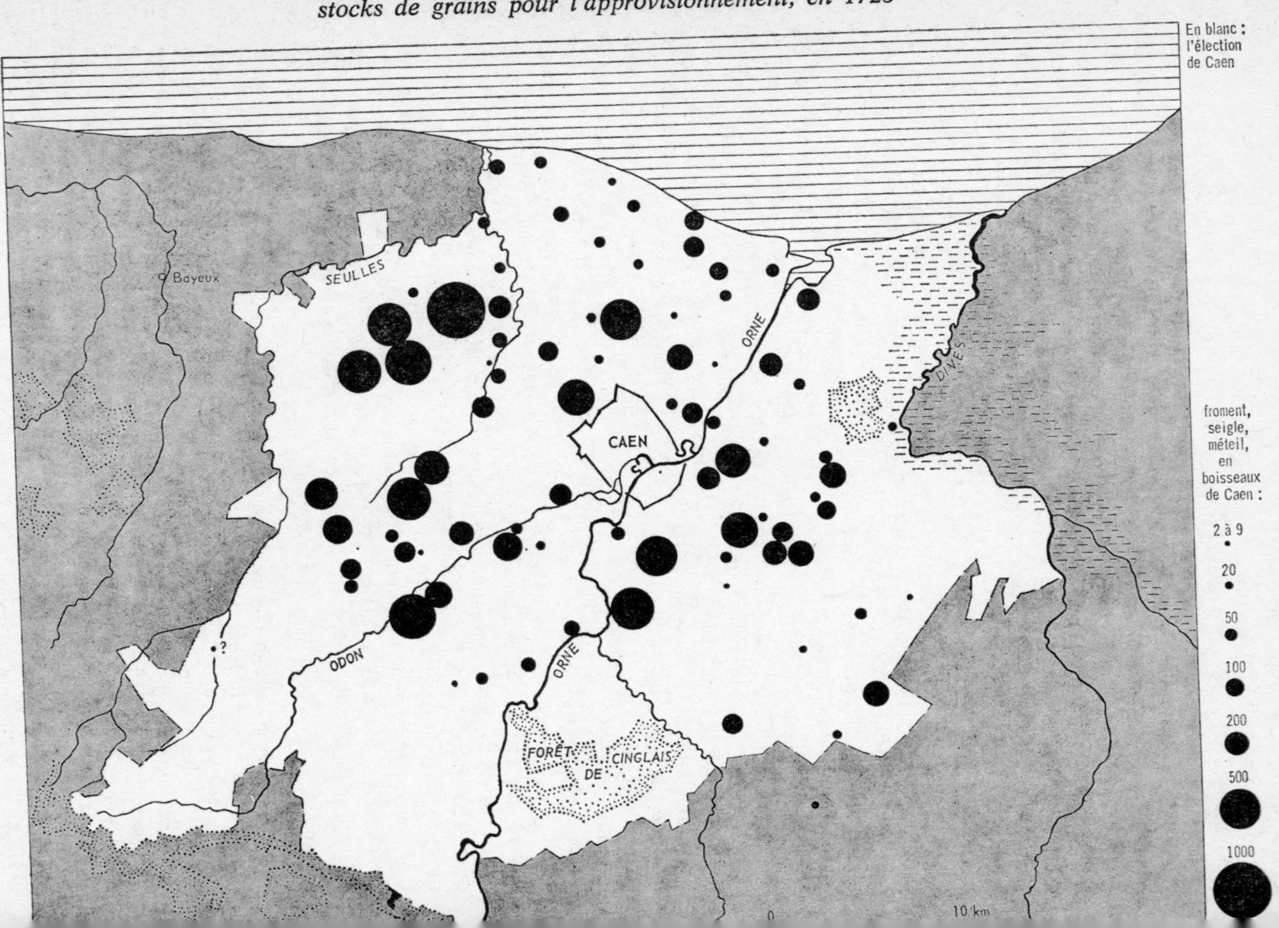

données géomorphologiques, administratives et commerciales

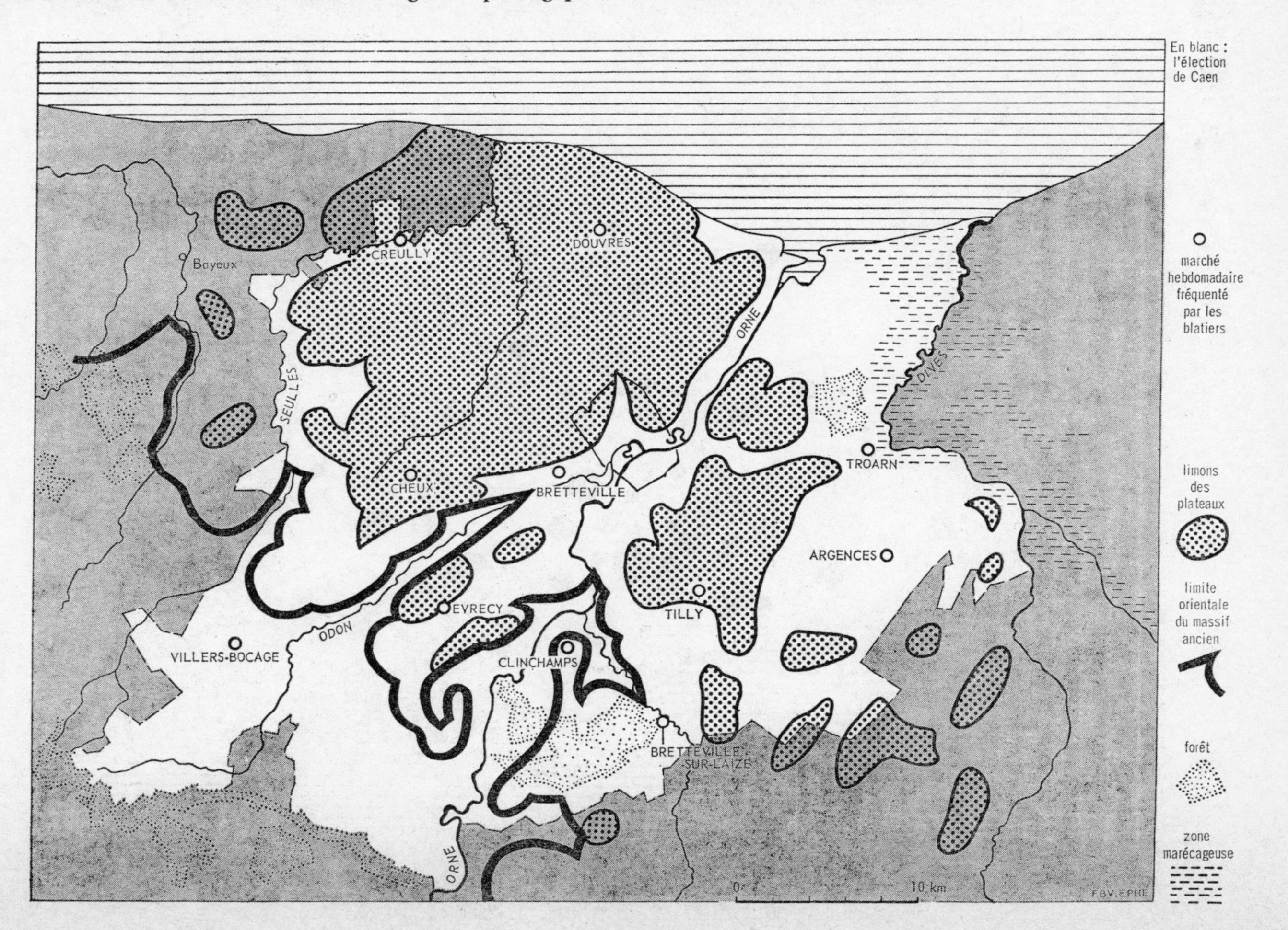

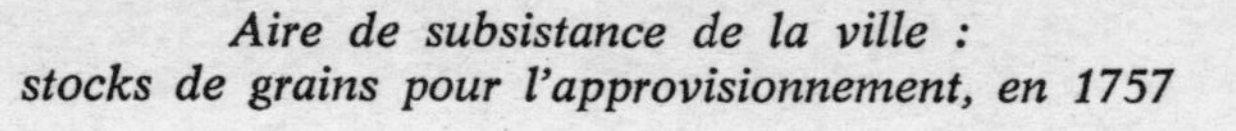

Aire de subsistance de la ville :
stocks de grains pour l'approvisionnement, en 1757

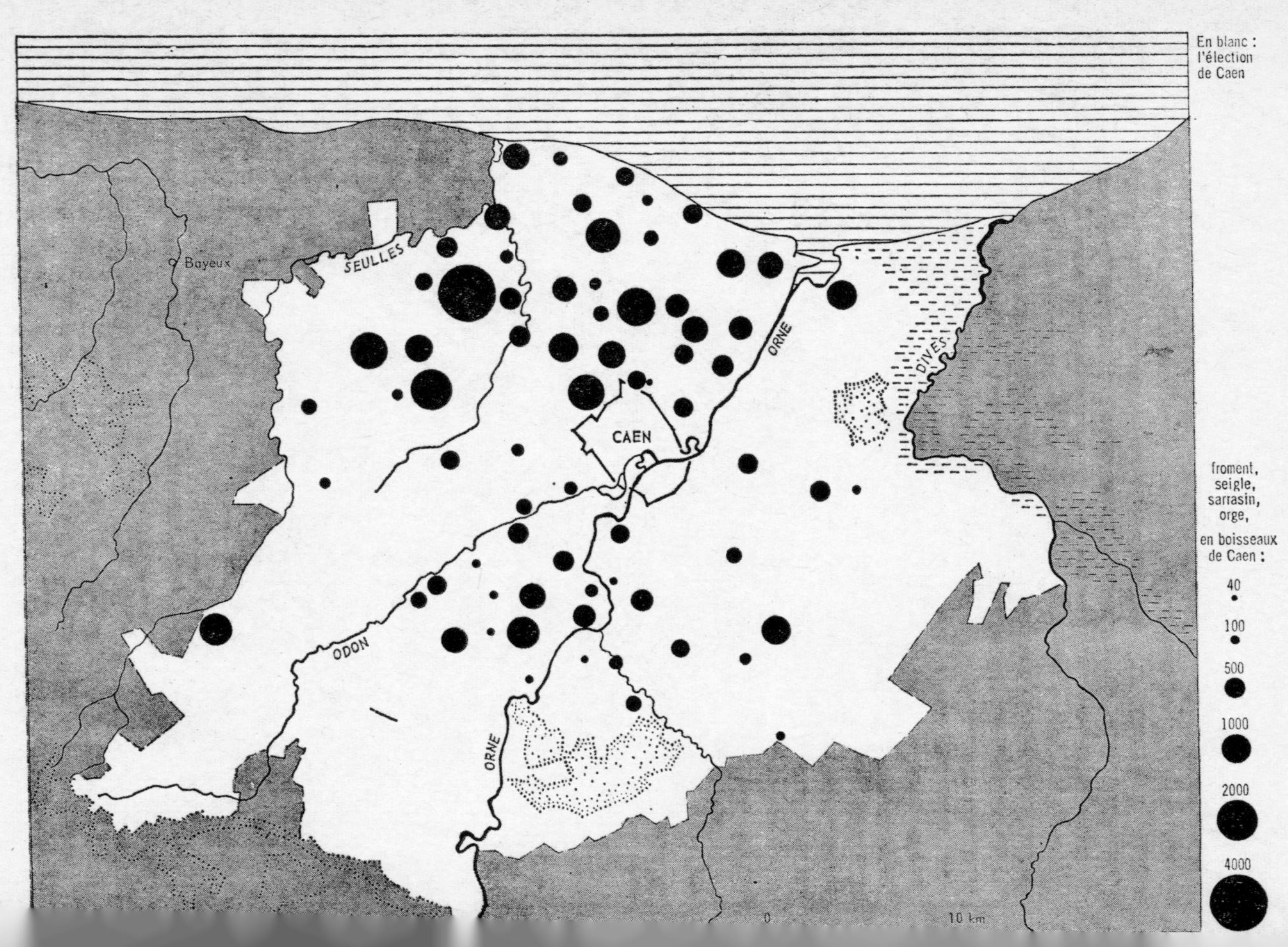

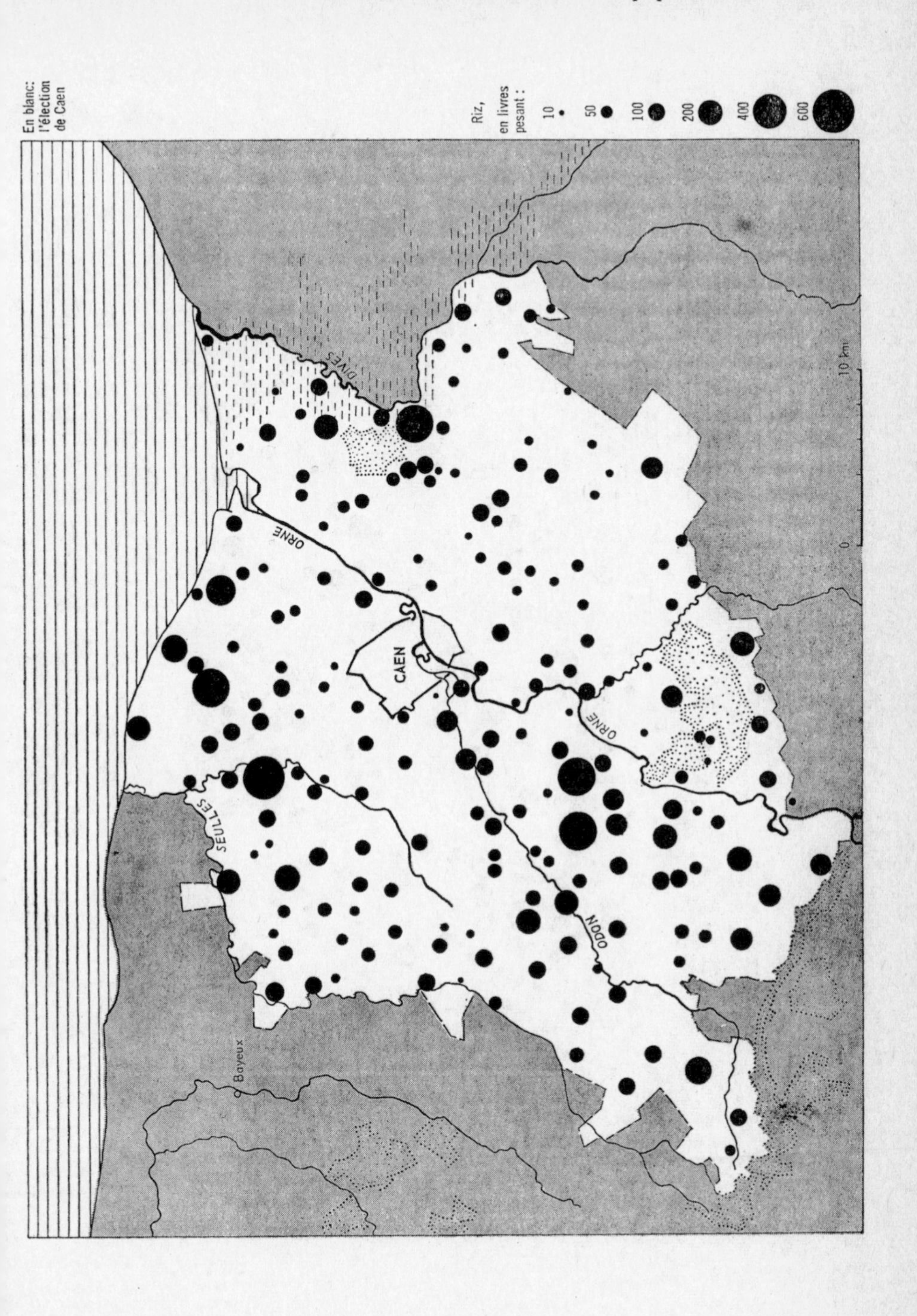
En blanc:
l'élection
de Caen
Riz,
en livres
pesant :
10
50
100
200
400
600
DIVES
ORNE
CAEN
ORNE
SEULLES
ODON
Bayeux
0
10 km

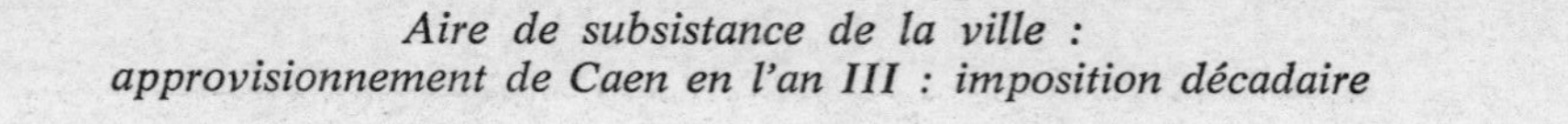

Aire de subsistance de la ville :
approvisionnement de Caen en l'an III : imposition décadaire

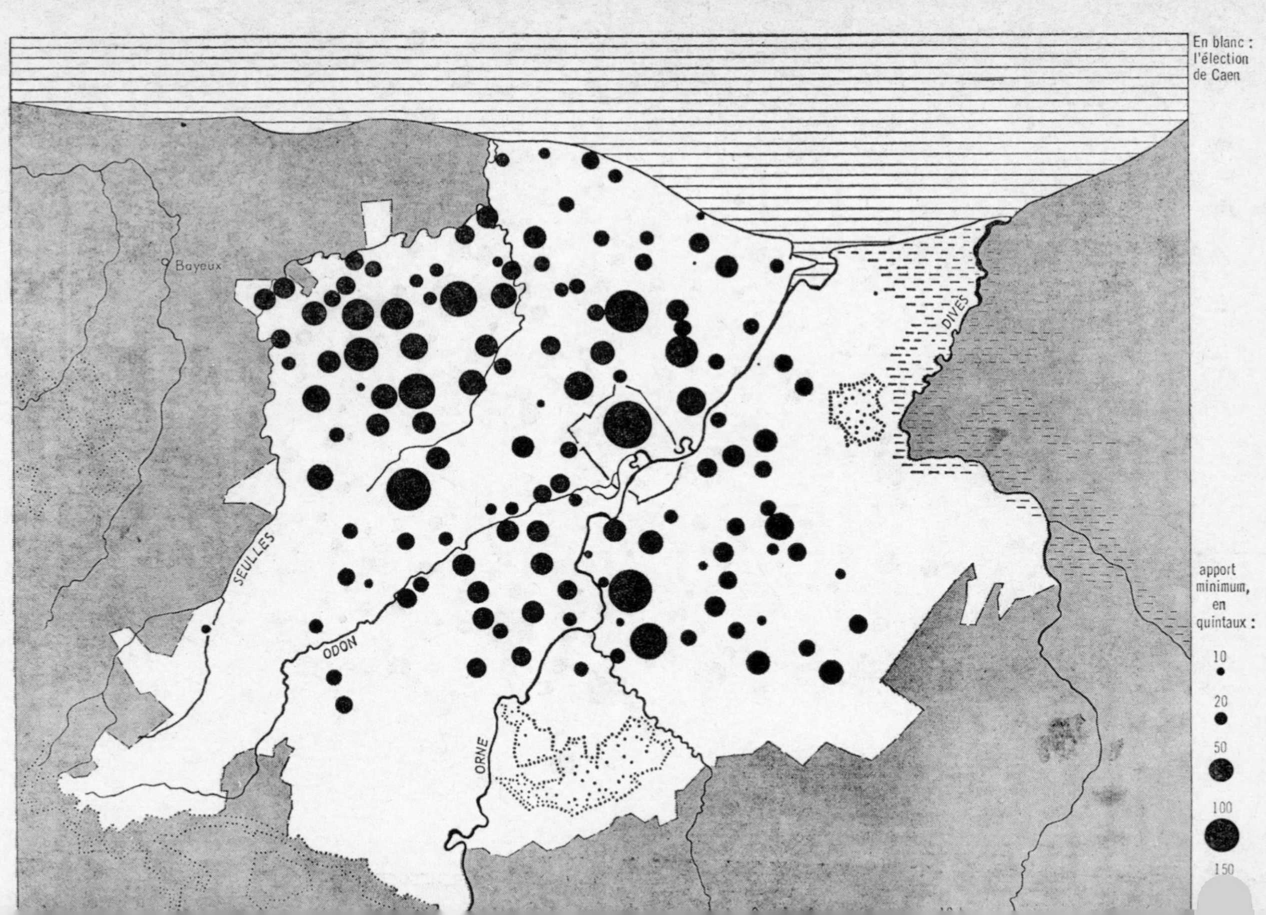

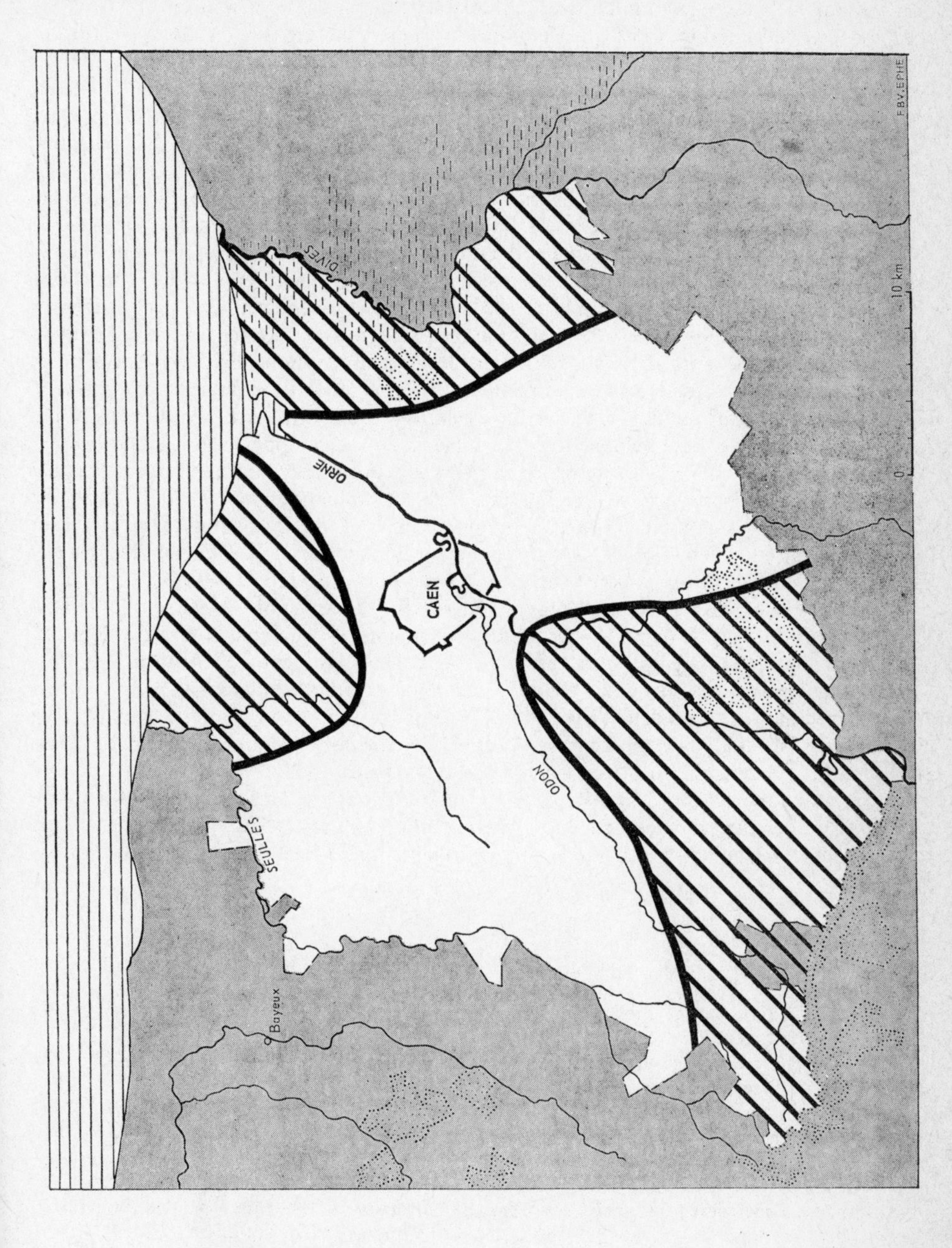
DIVES
ORNE
CAEN
ODON
SEULLES
Bayeux
0
10 km
F.B.V. EPHE

ses affluents, l'Odon, le Dan ; le reste est une « platte campagne ... propre pour le labourage » conclut le Mémoire de l'intendant Foucault en 1698-1699 [76]. Même impression dans le Mémoire sur l'élection en 1727-1728 qui constate paroisse après paroisse, la qualité des terres [77] ; d'ailleurs la récapitulation en termes de revenus globaux est édifiante : les labours viennent pour 1 050 000 livres contre 40 000 livres aux autres ressources. Nulle part ne se retrouve dans la généralité une pareille monoculture et pour voir une spécialisation analogue, il faudrait se rendre dans le ressort de Rouen où le Pays d'Auge est le grand domaine de l'herbe. Au contraire les élections de Basse-Normandie se partagent ; dans celle de Bayeux, les mauvais fonds du Bocage remplis « de bruyères et de buissons » disputent la moitié de la surface aux bonnes prairies et aux labours de terres légères sans pommier. Même bipartition dans l'élection d'Avranches ou de Coutances, où cependant le Bocage est meilleur et dans celles de Carentan et Valognes où, cette fois, les herbages sont réputés. Tandis qu'au sud, dans les circonscriptions de Saint-Lô, Vire et Mortain, les terres ingrates atteignent les trois quarts de la surface, sinon la totalité [78]. Bref, seule l'élection de Caen est pour ainsi dire toujours excédentaire, très exceptionnellement Bayeux et quelques campagnes du Cotentin.

Dans les années normales, le surplus de notre élection peut aller jusqu'à 30 % de la production globale, une fois la ville nourrie ; à 40 % dans les années fastes comme 1728. Le bilan comparatif de la généralité en 1731 et 1764 insiste bien sur cet aspect permanent [79], comme le « Tableau du sol, des productions, du commerce et des impositions de 1769-1770 » [80], comme le Mémoire de Lefebvre au Conseil général le 20 novembre 1790, ou les statistiques de l'an II - an III par district [81], même si quelques retouches ont eu lieu dans les paysages agraires [82]. Et l'excédent provient des surfaces les plus limoneuses : au déclin de chaque été un haut tapis de chaumes noisette revêt la plaine sur les deux rives de l'Orne, plus élimé au sud-est, sur la rive droite, de Tilly-la-Campagne à Sainte-Honorine-la-Chardonnerette par Le Mesnil-Frémentel, plus fastueux au nord-ouest, de Grainville à la mer, tout piqueté de toponymes aux sonorités gallo-romaines ou barbares, coruscants comme la paille des meules, Secqueville-en-Bessin, Villiers-le-Sec... Entre ces aires à terre brune et la zone d'approvisionnement de Caen au XVIIIe siècle, c'est

76. Arch. nat., KK 1317.

77. Arch. dép. Calv., C 277. Ne pas confondre les termes de bonne paroisse (sens fiscal) et bon terroir (sens agricole).

78. *Ibid.*, C 269 et Bibl. mun. Caen, mss. in-fol., 43.

79. *Ibid.*, C 278.

80. *Ibid.*, C 6379, sans date, mais les statistiques industrielles sont celles de 1769 et la dernière année citée est 1770.

81. Notamment Arch. nat., F 1 C III, Calvados, 7. Arch. dép. Calv., L, subsistances, district de Caen.

82. L'état des campagnes autour de Caen s'est peut-être moins modifié que M. Bloch, 1952, p. 212, ne l'avait pensé en remarquant l'importance des haies. Des études dispersées font croire que les transformations les plus notables pourraient s'être déroulées au milieu du XIXe siècle. Cf. pour la période antérieure P. D. Bernier, 1891 ; M. P. Brunet, 1955 ; A. J. Bourde, 1958 ; L. Hédin, 1948, 1951. A la fin du XVIIIe siècle la pomme de terre gagnait un peu de terrain, Roussel, 1811 ; J. Vidalenc, 1957 ; A. Dubuc, 1953, G. Désert, 1955.

le recouvrement ; le reste de l'élection, les terres froides ou argileuses du Sud et de l'Est, subvient seulement à ses besoins.

4) La localisation des ressources aide à comprendre pourquoi il devient finalement inutile de chercher au-delà de l'aire traditionnelle dans les années de crise aiguë car on reviendrait bredouille ; inutile également en temps normal, car l'essor de la demande urbaine au XVIIIe siècle (+ 55 % au temps de la splendeur démographique) est aisément satisfait de trois façons : par l'excédent dont une part croissante reste sur place, par la hausse du poids spécifique du grain récolté, par les progrès de la mouture ; il n'est même pas besoin d'envisager une hausse de la production. Les deux derniers aspects invoqués mériteraient une étude particulière. On voit qu'ils posent, à côté du problème fort difficile de l'évolution en volume qu'on essaie de résoudre par l'examen des dîmes, celui des progrès de la qualité et des perfectionnements de la technique en meunerie. Sur ce sujet, un mot.

Il ressort des expériences de boulangerie, par exemple, que le poids du sac de grains dans la plaine de Caen semble s'alourdir. Toujours composé de 8 boisseaux, mesure du lieu emplie de la même manière, il pèse 320 à 324 livres poids de marc vers 1740, 350 livres dans les années 1750-1760, et 360 livres vers 1775-1776 [83]. Si ce gain de qualité peut être considéré comme définitif (mais on l'ignore localement), le poids de la récolte aurait donc augmenté de 10 % environ en une quarantaine d'années. Les progrès de la mouture, plus modestes, sont aussi plus clairement déductibles des expériences du XVIIIe siècle. Les voici mesurés par le tableau ci-dessous :

Rapport poids de farine/poids de grains à Caen

	Mouture		
	1re qualité	*2e qualité*	*3e qualité*
1743	0,68	0,75	0,81
1775	0,72	0,77	0,84

Chaque fois que les moulins sont équipés de meules économiques, on observe donc un gain de 4 % à 5 % ; c'est le cas pour les entreprises hydrauliques de Caen avant la fin de l'Ancien Régime et nous savons par le Mémoire de Du Portal que les sept moulins de la ville pourvoyaient depuis le milieu du siècle à 50 % environ des besoins urbains [85]. Bref, en cumulant ces deux

83. Poids du même volume de grain : le sac de 8 boisseaux mesure de Caen et un demi-comble, soigneusement mesuré pour des expériences de mouture de première qualité, cf. Arch. dép. Calv., C 242-250, C 2601, C 2653, C 2656, C 2658.

84. Mêmes sources. En revanche le poids du pain par rapport au poids de farine ne change pas de façon significative. La cuisson ne paraît pas évoluer.

85. Arch. Génie à Vincennes, Plans de Caen, carton 1. Mémoire de Du Portal, 1er octobre 1759 : 2 moulins sur l'Orne (capacité de mouture 48 q poids de marc pour 24 heures) ; 5 moulins sur l'Odon (capacité unitaire 30 q), fonctionnement 10 mois environ dans l'année.

sources de progrès et même en tenant la première pour aléatoire, bien que le sens évolutif soit assez dessiné (car on sait que le poids des grains est influencé par les conditions atmosphériques), on obtient une augmentation des quantités de farine disponible minimum de 5 % et maximum de 15 %.

J'ajoutais tout à l'heure qu'il n'était pas nécessaire d'envisager une augmentation des rendements ou des surfaces cultivées dans la zone alimentaire de Caen. Il faut avouer d'autre part que cette hypothèse n'est pas suggérée par les documents. En dehors de quelques emblavures dans la banlieue maraîchère de Caen, il ne reste guère de défrichements possibles dans l'élection ; on a pu observer par ailleurs la stabilité des assolements. Resterait l'éventualité d'une hausse des rendements. Les éléments de comptabilité générale dont nous disposons pour deux années de bonnes récoltes, 1728 et 1793, ne vont pas dans ce sens [86] :

	Election de Caen 1728	*District de Caen 1793*
Surfaces (ha)	125 733	108 668
Labours en blé [87]	32 000	28 000
Production	800 000 q (poids de marc) [88]	560 000 q (poids de marc)
Rendements en quintaux poids de marc	25	20

Les éléments de ce calcul économique pourront être précisés. Je doute qu'ils puissent être contredits dans leur ligne générale, notamment pour la période 1793-an V où ils sont recoupés par une série de statistiques partielles cantonales. Ils incitent, comme on le prévoyait, à admettre la fixité des surfaces consacrées aux céréales dans la plaine [89] ; l'assolement triennal ne reculait

86. On se réfère à nouveau dans ce paragraphe au Mémoire de l'intendant, Arch. dép. Calv., C 277, et pour 1793 aux Arch. mun. Caen, F 28, Comptes de l'administration du district de Caen (Cécire le Jeune).

87. Valeur pondérée de l'acre selon la surface communale : 0,60 ha. L'intendant annonce 80 000 acres labourables. C'est le régime de l'assolement triennal, cf. encore en 1807, Lettre du préfet au ministre de l'Intérieur (Arch. dép. Calv., M, Statistiques de population, 1806 — *sic*) et *Annuaire du Calvados,* 1804-1805. Les surfaces consacrées aux céréales panifiables en 1793 ne sont pas données mais on connaît celles de l'an II, an III, an IV pour la plus grande partie du district ; sur ce pied elles représentent 26 % de la surface globale du terroir. Il est possible que ce taux ait été à peine atteint momentanément en 1793.

88. L'intendant écrit 2 000 000 boisseaux. Je les ai convertis sur la base des taux de 1725-1730 = 40 livres pesant le boisseau.

89. Concessions de défrichements : Arch. dép. Calv., C 4197-4200, Arch. nat., F 1 C III, Calvados 7 et 12, *ibid.,* H 1505. Sous cette dernière cote, voir les *Mémoires sur la nécessité du défrichement* à la Société d'agriculture de Caen en 1769 et 1776. Quelques terres furent gagnées dans la plaine de Caen et le Bessin au début du siècle. Mais cent ans plus tard les jachères n'ont disparu qu'autour des villes. De toute façon, cette disparition ne produit pas l'accroissement des surfaces céréalières, mais des prairies. Le botaniste Desmoueux, secrétaire de la Société d'agriculture,

au XVIIIe siècle que sur les mauvaises terres de la généralité et peut-être dans le terroir de la ville même [90]. Enfin les rendements piétinaient autour de 10 à 12 q CGS à l'hectare ; il faut moins s'attacher au niveau absolu, sans doute plus élevé sur le limon et apprécié au plus juste par des administrations soucieuses de garder leurs réserves, qu'aux analogies des résultats émanant de deux sources éloignées et totalement distinctes.

5) L'essentiel de l'accroissement de la demande de Caen au cours du siècle est donc satisfait par une ponction sur l'excédent disponible de l'élection. A cet égard il n'est pas difficile de montrer qu'il existait une bonne marge de sécurité. Reprenons les comptes de l'intendant, établis pour le mémoire de 1728. Le commissaire qui avait dû pleurer famine lors de la très grave crise de 1725 n'était sans doute pas porté à exagérer la richesse céréalière de sa généralité ; mais 1727 avait été serein, en octobre 1728 une bonne moisson, comme on en voit deux ou trois en dix ans, était engrangée. Dès lors, comment équilibre-t-on la comptabilité céréalière de l'élection ? Ainsi :

Production	2 000 000	boisseaux	
Consommation rurale	900 000	boisseaux	(90 000 hab.)
Consommation urbaine	250 000	boisseaux	(25 000 hab.)
Excédent	850 000	boisseaux	

A ce compte-là, est-il pensable que la pénurie puisse exister à Caen, même à l'apogée démographique des années 1775, lorsque la demande a augmenté de 50 % pour se porter à 375 000 boisseaux par an ? Imaginons alors par hypothèse, avec une consommation unitaire et des ensemencements inchangés, une mauvaise année qui réduirait d'un quart la récolte. On obtiendrait ceci :

Production	1 500 000	boisseaux	
Consommation rurale	1 080 000	boisseaux	(hausse de popul., 20 %)
Consommation urbaine	375 000	boisseaux	(hausse de popul., 55 %)
Excédent	45 000	boisseaux	

On constate qu'une diminution forte de la production réduirait à peu de chose la part exportable, mais selon mon grimoire statistique, le ravitaillement serait encore assuré, à supposer qu'il n'y ait pas de sorties incontrôlées. Précisément, ce n'est là qu'une fiction.

écrivait déjà à Bertin le 18 mai 1765 (Arch. nat., H 1505) que les paysans commençaient à reconnaître l'utilité des prairies artificielles à la place des jachères. Jusqu'à la fin de l'Ancien Régime, cette transformation a été freinée par l'accroissement du poids des dîmes qui en résulte et décourage les paysans, notamment dans les Elections d'Avranches, Vire, Mortain. Cependant, la grave sécheresse de 1784-1785 et les instructions royales diffusées en abondance à ce moment (Arch. dép. Calv., C 2605) peuvent avoir aidé les paysans à transgresser les baux et les usages contraires au dessolement et à semer les jachères de « grenailles ou bizailles » (mélanges des vesce, lentilles, fèves à faucher en vert pour le bétail). La culture à l'anglaise (A. Bourde, 1958) est diffusée en Normandie auprès des élites par D. du Monceau, par le Mémoire de Guerrier (Arch. nat., H 1505) en 1766 (Travaux de la Société d'agriculture d'Alençon) ; à Caen, par le Mémoire du Chevalier de Turgot, trois ans plus tôt (même dossier) relatant les expériences du pays de Caux.

90. *Annuaire du Calvados,* 1804-1805.

4. LES RAPPORTS AVEC LE COMMERCE RÉGIONAL

Des courants d'échange réguliers existent en période calme, notamment avec le pays d'Auge riche de viande, de cidre et d'écus mais pauvre en pain. Pour qu'ils cessent lors des pénuries, il faudrait imaginer des révolutions massives dans le bilan alimentaire des populations comme dans les circuits commerciaux. D'ailleurs la comparaison des écarts des prix de marchés ne rend pas compte de façon claire de ces courants car il est vrai que le prix à la halle inclut les transports. Cependant on constate au sein de la généralité deux climats commerciaux différents. En période de très bas et de très haut prix, soit en gros d'abondance et de pénurie, le chef-lieu peut drainer les quantités excédentaires ou marginales car la cote y est toujours plus élevée que sur les marchés secondaires. Dans la période d'observation 1761-1789, il en est ainsi dans l'étiage de 1764-1765 comme dans les pointes de cherté, 1773, 1784, 1787-1789 [91] ; dans cette dernière occurrence, la dénivellation, très forte, est largement supérieure aux coûts de transport dans un rayon de 150 km. En temps de prix moyens, l'incitation à ce négoce marginal se brouille, un équilibre variable s'installe sur la généralité, mais à part le glissement toujours rentable des céréales du Bessin (marchés de Bayeux et Carentan) vers Caen, aucun courant ne devrait prévaloir.

Ecart entre le prix du froment à Caen et Bayeux, de 1761 à 1789
En noir, le gain du marchand spéculant entre les deux places
exprimé en sols pour 100 livres pesant (compte non tenu des frais de transport)

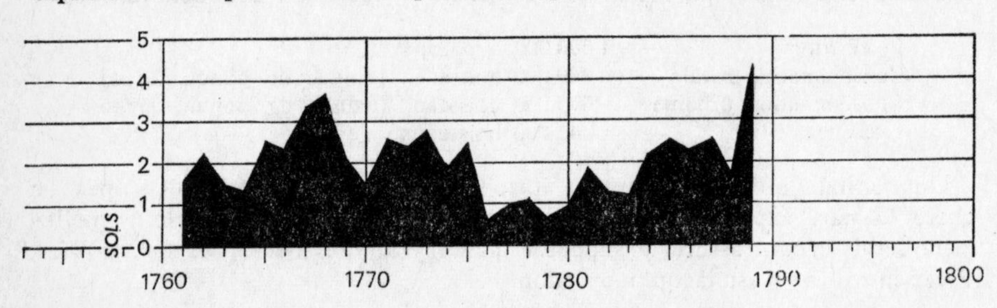

Entre la généralité de Caen et ses voisines Rouen, Alençon, la même situation se répète car le marché parisien est déjà trop loin pour compter plus qu'occasionnellement. Par tradition l'une et l'autre achètent des grains dans la plaine de Caen et le rôle d'intermédiaire de marchés comme Saint-Pierre-sur-Dives, Argences, Falaise, Lisieux, est bien connu. Mais derechef, ce n'est qu'en période de grande cherté (le seul exemple clair est celui de 1789) qu'un écart des prix pourrait induire un courant commercial supplémentaire [92]. Pourtant ce gonflement intermittent de la circulation des grains est

91. Cf. en annexe 4 les écarts du prix du froment entre Caen et le marché de Bayeux.

92. Cf. en annexe 5 les écarts du prix du froment entre les généralités de Rouen, Alençon, Paris, Caen.

vivement ressenti dans la plaine de Caen en 1739, 1757 comme aussi en 1768, lorsque s'enclenche la hausse pendant le bref triomphe de la liberté des ventes. L'intendant se plaint à Trudaine de Montigny : « le pays de Lisieux nous fera mourir de faim » [93]. D'ailleurs les voitures de blé pillées en temps de cherté sont toujours arrêtées à leur passage sur la rive orientale de l'Orne aux bacs qui coupent la rivière : en 1739 à Vaucelles et Cormelles, en 1767, 64 sacs sur la route de Dives au bac de Colombelles, en 1768, deux voitures au bac d'Athis destinées à Lisieux [94], en 1792, peu après le franchissement de l'Orne à Cagny, le blé des halles d'Argences, la même année à Caen au faubourg de Vaucelles [95]. En sens inverse, dans les périodes à prohibition, c'est la maréchaussée qui s'installe aux bords de l'Orne à l'affût des blatiers en particulier aux bacs de Benouville, Colombelles, Athis, Le Coudray, Fontenay, Le Homme [96]. Une ordonnance de l'intendant en 1741 puis une sentence de l'amirauté en 1757 [97] défendent expressément aux plates, gabarres et pataches de transporter des grains d'un côté à l'autre des rivières de ce ressort ; pour une province où les cours d'eau s'orientent vers le nord, on ne saurait mieux indiquer la direction généralement ouest-est de ce commerce. « Il en passait par les bacs jusqu'à 300 sommes de cheval par jour » grommelle le lieutenant de police au fort de l'émeute du 14 juillet 1770 [98].

Toute la politique des autorités consiste donc à tempérer d'abord par des propos lénitifs la spéculation des habitants qui s'enfle devant les alarmes suscitées par la sortie des grains, puis par quelques importations moins conséquentes que savamment annoncées, à rétablir un équilibre avec les besoins dont on ne s'est guère éloigné en réalité. Le comportement des vendeurs et des consommateurs compte plus en définitive que le volume de la production, sur les variations de prix. A Caen « la police des bleds est une matière toute d'opinion » écrivait le marquis de Vastan, commissaire départi au contrôleur général en 1730 [99] et Trudaine ne se trompe guère lorsqu'il garantit en juin 1768 à l'intendant Fontette qu'il y a des grains dans sa province « car on n'a jamais vu que le bled ait totalement manqué dans les années même les plus malheureuses » [100].

93. Arch. dép. Calv., C 2648, Lettre de Gohier de Jumilly à l'intendant, le 9 mai 1739 (« les hauts prix qui se sont faits à Argences »). *Ibid.*, C 2650, Lettre de l'intendant du 10 juin 1757 ; *ibid.*, C 2664, Lettre du 9 juillet 1757 ; *ibid.*, C 2652, Lettre du 14 mai 1768. L'intendant « physiocrate » Fontette ne se révèle pas dans cette correspondance un chaud partisan de la libre circulation des grains.

94. Arch. dép. Calv., C 2648, C 2650 et C 2652.

95. Arch. mun. Caen, F 28.

96. Arch. dép. Calv., C 6386, Ordonnance de l'intendant de La Briffe du 23 novembre 1751 ; sur les bacs de l'Orne, renseignements généraux dans Arch. dép. Calv., C 3036.

97. *Ibid.*, C 6386, C 2650, Sentence de Police du 27 juin 1757.

98. *Ibid.*, C 2653, Lettre du lieutenant général de Police à Miromesnil.

99. *Ibid.*, C 2613, Lettre du 2 janvier 1730.

100. *Ibid.*, C 2652.

5. LE STOCKAGE

Dans ces conditions, le meilleur expédient au maintien des prix locaux, du « bon prix » médian, comme le voulaient les physiocrates [101], serait d'aménager, non plus géographiquement mais temporellement le marché. Le stockage des grains en année de vileté répond à cette préoccupation et il est à peine paradoxal de soutenir que l'importation des blés étrangers, en dépit du caractère apparemment spatial de la solution, reflète aussi le désir de gagner du temps pendant les chertés, de débloquer l'horlogerie des prix plutôt que de concourir efficacement à l'alimentation réelle des habitants. Aux yeux du profane, ces nouvelles voies offertes à la satisfaction de la demande urbaine semblent présenter au plus des difficultés techniques. En vérité, il s'agit de bien autre chose car nous voici sur la ligne de feu des idéologies économiques ; les avancées et les reculs du front qui sépare les physiocrates de leurs adversaires contribuent à expliquer l'attitude des autorités locales.

A l'orée de notre observation chronologique, vers le milieu du XVIIIe siècle pourtant, la pratique administrative, sinon la doctrine, semblait très solidement établie. Saisissons-la dans le cadre caennais, parfaitement conforme au modèle national traditionnel depuis cent ans. Elle était faite tout d'abord d'hostilité à l'égard des réserves céréalières des particuliers créatrices de difficultés. C'est le point de vue de l'intendant comme des échevins maintes fois répété depuis la crise de 1709. Les officiers municipaux, peut-on lire par exemple en 1725, « sont convenus unanimement qu'il y a lieu de croire que la cause principale de la rareté des grains est la frayeur que chacun a prise d'en manquer et qui peut avoir obligé quantité d'habitants de cette ville de faire des provisions de bled plus fortes qu'il ne leur en faut » [102]. Aussi des ordonnances ou des arrêts ponctuent les années de crise en 1725, 1739, 1752, 1757, d'interdiction d'amasser les grains et de spéculer [103].

En compensation les autorités se sentent le devoir de prendre la relève du marché mais à la vérité, toujours tardivement, par des mesures que le rétablissement de la situation laisse incomplètes et dont la nécessité n'apparaît plus si pressante dans les années d'abondance. Cette véritable répugnance à la prévision économique montre à quel point le temps, et surtout le futur, la « prospective » est une catégorie mentale peu spontanée de la pensée administrative. Cependant la crise de 1725 et ses troubles avaient jeté l'intendant dans un tel désarroi que le souvenir s'en est perpétué au point de susciter les entreprises de stockage de 1729-1730 [104]. On se proposait de constituer en quatre magasins (Caen, Bayeux, Valognes, Vire) une provision de 12 000 sacs de 200 livres pour l'ensemble de la généralité, à l'image de ce qui se faisait au même moment à Montauban ; mais la tâche était ardue pour un

101. G. Weulersse, 1910, t. 1, p. 474 sq.

102. Arch. dép. Calv., C 2645, Ordonnance de l'intendant F. Richer d'Aube du 4 juillet 1725.

103. *Ibid.*, C 2594, Ordonnance de l'intendant du 20 janvier 1739. *Ibid.*, C 2592, Arrêt du parlement de Rouen du 16 mai 1752. *Ibid.*, C 2601, Ordonnance de police du 5 janvier 1757. *Ibid.*, C 2650, Règlement de police du 27 avril 1757.

104. *Ibid.*, C 2612 et C 2613.

pouvoir politique démuni d'organisme commercial. Le financement pouvait être assuré par une imposition étalée sur deux ans. Mais la main-d'œuvre, mais les greniers ? Dans cette opération, l'intendance devient la victime des condamnations répétées qu'elle porte en temps de crise contre les commerçants et revendeurs : « Il n'y en a pas un qui veuille s'y prêter par la crainte d'estre en butte à une populace mutine et furieuse dans des cas de disette, s'ils passoient pour vendre les bleds en leur nom et pour leur compte [105] ». Finalement les greniers ne furent point remplis et l'intendant s'en consolait en pensant que l'annonce de la décision porterait déjà remède : « le bruit s'en répandroit partout et je suis convaincu que dans la conjoncture présente ce sera la même chose que les peuples croyent qu'il y a 12 000 sacs de bled en magasin dans la généralité de Caen comme s'ils y étoient [106] ».

De la même manière, la pénurie de 1757 relança le projet d'aménagement des greniers publics que Duhamel du Monceau dans son traité *De la conservation des grains* [107] avait étudié en détail quatre ans plus tôt. Les idées de cet expert furent très bien reçues à Caen, on peut même penser qu'elles sortent en partie de l'examen de la situation normande quand on lit ses développements sur le caractère artificiel des disettes [108], ou sur les techniques provinciales dans son ouvrage *De la culture des terres* [109]. Il était l'ami du père de Saint-Affrique, prieur de Saint-Etienne de Caen, féru d'agronomie et membre de la Société d'Agriculture [110]. Les dix plans en élévation du projet de greniers sur la place Saint-Sauveur, qui émanent de l'officine des Ponts-et-Chaussées [111], ont été communiqués à Duhamel et nous avons conservé ses critiques touchant la nécessité de revêtir les réceptacles de bois, de placer une étuve pour sécher les grains plutôt que les soufflets prévus par dom Saint-Affrique ; le séchage au four chez les paysans ne sera expérimenté en Angoumois qu'en 1761-1762 et plus tardivement diffusé dans le reste de la France [112].

Le prix de l'édifice (90 000 livres au total), le délai de construction (trois ans pour le gros œuvre, six ans pour l'achèvement), les controverses tou-

105. Minute de Lettre de l'intendant au Contrôleur général le 2 janvier 1730 (Arch. dép. Calv., C 2613).

106. *Ibid.*

107. Duhamel du Monceau, 1753. L'ouvrage a eu au moins trois éditions (3ᵉ éd., 1768), sans compter un supplément publié en 1765.

108. *Cf.* dans cet ouvrage, la préface et le chapitre premier, notamment l'*Exposé du problème économique que nous nous sommes proposé de résoudre pour parvenir à la conservation des grains* (p. 44 de la 3ᵉ éd.) qui est la transcription de son Mémoire à l'Académie des Sciences du 13 novembre 1745.

109. Duhamel du Monceau, 1750-1761. Cf. aussi le très bon article de J. Bourde, 1958.

110. Arch. dép. Calv., C 2498, membres proposés par l'intendant pour la Société d'agriculture, Arch. nat., H 1505, Arrêt du Conseil du roi du 24 février 1763 fixant la composition de la Société fondée par arrêt du 25 juillet 1762.

111. Arch. dép. Calv., C 1119, Lettre de Loguet à Fontette. Cf. aussi J. C. Perrot, 1963, n° 673 à 679. Sept plans seulement sont conservés.

112. Arch. dép. Calv., C 2499, C 2610 et C 6400. Les expériences de l'Angoumois sont imprimées sur ordre de Bertin et transmises à tous les subdélégués en mars 1763. Cf. aussi le compte rendu des travaux de la Société d'Agriculture de Caen par Desmoueux (pour les 5 et 17 décembre 1763) dans Arch. dép. Calv., C 2501, et Arch. nat., H 1505.

chant le jumelage du grenier avec la halle que critiquait Duhamel, peuvent expliquer l'impasse dans laquelle s'est trouvé le projet et son renvoi durant la guerre de Sept ans. Mais il y a d'autres raisons. Caen fut une ville très tôt gagnée aux idées physiocratiques. La preuve en est moins, comme on l'avance parfois, dans l'attitude de l'intendant Fontette qui supprima la corvée comme Turgot dans le Limousin [113], car cet administrateur était alors assez mal vu des notables pour des raisons financières et urbanistiques qu'alimentait au fond un vieux ressentiment provincial contre Versailles. Mais plus significative est l'attitude favorable de l'Académie de Caen à l'égard de l'Ecole [114]. Dans cette société déjà très vénérable où l'effervescence intellectuelle n'était pas considérable, les préoccupations économiques apparaissent pourtant en 1755. Du Mesnil-Morin compose un *Essai sur les moyens de prévenir la cherté du bois de chauffage*; en 1758, intervention de Mathieu de Clerval sur les vers à soie, en 1760, des *Avis oeconomiques* du chanoine Porée sur les cidres [115]. Vint alors la grande époque physiocratique de l'Académie. Rouxelin, procureur des eaux et forêts, couronné en 1762 pour un *Mémoire sur les défrichements* puis nommé secrétaire perpétuel [116] correspondait avec Letrosne et Dupont de Nemours, membres associés depuis 1769-1770 [117], collaborait au *Journal économique,* dissertait sur l'exportation des grains [118]. Autour de lui, des avocats au bailliage, de La Rue, Leclerc, Duperré, s'initiaient aux mêmes sujets [119] ; un membre associé, de La Fargue, composait en 1765 un mémoire sur le desséchement des marais [120] et Rouxelin, deux ans après, abordait le problème de l'influence de l'impôt indirect sur les propriétaires des biens-fonds, conformément au concours de la Société

113. G. Weulersse, 1910, t. 1, p. 115. *Ephémérides du citoyen,* mai 1767, pp. 131-132. *Ibid.*, 1771, tomes 4 et 7 : on y trouve les textes de la controverse entre Dupont de Nemours et l'ingénieur en chef des Ponts-et-Chaussées de Caen, Viallet, sur l'administration des chemins. Voir Viallet, 1770 a, 1770 b, 1771. C'est l'intendant Fontette qui avait lui-même présenté à l'origine l'apologie de son œuvre routière, voir Fontette, 1760.

114. Quelques mots rapides de G. Weulersse, 1910, t. 1, p. 114. Sur l'activité de l'Académie, voir Arch. dép. Calv., D, et les nombreux documents publiés par A. R. R. de Formigny de La Londe, 1854. J'ai pu consulter également un intéressant Mémoire inédit de M. Martin préparé sous la direction de M. Chaunu.

115. *Mémoires de l'Académie,* 1755, pp. 163-201 ; *Mémoires de l'Académie,* 1760, t. 2, pp. 85-111, et pp. 181-199.

116. Arch. dép. Calv., 2 D 1495. Prix de 1762 sur le sujet : « Quels sont les moyens de vaincre juridiquement sans frais et sans nuire aux intérêts des propriétaires, les obstacles que la confusion et l'incertitude des droits de propriété apportent au défrichement des terres incultes ? ».

117. A. R. R. de Formigny de La Londe, 1854, p. 123.

118. Arch. dép. Calv., 2 D 1519 et 2 D 1540 : « Analyse des moyens sur lesquels on établit l'avantage et le désavantage de la concurrence dans l'exportation de nos grains ».

119. Cf. à la suite des *Mémoires...* la « Séance publique, pour la rentrée de l'Académie... », 1762, notamment le discours de Fontette, p. 89 sq.

120. Arch. dép. Calv., 2 D 1461. Le Mémoire de La Fargue a été publié dans l'*Année littéraire* de Fréron (t. 6, 1765, pp. 111-122). Quelques années après, P. F. Boncerf revint sur le même sujet, P. F. Boncerf, 1791. Plusieurs études ont été consacrées à la transformation des marais en Normandie : J. Morière et G. Villers, 1858 ; R. N. Sauvage, 1936 et 1939.

royale d'Agriculture de Limoges[121]. Précisément la société homologue, fondée ici le 22 juillet 1762, plus aristocratique que l'Académie où dominait la bourgeoisie libérale, mais ouverte quelquefois aux mêmes personnes et pénétrée d'idées voisines renforçait généralement les attitudes physiocratiques dans la ville[122].

Or la célèbre secte fit toujours preuve d'une hostilité délibérée à tous les greniers d'ordonnance que l'Etat tentait périodiquement d'organiser pour combattre la hausse, parce que de telles institutions cassaient le prix réel des céréales dont le seul correctif devait être la liberté de circulation. L'Ecole triomphe entre 1763 et 1767, dans les années de bas prix nationaux et Trudaine de Montigny en est, sur ce point du programme, l'agent principal[123]. Elle a pesé de toute son influence contre les entreprises de stockage dont l'épisode Malisset à Paris était un exemple illustre. A ce moment l'abandon des silos caennais fut définitif.

En effet dans les années 1770, le retour de la cherté, la publication des *Dialogues sur le commerce des bleds* de l'abbé Galiani effacèrent bien les mesures inspirées des économistes en dépit de tardifs repentirs sous Turgot puis en 1787 ; de même, les officiers municipaux, à la suite d'un parlement toujours rebelle aux physiocrates, revinrent sans doute à l'idée de réserve officielle[124]. Mais ils ne reprirent jamais le projet de construction de greniers appropriés si bien que l'opération courut le danger de devenir deux fois inutile. Matériellement les grains se conservaient mal dans les humides vaisseaux monastiques sur lesquels on se rabattit finalement : l'église des béné-

121. Arch. dép. Calv., 2 D 1519.

122. Deux études locales intéressantes : P. A. Lair, 1827, et A. Rostand, 1926-1927. Puis la synthèse de E. Justin, 1935. L'influence de la Société d'Agriculture en Normandie a été soulignée par A. Davies, 1958. Dans la liste des membres de la Société sanctionnée par le Conseil du roi, je relève la présence de Le Menuet, curé de Moon, couronné par l'Académie de Caen, du comte de Blangy, de Crèvecœur, de La Soudextrie, conseiller en la chambre des monnaies, membres associés, de F. de La Londe, Massieu fils, d'Osseville, ingénieur des fortifications, Desnoueux professeur de médecine, académiciens (voir Arch. nat., H 1505). Ailleurs, c'était la même situation : Dupont de Nemours à Soissons, Le Trosne à Orléans. E. Justin, 1935, pp. 204-252, a étudié les attitudes économiques et sociales des Sociétés d'agriculture où se retrouvent beaucoup de thèmes physiocratiques, mais il n'a pas souligné cet aspect. G. Weulersse, 1910, t. 2, pp. 159-170, au contraire, fait de fréquentes allusions aux liens théoriques en même temps qu'aux dissensions de fait ou de personnes qui ont agité les relations entre l'Ecole physiocratique et les Sociétés.

123. G. Weulersse, t. 2, p. 214 sq., et d'une façon plus générale, la conclusion, p. 598 sq.

124. En réalité, les notables normands ont toujours préféré la lecture des agronomes à celle des économistes. L'analyse des bibliothèques le montre et mieux encore, celle des catalogues de libraires. Par exemple, l'éditeur des travaux de l'Académie royale des Belles-Lettres de Caen, P. J. Yvon annonce dans son fonds d'ouvrages mis en vente, les livres de Duhamel du Monceau, du R. P. Vasnier, de Turbilly, Patulo, Bradeley, La Quintinye pour un seul Cl. Jq. Herbert (*Essai sur la police générale des grains,* 1753). On verra ce catalogue dans l'exemplaire de la Bibl. nat. (Z 28 466). Rouen est une cité trop commerçante par ailleurs pour ne pas réagir aux attaques des physiocrates contre les improductifs ; son parlement donne le signal de la riposte à l'occasion de la législation royale sur les grains (G. Weulersse, 1910, t. 1, p. 207).

dictins de Saint-Etienne, des croisiers, des jacobins, de la charité, des ursulines et des ci-devant jésuites entre 1778 et 1792 [125] ; et politiquement l'opinion peu favorable aux Réguliers, confondait dans sa hargne, et sans vouloir approfondir, grange aux dîmes et greniers de l'Etat, comme M. Reinhard l'a souligné pour Paris [126].

Finalement les réserves furent toujours minimes. Considérons le projet de 1731. Cet amas de 4 000 sacs que les contemporains désespéraient de pouvoir défendre, s'il était constitué, de l'humidité, des souris et des vols, ne représentait que vingt-cinq jours de ravitaillement. En 1757, au 10 juin, les provisions vont à quinze jours de vivres et voyons les réserves de 1789, à plus d'un trimestre de la soudure [127] : six jours en grains, une journée de farine, le double si l'armée sacrifie ses richesses. Les stocks n'ont jamais placé la ville en situation d'autarcie, même lorsque le département recevait, en 1793, les fermages des biens nationaux. La vérité de l'approvisionnement des bons comme des mauvais jours est bien cette aire campagnarde, fidèlement, durablement orientée vers la cité.

6. L'AIRE INTERNATIONALE

Quelle importance donner alors aux achats étrangers ? N'existe-t-il pas là au contraire une aire occasionnellement dilatée, cependant douée d'une nécessité aussi prégnante et de toute autre conséquence pour l'hémorragie monétaire et le déséquilibre de la circulation qui en résulterait dans les richesses provinciales ? L'intendant semble le croire après la désastreuse année 1725 et s'en fait encore l'écho dans son *Mémoire* sur la généralité de 1731 [128]. Oui, si l'on s'en tient aux conditions de transport, aux routes céréalières, à la géographie des pays d'origine, chaque crise fait bien réapparaître un espace économique dont l'extension, à l'inverse des schémas industriels, dépend de la pénurie.

Tout oppose en effet ce grand commerce lointain à la circulation capillaire quotidienne. Et d'abord l'intervention de l'autorité publique. C'est elle qui se fait pourvoyeuse de subsistances en temps de disette ou bien, plus souvent,

125. Provisions dans l'idée d'une guerre longue avec l'Angleterre en 1778 ; en 1785, à l'occasion des travaux des Ponts-et-Chaussées et de la rade de Cherbourg ; en 1787-1789, en raison de la cherté. Voir G. Vanel, 1905, pp. 83-84, p. 88, n. 1. Egalement Arch. dép. Calv, C 2731, plan d'un grenier dans une des cours de Saint-Etienne ; *ibid.*, C 2665, Etat des grains en sacs dans les magasins de Caen en avril 1789. Pour 1792, voir Arch. mun. Caen, F 32. En l'an IV, la vente des grains a lieu directement dans les églises-entrepôts : la Visitation, Saint-Sauveur, le Sépulcre, l'hôpital Saint-Louis (Arch. mun. Caen, M 8). Le ministre est hostile à ces halles sectionnaires (Arch. nat., F 11 325).

126. La synthèse de M. Reinhard, 1964 (2e partie, « La question des subsistances »), envisage toutes sortes d'aspects dont je me suis préoccupé, pour interroger mes documents (particulièrement ici, p. 62).

127. Arch. dép. Calv., C 2650, Lettre de l'intendant du 10 juin 1757 au contrôleur général. *Ibid.*, C 2665 : au 24 avril 1789, les stocks des troupes sont de 1 487 sacs de 200 livres pesant de grains et 64 sacs de farine ; les stocks civils sont de 1 488 sacs de grains et 217 sacs de farine.

128. *Ibid.*, C 278. Bibl. mun. Caen, mss in-fol. 43.

qui suggère au commerce privé les opérations à lancer en lui facilitant la tâche (avances d'argent, remboursement des frais, prêt de main-d'œuvre). Les achats des particuliers ne se tournent jamais directement vers l'étranger, ceux des collectivités pour ainsi dire non plus : l'hôpital général a commandé une fois 350 sacs de blé de Hollande [129].

La nécessité de rechercher les moindres coûts de transport puisqu'il s'agit de sauvetage officiel du marché oblige à recourir aux voies maritimes ; la chute des frais est alors spectaculaire. Au milieu du siècle, le transport depuis Paris revient quatre fois moins cher par la Seine et la côte honfleuraise que par le roulage [130]. Encore s'agit-il de chalands puis des petits raffiots de 30 à 50 tonneaux du port de Caen, dont les mésaventures ne se comptent pas dans les 15 km qui séparent l'embouchure et le quai Saint-Pierre ; 4 deniers par sac de 320 livres au kilomètre suffisent pourtant. D'ailleurs, pour les cargaisons hauturières qui font voile d'Angleterre ou de Hollande, le transport diminue encore de moitié environ à proportion de la montée du tonnage. Ainsi le blé de 1752 embarqué sur les môles de Londres se transporte pour moins de deux deniers par sac au kilomètre [131].

Voici d'autre part un commerce où quelques dizaines de milliers de livres sont toujours au moins engagées et quelquefois pour de longs mois. L'administration doit faire appel à des commerçants solides, courageux de surcroît, car il n'est pas facile de vendre calmement des sacs de grains débarqués pendant la pénurie [132]. Exceptionnellement l'intendant s'adressait à des négociants parisiens comme Bernard en 1726 [133], mais le circuit se compliquait alors beaucoup. Cette entreprise qu'il ne faut probablement pas confondre avec la célèbre maison de banque de Samuel, ne possédait pas de correspondant à Caen. Il faut utiliser le relais de Rouen où réside un facteur, Cottard, mobiliser sous la conduite d'un revendeur caennais une dizaine de patrons de barques pour le cabotage sur la basse Seine : duplication des écritures et des transbordements. Des circuits coûteux, des agents mal rodés indiquent un commerce occasionnel, un approvisionnement de fortune et dans le désar-

129. *Ibid.,* H sup., Délibérations de l'hôpital général.

130. *Ibid.,* C 2650. Calcul de l'intendant des finances de Courteille en juin 1757 : 10 sols par boisseau de 40 livres pesant contre 2 livres par voie de terre.

131. *Ibid.,* C 2649 et 6388. Mémoire de l'entrepreneur des étapes du roi Queudru pour le transport de 12 826 boisseaux, mesure de Caen, moyennant 3 078 livres au printemps 1752. Il faut faire attention à la saison, en hiver les petites embarcations ne se hasardent plus au cabotage.

132. Sur les conditions générales du commerce des grains : G. Afanassief, 1894 ; L. Biollay, 1885 ; J. Letaconnoux, 1909. Dans la correspondance de l'intendant, on saisit partout les craintes des marchands : spécialement Arch. dép. Calv., C 2613, Lettre de l'intendant à Orry du 30 octobre 1730, « les négociants de ce pays ... ont de la répugnance pour tout engagement qui regarde les grains ». Mieux encore, dans la décade 1750-1760 (*ibid.,* C 2650, Lettre de l'intendant à Moras du 4 juillet 1757) : Queudru, négociant, ancien boulanger, a été chargé d'un approvisionnement en Angleterre : « Ce particulier est à la vérité l'objet de toute la haine publique ... Il est actuellement caché dans une maison à la campagne d'où il n'ose sortir. » Dans le même sens, voir des lettres de 1770 (*ibid.,* C 2653). Bellissent, chargé d'achats à Rouen, plus tard, en 1784, est pillé dans le printemps 1789 aussi bien qu'un autre négociant, Moisson l'aîné (*ibid.,* C 2663 et C 2665).

133. Arch. dép. Calv., C 2612.

roi de 1784 comme en 1789-1790 l'intendant chargera un autre négociant, Bellissent, de réexplorer la voie rouennaise, d'où un « picoteux » ramène 64 muids d'un détestable mélange de blé échauffé, nielle, orge et ivraie [134]. En apparence, comme Précourt en 1731, l'entrepreneur des étapes Queudru use en 1752 d'un circuit commercial beaucoup plus simple puisque son blé provient directement d'Angleterre ; cependant l'archaïsme du négoce demeure incroyable puisque l'acheteur a dû se déplacer lui-même pour affréter personnellement en arpentant les quais de Londres deux navires pour le transport [135].

Aussi bien ces quelques exemples sont liminaires. Dans toutes les autres circonstances, les autorités usent d'une voie d'approvisionnement plus courante et facilement ranimée dans chaque tension de prix. C'est, par Le Havre, celle du négoce protestant orienté en dernière analyse (c'est une simple étape de rupture des cargaisons) vers la Hollande. Remarque banale : une grande partie du trafic appartient dans la ville aux familles de la R.P.R. et leur absence surprendrait au contraire [136]. De plus l'intérêt éminent que les Réformés éprouvent à vivre en paix les pousse à ne jamais refuser ce service civique et dussent-ils passer quelque peu pour des « enharreurs » dans les faubourgs catholiques, les voilà assez payés de l'estime des notables. En 1726, c'est Samuel de Précourt, protestant, qui négocie les grains envoyés par Bernard [137], l'année suivante, les approvisionnements sont organisés par la famille Ferray du Havre, également protestante [138], tandis que de Précourt conclut de nouveaux marchés en 1739 et que Thelusson, de Paris, procure une cargaison à prendre au Havre. En 1757, la répartition du riz revient à Signard d'Ouffières, négociant réformé ; entre 1775 et 1781, aux côtés de Ledault, Bellissent et Niard, les deux Moisson, protestants, Le Cavelier fils également huguenot sont occupés au commerce des grains [139]. En 1789, c'est la puissante famille réformée des Massieu de Clerval, dont les membres résident à la fois à Caen et au Havre, qui fournira 12 000 boisseaux de grains et Le Cavelier en 1790 [140].

A l'issue de cette analyse des conditions de transport et de marché, n'est-il

134. *Ibid.,* C 2663, Lettre de l'intendant au lieutenant général de l'amirauté de Rouen, le 13 juillet 1784, et comptes de Bellissent en octobre.

135. *Ibid.,* C 2649.

136. E. G. Léonard, 1942.

137. Comptes dans Arch. dép. Calv., C 2612 et C 6387. Réclamations à l'intendant, *ibid.,* C 2648.

138. Arch. dép. Calv., C 2648. Voir aussi H. Luthy, 1959, t. 1, p. 25 ; P. Dardel, 1966, « Index des noms ». Pour 1739, voir Arch. dép. Calv., C 2614.

139. 1757 : Arch. dép. Calv., C 6388 ; 1775-1781 : *ibid.,* C 2655, C 2660, C 2662, C 2665.

140. *Ibid.,* C 2663, correspondance de l'intendant avec Necker en juin 1789. S. Aug. Massieu de Cerval, négociant à Rouen, est témoin au mariage d'Anne, sa sœur, avec A. M. Osmont, officier de la Grande louveterie à Caen, paroisse Saint-Jean, le 19 octobre 1784 (cf, aussi Luthy, 1959, t. 2, sur les Massieu de Caen, Michel Antoine, père et fils). La collection des permis d'inhumer leurs membres, délivrés aux familles protestantes, figure dans Arch. dép. Calv., C 1758 sq. Pour 1790, voir Arch. mun. Caen, F 23.

pas indiqué de dresser le tableau chronologique et spatial de cette aire d'approvisionnement intermittente [141] ?

Dates	*Nature*	*Relais*	*Aire*	*Transport*	*Quantités (quintaux CGS)*
1726-1727	Bleds	Rouen Le Havre	Etranger sans précision	Mer	8 042 — de
1731	Bleds	Import. directe	Angleterre	Mer	1 000
1739	Froment	Import. directe	Angleterre	Mer	586
	Seigle				
	Orge				
	Bleds	Le Havre	?	Mer	1 956
1752	Bleds	Import. directe	Angleterre	Mer	2 500
1757	Riz	Granville	Orient via Marseille	Mer	489
	Bleds	Granville Avranches	Cotentin	Terre	444
1768	Bleds	Le Havre	Etranger sans précision	Mer	979
1770	Bleds	Import. directe	Hollande	Mer	1 956
1775	Bleds	Import. directe	Hollande	Mer	689
	Bleds	Le Havre	Hollande	Mer	78
1784	Bleds	Rouen	?	Mer	909
1789	Bleds	Saint-Lô	Election de Saint-Lô	Terre	312
	Bleds	Le Havre	?	Mer	6 886
	Bleds	Rouen	?	Mer	1 229
	Orge	Le Havre	?	Mer	2 347
1790	Orge	Le Havre	?	Mer	260
	Bleds	Le Havre	?	Mer	10 562
	Seigle	Rouen	?	Mer	782
1792	Bleds	Le Havre	?	Mer	489
1793	Bleds	Le Havre	?	Mer	586
	Seigle				
An II	Bleds	Cherbourg	Danemark	Mer	733
	Bleds	Le Havre	?	Mer	489
	Riz	?	?	Mer	97

141. Ce tableau est construit avec Arch. dép. Calv., C 2613 et C 2648, puis C 6387 pour l'année alimentaire 1726-1727. *Ibid.*, C 2613 pour 1731. Pour 1739, *ibid.*, C 2614 ; c'est un dossier difficile à interpréter car il faut prendre garde à ne pas mêler les grains commandés et livrés, ceux qui étaient destinés à Caen et ceux qui furent acheminés vers d'autres villes. La lettre de l'intendant au contrôleur Orry du 25 mai doit être interprétée ainsi : des 80 000 boisseaux commandés par plusieurs marchands (blé, seigle, orge), seuls les 3 000 négociés par Précourt sont arrivés de façon sûre à Caen de janvier à avril. De plus ont été livrés les 2 000 sacs

Ce tableau peut donner lieu à des commentaires sur les temps, les lieux et les quantités.

Bien entendu les années où reprennent ces cheminements exceptionnels sont des périodes de pénurie. Comme la période de bas prix (entre 1757 et 1768) correspond à celle du libéralisme, il est impossible de dire si le commerce individuel, sevré en cette occurrence de toute impulsion administrative, aurait pu remplir son rôle ; on peut simplement en douter devant la répugnance des marchands à se lancer dans cette branche. Enfin les années où s'écroulent les institutions sont marquées par un interventionisme actif du pouvoir qui prend sa source autant dans la gravité de la situation alimentaire que dans la prévention des mouvements socio-politiques tandis que de 1792 à l'an II, le ravitaillement urbain fait face à deux autres problèmes occasionnels dont la solution requiert des distributions réglementaires : le paupérisme (arrêt des industries) et les besoins des régiments en formation.

Les aires d'approvisionnement ne sont imprécises qu'en apparence, puisque les relais, toujours connus, demeurent les ports de la basse Seine. Je puis donc me reporter à cette précieuse publication de sources havraises et rouennaises que sont les deux gros ouvrages de P. Dardel[142] partiellement composés de documents détruits à la guerre, pour y saisir l'origine des grains et farines qui transitaient par les entrepôts. Aucune ambiguïté, les céréales provenaient dans leur immense majorité des Provinces-Unies, très secondairement des villes hanséatiques, quelques farines arrivaient d'Angleterre. Les importations par l'auxiliaire de la basse Seine répètent donc avec plus d'ampleur les achats directs et les cases demeurées douteuses dans mon tableau sont très probablement analogues aux pleines. D'ailleurs l'étude ultérieure du trafic maritime de Caen montrera à quel point ce petit port en danger d'envasement et que sauveront après 1785 les travaux de canalisation[143] s'insère dans la civilisation maritime par le relais de la Seine et combien Rouen et Le

---

du Contrôle général (les premiers à partir du 17 mai). Thelusson avait promis beaucoup, mais a envoyé peu (cf. la lettre du 1er juin) ; les 500 sacs qui venaient de lui ont été dirigés sur Granville et n'ont fait que transiter par Caen. Pour l'année 1752, voir Arch. dép. Calv., C 2649 et C 6388, C 2664 pour 10 000 livres pesant de riz en 1757 et C 6388 pour le blé. Pour 1768 : C 2652. Pour 1770 : C 2653. Pour 1775 : C 2655 et C 2660. Pour 1784 : C 2663. Sur le passage des muids de Rouen aux boisseaux du Havre puis aux boisseaux de Caen, voir les renseignements métrologiques dans C 2612, C 2652, C 2767, 1 B 1976. De même attention aux sacs du Havre (200 livres) qui ne sont pas ceux de Caen (320 livres). En 1784, une partie (4/10e environ d'après les frais de transport) est réexpédiée à Cherbourg. Pour 1789, Saint-Lô : C 2665 ; Le Havre : C 2663. En 1790, l'orge en sac de 200 livres, Arch. mun. Caen, D 1 ; le blé et le seigle : *ibid.*, F 23 ; 1792 et 1793, an II. Arch. dép. Calv., L, Subsistances ; le riz provient des magasins militaires mais on ne sait pas son origine, si ce n'est par un projet non réalisé. Veiller d'autre part à ne pas compter les grains alloués à Caen par le magasin national qui est alimenté par les fermages en nature des émigrés du District.

142. P. Dardel, 1963 et 1966. Dans l'ouvrage de 1963, voir l'index aux mots blé et riz et spécialement les pages 163 sq.

143. Le septième port français en tonnage au XXe siècle. Mais il s'agit de l'échelle française !

Havre sont les points amphidromiques de ses circuits commerciaux [144].

L'observation des quantités importées, si différentes d'une épreuve à l'autre, montre la réalité de deux politiques économiques emboîtées ; l'une encadre l'autre. Aux deux extrémités de l'observation chronologique, en 1725 et 1789, les trois coups du destin annoncent la famine. L'expérience montre que ces années de péril s'achèvent moins tragiquement qu'on ne le redoutait parce qu'il existe des réserves à consommer. Mais on se trouve l'année suivante le dos au mur et les importations jouent alors un rôle de fait dans le ravitaillement ; en 1726 et hiver 1727 débarquent à Caen des provisions qui représentent plus d'un mois et demi de la consommation, jusqu'à 50 jours. En 1790, c'est exactement la même proportion à deux ou trois jours près [145]. D'ailleurs les maîtres de la province ne s'y trompaient pas. Le duc de Coigny décrivait à Montaran ses inquiétudes d'autant plus vives au printemps de 1789 « qu'il pensait que cette augmentation devoit s'attribuer à la rareté de la denrée » [146]. On ne saurait mieux entendre qu'à côté des hausses de pénurie, la Normandie connaissait les hausses par crainte de pénurie que l'administration avait le devoir de bien distinguer des premières.

C'est précisément à des phénomènes de cette seconde catégorie qu'elle attribue généralement les fluctuations intermédiaires. Alors les quantités procurées importent peu ; il suffit qu'elles atteignent le seuil de dissuasion de la hausse que l'examen du tableau semble fixer de 500 à 2 000 quintaux et n'est-il pas admirable de rencontrer dans une autre lettre d'intendant, comme en écho à l'utilité des greniers fantômes, véritables placebos de l'opinion, l'apologie du vaisseau de consolation « il faut prendre, dit-il, en 1765, au contrôleur général, des mesures pour que vers la fin du carême, il arrive un navire chargé de bled successivement à Cherbourg et à Caen, il n'en faudra pas davantage ... pour empêcher le prix excessif ... Cette précaution serait inutile sans la prévention des esprits, mais je crois qu'on peut se prêter à leur faiblesse pourvu qu'on ait l'air d'y résister » [147]. Un de ses successeurs dira plus laconiquement : « le grain attire le grain » [148].

En résumé, une aire locale répond, dans la fixité de ses contours, à la demande céréalière de la ville. Cette rigidité spatiale n'est possible que par la fertilité de la plaine de Caen, source de massifs excédents. Dès lors, à l'exception d'accidents météorologiques rares (deux dans le siècle, trois peut-être

---

144. Si la date n'était pas trop tardive et par conséquent les circonstances internationales trop différentes, la comparaison détaillée de ces sources d'approvisionnement avec celles de 1812 serait intéressante. Alors, farines et grains vinrent des Etats-Unis (en avril : il s'agit d'une capture de course et non d'une commande), de Picardie (en mai), de Rouen (mai), des Pays-Bas et d'Angleterre (10 000 livres de riz et 700 sacs de farine en temps de guerre : cette source confessée par le préfet vaut la peine d'être remarquée). Voir. Arch. dép. Calv., L m, Subsistances ; J. C. Perrot, 1965 ; J. Vidalenc, 1957 (*Annales de Normandie*, p. 198).

145. Pour l'ensemble du département, les secours furent plus élevés en 1812. Environ 30 000 q. Le préfet déclare que les 50 000 habitants du Calvados ont vécu alors 26 jours de prestations extérieures, mais il majore sensiblement la valeur nutritive des 9 000 q de riz qu'il a fait distribuer, en comptant des rations de 125 g.

146. Arch. dép. Calv., C 2663.

147. *Ibid.*, C 2664, Lettre du 4 avril 1765.

148. *Ibid.*, C 2663, Lettre du 5 mars 1789.

si 1709 était mieux connu), le stockage des grains comme le recours officiel au marché lointain servent à organiser les prix et non le ravitaillement.

III. L'AIRE DU CIDRE

A partir de ces conclusions solides, il est curieux de se tourner vers d'autres espaces d'approvisionnement de la ville, notamment celui des boissons. Comme on retrouve beaucoup d'analogies dans les problèmes posés par la demande, en déduira-t-on une parenté, même formelle, dans les aires où s'exerce l'influence du marché urbain ?

Ressemblance des besoins ? Rien n'est plus clair du point de vue des tonnages, comme le montre l'analyse globale des consommations ; blé et boissons sont les deux domaines alimentaires lourds.

Depuis le XVIe siècle le cidre a chassé progressivement des tables normandes la bière, la cervoise, le poiré qui étaient le lot de ce pays pour ainsi dire sans vigne, bien que dorment, dans les archives de Caen, quelques dizaines de bans de vendanges du XVIIIe siècle touchant le petit clos téméraire et souffreteux des collines d'Argences [149]. L'appauvrissement des races de pommiers, sensible en deux siècles à travers les ouvrages des médecins et des botanistes, l'altération des cidres dénoncée jusque chez les administrateurs du XVIIIe siècle, appartiennent surtout à l'histoire de l'alimentation [150], mais n'ont pas empêché la consommation de s'enraciner jusqu'à devenir un trait symbolique provincial. Auprès du pichet de cidre, sans doute le vin, solennellement tiré de son « cavot » n'a jamais manqué sur les tables de fête et chez les notables, mais il demeure breuvage précieux, bien ostentatoire que les échevins n'omettent jamais d'offrir aux gouverneurs et princes du sang, par paniers de flacons que rehaussent citrons exotiques, pâtes douces confites et bergamotes [151]. A l'occasion de conflits d'octroi un bilan des consommations de Caen nous a été conservé pour le début du XVIIIe siècle [152]. Il entrait alors 10 000 à 12 000 tonneaux de cidre et 3 000 à 4 000 pièces de vin. Les pièces — des barriques — valent 120 pots et les tonneaux de 520 jusqu'à 600 pots [153]. Ainsi la

149. G. Lesage, 1910. Vingt bans de vendange dispersés dans les papiers de la Justice de la Trinité de Fécamp, siège de Sainte-Paix, Arch. dép. Calv., 14 B 2029 à 2048 pour les années 1728, 1731, 1734, 1736, 1744 à 1748 1752, 1755 à 1766 avec deux lacunes. On dénombre quatre dates de vendange entre le 21 et le 27 septembre, seize entre le 2 et le 25 octobre. Valeur modale : le 10 octobre. La série, fût-elle complète, n'aurait pas sous ce climat peu nerveux la portée climatique que E. Le Roy Ladurie observe dans les régions viticoles.

150. Vaste littérature dont les deux extrémités chronologiques intéressantes ici sont marquées par J. de Paulmier, 1588-1589, et Lavoisier, Thouret, Fourcroy, 1786. La falsification est dénoncée par un arrêt du Parlement du 7 juillet 1775 « qui fait défenses à toutes personnes d'insérer dans les cidres aucuns ingrédients ou corps étrangers, de quelque nature et qualité qu'ils soient, sous peine d'être poursuivies extraordinairement... ». Un historique des consommations de Caen chez La Rue, 1811.

151. Arch. mun. Caen. Registre du cérémonial.

152. Arch. dép. Calv., C 2858.

153. Le pot de Caen mesure 1,82 litre. La barrique vaut donc 220 litres environ et le tonneau, 950 à 1 000 litres car les estimations varient sur le remplissage. L'octroi adopte pour le tonneau 520 à 525 pots ; dans la réalité on pouvait aller jusqu'à 600 pots. Cf. Mémoire de l'intendant, Bibl. mun. Caen, mss. in-fol. 43.

demande en cidre allait à 115 000 hl ; la consommation du vin n'atteignait pas 9 000 hl, nettement moins du 1/10e de la demande. Aucun texte ne permet de dire que cette situation ait évolué au cours du siècle. Des témoignages domestiques montrent sans doute des habitudes bachiques fortement confirmées chez les notables ; Geffroy Desportes, seigneur de Mouen, juge en la Chambre des monnaies, garnit régulièrement sa cave de 1786 à 1796, en dépit des événements, de vins de Beaune, Pommard, Volney, Nuits, Chambertin millésimé, Champagne, vin de Beaugency, vin d'Auvergne sans compter le vin « français » courant [154]. Mais la consommation populaire reste entièrement tournée vers le jus de la pomme. Soit la ventilation de l'octroi au détail à la clôture du compte en 1773 [155]. L'arriéré des taxes à payer témoigne des commandes de cabaretiers et s'établit ainsi :

Vin	1 005	pots
Bière	439	pots
Cidre	42 916	pots

Soit 2,5 % seulement en faveur du vin. Malheureusement la présentation de l'octroi global confond ces différents postes à la rubrique boissons [156] et il est interdit pour le moment de dépasser ces présomptions de continuité alimentaire.

En tout cas, la ration officielle de l'étape des troupes, les menus des collectivités hospitalières, les menus de fêtes et de pèlerinages du clergé, les ouvrages des médecins hygiénistes normands [157] témoignent de la forte consommation de nos provinciaux. Un demi-litre pour les enfants garçons et filles, un litre chez les malades, les fous, les prisonniers de guerre, un litre et demi pour les gardiens viennent s'ajouter chaque jour à l'eau-de-vie de cidre, conquête du XVIIIe siècle, débitée jusqu'aux buvettes des maisons de force. Celle-ci ne fait-elle pas d'ailleurs, avec une tranche de pain blanc, la collation matinale des lessivières [158] et de tous les métiers « froids », ceux des jardiniers, marchands de poissons, colporteurs, casseurs de bois, balayeurs, où il convient dès le petit jour aigre, de prendre des couleurs ? Les visages mauves, carmin et violets, modulés d'une ombre bleue, chers aux impressionnistes normands se teintent dès le XVIIIe siècle [159].

154. Arch. dép. Calv., F, acquisition Villers, 1902. Tous ces vins viennent par Le Havre.

155. Arch. mun. Caen, CC 178. Il existe des bilans tout à fait semblables dans leurs proportions, pour 1769-1771 et 1774-1775 (*ibid.*, CC 174 à 180).

156. Jusqu'en 1756 figure un compte séparé du vin vendu en ville mais celui-ci ne prend pas en considération les entrées pour les particuliers.

157. Ration des troupes : G. Vanel, 1904, p. 18 et Arch. dép. Calv., L, Subsistances. Ration des prisonniers de guerre : Arch. mun. Caen, EE 26 (en 1780). Ration des Hôpitaux, *ibid.*, GG 488 et Arch. dép. Calv., C 6825 à C 6828. Enfants abandonnés, Arch. mun. Caen, GG 488. Dépôts de mendicité : *ibid.*, G 22 et Arch. dép. Calv., C 656, C 657. Maison de fous : *ibid.*, C 451. Médecins : Lépecq de La Cloture, 1778.

158. Menus des femmes de lessive en 1768 à la maison des Garçons renfermés : Arch. mun. Caen, GG 488. Sur les problèmes d'alimentation, un point de vue : J. Lecœur, an XI, et une étude, J. P. Martin, 1936.

159. Cf. les Remontrances de la Cour des Comptes de Normandie du 3 décembre 1764, dans Arch. dép. Calv., F, legs Hunger, 1948, liasse 1. La fabrication des eaux-de-vie de cidre en Normandie était récente lors de l'enquête royale menée en

Ainsi, exprimée en poids, la demande urbaine de boissons excède peut-être celle des grains de 50 %. Le conditionnement pour le transport expose de surcroît le commerce d'une telle denrée à des rigidités qu'ignorait le négoce des céréales divisible presque à l'infini. Le petit transport à cheval : une somme faite de deux barillets de 30 pots (120 kg plus la futaille) est rare pour les cidres à leur arrivée en ville bien que le cas soit prévu au tarif de l'octroi [160]. Mais on utilise surtout le chariot à quatre roues au début du siècle et finalement de plus en plus la charrette à deux roues. J'aurai l'occasion de revenir sur cette importante substitution qui diminue d'un quart le tonnage transporté (de 40/45 quintaux à 30/35 quintaux poids de marc) mais améliore la fiabilité ; pour cela, depuis les années 1760, l'outil généralisé du transport des boissons est la charrette de 5 barriques [161]. L'importance du trafic est telle d'ailleurs que l'acheminement des cidres est un argument dont aucune communauté territoriale ne cesse de crier l'urgence pour obtenir l'aménagement des routes [162]. Mais conformément à un mécanisme économique clairement étudié dans le grand ouvrage de Dion pour le vignoble des Charentes, l'empâtement de la circulation étranglait quand même l'essor de la production des cidres dans le Pays d'Auge et la détournait vers la distillation d'eaux-de-vie

---

prélude à la Déclaration du 24 janvier 1713. Les habitants l'ont depuis cette époque beaucoup étendue. Comme les eaux-de-vie sont interdites à l'exportation et que la vente dans les autres provinces est freinée, la consommation indigène est attisée. L'opinion l'a considérée comme normale, puis bientôt comme nécessaire. « L'eau-de-vie de cidre, dit la Cour des Comptes, a l'avantage d'être pour plusieurs ouvriers et dans différentes espèces de travaux ou trop rudes ou malsains, un cordial salubre, nécessaire et par la modicité de son prix, à portée des moindres artisans. » Les médecins dès la fin du siècle dénoncent dans leur correspondance manuscrite adressée à la Société royale de médecine les méfaits de l'alcoolisme normand. Les ouvrages imprimés ne portent guère cette question devant le public avant le milieu du XIXe siècle. Cf. F. V. Beauregard, 1852 ; I. Pierre, 1854 ; Tourdot, 1886 ; F. Pierre, 1896. Dans la quatrième partie du livre de Husson, 1856, p. 458, la consommation en boisson des vingt-neuf grandes villes de France pour la période 1850-1853 donne pour Caen : vin : 11,57 l, bière : 3,23 l, cidre : 215,01 l, eau-de-vie : 16,02 l. A cette date, la ville est dernière pour le vin, antépénultième pour la bière, seconde derrière Rennes pour le cidre et seconde pour l'eau-de-vie après Rouen (consommation unitaire annuelle). Caen est la seule ville de France où la consommation de l'alcool exprimée en litres dépasse celle du vin. L'imprégnation alcoolique du Nord-Ouest français si nette chez Husson, a commencé un siècle et demi plus tôt. Voir un commentaire de R. Mandrou, 1961.

160. Le tarif de 1704 (Arch. dép. Calv., C 6481) est modifié par arrêt du Conseil du 8 janvier 1718 enregistré à la Chambre des Comptes le 7 décembre 1719. Il est conservé jusqu'à la fin de l'Ancien Régime. On le reproduit en tête de chaque bail de ferme (Arch. mun. Caen, BB, *passim*).

161. Sur les transports, note de l'intendance en 1744 (Arch. dép. Calv., C 3076) ; Mémoire du consulat de Caen en 1767 (*ibid.*, C 3050) ; Lettre de l'intendant à Joly de Fleury en 1782 et Arrêt d'avril 1783 (*ibid.*, C 3077).

162. Par exemple, pétition à Trudaine le 20 juin 1767 des ecclésiastiques, seigneurs, gentilshommes et habitants de Courseulles, Bernières, Bény, etc., dans Arch. dép. Calv., C 3613. Rapport de l'ingénieur en chef des Ponts Lefebvre en 1783 sur le chemin de Tilly-Balleroy (Arch. nat., F 14 140 A). Mémoire du préfet, an XII, sur la route Caen-Pont-l'Evêque (*ibid.*, F 14 788). Voir aussi A. Rostand, 1932.

qu'on peut porter à dos de cheval [163]. Donc en dépit de sa parenté avec la circulation des grains d'un point de vue pondéreux, celle des boissons s'en distingue par l'étalon des charges et le dessin spatial du réseau de transport. Tout concourt à la circulation émiettée des grains tandis que le deuxième secteur obéit déjà à la spécialisation des tâches et des voies.

Les liens boissons-grains ne sont pas épuisés par les remarques précédentes. En effet les deux consommations sont susceptibles de se compenser en partie au gré des variations des prix annuels, toujours fortes car le cidre ne passe guère l'année et pour des raisons différentes du blé — les futailles —, n'est pas stocké. Les rapports administratifs, les médecins ont souligné de toute ancienneté cette alchimie des besoins humains susceptibles de tant de métamorphoses. C'est l'intendant par exemple, dans l'état du produit des récoltes de 1772, « la disette dans cette partie (les arbres fruitiers) influera nécessairement sur la consommation des grains car le peuple mange plus lorsqu'il boit moins » [164], puis en 1778 « la disette de boisson contribuera à soutenir le prix du grain » [165], en 1779 [166], en 1781 mécanisme de sens contraire [167], etc., la véritable pénurie n'apparaîtrait donc que si les deux aliments venaient à manquer ensemble, occurrence possible mais rare, car la mauvaise fortune météorologique d'une culture assure souvent le succès de l'autre [168], notamment au printemps et en plein été.

Sans doute la substitution assez courante n'est pas parfaite et contrairement aux propos optimistes et balancés des notables, l'artisan pauvre ne se « soutient » pas tantôt avec le pain, tantôt avec le cidre. La symétrie a des limites et bien qu'un intendant ait pu écrire que ce breuvage était « une ressource pour le peuple presqu'égale à celle du bled, parce qu'il a l'eau en horreur » [169], les deux consommations n'ont pas la même inélasticité. La différence est parfaitement aperçue des échevins qui disputent des octrois avec les fermiers généraux en 1775, « depuis quelques années, écrivent-ils, la chèreté et la disette des cidres ont forcé de mêler de l'eau avec cette boisson ; cet usage s'est établi dans toutes les maisons et se soutiendra à raison des avantages qui en résultent du côté de la santé et de l'économie » [170]. Pour cela point n'était besoin d'en appeler à quelque « avis au peuple sur sa santé »... ou ses premiers besoins ; la coutume normande de vendre, à côté du breuvage de première pression, un cidre « mitoyen » et un petit cidre clairet indiquait depuis toujours le remède à la pénurie.

Mais c'est avec l'analyse des aires d'approvisionnement que la différence boissons-grains est la plus nette.

163. Arch. nat., F 14 788. En dépit du faible volume de l'alcool, le coût du transport à cheval est cinq fois plus élevé à la fin du siècle qu'il ne vaudrait par roulage.

164. Arch. dép. Calv., C 6386.

165. *Ibid.*, C 2706.

166. *Ibid.*, C 2707.

167. *Ibid.*, C 2708.

168. Comparer ce que dit E. Le Roy Ladurie, 1967, sur la culture du blé et les ouvrages ci-dessus sur le cidre et les pommiers.

169. Arch. dép. Calv., C 6386, Lettre au contrôleur général du 30 novembre 1772.

170. *Ibid.*, C 1442. Mémoire pour les officiers municipaux.

La plaine de Caen, en dépit de ses bouquets d'arbres villageois et des haies éparses, ne fut jamais une terre à pommiers. Trois ou quatre paroisses par sergenterie, deux seulement dans la banlieue de Caen apparaissent à travers le *Mémoire* de l'intendant de 1727 pourvues de quelques prairies plantées lorsqu'un cours d'eau a ménagé une traînée argileuse ; mais dans l'ensemble c'est une image inversée du Bessin, du Bocage ou de la bordure du pays d'Auge [171]. Si déficientes que soient les statistiques de l'an II - an III sur le chapitre des plantations [172], il est clair que les lisières de la Normandie verte ont peu varié en trois générations. Prenons les entours de Caen : 200 pommiers à Venoix, un millier à Bretteville-sur-Odon, c'est ici l'association courante de l'arbre et de la prairie, ces fruits de l'eau ; dans les mêmes paroisses, en outre, quelques dizaines, une centaine de poiriers au plus, mais ce sont les deux communautés déjà signalées en 1727 ; ailleurs les arbres sont dans les haies — autant écrire qu'ils végètent — ou bien au bord des jardins pour le repos des yeux durant le joli mai.

Ainsi les pressoirs de la ville ne « brassent-ils » qu'une part très faible de la consommation. Aux barrières de la ville, le compte particulier des charretées de pommes astreintes aux Aydes montre que la fabrique urbaine n'atteignait pas le 1/20e des besoins et qu'une spécialisation accrue l'avait même diminuée de moitié depuis le milieu du siècle [173].

Cidre pressé en ville :

Années 1745-1750 :	13 300 pipes,	soit 345 000 pots	=	6 280 hl
Années 1784-1789 :	6 600 pipes,	soit 171 600 pots	=	3 120 hl

L'essentiel de la couronne fruitière est au-delà des blés. Les tonneaux cahotent dans le Bessin, le Bocage ou la vallée d'Auge ; on les rassemble dans les bourgs de contact : Balleroy, Villers, Troarn, Argences [174] puis par trois ou quatre routes royales les rouliers franchissent la plaine. Il faut compter pour presque rien comme on le verra dans le prochain tableau les barques d'Isigny, trop heureuses d'arrimer pour la métropole provinciale quelques pipes de breuvage lorsque la cargaison de beurre vient à manquer ; c'est le vin qui accoste surtout au quai Saint-Pierre. Certes les aires de fourniture manqueront à jamais de définition géographique précise ; les archives ne racontent pas ce que fut la vie des chemins creux d'autrefois. Du moins, dans la plaine nue et la sécheresse des octrois, peut-on voir rouler sur le pavé du roi ce trafic volumineux et le ventiler par « pays d'origine ». Voici la répartition des taxes sur les boissons au milieu et à la fin du siècle :

171. *Ibid.*, C 277.

172. *Ibid.*, L, Subsistances.

173. Arch. dép. Calv., C 1436 à C 1459. Les dossiers de l'intendance complètent la belle série municipale (Arch. mun. Caen, CC 150 à CC 200). Tarif : 30 sols pour une pipe de 260 pots brassés en ville.

174. Le rôle de Troarn est fort souvent signalé dans l'approvisionnement de Caen de la fin de l'Ancien Régime jusque sous la Révolution et l'Empire lorsqu'il s'agit d'aménager la route de Caen à Honfleur (Arch. nat., F 14 785, notamment le décret du 30 ventôse an XIII).

Barrières	*Provenance*	*1745-1746* (%)	*1788-1789* (%)
Bayeux	Bessin	13,5	13,8
Millet, Sainte-Paix	Pays d'Auge	54,6	51,5
Quai	Diverse	0,9	4,9
Villers, Visitation, Porte-Neuve	Bocage	22,5	27,5
Beuvrelu, Porte-au-Berger, Saint-Julien, Puy-Saint-Martin	Plaine de Caen	8,5	2,3

La part du Pays d'Auge (est, sud-est) apparaît bien dans les chiffres pour ce qu'elle passait déjà dans les textes, largement dominante, même si son avance décroît un peu au profit des bordures bocagères du sud-ouest. Par ailleurs les apports du Bessin (ouest) sont stables, peut-être augmentent-ils légèrement si l'on tient compte du mouvement au port. Enfin, signe de spécialisation céréalière définitive de la plaine entre mer et ville (nord), les fournitures tombent à trois fois rien car les bureaux de la porte au Berger et Saint-Julien ne reçoivent pas le cidre de la vallée de la Dives puisque les bacs ne transportent pas de charrette volumineuse.

Dans l'étude des aires alimentaires il faut constater que nous allons vers des degrés de complication, d'éloignement en même temps que d'imprécision croissants. C'est dans cet ordre que se rangent les demandes en poissons, en viande et pour terminer en drogues d'épicerie. Mais ce qui rapproche le mieux ces aires économiques et les sépare des trois premières appartient aux conditions de transport qui n'exercent plus alors l'effet de domination sur le marché dont on voyait des traces si sensibles précédemment.

IV. L'AIRE DE LA PÊCHE

Des deux pêches en mer et rivière, dont la pratique est attestée avec continuité, la seconde fait sans doute un objet fort modeste comme en beaucoup d'autres lieux de France et l'on comprend que les physiocrates aient hésité à placer le produit de cette activité parmi celles qui pouvaient créer un revenu net à côté de l'agriculture. Leur disciple caennais Rouxelin a cependant examiné cette question dans les colonnes du *Journal de l'Agriculture* [175] mais il est caractéristique que son expérience locale ne l'ait porté à envisager que la pêche maritime lointaine. Sans doute l'Orne était-elle fort poissonneuse au XVIe siècle, au point que le « Vray pourtraict de la ville de Caen », premier plan gravé en 1575 pour la *Cosmographie* de Belleforest [176] fit des pêcheurs les principaux acteurs du théâtre urbain. En 1588, dans ses *Recherches et Antiquités de la province de Neustrie,* Ch. de Bourgueville composait

175. *Journal de l'Agriculture...,* avril 1766. Sur cette question, G. Weulersse, 1910, t. 1, p. 278.

176. J.C. Perrot, 1963, « Inventaire », n° 3.

à son tour la nature morte de ces « grands et délicats poissons, saumons, aloses et lamproyes qui amontent de la mer » vers Caen [177]. Cependant cette richesse ne devait pas durer : les pêches de l'Orne dans la ville et vers son aval appartenaient au roi et aux Montmorency qui les affermaient à l'exception d'une petite anse à Ouistreham, réservée à l'abbesse de la Trinité. Pour se dédommager de leurs baux, les fermiers ne cessèrent de se livrer à une exploitation destructrice, utilisant filets, tramails et éperviers, que reprenaient en fraude les riverains. Au XVIIIe siècle les adjudications disparaissent ; durant la Révolution, la ville hérite de ces droits anciens qu'elle reprend à son compte en dépit du discrédit des fermes, mais les temps ont bien changé. Indifférente à un profit si mince, elle laisse les flâneurs pêcher aux rives du fleuve et se borne à interdire l'emploi des filets [178].

La pêche en mer devrait être mieux connue ; la déclaration du 16 février 1635, les arrêts du Conseil des 29 avril 1654, 13 janvier 1656 et 27 février 1658 [179] en règlent l'exercice sur les côtes normandes et astreignent le poisson frais, salé et fumé à deux taxes : le droit d'abord (ou de descente) au port puis le cas échéant le droit de transport. Mais cette comptabilité fiscale est incluse sans distinction dans les statistiques des marchandises débarquées au quai Saint-Pierre. L'apport de poisson salé, la morue en baril notamment, échappe à toute saisie ; pourtant on connaît par le *Mémoire sur l'état présent des ports...* de Gourdon de Léglisière [180] le rôle de relais assumé dans le trafic terre-neuvier par le port de Honfleur qui reçoit malgré son envasement périlleux et outre une soixantaine de vaisseaux armés sur place, les cargaisons de Granville dirigées en droiture vers l'embouchure de la Seine. Le Havre bénéficiait d'un mouvement commercial identique, M. Dardel l'a montré [181].

Les aires d'approvisionnement en poissons de marée sont heureusement mieux saisies. Au milieu du siècle, ainsi, les controverses qui opposent l'échevinage et deux officiers permettent de faire un premier point. L'importance des cargaisons débarquées à Caen journellement : 30 à 40 tonnes de poissons au printemps et en été [182] tient à la conjonction de deux marchés qui attirent dans ce port tout ce qui se pêche sur les côtes de Basse-Normandie. L'un approvisionne la ville, l'autre contribue à l'alimentation de Paris et répond aux demandes des marchés normands méridionaux, Falaise, Argentan, Alen-

177. Ch. de Bourgueville, éd. de 1833, p. 13.

178. Arch. mun. Caen, O 13, Ordonnance du Conseil général de la commune, 29 mai 1793 ; condamnation d'un cafetier surpris en train de jeter l'épervier en messidor an II. La ferme des droits a eu lieu une fois à la fin du siècle (an VII). Voir aussi J. Darsel, 1966.

179. Arch. dép., C 1120. Egalement Duhamel du Monceau, 1769-1772.

180. Ce mémoire de février 1773 figurait dans les archives d'Harcourt, incendiées pendant la dernière guerre. Il a été imprimé dans Hippeau, 1869, 3e partie, pp. 1-112, voir notamment pp. 54-55.

181. P. Dardel, 1963, p. 425.

182. Arch. dép. Calv., C 1120, Lettres de l'intendant à M. de Boullongne le 26 août 1757 et en mars 1758. Procès-verbal des dires et soutien des acquéreurs d'office et de la municipalité (janvier 1758) ; leur instance au Conseil après une sentence du Bailliage favorable à la ville. Deux cents à trois cents « sommes » de poisson sont débarquées à Caen chaque jour. La « somme » est la charge du cheval ; on l'estimait, toujours en Normandie, à 4 razières de grain, soit 2 hl : environ 150 kg.

çon, Sées, quelquefois même le Maine. Dans quelle proportion se partagent les arrivages ? Il est difficile de le dire bien que le développement du transit aux dépens de la consommation locale ait frappé les citadins vers le milieu du XVIIIe siècle.

En tout cas, l'aire de collecte côtière du poisson était clairement indiquée dans les textes de 1757 ; elle va de l'embouchure de la Dives, c'est-à-dire la frontière de la généralité — une fois encore, ligne de partage économique — à la paroisse d'Asnelles au-delà de laquelle commence la zone d'attraction de Port-en-Bessin. En été toutefois, l'urgence de la commercialisation des pêches par temps tiède redistribue les cargaisons régionales. A la zone locale s'ajoute alors un espace élargi aux dimensions de la Manche avec Port-en-Bessin, le nord du Cotentin, la Hougue, Harfleur et même la côte havraise, qui ne peuvent plus penser écouler leur pêche à Paris. Au contraire, dès l'automne, à la faveur des frimas, voici que se détournent vers l'embouchure de la Seine ces flottilles parties à la reconquête du marché parisien et l'aire maritime de Caen se love dans l'anse de l'Orne pour un semestre jusqu'à la fin du printemps [183].

Si l'octroi n'est pas assez détaillé pour suivre les tonnages de poissons frais entrés à Caen, les congés délivrés pour la pêche annuelle ou saisonnière dans les bureaux de l'amirauté subsistent de nos jours jusqu'à la date de 1786. Ils sont susceptibles de faire apparaître des variations indicatives du produit de cette activité à condition que le tonnage des bâtiments n'ait pas changé sensiblement et que se maintint l'abondance du poisson. La première hypothèse est suffisamment confirmée par la ventilation, à la fin du siècle, des deux types de barques en usage sur les rivages de la Manche (en dialecte normand, le picoteux et la plate, cf. le vieil anglais *plait* [184]) :

Barques de pêche au port de Caen (1783-1784 et 1786)

Tonnage (tonneaux)	*Nombre de barques*	*Tonnage (tonneaux)*	*Nombre de barques*
4	1	15	5
3	5	18	2
8	51	19	1
10	2	20	2
12	4	22	1

On voit que les bateaux de pêche sont restés de très petites embarcations conformes au type traditionnel. La seconde hypothèse ne reçoit aucun démenti tant qu'il s'agit de la pêche annuelle sur le plateau continental. Il en irait autrement de la pêche saisonnière (maquereaux, harengs) qui se pratique à Courseulles ou Port-en-Bessin sur des navires de 50 à 60 tonneaux et dont

183. Arch. dép. Calv., C 1120, Mémoire pour les maires et échevins, 28 p.
184. Arch. nat., G 5 13, Amirauté de Caen. Aussi, abbé Alix, 1937, pp. 166-191.

les difficultés à la fin du XVIIIe siècle viennent de l'amenuisement des bancs [185].

Le tableau comparé de ces permis de pêche annuelle riveraine illustre la suprématie jamais inquiétée des ports de l'Orne (Caen et Ouistreham) sur le groupe Port-en-Bessin-Courseulles [186]. Au contraire et aussi peu significatives que soient les statistiques des navires, dès lors que les tonnages peuvent s'écarter sensiblement les uns des autres, la pêche saisonnière, de surcroît victime des guerres et des fluctuations des maquereaux de printemps entre Irlande et Sorlingues ou des harengs estivaux en mer du Nord, n'a jamais tenté les marins de Caen [187].

Congés de l'amirauté

Décades	*Pêche annuelle de poissons frais*		*Pêche saisonnière*	
	Groupe de l'Orne	*Port-en-Bessin*	*Orne*	*Port-en-Bessin*
1727-1736	644	206	0	57
1737-1746	653	284	0	55
1747-1756	1 489	376	0	99
1757-1756	1 093	387	0	57
1767-1776	1 242	481	0	104
1777-1786	212	284	0	35

Sur toutes les côtes normandes pourvoyeuses de merlans, soles et turbots, une période prospère de vingt-cinq à trente ans précède les années 1775, tandis qu'au-delà un véritable effondrement saisit la pêche, plus fortement même dans l'estuaire de l'Orne que dans les petits ports occidentaux. Par rapport aux 30 et 40 tonnes de poisson de la belle époque, le fléchissement a pu atteindre les 9/10e en poids. Beaucoup de faits nous échappent dans cette évolution : les conflits avec l'Angleterre imprimaient aux campagnes de pêche saisonnière menées en vue des côtes anglaises de terribles à-coups ; le pêcheur de marée, naviguant au plus près, s'en tirait toujours, si ce n'est pendant la guerre d'Indépendance américaine. Mais pourquoi cette exception ? Les ponctions de matelots opérées par l'inscription maritime en sont probablement responsables.

185. E. Dardel, 1941, 1946. P. Gouhier, 1962, signale à plusieurs reprises les caprices de la pêche et leur influence sur l'économie de son port (p. 13). Toutefois, l'auteur utilise l'Inscription maritime, d'un maniement plus délicat que l'Amirauté. Des renseignements généraux dans Savary, *Dictionnaire du Commerce*, articles « Maquereaux », « Harengs ». Sur la pêche dans le Cotentin, J. Audouy, 1956.

186. L'amirauté possède un bureau à Port-en-Bessin et un autre dans les terres à Bayeux. Il faut cumuler les deux séries statistiques.

187. Statistiques tirées des Arch. nat., G 5 13. Voir aussi les courbes annuelles.

Pour l'ordinaire, marins des beaux jours que l'hiver tenait à la côte où d'ailleurs ils restaient à s'occuper des huîtres et des petits coquillages, nos capitaines ne s'avisaient de demander leurs congés qu'après l'équinoxe :

Répartition mensuelle de l'octroi des congés, 1783-1784, 1786

Mois	janv.	févr.	mars	avr.	mai	juin
Congés	3	4	10	37	12	0
Mois	juill.	août	sept.	oct.	nov.	déc.
Congés	2	2	1	3	2	0

Et d'ailleurs, perdaient-ils jamais de vue leurs champs et leurs clochers ? Non sans doute, si bien que l'origine des patrons pêcheurs munis à la fin de l'Ancien Régime des congés du port redessine sur le front de mer l'aire d'approvisionnement enregistrée dès le milieu du siècle :

Origine des maîtres de barque. Congés de 1783-1784, 1786
(paroisses d'ouest en est)

Courseulles	4	Luc	8
Bernières	6	Lion-sur-Mer	8
Saint-Aubin	17	Embouchure de l'Orne	20
Langrune	9	Cabourg	1

Activité marginale donc, que ces pêches côtières aux rives d'une région où la richesse agricole exerce sur l'activité humaine une emprise si forte que l'appel de la mer cesse d'être vraiment entendu ; en même temps, travail dominé par la demande urbaine ; une fois de plus apparaissent là, de subtiles compensations alimentaires où se confrontent l'influence des variations différentielles de prix et la permanence des goûts culinaires. Combien faut-il regretter qu'un ancêtre de Le Play ou de Husson n'ait laissé au XVIIIe siècle de relevés précis de budgets familiaux ou des consommations de Caen, car les livres de raison, au demeurant presque tous ruraux, ne concernent que la comptabilité financière !

Toutefois dans son mécanisme essentiel, cette nouvelle substitution apparaît encore clairement. Au couple précédent pain-cidre, s'ajoute maintenant celui des viandes et poissons, bien connu des échevins lorsqu'ils notent en 1758 les conséquences de la cherté de la viande : elle « fait que le petit peuple fort pauvre qui compose les deux-tiers de Caen est obligé de s'en passer et d'avoir recours au poisson que la nécessité a rendu pour ainsi dire sa nourriture ordinaire » ; c'est ce que confirme également Lépecq de La Cloture[188].

De fait, tournons les yeux vers l'octroi des bestiaux[189], la baisse des recettes sur les animaux de boucherie est constante depuis le milieu du siècle

188. Arch. dép. Calv., C 1120, Note pour la Municipalité le 2 janvier 1758 ; Lépecq de La Cloture, t. 2, p. 393.

189. Evolution du montant des recettes d'octroi : bestiaux entrés et abattoir. Voir l'annexe 6.

et la somme des taxes ne se relève partiellement qu'à partir des années 1775 où précisément fléchissent avec tant de netteté les pêches côtières. C'est la grande sécheresse et la dilapidation corrélative du troupeau qui casse après 1785 cette renaissance de la consommation des viandes sans que, du fait d'une inertie économique de quelques années, la pêche ait été, au moins jusqu'en 1786 où s'achèvent nos statistiques, clairement relancée.

V. L'AIRE DU BÉTAIL

S'il existe une liaison entre toutes les consommations de « chair », viande ou poisson, que renforce d'ailleurs la vulgarisation des traités laxistes consacrés aux jours maigres, jeûnes et abstinence[190], il est aussi une parenté dans les conditions originales de transport de ces denrées, susceptibles de retentir sur la physionomie des espaces économiques touchés par la demande urbaine. C'est en effet la souplesse et la modicité des prix qui caractérise la circulation en rivière, ce « chemin qui marche », où l'obstacle n'est plus le coût mais la durée et les conditions de température. Et n'est-ce pas encore souplesse, modicité des frais que d'avoir à pousser devant soi un troupeau ? « Il ne faut pas de grandes routes pour conduire des bestiaux au marché et les chaussées en caillou et encore plus celles en pavé sont même nuisibles aux bœufs et aux vaches », rappellent les cantons d'Orbec, Courson, Livarot et Notre-Dame-de-Fresnay au Conseil général du Calvados lorsqu'il est question d'aménager la route de Falaise à Rouen[191]. Ce transport sans pesanteur nous place dans un espace économique flexible.

1. CONSOMMATION DE VIANDE

Avant d'essayer de décrire ses contours, est-il possible d'examiner des volumes ? Les octrois ne répondent pas directement à cette question, car les documents exploitables, décrits de façon complète mais beaucoup trop analytique par A. Gallier[192], réunissent ensemble des taxes sur les bovins, les moutons et brebis ou les porcs et cumulent parfois le principal de l'octroi et diverses augmentations (8 sols pour livre depuis 1715 + 18 deniers pour livre en 1723 + 4 sols pour livre en 1747) sans compter les droits réunis (inspecteurs de la boucherie en 1722, les 4 sols pour livre de l'inspecteur, le don gratuit de 1758 et ses sols pour livre[193]). Après être revenu aux taxes homo-

190. L'évolution significative à cet égard est le glissement partiel du problème, de la théologie morale à la médecine. Deux ouvrages ont joué un rôle important : N. Audry, 1713, et surtout Ph. Hecquet, plusieurs fois réédité, 3e éd., 1741, qui, tout en condamnant certaines des plus excessives permissions de l'époque, en ont justifié quantité d'autres.

191. Arch. nat., F 14 786.

192. A. Gallier, 1902, chap. 5 et 6, pp. 141-200.

193. Tarifs d'octroi déjà cités. Sur la boucherie, voir spécialement Arch. mun. Caen, CC 101, 118. Arch. dép. Calv., C 1423 ; récapitulation dans A. Gallier, 1902, p. 168.

gènes en principal, il reste donc encore à ventiler la consommation des différents types de viande. Trois ordres de grandeur de cette répartition extraits de documents partiels et très hétérogènes jalonnent le XVIIIe siècle. Il est d'autant plus remarquable de leur trouver une assez forte analogie.

En 1713, les ventes de neuf bouchers, échantillon au 1/7e de l'ensemble de la corporation, se détaillent ainsi sur cinq mois hors carême [194].

Bœufs	275
Moutons	744
Veaux	36

Compte tenu des tarifs, la part des bœufs dans le produit de l'octroi de la boucherie représente sur cette base 78 % des recettes, le petit bétail : 22 %.

Au milieu du siècle, voici maintenant les consommations de l'hôpital général pour 5 ans (1751-1755 inclusivement) :

Bœufs	209
Vache	1
Veaux	134
Moutons	182
Porcs	42

Exprimées en recettes d'octroi, ces données attribuent aux gros bovins 84 % des sommes collectées contre 16 % aux veaux, moutons, porcs.

En 1775, les fraudes repérées chez les bouchers pour l'ensemble de la ville sur huit mois hors carême font une valeur taxée du 1/6e environ des entrées. Elles se composent de :

Bœufs	397
Moutons	574
Veaux	29
Porc	1 [195]

Soit au tarif de l'octroi, 87 % de bovins et 13 % pour les autres types d'animaux. Certes on ne conclura pas que la consommation des bovins gagnait sur le reste des bêtes de boucherie au moyen d'indices si maigres, cependant ils sont suffisants pour montrer la part très prépondérante du gros bétail dans le mouvement saisi par la comptabilité de l'octroi, en même temps que la faiblesse de la consommation de porc. Sur ce point d'ailleurs, le comportement alimentaire se révèle stable et dans sa comparaison des grandes villes de province à Paris pour les années 1850-1853, Husson calcule ainsi, d'après les octrois, les consommations de Caen, annuelles et unitaires [196] :

194. A. Gallier, 1902, pp. 155-156. Noter d'autre part la stabilité de la corporation : 51 bouchers en 1586, 52 en 1789 (*id.*, pp. 1 et 71) ; cependant, vers 1760, les maîtres et veuves de maîtres ont été jusqu'à 70 (p. 29).
195. Les bouchers sont autorisés à débiter la viande de porc fraîche.
196. Husson, 1856, 4e partie, chap. 3, p. 454 sq.

Bovins	12,418 kg
Veau	7,569 kg
Mouton / Brebis	4,322 kg
Porc	4,724 kg
Divers [197]	3,923 kg

Il est vrai que le total (32,956 kg) met Caen, de toute façon au milieu du XIXe siècle, parmi les villes de faible alimentation carnée et c'est là que je trouve encore une parenté avec l'Ancien Régime.

Pourtant, l'examen des établissements publics laisse dans le doute au premier abord. En effet, si le cahier des charges des dépôts de mendicité rédigé au ministère de l'Intérieur en l'an VI [198] considère que la ration de viande est d'un quarteron (120 g), c'est précisément qu'il s'agit d'un document national, indifférent aux disponibilités et aux habitudes provinciales. En Normandie, les quantités allouées par portion paraissent traditionnellement plus fortes au XVIIIe : une demi-livre aux malades de l'Hôtel-Dieu, aux lessivières, au personnel des hôpitaux, un tiers de livre pour les petites filles renfermées, chez les mendiants : trois quarts de livre aux bien-portants ; les rations pouvaient même dépasser ce niveau [199]. D'autre part, le bœuf ici l'emporte sur tout, le mouton suit loin derrière. Sans doute il ne faut pas s'attendre à trouver les volailles au menu des maisons hospitalières ; dans les fêtes qui scandent l'année alimentaire des Enfants trouvés, trois seulement, les Rois, le Mardi-gras et la Saint-Jean ont double portion de viande avec une option rôti ou volaille. Mais il est certain que les tables plus huppées y recouraient fréquemment car cette consommation demeurait au XVIIIe siècle, ne serait-ce que par son prix élevé, un élément de distinction important des niveaux sociaux ; les médecins correspondants de la Société royale de Médecine le répètent à l'envi [200].

Cependant la ration unitaire n'est pas tout ; les règlements hospitaliers comme ceux des maisons de mendicité prévoient expressément des possibilités

197. La rubrique que j'appelle ainsi figure autrement chez Husson : « viande à la main ». Dans les octrois, cette expression désigne les viandes entrées en morceaux par opposition au bétail sur pied ; on y mélange toujours les natures de chair.

198. Arch. mun. Caen, Q 22.

199. Arch. dép. Calv., C 6828 : Hôtel-Dieu en 1779. *Ibid.*, C 6774 : dépôt de Beaulieu en 1786. Arch. mun. Caen, GG 488 : Maison des Garçons renfermés en 1768. *Ibid.*, GG 442 : Maison des Filles renfermées en 1774. Il y a trace de rations plus fortes : *ibid.*, EE 26 : cartel général du 12 mars 1780 réglant le sort réciproque des Français et Anglais prisonniers. Voir encore Arch. dép. Calv., L, Subsistances, fournitures de 1793 - an II. La ration de l'étape est inchangée depuis le XVIIe siècle. (Arch. dép. Calv., C, *passim ;* les distributions réelles à la fin du XVIIe siècle dans G. Vanel, 1904, p. 18.)

200. Lépecq de La Cloture, t. 2, p. 393. Chaudru, Mémoire sur les habitants de la Chapelle Soef en 1787 (Arch. dép. Orne, C 312). Correspondance de la Société royale de Médecine : mss. de la bibliothèque de l'Académie de Médecine. La qualité des viandes est soumise à une inspection rapide et quelques amendes pour insalubrité sont prononcées. Mais comme pour les cidres, l'imprimé ne s'empare de cette question, localement, qu'au milieu du XIXe siècle : J. Le Bidois, 1848, 1850, 1851 ; Cailleux, 1855.

de substitution (telles que les œufs, le poisson, etc.), sans parler des jours maigres, soit un quart de l'année où le remplacement est d'obligation. La comptabilité de l'hôpital général Saint-Louis permet d'entrer dans les réalités. Dans la période évoquée plus haut, 1751-1755, la maison possède un effectif, personnel compris, de 550 personnes ; elle consomme annuellement 10 930 kg, soit 19,8 kg par personne d'une viande de mauvaise qualité si l'on en juge par le poids moyen des bêtes. Le porc par exemple fournit 155 livres comestibles et les bœufs ne produisent pas beaucoup plus de 400 livres de viande, ce qui nous met au niveau des estimations que Benoiston de Chateauneuf recueillit au début du XIXe siècle sur les marchés de Sceaux et Poissy, touchant le bétail destiné aux départements de province, mais en-dessous des taux (ouvertement trop forts) de Lavoisier[201]. Compte tenu des rations unitaires, le menu hospitalier de Caen devait donc comporter de la viande une ou deux fois par semaine : 80 jours dans l'année.

Finalement on peut tenter de gagner le niveau des consommations urbaines au prix de deux hypothèses. L'une sur la répartition des demandes selon les types de viande : on posera que les entrées de bovins, conformément aux trois exemples présentés plus haut, constituent environ 80 % des recettes. L'autre hypothèse porte sur le poids des animaux ; les chiffres précédents valaient pour la viande de pensionnat, d'hôpital ou de prison dont on sait la qualité traditionnelle ; il n'existe aucun danger d'erreur à supposer des bêtes mieux en chair pour l'alimentation des autres citadins mais doit-on se fonder sur le résultat des enquêtes d'Armand Husson[202] ?

Poids de viande par tête de bétail, seconde moitié du XVIIIe

Bœuf	600 livres
Vache	330 livres
Veau	70 livres
Mouton	40 livres
Porc	180 livres

Non plus, car ces calculs concernent seulement la capitale vers laquelle étaient dirigés les plus beaux spécimens. En revanche, je ne cours pas de risque à fonder mes calculs sur une valeur moyenne, intermédiaire entre la viande de pensionnat et la viande de luxe de Paris, qui attribuerait 500 livres de viande au « bœuf des bourgeois » (et les autres animaux au prorata).

Sur ces bases, les octrois font apparaître dans les années 1751-1755 une consommation de 32 kg par personne et par an : à 900 g près, celle du milieu du XIXe ; la viande apparaissait en moyenne sur les tables un jour sur trois : 125 jours par an ; mais c'est une indication abstraite qui néglige le

201. Calculs pour l'hôpital général de Caen (Arch. dép. Calv., H sup.) : les bêtes élevées à l'hôpital même sont les porcs. Pour obtenir le poids des bœufs en viande, on a défalqué les veaux sur le pied de 75 livres et les moutons, de 40 livres (valeurs sur lesquelles la marge d'erreur est minime, cf. Lavoisier, 1784, Tessier, 1793). La discussion du problème des poids se trouve chez Benoiston de Chateauneuf, 1821, et Husson, 1856, p. 139 sq. Ce dernier se rallie au poids de 600 livres pour la période 1750-1786 (p. 148).

202. A. Husson, 1856, p. 139-148 et 193.

plus important : la ventilation par catégorie de revenus des habitants[203]. En tout cas, voilà les records du XVIIIe siècle ; il faudra un siècle pour les battre. En effet, comme on l'a dit en observant la demande de poissons, les entrées de bétail à boucherie diminuent ensuite sensiblement. Lorsqu'on prend en compte d'autre part les volumes de population, l'appauvrissement de la nourriture carnée des citadins entre les années 1750 et 1789 est encore plus net : la consommation officielle (c'est-à-dire selon l'octroi) serait tombée à 17 kg par personne ; dans quelle mesure la fraude relevait-elle ce taux ? On sait seulement que la confiscation des viandes de contrebande put s'élever jusqu'au 1/6e des entrées déclarées[204].

2. ZONES D'APPROVISIONNEMENT

Au-delà des variations quantitatives de la demande, partiellement expliquées d'ailleurs par la forte hausse des prix[205], il faut parvenir à l'aspect spatial du marché de la viande.

Il est certain d'abord que la plaine de Caen, où le cheval est universellement employé dans les façons culturales, n'est pas une région d'élevage. Les premières statistiques détaillées, sans doute approximatives comme tout ce qui touche à la situation des campagnes, mais déjà indicatives datent des enquêtes de l'an II[206]. Les états du district, dont les limites ne sont pas exactement celles de la plaine à blé, dénombrent 41 000 et quelques moutons, brebis, agneaux et bécarts ; c'est l'association, classique dans l'ancienne France, des pays de campagne, du mouton et de l'industrie du drap (bel exemple en moins fertile et plus moutonnier, le Berry). Mais les bœufs gras sont 26 dans le district, ceux qu'on emploie aux travaux 56, les bêtes à l'engrais 1 321 (beaucoup de vaches dans cette rubrique, nous dit-on) ; les bêtes laitières forment un troupeau de plus de 13 000 têtes ; nous en connaissons la répartition pour la plupart des communes : 70 % des propriétaires ont une bête et il est exceptionnel de rencontrer plus de cinq animaux dans la même étable ; bref, nulle part la vache du pauvre qui pourvoit à quelques tasses de lait et un peu de beurre, n'a plus de réalité. Enfin les porcs ne sont pas courants : moins de 3 500 car ils manquent des sous-produits du lait ; le pays des charcuteries réputées est avec Vire, on le sait bien, le Bocage.

Reprenons, pour préciser un peu, les trois échantillons ruraux utilisés dans

203. Eléments de calcul pour la période 1751-1755. Population 32 000 hab. Recette d'octrois : 25 000 livres en principal. Bovins : 20 000 livres ; petit bétail : 5 000 livres. Traduction d'après le tarif de l'octroi : 3 200 bovins, 10 000 têtes de petit bétail. Traduction en poids selon le critère adopté : 2 100 000 livres de viande annuelle. Consommation individuelle : 65,6 livres pesant = 32 kg.

204. Même mode de calcul pour la période 1784-1788. Population, 38 000 hab. Recette d'octrois moyenne, 16 777 livres en principal. Bovins, 13 421 : 2 000 têtes. Petit bétail, 3 356 livres : 6 712 têtes. Viande, 1 335 600 livres poids de marc. Consommation individuelle : 35 livres, soit 17 kg.

205. Voir en annexe 7 l'indice du prix de la livre de viande tiré des archives hospitalières.

206. Arch. dép. Calv., L, Subsistances.

l'étude céréalière ; la campagne paraît y supporter une très faible charge bétaillère [207].

Nombre d'animaux pour 100 ha

Régions	*Bovins*	*Ovins*	*Porcins*
Argences	23	33	4
Creuilly	25	40	4
Caen	14	50	1

Une seule exception outre la vallée de l'Orne en aval de la ville, cette lentille verte de la Dives selon l'image vraie de P. Chaunu, où le canton de Troarn à quelques lieues de Caen engraisse plusieurs centaines de bœufs [208].

Les principaux aspects de cet élevage étaient anciens ; le *Mémoire* de l'intendant de Vastan (1727-1731) et le *Tableau du sol, des productions, du commerce et des impositions de la généralité de Caen,* postérieur à 1769 [209] ratifient les analyses détaillées de l'an II. Sur une surface légèrement plus étalée, aux limites un peu différentes [210], les documents du XVIIIe, qui se répètent d'ailleurs l'un l'autre, donnent à l'élection de Caen 16 000 à 17 000 bovins : 3 000 à 4 000 bêtes à l'engrais, 13 000 vaches laitières. On est d'autant plus frappé de la stabilité de l'élevage laitier que les données viennent de deux horizons tout différents : une estimation globale sous l'Ancien Régime, l'addition des déclarations communales en l'an II. En revanche le troupeau à l'engrais aurait diminué, évolution parallèle sinon de même amplitude que celle de la consommation. Apparaît aussi la faiblesse constante du cheptel porcin : 1 800 bêtes vers 1730, 3 500 en l'an II ; il n'y a pas lieu d'épiloguer sur les proportions de cette hausse car il faudrait auparavant pouvoir contrôler les données de la première époque. L'écart entre les troupeaux ovins est en revanche très fort, d'une époque à l'autre ce cheptel passe de 90 000 têtes à la moitié. Le changement de ressort ne peut à lui seul expliquer cette diminution qui, de toute manière, n'a pas de signification alimentaire. En effet, les 9/10e des moutons du XVIIIe siècle étaient élevés pour la laine et 10 000 d'entre eux seulement allaient à la boucherie ; les variations du troupeau renvoient donc à l'examen des problèmes industriels. Mais à l'exception des vallées, le plat pays céréalier n'offrit jamais qu'une faible partie du bétail demandé par la ville.

L'essentiel venait d'ailleurs et la ventilation des recettes de l'octroi précise davantage [211] :

207. Ce sont les communes retenues plus haut.
208. Statistique de l'an II : 20 bœufs gras, 379 bœufs maigres à l'engrais.
209. Arch. dép. Calv., C 277. Pour 1769, *ibid.*, C 6379.
210. Superficie de l'Election 1257, 3 km^2 et du district : 1086, 6 km^2.
211. Pays d'Auge : Barrières de Sainte-Paix, Porte Millet, Pont et Carrière de Vaucelles. Bessin : Porte de Bayeux. Bocage : Villers, La Visitation, Porte-Neuve, Pont-Créon. Plaine de Caen : Clos-Beuvrelu, Puy Saint-Martin. Vallées : Porte au Berger, Saint-Julien, Place Saint-Gilles.

Ventilation des recettes en principal

Origine	1745-1746		1788-1789	
	(Livres)	(%)	(Livres)	(%)
Pays d'Auge	4 651	9	4 081	17
Vallée de l'Orne et de la Dives par les bacs	19 279	41	5 985	26
Bessin	8 520	17	3 925	17
Bocage	15 118	31	7 952	36
Plaine entre mer et ville	1 037	2	961	4

Le plus remarquable est le maintien en valeur absolue, donc la forte hausse relative du courant primitivement le plus modeste, issu de la plaine de Caen ; mais pourquoi ce trafic infinitésimal n'est-il pas étouffé dans cette récession longue de la demande urbaine ? C'est qu'il est animé par l'offre résiduelle des campagnes qui se débarrassent à bas prix de leurs élèves excédentaires en petit bétail et de quelques vaches réformées et mises à l'engrais.

Sous les courants majeurs de l'approvisionnement, un mécanisme plus complexe apparaît. Il nous est d'ailleurs exposé sans discordance par les mémoires des intendants, par le placet de 1775 sur la diminution de l'octroi et par le commissaire du gouvernement Legrand durant l'été 1793 [212]. Une certaine disparité existe dans les zones de ravitaillement : le Bessin et le Pays d'Auge étaient uniquement le domaine des éleveurs, leurs élèves venaient du Poitou, du Maine, de la Bretagne et lorsque les temps devenaient durs — sous la Révolution — ou la demande moins pressante, surtout du Cotentin, des élections d'Avranches et Coutances, ou du Bocage (élections de Vire et Mortain). Ainsi les troupeaux qui passent aux barrières de Villers (sud-ouest) viennent seuls des marges du Bocage, pays « naisseur ». Tout le reste est issu de pays où l'élevage est une activité capitaliste et spéculative qui demande des déplacemens lointains, des avances financières, un pari sur le niveau des cours ; au surplus, les bilans de faillite d'éleveurs déposés au tribunal du consulat à la fin de l'Ancien Régime illustrent bien cet aspect commercial [213].

En second lieu, comme il avait été constaté avec le premier terme du même couple alimentaire — les produits de la pêche —, le marché de la viande à Caen forme une enclave dans un réseau beaucoup plus vaste, une des branches majeures de l'approvisionnement de Paris. Toute la Normandie argileuse contribue à ce commerce : le Bessin et le Bocage à l'ouest de Caen, le pays d'Auge à l'est ; une partie du trafic, celui du Bessin, franchit la ville

212. Arch. dép. Calv., C 1442, Mémoire sur les octrois. Arch. nat., F 20 170. Lettre de Legrand.

213. Sur l'élevage normand, M. Le Hodey, 1852 ; G. Guenaux, 1902 ; L. Hédin, 1948 et 1951. Peut-être, discerne-t-on au XVIIIe siècle un effort pour améliorer scientifiquement cette activité. Entre 1785 et 1789, il se trouve quatre élèves de la généralité de Caen à l'école vétérinaire, originaires de Coutances, Carentan, Mortain et La Délivrande (Arch. dép. Calv., C 6400).

en passe-debout tandis que les animaux du Bocage cheminent au sud par Falaise. Aussi bien, vers 1775, on attribue à la hausse des sols additionnels sur le transit des bestiaux, les détournements de trafic qui ruinent, à leurs dires, les fermiers de l'octroi. Il est difficile de se prononcer car le passe-debout du bétail est généralement confondu avec celui des autres marchandises[214] bien qu'il en constitue la meilleure part.

Cependant d'autres sources donnent une idée des passages : c'était chaque semaine, du Bessin, une centaine de bœufs entre la Saint-Jean et le Carême qui réveillaient la ville de leurs meuglements, et du Cotentin, plus de 500, de la Toussaint au Carnaval. Bref 10 000 à 11 000 bovins transitaient, par Caen, pour Paris, mais le Pays d'Auge, plus proche de la capitale, en fournissait trois fois plus dans l'année[215]. De plusieurs branches secondaires, ces troupeaux se réunissaient ainsi sur trois marchés principaux, le Neubourg, Routot et Beaumont[216]. Le rôle de ces places dans la formation des prix de la viande à Paris est bien connu dès le XVIIIe et le commissaire du gouvernement remarque en 1793 que Poissy et Sceaux répètent les cours du Neubourg ou de Routot même lorsque les bêtes leur sont directement adressées.

Replaçons maintenant l'approvisionnement de notre ville dans ce flux national d'ouest en est : une partie de l'aire économique urbaine apparaît à contre-courant.

Satisfaction de la demande à Caen

	1745-1746 (%)	*1788-1789* (%)
Par un commerce ouest-est (Bessin + Bocage)	48	53
Par un commerce à contre-pente est-ouest (Auge + Vallées Orne et Dives)	50	43

Le changement du demi-siècle illustre la tendance de ce marché local, affaibli par la diminution de la demande à perdre son autonomie, sa qualité d'isolat économique pour se placer au fil du courant national. Dès lors on voit bien pourquoi il était prudent d'apprécier à une valeur assez médiocre le poids

214. En vérité, c'est moins la hausse sur les « passe-debout » qui est spectaculaire que celle des tarifs sur le bétail de boucherie consommé dans la ville. Cf. Arch. mun. Caen, CC 118 : Règlement des maires et échevins du 11 janvier 1775 ; *ibid.*, CC 115 : Instruction sur la perception qui se fait aux portes et barrières de la ville de Caen du 3 février 1775 ; Arch. dép. Calv., C 1423 : Arrêt du Conseil du 1er avril 1782 : perception des droits d'inspecteurs aux boucheries. Au bout du compte, le principal de l'octroi est triplé.

215. Arch. nat., F 20 170. Si la recette du « passe-debout » dépend surtout du transit des bestiaux comme les documents qualitatifs l'affirment, on doit conclure alors que ce trafic s'est bien maintenu au long du siècle. Pour l'essentiel, les courants sont en place depuis longtemps : déjà dans Ch. de Bourgueville au XVIe siècle (éd. de 1833) on évoque l'élevage du Cotentin, p. 84, celui du pays d'Auge, p. 73, et la position éminente du Neubourg, p. 85.

216. A. Plaisse, 1961.

des bêtes consommées à Caen ; il est clair que la ville joue de plus en plus le rôle de filtre, on abat sur place le bétail de seconde classe qui se placerait mal au Neubourg où la concurrence est sévère ; tout ce qui est valable poursuit son chemin. Au contraire les éleveurs du Pays d'Auge s'avèrent plus timides à remonter ce courant alors qu'ils bénéficient d'une situation favorable par rapport au marché parisien ; ne sait-on pas que toute bête invendue referait la route en sens inverse ? En dépit de sa mobilité essentielle, ce commerce présente donc quand même des lignes de plus grande pente et une aire d'approvisionnement, sans doute polycentrique et peu précise mais cependant permanente.

VI. L'AIRE DES MARCHANDISES D'ÉPICERIE

Dans le commerce des drogues et épiceries, la divisibilité des marchandises, leur faible encombrement en regard de leur valeur marchande, leur provenance souvent lointaine sont susceptibles d'accentuer encore ces traits : plus un produit est original et plus grande est son aire de vente. Aussi bien n'y aurait-il pas grand intérêt à énumérer la géographie exotique commune à toute l'Europe d'où viennent le sucre, le café, les rhums, les simples des apothicaires, les fruits rares et condiments de cuisine [217]. Ce sont évidemment les dernières étapes de la commercialisation qui m'intéressent.

Bien que depuis 1756 Caen ait pu importer directement drogues et épices de tous les continents, l'envasement ramenait son port, comme on le sait, à un rang secondaire jusqu'aux travaux ébauchés peu avant la Révolution. En réalité, la première rupture de cargaison s'effectuait au port du Havre d'où repartaient, pour une navigation à vue et sans souci, de petits caboteurs [218]. Dans la bonasse des années de paix, Londres et surtout la Hollande pouvaient concourir en outre à ce commerce omnibus.

Pourtant ce diagramme si simple, pour la véracité duquel témoignent tant de textes isolés dans les minutiers de notaires ou de tableaux sauvés à Rouen de la destruction par P. Dardel doit être précisé et même beaucoup compliqué car le registre général des marchandises débitées par les communautés de croquetiers, apothicaires, épiciers, droguistes subsiste de mai 1755 jusqu'en 1761. Au bureau des apothicaires, les syndics constataient la qualité marchande et l'origine des produits ; après la visite, chaque négociant recevait, le cas échéant, une garantie de bon aloi et une permission de vente [219].

Ce registre, d'où s'échappent avec une bouffée d'odeurs surannées les méti-

217. Du *Dictionnaire* de Savary (notamment les premières éditions) à l'*Encyclopédie méthodique,* il est intéressant d'observer la diversification des sources et des produits. Une mise au point de la fin du XVIIIe siècle se trouve dans l'ouvrage d'A. Arnould, 1791.

218. Au vieux privilège rouennais d'importation des épices s'ajoutèrent en Normandie ceux de Saint-Valéry-sur-Somme en 1698, Le Havre en 1736, et en même temps que Caen, en 1756, ceux de Dieppe et Honfleur. Cf. P. Dardel, 1966, pp. 254-255. Sur le petit cabotage, voir P. Dardel, 1963, p. 330 sq.

219. Arch. dép. Calv., 6 E 19, Registre d'inscription des marchandises.

culeux empilements de réglisse, le fenouil grec[220], la cassonnade, le miel, dévoile d'abord un commerce tout de minutie. Le Havre n'est pas, simple porte océane, le lieu d'un transbordement, mais également celui du conditionnement, spécialité d'avenir que n'a pas assez observée P. Dardel. Un exemple, en 1756, Guillaume Taupin, probablement le père de ce François que l'historien des deux ports retrouve dans l'armement rouennais en 1772[221], Guillaume Taupin, marchand havrais, embarque sur un vaisseau de Caen un lot d'épiceries pour la Basse-Normandie, fractionnées à l'infini scrupuleusement emballées : 6 paniers de fromages d'Alkmaar, 1 baril d'huile d'olive, 4 sacs d'amandes, 1 baril d'amandes vertes, 1 autre de prunes, 4 paniers de figues et 1 de raisin, 1 baril de citrons confits, 5 caisses d'oranges, 1 caisse d'anchois, 12 livres de café. Denrées des deux mondes alourdies de longs cheminements coûteux, c'est une situation séculaire, mais aussi cargaison recomposée d'une balance précise, symbole commun des épiciers-marchands de drogues et des apothicaires.

Doit-on situer alors au Havre et dans la ville de Caen deux niveaux du commerce ? Négoce dans un cas, marché de détail dans l'autre. Ce ne serait pas encore vrai. Des bords de la Bretagne, des marges du bassin de la Loire affluaient aussi, en un mouvement commercial brownien, par cohortes de un à vingt chaque mois selon les saisons, les petits transporteurs de miel du Domfrontais, du sucre débarqué à Nantes, Granville ou Saint-Malo et plusieurs fois revendu, de réglisse, de prunes séchées, de cerises, d'anis en cassettes et de coriandre à confiserie, confiés aux colporteurs et aux rouliers. Il se dessine une nouvelle aire qui nourrit en produits rares la capitale de la Normandie, une zone effilée qui imprègne le Bocage, frôle le domaine breton sans y pénétrer, ignore le Bassin parisien (un seul arrivage de Paris), draine profondément la généralité d'Alençon, longe les deux routes du Mans et de Mayenne-Laval-Angers, mais franchit rarement les Ponts-de-Cé. S'il est impossible d'interroger, sur les poids ou la valeur, des sources qui n'évoquent que balles et ballots, sacs, poches et manettes d'osier, du moins la statistique des envois reste profitable sur ces cinq années de guerre (1756-1760) où le commerce terrestre vivait dans l'Ouest de la France de si beaux jours.

Provenance des expéditions de produits d'épiceries (1756-1760)[222]

Aires	*Expéditions*
Maritime :	
Le Havre	27
Honfleur	1
Continentale :	
Bessin	2
Région de Falaise, Cinglais	2
Bocage	146
Alençonnais	36
Mayenne	37
Maine et Anjou	4
Touraine	2
Paris	1

220. Savary, 1759-1765, article « fenugrec, fenouil grec, senegré ».
221. P. Dardel, 1966, p. 246.
222. Arch. dép. Calv., 6 E 19. On a négligé les mèches de chandelle et les bou-

De la Basse-Normandie à la Loire, cette aire nord-sud si souvent rêvée par les négociants caennais en quête d'un arrière-pays autonome ne s'ouvre qu'au roulage. Gardons-la en mémoire. C'est une zone d'échange de produits industriels plus que de biens alimentaires et il n'est pas étonnant que seule y puise une demande urbaine légère, profitant du réseau commercial du textile, d'ailleurs éprouvé par la périodicité des foires de Guibray et de Caen. N'était-il pas prévisible enfin, qu'avec ces produits marginaux et composites, objets d'une demande très élastique, allait se dessiner une structure commerciale voisine, déjà, de l'économie industrielle dans laquelle la ville cesse d'être, selon la définition classique de Lösch : un centre d'achats ceint d'une aire d'offre continue, pour entrer dans un réseau délié de nœuds et d'axes d'échanges ?

CONCLUSION

Maintenant le temps est venu de réfléchir sur le fonctionnement de ces aires d'offre. Il est clair qu'elles obéissent à une certaine rationalité, mais la pénurie des archives laisse en suspens beaucoup de questions. Sans doute peut-on poser que la demande en produits pondéreux tend à se satisfaire au plus près, par une prospection exhaustive des ressources : tel est le cas des céréales et partiellement des cidres. Cependant il n'a pas été possible d'établir les isolignes des frais de transport, non seulement en raison du défaut des sources, mais aussi parce que ces coûts semblent extraordinairement malléables. Ainsi nous échappent des captations momentanées de trafic moins amples sans doute qu'elles ne seraient dans un marché plus fluide mais probablement bien réelles.

Par le jeu des substitutions, les variations de la demande urbaine étaient capables d'atteindre une grande ampleur. On a vu dans le domaine du bétail qu'elles pouvaient remodeler l'aire d'approvisionnement en favorisant les secteurs aptes sans frais supplémentaires à alimenter d'autres marchés. Mais la hausse de la consommation céréalière due à l'essor démographique ne semble pas avoir modifié l'espace de ravitaillement car l'offre était ici très élastique. De même il n'est pas possible de dire si l'augmentation de la taille de la ville a pesé sur le niveau des prix.

---

chons de liège... qui sortaient des consommations étudiées ici. Noms de lieux cités dans l'aire continentale. Bessin : Balleroy, Brouay ; Falaise : Quilly, Saint-Maurice ; Bocage : Tessé, La Chapelle-Moche, Passais, Messei, Domfront, Saint-Bomer, Lonlay-l'Abbaye, Champsecret, Saint-Brice, Tinchebray, Beauchêne, La Haute-Chapelle, Beaulandais, Juvigny, Dampierre, La Bloutière près de Villedieu, Saint-Ouen-de-la-Besace, Torigni, Saint-Georges près de Barenton, Sourdeval, Saint-Cyr-du-Bailleul, Ger, Landissacq. Alençonnais : La Ferté-Macé, Couterne, La Coulonche, Antoigny, Carrouges, La Roche-Mabille, Laigle, Alençon. Mayenne : Saint-Fraimbault, Desertines, Ambrières, Mayenne. Maine et Anjou : Champigné, Angers, Le Mans, Sainte-Suzanne. Touraine : Bourgueil.

En revanche le rôle des variations de la récolte, et par ricochet des prix, sur les aires est considérable. S'il n'est pas possible de prouver que la baisse des prix agricoles augmente la demande ou réduit sensiblement l'aire d'offre, par contre la hausse forte provoque une dilatation spectaculaire de l'espace économique et le plus terre à terre des marchés, le plus limité d'ordinaire, celui des blés, prend aussitôt une dimension nord-européenne, en même temps qu'il devient monopolistique et s'affranchit de toute concurrence. Les conséquences de cet élargissement ne vont pas toutes dans le même sens. En effet, l'augmentation du coût de la prospection n'est sensible que s'il faut ouvrir des voies commerciales (depuis Rouen ou Londres) ; au contraire, dans l'axe traditionnel Le Havre-Amsterdam, les familles protestantes locales sont à pied-d'œuvre. De plus la hausse des frais de transport, ou les taxes, ne sont pas proportionnelles aux distances et dépendent surtout du tonnage transporté. Elles ne constituent pas un obstacle décisif. C'est l'allongement du temps qui s'écoule entre la décision de recourir au marché étranger et la vente du blé (au moins deux mois) qui fait l'originalité et le risque de ce négoce, dans l'incertitude où l'on reste des cours à la soudure après avoir immobilisé longtemps beaucoup d'argent ; plusieurs spéculateurs ont perdu au XVIIIe siècle une fraction de leur capital. C'est précisément dans ces circonstances exceptionnelles qu'apparaissent plus vivement les lacunes de l'autonomie urbaine. Pour la capitale de la Basse-Normandie, Le Havre est alors selon l'expression des économistes, un *bottle-neck city,* un de ces points-portes qui font la loi au marché local gêné dans ses approvisionnements par les insuffisances de la voie maritime directe. Plus l'axe de la Seine est sollicité par Paris, plus les difficultés croissent en Basse-Normandie. Autant que des sources disparates permettent de l'observer, c'est bien ce qui se passe durant la Révolution et qui contribue à créer les conditions économiques du mécontentement fédéraliste.

Mais que cessent les orages et l'économie d'approvisionnement urbain retrouve son isolement relatif. C'est alors qu'il peut paraître intéressant de lui comparer les résultats de l'analyse du grand économiste allemand trop oublié Thünen qui, reconstituant au début du XIXe siècle, à partir de la comptabilité du domaine de Tellow, le modèle d'un état isolé, rencontra les problèmes évoqués dans ce chapitre [223].

Dans cette situation idéale, qui se trouve réellement assez souvent esquissée sous l'Ancien Régime, Thünen montre que les activités agricoles vont se localiser en fonction de la rente foncière qu'elles peuvent procurer et dont le taux résume l'influence de plusieurs facteurs [224]. D'abord, à fertilité égale, les coûts de transport et l'éloignement. En effet, le prix des denrées de qualité analogue ne dépend pas, sur le marché urbain, de l'éloignement des centres de production, mais de l'offre et de la demande. Cette homogénéité crée donc, par soustraction de frais de transport différents pour chaque provenance, des prix à la production très variés. C'est une étude malheureusement très difficile à faire, que de dresser ce tableau des variations du prix local en fonction des

223. J. H. von Thünen, 1826. Dans une perspective économique, les idées de Thünen sont beaucoup plus fructueuses que celles, plus anciennes, de G. G. d'Arco, 1771, ou même de Cantillon, 1755.

224. Cl. Ponsard analyse Thünen, pp. 195-218 de son ouvrage de 1955.

distances à la ville[225] lorsque les éléments du coût des transports n'ont pas été systématiquement réunis à l'époque. Il reste qu'on a pu en constater les effets à Caen : au-delà d'une certaine distance, la prime de situation engendrée par la proximité du centre de consommation s'efface, on serait tenté de dire qu'elle devient négative. Ainsi s'explique, en raison d'une demande limitée, l'exiguïté de la zone de maraîchage à Caen puisqu'elle ne dépasse pas la banlieue entendue au sens juridique.

A l'extrême, la baisse du prix local dans des campagnes de plus en plus retirées et mal irriguées par les transports doit annuler la rente foncière, rendre incertain le remboursement des avances à la culture[226], à la moins exigeante des cultures. Dès lors c'est l'abandon de la terre qui rétablira l'équilibre à plus ou moins longue échéance, à moins d'une réorientation de la vie agricole. Des régions partiellement anesthésiées n'étaient pas rares dans l'Ouest français à l'orée du XVIIIe siècle. Vauban, dans son mémoire peu connu *De l'importance de la Normandie,* observe les effets de cette ankylose dans l'Avranchin aux pauvres chemins bourbeux. Cette atonie fut combattue au cours du siècle par l'orientation vers l'élevage naisseur qui transfère au compte des acheteurs, généralement des Augerons, comme on l'a vu, des frais de transport d'ailleurs réduits en comparaison de l'exportation des grains puisque le bétail se déplace tout seul. Il y aurait donc lieu de reprendre, dans cette optique comptable, le problème des défrichements et des desséchements proposé à l'opinion des propriétaires par les physiocrates et leurs amis (Turbilly par exemple et localement Fontette)[227], en le liant fortement à celui des voies de circulation, tant l'échec ou la réussite sont liés en cette matière. A cet égard, la personnalité et l'œuvre des Trudaine père et fils, puis de Turgot, préoccupés à la fois de l'aménagement du sol et des routes et chemins prennent valeur de symbole.

En second lieu, la rente foncière dépend évidemment de la fertilité du sol, puisqu'elle représente la différence entre le produit brut et les coûts (décomposés en semences, frais de préparation du sol, de récolte et frais généraux dans lesquels on peut compter, si l'on veut retrouver finalement le produit net des physiocrates, outre l'amortissement du matériel, l'entretien du fermier). Les calculs pratiques de Thünen montrent qu'en l'absence d'une culture scientifique, consommatrice d'engrais, la rente est une fonction linéaire des rendements. Au bénéfice de la proximité urbaine, la plaine de Caen ajoutait de ce point de vue une nouvelle prime : celle de la fertilité. Cet excès relatif de richesse combiné avec une division du sol, plus poussée qu'en d'autres « champagnes », a sans doute contribué à maintenir longtemps l'assolement triennal. Aucun besoin d'accroissement productif n'exerçait, contre lui, son érosion, sauf peut-être dans la banlieue immédiate de la ville. En revanche, mieux que les administrateurs, fort surpris sur ce chef au XVIIIe siècle, on comprend pourquoi le rythme ternaire des cultures avait tendance à disparaître dans les régions moins fertiles de la généralité. C'est là que la recherche d'un profit plus élevé apparaissait, susceptible de combler la dénivellation née de la valeur des terres. Ce dessolement timide ne signifie-t-il pas que les thèses

225. C'est ici que la comptabilité du domaine de Tellow permet à Thünen ses démonstrations les plus brillantes.
226. Au sens physiocratique.
227. G. Weulersse, 1910, t. 2, p. 182 sq.

physiocratiques sur la circulation des produits du sol commençaient à gagner la partie et que les aires du ravitaillement urbain allaient entrer en expansion, lorsque la Révolution vint interrompre nos statistiques ? C'est un problème qui sera certainement abordé par les historiens du XIXe siècle.

A l'issue de son étude concrète, Thünen est arrivé à concevoir quel genre de localisation agricole circum-urbaine devrait entraîner la pure rationalité économique, abstraction faite évidemment des données de l'histoire qui ont disposé du réseau de communication ou des traditions culturales et des conditions de la géographie régionale (tracé des rivières, qualité des terroirs). C'est dans ce sens qu'il faut comprendre son titre : *l'Etat isolé ;* bref c'est un modèle qu'il nous propose, moins exceptionnel toutefois qu'on pourrait le penser d'abord, car il y aurait sûrement de l'intérêt à reprendre l'immense littérature utopique du XVIIIe siècle, celle des *Voyages imaginaires* notamment, sous l'angle économétrique.

Autour de la ville apparaîtraient donc, selon l'auteur, des cercles concentriques ; successivement la zone de la culture jardinatoire et de l'élevage laitier intensif, qui demandent des transports sinon pondéreux du moins répétés et délicats, puis, aussitôt la sylviculture qui alimente un commerce lourd ; après cela trois cercles concentriques de cultures céréalières, le premier dépourvu de jachère, le second voué à l'assolement long (une année de repos sur neuf), le troisième au rythme ternaire ; le sixième cercle serait celui du bétail qui peut s'étendre à l'extrême en raison de la mobilité des produits (Thünen pense-t-il à la prairie américaine ?) et jusqu'à saturation des besoins. Puisque par définition l'excédent de tous les cercles compense la demande urbaine, il est possible d'introduire successivement des variables expérimentales pour observer la déformation des aires : la population, la consommation, les fluctuations des prix, la fiscalité et pourquoi pas une touche de sophistication : un cours d'eau, des routes, une mine ? L'outil à penser était bon, Thünen lui a d'ailleurs donné une forme mathématique [228] ; les économistes du XIXe siècle et d'aujourd'hui l'ont repris, Alfred Weber et l'école de Cambridge avec B. Ohlin et W. H. Dean [229], pour l'étendre et le compliquer sans en contredire les intuitions.

C'est un devoir des historiens de comparer leurs propres observations aux modèles des économistes et dans le cas présent, on saisit tout de suite pourquoi cette opération est fructueuse. Si l'on exclut en effet la localisation de la sylviculture dont « l'anomalie » est d'ailleurs ressentie fortement dans la ville comme on sait sous la forme d'une véritable disette de bois pour la construction et le chauffage [230], si l'on néglige de plus une contradiction mineure dans la ventilation des assolements, qui ne voit l'accord général du modèle et de la réalité caennaise ? Sans doute, dans l'analyse d'un cas singulier,

228. Cl. Ponsard, 1958, les modèles économiques de Thünen, p. 137 (notamment la théorie du salaire naturel avec trois calculs : la formule de la série des prix locaux en fonction de la distance x, la formule de la série des frais de transport en fonction de la distance x, la formule de la série des rentes foncières en fonction de la distance).

229. Alfred Weber, 1909, B. Ohlin, 1933, W. H. Dean, 1938.

230. Voir les chapitres précédents. Dans le premier cas, la ville a son remède : l'usage intensif de la pierre. Dans le second, elle a conçu des grandes espérances de l'extraction du charbon de Littry.

personne ne s'attend à rencontrer les aires d'un géomètre et c'est par image qu'on parlera en Normandie de « cercles » concentriques. Pourtant la campagne épouse les besoins alimentaires de la ville conformément au code économique de Thünen qui postule avant tout un ordre de succession. Au plus, l'approvisionnement en boissons s'insère médiocrement dans cet ordre ; encore existe-t-il une parade, peu diététique mais trop réelle à l'obstacle des transports, c'est la diffusion de l'eau-de-vie. Mais la similitude des grandes lignes est gage de richesse et d'économie dans les distributions ; la nature avait réuni autour de Caen les conditions de la prospérité.

L'étude de cas concrets multiples pourrait permettre quelques hypothèses supplémentaires sur les rapports de grandeur entre ces surfaces emboîtées. La raison de leur progression variait-elle d'une ville à l'autre ? Il faut renoncer à répondre pour l'instant. De même il faudrait observer comment l'influence de deux villes voisines pouvait entrer en concurrence. La question ne se pose pas pour les zones courtes telles que le maraîchage qui sont entièrement autonomes et isolées ; elle est insoluble pour les aires floues sur lesquelles plusieurs villes peuvent puiser en même temps, par exemple celle du bétail ; mais il reste la zone céréalière, fermement dessinée et sans doute contiguë à celles de Bayeux, Falaise et Lisieux. W. J. Reilly a donné un modèle économétrique qui permet d'identifier le point de partage où les attractions s'annulent [231] entre deux villes A et B, en se fondant sur la distance et la population. La distance de ce point à la ville B, par exemple, s'exprimerait par la formule

$$\frac{\text{Distance AB}}{1+\sqrt{\dfrac{\text{Population A}}{\text{Population B}}}}$$

Mais il s'agit de l'offre urbaine et non de la demande. En tout cas il est intéressant de voir que cette formule ne se vérifie autour de Caen que pour Bayeux [232], situé dans la même généralité, mais ne convient pas bien pour Falaise, encore moins pour Lisieux, qui relèvent des ressorts d'Alençon et de Rouen. A la vérité, ce modèle trop simple postule un espace administrativement homogène et des prix identiques. Ces dernières hypothèses sont particulièrement rares sous l'Ancien Régime. Et comment, pour l'instant, faire entrer dans une formule l'influence d'une frontière administrative ? De part d'autre s'exerçaient des politiques, des coutumes et des taxes commerciales différentes, faisant aussi de chaque circonscription un état partiellement isolé [233].

231. W. J. Reilly, 1929.

232. Le point de partage, d'après le modèle de Reilly, est à la distance de Bayeux suivante : $\frac{27}{1+\sqrt{\frac{40\,000}{10\,000}}} = 9$ (en kilomètres).

L'observation montre qu'il se situe environ 2 kilomètres plus près.

233. Il existe dans l'œuvre de l'économiste A. Lösch, l'embryon d'une théorie des rapports des aires étatiques et économiques.

Enfin il faut s'interroger sur la fréquence de ce genre de disposition. Il est probable que la succession des aires économiques va se ressembler dans beaucoup de riches terroirs de l'Europe du Nord-Ouest au XVIIIe siècle, entraînant avec elle les moindres coûts alimentaires, le développement des villes, l'essor de l'industrie. A. Smith a observé dans la *Richesse des nations* de telles corrélations dans le Nord de la France, la Flandre, le Sud de l'Angleterre. Le thème de la civilisation de la Manche n'est-il pas récurrent ?

Au surplus les études de W.H. Dean complètent les réflexions précédentes et aident à poser le programme des prochains chapitres de cette recherche[234]. L'auteur observe que du XVIe au XVIIIe siècle les industries se sont localisées en deux genres de régions.

1) Les zones agricoles qui ont un surplus de biens alimentaires. Caen peut très aisément entrer dans cette catégorie. D'une manière générale, l'industrie s'implante là où se trouvent les matières premières les plus impures, c'est-à-dire celles qui perdent une forte portion de leur poids dans le processsus productif ; en revanche il existe une mobilité plus aisée des matières pures que l'on retrouve sans perte — au sens pondéral — dans l'objet fabriqué. A cet égard l'alimentation des ouvriers, indispensable à la reproduction de leur force de travail, constitue, avant l'usage des matières énergétiques lourdes (comme le charbon) le transport le plus pondéreux auquel l'industrie ait à faire face. On le saisit bien en comparant le poids des consommations annuelles par ouvrier au poids des matières industrielles transformées dans la plupart des secteurs professionnels d'Ancien Régime. En même temps nous sommes là dans un domaine impur par excellence puisque les produits sont entièrement « brûlés » comme une source d'énergie. En quelque sorte, la localisation de l'industrie d'autrefois sur les « bassins alimentaires » répond aux mêmes nécessités que la concentration sur les bassins miniers de l'ère industrielle.

2) Mais il existait au XVIIIe siècle un deuxième type de région industrielle qui concerne encore la Normandie, sinon la ville de Caen : elle se développe dans les lieux où subsiste un surplus de population, le textile du Bocage si l'on veut un exemple. C'est ici la pénurie monétaire qui suscite l'offre de main-d'œuvre et c'est cette force de travail, par ailleurs rivée à la terre et par conséquent dispersée, qui fixe l'industrie.

Le premier type de localisation fondé sur l'abondance alimentaire est donc le seul qui crée à la fois l'industrie et l'urbanisation, Cantillon l'avait déjà remarqué[235]. A cet égard la ville de Caen semblait bien partagée, son essor s'inscrivait dans la fertilité du terroir. Or on a vu que la croissance démographique ne fut que temporairement assurée. Que s'était-il donc passé dans le domaine industriel ?

234. W.H. Dean, 1938 ; Cl. Ponsard, 1955, p. 288 sq.

235. La tentative de G. Widemer, 1953, pour montrer que l'activité des villes est une fonction rectilinéaire du logarithme de leur population ne peut pas être vérifiée aux époques anciennes ; elle exige une trop grosse « consommation » de statistiques introuvables.

CHAPITRE VI

Approche démographique de l'économie urbaine quantitative

Les étapes de l'étude économique nous ramènent pour un temps assez long au sein de la ville. Cette immobilité momentanée des prises de vue ne renie pas l'observation spatiale. Le premier pas de la démarche consistait à saisir dans un ordre logique, celui des urgences de la vie quotidienne également, l'aire où la ville de Caen, fort peuplée dès le début du siècle, puisait les moyens de sa survie démographique. A cette demande, nous l'avons vu, la Basse-Normandie répondait d'abondance ; rares les années du XVIIIe où ne pouvait retentir le *Te Deum* des blés. Maintenant nous examinerons quel parti économique la population de Caen sut tirer de cette heureuse aubaine. Quelle offre de biens et services était-elle susceptible de proposer au-dedans et au-dehors ? Il est clair que cette analyse nous reportera, pour finir en toute fidélité à nos préliminaires, dans l'espace commercial où peuvent s'exercer divers effets de domination et par là s'expliquer l'accumulation des richesses et de la population. Pour l'instant, étude ponctuelle, dans la perspective sans horizon géographique de l'économie politique classique.

A cet égard, mesurons bien que seul le triomphe de l'état marchand, puis industriel, assura celui des statistiques de production et d'échange. En un sens, les défauts de l'enregistrement signalés au début de cette investigation économique soulignent le chemin qui restait à parcourir au XVIIIe. Les données directes sur la production en valeur ou en quantité étaient défectueuses accidentellement par leurs lacunes et fondamentalement du fait de l'autoconsommation. Retrouver la production par l'emploi des matières premières ou les indications du commerce extérieur supposerait un octroi qui ne fût pas un simple outil fiscal, dont l'usage était d'ailleurs levé pendant la foire franche. Utiliser les données relatives au capital investi en outillage — si elles existaient — ne serait licite que dans une économie industrielle en croissance, occurrence ici non démontrée.

Reste une méthode de dernière chance : elle est bien connue des économistes [1] et revient à partir des activités de la population urbaine. En prévision de cet usage, j'avais présenté plus haut les recensements de Caen avec un détail qui pouvait paraître lourd quand il était juste suffisant. En économie pré-statistique, tout est d'abord à redéfinir soigneusement, d'autant plus que le chiffre manque. Voici un exemple qui nous touche de près : ventiler une population active en secteurs industriels est une opération assez routinière, que répètent les annuaires statistiques du XIXe ou du XXe siècle. Mais sait-on

1. T. J. Markovitch, juillet 1965, pp. 98-102.

bien concevoir une population active ou un secteur industriel du XVIIIe siècle ? Cette exigence préalable m'a guidé vers une première enquête. Avant toute pondération par les recensements, je devais chercher les activités économiques qu'on exerçait à Caen.

I. ENQUÊTE SUR LE VOCABULAIRE QUI DÉSIGNE LES CATÉGORIES ACTIVES ET INACTIVES DE LA POPULATION

Pour cela, il était indiqué d'aller des mots aux choses. A la réflexion, il semble bien, de surcroît, que le vocabulaire du travail — ou son contraire, celui de l'inactivité — constituent d'abord la totalité économique la plus sûre, la seule véritablement exhaustive qui nous soit donnée dans le temps passé ; imagine-t-on un acte de production ou d'échange qui ne fût pas nommé ? Ainsi, parce que c'est un jalon des analyses à venir, parce qu'elle a aussi en elle une propriété efficace d'investigation, accordons tout notre soin à cette taxinomie économique.

Il conviendra d'ouvrir le plus possible les volets de l'observation pour faire ressortir d'éventuelles transformations, toujours lentes à se produire à travers la langue. Un retour aux dénombrements montre que le recensement des bourgeois de 1666 puis le rôle en duplex de 1792, mobilière et passifs, vont former deux collections pertinentes. En effet, le grief d'insuffisance que je faisais naguère au registre de l'époque classique ne concernait que le volume des gens modestes : les mal-aisés se sentaient moins concernés que les patriciens par leur inscription sur ce livre de réelle exemption des tailles ; mais bien sûr, la plus infime profession comprenait à la fois des membres entièrement exonérés par leur pauvreté et des contribuables pour une poignée de deniers, intéressés à leur droit de bourgeoisie. Ainsi les quantités sont douteuses mais les rubriques professionnelles composent une liste exhaustive, d'autant plus sûre que dans la hiérarchie descendante des conditions sociales, s'amenuise la division du travail et grossissent les bataillons de manœuvres à tout faire. D'ailleurs le contrôle rigoureux des rubriques par les papiers des corporations ne fait pas apparaître une lacune. D'autre côté, 1666 et 1792 appartiennent, sur cinq générations de distance, à la même famille d'observations administratives où s'associent la situation sociale, professionnelle et politique avec la fiscalité en couples balancés : bourgeois-exempts en campagne, citoyens actifs-contribuables. Les deux rôles concernent les mêmes éléments domiciliés[2] :

2. Au sujet du domicile, le rôle de 1666 est sans ambiguïté puisqu'il classe les citadins selon la durée de leur résidence en ville : semaines, mois, années. De son côté, l'état civil distinguait : l'étranger (voyageur, soldat, mendiant, inconnu), le domicilié de fait et d'intention, le domicilié de droit, sur le lieu de son travail : cf. l'article « Domicile » du *Dictionnaire* de Houard, 1780-1782, et les actes paroissiaux de Caen, Arch. dép. Calv., 4 E. Ce fut la distinction reprise dans l'élaboration du Code civil, titre III, « Du domicile », titre IV, « Des absents », articles 102 à 140. Voir J. de Malleville, 1805, t. 1, pp. 114-158.

les célibataires, les familles conjugales, les enfants majeurs[3], les veufs et veuves, les vestiges de cellule détruite (enfants en tutelle). Les deux ensembles sont à la fois clos et homogènes sous l'angle de la nomenclature. Enfin l'ustensile de 1705, la capitation des arts de 1757, celle des nobles, exempts et bourgeois de 1768 pourront servir à la fois de jalons, de contrôle et de répertoire des fonctions éphémères apparues et disparues.

Les termes qui désignent l'inactivité économique dessinent en négatif un premier profil de l'emploi urbain, avec dix-sept vocables en 1666 et cinquante et un en 1792. Ces listes figurent avec les suivantes en annexe[4].

De l'une à l'autre date, neuf termes subsistent, soit 18 % du total des mots en usage. Depuis 1666, 47 % des rubriques sont frappés de désuétude tandis que l'innovation du langage s'établit à 78 % de la liste de 1792. Les termes maintenus tels quels se répartissent de la sorte : 1) *bourgeois*[5], 2) *vivant de son bien,* 3) *sans profession,* 4) *étudiant,* 5) *veuf, veuve,* 6 à 8) le statut du dernier âge associé à une profession administrative, un service ou un métier par les termes *ancien, ex, ci-devant,* 9) *malade.* Mon objectif est sémantique et je ne m'attarderai donc pas sur la spécificité de l'arsenal des mots employés dans chacune des coupes. Venons-en au sens à l'aide de quelques remarques.

Un des termes de la liste commune eut à subir au moins glissement et démultiplication. Le *bourgeois* de 1666 désignait, dans l'optique du recensement lui-même, le résident[6]. Il n'est remplacé que dans trente-trois cas par le titre d'honneur *sieur,* indifféremment utilisé pour de notables roturiers, des anoblis et des nobles ; contrairement à la première, cette seconde rubrique ajoute l'idée d'un rang dans la hiérarchie sociale. L'expression *vivant de son bien* indiquait aussi une position financière sans précision de niveau, mais elle était fort rare (quinze mentions). En 1792, les références au *bourgeois* sont devenues exceptionnelles : trois ; à peine s'y substitue d'ailleurs le terme de *citoyen* (trente et un cas) qui rappellerait son ancêtre de 1666 dans la mesure où, sous le sens politique nouveau, le contenu ancien de régnicole, membre permanent de la cité, peut rester vivace ; cette nuance n'est sans doute pas abolie totalement puisqu'elle a suscité son contraire sémantique : l'habitant temporaire sans activité précise est rangé sous les rubriques *étranger, logé en garni* ou bien *en pension.*

Mais l'essentiel est l'attraction sociale qui s'exerce sur la classification de ces inactifs. Le *bourgeois* financièrement neutre de 1666 s'éparpille dorénavant dans la hiérarchie des fortunes. Dans l'aisance, il vit *de ses rentes, de son douaire, de son bien* (le distinguer alors de qui fait valoir son bien) ; à l'autre extrémité, une pléiade de désignations fait apparaître trois degrés de dénuement, celui qui *cherche sa vie,* le *pauvre,* l'*indigent* et trois attitudes devant la quête du minimum : le *pauvre à la charité* (assisté des deniers publics), le *pauvre*

3. D. Houard, 1780-1782, t. 3, p. 197, article « Majorité ». En Normandie, la majorité personnelle est à 20 ans. Elle habilite à gérer ses biens mais ne prévaut pas sur les dispositions communes au royaume en matière de législation du mariage où la dispense d'autorisation des parents est fixée à 30 ans pour les garçons et 25 ans pour les filles (voir aussi l'article « Mariage »).

4. Voir annexe 8.

5. En 1666, une seule mention explicite du mot, mais le texte porte en titre apparent, « Rôle des Bourgeois ».

6. Voir plus haut, chapitre III.

à l'aumône (assisté des oboles privées), le *mendiant domicilié* (plus entreprenant que le précédent).

En outre, de 1666 à 1792, la catégorie ambiguë des *gens sans profession* se spécifie également sous l'angle de la hiérarchie. En 1666, trois notions : deux d'entre elles étaient presque identiques, *sans aucune profession, sans aucune profession que d'aller à ses affaires ;* la troisième, *sans métier,* introduisait déjà une distance sociale vis-à-vis des deux précédentes. En 1792, à côté de la rubrique financièrement, sinon moralement incolore, *ne fait rien,* apparaissent par degrés trois notions qui se réfèrent à l'absence de qualification : *sans état, sans emploi, sans profession* et trois concepts relatifs au chômage voulu ou subi : l'emprisonnement, *aux fers,* un métier suivi de *sans travail,* une profession libérale et la précision *non exerçant.* On voit que le souci d'éliminer l'ambiguïté de la langue rencontre celui de particulariser des statuts économiques.

On réduira à quelques points les commentaires consacrés aux citoyens du troisième âge caractérisés par leur ancienne activité. D'une part, leur faiblesse numérique : quinze en 1666, cent quatre en 1792 ; il est clair qu'ils sont pris en écharpe entre ceux qui prolongent par nécessité leur activité jusqu'à l'épuisement, ceux qui vivent de leur bien ou des subsides de leur famille, ceux qui se rangent dans la catégorie des malades. Plus attentif, le Comité de mendicité en compte 482 l'année précédente. Mais je ne saisis pas dans la langue du XVIIIe siècle de différences bien nettes entre l'*ancien,* l'*ex-,* et le *ci-devant,* utilisés de toute ancienneté ; en 1792, le *ci-devant* n'a pas encore à Caen un sens répulsif et cette expression peut s'associer à toutes sortes d'activités. En revanche sont apparus le *pensionné,* notion qui ne s'attachait avant 1789 qu'aux inscrits maritimes, et le *vétéran* qui peut ne pas désigner seulement un ancien soldat mais un homme âgé valide.

La catégorie des malades subit comme les précédentes un éparpillement analytique. Ce changement illustre surtout l'imprégnation médicale de l'opinion commune. En 1666, deux rubriques, *malade, paralysé.* En 1792, treize notions désignent d'une part l'empêchement temporaire d'activité : *incommodé, hors d'état de travailler, malade, à l'hôpital ;* puis les maux de la sénescence : *invalide, grabataire, infirme, tombe de mal,* enfin deux types d'affection particulière, la cécité, la folie avec son échelle nosographique encore superficielle : *imbécile, esprit perdu, fou, épileptique,* et cependant utile car elle restitue les différentes strates d'incapacité sociale des malades.

Les autres catégories d'inactifs sont dénommées de façon particulièrement stable. Dans celle des étudiants disparaît tout au plus, avec l'effondrement des vieux collèges, l'étiquette d'*écolier.* Les *veuves* enfin se rencontrent avec une régularité et une fréquence qui font d'elles une véritable espèce sociale. Et en vérité, l'impression est juste. La coutume normande qui soumettait les épouses à une si dure sujétion maritale privilégiait plus encore les lignages ; à la mort de son maître et seigneur, chaque femme accédait enfin à une plénitude de propriété sur ses biens qu'elle n'avait jamais connue comme fille et comme épouse ; en créancière privilégiée, elle remportait son douaire, fût-ce au détriment de ses enfants, et jusque sur les biens paternels. La loi instituait ainsi les veuves en rentières souvent délabrées, puis l'incompétence professionnelle, l'habitude de la vie ménagère les enfermaient dans ce presque dénuement d'où les plus industrieuses sortaient par les travaux d'aiguilles et les plus déroutées par la charité des paroisses.

II. REMARQUES PRÉLIMINAIRES A L'OBSERVATION DES CATÉGORIES ACTIVES

A la fin de cet examen sémantique, plusieurs remarques sont indispensables avant d'observer les catégories actives de la population.

Pour nous, l'étude des mots n'a d'importance que dans la mesure où ceux-ci interrogent eux-mêmes les réalités ; nantis du même matériau que les lexicologues, nous nous éloignons donc très vite de la plupart d'entre eux. Ainsi les termes qui désignent les couches inactives de 1666 à 1792 sont affectés de disparitions, de glissement de sens, de redondances, mais sous le miroitement des noms, nul avènement majeur n'a troublé les groupes concernés, indépendamment de leur éventuelle variation quantitative ; à peine observons-nous quelques surgeons médiocres comme celui des pensionnés. Il vient à l'esprit qu'il serait prudent de mettre en cause dans l'étude du XVIIIe siècle la pente naturelle de notre temps à rechercher les signes de la croissance. Utilisons plutôt, avant d'avoir atteint quelques certitudes, l'expression de changement économique, moins bourrée de présupposés explosifs et que n'auraient pas désavouée les trois courants théoriques de l'économie entre 1750 et 1850, les physiocrates, A. Smith, les apologistes de l'état stationnaire de Malthus à Stuart Mill.

La notion de population inactive n'est pas indemne d'ambiguïté. A la périphérie de chaque type de consommateur non producteur — c'est la seule définition possible en économie — s'éparpillent des groupuscules en voie de retour aux sphères de l'activité. C'est une première difficulté ; elle vaut pour les malades, les chômeurs, les prisonniers. Mais encore ? Un citadin qui n'a d'autre profession que d'aller à ses affaires, selon nos textes, tient évidemment le registre de ses rentes ; s'il est avisé, à côté de ses placements fonciers, il prête aussi de l'argent, est-ce alors un usurier ? Peut-être fait-il travailler des ouvriers en chambre, est-ce un chevalier d'industrie ? Chez beaucoup d'inactifs de ce genre le travail à temps partiel était sans doute monnaie courante, voilà une difficulté à peu près insoluble, pour ne pas parler du travail des femmes au foyer domestique.

S'il est inévitable, d'autre part, de placer l'apprenti dans la population active en raison de son rôle réel dans le processus de production, comment justifier celle de l'étudiant dans l'autre camp ? Il faut cependant s'y résoudre puisque l'enseignement, à l'exception de sa branche médicale, ne se proposait pas d'introduire à l'exercice d'une profession mais à la familiarité d'une culture. Finalement, deux catégories d'âge, d'ampleur variable selon les strates de richesse, l'enfance et la vieillesse, se mêlent ici à des conditions sociales (le rentier, bourgeois ou gentilhomme, le mendiant), à des statuts physiologiques (le malade, l'insensé), et à l'état matrimonial (les veuves), pour constituer l'ample domaine du parasitisme économique.

On observera sans doute que ce rangement demeure frappé d'un certain empirisme. Je pourrais plaider la fidélité aux matériaux réels qui vaut d'habitude absolution générale chez les historiens. Il y a mieux à dire. En réalité, deux populations d'inactifs sont mêlées dans l'ensemble des termes qui les désignent. Il s'en faut bien que ces deux embranchements de l'espèce aient la même puissance de pénétration dans le monde économique. D'un côté les détenteurs de capitaux, par le choix de leurs placements, conservent le pouvoir d'ordonner une partie de la production ; au surplus ils ont choisi l'inactivité et ne se dessaisissent d'aucun droit de reprendre un rôle positif. Est-ce un hasard si la nomenclature de la deuxième branche évoque au contraire tout ce qui faisait chez E. Durkheim le monde mental primitif : l'enfant, le vieillard, le pauvre hère, le malade, l'insensé ? Autant que les forces physiques, il est sensible qu'il manque ici l'aptitude à la rationalité économique faite de connaissances professionnelles et de capacité de calcul prospectif ; à l'énoncé de ces critères, on conçoit pourquoi les veuves, rivées au dernier âge de la vie civile, devaient être reléguées au même rang.

La troisième remarque préliminaire touche, à travers l'exposition des résultats obtenus, aux méthodes de la recherche et à ses objectifs. Comment regrouper en grandes catégories la nébuleuse des 664 dénominations professionnelles collectées en 1666 et 1792 ? Parallèlement à l'histoire économique, celle des sociétés a ouvert récemment un débat analogue. S'agira-t-il seulement de déterminer les divisions de la population telles que les contemporains les ressentaient ? Qui mettrait alors en doute la nécessité de cette démarche primitive ? Mais il est bien imprudent, il est même en un sens pathétique d'en rester là et de poser qu'un individu ou une société sont entièrement transparents à eux-mêmes. On connaît la faillite de l'introspection traditionnelle en psychologie, elle demeure acquise au-delà des combats scientifiques qui se développent sur la personnalité profonde. Il n'en va pas autrement, pour la forme du moins, dans l'appréhension des collectivités ; l'image professionnelle ou sociale qu'elles renvoient au miroir n'embrasse pas directement ni totalement le réel. Ainsi l'économie politique depuis Cantillon n'eut d'autre objet que de dissiper le jeu des ombres et elle a obtenu des résultats encourageants.

Si le doute peut gagner quelquefois à cet égard les historiens, parce que leur impatience théorique est légitimement moins forte que celle des abstracteurs, cela s'explique. Au fond, l'analyse des agrégats professionnels dessinés par les contemporains devient une œuvre d'érudition où chacun peut reprendre le fardeau où le précédent le laissa. On ouvrira les archives des communautés, on examinera les liens juridiques des métiers entre eux, le travail mixte, la fusion des corps et leurs ruptures ; par définition, le système de classement sera homologue à celui des dénominations réelles : plus de problèmes de rangement. Certes toutes ces démarches empruntent aux disciplines scientifiques leur caractère cumulatif et leur valeur probatoire. Mais il ne s'agit que d'enchaînements fragmentaires.

Soit à Caen, une catégorie conforme à ce modèle ; elle est construite sur la base des agrégats corporatifs. Côte à côte ce sont par exemple, les marchands drapiers en gros et détail, les merciers, joailliers, quincailliers, fripiers, les brocanteurs, les marchands de dentelle, gens analogues aux membres des six corps parisiens, vendeurs de tout, faiseurs de rien selon l'expression consacrée. Assurément ce regroupement a une portée symptomatique puisqu'il fait apparaître l'empire de la distribution sur la production, propre au capitalisme commercial. Mais au moment où elle semble illustrer la formation du profit à travers le circuit argent-marchandise-argent, cette classification cesse d'opérer les distinctions véritables car elle mélange de simples dépositaires, revendeurs des produits de la petite métallurgie normande comme les quincailliers, et des entrepreneurs tels que les marchands de dentelle ou les merciers qui font aussi façonner la matière première et achètent à la fois marchandises et travail. Il est sans doute possible de confondre ce double canal si l'on considère ses fruits monétaires, mais comment se tenir satisfait de cet amalgame en démographie économique, puisque, à productivité constante, tout changement numérique des producteurs rend possible l'évolution du nombre des distributeurs et des consommateurs ?

Ces classifications témoins de leur temps ne résolvent pas tous les problèmes que nous nous posons ; elles reflètent mieux l'idéologie d'une époque que sa réalité. On se souviendrait donc opportunément ici des réflexions de méthode que faisaient E. Durkheim et M. Mauss sur les formes de l'activité classificatrice [7]. Si le rangement des choses a généralement quelque rapport avec celui des hommes dans une société donnée, c'est bien sur le domaine des processus économiques que cette hypothèse va se vérifier puisque les segments d'activité productive rapprochés dans l'esprit des contemporains sont continuellement aimantés par la hiérarchie sociale des agents. Le succès des classifications socio-professionnelles, fussent-elles les plus empiriques, tire peut-être son origine d'avoir comblé ouvertement ce penchant.

En économie, il faudrait au contraire un peu plus de rigueur. En effet, de l'examen des rôles de population active, nous attendons : 1) un tableau de la division du travail décomposé en ses éléments momentanément insécables, 2) un tableau des volumes de l'emploi pour chacune de ces subdivisions qu'il faudra recomposer par branche, 3) les changements survenus dans la division du travail, 4) l'évolution des volumes humains engagés dans la vie active par métier et par branche, 5) la variation des modalités de la production, dans la mesure où celles-ci retentissent sur le statut des agents.

Ces exigences soulèvent des difficultés. L'établissement du 1er et du 3e tableau suppose qu'à une activité corresponde un terme de la langue professionnelle et un seul. Nous retrouvons ainsi, comme dans l'examen de la population inactive, le problème du passage des mots aux choses. Il est d'abord nécessaire de dépister les homonymes ; il faut ensuite se demander si le même vocable ne désigne pas plusieurs fonctions productives distinctes. Sur ce point, l'analyse des économies pré-industrielles nous place dans une situation particulière. La division sociale du travail y est universellement répandue. Par exemple, du bœuf à la chaussure, une chaîne de producteurs et marchands indépendants les uns des autres concourt à la transformation des matières premières : l'éleveur, le marchand de bestiaux, le boucher, le corroyeur, le tanneur, le cordonnier. Les économistes de la fin du XVIIIe et du XIXe siècle [8], James Steuart, A. Smith, F. Skarbek et mieux que tous K. Marx, ont bien souligné qu'à chaque étape la matière première redevient marchandise, nantie d'une valeur d'échange supplémentaire. Chaque séquence est isolée, elle est donc nécessairement nommée dans la langue. Il en irait tout autrement sous le règne de la division technique du travail qui s'associe au régime de la manufacture. A. Smith a étudié l'exemple classique des épingliers, Chaptal, Ganilh, Ure puis Babbage ont donné d'autres analyses célèbres, comme celle des

7. E. Durkheim et M. Mauss, 1901-1902, pp. 1-72.
8. J. Steuart, 1767 ; A. Smith, 1776 ; F. Skarbek, 1829 ; K. Marx, 1885 ; voir l'édition de La Pléiade, 1968, t. 2, p. 509.

imprimeurs [9]. On voit alors se diversifier les opérations du travail ; il est clair que durant cette période transitoire, le vocabulaire courant ne suit plus la division technique. Qu'il coupe les fils, frappe la tête ou accomplisse l'une des seize autres opérations élémentaires, l'ouvrier restait vers 1800 pour tout le monde, notamment pour l'agent fiscal, un épinglier. Le terme ne désignait plus une activité professionnelle précise mais celle d'un groupe dans une branche industrielle. En même temps les statuts, décomposés en trois à l'ère artisanale : apprenti, compagnon, maître, se démultipliaient en manœuvre, ouvrier spécialisé, contremaître, entrepreneur, etc., au point de lasser la patience des collecteurs de renseignements. Pour cela les recensements de population active sont spécialement inadaptés à l'observation économique au XIXe siècle. Il n'en allait pas de même avant 1792 dans la capitale de Basse-Normandie et j'anticiperai tout de suite l'analyse de l'innovation pour signaler que cette ville n'avait pas atteint jusque-là l'âge de la « machino-facture ». Dès l'Empire, ce serait autre chose.

Les tableaux 2 et 4 des volumes de l'emploi posent le problème de l'exhaustivité des rôles. Les imperfections concrètes des recensements ont déjà été étudiées et nous verrons un peu plus tard le parti économique qu'on peut en tirer. Reste la composition par branche. Elle offre moins de difficultés qu'au XIXe siècle [10], parce que les données ne sont pas fournies agrégativement mais nominalement et parce que la division du travail est moins avancée. Le rangement répond d'abord à la distinction de deux secteurs, la fabrication des biens, les prestations de services ; dans le second cas, il consiste à organiser des fonctions de communication au sens le plus large, c'est-à-dire des échanges de biens (transport, négoce), d'informations (enseignement profane ou religieux, professions libérales) pour parvenir à la régulation du corps social (service domestique, police urbaine, défense militaire, soins médicaux, culte, administration politique et judiciaire). Dans le secteur productif, la classification distinguera des chaînes d'activité en fonction de leur nature terminale ; à la question « Que fait-on ? » une réponse unique doit être apportée d'un bout à l'autre de la même branche : des produits alimentaires, des objets en bois, des bâtiments, etc. Cette division ne s'adapte pas à la partition courante en activités primaires, secondaires, tertiaires qui constitue surtout un instrument d'analyse des sociétés industrielles, d'ailleurs très imparfait comme on le sait. Par exemple, la production des biens alimentaires comprendra des activités que le XIXe siècle rangerait dans les trois secteurs comme l'agriculture maraîchère, la boulangerie, la restauration.

En raison de la division très rudimentaire du travail à l'époque, notre classification présente en revanche une imperfection inévitable. Si le secteur des services est pur de toute contamination, celui de la production inclut en proportion changeante des activités qui devraient appartenir au premier. Un artisan est toujours un commerçant. Les statistiques d'aujourd'hui n'échappent pas d'ailleurs à cette confusion. Le département des ventes, les bureaux d'études d'une entreprise d'automobiles figureront dans la colonne de l'industrie

9. A. Smith, 1802, t. 1, p. 13 ; J. A. Chaptal, 1819, *passim ;* Ch. Ganilh, 1815 ; A. Ure, 1836 ; T. C. Banfield, 1851 ; Ch. Babbage, dans la traduction d'Isoard, 1834, p. 135 sq., p. 311 sq.

10. J. C. Toutain, janvier 1963, pp. 86-90 ; M. Halbwachs, 1912, pp. 65-71 ; R. Leroy, 1968.

métallurgique pour le calcul de l'emploi comme pour la valeur ajoutée; cependant voilà des services. Il faut admettre cette commercialisation inévitable à la jointure de chaque unité de production; seule l'intégration verticale l'amenuise depuis un siècle.

Le 5e tableau intéresserait au plus haut point qui veut se placer, comme nous, au carrefour de l'économie et de la population. On conçoit bien comment agissent les modalités de la production ou des échanges [11] : par leur retentissement sur le rôle des travailleurs, partant sur la distribution des revenus, comme Malthus et Ricardo le pensaient [12]. Qu'une activité s'exerce en chambre ou en atelier, qu'elle soit le fait de producteurs indépendants ou de salariés, qu'elle inclue une plus ou moins grande part de tâches élémentaires, plus ou moins de capital ou de connaissances et le niveau de vie, la masse de l'emploi, les mouvements migratoires, la balance naturelle de la population seront modifiés. C'est évidemment là que les recensements professionnels sont malheureusement les moins précis. Sans doute le vocabulaire complet des rôles économiques finit bien par nous être restitué à travers plusieurs milliers de rubriques de métiers. Mais indépendamment du sous-enregistrement parfois avéré des citadins sur les registres, il existe au moins en 1666, un sous-enregistrement du statut dans le métier. Il faudra recourir aux archives plus directement industrielles. Quoi qu'il en soit, les classements professionnels qui permettent la remontée vers l'analyse économique sont maintenant précisés.

Une dernière difficulté, heureusement mieux circonscrite, se présente encore. Les mentions d'activité double ne sont pas rares dans nos dénombrements. Tel citadin se dit peigneur et domestique, tel autre tisserand et jardinier. Une suspicion bien légitime frappe ces déclarations, au moins placent-elles le classificateur dans l'embarras. Celui qui se propose une pure investigation sociale en tire parfois la leçon qu'il faut chercher des données plus sûres et détaillées comme les minutes notariales dont la massivité n'apportera cependant que l'apparence de l'exhaustivité; mais l'économiste ne peut se contenter de tels documents qui saisissent les agents de la production à des moments extrêmes de leur activité : le contrat de mariage à l'entrée de la vie professionelle, l'inventaire après décès à la conclusion des temps; il recherche la pyramide des forces productives du moment que présentent uniquement les registres fiscaux; il ne saurait échapper à l'attaque frontale de l'obstacle.

En 1666, j'ai relevé 67 doublets, en 1792, 301. La croissance du phénomène est bien plus que proportionnelle au nombre des cotes. Le choix d'un second métier tendait à se développer. S'imposait-il par la dureté des ans ? Etait-ce au contraire l'effet d'un désir de mieux-être, comblé par la recherche de deux sources de revenus ? La ventilation financière de la population que nous

11. Le terme de modalité de la production me paraît convenable pour désigner les aspects particuliers des rapports entre le capital financier, le capital intellectuel et la force de travail. Ces modalités sont susceptibles d'évoluer par branche à l'échelle interdécennale, à plus forte raison durant le cycle Kondratieff. On pourrait peut-être alors réserver le concept de mode de production à des rapports identiques dans toutes les branches et stables sur une longue période. On sait que Marx a adopté sans hésiter le point de vue de la longue durée, notamment dans la septième section du livre III du *Capital* pour opposer mode féodal et mode capitaliste.

12. Ricardo, 1819. Cf. notamment l'analyse de la répartition qui est à l'origine de celle, toute différente, de Marx.

offre la coupure entre citoyens actifs et passifs répond en partie à cette question marginale : moins du quart des rubriques concernait les pauvres, la grande majorité des agents polyvalents (231 sur 301) appartenait à la liste des électeurs. La volonté de maintenir en temps de repli, ou de consolider par ce biais une position sociale, d'échapper peut-être à un métier abhorré par un autre plus attirant, paraît affirmée chez les gens aisés.

Quoi qu'il en soit, la nature des conjonctions professionnelles n'est insaisissable que bien rarement : deux fois en 1666 (tisserand-jardinier, cordier-porteur), une fois en 1792 (cordonnier-croquetier, c'est-à-dire vendeur d'œufs, beurre, fagots). Ailleurs, elle peut se ramener à quelques catégories simples. Un groupe important figure à part : on y voit associé un statut dans les services (journaliers, gens de maison) et un métier.

	1666 (32 cas)	*1792 (167 cas)*		
		Passifs	*Actifs*	*Total*
Association avec :				
Agriculture	4	7	12	19
Alimentation	2	0	9	9
Textile	17	9	11	20
Vêtement	3	10	16	26
Cuir, peaux, poils	1	6	8	14
Bâtiment	1	17	11	28
Bois	0	7	13	20
Métaux	0	2	0	2
Papier, livre	0	1	2	3
Transport	2	2	3	5
Négoce, commerce	1	4	6	10
Hygiène	0	3	3	6
Administration et services	1	0	6	6

Il serait imprudent de faire fond sur des volumes aux subdivisions si fluettes. Cependant les déplacements les plus visibles ne laissent pas de faire présager quelques changements économiques dont la confirmation viendra peut-être ensuite. Un certain retour à la terre pouvait être le fait des difficultés alimentaires de 1788-1789; de 1666 à 1792, en outre, le textile n'avait pas cessé d'offrir un second débouché, mais dans ce rôle, l'industrie du vêtement [13], le bâtiment, le bois, le commerce (du regrat jusqu'au négoce éventuellement) étaient plus accessibles. En vérité, il est inexact de voir dans ces doubles étiquettes la manifestation d'activités diversifiées ; c'est plutôt l'inachèvement professionnel qui caractérise le journalier spécialisé dans un métier ; l'homme n'a pas deux compétences, mais une seule dont il n'use de surcroît qu'incidemment.

13. Le mot *industrie* est pris ici comme dans tous les développements suivants au sens abstrait d'activité de production, sans préjuger des modalités de cette production.

Dans le même sens, les citadins qui déclarent cumuler un métier et un service public (6 en 1666, 15 en 1792) n'exercent pas réellement deux activités puisque leurs prestations de temps à la milice, à la garde, à l'hôtel de ville par exemple, sont honorifiques. Ainsi ne reste-t-il finalement que 27 rubriques en 1666 et 118 en 1792. Dans ce laps de temps, les règles associatives des métiers se sont multipliées et elles suggèrent parallèlement une complication accentuée de la société économique, aussi des contraintes professionnelles moins brutales que la disparition de l'ordre corporatif laissait d'ailleurs présager.

En 1666, le producteur trouvait surtout dans la même jurande l'occasion d'un deuxième métier : 16 cas sont du type tisserand-peigneur de drap ; dans 9 observations, l'association se fondait sur l'identité des matières premières ou des services (textile : 5, bâtiment : 2, transport et services : 2). Enfin, en deux occurrences, la loi des combinaisons relevait du genre partie-totalité ou contenant-contenu, par exemple tonnelier-vendeur d'eau-de-vie.

En 1792, sans doute les liaisons du XVIIe siècle persistent. L'identité du matériau : 7 cas (dans l'agriculture, le textile, le bâtiment, le livre) ; le rapport contenant-contenu (2 exemples dans l'alimentation), mais les combinaisons qui révèlent une extension de la partie au tout sont devenues plus fréquentes : 26 observations. Soit :

Agriculture	3	Cuir	2
Alimentation	10	Bois	2
Textile	1	Services	1
Vêtement	7		

Simultanément apparaissent les activités agricoles à mi-temps (9 exemples) surtout pour des marins et des maçons ; puis les seconds métiers se déploient aussi vers la vente (6 exemples) ou vers les services (4 exemples). Il répondent à l'attente de la clientèle desservie par la première activité. Tel bijoutier, de surcroît parfumeur, composait ainsi, avant la lettre, une vitrine d'articles de Paris. Mais le plus courant sera d'associer à un métier le commerce du cidre, de l'alcool et du tabac : la moitié des professions doubles relève de ce genre et le cabaret tiendra lieu de boutique à son tenancier :

Agriculture	1	Bâtiment	2
Alimentation	25	Bois	2
Textile	4	Papier, livre	1
Vêtement	1	Négoce	10
Cuir	2	Services	2

Finalement l'étude des doubles dénominations réduit l'obstacle épistémologique qui s'élevait devant l'exploitation des recensements professionnels et démontre que le hasard intervient bien rarement en ces jumelages, 3 cas sur plus de 15 000 au total. Toujours, ou peu s'en faut, la loi de l'association porte témoignage sur la société ou sur l'économie. Comment ne pas voir à travers notre petit microcosme lexicologique de 1792 se profiler trois silhouettes familières au XIXe siècle ? Le cabaretier frotté de colportage, débitant d'épicerie, de bois et charbon, loueur de carrioles, puis l'ouvrier, jardinier à ses heures, enfin le marchand diligent qui développe la gamme de ses produits. En termes économiques, c'est déjà le problème de l'intégration verticale et horizontale dans une société pré-industrielle, mais la médiocrité des enjeux financiers ne peut pas dispenser d'un examen attentif ; ces agrégations professionnelles regagnent en effet par leur nombre l'importance qu'elles n'auraient pas, sitôt isolées en termes comptables.

En même temps cet examen suggère une méthode de classement des doubles rubriques. Indépendamment de l'antériorité chronologique d'une activité sur l'autre, que nous ignorerons toujours, se dessine une hiérarchie dans l'ordre de l'extension économique. On passe d'un seul produit à plusieurs ; on les subordonne à la vente ; un service supplémentaire ou plus raffiné est offert au client. Infailliblement, l'activité la plus générale guide le comportement de l'agent concerné ; à coup sûr, elle offre aussi la meilleure position défensive pendant les crises : c'est elle qu'il faut retenir.

III. STATISTIQUE DU VOCABULAIRE PROFESSIONNEL EN 1666 ET 1792

	1666	*1792*	*Termes communs*	*Termes apparus et disparus*	*Total employé*
PRODUCTION					
Agriculture	3	9	2	0	10
Alimentation	44	50	37	1	56
Textile	27	29	22	0	34
Vêtement	9	10	5	0	14
Cuir	25	16	16	0	25
Bâtiment	18	27	16	0	29
Bois	33	23	19	0	34
Métaux	31	28	24	5	40
Papier, livre	11	12	9	0	14
Conditionnement	5	5	5	0	5
Total	206	209	155	6	261
SERVICES					
Transport	19	29	15	1	34
Négoce	17	21	12	1	27
Gens de maison	15	11	8	0	18
Services divers	3	9	1	0	11
Hygiène, santé	13	20	11	0	22
Enseignement, culture	9	21	5	0	25
Eglises	30	37	29	0	38
Administration municipale	16	23	6	0	33
Armée	3	34	3	0	34
Administration régionale et professions libérales adaptées au même espace	93	82	15	2	162
Total	218	287	105	4	404
Production et services	424	496	260	10	665

Cette statistique résume le dictionnaire professionnel exhaustif compilé en annexe [14].
En somme la richesse brute du lexique n'a pas beaucoup varié ; 1792 est à 117 % par rapport à 1666. Entre les deux bouts de la chaîne, les termes météoriques, en usage un instant, puis perdus, sont rares, 1,5 % de l'ensemble des vocables. Le langage commun à toute la période représente 62 % du *corpus* en 1666 et 53 % en 1792 ; autrement dit, en 1792, la désuétude frappait 38 % des mots de 1666 et l'innovation s'établissait à 47 %. Mais les taux de mortalité et de natalité du vocabulaire ne sont pas uniformément répartis. Le tableau ci-dessous distingue selon les branches.

	Rapport des termes communs à l'ensemble des termes (%)	*Disparition des termes par rapport à 1666* (%)	*Apparition des termes par rapport à 1792* (%)
PRODUCTION			
Agriculture	20	33	78
Alimentation	64	15	26
Textile	65	18	24
Vêtement	36	44	50
Cuir	62	37	0
Bâtiment	55	11	41
Bois	53	39	20
Métaux	60	10	14
Papier, livre	64	18	25
Conditionnement	100	0	0
Total	59	25	26
SERVICES			
Transport	44	21	48
Négoce	46	29	40
Gens de maison	44	46	27
Services divers	9	66	90
Hygiène, santé	50	15	45
Enseignement, culture	20	44	76
Eglises	79	3	21
Administration municipale	18	62	74
Armée	9	0	91
Administration régionale et professions libérales adaptées au même cadre	9	84	82
Total	26	52	63
Production et services	39	38	47

14. Voir annexe 8.

Ne restons pas en adoration devant la netteté de ces rapports. Le pourcentage est simplement un dénominateur commun pratique pour comparer entre elles des branches économiques d'inégale importance. Dans ce tableau, la première colonne de calcul synthétise les résultats des deux suivantes. Mieux vaut donc analyser cette double évolution. Pour aboutir à quelques idées simples, décomposons les changements par degré : de 0 % à 30 %, de 30 % à 60 %, de 60 % à 100 %. Il devient aussitôt possible de ranger le vocabulaire de l'emploi selon plusieurs critères. La première division comprendra les branches économiques où la disparition et l'apparition des termes sont du même ordre de grandeur :

	Disparition (%)	*Apparition* (%)
Changements de faible amplitude		
Alimentation	15	26
Textile	18	24
Métaux	10	14
Papier, livre	18	25
Conditionnement	0	0
Eglises	3	21
Changements de moyenne amplitude		
Vêtement	44	50
Changements de forte amplitude		
Services divers	66	90
Administration municipale	62	74
Administration régionale et professions libérales	84	82

Dans la première catégorie, à l'exception des fonctions religieuses, l'emporte la pesante permanence du « faire » ; dans la deuxième, se place une industrie où le degré de malléabilité s'explique par le rôle social et culturel du costume ; l'empire du langage de la mode est cinétique même s'il est aussi structuré que R. Barthes l'a montré aujourd'hui ; la révolution du vocabulaire des fonctions éclate à travers la troisième catégorie : elle découle du récent baptême révolutionnaire qui reconstruisit entièrement l'ancien système de dénomination. Pour juger des changements au fond, il faudra donc dépasser les mots.

Dans une seconde division générale, on peut placer les branches où coexistent une forte déperdition de termes et une plus faible créativité. C'est le cas du cuir, du bois, d'une branche des services :

	Disparition (%)	*Apparition* (%)
Cuir	37	0
Bois	39	20
Gens de maison	46	27

Sous le disparate de ce regroupement, c'est en réalité, à un niveau abstrait, l'environnement domestique qui est touché par l'appauvrissement du langage. Les produits de l'industrie du cuir et du bois constituaient en effet le cadre absolument prépondérant d'une vie familière orchestrée d'autre part grâce à la domesticité, du moins chez les consommateurs privilégiés.

La troisième division rassemble les secteurs où l'innovation des mots l'emporte franchement sur les pertes :

	Disparition (%)	*Apparition* (%)
Agriculture	33	78
Bâtiment	11	41
Transport	21	48
Négoce	29	40
Hygiène, santé	15	45
Enseignement, culture	44	76
Armée	0	91

Mettons à part l'agriculture où le changement vient surtout de l'enregistrement plus précis des statuts et l'armée où la diffusion vénéneuse du vocabulaire relève des circonstances politiques de 1792 ; ailleurs, l'évolution du lexique semble nous ouvrir les portes de la nouvelle société qui se bâtit à l'enseigne des Lumières avec ses piliers, l'industrie du bâtiment et l'urbanisme, ses échanges conquérants, son hygiène désormais roborative, son commerce intellectuel amplifié par la propagation du savoir. Si l'étude des mots est une bonne maïeutique des réalités, n'aurions-nous pas retrouvé, par un chemin nouveau et convaincant dans son universalité, quelques-uns des aspects principaux du changement économique ? Pour répondre, plaçons-nous du côté des activités désignées.

IV. STATISTIQUE DES ACTIVITÉS DÉSIGNÉES PAR LE VOCABULAIRE

L'image ne peut plus être tout à fait la même. Il faut avouer que la langue était plus riche de désignations que la segmentation effective du travail ne comprenait de coupures. Les inventaires après décès fournissent des listes d'outillage, les règlements de corporations décrivent des processus de production que les ouvrages généraux sur les arts et métiers précisent bien. Employons notamment le *Dictionnaire du commerce* de Savary, les *Descriptions des arts et métiers* de l'Académie des sciences, l'*Encyclopédie*, le *Dictionnaire des arts et métiers* de l'abbé Jaubert [15].

Ainsi certaines mutations de vocabulaire ne se réfèrent pas à des réalités nouvelles, elles enregistrent seulement l'évolution des usages dans le lexique,

15. J. Savary, 1759-1765 ; *Descriptions des Arts*, 1761 sq ; *Encyclopédie*, 1751-1780 ; abbé Jaubert, 1801.

cela saute aux yeux. Pourtant ces glissements ne sont pas le fait du hasard : par exemple les services se traduisaient dans une langue beaucoup plus mobile que la production, comme les tableaux ci-après le montrent.

Changements de vocabulaire
sans renouvellement de la fonction économique entre 1666 et 1792

PRODUCTION	
Agriculture	Laboureur = marchand laboureur, fait valoir ses terres, fermier
	Jardinier = journalier, aide-jardinier, fait valoir des jardins
Alimentation	Pressorier = brasseur
	Fabricant d'eau-de-vie = bouilleur
	Hôtelier, tavernier = aubergiste
Textile	Lingetier = toilier
Vêtement	Piqueur de chiffes = tailleur d'habits
Cuir	Carreleur de chaussures = savetier
Bâtiment	0
Bois	0
Métaux	Crocheteur de portes = serrurier
Papier, livre	0
Conditionnement	0
SERVICES	
Transport	Maître de coche = cocher
	Portefaix = porteur
	Messager = facteur
	Chartier = roulier
	Conducteur de diligence = postillon
	Facteur de messagerie = commis
Négoce	Marchand chaussetier = marchand de bas
	Grossier = marchand en gros
	Brocanteur = fripier
	Petit marchand = vend au détail
	Marchand = débitant, commerçant
	Fermier général = homme d'affaires
Gens de maison	Intendant = officier de maison
	Secrétaire = officier de maison
	En condition = en maison
	Servant = domestique
	Serviteur = domestique
	Valet = domestique
Services divers	Custos = sacristain
Hygiène, santé	Apothicaire = pharmacien
Enseignement, culture	Maître d'école = instituteur
	Instruit la jeunesse = tient les petites écoles
	Portier gardien de collège = concierge surveillant
Eglises	Ministre de la R.P.R. = pasteur
Administration municipale	10 cas du type allumeur de lanternes = allumeur de réverbères
Armée	0
Administration régionale et professions libérales	78 cas, du type procureur = avoué
	Avocat = défenseur officieux

Mais si l'on considère les disparitions réelles d'activité la production apparaît au contraire beaucoup plus touchée que les services ; la matière est plus menacée que l'échange. Ce chiasme n'est peut-être pas incompréhensible, mais de toute façon il se ramène aussi à des proportions infiniment plus modestes que ne l'aurait laissé supposer l'examen du vocabulaire.

Disparitions réelles d'activité à Caen de 1666 à 1792

	Cessation complète	*Fusion dans un ensemble plus vaste*
PRODUCTION		
Agriculture	0	0
Alimentation	2 : Pêcheur de moules Fabricant d'huile	2 : Confiturier = épicier Marchand de porcs = marchand de bestiaux
Textile	4 : Tondeur Calandreur Dégraisseur Apprêteur de laine	
Vêtement	4 : Brodeur Frangier Chasublier Fabricant d'aiguillettes	0
Cuir	1 : Boyautier	5 : Gainier, gibecier, boursier = peaussier Manchonnier = fourreur Fabricant de caparaçons = bourrelier
Bâtiment	0	2 : Faîtager, poseur de tuiles = couvreur
Bois	2 : Bibelotier Cassetier	11 : Fabricant de musettes, violons, instruments = luthier Fabricant de seaux = boisselier Bariller = tonnelier Rouettier, navettier, bastonnier, fabricant de grains de chapelet = tourneur Coffretier, bahutier = ébéniste
Métaux	5 : Arquebusier Arbalétrier Fondeur Fondeur de cloches Fabricant de chaînes	6 : Horloger en gros volume = horloger Balancier = horloger Argentier = orfèvre Lormier = éperonnier Fabricant de limes, de râpes = taillandier

	Cessation complète	*Fusion dans un ensemble plus vaste*
Papier, livre	1 : Imagier	1 : Graveur en taille douce = graveur
Conditionnement	0	0
SERVICES		
Transport	0	1 : porteur de charbon = porteur
Négoce	0	1 : Marchand d'allumettes = regrat
Gens de maison	0	1 : Premier domestique = domestique
Services divers	1 : Marqueur de paume	0
Hygiène, santé	0	1 : Opérateur (petite chirurgie) = chirurgien
Enseignement, culture	1 : Professeur d'éloquence	0
Eglises	1 : Jésuite	0
Administration municipale	0	0
Armée	0	0
Administration régionale et professions libérales	0	0

L'examen de ce tableau suggère d'ailleurs qu'il ne faut pas s'en tenir à l'opposition générale de la production et des services. Dans la première catégorie, les branches se comportent différemment.

Les unes, agriculture, alimentation, bâtiment, papier-livre, conditionnement offrent une résistance farouche à la disparition. Quelle peut bien être la loi d'un semblable regroupement ? La fabrication des biens les plus durables comme dans le bâtiment, le livre, le conditionnement, y côtoie les productions les plus éphémères telles que les denrées alimentaires. Aucune substitution de la demande ne s'est donc produite aux deux bouts de la chaîne et l'innovation, en ce cas, ajoute ou démultiplie éventuellement sans remplacer. Mais deux autres types de comportement industriel sont cependant possibles : 1) la perte sèche comme pour le textile et le vêtement où l'évolution du goût et les facilités du commerce effacent certains métiers urbains ; 2) la disparition d'activités associées à la fusion de tâches spécialisées. C'est le fait du travail du cuir, du bois, des métaux. Loin de s'engager uniformément dans une division technique plus fine, l'industrie de la ville subissait donc parfois, indépendamment de la concentration des entreprises qui n'est pas en cause ici, une agglutination des tâches peu conforme aux descriptions d'Adam Smith. Le peaussier, le tourneur et le luthier de Caen parcouraient à l'envers le célèbre chemin de l'épinglier. Au reste, l'observation n'a de vérité que rapportée à son échelle géographique ; telle ou telle dépression sectorielle dans la ville, génératrice d'absorption, pouvait aller de pair avec un développement régional ou international. Surtout l'aspect négatif du phénomène risque d'être effacé, au sein de la même branche, par des divisions voisines ou l'apparition d'activités neuves. Nous allons rencontrer ces deux occurrences dans le tableau ci-après.

	Scission d'activités anciennes	*Innovation*
PRODUCTION		
Agriculture	0	2 : Cultivateur Marchand de fleurs
Alimentation	6 : Marchand éleveur de pigeons Fabricant d'oublies Excoriateur Marchand de lait Tamiseur de fleur de sarrasin Ramasseur de cresson	4 : Marchand de bestiaux Oiseleur Râpeur de tabac Marchand de tabac
Textile	0	6 : Dentellière Fileur de coton Doubleur de coton Retordeur de coton Matelassier Marchand de dentelles
Vêtement	1 : Piqueuse de bonnets	3 : Marchand de parapluies Ravaudeuse Marchand de modes
Cuir	0	0
Bâtiment	6 : Batteur de ciment Fossoyeur Géomètre-dessinateur Marbrier Piqueur de travaux Terrassier	5 : Ingénieur des ponts Entrepreneur des ponts Conducteur des ponts Commis des ponts Marchand de chaux
Bois	1 : Fabricant de tournettes (pour dévidoir)	2 : Scieur de long Fabricant de rots à toilier (châssis)
Métaux	3 : Fabricant d'alènes Metteur en œuvre (joaillerie) Fabricant d'aiguilles (d'horloge)	1 : Machineur
Papier, livre	2 : Fabricant de fausses fleurs Piqueur de cartes (à jouer)	1 : Ramasseur de chiffes (à papier)
Conditionnement	0	0
SERVICES		
Transport	2 : Porte-panier Déchargeur	8 : Commissionnaire Directeur des postes Directeur des messageries

	Scission d'activités anciennes	*Innovation*
		Fermier des messageries Commis de poste Contrôleur de poste Capitaine de port Quartier-maître
Négoce	3 : Marchand de chapelets Marchand d'amadou Marchand de livres anciens	2 : Teneur de livres Banquier
Gens de maison	1 : Valet de chambre	1 : Gardienne d'enfants
Services divers	2 : Ramoneur Rempailleur	4 : Maître du jeu de boule, du billard Fendeur de bois Casseur de bois
Hygiène, santé	5 : Parfumeur Coiffeur de dames Repasseuse Consulteur d'urine Dentiste	3 : Décrotteur-nettoyeur Infirmier Garde-malade
Enseignement, culture	2 : Professeur de philosophie Professeur de littérature	10 : Professeur de musique et violon Musicien Directeur de spectacles Acteur Machiniste Professeur d'équitation et son aide-écuyer Maître de langue Professeur de dessin Professeur de mathématiques
Eglises	0	8 : Bon Sauveur, Bon Pasteur, Visitandine, Providence, Bernardin et Bernardine, Génovéfain, Prémontré
Administration municipale	0	2 : Pompier Commis d'état civil
Armée	0	31 : Cf. la liste exhaustive de l'annexe
Administration régionale et professions libérales	0	4 : Juge au bureau de conciliation Secrétaire au même bureau Homme de loi Garçon de bureau

Total	*Scission*	*Innovation*	*Proportion/ activités (1792)*
Production	19	23	21 %
Services	15	73	30 %

Ainsi la sphère des activités créées complète ce qui ressortait des disparitions. L'avènement d'activités productives nouvelles donne l'image de la modestie. A l'exception du textile où le groupe cotonnier se manifeste par trois tâches nouvelles et du bâtiment dont la subdivision est nette, de petits métiers capillaires apparaissent, raréfiés sur les principales branches traditionnelles, mais il serait surprenant que ce bourgeonnement chétif affecte de grandes quantités de main-d'œuvre. Nous le saurons bientôt en passant à l'examen des volumes d'emploi.

En même temps qu'ils résistent mieux, les services sont aussi le domaine de partitions et d'innovations appréciables. Il est vrai que l'armée et ses activités de maintenance comptent beaucoup ; pourtant lors même qu'elles seraient entièrement négligées, la créativité des services serait encore équivalente à celle de la production grâce aux autres rubriques chargées comme les transports, l'hygiène, l'enseignement.

Il est difficile d'échapper à l'impression provisoire qu'en l'absence de révolution des procédés de fabrication, la société active se subdivisait tout de même profondément. Ce serait en tout cas une illusion anachronique d'admettre que la multiplication et l'interdépendance des services fut le fruit unique de l'industrialisation, selon le schéma qui fait découler de nos jours le gonflement des activités tertiaires de la maturité de la production. Il est plus fructueux de se demander à rebours dans quelle mesure le raffinement des fonctions d'échange et d'encadrement de la société n'a pas entraîné le passage de l'atelier à la fabrique. La division du travail dans les services (notamment les transports et le négoce) pourrait être alors une des formes préliminaires de celle de la production. Rien ne nous garantit l'unicité ni la répétition des modes de croissance économique et dater le démarrage du développement de la manufacture est, pour une société complexe comme le fut l'Europe du Nord-Ouest, mutiler certainement l'histoire. Peut-être arriverons-nous plus tard à préciser quelques enchaînements économiques de ce monde que nous perdons deux fois, lui déjà si lointain, lorsque nous le voyons au travers de la croissance contemporaine.

V. LES VOLUMES D'EMPLOI PAR BRANCHE

Aussi fructueuse que soit l'analyse du vocabulaire et des tâches réelles de l'économie urbaine, rien de décisif ne peut cependant être emporté sans l'examen des volumes de l'emploi par branche. Mais désormais l'état des sources contraint à des sacrifices chronologiques et il n'est plus possible de maintenir ouvert en amont le grand angle d'observation séculaire qui nous menait du colbertisme à l'orée du développement industriel puisque 1666 présente des volumes de salariés incomplets. Par nécessité, nous retrouverons ainsi l'échelle demi-séculaire qui fait l'objet général de cette enquête où il s'agit d'observer les préalables urbains de la croissance.

Les recensements fiscaux de 1792, c'est-à-dire professionnels, économiques, couplés au dénombrement général de 1793, offrent toutes les garanties souhaitables, nous le savons [16]. A quel terme plus lointain pouvons-nous recomposer un tableau semblable qui constituerait un point de départ, sans doute absolu, car les gisements historiques exhaustifs sont maintenant connus ? Eh bien, vers les années 1750. Déjà l'image se brouille ici légèrement, en-deçà apparaîtraient de trop nombreuses terres inconnues. Au milieu du siècle, à défaut d'un unique document, plusieurs séries statistiques complémentaires, témoignent dans leur confluence d'une seconde naissance de l'arithmétique politique après celle des années 1695-1710. L'année focale est cependant nette : c'est autour du tableau des arts et métiers de 1757 que j'organiserai cette coupe. Elle ajoute à celles de 1726 [17], 1741 [18], 1750 [19], 1775 [20], 1779 [21] le relevé des salariés par profession. Pour certaines catégories d'agents non mentionnées, toujours peu volumineuses, telles que les apothicaires, les médecins, les domestiques agricoles, les précisions jointes en note au tableau ci-après indiquent le parti retenu : la moyenne arithmétique des données comprises entre 1740 et 1760. Enfin, dans le décompte des inactifs, les statistiques hospitalières et le registre d'écrou de la décade ont été mis à profit, de même le *Mémoire* de Du Portal en 1759 pour le clergé, les catalogues des paroisses à plusieurs dates pour les familles nécessiteuses. La population totale retenue est celle de 1752.

Entre ces dates extrêmes et quelque dépit qu'on en conçoive d'abord, il a fallu renoncer à un tableau de l'emploi vers 1770-1775, dans les années du maximum démographique urbain ; le dénombrement nominatif opéré à ce moment-là ne comportait pas le relevé des professions et les registres du vingtième de la même année restaient comme toujours dépourvus d'indications sur les salariés.

Pour autant la comparaison 1750-1760/1792 ne perd pas son importance mais sa signification se déplace. Avant les culminations démo-économiques

16. Ajoutons l'enquête du Comité de Mendicité pour les familles partiellement secourues.

17. Arch. dép. Calv., C 6015. Ce tableau de l'intendance, en réponse à la lettre de Le Peltier du 27 septembre 1726 sur le droit de confirmation dû par les communautés de métiers comprend les maîtres des corps en jurande et les métiers libres, mais ne dit rien des compagnons.

18. *Ibid.,* C 4957. Rôle du dixième d'industrie de 1741. Même remarque : il s'agit des artisans et chefs d'entreprise.

19. Arch. dép. Calv., C 2797, vers 1750. L'état général des communautés mentionne les maîtres, l'obtention des statuts, les revenus et charges de chaque métier. Dans la même liasse, un deuxième état sans date, mais postérieur à la réunion des cordonniers et savetiers (c'est-à-dire 1767) ajoute le tableau des frais de réception à la maîtrise.

20. Arch. dép. Calv., C 5537, Rôle du vingtième d'industrie, 1775 à 1779. Rien sur les compagnons.

21. *Ibid.,* C 2797, Communautés de Caen d'après l'état annexé à l'Edit d'avril 1779 ; ne concerne que les métiers jurés.

de la fin de Louis XV et de l'apogée impérial, s'ouvriront des horizons de piémont. Pour peu que ces tableaux de croisière s'étagent à des niveaux différents — nous savons déjà que tel est bien le sort de la population urbaine totale — il sera licite d'observer les changements définitifs engendrés par la phase de prospérité intermédiaire. Bref nous sommes à des stades pas trop différents de deux mouvements Kondratieff successifs tels que G. Imbert les a identifiés avec la meilleure précision dans le Nord-Ouest européen[22].

Voici les résultats bruts de cette comptabilité fondamentale[23].

22. G. Imbert, 1959, notamment l'exposé des phases générales, pp. 46-50. Le « Kondratieff » n° 1 de G. Imbert commence un peu plus tard en Angleterre (1743) qu'en France. Il culmine en 1770 ou 1773. A cet égard, la Normandie tient peut-être une place intermédiaire entre celles des deux royaumes. Le « Kondratieff » n° 2 débute entre 1787 et 1789. Plus précoce que la précédente, sa période d'apogée se situerait en 1817 (France) et 1820 (Angleterre).

23. Remarques sur le tableau par branche.

A. *Production.*

1) Agriculture. Données de 1750-1760. Ce sont les données de 1768, à défaut de plus anciennes. Les patrons sont les propriétaires exploitants dans la grande culture et l'élevage, les jardiniers. Les salariés : les ouvriers agricoles spécialisés, les domestiques des zones urbaines rurales (soit paroisse Saint-Gilles, rues sur la rivière, Basse-rue, Pigacière, Cally, Couvrechef ; paroisse Saint-Martin, La Folie ; paroisse Saint-Nicolas, La Maladrerie, rue des Capucins ; paroisse Saint-Julien, rue des Carrières Neuves ; paroisse de Vaucelles, rues Montaigu et Branville ; paroisse Saint-Ouen, rue Lisambart ; toute la paroisse Sainte-Paix). Données de 1792, comme toujours ci-après, rôles de la Mobilière et des citoyens passifs.

2) Alimentation. Données de 1792. Les travailleurs dépendants comprennent les salariés proprement dits, les journaliers avec un métier alimentaire, les métiers doubles à dominante alimentaire.

3) Textile. Données de 1750-1760. Les travailleurs dépendants comprennent les salariés et les « chambrelans ». Données de 1792, les dentellières sont comptées avec les travailleurs dépendants.

4) Bâtiment. Données de 1750-1760. Patrons : recomposition des éléments manquant en 1757 avec le rôle du dixième de 1741, le tableau des métiers de 1750, le vingtième de 1775 ; c'est une moyenne.

5) Bois. Données de 1750-1760. Pour les patrons charpentiers, c'est une moyenne 1741, 1750, 1775 comme plus haut. Pour l'artisanat des bois de sièges, tapisseries et caisses de carrosses, moyenne 1741-1775 ; de même pour les luthiers, talonniers-sabotiers.

B) *Services.*

1) Transports. Données de 1750-1760. Les loueurs de chevaux, moyenne 1741-1775. Les rouliers, moyenne 1726-1775. Les porteurs, données de 1750.

2) Négoce. Données de 1750-1760. Les merciers sont amputés des marchands de dentelles, fil, modes, laine (soit cinquante unités en moyenne entre 1741 et 1775).

3) Gens de maison. Données de 1768.

4) Services divers. Données de 1768 comprenant les journaliers spécialisés ou non, les menus services et menus commerces.

5) Hygiène. Apothicaires, 1750 ; chirurgiens, 1750 ; médecins et sages-femmes, 1768 ; lessiviers, 1768.

6) Enseignement, culture. Données de 1768.

7) Eglises. Données de 1759. Mémoire Du Portal, Arch. du Génie.

	1750-1760			*1792-1793*		
	Agents indépendants	*Dépendants*	*Total*	*Agents indépendants*	*Dépendants*	*Total*
I. PRODUCTION						
Agriculture	130	89	219	176	147	323
Alimentation	832	114	946	907	68	975
Textile	728	615	1 343	643	1 929	2 572
Vêtement	357	84	441	255	137	392
Cuir	348	51	399	210	106	316
Bâtiment	101	42	143	131	105	236
Bois	237	58	295	232	177	409
Métaux	174	106	280	208	76	284
Papier, livre	32	58	90	46	61	107
Conditionnement	9	0	9	15	2	17
Total	2 948	1 217	4 165	2 823	2 808	5 631
II. SERVICES						
Transport	195	0	195	201	23	224
Commerce, négoce	366	43	409	338	25	363
Gens de maison		2 291	2 291		1 443	1 443
Services divers		308	308		2 063	2 063
Santé, hygiène	143	25	168	187	46	233
Enseignement, culture	77		77	89		89
Eglises	786		786	221		221
Administration municipale	21		21	23		23
Armée	43		43	375		375
Administration régionale et professions libérales	469		469	447		447
Total	2 100	2 667	4 767	1 881	3 600	5 481
Production et services	5 048	3 884	8 932	4 704	6 408	11 112

C. *Inactifs.*

1) Rentiers. Capitation de 1768, mendiants, malades, chômeurs non compris.

2) Personnes complètement à charge. Ce total est obtenu en combinant :

a) L'Hôtel-Dieu. 1750-1760, inventaire de l'hôtel de 1750, Arch. mun. Caen, BB 94. 1792, moyenne 1784-an IV, *ibid.*, GG 442 et Arch. nat. F 11 325

b) Hôpital général. 1750-1760 : moyenne 1731-1764, Arch. dép. Calv., C 603, C 640, H sup. 60. 1792, moyenne 1790-an IV, *ibid.*, H sup. 60 et Arch. nat. F 11 325.

c) Dépôt de mendicité de Beaulieu. 1750-1760, rien, il n'est pas construit. 1792, moyenne 1789-an IV, Arch. dép. Calv., C 679 et Arch. nat., F 11 325.

d) Petits renfermés. 1750-1760, Arch. mun. Caen, GG 488, deux renfermés par lit, 60 lits. 1792, moyenne 1784-an IV, Arch. mun. Caen, GG 442, Arch. nat., F 11 325.

e) Prisons. Etat de 1741, Arch. dép. Calv., C 1302 et registre des entrées et sorties, *ibid.*, 1 B 1792 ; état de l'an IV, Arch. nat., F 11 325, corrigé par le registre des entrées et sorties.

3) Personnes temporairement à charge.

a) Les pauvres inscrits sur les catalogues des paroisses comme nécessiteux. Arch. dép. Calv., H sup. Registre 35, bureau des pauvres, *ibid.*, C 2652 et C 956. Moyenne.

b) L'enquête du Comité de Mendicité, Arch. nat., F 16 968, canton de Caen.

	1750-1760			*1792-1793*		
	Agents indépendants	*Dépendants*	*Total*	*Agents indépendants*	*Dépendants*	*Total*
III. INACTIFS						
Rentiers, profession non exercée, pas de profession			1224			1 114
Personnes complètement à charge de la collectivité (hôpitaux, prisons)			975			1 182
Inactifs temporairement aidés par la collectivité			6 540			6 631
Inactifs à la charge des familles			14 329			14 957
Population totale			32 000			34 996

Un mot d'explication sur la coupure opérée entre les agents dépendants et indépendants. Evidemment elle est destinée à faire apparaître les modalités sociales de l'activité économique. Dans la production comme dans certains services (transport, négoce, santé-hygiène), c'est la distinction patrons-salariés qui est retenue ; elle sépare ceux qui engagent, outre leur travail quotidien, un certain capital financier dans l'économie. Pour les autres services (enseignement, clergé, emplois logistiques de l'armée, administration et professions libérales), le capital intellectuel doit être considéré comme le fruit d'un investissement financier antérieur qui incite à ranger de tels ressortissants dans la rubrique des indépendants. Sous l'angle de la liberté d'action et de la stabilité économique, ce choix est incontestable tandis que les procédures contemporaines de classement me paraîtraient présenter beaucoup plus d'arbitraire [24].

Exprimons 1792 en fonction des données de 1750-1760 : des indices d'évolution assez différents se manifestent au niveau le plus général :

1792 (base 100 en 1750-1760)

Population totale	109,3
Population active totale	124,4
Emploi dans la production	135,2
Emploi dans les services	115

Le fait notable est l'accroissement plus que proportionnel de la population active. Les études entreprises par J.-C. Toutain à l'échelle nationale attestent que ce phénomène s'est poursuivi tout au long du XIXe siècle [25]. A ce titre le

24. J. C. Toutain, janv. 1963, p. 156. C'est, chez lui, un dosage approximatif pour l'Eglise, l'armée, la fonction publique.
25. J. C. Toutain, janv. 1963, *passim*, notamment p. 133.

cause les progrès dont la définition du travail féminin aurait pu être l'objet depuis l'Ancien Régime. Contrairement aux campagnes où les épouses auxiliaires échappent à la statistique presque jusqu'au XXe siècle, l'emploi des femmes s'inscrivit très tôt en ville dans les recensements démo-économiques. Ainsi, en 1792, à Caen :

Emplois féminins

Production	2 063	soit	36,6 %	de l'ensemble
Services	1 852	soit	33,7 %	de l'ensemble
Total	3 915	soit	35,2 %	de l'ensemble

Ces taux urbains ne seront rattrapés par l'ensemble de la population que fort tard dans le XIXe siècle. Et si le phénomène signifiait par-delà l'amélioration de l'enregistrement dans l'emploi rural, un réel accroissement des prestations de travail des mères de famille par exemple, on comprendrait la pesée que cette situation économique pouvait exercer sur la dimension des ménages et comment le régime démographique des villes au XVIIIe siècle allait peut-être préfigurer celui de la France en marche vers l'industrie.

De ces derniers points de vue, il serait bien agréable de comparer 1750 à 1792. Mais les documents n'en donnent pas les moyens. La répartition par sexe des travailleurs et la ventilation par âge de la population totale font défaut. Or l'immigration et, vers la fin de la période, l'émigration qu'on a déduite de la balance générale, durent affecter tout spécialement ces proportions. Transporter les coefficients de 1792 en 1750-1760 serait donc erroné.

VI. ÉVOLUTION COMPARÉE DE L'EMPLOI DANS LA PRODUCTION ET LES SERVICES

En revanche la comparaison des grands secteurs (production et services) est possible entre les deux époques. L'accroissement de l'emploi dans les branches productives (mais elles commercialisent une part importante de leur fabrication, rappelons-le) l'emporte nettement sur celui des services : de vingt points d'indice. Cette évolution en masse s'inscrit à contre-courant de la segmentation des activités observée plus haut dans ce chapitre. Ainsi la division du travail était en général plus active — dans les services — là où la masse de l'emploi croissait plus lentement et vice-versa dans l'ordre de la production. En d'autres termes, les services s'allègent relativement mais se compliquent et leur efficacité peut-être se perfectionne, il faudra l'étudier, tandis que le secteur productif s'épaissit, mais ne piétine-t-il pas sous l'angle technique ? C'est une autre question.

Les sociétés proches de l'industrialisation sont encore trop mal connues pour qu'on ose donner à ces constatations une portée plus générale, d'autant qu'il faut encore étudier les niveaux relatifs des deux secteurs et l'évolution par branche. Précisément nous y arrivons.

Répartition de la population active

	1750-1760 (%)	*1792* (%)
Production	46,6	50,7
Services	53,4	49,3

Entre les deux dates, une étape volumétrique est franchie dans la ville. L'emploi dans la production passe le seuil des 50 % et l'équilibre se renverse au détriment des services. Il serait prématuré d'exagérer la portée de cette évolution sans savoir au juste où se placent les branches motrices. Voici d'abord les scores du secteur victorieux :

Production	*(base 100 en 1750-1760)* *1792*
PRODUCTION	
Agriculture	147,4
Alimentation	103,2
Textile	191,5
Vêtement	88,8
Cuir	79,2
Bâtiment	165
Bois	138,6
Métaux	101,4
Papier, livre	118,9
Conditionnement	188
Total pondéré	135,2

D'assez fortes contrariétés apparaissent. Deux branches souffrent de dépression, le vêtement, les cuirs et peaux. Lorsqu'on se souvient que dans la deuxième figurent surtout à côté des tanneurs, les façonniers de la matière première, savetiers, cordonniers, gantiers, guêtriers, pelletiers, etc., on est frappé par l'identité des fins qui la rapprochent de l'artisanat vestimentaire. Au fond ce groupe d'activités est exposé de plein fouet aux variations des dépenses domestiques, indépendamment des pulsations régionales du marché. Au moindre changement dans la répartition des revenus, une partie notable de la demande marginale se repliait sur le ravaudage domestique. Couturières et tailleurs avaient deux clientèles ; l'une d'entre elles demeurait sans doute occasionnelle et, démunies, les petites mains s'orientaient vers la dentelle ou les services.

Deux autres branches suivent péniblement le mouvement de la population : l'alimentation et les métaux. Mais sous ces apparences de médiocrité commune, se manifestent des significations divergentes. L'alimentation pourvoit à des besoins essentiellement locaux. La demande avait-elle crû comme la population ? Rien n'était moins sûr, si les immigrants restaient, comme il est probable, des consommateurs peu exigeants. D'autre part, la main-d'œuvre employée était-elle utilisée au mieux de ses forces dès le milieu du siècle ? On comprend qu'il soit impossible de se prononcer en ignorant la durée réelle du travail. Le débit de l'épicier pouvait évidemment varier et le boulanger ajouter une nouvelle fournée à celle du temps jadis. L'artisanat local du fer, du cuivre, de l'étain, se heurte au contraire à la concurrence régionale et même, par le biais des grandes foires, aux marchés internationaux. L'explication des changements se diluerait ici en des observations générales prématurées où l'échec partiel éprouvé dans la prospection minière provinciale tient son rôle, nous le verrons.

L'emploi dans le papier et le livre, avec sa croissance moyenne, connaît un sort assez voisin. Comme ci-dessus, le produit semi-fini vient d'ailleurs, le Bocage normand bien souvent. Les cartiers, les imprimeurs de la ville l'utilisent en concurrence avec beaucoup d'autres centres. La pression croissante des foyers parisiens et rouennais étouffait certainement les Caennais les plus entreprenants. C'était l'argument de l'intendant lui-même lorsque les pouvoirs de censure créèrent des difficultés au premier éditeur-imprimeur du lieu, G. Le Roy.

Dans les branches en forte croissance, faisons plusieurs parts. Il fallait s'attendre à trouver ici l'agriculture circum-urbaine, qui s'orientait vers le maraîchage sur les flancs de la vallée et distrayait en faveur des légumes secs une partie des delles céréalières de la plaine. C'est la pure rationalité économique pressentie par Thünen. Nous aurons l'occasion d'observer plus loin que cet essor est contemporain de la reprise de la division foncière qui s'était au contraire résorbée entre 1666 et les années trente.

En second lieu, l'industrie du bois et du bâtiment offrit à l'emploi des débouchés de plus en plus importants ; la croissance y fut pour l'ensemble de 50 %. C'est l'environnement domestique et le cadre urbain qui profitent de cette belle sensibilité au changement. La transformation de l'habitat, beaucoup plus dynamique, provoquait, semble-t-il, l'activité entraînée des menuisiers, des charpentiers, des tourneurs mais l'étude de l'urbanisme fournira au long de trois chapitres ultérieurs l'occasion d'ausculter les sources et les progrès de cette prospérité.

Viennent en tête sans partage, le conditionnement et le textile. Bien sûr les progrès de l'emploi dans l'artisanat d'emballage (verrerie, manette, paniers, etc.) annoncent ceux de l'échange commercial, mais enfin les effectifs partent de si peu que ce progrès ne démontre rien à lui seul. Retenons-le, pour lui comparer plus tard des témoignages plus substantiels de l'essor commercial. La grande surprise reste le textile. A l'heure où s'accentue en Normandie comme dans tout le pays, l'empire de l'industrie rurale, de ses produits légers et bon marché, pareil taux de progression étonne. Voici une énigme dont l'éclaircissement pourrait conduire aux mécanismes profonds de l'économie urbaine car il est vrai que l'atypique est souvent plus explicatif que toute occurrence banale.

Au demeurant les inégalités du croît de l'emploi entre les branches productives ne sont rien en regard de celles des services :

Services	*(base 100 en 1750-1760) 1792*
Transport	114,9
Commerce, négoce	88,7
Gens de maison	63
Services divers	670
Santé, hygiène	138,7
Enseignement, culture	115,6
Eglises	28,1
Administration municipale	109,5
Armée	872
Administration régionale et professions libérales	95,3

Les disparités de ce tableau renforcent toutes les observations de ce chapitre. Le secteur fragile de l'économie pré-industrielle est bien celui des services. La séismicité de l'emploi y est si forte que les changements de volume de la main-d'œuvre gardent souvent une signification purement conjoncturelle tandis que dans la production, la viscosité des glissements découvrait des ajustements structurels.

Avec un peu d'attention, chacun s'aperçoit d'ailleurs que le secteur des services possède deux versants. L'un s'expose à l'impact de l'événement socio-politique. L'autre mieux protégé participe déjà au rythme tranquille de la branche productive. L'examen du premier groupe suscitera un vif attrait ; les variations de l'emploi y fournissent une mesure des chocs que la surface agitée inflige en histoire aux profondeurs. Mais je préférerai une définition plus temporelle que spatiale. Comment s'incorporait le temps politique court et syncopé de l'actualité à la longue durée économique ? La turbulence des services indiquera au XVIIIe siècle un de ces processus d'enregistrement et de diffusion.

En sens opposé, par exemple, la croissance des services militaires (indice 827) et l'effondrement du clergé (28,1) transcrivent économiquement le jacobinisme révolutionnaire. En même temps la dispersion des grandes fortunes nobiliaires chassait la domesticité (37 % de diminution) qui se replia massivement dans les rangs des journaliers (services divers : indice 670). Réunies, les deux branches ne feraient plus apparaître qu'une hausse moyenne de 35 %. Les oscillations fortes proviennent ici d'un transfert.

Au contraire, les autres services offrent un tempo plus conforme à celui de la production. Seul le négoce s'est refermé. Prouvera-t-on qu'il s'est concentré ? Les instances administratives régionales et les professions libérales pâtissent légèrement de la réduction des pléthores judiciaires d'Ancien Régime. Mais l'administration municipale croît du même pas que la population urbaine que précède un peu l'emploi dans les transports, l'enseignement et la culture.

L'avance plus nette de la branche qui regroupe l'hygiène et la santé est couplée avec une division plus perfectionnée des tâches, nous l'avons vu. Ce double progrès est intéressant puisqu'il précède et appelle en quelque sorte partiellement l'essor démographique, notamment celui de la population qui n'est plus ou pas encore en âge de travailler.

VII. INACTIFS, ACTIFS, DÉPENDANTS ET INDÉPENDANTS

1. ÉVOLUTION DES INACTIFS

Mais précisément l'examen de la population inactive nous replace dans des perspectives urbaines globales. Les purs consommateurs dans lesquels il faut bien ranger ceux et celles qui se vouaient en dehors de toute rémunération au travail domestique, pesaient lourdement sur les citadins actifs qui les alimentaient, sur les campagnes qui leur versaient des rentes, sur la collectivité nationale qui les secourait. En dépit du déplacement relatif (4 %) qui soulage les producteurs chacun d'entre eux persiste à équilibrer deux inactifs dans la ville. Il est possible que la population urbaine s'affairât beaucoup mais elle demeurait sous-employée. Son acculturation au circuit du travail et des échanges montrait une incroyable lenteur. Voici les taux d'évolution de ces eaux dormantes dans l'économie urbaine :

	1792 (base 100 en 1750-1760)
Population totale (rappel)	109,3
Population inactive totale	103,5
Rentiers	91
Population à la charge de la collectivité	121,2
Population partiellement secourue	101,3
Population à la charge des familles	104,3

Le recul absolu des rentiers s'explique par la défection des nobles après les échauffourées aristocratiques de novembre 1791. Cent cinquante familles de gentilshommes, revenues de leurs campagnes, replaceraient les oisifs au niveau de l'évolution générale de la population. D'ailleurs la part des chefs de ménage qui vivent de leurs biens ne perd que 6/10e de point dans la ville (3,2 % contre 3,8 %). Sous son augmentation apparente, la population entièrement prise en charge par la collectivité est assez stable aussi ; elle passe de 3 % à 3,4 % et le rapport entre les malades et les prisonniers, à 9 contre 1, est peu affecté. Au contraire les assistés légers sont même en diminution relative (22,3 % contre 23,5 %) comme les personnes nourries par les familles (39,1 % à la place de 41,7 %). Ces dernières indications traduisent autrement, sans plus, l'essor des couches actives.

2. LE PARTAGE DES ACTIFS DÉPENDANTS ET INDÉPENDANTS

Cette revue de l'emploi ne serait pas complète sans un détour qui peut être décisif à travers les modalités sociales de l'économie. La coupure entre l'évolution numérique des détenteurs du capital financier ou intellectuel et celle des travailleurs dépendants me paraît radicale.

Emplois salariés

		1792 (base 100 en 1750-1760)
Population active totale (rappel)		124,4
Propriétaires de capital financier ou intellectuel	Production	95
	Services	89,5
	Total	93,2
Travailleurs dépendants	Production	230
	Services	135
	Total	165

Au léger recul des chefs d'entreprise, des membres des professions libérales et des administrateurs s'oppose la vive progression des salariés et « chambrelans » à la tâche. Ce mouvement en ciseaux signifie sans doute la concentration des outils productifs et certainement une réelle redistribution du pouvoir économique. Une fois encore, nous surprend cette sorte d'anticipation du monde industriel à travers laquelle la ville du XVIIIe prophétise la société du XIXe siècle :

Emplois salariés	*1750-1760* (%)	*1792* (%)
Dans la production	29,2	49,9
Dans les services	49,5	59,9

CONCLUSION

Il faudrait beaucoup d'humour pour conclure que les conséquences sociales de l'industrialisation apparaissaient avant l'industrie ! Le vrai, c'est la futilité de nos connaissances sur les économies anciennes. Aussi tout ce qui vient d'être acquis sur Caen demeurera obscur encore un peu de temps :

1) Les variations du statut des travailleurs n'ont pas le même sens dans toutes les conjonctures migratoires ni à toutes les phases du progrès économique, elles renvoient d'abord aux fluctuations de l'emploi.

2) Celles-ci n'ont de portée que si l'on s'assure d'une certaine permanence de la durée du travail et des tendances de la productivité. C'est l'immense domaine de l'innovation qui s'ouvre devant nous.

CHAPITRE VII

Les données générales du changement économique

Jusqu'ici les fluctuations de l'emploi ressemblent pour nous aux mouvements d'un être privé de son élément quotidien. L'étude du milieu économique nourricier, sans doute très différent du nôtre, devrait permettre maintenant de commenter avec quelque succès la signification du gonflement de la main-d'œuvre masculine et féminine comme ses transferts réels ou déguisés.

Les changements d'aptitudes productives [1] se placent au confluent d'influences culturelles ou sociales aussi bien que d'événements économiques. En vérité reprendra-t-on jamais d'assez loin leur examen, si dérisoire paraît l'outillage conceptuel d'aujourd'hui pour percevoir les conditions économiques révolues ? Entre le postulant de bonne maison, souvent chevronné, abrité derrière le « port honnête et réservé » que recherchaient les *Avis divers de Basse-Normandie* [2] sous l'Ancien Régime, et le jeune homme neuf et dynamique des offres d'emploi contemporaines, une révolution s'est peut-être accomplie dans les âges de la vie active et les qualités désirables. Le travailleur n'engage plus la même part de sa personne. C'est encore trop peu de pressentir aussi que l'activité professionnelle et sa sanction financière, l'argent, menaient les hommes du XVIIIe siècle autrement que nous, vers l'accomplissement qu'ils se proposaient du bonheur. L'enjeu économique s'est déplacé, à la fois dans l'opinion et la réalité.

I. LES IDÉOLOGIES DU TRAVAIL

L'analyse des idéologies du travail peut paraître simple ; elle présente pourtant quatre genres de difficultés.

1. L. A. Vincent, nov. 1961, donne une définition qui convient très bien ici : la productivité est le rapport d'une production aux facteurs qui ont permis de l'obtenir.

2. *Affiches, Annonces et Avis divers de la Basse-Normandie,* Arch. dép. Calv., 13 T 1 A. Sur les conditions de parution du journal, voir le *Mémorial* de Ph. Lamare publié par G. Vanel, 1905, pp. 149-150. Journal annoncé en 1785 pour paraître le 1er janvier 1786 ; imprimé par Buisson. Le privilège appartenait à Le Peltier, marchand de modes. Rédacteurs : 1786-août 1787, Picquot, avocat ; septembre 1787-Révolution, Moysant, bibliothécaire de l'Université.

1) Admettons un instant que certains citadins de Caen se soient expliqués sur les attitudes économiques de leurs concitoyens. Il est toujours délicat et souvent impossible d'imputer une telle description à la loi de ce qui est, à celle de ce qui devrait être ou de ce qui sera peut-être un peu plus demain, par l'efficace du texte. Penser au moins que les préjugés normatifs modifient l'angle d'attaque des observations les plus pertinentes, est-ce être trop rigoureux ?

2) A tout moment d'ailleurs la sincérité des textes qui confessent un comportement devant le travail ou l'argent mérite d'être remise en cause. Peut-on admettre qu'aucune collectivité soit entièrement lucide dans une affaire de telle conséquence, ni que varie dans le temps le silence dont on enveloppe un objet souvent jugé trivial, ou que survivent, d'un siècle à l'autre, de mêmes naïvetés, d'identiques mensonges idéologiques ? Assurément non. Même dans l'ordre de leur cohérence interne, les témoignages du XVIIIe siècle nous trompent là-dessus autrement que ceux du XXe siècle. La sociologie d'aujourd'hui ne nous apprendra pas grand-chose, l'intuition guère plus.

3) Que représentent ensuite les expressions du passé ? Engagent-elles plus que leurs auteurs ? Alors combien d'autres hommes ? Personne n'admettra qu'un gentilhomme ou un bourgeois tiennent nécessairement des thèses aristocratiques ou roturières. Il est inutile aussi de s'attarder à démontrer que le contour des opinions, s'agirait-il des mentalités économiques, ne recouvre pas celui des catégories socio-professionnelles. En chacune d'entre elles, la variété des âges, l'état civil des composants, l'origine géographique, la mobilité sociale, la finesse intellectuelle et le caractère suffiraient à rendre compte des divergences, sans parler des niveaux de richesse ; en tout cas d'espèce, la qualité du consensus peut varier. D'ailleurs l'analyse vient rapidement mourir sur des rivages silencieux puisque le XVIIIe siècle appartient, passablement encore, aux âges d'avant l'écriture où ne s'expriment que les milieux exigus de l'aisance et du savoir.

4) Ainsi l'étude des témoignages d'opinion demeure surtout une préface à l'observation des pratiques concrètes. La réalité et l'idéologie se soumettront l'une l'autre à la lumière réfléchie, si les documents ne font pas trop défaut. De toutes ces difficultés, la dernière n'est pas la moindre.

1. L'ANTHROPOLOGIE ÉCONOMIQUE NATIONALE

Il est certain d'abord que l'anthropologie économique de rang national dont M. Sauvy nous a donné un catalogue commenté [3] ne porte pas au XVIIIe siècle un jugement unanime sur le comportement requis dans l'activité professionnelle.

S'il est toujours question d'introduire plus de *ratio* dans la production des richesses, les agrariens et les physiocrates la conçoivent autrement que les partisans du développement des arts et plus encore du luxe. Pour les premiers, il ne convient que de trouver les lois (au sens de Montesquieu) d'un ordre

3. J. J. Spengler et A. Sauvy, 1954-1956.

naturel dont les membres de la secte sont les premiers thomistes[4]. « Raisonner sur les blés » avec les outils conceptuels du « Tableau économique », c'est provoquer l'âge d'or toujours imminent et d'ailleurs assez stationnaire que recèlent les forces productives[5] de la terre. Chez les physiocrates, la prospérité est une épiphanie. Au surplus nulle obligation spéciale d'alacrité physique ou intellectuelle n'incombe aux agents de l'économie. Hormis le devoir d'investissement du propriétaire foncier, qui est de son intérêt bien entendu, comme de celui de la communauté, toute action est d'abstention — laissez-faire, laissez-passer — ou d'endiguement numérique de la population stérile[6]. Une certaine passivité convient en particulier fort bien aux classes urbaines dont on attend seulement la reproduction d'objets et de services consacrés par l'usage. Au-delà, l'investissement industriel deviendrait détournement collectif, dilapidation. Et si l'ordre corporatif est mal vu de l'école, c'est parce que, monopoleur et querelleur, il grève les prix et gêne les trésoreries paysannes, beaucoup moins parce qu'il freine le changement.

L'empire de cette interprétation économique en un temps d'essor urbain, d'effervescence des besoins, de bondissement commercial et de créativité industrielle est assez étonnant. Peut-être comme la philosophie chez Hegel, la pensée physiocratique vient-elle trop tard en élaborant l'analyse d'une époque révolue. Mais il resterait à l'histoire culturelle d'expliquer quel appétit de routine et sans doute quelle nostalgie déjà chez les exécutants, quelle volonté de puissance aussi dans le gouvernement, flattait l'apologie de l'agriculture, quel renfort persuasif le cycle économique saisonnier, seul mouvement majeur pour Quesnay, puisait dans sa rencontre avec les mœurs, les fêtes civiles, le calendrier religieux qui, de la Nativité à l'Ascension, répète l'ordre éternel des champs.

Pourtant le paradoxe n'est pas complet. Avec des attendus qui ne sont plus ceux des anciens moralistes, Pascal, La Rochefoucauld, Saint-Evremond ou Pierre Bayle et parallèlement aux Anglais, plusieurs arithméticiens du XVIIIe siècle ont plaidé au contraire la valeur économique créatrice du travail au sein des arts et manufactures. Dans cette lignée où les hommes de premier plan l'emportent sur les épigones, la Normandie possédait depuis les années trente son chef de file, l'abbé de Saint-Pierre[7] ; elle eut également son originalité, que démontre la controverse lancée par la Chambre de commerce de Rouen sur le traité d'échange avec l'Angleterre où Dupont de Nemours intervint[8]. Ici, nulle proposition dogmatique ; il faudrait donc de

4. G. Weulersse, 1910 et 1911 ; B. Raynaud, 1905 ; outre les médiocres histoires de la pensée économique de langue française, j'ai consulté J. Schumpeter, 1954, trad. fr. 1962.

5. M. Lutfalla, 1964, p. 195 ; sur le « Tableau économique », voir J. R. Boudeville, 1954 ; A. Phillips, 1955 ; P. Buffandeau, 1967.

6. Ce terme désigne l'artisanat et les services. Le volume optimum de l'emploi industriel serait intéressant à préciser dans la comptabilité physiocratique.

7. A. Morize, 1909.

8. Voir dans la bibliographie les publications sans nom d'auteur : *Observations de la chambre du commerce de Normandie...*, 1788 ; *Lettre à la chambre du commerce... sur le Mémoire qu'elle a publié...*, 1788 ; *Réfutation des principes contenus... dans une lettre qui a pour titre Lettre à la chambre du commerce... par M.D.P.*, 1788.

très longs développements pour montrer comment de Cantillon à Butel-Dumont, de nombreux auteurs reprenaient la distinction de leurs adversaires entre le luxe de subsistance et le luxe de décoration, « l'ostentation » dit encore Véron de Forbonnais [9]. Au moins doit-on ajouter que la ligne de partage de ces analyses avec la physiocratie compte beaucoup de redents : ainsi la nécessité de la liberté économique propice à l'initiative des agents ressort de toutes les études, tandis que Mably, adversaire des physiocrates, admettait cependant leur panégyrique de la vie simple [10] et Rousseau, les effets pernicieux de l'industrie [11]. En vérité, la pensée du XVIIIe siècle se tournait d'abord vers le problème de la reproduction des richesses, vers leur circulation et la fiscalité qui en est un cas particulier [12] ; la population, l'emploi [13], la philosophie du travail, l'urbanisation et l'industrie ressemblaient à ces cadences musicales où la fantaisie de l'interprète se délasse en liberté.

Néanmoins, en dépit des entrelacs chronologiques et du retard de la pensée française sur A. Smith, deux thèmes importants peuvent être distingués ici. Le premier s'exprime à travers l'abbé de Saint-Pierre, puis Cantillon ; il reçut, entre-temps, la caution de la vieille fable des abeilles de Mandeville écrite en 1705 et traduite en 1740 [14]. L'accent porte sur le rôle des besoins que suscite le rassemblement des hommes en vaste communauté urbaine. En un mot dans une telle perspective, la propension à consommer renforce la nécessité de produire ; elle rend superflue toute la théologie chrétienne du travail en invitant à considérer chaque effort comme l'équivalence d'une rémunération ; elle fonde en vérité la valeur de l'esprit d'initiative, elle autorise l'idée d'un progrès continu puisqu'au contraire de l'agriculture, les arts tireront parti indéfiniment des gains de population comme des trouvailles industrielles. Mais la précarité des conditions de vie du petit peuple interdisait à beaucoup d'auteurs d'aller au-delà. Mirabeau, dans sa phase néo-physiocratique, Condillac, du Buat-Nançay, Helvétius, d'Holbach, Chastellux, Isaac Pinto même, tiennent pour la nocivité d'une industrie qui se développerait vers le superflu [15]. Depuis deux millénaires, les lois somptuaires, éternellement tournées, ne montrent-elles pas d'où vient le dérèglement de l'économie ?

9. F. Véron de Forbonnais, 1758, t. 4, p. 174 *sq.* ; *id.*, 1767, *passim*. Etude de C. Morrisson, 1967.

10. G.B. de Mably, an III, t. 9, pp. 82-83. *De la législation ou Principes des lois.*

11. J. J. Rousseau, 1755, et dans les œuvres complètes, éd. de la Pléiade, t. 3, 1964, *Discours sur l'origine et les fondemens de l'inégalité parmi les hommes.*

12. Sur ces questions, G. Weulersse, 1910, l'édition des *Œuvres* de Turgot par G. Schelle, 1913-1923, de Cantillon par l'INED, 1952. Sur les finances et la fiscalité, R. Stourm, présente une bibliographie toujours très utile (1895).

13. J. J. Spengler, 1954, nous a donné un instrument de travail remarquable dans lequel, seule la conclusion dépasse l'impressionnisme. Dans cette matière d'orfèvre se glisse parfois un peu de plomb. Page 314, Spengler expose la pensée de Morelly et se réfère parallèlement au *Code de la Nature*, à la *Basiliade* qu'il présente comme une satire en vers (note 79). En réalité, il se laisse abuser par le titre complet de l'ouvrage sans l'avoir ouvert : c'est un roman utopique en prose que ce *Naufrage des isles flottantes ou la Basiliade du célèbre Pilpai, poème héroïque traduit de l'Indien*, 1753, 2 vol.

14. B. Mandeville, 1705 et 1714.

15. V.R. Mirabeau, 1756, t. 3, pp. 30-31 ; E.B. de Condillac, 1776, 1re éd., cité dans la 2e éd., 1798, *passim* et pp. 273-287, 476-477 ; L.G. du Buat-Nançay, 1773,

Un deuxième groupe d'écrivains refuse cette interprétation[16]. Si l'on excepte Auxiron, Accarias de Serrione puis Butel-Dumont qui soulignaient dès 1766 et 1771[17] le rôle inducteur du luxe dans le progrès des salaires et la richesse des peuples, les thuriféraires du dynamisme industriel écrivirent entre 1775 et 1789, dans ces années où ne semblaient monter, à l'inverse, des campagnes françaises qu'épidémies et accidents météorologiques : Necker en 1775 et 1784, Isnard en 1781, Herrenschwand en 1786 ; Condorcet ou N.F. Canard donneront plus tard des mêmes thèmes une double version philosophique et mathématique[18]. L'idée que les hommes doivent aborder leur activité professionnelle avec de l'audace, de l'invention, la certitude que le besoin de l'inutile engendre l'ingéniosité et la richesse, réunissent ces économistes généralement fonctionnaires ou financiers, souvent aisés, toujours profondément citadins, pour lesquels l'égoïsme de chacun ne contredit jamais le bien commun[19]. Les traits de l'entrepreneur selon Schumpeter percent déjà dans ces ouvrages[20]. Un nouveau clavier de valeurs est donc à l'essai, mais la crainte qu'une loi d'airain ne prive les plus humbles producteurs des fruits de leur dynamisme n'effleure guère ce siècle où la pensée de Linguet demeure entièrement erratique[21].

2. L'ANTHROPOLOGIE ÉCONOMIQUE PROVINCIALE ET URBAINE

Comment situer notre ville, gorgée d'empreintes campagnardes, dans ce concert français ? Voici une question qui nous invite à quitter maintenant les idées trop simples qu'il a bien fallu avancer pour présenter ce débat. Laissons-nous guider d'abord par l'opinion des milieux éclairés. C'est la voie la plus aisée et la plus riche de témoignages explicites puisqu'un pouvoir et un goût d'écrire identiques réunissent, au-delà de divergences réelles d'opulence et d'intérêt, les gentilshommes, les officiers et commis du roi, les bourgeois échevins, les négociants, les avocats et les médecins. Les mêmes confluents sociaux se retrouveront d'ailleurs plus loin dans l'étude de l'aménagement urbain.

---

t. 1, p. 242 ; C.A. Helvétius, 1795, *De l'Esprit,* t. 1, p. 245 ; P.H.D. d'Holbach, 1770 et 1773, *passim ;* F.J. Chastellux, 1772 ; I. Pinto, 1764 et 1771.

16. A. Morize, 1909 ; C.L. Becker, 1932 ; P.A. Sorokin, 1941.

17. Cl.F.J. d'Auxiron, 1766 ; J. Accarias de Serionne, 1766 ; G.M. Butel-Dumont, 1771. Voir notamment chez Auxiron, t. 1, pp. 65 à 126 ; t. 2, p. 196.

18. J. Necker, 1774 et 1784 ; A.N. Isnard, 1781 ; J.F. de Herrenschwand, 1786 ; J.A.N. de Condorcet, an III ; N.F. Canard, 1801.

19. Cet optimisme est partagé par Turgot (cf. J. Bourrinet, 1965, pp. 465-489), mais les physiocrates ne vont pas jusque-là.

20. J. Schumpeter, 1934, intr. de F. Perroux.

21. Peu d'auteurs ont accordé à cet avocat mal aimé l'importance qu'il me semble mériter : A. Lichtenberger, 1895, pp. 288-305 ; J. Cruppi, 1895 ; peut-être faut-il glisser, plus qu'on ne l'a fait, sur la personnalité de l'auteur pour voir apparaître, enfin dénudée, une pensée attachante, exténuée de rigueurs et de refus, blessée par l'injustice qui émane du Léviathan économique, emportée mais bientôt défaite devant l'énormité de la réforme sociale à venir : le degré zéro du socialisme en somme. Il faut lire *la Théorie des loix civiles,* 1767.

Comme pour toute province intellectuelle un peu spécialisée, l'héritage bibliographique compte beaucoup dans la réflexion économique. Et par leurs instruments de lecture, les esprits curieux de Caen pouvaient paraître au premier abord assez favorisés.

Lors de la réunion du collège du Cloutier à l'Université, une bibliothèque publique commune à la ville et aux établissements d'enseignement fut établie en 1731 [22]. Un règlement minutieux fixait des heures d'ouverture précises, interdisait la sortie des ouvrages, astreignait le conservateur à la tenue de plusieurs catalogues. La bibliothèque s'enrichit rapidement de dons illustres : à la fondation du cardinal Fleury (326 volumes), s'ajoutèrent l'année suivante les 2 662 livres de Samuel Bochart, offerts par son petit-fils ; puis les achats : l'Université s'endetta pour acquérir en 1735 1 505 ouvrages de la bibliothèque d'Ango [23] et délégua un représentant de chaque faculté pour guider le bibliothécaire. Bien que le rythme se fût ralenti après 1740, ces deux sources ne tarirent point. En 1775, la bibliothèque des jésuites était réunie à l'Université ; en 1776, Lépecq de La Cloture offrait des ouvrages ; en 1793, Turgot, le frère du ministre, également [24] ; bon an mal an, on achetait une cinquantaine de volumes [25]. En 1735, 5 500 livres étaient à la disposition du public, 7 000 en 1760, 13 000 en 1775, 19 000 en l'an XI [26]. Les registres d'entrée ne nous sont pas entièrement parvenus ; du moins le catalogue de 1793 garde le témoignage de l'horizon intellectuel offert à la communauté urbaine tôt ou tard dans le XVIIIe siècle [27].

L'ombre portée des quatre facultés (Arts, Droit, Médecine, Théologie) sur la bibliothèque est sans doute très sensible. A ce découpage, dont l'archaïsme échappait en ce temps-là aux universitaires, correspondent les gros bataillons d'ouvrages et, même étendue aux techniques des métiers, à l'agronomie, à l'hygiène publique, à la géographie commerciale, à l'histoire sociale, l'arithmétique politique représente moins du centième des titres de cette librairie. Mais voici une autre mesure de son indigence, plus frappante s'il est possible. Les instruments bibliographiques modernes [28] font état de 5 000 ouvrages imprimés environ, relatifs à l'économie française antérieure à la Révolution. Or

22. Bibl. mun. Caen, mss. in-fol. 121, note du bibliothécaire Moysant. Arch. dép. Calv., D 504 et D 520. Conclusions de l'Université du 26 mai 1731. Ce règlement pour le travail du gardien concerne le classement, la conservation et la consultation des ouvrages.

23. Même source plus Arch. dép. Calv., D 77, Délibération de l'Université du 22 février 1735 et du 3 février 1739. Bibliothécaire : 1731-1758, Buquet ; 1758-1759, Le Guay ; 1759-1786, le médiocre Ribout ; puis vient la grande administration de Moysant, l'abbé Longchamp est sous-bibliothécaire.

24. Arch. dép. Calv., D 82, Délibération de l'Université de juillet 1783.

25. Un seul exemple prestigieux : l'*Encyclopédie* est commandée au libraire Pyron ; les onze premiers volumes entrent en 1766 ; Arch. dép. Calv., D 80, Délibération du 15 juillet 1766.

26. Sur l'évolution des entrées, cf. Bibl. mun. Caen, mss. in-fol. 111, f. 45 sq., et mss. in-fol. 121. Le catalogue de mai 1791 comprend 544 pages. Arch. dép. Calv., D 87.

27. Bibl. mun. Caen, in-fol. 118.

28. Principalement le Catalogue de la Kress Library, le Dictionnaire de Palgrave, 1925 ; celui de Ch. Coquelin et Guillaumin, 1864 ; R. Stourm, 1895 ; J. J Spengler et A. Sauvy, 1954-1956.

le fonds public de Caen n'offrait aux citadins que 125 titres de ce genre. Près de 98 % des textes étaient ainsi inaccessibles. Mais deux corrections : depuis 1786, la réforme universitaire imposée par édit royal[29] amorça lentement une conversion. Ne s'agissait-il pas dorénavant, selon le préambule, « de faire fleurir toutes les sciences qui intéressent... le service de l'Etat, ouvrent l'accès à celles des fonctions publiques qui sont les plus importantes et qui ont le plus d'influence sur le bonheur des peuples » ? De là, des innovations qui pouvaient inciter l'esprit public à la réflexion démographique et économique. L'hygiène alimentaire, l'observation météorologique, l'urbanisme entraient dans le champ d'étude de la faculté de médecine au lieu d'être laissés au dévouement des correspondants de la Société royale[30] ; puis dans les collèges était établi un enseignement d'histoire et de géographie[31] dont le procureur général du Parlement soulignait en économiste la finalité, lors de l'arrêt de juin 1787[32]. C'est l'« utilité nationale » qui est recherchée dans la comparaison des événements, dans l'apprentissage des « connoissances sur le commerce, sur la politique des empires et leurs relations », et le résultat ? Une révolution complète des comportements qui perdront leur provincialisme et leur paresse répétitive. A l'heure du traité de commerce avec l'Angleterre qui émut si profondément la province, voilà qu'entrait à l'Université un peu de cet esprit d'entreprise si courant sur l'autre rive de la Manche et que le procureur élargit pour finir en un nouvel humanisme patriotique : « Il faut donner au citoyen cette élasticité qui lui fait quitter ses foyers pour rendre, en quelque sorte, françoises les connoissances du monde entier », écrivait-il, mais était-ce plus qu'une déclaration solitaire ?

Au demeurant, dans la Bibliothèque publique des Caennais, la béance des lacunes est plus sensible que la médiocrité de l'ensemble. De grands ouvrages allaient à l'essentiel de la pensée nationale, d'autres auteurs majeurs étaient entièrement oubliés, la pacotille économique restait rare.

Les ouvrages de référence font figure honorable avec l'*Histoire de l'Académie des Sciences,* sa collection de *Mémoires* et ses *Tables,* le *Journal des Savants,* le *Dictionnaire* de Bayle en trois exemplaires, le Moreri, les trente-trois in-folio de l'*Encyclopédie* d'Alembert, les dictionnaires géographiques de La Martinière, de Saugrain, d'Expilly, le *Dictionnaire économique* de Chomel dans l'édition lyonnaise de 1732 et celui de Savary. La géographie et l'art de la navigation avaient reçu le gros renfort de la bibliothèque des jésuites dont on possède le catalogue séparé[33]. De la construction des vaisseaux à l'ouvrage de Grotius sur la liberté des mers, la section offre environ soixante-

29. Versailles, août 1786. Texte dans Arch. dép. Calv., D 530, et registres de l'Université, D 82, fol. 54-64.

30. Articles 33 à 56 de l'Edit.

31. Articles 60 à 62.

32. Arch. dép. Calv., D 87 (registre du Tribunal du Recteur) et D 88.

33. Bibl. mun. Caen, in-fol. 71 : « Catalogue des livres trouvés dans la Bibliothèque des Cy-devant Jésuites, dressé par ordre alphabétique et au désir de l'arrêt du parlement de Rouen du 25 mai 1770 ». Environ 4 350 titres, sans compter les ouvrages scolaires. Voir C. Sommervogel, 1890-1932. Les travaux de F. de Dainville, 1946, ont montré l'ancienneté de la géographie dans la culture des pères. Leur goût n'était pas en reste. Le Collège avait collectionné les extraordinaires atlas d'Ortelius, imprimés chez Plantin.

dix livres importants. C'est à la curiosité de la Compagnie pour le travail manuel et le comportement professionnel des marchands [34] que la bibliothèque de la ville doit aussi une bonne partie de ses ouvrages techniques, l'*Arithmétique des ingénieurs*, l'*Arithmétique des négociants*, l'*Ecole des arpenteurs*, auxquels s'ajoutent les livres commerciaux de Michel Vandame, Legendre, Raveneau.

L'économie proprement dite manifeste sans ambage une triple orientation.

1) La bibliothèque possède sa section très classique d'ouvrages agronomiques où l'on trouvera tout ce qu'on attend de Columelle, Varon, Ch. Estienne et Liebaut, Vinet, L. Liger ou Duhamel du Monceau : le *Ménage des champs*, la *Maison rustique*, les traités sur les abeilles ou l'amidon.

2) Elle présente une travée de livres sur les monnaies et la fiscalité : depuis Nicolas Froumenteau jusqu'à Necker, deux siècles de critiques amères contre les impôts et l'*Anti-financier* de Darigrand même, sont à la disposition des lecteurs.

3) Enfin la faiblesse numérique des ouvrages de théorie stupéfie d'abord, puis on est sensible à l'orientation agrarienne et physiocratique du petit bagage : les *Œconomies* de Sully, Deparcieux, que François Quesnay utilise souvent [35], Mirabeau [36], Dupont de Nemours [37]. Le mercantilisme n'a pas laissé de trace, la philosophie industrielle de Laffemas est inconnue comme celle des inspecteurs des manufactures, toute récente, et quel lecteur penserait que les physiocrates eurent en l'abbé Galiani, en Grimm ou Voltaire de redoutables adversaires ? Cette bibliothèque d'humanistes universitaires et de fureteurs citadins préfère les manuels pratiques au débat d'idées. Est-ce un hasard si les tenants du déterminisme rural furent les seuls théoriciens qui surent gagner ces cœurs positifs ? Tout de même, des livres ont pu disparaître ? C'est vrai, vers les années 1760, plusieurs centaines d'ouvrages manquaient sur les rayons [38].

D'autres collections doivent donc servir de contre-épreuve. Entre cette bibliothèque publique et celles des personnes privées, les trésors des couvents, accessibles aux initiés, occupent une place intermédiaire et le conservateur François Moysant, chargé des inventaires départementaux de 1791, avouait que la palme revenait au Val-Richer, la future demeure de Guizot près de Lisieux, aux prémontrés de Saint-Jean-de-Falaise, aux cordeliers de Caen. Le

34. Les jésuites avaient fondé à Caen une congrégation des artisans (Arch. mun. Caen, mss. in-fol. 131, in-4° 34 et 35) dont l'inspiration anti-compagnonnique plonge dans le XVIIe siècle. Dans le même sens il faut lire l'ouvrage de J. A. Vachet, 1670.

35. J. Spengler, 1954, p. 176.

36. Notamment l'*Ami des hommes* et la *Théorie de l'Impôt*, 1760, premier écrit physiocratique de l'auteur.

37. Représenté par son *Mémoire sur la vie et les ouvrages de M. Turgot, ministre d'Etat*, Philadelphie, 1782.

38. Arch. dép. Calv., D 81, Délibération du 19 novembre 1759 : 187 volumes en déficit ; Délibération du 27 mars 1771 : près de 700 volumes égarés. Les talents de F. Moysant et de son adjoint Longchamp rendent cette hypothèse plus douteuse à la fin de la Monarchie. Ce bibliothécaire a été étudié par Th. G. Hebert, 1814.

tableau suivant montre en effet que vingt ans après la disparition des jésuites, seuls les cordeliers avaient dans la ville un outil d'érudition digne d'être présenté isolément[39].

Maisons religieuses	*Nombre de volumes*
Cordeliers	6 953
Carmes	1 923
Chanoines de Saint-Augustin	1 625
Grand séminaire	578
Chanoines du Sépulcre	522
Petit séminaire	516
Abbé de Barbery	444
Oratoriens	395
Religieuses de la Trinité	335
Capucins	264
Abbaye d'Ardennes aux portes de Caen	249
Saint-Etienne	108
Jacobins	75

Dans cette douzaine de bibliothèques secondaires où l'on ne pénètre que par relations, la médecine, la philosophie, la critique sociale même font d'aventure assez bonne figure. Les chanoines du Sépulcre pouvaient lire Saint-Evremond, le baron de La Hontan et ses *Nouveaux Voyages*[40] ; les oratoriens, des ouvrages de polémique avec Voltaire ; chez les chanoines de Saint-Augustin, entre 350 sermonnaires et 710 volumes de théologie, s'intercalaient parmi d'autres 440 ouvrages de littérature. Mais l'économie restait une rareté. Elle apparaît pourtant et les options de la bibliothèque publique sont ratifiées avec les *Sages et royales œconomies d'Estat* chez les oratoriens ou l'*Ami des Hommes* dans la collection de l'abbé de Barbery[41]. Aux cordeliers soufflait un autre esprit : un vaste ensemble relève de la documentation française et étrangère, par exemple, les catalogues de la Bibliothèque vaticane ou ceux de la bodléienne, le *Journal des Savants,* les *Mémoires de Trévoux,* les *Nouvelles de la République des Lettres,* les *Comptes-Rendus de l'Académie des Sciences.* Un important rayon socio-médical permet d'explorer les confins de la démographie à travers l'hygiène alimentaire, le traitement des maladies vénériennes, la morale conjugale (Sanchez est là, bien entendu) ; dans leur bibliothèque philosophique, le soufre est partout, jugez plutôt : Rabelais, Montaigne, Machiavel, les brochures sur le régicide, puis G. Naudé, Gassendi, Cyrano, Hobbes, Spinoza, Frédéric II, l'*Encyclopédie.* Mais les lacunes économiques sont d'autant plus visibles. Au-delà des veines traditionnelles, l'agricole avec le *De re rustica,* deux exemplaires de Sully, un Liger, la bullioniste grâce à Bodin, à un traité sur l'usure, au *Guidon des financiers* de Hennequin, à la

39. Tableau rédigé d'après les Arch. dép. Calv., Q, pour les chanoines de Saint-Augustin, et la Bibl. mun. Caen, mss in-fol. 120, 1 : Inventaire sur décret du 8 pluviôse an II. Certains livres ont été probablement emportés par les religieux à leur départ ; il serait étrange qu'il s'agisse d'économie politique.

40. On sait que Gueudeville est l'auteur des fameux « Dialogues curieux entre l'auteur et un sauvage de bon sens qui a voyagé ».

41. Sully et Mirabeau.

Cour des Monnoies de Constans, un majestueux point d'orgue clôt la documentation sur la *Dîme royale* et le *Détail de la France.* En somme les pères cordeliers ont cent ans de retard bibliographique.

Bien mieux, il ne semble pas que les collections privées corrigent en ce domaine les lacunes des fonds collectifs. Lorsqu'on choisit d'observer, dans l'immense reposoir des inventaires après décès, les périodes du démarrage et de l'apogée urbains, soit 1730-1739 et 1770-1779, une centaine de bibliothèques apparaissent [42]. Daniel Mornet a montré l'intérêt politique de cette source, mais il est à craindre qu'on ne puisse jamais décrire parallèlement les origines intellectuelles du développement économique français. Bien que la bibliothèque de Viallet, collaborateur de l'*Encyclopédie* et des *Ephémérides du citoyen* soit tombée dans le champ de ma lunette, la proportion des textes d'arithmétique politique reste inférieure à 1 %, c'est moins que la moyenne des fonds publics ou communautaires. Encore s'agit-il souvent d'agronomie pratique, de manuels artisanaux, de tables de change et de comptes de Barrême évidemment muets sur les problèmes intéressants. Abandonnons les strates chronologiques. Il reste possible de composer une anthologie des plus notables défunts à travers tout le siècle puis de feuilleter leurs livres.

M. de La Hoguette, grand bourgeois de la rue Vilaine, était un piètre bibliophile [43], encore moins un économiste : rien. Chez Mme d'Aingleville, née Rouxelin, pourtant parente d'un célèbre collaborateur du *Journal d'Agriculture* [44], un ouvrage sur la navigation à Amsterdam, les manuels de Barrême, la *Dîme royale.* Dans la grande famille des Morant de Rupierre, sur la paroisse Saint-Jean [45], une énorme bibliothèque romanesque française et anglaise, tout Marivaux, la Chine, l'Orient philosophique, l'Amérique insolite, d'innombrables mémoires, mais un seul *Etat présent d'Angleterre.* Chez Dubisson, célèbre huguenot émigré outre-Manche dans les années trente [46], beaucoup d'ouvrages édités à Bâle, Delft, Utrecht, Amsterdam, Lyon, Poitiers : saint Augustin, Erasme, Bodin, Duplessis-Mornay, Abraham Bosse, les auteurs latins, pas d'économiste. Chez ses adversaires Jacques Transon ou Jean Fossard, savants ecclésiastiques [47], rien de plus que les controverses inépuisables du jansénisme.

Voici maintenant des avocats réputés, François Macé, Pierre Le Prêtre, Gabriel-François Huet [48] ; chez eux, Voltaire, Marivaux, des turqueries, des ouvrages professionnels, toutes les coutumes de la Normandie et juste moins de traités de rhétorique qu'on ne l'espérait. Dans l'hôtel de Guillaume Deshommets, conseiller d'honneur au bailliage, avec Guillaume Budé, Montaigne, Jean Bodin, Vaugelas et Bossuet, nous feuilletons une bibliothèque d'humaniste plus que centenaire. François Louvet, directeur des fermes du roi, est

42. Arch. dép. Calv., 8 E.

43. *Ibid.*, 8 E 3006, fol. 555, année 1770.

44. Sur Rouxelin, J. J. Spengler et A. Sauvy, 1954-1956, t. 2, bibliographie, p. 550. Arch. dép. Calv., 8 E 3006, fol. 190, année 1770.

45. *Ibid.*, 8 E 2976, fol. 989, année 1752.

46. *Ibid.*, 8 E 2973, fol. 1102, Inventaire de la décennie 1740-1750.

47. *Ibid.*, 8 E 3006, fol. 526, 8 E 2973, fol. 855.

48. *Ibid.*, 8 E 2976, Inventaires du 15 avril et 18 septembre 1752, 8 E 3006, fol. 317.

mort la même année[49] après avoir vécu dans un autre univers intellectuel. Il possédait Cervantès, La Fontaine puis Bayle, Fontenelle, Montesquieu, Voltaire, l'abbé Prévost, Richardson, Pope, Locke ; la littérature des aides, des gabelles était reliée avec les *Règlements des Cinq grosses fermes,* mais je n'aperçois au-delà qu'un Saugrain et un Savary. Les médecins illustres suggèrent les mêmes remarques. En 1770, Ph. Masquerel de Hautecourt[50] n'a pas placé un seul ouvrage économique à côté de plusieurs centaines de textes médicaux et littéraires. Le dernier recteur de l'Université d'Ancien Régime, le docteur Chibourg, possède à sa mort une bibliothèque de 1 295 ouvrages[51], mais il n'en peut tirer que quatre titres économiques : une *Maison rustique,* le *Dictionnaire d'Agriculture* de l'abbé Rozier, *l'Anti-financier* de Darigrand et l'*Administration des Finances* de Necker.

Il n'y a pas un ouvrage intéressant dans la bibliothèque de campagne de Gosselin de Manneville, qui fut maire de Caen[52]. Mais terminons par les livres de l'intendant A. de La Briffe, par ces œuvres de chevet qu'il avait distraites de sa bibliothèque parisienne pour l'hôtel provincial[53] : quel merveilleux miroir où retrouver les traits d'un amant de la nature jusque dans ses modestes miracles (oh, l'*Art de faire éclore en tous temps,* en deux volumes !), mais aussi l'homme au corps exténué que protégeait son *Dictionnaire universel de médecine,* ses trois volumes de *Consultations,* la *Pharmacopée* de Lémery, la *Pratique des Végétaux,* le *Dictionnaire des Simples ;* avec cela l'esprit d'un historien, le goût des Mémoires, une pointe d'audace : Bayle, Voltaire, un peu de rire en compagnie de Rabelais et Scarron, une once de rêve grâce à Jacques Sadeur[54], beaucoup de piété surtout, puisée dans la *Journée chrétienne,* la *Vie des Saints,* l'*Office de la Vierge,* la *Conduite pour la confession,* d'immenses lectures juridiques et administratives, nulle réflexion économique que la connaissance des faits élémentaires dans Savary.

Comment ne pas tirer brièvement quelques conséquences d'un pareil consensus ? Le *Parfait jardinier,* la *Bonne fermière,* la *Cuisine bourgeoise,* c'est, en économie, tout l'art de lire de la Normandie grasse ; le goût des idées générales se rassasie de fiscalité et d'opinions reçues sur l'usure, toujours méprisable[55]. D'ailleurs les catalogues d'ouvrages disponibles chez les libraires de Caen confirment l'orientation agronomique et physiocratique de la demande. Les éditeurs les plus renommés, Yvon et G. Le Roy, proposaient à leur clientèle, en 1762, une trentaine de titres[56] ; c'est le même inventaire. Après le *Dictionnaire économique,* l'*Ami des Hommes* et l'*Essai sur les causes du déclin du commerce* s'offraient les conseils jardinatoires de Bradeley

49. 1752 : cf. 8 E 2976, fol. 939 et fol. 1152.

50. *Ibid.,* 8 E 3006, fol. 400.

51. Catalogue Chibourg, Bibl. mun. Caen, mss. in-fol. 120, 3 fol. 90 sq.

52. Arch. dép. Calv., F, fonds Gosselin de Manneville.

53. *Ibid.,* 8 E 2976, fol. 1079, Inventaire du 31 juillet 1752.

54. C'est l'utopie de Gabriel Foigny, *Les avantures de Jacques Sadeur dans la découverte et le voïage de la terre Australe,* 1705.

55. Voir par exemple les lectures dont l'avocat de Quens, élève du père André, porte témoignage. Bibl. mun. Caen, mss. in-4°, 159, fol. 84 sq.

56. Catalogue annexé au volume de la *Séance publique pour la rentrée de l'Académie royale...* Bibl. nat., Z 28466.

et La Quintinie, l'œuvre de Duhamel du Monceau, de Pattullo, du marquis de Turbilly, les *Maisons rustiques,* le *Dictionnaire du cultivateur,* le *Gentilhomme cultivateur,* l'*Art de s'enrichir par l'agriculture,* les publications des sociétés d'encouragement ; avec Mirabeau, Cl. Jq. Herbert était le seul penseur du lot [57], précisément un agrarien. Le catalogue Méritte-Longchamps des impressions caennaises du XVIIIe siècle et le bibliographe E. Frère, dans la part infime qu'ils font à l'économie sanctionnent ce verdict [58].

3. LES ÉCONOMISTES URBAINS

Aussi bien, la liste des économistes urbains demeure courte avec une trentaine d'auteurs. Et l'opinion des salons qu'expriment la *Table alphabétique des personnes illustres* de l'abbé Saas en 1756, puis tardivement le *Moreri des Normands* de J. A. Guiot [59] omet les meilleurs d'entre eux, ou se plaît à louer, surtout chez les autres, l'art poétique et le talent oratoire. La présentation de ces personnages montrera cependant qu'ils étaient susceptibles d'avoir un certain auditoire et de l'intéresser aux questions économiques ; par exemple de Quens porte le témoignage des lectures du père jésuite André, professeur de mathématiques au collège de Caen [60] qui fréquentait nos arithméticiens et possédait un lot d'ouvrages importants sur le commerce anglais et levantin sans compter les œuvres de J. Child et d'Herbert [61].

De ce tableau local il convient de retirer deux hommes de premier plan : Pierre-Daniel Huet, évêque d'Avranches, et l'abbé de Saint-Pierre. Leur génération appartint à l'agonie du mercantilisme comme aux controverses commerciales et monétaires de la Régence ; d'ailleurs la Normandie, moins encore la ville de Caen ne sauraient revendiquer ces esprits dont la vraie patrie allait au-delà du royaume, à l'ensemble européen. Mais entre les années trente et la Révolution, l'intérêt pour la philosophie économique s'étendit progressivement à quatre ou cinq milieux professionnels que cimenta généralement l'Académie des Belles-Lettres.

Les entrepreneurs et négociants comptent pour deux avec Massieu de Clerval et Ch. Longuet ; les médecins également : Tiphaigne de La Roche et Lépecq

57. L'ouvrage est évidemment l'*Essai sur la police générale des grains,* 1755.

58. Catalogue Méritte-Longchamp, Bibl. mun. Caen, mss. in-4° 99. Il est incomplet ; il faut lui ajouter le dépouillement de E. Frère, 1858.

59. Bibl. mun. Caen, mss. in-4° 94, t. 3, fol. 112 sq., « Tableau des personnes illustres dans les Sciences et dans les Arts nées en Normandie », par feu l'abbé Saas, tiré de son *Abrégé de cosmographie et almanach pour l'année 1756...,* Rouen, 1756. Cf. aussi *ibid.,* mss. in-fol. 57, le « Moreri des Normands », par J. A. Guiot de Rouen. Egalement mss. in-4° 94, du même auteur, « Table du Dictionnaire des hommes remarquables de l'histoire ancienne et moderne de Normandie, nés ou morts dans cette province, suivi... d'un essay sur les femmes notables qui y sont nées ou s'y sont établies ».

60. Cf. Bibl. mun. Caen, mss. in-fol. 57. Le père André est mort dans la ville le 17 février 1764. Il avait écrit un *Traité sur le beau* (Paris, 1741) resté célèbre, puis les *Merveilles du corps humain,* les *Merveilles de l'âme avec le corps,* son *Art de vivre* est dans les manuscrits de la Bibliothèque de Caen.

61. Bibl. mun. Caen, in-4° 154, Recueil Mézeray, souvenirs du père André.

de La Cloture. Surtout viennent à égalité les clercs, les administrateurs, les avocats. Dans la première catégorie, à l'exception de P. Le Cocq, général de la congrégation des eudistes, les séculiers dominent, mais ils ont généralement toute la liberté d'esprit et les loisirs que procure le bénéfice sans charge d'âmes. A côté de l'abbé Fleury, solitaire curé d'Avenay dans le plat pays et curieuse figure d'ecclésiastique féru d'inventions économiques, l'emportent les chanoines du Sépulcre, un Gabriel Porée, un Nicolas Béziers, historien de Bayeux, ou bien le beau-frère d'Helvétius, l'abbé de Ligniville, archidiacre de Caen nanti d'un canonicat à l'évêché, ou encore N. Leclerc de Beauberon, théologien de la faculté. Quel cénacle précieux, où la plume suit toujours courant l'esprit du siècle, composeront ces prêtres également distants des grimauds de collège et de la piétaille des paroisses !

Chez les administrateurs, le fil d'Ariane nous conduit des Eaux et Forêts aux Ponts et Chaussées, de la municipalité à l'intendance, vers des hommes de renom national, collaborateurs du *Journal d'Agriculture* comme le procureur Rouxelin, de l'*Encyclopédie* et des *Ephémérides du Citoyen* comme l'ingénieur Viallet, amis de Turgot comme l'intendant de Fontette, admirateurs avertis des Américains comme le maire de Vendœuvre. Au surplus leurs activités professionnelles les confrontent avec le progrès des campagnes, la circulation des biens, l'autonomie locale et l'exercice de l'autorité centrale, quatre chapitres physiocratiques importants.

Avec les avocats apparaîtrait une autre province de la république des lettres, beaucoup plus nettement colorée de l'esprit des Lumières. Le chef de file n'en est-il pas Elie de Beaumont, protégé du comte d'Artois, membre des académies de Caen, Londres et Berlin ? Infatigable, il use ses chevaux sur les routes, court à Paris rédiger des mémoires pour Calas, haranguer en 1776 la Société d'émulation des cordeliers sur le patriotisme pratique, puis revient à ses villageois de Canon où il institue solennellement la fête des bonnes gens et les prix de vertu [62]. Derrière lui une poignée de jeunes gens impatients grandit depuis les années soixante : Picard de Prébois, de La Rue, Le Clerc, Duperré de l'Isle, de Touchet, de La Prise ; une curiosité et une audace longtemps bridées en eux dans la rhétorique et la jurisprudence s'épanouit en projets de réforme. Oui, le crépuscule de l'Ancien Régime portait bien en harmonie avec le goût littéraire son pré-romantisme économique.

En dépit d'origines sociales et de curiosités professionnelles variées, les « économistes » de Caen manifestaient beaucoup de traits intellectuels communs. D'abord un souci de l'observation précise où convergeaient en parts indiscernables selon les individus, la finesse paysanne, l'habitude de la casuistique et la pratique des tribunaux. En somme lorsque l'ingénieur Viallet compose l'article « Ardoisière » de l'*Encyclopédie* et le chanoine Béziers les notices du *Dictionnaire géographique* d'Expilly [63], quand Lépecq de La Cloture établit ses descriptions médico-économiques de la province, se forgeait un esprit d'analyse sans lequel la statistique départementale napoléonienne n'aurait jamais vu le jour. Peuchet, Dupin, Chaptal trouvent ici leurs ancêtres locaux. De ce tour d'esprit positif procède d'autre part une importante série de recherches techniques par lesquelles la ville, s'éloignant du concert

62. Voir G. A. Le Monnier, 1778.
63. J. Proust, 1962 ; Bibl. mun. Caen, mss. in-fol. 57, notice de Nicolas Béziers.

spéculatif national, semble s'apparenter à la praxis anglaise. « Il en est à peu près de tant d'écrits, comme des mots qui les composent ; ... tout bien examiné, la plupart ne sont que de pures combinaisons qui montrent les mêmes objets sous divers aspects », résumait le chanoine Porée dans son « Discours sur la naissance et le progrès des Sciences et des Arts »[64], « il n'en est pas de même de la connaissance des faits, elle est inépuisable, chaque jour y ajoute ». C'est la même défiance envers les spéculations abstraites qu'exprimait un autre académicien de Caen, Jean Le Petit de Montfleury. Pour aborder les sciences de la société « il faut connoistre les différents intérêts des Princes et c'est où mon état borné ne m'a jamais fait songer ; il faut de bonnes relations dans sa patrie et dans le pays étranger et je suis un homme isolé, il faut estre politique et je n'y entends rien... il y aurait de la folie à moy de tenter une entreprise si hardie »[65].

Mais cette forme d'esprit a ses prédilections, d'abord la terre. Caen n'échappe pas à la fascination de son plat pays opulent, trop riche, on l'a déjà supposé, pour que la nécessité rende d'abord inventives l'industrie ou la construction navale. L'abbé Fleury s'est consacré à un moteur de moulin à marche réglable[66] ; les mémoires agronomiques de l'Académie foisonnent, en 1755, sur les bois de chauffage et de construction (du Mesnil-Morin), en 1758 sur les vers à soie, en 1760 sur la préparation des cidres ou les aléas des derniers vignobles normands, en 1763 et 1765 sur la culture du cali, en 1784 sur l'unification des mesures, en 1789 sur le parcage des moutons[67]. Par leurs aspects fonciers, deux mémoires sur le charbon de terre se rattachent encore à la même tradition en 1788-1789[68].

Lorsque les écrits s'élèvent au-dessus de l'analyse expérimentale, c'est aussi un problème concret d'aménagement rural qui en est le prétexte. Dans les années soixante, sur une question de l'Académie, Rouxelin, La Rue, Le Clerc, Duperré et La Fargue s'affrontèrent autour des défrichements et de l'appropriation des terres communes[69]. De même, vingt ans durant, Fontette, Viallet, Dupont de Nemours débattaient de la réfection des chemins et, par la corvée, en venaient à la libre circulation des grains et au problème de la mendicité[70]. Rouxelin et de Vendœuvre abordaient la répartition des revenus

64. Imprimé dans les *Nouvelles littéraires de Caen*, 1744. Cf. aussi Bibl. mun. Caen, in-4° 247, p. 94.
65. Bibl. mun. Caen, mss. in-fol. 202, Lettre à M. d'Ifs, 18 août 1738.
66. Bibl. mun. Caen, in-fol. 57. Cf. aussi *Journal de Paris*, 1784, n° 294.
67. J'ai pu consulter, grâce à l'obligeance de M. Chaunu et à celle de l'auteur, l'intéressant Mémoire manuscrit de M. Martin sur l'Académie de Caen. Voir également *Mémoires de l'Académie de Caen*, 1755 et 1760, *passim*. Outre Du Mesnil Morin, les auteurs sont respectivement Massieu de Clerval, le chanoine Porée, Tiphaigne de La Roche, Fouquet, Didier et de La Prise.
68. *Mémoire qui a remporté le prix en 1788*, Quetil de La Poterie, 1789.
69. *Séance publique pour la rentrée de l'Académie royale des Belles-Lettres* de Caen, Bibl. nat. et Arch. dép. Calv., 2 D 1391, pp. 1-33. Cf. aussi les « Réflexions » de Rouxelin lues à l'Académie le 20 juin 1765 dans Fréron, *L'Année littéraire*, 1765, t. 4, pp. 245-259. Entre-temps ce même procureur des Eaux et Forêts a présenté son « Essai sur le Commerce », 1763. Sur Rouxelin, voir le *Mercure de France*, décembre 1763 : critique des discours présentés à l'Académie pour le prix de 1763 ; *ibid.*, février 1765.
70. F. J. d'Orceau de Fontette, 1760 ; P. S. Dupont de Nemours, 1767 ; Viallet, 1771, analysé par Dupont sur manuscrit dans les *Ephémérides du citoyen* de 1769,

en étudiant la ponction fiscale sur les campagnes [71] ; à l'arrière-plan des mémoires hydrauliques apparaissaient l'aménagement de la basse vallée de l'Orne et le dégagement commercial du plat pays [72].

Après l'économie rurale, deux autres sujets traditionnels préoccupent encore les arithméticiens de Caen, l'usure et le paupérisme. L'examen des bibliothèques laissait d'ailleurs assez présager la faveur de ce thème classique des casuistes : l'intérêt de l'argent. Indifférent aux conclusions qu'on peut tirer depuis J. Bodin de la théorie quantitative en considérant l'argent comme une marchandise, également imperméable aux problèmes du financement industriel, le Caennais P. Le Cocq, général des eudistes, n'a composé en 1767 et 1775 que des dissertations théologiques, tardifs surgeons de la glose thomiste [73], tournés contre le père Grangier, J.B. Gastumeau et le curé de Sainte-Croix de Lyon, l'abbé Laforest. Il faut pourtant se retenir de juger anachroniques ces mises en garde contre le commerce de numéraire. Dans le *Bourgeois gentilhomme* ou *Don Juan,* le prêteur est toujours une sorte d'arroseur arrosé qui rencontre à la ville plus fin que lui, mais dans les sociétés provinciales ou rurales, il gardera longtemps le masque de l'exploiteur. D'une façon plus générale le problème de l'usure devenait d'ailleurs au XVIIIe siècle le simple codicille d'un défi que le développement des richesses propose à la conscience chrétienne : où fixer les bornes que la conscience morale suggère à l'usage de l'argent ?

C'est dans la phase d'accélération de la croissance urbaine, durant les années 1750-1760, que ces problèmes éthiques ont tourmenté le plus visiblement le clergé de Caen. En sont témoins les débats du séminaire, organisés en 1753 sur la licéité des constitutions de rente pour le compte des mineurs, c'est-à-dire toujours la question des placements de capitaux [74] ; et plus encore les conférences ecclésiastiques proposées de novembre 1757 à juillet 1758 par Mgr de Rochechouart *Sur la justice et sur le droit* [75]. Cet *aggiornamento* de la doctrine dénonce bien sûr la circulation des marchandises prohibées, il

---

t. 7 ; Viallet, 1779, analysé par Dupont sur manuscrit dans les *Ephémérides* de 1771, t. 4 ; Viallet, août 1771 ; Dupont de Nemours, 1771.

71. Arch. dép. Calv., 2 D 1519. Rouxelin, « Réflexions d'un Anglais sur la question proposée par MM. de la Société Royale d'Agriculture de Limoges... pour le mois de janvier 1767 : Apprécier et démontrer l'effet de l'impôt indirect sur les revenus des propriétaires de biens-fonds » ; de Vendœuvre, 2 avril 1789 : « Mémoire sur la répartition des impôts ». Nombreuses interventions du même auteur dans les délibérations municipales (Arch. mun. Caen, série BB, surtout en 1789).

72. Cf. M. Martin, travail manuscrit sur l'Académie de Caen, p. 126 : « Mémoires de P. Chardin sur le flux et le reflux en 1755 », de Lefebvre en 1779 et 1788 sur les ports de l'Océan et de la Manche, de Démouville en 1787 sur les digues, de La Prise le Jeune sur la jonction de l'Orne et de la Sarthe, 1788.

73. Sur l'auteur, né à Ifs en 1728 et mort à Caen, d'apoplexie nous dit-on, en septembre 1777, voir le « Moreri des Normands », Bibl. mun. Caen, in-fol. 57. Se reporter à la bibliographie générale pour le titre complet de ses œuvres de 1767 et 1775.

74. Bibl. mun. Caen, in-fol. 166. L'abbé Briant, curé de Notre-Dame de Caen, a rédigé une « Dissertation sur les deniers pupillaires ». Par trente voix sur trente-huit, la conférence se prononce en faveur de la liberté des tuteurs.

75. *Ibid.*, « Récapitulation des conférences... »

envisage, avec la précision d'un recueil des cas de conscience, la fraude fiscale du cabaretier qui triche avec les aides comme celle du seigneur qui obtient l'exonération de ses paroissiens ; mais l'examen de la concurrence économique relève d'un regard nouveau sur le siècle : que dire d'un marchand qui blâme avec excès les produits de ses confrères ? Où situer cet excès ? Plus encore les conférences ecclésiastiques découvrent un problème de justice sociale où tant d'autres textes voient l'effet d'un ordre naturel et même divin : « N'est-il point contre l'équité que les uns aient beaucoup plus de bien que les autres ? » s'interroge-t-on.

En amorçant un tel glissement de la charité vers la justice, l'inquiétude religieuse pouvait sans doute rencontrer partiellement les philosophies économiques et il faut attribuer à cette convergence la vivace floraison des mémoires rédigés à Caen entre 1759 et la Révolution sur la pauvreté ou la population, en un mot, sur la répartition des richesses. Certes les auteurs sont en danger de « dissertation » lorsqu'il leur revient d'évoquer ces vastes sujets en minces opuscules ; les avocats sont parfois tombés dans ce travers et la perte des mémoires de Touchet (« Sur le bonheur des peuples »), de Le Lorier (« Six parties sur les causes de la dépopulation »), Le Page (« Les moyens de faire fleurir un état »), Leclerc (« De l'utilité des discussions économiques ») ne doit pas laisser inconsolable [76].

Le meilleur demeure, à commencer en 1762, par le discours d'Elie de Beaumont « Sur les moyens d'avancer la population » [77]. A travers des analyses démographiques qui ne sont pas du ressort de ce chapitre l'auteur témoignait une visible inquiétude devant l'urbanisation et la perversion artisanale que développe le faste de « nos capitales ». Par ce pluriel le nouvel académicien désignait sans doute Paris et Rouen, mais pourquoi aurait-il omis la métropole régionale de second rang d'où il parlait lui-même ? Au fond le malaise des villes provient à ses yeux de la substitution qui est en train de s'opérer dans les règles économiques, sous l'empire de la demande. L'enrichissement des clientèles urbaines pèse sur le goût, démode les savoir-faire traditionnels, rend incertain l'avenir de celui qui s'apprête à fonder une famille et « doit en supporter les charges par les travaux du dedans et du dehors, pourvoir à l'éducation et à l'établissement des enfans ». Un sort plus cruel encore menace les artisans âgés. Comment leur assurer une vieillesse sûre et heureuse ? Elie de Baumont ne voit de remède que dans un renversement « de cette impulsion universelle qui détermine nos usages ». Toutefois, en cette année 1762, par excellence rousseauiste, les économistes de Caen ne manifestaient pas la moindre nostalgie des siècles révolus ; Beaumont s'en rapportait aux « seuls conseils d'une saine politique sans même qu'il soit besoin d'appe-

76. Respectivement, dissertations académiques du 3 mai 1759, 4 février 1762, 18 avril 1765, 5 mars 1767. Il faut bien rappeler cependant que le mémoire de Leclerc se rattachait sans doute aux réflexions échangées entre Rouxelin et G. F. Le Trosne. De ce dernier, voir la « Lettre à M. Rouxelin sur l'utilité des discussions économiques », *Journal de l'Agriculture, du Commerce et des Finances,* juillet 1766, republiée en 1768 dans le *Recueil de plusieurs morceaux économiques...*

77. Arch. dép. Calv., 2 D 1391. Ce discours a été imprimé par Le Roy, 1762, dans *Séance publique pour la rentrée de l'Académie...* Voir dans J. J. Spengler et A. Sauvy, n° 1722. Pour ce qui suit, voir dans l'édition de 1762 les pages 38, 45, 48, 55-58, 62-63, 69, 86-87.

ler la religion » et, toujours positif, proposait la gratuité scolaire pour les familles nombreuses et un système de rente viagère pour assurer aux vieux parents « des droits de survie ».

Ce tour concret appartient à une tradition locale dont Rouxelin apporte une autre illustration lorsqu'il s'en prend la même année, aux « étonnans sistèmes du citoyen de Genève ». En économie, s'écriait-il, « louer les vertus de la nature, c'est faire l'éloge de la probité des bœufs » [78] ; et de préconiser des défrichements publics qui alimenteront « les écoles d'instruction où la jeunesse apprendroit à travailler et à remplir ses devoirs et non à se livrer à des études de contemplation ». En somme la seule prophylaxie efficace de la nouvelle économie urbaine réside dans l'enseignement et la formation professionnelle. Attendons-nous à voir tous les amis des philosophes réunis pour ce combat : l'abbé Bouisset, précepteur chez l'intendant, et familier de la « coterie holbachique », dès 1763 avec son mémoire « Sur l'éducation » [79] ; Rouxelin dans ses « Réflexions sur les moyens de faire naître l'amour du travail dans le cœur des peuples » [80], le marquis de Croixmare, autre ami de Diderot, avec son essai « De la bienfaisance » [81].

Cet enthousiasme pédagogique, dont les fruits devaient nécessairement tarder longtemps, s'épuisa dans les années soixante-cinq lorsque s'amorçait l'apogée démographique de la ville. Désormais les essayistes de Caen n'auront plus qu'une préoccupation : par quels moyens mettre *hic et nunc* l'ensemble de la main-d'œuvre au travail ? Cette « Real-économie » entraîna bien des renoncements philosophiques. Viallet proposait d'implanter des ateliers de textile pour femmes et enfants, que des salaires spécialement bas rendraient compétitifs et protégeraient de l'encombrement [82]. Si l'intendant de Fontette, par fidélité à l'école de Quesnay, songeait encore à détourner les chômeurs vers la réfection des chemins, quatre mémoires de Ch. Longuet, en 1778, 1785, 1786 et 1787, présentèrent ouvertement l'apologie de la manufacture. Dès le premier [83] une entreprise de commerce et de secours vient en aide aux sans-travail, mais comme chez l'ingénieur Viallet elle rémunère sa main-d'œuvre en-dessous du taux moyen ; ainsi, point de préjudice, remarque l'auteur dont la logique est suffoquée par l'intérêt. Les trois autres projets explicitent simplement le sens de cette greffe de *workhouse* [84] : créer une société d'encouragement industriel, développer la fabrication des étoffes feutrées, des bas, lainages et toiles de coton, spécialiser et s'attacher la main d'œuvre en organisant sur place des maisons d'apprentissage.

78. *Ibid.*, p. 14 en note, et p. 29.
79. Arch. dép. Calv., 2 D 1454.
80. Rouxelin, 1764, résumé dans Fréron, *L'Année littéraire,* 1764, t. 8, p. 313 sq.
81. Arch. dép. Calv., 2 D 1460.
82. « Mémoire sur les moyens de supprimer la mendicité », 27 novembre 1766. Arch. dép. Calv., 2 D 1464. Cf. aussi J. J. Spengler et A. Sauvy, t. 2, n° 4448 ; résumé par Fréron, *L'Année littéraire,* 1767, t. 1. La réponse de Fontette est à la suite.
83. Ch. Longuet, 1779. Cf. aussi Arch. dép. Calv., C 615 et C 2829.
84. « Etablissement d'une manufacture d'étoffes feutrées et d'une maison d'apprentissage gratuit », 12 décembre 1785, Arch. dép. Calv., C 2829. « Sur les moyens d'améliorer le sort de la classe indigente », *Affiches et Avis divers de Basse-Normandie,* 11 juin 1786. Mémoire sur les manufactures de bas, lainages et toiles de coton, 6 décembre 1787. Sur l'auteur, voir P. Jubert, 1959-1960.

En dépit de leur pragmatisme et de leur prédilection agronomique, les économistes caennais ne sont donc pas indifférents aux comportements de l'homme au travail. Ils ont pressenti vers 1760 des remaniements importants de l'éthique sociale, liés au développement des villes. Pour un bref moment, il ne fut bruit que d'aller au peuple avec des lumières qui l'adapteraient au changement. La retraite idéologique vint quelques années après la guerre de Sept ans, lorsque la prospérité urbaine stimulait à la fois l'enrichissement des riches et l'afflux des pauvres. Dès lors la résignation des petites gens parut une voie d'autant plus souhaitable qu'elle servait mieux l'intérêt des entrepreneurs. Entre la passivité et l'innovation requises, un partage normatif s'accomplissait selon les groupes sociaux. Il annonce le XIXe siècle.

4. ATTITUDES DES CLASSES ÉCLAIRÉES DEVANT LE TRAVAIL

Au sein des classes urbaines éclairées, les économistes ne forment évidemment qu'une toute petite chapelle : deux médecins sur une trentaine, une demi-douzaine d'avocats sur cinquante, un ou deux négociants pour une centaine, quelques clercs, une poignée d'officiers et commis du roi. Mais l'opinion était-elle préparée à les entendre ? Répondre à cette question, c'est rechercher maintenant les traces bien effacées d'une atmosphère culturelle diffuse.

Les canaux par lesquels pouvait se propager la pensée économique ouvrent une voie d'exploration. On y voit le genre oratoire tenir une place prépondérante ; pour l'essentiel en effet, les sciences morales et politiques demeuraient un département à peine distinct des Belles-Lettres. On s'explique que l'Académie royale de Caen ait entendu tant de discours agronomiques ou populationnistes ; entre deux poèmes, elle les publiait dans ses comptes rendus. Le journal de Fréron — dont le titre ne trompe pas : l'*Année littéraire* — leur donnait ensuite un écho national. Une seule contribution de Longuet sur quatre parut dans les *Affiches... de Basse-Normandie,* feuille sans contenu culturel ; avec les articles de Viallet et Rouxelin au *Journal d'agriculture* et aux *Ephémérides,* peu accessibles en province, voici les rares publications exemptes d'environnement esthétique ou moral. Le reste du message est retenu dans les mailles du bien dire ; il apparaissait aux yeux de l'opinion comme un exercice dans le cursus qui mène des collèges aux compagnies lettrées : la Société des thélémistes, l'Académie royale, les loges maçonniques [85]. L'arithmétique politique s'agrégeait de la sorte à la vie mondaine, Voltaire et Grimm l'ont dit, mais dans un siècle où la conversation dispense d'universelles délices, ce n'est pas être tout de même hors de la vie. Pourtant il faut prendre garde que cette pensée se dévalorisait économiquement en frôlant le divertissement

85. Sur la Société des thélémistes, fondée à Caen en 1707, voir les papiers de La Rue, Bibl. mun. Caen, mss. in-8° 91. D. Mornet, 1929, p. 30 sq. a noté le goût des provinces françaises pour la poésie aimable, la rhétorique, l'érudition morale et historique ; c'est un héritage scolaire. Après 1750, remarque l'auteur (p. 103), la connaissance du monde matériel passe la connaissance de l'homme. Sans doute, mais le développement des sciences et des techniques fut assez lent pour être apprivoisé ; il ne menacera pas d'ici longtemps le vieil humanisme des collèges.

et qu'elle se heurtait ensuite aux innombrables expressions de l'humanisme classique.

Certes il n'est guère possible d'apprécier abstraitement le poids d'un héritage culturel transmis dès les écoles sur le comportement futur des générations adultes, singulièrement leur comportement économique. A moins que des sources originales ne placent côte à côte des témoignages concordants empruntés à des cohortes humaines successives. Or la mutation mécanique des idées reçues en partis pris devient moins courante depuis le XIXe siècle, par suite de l'accroissement numérique des idéologies comme de leur fragilité, mais il en allait autrement dans l'ancienne France. Du milieu du XVIIe siècle à la Révolution il est possible d'analyser à Caen ce consensus culturel. Des recommandations ininterrompues et si pressantes en sortent qu'elles imposaient sur le vrai bonheur de l'homme une échelle de valeur sans partage. Avant d'aborder l'étude des pratiques réelles de notre société urbaine, terminons par la philosophie scolaire cette analyse d'opinion socio-économique.

Les concours de poésie organisés chaque année par l'Université sous le nom de puys de palinod composent à ce sujet un ensemble documentaire insolite et brillant [86]. Depuis le XVIe siècle leur finalité religieuse s'était effacée plus vite à Caen sans doute que dans les fondations analogues de Rouen ou Dieppe. En 1666 commence une collection presque complète des pièces couronnées, sans parler des poèmes refusés ; la pensée dévote qui faisait à l'origine toute l'institution s'est réfugiée dès lors, *in fine,* sous une simple allusion à la Vierge [87]. A son tour, cette tradition cédera en 1792, trois ans avant la clôture définitive des concours [88]. Pour le reste, nulle contrainte de sujet : la ville et la campagne, les ouragans, les faits divers, les fables, les guerres, les événements dynastiques et la Bible formaient un vaste trésor d'arguments dont la

86. Plusieurs travaux de bon aloi ont été consacrés à ces fastes littéraires. E. de R. de Beaurepaire, 1866, 1907 ; A. Tougard, 1898. Le manuscrit de Tougard est à la Bibliothèque municipale de Rouen, mss. Y. 50, ancien fonds Martainville.

87. La Bibliothèque Mancel (provisoirement déposée aux Archives départementales du Calvados) possède la meilleure collection : 100 années sur 127 ; cf. Imprimés 835 I à IX. Les Archives de l'Université renferment les contributions de soixante-quatre années différentes (Arch dép. Calv., D 1233 à D 1262) et de volumineuses liasses de poèmes manuscrits non primés. La Bibliothèque nationale a soixante-huit années (Ye 12 334 à Ye 12 397), celle de Rouen, vingt-neuf années (Np 760). La Bibliothèque municipale de Caen présente une bonne collection de placards d'exhortation aux poètes mais peu de recueils couronnés (brochures, fonds normand, B 231, B 790, D 77-155, C 120, C 133, C 135-137, C 140-146, C 150-153, C 155. Les lacunes définitives ne concernent que dix-huit années : 1721, 1736-1737, 1739, 1741-1745, 1748, 1751, 1762-1764, 1767, 1772, 1780, 1787. Chaque concours propose six prix de poésie française, le chant royal, la ballade, l'ode, le sonnet, le dizain ; depuis 1740, les stances remplacent le chant royal tombé en désuétude. Sur des sujets identiques sont encore offerts trois prix de versification latine : l'épigramme, l'ode alcaïque et l'ode iambique. Les œuvres anonymes, pourvues d'un chiffre de reconnaissance, sont appréciées par le conseil de l'Université qui s'adjoint des notabilités urbaines : l'intendant, les échevins, des magistrats, des gentilshommes ; en voir la liste dans Arch. dép. Calv., D 77 à 83.

88. Le doyen Pottier demande en 1792 « des poésies propres à propager l'esprit public et analogues à la Révolution » ; cf. E. de R. de Beaurepaire, 1907, pp. 365-366.

nature rhétorique ne fait pas de doute ; seuls comptaient les beaux vers et point l'histoire. Ces « lieux communs » de la culture m'enchantent en ce moment. Le concours universitaire se contentait d'une pensée automatique. Tout ce qui pouvait être écrit dans la société urbaine y avait accès. Tout, mais pas plus, qui aurait refusé de concéder son dû à la censure publique puisque l'exercice était ailleurs ?

Il n'est pas malaisé de cerner d'abord les contours sociologiques des auteurs. Nous disposons de 674 pièces imprimées ; 495 d'entre elles peuvent être attribuées. Mais 395 manuscrits rejetés et non datés sont restés anonymes conformément au règlement, à l'exception de 22. Aucun tri ne s'est opéré sur le contenu des œuvres refusées dont les sujets sont sensiblement homologues à ceux des poèmes couronnés : nouvelle preuve qu'il s'agit bien d'un thesaurus ouvert à tous.

Répartition des thèmes	*Poésies manuscrites* (%)	*Poésies imprimées* (%)
La nature	26,7	27
Les lettres, les arts, les sciences	3,4	3,5
Les faits divers	5,1	6,5
L'histoire (de l'Antiquité au temps présent)	33,1	35,4
Les mœurs et la religion	31,7	27,6

Aucun tri non plus selon l'origine géographique et professionnelle des auteurs autant que les seules pièces manuscrites attribuées permettent de le savoir.

Bref les 517 contributions identifiées appartiennent à 278 concurrents, dont les domiciles sont connus à 86 %. Dans cet ensemble, les auteurs de la ville se taillent la part du lion, 70,7 %, le reste de la Basse-Normandie 13,8 % et la Haute-Normandie 8 % ; quelques isolés sont parisiens ou bretons. Cette ventilation est entièrement conforme à celle du recrutement universitaire tel qu'on peut le déduire des registres d'inscriptions en théologie, droit et médecine. D'autre part, l'homogénéité de ce milieu se confirme grâce à la répartition professionnelle. Le monde des écoles y était majoritaire :

	(%)
Professeurs	30,4
Etudiants ou séculiers suppôts de l'Université	23,8

Et en somme, le reliquat se composait d'anciens élèves :

	(%)
Bourgeois sans profession	19,7
Gentilshommes	3,2
Avocats, officiers de judicature	8,6
Médecins	4,3
Réguliers	10,0

Au long du siècle, une proportion d'aînés, presque toujours voisine des trois quarts, admettait ainsi dans son parnasse les meilleurs des jeunes élèves.

Ces concours remplissaient un rôle d'acculturation qui se renouvelle d'âge en âge.

Or les préférences éthiques des auteurs manifestent une évolution significative. C'est d'abord un silence séculaire, puis apparaissent, en 1738 pour la première fois, des thèmes de morale socio-économique. Le succès qu'ils reçoivent leur assure une amplification foudroyante ; dans les pièces imprimées ils composeront dès lors jusqu'à la Révolution 85 % des sujets relatifs aux mœurs ; les pièces manuscrites ratifient cette proportion. Et par-dessus tout, une unanimité impressionnante ! L'analyse des œuvres, 50 poèmes et plus de 2 000 vers dont les références sont en annexe [89], fera mesurer quel extraordinaire barrage idéologique la déontologie scolaire plaçait sur le chemin des transformations économiques.

En effet l'unique référence de cette éthique est le renoncement. Bien entendu les sources chrétiennes d'une telle pensée ne font pas de doute ; il serait possible que l'origine religieuse des concours ait apporté sa coloration spirituelle à l'exercice mais le silence du XVIIe et du premier tiers du XVIIIe siècle dans ce domaine, comme le succès postérieur de la même veine thématique, demeureraient incompréhensibles. En réalité la lecture révèle aussi les sources païennes ; le stoïcisme notamment irrigue en profondeur cette philosophie du sage, dont le développement croît en même temps que le XVIIIe siècle approfondit sa culture antique et se laïcise. Est-ce tout ? Non, bien des aspects s'éclaireront lorsqu'on les interprétera comme un remède aux maux du présent, un tel art de vivre se voulait ouvertement l'antidote des valeurs portées par les transformations économiques et urbaines. Par là, déjà, se comprennent mieux et la proximité chronologique séculaire des faits avec les ripostes idéologiques, et, selon une échelle plus fine, le décalage d'une génération environ des uns aux autres.

L'attaque frontale de cet humanisme académique se tourne contre l'enrichissement ; trente et un textes remettent directement en cause ce qui fait l'objet même de l'économie, un objet maudit. Mais la condamnation discerne deux niveaux de gravité. Le plus bénin d'entre eux est l'opulence parce qu'elle ne détériore en somme que ses bénéficiaires : le « vautour caché sous l'or » détruit la paix des âmes, il est « corrupteur », il rend « insensé, stupide », il enchaîne. Les adjectifs associés au concept le disent bien : « orgueilleuse », « fière », « inquiète opulence », quel « sombre ennui » ! [90]. L'abondance, au bout d'un laps de temps, ne met pas seulement en péril l'individu. C'est le premier jalon d'un mal social dont les suivants s'expriment par la cupidité, la fraude, l'injustice [91]. Dans sa critique du luxe, stade suprême de la richesse,

89. Voir annexe 9.

90. Pour simplifier des références innombrables, je renvoie aux numéros des œuvres indiquées dans l'annexe. Poèmes 1, 9, 12, 13, 17, 21, 28, 31, 32, 38, 43, 48.

91. Poème 42. Une tradition théâtrale très répandue développe les mêmes idées. Les comédies consacrées au jeu appartiennent à un autre siècle, presque celui du chevalier de Méré : Dancourt, en 1685 et 1718, *Les fonds perdus, La désolation des joueuses, La femme d'intrigue, La loterie, Les Agioteurs, La déroute du pharaon ;* Regnard, *Le joueur,* 1696 ; Dufresny, *Le chevalier joueur,* 1697, *La joueuse,* 1716, etc. Mais au XVIIIe siècle la richesse et son échelle de périls devient un leit-motiv de la scène. Outre *Turcaret,* publié en 1709, représenté en 1730, Lesage écrivit *La foire de Guibray,* 1714, *Le diable d'argent,* 1720, *L'industrie,* 1730, *La*

la philosophie des milieux scolarisés retrouve sans peine les expressions de certains économistes : il est asiatique (attention, l'Asie n'est pas la Chine, lisons Quesnay [92]), il est « scandaleux, barbare, destructeur » [93], et de surcroît, même dans une arithmétique des plaisirs, inefficient car il n'étanche pas le désir [94].

Apparaît alors sous nos yeux la ronde de tous ces morts vivants que la richesse emporte et tout se passe comme si la poésie scolaire se substituait à la tradition picturale déchue des danses macabres [95], en saisissant le voluptueux, le financier, l'orateur vénal, le marchand, le navigateur [96]. Plus que tous, les conquérants puissants, farouches, barbares et rapaces [97], les mondains et les grands sont en proie à l'aliénation pure. Les textes évoquent leurs « foles chimères », leurs vices fastueux, leur mollesse ; ils tracent une abondante nosographie de ces maux de la civilisation : la fatigue d'être, l'anxiété, l'insomnie et les frayeurs, le dégoût et l'amertume [98]. Sur le tronc médiéval se greffe visiblement l'« amplificatio » chère aux prédicateurs classiques et comme chez ces derniers elle autorise les bottes vigoureuses contre les orages des cours et même les rois : « Un monarque nous paraît grand », bientôt « il ne laisse voir qu'un brigand » [99]. Mais le XVIIIe siècle associe à cet héritage des thèmes trop singuliers pour ne pas trahir ses propres inquiétudes. Quelle surprise de voir le chercheur ou le philosophe parmi ceux que corrompt l'appétit du monde [100], et plus généralement le citadin, puisque les références lexicales qui désignent les villes sont entièrement homologues à celles qui traitent des richesses. « Tristes asiles », elles attirent le luxe, le tumulte, la pâle avarice, « l'inquiétude » ; plus les cités sont florissantes, plus elles sont détestables [101].

L'actualité de ce traité collectif des passions s'accentue d'ailleurs dans sa partie positive. En effet, la plupart des pièces sont conçues comme des itiné-

---

tontine, 1732. Marivaux, de son côté, *L'héritier de village,* 1725, *Le triomphe de Plutus,* 1728, *Le legs,* 1736. Soulas d'Alainval, *L'embarras des richesses,* 1725. Depuis les années 1750, Grimm a soigneusement commenté dans sa *Correspondance,* les œuvres mineures rattachées à ce thème : J. Q. Fleury, *Le temple de Momus,* 1752, Poullain de Saint-Foix, *Le financier,* 1761, Fenouillot de Falbaire, *Le fabricant de Londres,* 1771, Bret, *Le protecteur bourgeois* (dans ses trois volumes opuscules, 1772), Louis Sébastien Mercier, *L'indigent,* 1772, Pépin de Dégroulhette, *L'homme à la mode ou les banqueroutiers,* 1773, Sedaine, *Proverbe pour la princesse de Piémont,* 1777, Lourdet de Santerre, *Le savetier et le financier,* 1778, Barthe, *L'homme personnel,* 1778, Lourdet de Santerre, *L'embarras des richesses,* 1782, Carrière Doisin, *Les folies du luxe réprimées,* 1787, Beffroy de Reigny, *La fin du bail ou le repas des fermiers,* 1788, Collin d'Harleville, *Les Riches,* 1793.

92. F. Quesnay, 1767. La Chine est, chez les physiocrates, le plus sain des empires agricoles, cf. M. Lutfalla, 1962.

93. Poèmes 20, 21, 31, 43.

94. Poèmes 38, 46.

95. A. Corvisier, oct.-déc. 1969.

96. Poèmes 2, 11, 12, 20, 37, 38.

97. Poèmes 1, 2, 3, 4, 9, 11, 30, 32, 37, 38, 39, 40, 45.

98. Poèmes 2, 7, 11, 12, 18, 28, 31, 37, 42, 43, 45, 47, 48.

99. Poème 28.

100. Poèmes 2, 5, 6, 19.

101. Poèmes 7, 24, 28, 36, 42, 43, 44, 48.

raires qui s'enveloppent. Economique, de la richesse à la saine pauvreté ; géographique, de la ville à la campagne ; biographique d'une aveugle jeunesse à une maturité apaisée ; moraux : du plaisir à l'argent et de l'argent au bonheur, de l'ignorance ou de la fausse science à la sagesse [102]. Or ces cheminements n'adoptent pas la voie du retour à l'âge d'or : trois allusions évoquent seulement son innocence passée, ses hommes « simples et sans rudesse » [103]. De cette *Mayflower* poétique débarque un modèle positif, à venir.

Bien sûr, c'est un villageois, un habitant des hameaux « purs et tranquilles », semés dans les verts pâturages, « délicieux asiles ». Pour notre propos il faut à peine s'arrêter aux guirlandes des bergeries qui, de l'opéra à la chanson populaire, étaient universelles. Deux nostalgies absolument dominantes attireraient cependant l'attention du psycho-sociologue : le thème du bosquet ombreux, fécond, riant, fortuné et celui du toit, que les textes disposent en litanies : « toit du berger », « toit de chaume », « toit de feuillage », « toit rustique » [104]. Bref, sous la tradition culturelle, cette évocation de la nature renvoyait à une idée-mère, au besoin de protection, de sécurité, pas aux activités agricoles : le sage n'est qu'exceptionnellement un cultivateur, ou bien c'est Cincinnatus [105]. En tout temps d'essor urbain, la campagne devient un chiffre pour transcrire le bonheur, d'où son aspect lexical. Ces bosquets imaginaires et fleuris sont de la même essence que le « jardin » des racines grecques. Les roués seuls saccageront les symboles : « Vous voilà donc à la campagne, ennuyeuse comme le sentiment et triste comme la fidélité ! » ; c'est le vicomte de Valmont [106].

D'ailleurs la vraie vie, une fois qu'on la goûte, ne s'attache pas à une profession précise, elle est la récompense de la vigilance et du changement refusé. Tout à la fois le XVIIIe siècle a pris conscience qu'aujourd'hui n'était plus hier et qu'il y avait là un danger. La littérature nationale, donc surtout parisienne, où l'on ne compte plus, contrairement à l'époque précédente, les romans et essais sur les mœurs *de ce siècle,* les folies *de ce temps,* l'illustre d'abondance et j'en rappelle quelques exemples [107]. A Caen, peut-être dans toutes les provinces, les milieux enseignés étaient plus sensibles aux périls de la société nouvelle que séduits par ses attraits.

Le sage recherche la retraite et l'obscurité [108] mais l'atmosphère religieuse des puys de poésie n'était pas suffisante pour inspirer aux auteurs de longs plaidoyers en faveur de la solitude métaphysique entendue comme une voie

102. Poèmes 5, 12, 13, 14, 22, 24, 36, 41, 42.
103. Poèmes 17, 43, 49.
104. Poèmes 2, 7, 11, 13, 16, 20, 21, 24, 28, 31, 34, 36, 38, 42, 45, 48.
105. Poèmes 21, 37, 43. Sur *L'idée de bonheur,* R. Mauzi, 1960 ; C. Rosso, 1969.
106. Choderlos de Laclos, 1782, Lettre 115. Opposons-lui les bucoliques parascientifiques de l'abbé Pluche, 1732-1750, dont l'influence fut reçue de ceux mêmes qui contesteront J. J. Rousseau et, en fin de siècle, des auteurs secondaires comme C. F. A. Lezay-Marnezia, 1785 et 1787 ; les essayistes, tel L. S. Mercier, 1782-1787, t. 3, p. 117 : « O toi, qui loin des villes, respires en paix. » Et les médecins, S. A. Tissot, 1820, t. 3, p. 164, *De la santé des gens de lettres,* « La campagne qui est l'endroit où l'on pense le mieux. » D. Mornet, 1907, fournit une bibliographie inépuisable.
107. Voir l'annexe 10.
108. Poèmes 2, 31, 47.

vers Dieu ; quelques allusions seules vont dans ce sens [109], d'autres plus nombreuses vantent les sociétés restreintes, élues du cœur, dont J. J. Rousseau donna en 1761, avec *la Nouvelle Héloïse,* le modèle culturel [110]. Epoux une fois, père trois fois, l'homme heureux vit entouré « d'un essaim de neveux » [111] ; citoyen « généreux et sensible » même lorsqu'il se désintéresse des ressorts de la politique [112], il place très haut l'amitié, d'aventure mais rarement la bienfaisance (trois allusions [113]), bien qu'il confesse l'égalité des hommes (trois aveux également [114]). Ses moyens sont limités, il fait valoir « un petit héritage » ; à distance égale de la misère et de la richesse, il « use du nécessaire », se vêt sobrement, se borne au « legs » de ses pères, puisque ses besoins ne dépendent pas de l'opinion [115]. C'est donc l'apologie de la « médiocrité » [116] ; l'idée est venue des poètes latins, d'Horace en particulier, mais elle est toute roussie de puritanisme : plusieurs textes admettent que les justes peuvent mourir dans l'abondance s'ils font fructifier d'un pas égal leurs vertus et leur fortune [117].

Au reste leurs qualités les moins rares, nous dit-on, émanent de la raison : la défiance envers les charlatans, la sincérité, la douceur, le goût du savoir utile et le respect des arts [118], l'inclination pour la liberté morale plus que politique [119]. Prendre dans le silence des passions, des plaisirs légitimes au sein de la vertu, résume cet égotisme qui survécut au XVIIIe siècle.

L'éthique individualiste exprimée dans les milieux éclairés ne fait pas mystère de ses fins puisque les mêmes thèmes reparaissent vingt-deux fois. Elle exorcise le changement et les innovations [120]. L'homme n'aura plus d'inquiétude, qu'il se repose, désormais indifférent au battant des années, qu'il se confie « au doux sommeil », appelle de ses vœux les pavots ; avec l'hiver s'avance le calme et le bonheur, la mort n'est que « la nuit d'un beau jour ». En tous sens cette idéologie pourchasse l'avenir. Le sage ne cherche pas à en disposer, il en recule le plus possible les effets, il l'économise et conçoit à sa manière un état stationnaire :

> « Il n'a point abusé du thrésor de sa vie. » [121]
> « Quand on n'abuse point des jours de sa jeunesse
> Sans terreur on arrive au déclin de ses ans. » [122]

109. Poèmes 2, 8, 11, 12, 14, 27.
110. Surtout dans la lettre X de la quatrième partie.
111. Successivement poèmes 25, 28, 41, 1, 38.
112. Poèmes 1, 25, 32, 48.
113. Poèmes 25, 32, 33, 40, 41, 48.
114. Poèmes 16, 17, 40.
115. Poèmes 1, 17, 2, 7, 11, 24, 37, 43.
116. Poèmes 7, 31.
117. Poèmes 1, 13.
118. Poèmes 4, 11, 17, 21, 22, 23, 35, 46, 48.
119. Poèmes 1, 10, 32.
120. R. Mauzi, 1960, notamment le chapitre 9, « L'immobilité de la vie heureuse », pp. 330-385. Cf. ici nos 9, 13, 16, 18, 25, 35, 36, 37, 43, 45, 48, 49.
121. Poème 13.
122. Poème 43 ; ajouter évidemment la condamnation du suicide, poème 29.

Sans doute le modèle avoue que « les mondes effacés fondront dans le chaos », « mais sa vertu respire et revit d'âge en âge dans ses fils dont lui-même il a formé les mœurs » [123]. Dans la répétition, un éternel présent commence pour l'humanité, pourvu qu'elle sache bien compter :

« L'art de jouir du temps ajoute à l'existence » assure Phoclès, le citoyen sensible [124]. Une telle « sagesse » lutte contre le gaspillage, elle thésaurise l'activité humaine plus qu'elle ne l'investit ; il est visible qu'elle a choisi la croissance des loisirs contre celle des revenus.

Dans ces archives poétiques, les voix de l'avenir ne parlent que deux fois contre cette philosophie de la rente foncière ; c'est dire leur ténuité ; et les textes furent rejetés par le jury, est-ce un hasard ? L'analyse détaillée des deux poèmes ferait apparaître une antithèse à ce point parfaite qu'elle n'apprendrait plus rien dans sa critique de l'ignorance, de la satisfaction de soi, de l'indifférence et la paresse, comme dans son plaidoyer pour le progrès [125]. Une strophe seulement du « Triomphe des arts », composé au temps de Montgolfier, saluera la naissance fragile de la pensée démiurgique à Caen :

> « Rien ne résiste à l'homme aidé par l'industrie
> Sur de frêles vaisseaux il vole sur les mers
> Il anime les arts au flambeau du génie
> Et transmet sa pensée à cent peuples divers. »

Pour l'histoire des mentalités économiques dans la ville, il est plus utile d'ajouter au contraire un peu d'épaisseur au profil du sage économe vers lequel se tournent tous les autres textes.

Cette idéologie n'était pas de celles qu'on abandonne, une fois le pensum poétique achevé. Elle se réfractait à travers les compétitions universitaires sur l'ensemble des sujets traités. Par exemple, dans les stéréotypes qui mettent en scène la Grande-Bretagne et la Hollande, où se résument, plus que chez le juif « impitoyable » [126] les tristes effets de l'activité marchande, l'âpreté au gain, la fébrilité inquiète et le malheur ; dans l'antithèse américaine où les colons, réussissant un double périple géographique et moral, s'approchent, aux bords de la prairie, des vertus patriarcales et, croit-on, de la simplicité désintéressée [127]. Ensuite la même idéologie gagnait le théâtre où, dès 1748, s'offraient au public les « *Incommodités de la grandeur* » [128]. Elle inspirait aussi le contenu de l'enseignement.

Le père André, professeur au collège du Mont, composa un *Art de bien vivre* [129], le dédain de l'entreprise et des richesses s'y associait à la louange

123. Poèmes 18 et 13.
124. Poème 48.
125. Poèmes 26 et 50.
126. Arch. dép. Calv., D 494, Ode française, « La résurrection triomphante de N.S. Jésus-Christ ».
127. Sur la représentation de l'Angleterre, J. C. Perrot, 1971. Sur celle de l'Amérique, la thèse de R. Rémond, 1962.
128. Comédie héroïque en cinq actes et mêlée de chants du R.P. du Cerceau. Cf. G. Lavalley, 1910-1912, t. 3, p. 357.
129. Il n'a pas été imprimé, autant que je le sache. Cf. le manuscrit Bibl. mun. Caen, mss. in-4° 152, notamment fol. 8, 26, 39, 42.

de la retraite, comme dans l'*Essai sur l'instruction morale, politique et chrétienne* de Petit de Montfleury[130], dans les *Avantages de la médiocrité* et l'épopée du *Docteur Franklin* composés par Le Manissier[131], professeur de seconde chez les jésuites. Les exercices scolaires les plus indifférents suggéraient en réalité des attitudes analogues et l'on accordera autant d'importance éthique aux translations latines du XVIIIe siècle qu'au message culturel confié par Mallarmé à ses thèmes anglais. Voici le cahier du maître de troisième au collège des Arts en 1782-1788[132]. Soixante-dix-sept thèmes latins, parmi quelques sujets divers ou religieux, martèlent aussi le refus du profit, de la concurrence : « Heureux celui qui, content de la médiocrité... jouit d'un parfait repos »[133], et la critique de l'affairisme orgueilleux[134]. L'honnête homme n'ambitionne point les grandes charges : « Pour obtenir un employ lucratif, on ne le voit jamais supplanter son rival »[135]. Fi des insensés qui bourlinguent sur les mers pour de l'argent, « plus leur trésor est abondant, plus ils veulent y ajouter », fait-on traduire aux arrière-petits-enfants des navigateurs normands[136]. Et comme les concours universitaires, les exercices latins usent de médiations analogues pour passer de la morale individuelle à la philosophie de l'histoire.

1) La perversité des nations marchandes : « Tant que l'Angleterre ignora le luxe et les plaisirs, quoique vaincue plusieurs fois, elle conserva toujours une espèce de liberté, un fond de courage qui la garantissoit d'une entière servitude », elle est maintenant assujettie pour toujours à l'appétit du luxe[137].

2) Nos villes sont toutes « anglaises »[138], lieu de tentations somptuaires, de plaisirs frelatés, de dangers : « Enfermez-vous pendant quelques jours dans votre cabinet, vous y trouverez tant de douceurs »[139].

A la vérité cette morale économique et sociale pouvait souffrir en dépit de sa forte cohérence, deux versions différentes et sitôt qu'elle fut prêchée aux écoliers des années quarante l'ambiguïté s'installa pour durer. L'interprétation la plus noble trouve chez J. J. Rousseau sa forme racinienne à la fin du *Discours sur les Sciences et les Arts,* « O vertu, science sublime des âmes simples, faut-il donc tant de peines et d'appareil pour te connaître ? Tes prin-

130. Le Petit de Montfleury, 1755. Du même, allocution à l'Académie de Caen en 1765 : « Instruction morale et politique sur la manière de se bien conduire dans le monde ».

131. Abbé Le Manissier, 1770 et 1787. Le même thème chez B. Franklin, 1778.

132. Bibl. mun. Caen, mss. in-4° 250.

133. Thèmes du 9 mai 1783, 12 février et 28 avril de la même année ; encore le 13 février 1788.

134. Exercices du 21 décembre 1782, 25 janvier 1783, 15 janvier 1788.

135. Les 6 novembre 1782 et 1787.

136. Thèmes du 7 avril 1783 et du 8 avril 1788.

137. Les 26 février 1783 et 27 février 1788.

138. Les 12 décembre 1782 et 13 décembre 1787. Rapprocher du livre XII des *Confessions* de J. J. Rousseau : « Je comprends comment les habitans des villes qui ne voyent que des murs, des rues et des crimes ont peu de foi. » Œuvres complètes, 1959, t. 1, p. 642.

139. Thèmes des 21 novembre 1782 et 22 novembre 1787. Comparer à D. Parodi, 1921.

cipes ne sont-ils pas gravés dans tous les cœurs et ne suffit-il pas pour apprendre tes lois de rentrer en soi-même et d'écouter la voix de sa conscience dans le silence des passions ? »[140] Cette délectable culture de soi eut ses zélateurs normands ; dès les années cinquante, les textes de l'Académie des Belles-Lettres en font foi : La Londe, « Que les désirs de l'homme font tout son malheur », 1751 ; Bocquet du Hautbosq, « Essay sur les moyens de prévenir l'abus des sciences et des arts » 1752[141] ; le père André, « Sur les merveilles de l'homme », 1755 ; du Touchet « Sur les dangers des arts et des sciences », 1756 ; Le Paulmier, « Sur ces paroles du gentilhomme de Montesquieu : Restons comme nous sommes », 1763[142].

A l'inverse, la deuxième conception menait au *Bonhomme Richard* de Franklin, dégradé par l'intérêt. P.F.L. Duquesnay, élève des jésuites de Caen dans la décennie 1740-1750, a tenu pour lui des cahiers de réflexions, de bouts rimés, de citations qui défigurent le modèle du sage[143] et montrent comment pouvait, aussi bien, être reçue l'influence des maîtres. La critique de l'orgueil et de l'avidité ? Devenue maintenant un simple conseil de prudence :

> « Evitez les excès, tout excès est blâmable
> Jusque dans la vertu le trop est condamnable. »[144]

La réserve et le renoncement du sage ? Un hédonisme trivial :

> « Avoir une maison à soi, n'importe quelle,
> Hanter peu ses voisins quoiqu'ils soient bonnes gens
> Vivre sans cabales, n'avoir aucuns enfans
> Et posséder en paix une femme fidelle
> N'avoir dettes, procès, amour ni de querelles...
> Se contenter de peu...
> Et attendre chez soi bien doucement la mort... »[145]

Chemin faisant, quelle chute !

> « Un fauteuil cependant que je viens d'acheter
> Augmente de beaucoup les plaisirs de ma vie. »[146]

Au fond le message n'est pas seulement trahi mais refusé sur un point essentiel. P.F.L. Duquesnay s'est expliqué dans ses carnets intimes sur la puissance de l'or :

> « Si quelque fois, du ciel la faveur m'en envoye
> Je ne m'aperçois point qu'il trouble mon repos

140. J.J. Rousseau, œuvres complètes, t. 3, 1964, p. 30.
141. Texte qui évoque de près J.J. Rousseau, Arch. dép. Calv., 2 D 1442.
142. C'est un thème que le bon sens de l'abbé J.J. Gautier, curé bas-normand, détériore assez prosaïquement dans ses deux ouvrages de 1787 et 1789.
143. Bibl. mun. Caen, mss. in-4° 122. Pour les hypothèses d'identification, voir G. Lavalley, 1880, p. 78 sq.
144. Bibl. mun. Caen, mss. in-4° 122, fol. 143.
145. *Ibid.*, fol. 142.
146. *Ibid.*, fol. 155.

> Ceux qui manquent d'argent en parlent par envie
> Et je ne me rends pas à leur discours malin...
> Cent mille louis d'or sont cent mille vertus. »

Et il a cette ironique et secrète riposte aux bons maîtres :

> « Avec de l'or on a tout : l'esprit et la noblesse
> La beauté, la valeur et même la sagesse. » [147]

Ces rares confidences du journal intime ne sont peut-être pas incompatibles avec un discours public de l'auteur, ouvertement différent. Sont-elles plus vraies ? Cette question appelle un examen des réalités après celui des opinions. De surcroît, l'expression des attitudes socio-économiques est entièrement déficiente lorsqu'on sort des milieux aisés. Sur les marges culturelles où pénètre le colporteur normand et que ravitaillent les bibliothèques bleues de Caen ou Rouen [148], il n'existe plus que deux types humains intemporels, exténués de conventions : le misérable (exemple : *Explication de la misère des garçons tailleurs,* permis de 1754) [149] et le paresseux (*La grande confrérie des saouls d'ouvrer et enragés de rien faire...,* permis de 1735). Au-delà, plus rien, que le travail sans phrase.

II. LES DONNÉES HUMAINES DU CHANGEMENT ÉCONOMIQUE

L'absence d'information sur le monde contemporain et l'attrait des milieux instruits pour cette éthique stationnaire pouvaient retarder le changement industriel et commercial ; s'il s'est produit, n'est-ce pas à l'insu de ses agents [150] ? C'est *a posteriori,* depuis deux siècles, que la réflexion s'exerce en effet sur ces réalités dynamiques. Les voici devenues, comme était la philosophie du renoncement au XVIIIe siècle, un lieu commun de notre temps. Pourtant l'avenir sera toujours plus étrange que nous ne pouvons imaginer et la bibliographie de la croissance matérielle, dans sa luxuriance présente, jette sans doute un masque sur le futur ; elle devrait exciter la méfiance des prospecteurs du lendemain ; au contraire, elle constitue très légitimement le pain quotidien des historiens.

Le changement économique prend toujours son origine dans les situations de rupture, il s'entretient avec elles et cette remarque concerne l'ensemble des forces qui règlent la production et la distribution. Il conviendra donc d'examiner successivement des réalités écologiques, juridiques et financières.

147. *Ibid.,* fol. 153.
148. R. Hellot, 1928.
149. *Le bonhomme Misère* semble plus spécifiquement troyen.
150. P. Dockès, 1967, étudie les analyses « exemplaires » de W. Temple et J. Child sur le développement économique. Il est possible de retrouver, en toute occurrence, une pensée prophétique ou accidentelle que l'histoire a ratifiée. Dans la perspective de ce chapitre, c'est la densité des expressions qui compte.

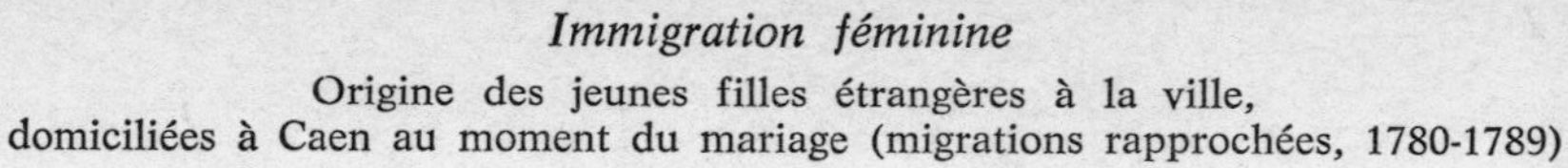

Immigration féminine

Origine des jeunes filles étrangères à la ville,
domiciliées à Caen au moment du mariage (migrations rapprochées, 1780-1789)

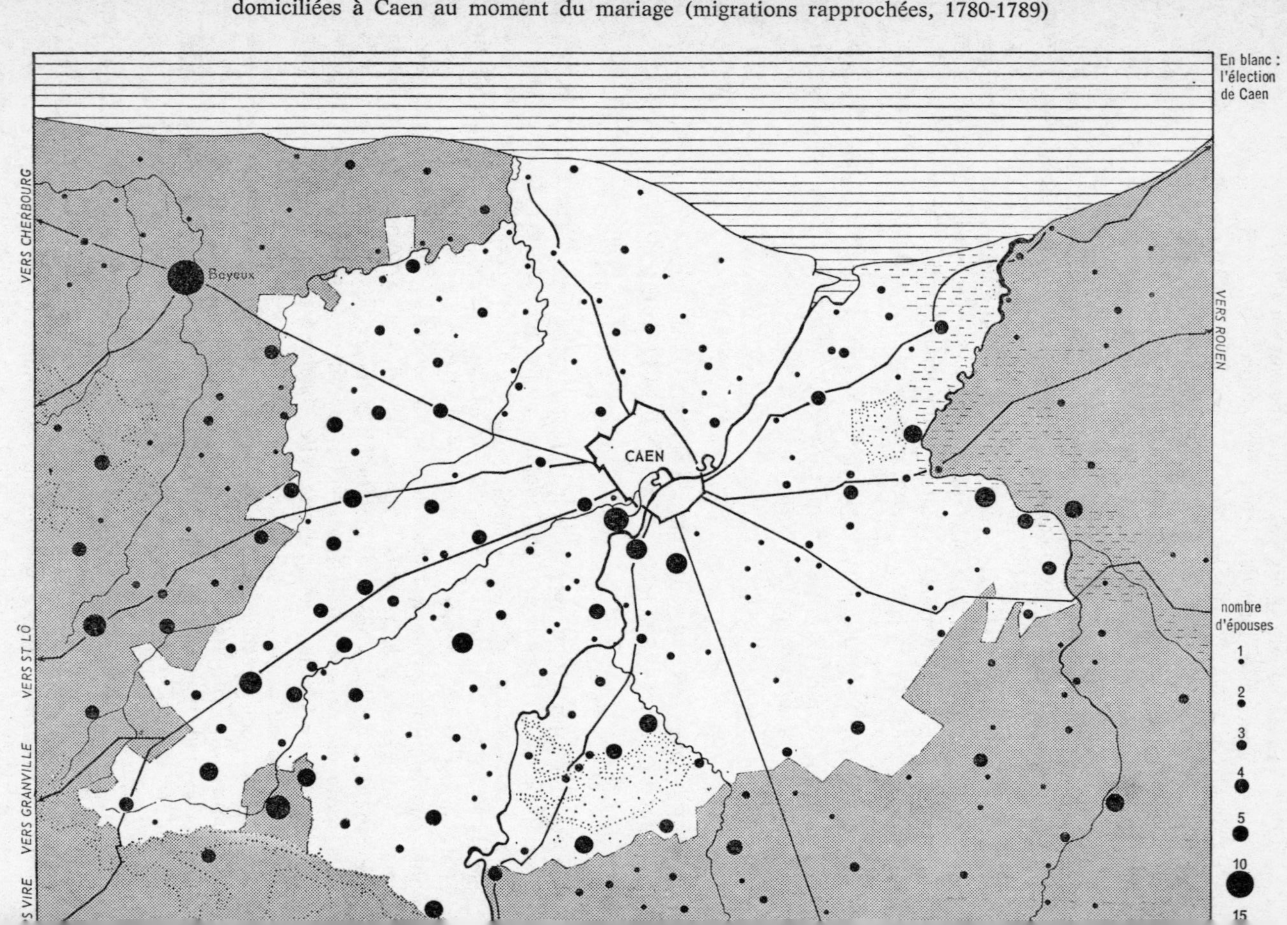

1. LA MOBILITÉ DE LA MAIN-D'ŒUVRE

A cet égard, l'événement le plus important fut déjà signalé dans l'étude des structures démographiques [151] : c'est la mobilité géographique, qui renouvela, de 1740 à la Révolution, entre le tiers et la moitié du patrimoine biologique de la ville. L'aspect numérique de ce mouvement compte beaucoup car le changement professionnel est plus facile lorsqu'il s'accompagne d'un déplacement de l'horizon géographique. La rencontre des deux ruptures créera des conditions favorables à une nouvelle acculturation économique, dût-elle s'exercer à travers des ravages affectifs et sociaux. Mais dans cette perspective, l'analyse des origines migratoires est aussi intéressante que l'observation des volumes. Les nouveaux venus devaient en effet entrer dans l'économie urbaine — ou repartir. Leur expérience préalable introduisait entre eux beaucoup d'inégalités que nous examinerons à l'aide des registres de mariage, faute de pouvoir saisir l'origine des célibataires [152].

La donnée la plus primitive repose sur l'ampleur du déplacement. La construction de cartes ponctuelles, minutieuses photographies du mouvement réel, a permis de rejeter deux procédés d'analyse déficients [153]. Le plus grossier aurait rattaché les migrations aux grandes voies de communication : en réalité, le cheminement piétonnier, ou la charrette, infiniment souples, contribuaient à disperser les origines en semis. La deuxième méthode découpait en cercles concentriques d'espace-temps l'aire de migration. Elle ne vaut guère mieux ; elle range sous la même division des régions de comportement tout différent : la densité et l'importance des foyers de départ ne se disposaient pas selon une loi régulière d'éloignement. Ils font réapparaître au contraire les frontières administratives et politiques de l'ancienne France : l'élection, les généralités, le royaume. Ainsi la coupure de la ville avec la généralité de Rouen — trois heures de marche à pied — est éclatante au fil de la vallée de la Dives. J'avais montré d'ailleurs, dans une autre étude, sa persistance démographique sous la Révolution et l'Empire [154].

Selon ce bornage qui épouse la réalité, l'indice des migrations des deux sexes par unité de surface entre 1740 et 1789 suit une progression d'ampleur logarithmique :

	Indice
France moins la Normandie	1
Généralité de Rouen	15
Généralités de Caen et d'Alençon moins l'élection de Caen	103
Election de Caen	1 647

151. Se reporter au chapitre consacré aux grands traits de l'évolution démographique.

152. Arch. dép. Calv., 4 E, état civil de Caen, 1737-1792. Il ne sera pas tenu compte des époux et épouses mariés à Caen et qui résident ailleurs. Seuls les premiers mariages sont retenus. C'est la paroisse d'origine et non pas celle du dernier domicile avant l'entrée en ville qui est relevée ; à Caen, c'est au contraire la paroisse d'arrivée.

153. Voir la carte de l'immigration féminine.

154. J. C. Perrot, 1965.

Il serait hors de propos d'expliquer la raison d'une telle pertinence entre les cadres administratifs et les mouvements de population sans aborder l'histoire de la Normandie depuis la période ducale. Voici des phénomènes de cristallisation millénaires, à l'issue desquels les pouvoirs de décision, l'organisation des marchés, l'emprise juridique ou fiscale ont fini par imprégner les comportements économiques et démographiques : c'est l'ennoyage de l'habitude dans la nature. En tout cas, la vie matérielle reprenait toute son influence au sein de ces unités administratives. Ainsi, dans l'élection, la carte des foyers d'émigration vers Caen reproduisait avec ses plus fortes densités les zones où le blé devenait déficitaire en temps de pénurie [155]. A l'échelle des groupes, le déracinement traduit toujours une nécessité économique.

Si l'on néglige maintenant l'extension des aires de départ pour ne considérer que l'origine et la conclusion urbaine des déplacements, la ventilation s'établit ainsi dans la période 1740-1789 pour une population statistique de 8 672 cas :

	Hommes (%)	*Femmes* (%)	*Total* (%)
Pays étrangers	1,0	0,4	0,7
France extra-normande	16,8	3,2	10,8
Généralité de Rouen	4,6	2,7	3,7
Caen et Alençon moins l'élection	35,3	53,8	43,6
Election de Caen	42,3	39,9	41,2

Les déplacements féminins sont donc plus timides ; parfois le ressac militaire apporte au contraire les hommes de beaucoup plus loin, notamment de l'étranger et des marges frontières. Mais 93,7 % des femmes et 77,6 % des migrants masculins n'étaient pas sortis de la Basse-Normandie. Leurs souvenirs d'enfance demeuraient peuplés de façons agricoles, de gestes de fileuse, de recettes de tisserand villageois. L'origine rurale de l'immense majorité d'entre eux ne fait pas de doute en effet. Pour la mettre en évidence, et après avoir tranché du même coup un débat superflu en ce moment sur les critères de définition urbaine, usons des indications puisées dans le *Dénombrement* de Saugrain [156]. La dénivellation est telle, entre les deux sources de migration, qu'elle décourage toute discussion sur la validité de ce tri :

	Hommes (%)	*Femmes* (%)	*Total* (%)
Campagnes	85,1	90,9	88,0
Villes	14,9	9,1	12,0

Dans les neuf dixièmes des cas, la migration coïncidait ainsi avec le baptême urbain. Elle apportait une population démunie des clés citadines que sont

155. Comparer la carte de l'immigration et celle des réserves de blé.

156. La définition des villes n'y est pas attachée au nombre de feux, mais à l'institution municipale. Dans l'immense majorité des cas, un classement sur la base des 500 feux fiscaux serait identique.

la connaissance du cursus corporatif, des filières compagnonniques, celle des savoir-faire diversifiés et finalement des savoir-vivre en ville. A peine la branche masculine se détachait-elle légèrement par une nuance urbaine, l'indice peut-être d'une migration plus volontaire.

En tout cas le sort ultérieur des nouveaux arrivants confirmait la disparité de leurs chances, telles que le raisonnement pourrait les déduire de leurs origines géographiques. Les citadins de naissance parvenaient toujours à se glisser nombreux dans le quartier résidentiel de leur nouvelle ville et les ruraux demeuraient, plus que ceux-ci, relégués dans les faubourgs où le caractère semi-campagnard des activités compromettait peut-être autant le succès de leur greffe urbaine qu'il le facilitait [157].

Implantation des immigrants

Origine	*Quartiers périphériques*	*Centre artisanal*	*Centre résidentiel*
HOMMES			
Campagnes	34,9	48,7	16,4
Villes	29,1	52,5	18,4
FEMMES			
Campagnes	28,4	54,4	17,2
Villes	24,1	51,8	24,1

Il n'existait donc pas une population migrante mais deux et les tableaux précédents révèlent leur asymétrie qualitative et quantitative. L'une était déjà urbanisée mais très minoritaire, l'autre composait une piétaille campagnarde volumineuse. Comme les affluents d'un lac, les deux courants se mêlaient malaisément dans la profondeur de la ville et persistaient spatialement. Temporellement aussi, l'écart demeurait stable dans chacun des sexes, en dépit d'une infime déperdition du débit rural :

Origine	*Hommes*		*Femmes*	
	1740-1749	*1780-1789*	*1740-1749*	*1780-1789*
	(%)	(%)	(%)	(%)
Campagnes	86,7	85,0	89,4	88,8
Villes	13,3	15,0	10,6	11,2

Les véritables changements diachroniques portent sur le glissement relatif des aires de gravitation circum-urbaine. Mais cette variation se perçoit différemment selon les sexes.

157. Sur la division de Caen en secteurs périphérique, artisanal et résidentiel, voir plus loin le chapitre XI.

Origine	*1740-1749* (%)	*1750-1759* (%)	*1760-1769* (%)	*1770-1779* (%)	*1780-1789* (%)
HOMMES					
Election	55,2	49,3	42,9	37,6	35,5
Basse-Normandie	34,0	36,4	35,3	35,6	34,5
Reste de la France	10,7	14,3	21,8	26,8	30,0
FEMMES					
Election	49,7	45,1	47,1	37,7	32,5
Basse-Normandie	44,9	50,3	47,8	56,0	59,5
Reste de la France	5,4	4,6	5,1	6,8	8,0

Le riche terroir de l'élection perdait donc son rôle privilégié de vivier migratoire. Et tandis que les généralités de Basse-Normandie, toutes proches, le remplaçaient chez les femmes, l'espace national, accessoirement l'étranger, conquéraient une place toute neuve dans les déplacements masculins. Le mouvement prenait de la distance culturelle, sinon de l'éloignement, car la généralité de Rouen, avec son double caractère d'arrière-pays maritime et parisien, doit être aux côtés du royaume dans cette statistique.

Ainsi, comme deux populations transplantées de citadins et de ruraux se côtoyaient sans osmose parfaite, deux conjonctures migratoires se chevauchaient également ; l'une, primaire et féminine, s'alimentait dans l'isolat bas-normand, l'autre gagnait, avec la dimension nationale, un degré de maturité plus avancé. Bref la mobilité masculine figurait l'avenir de la mobilité féminine.

Si l'on admet que l'amplitude culturelle ou géographique des déplacements pouvait être formatrice, casser des comportements anciens, enseigner la disponibilité professionnelle, construire des êtres neufs, eh bien les migrations allaient jouer un rôle décisif dans le changement économique urbain. Alors une hiérarchie des chances se dessinerait selon les sexes et les origines : les plus mauvaises, chez les épouses d'extraction campagnarde et normande, les meilleures chez les époux citadins et grands voyageurs. Mais le contraire n'était-il pas également vrai ? L'adaptation passe pour plus facile lorsqu'elle n'a pas été précédée de formation, donc de déformation. De ce point de vue, aucune règle ancienne n'avait appris à la main-d'œuvre rurale l'usage des horaires, des normes et des techniques du travail urbain ; celle-ci pouvait s'adapter d'emblée aux formes nouvelles d'organisation économique, surtout lorsque se maintenaient les façons patoisantes du même langage provincial ; les paysans normands gardaient leurs atouts devant les Parisiens, les Picards ou les Bretons. Ainsi l'examen des migrations renvoie à d'autres facteurs du comportement. La population active de Caen ne tirait pas toutes ses aptitudes de son origine géographique. Le bagage intellectuel, si pauvre qu'il fût, dressait également des barrières au sein de l'activité professionnelle, d'autant mieux que la disparition des anciennes corporations en 1779 entama la cohésion des branches et détruisit certaines procédures orales de transmission technologique. Le travailleur urbain, désormais plus solitaire, gagnait tout à savoir compter, lire et écrire pour progresser dans ses pratiques manuelles, plus encore dans ses profits.

2. LES NIVEAUX DE CULTURE

Les opérations les plus simples ont une histoire mal connue. Lorsque dans les premières pages de *Victor Marie Comte Hugo,* Charles Péguy évoque ses « tenaces aïeux », paysans ou vignerons, et sa grand-mère beauceronne, c'est pour distinguer, mieux que ne le font les historiens, la première des deux autres acquisitions [158]. Cette pauvre femme savait compter « de tête », comme tous les analphabètes du XIXe siècle. En vérité l'apprentissage du calcul élémentaire ne fut pas lié dans notre société au progrès de la scolarisation ; il le précédait largement ; il découlait de procédures économiques ancestrales comme de compter sols ou deniers, gerbes ou fils de trames de métiers. En perfectionnant l'enregistrement des âges à l'état civil, l'ordonnance royale de 1737 avait incité plus récemment à la mémorisation des chiffres. La numérotation des maisons, obligatoire à Caen, nous le verrons, dès la fin de l'Ancien Régime, signifierait, s'il en était besoin, que les nombres étaient devenus un instrument d'usage universel au XVIIIe siècle.

Il est malaisé de décider aussi fermement de la diffusion de la lecture. Sans doute existe-t-il une initiation visuelle que les villes dispensaient par excellence. Le recul progressif de l'image peinte ou dessinée sur les enseignes ou dans les billets publicitaires, la substitution de textes en bas de casse ou en caractères de civilité aux placards à majuscules caractérisent la propagande commerciale et l'affichage administratif du XVIIIe siècle. Ces papiers piquaient la curiosité de lire, mais ils témoignaient surtout du progrès de l'instruction et puisque des offres d'emploi domestique paraissent dans les *Affiches de Normandie,* il faut croire que maintes servantes les lisaient.

Depuis la fin du XVIe siècle les paroisses de Caen eurent en effet progressivement leurs écolâtres ou plus modestement des custos dévoués à l'enseignement élémentaire religieux et profane. Les servants des offices, les petits chanteurs et les fils de journaliers en furent les premiers bénéficiaires. Des sœurs grises et plusieurs autres communautés rendirent le même service aux fillettes des ouvroirs de dentelles [159]. Cependant les petites écoles de plein exercice s'étaient étoffées. Le recensement de 1666 dénombre dix maîtres, les statistiques de 1792-1793, quarante-six. A la veille de la Révolution la ville offrait ainsi les services d'un instituteur pour huit cents habitants ; il s'y ajoutait l'enseignement semi-profane des séculiers, des bedeaux ou des sœurs. La densité pédagogique atteignait donc à peu près le seuil des trois maîtres

158. Ch. Péguy, 1957, p. 666, « Solvuntur Objecta », *Cahiers de la Quinzaine,* 12e série, 23 octobre 1910.

159. Les Archives de l'intendance sont plus explicites sur les maisons de charité et petites écoles de la campagne. Mais à Caen, les fondations sont souvent antérieures à la période de conservation des papiers du commissaire du roi et même antérieures parfois à la création des intendances : Saint-Jean, 1581 ; les carmélites, 1616 ; les ursulines, 1624 ; les nouveaux catholiques, 1658 ; Saint-Pierre, 1680 ; les frères des Ecoles chrétiennes, 1730 ; l'œuvre des jeunes filles de Saint-Julien, 1735 ; les filles de la charité à Saint-Gilles, 1784 ; l'école de la Charité à Vaucelles, 1787-1789. Cf. Arch. dép. Calv., C 6698, et Rapport de l'archiviste au préfet, 1873.

pour mille habitants que les spécialistes de la croissance économique considèrent aujourd'hui comme critique dans l'enclenchement du progrès[160] ; c'était assez numériquement pour la scolarisation de l'ensemble des enfants.

Cet enseignement conservait pourtant une merveilleuse fantaisie de règle et d'efficacité. Il a pâti souvent d'être l'effet d'un vœu charitable et tour à tour selon le maître, un réservoir de main-d'œuvre économique ou un chauffoir hivernal. Un tailleur de la grande rue Notre-Dame eut l'infortune d'emménager un jour de 1761 sous la classe du sieur Paizant sise à l'étage : « Une quantité prodigieuse de petits écoliers et écolières qui font un bruit et carillon extraordinaire tant dans son escalier que dans la chambre où (ledit Paizant) fait son école » l'assaillirent de toutes parts et détruisirent ses nerfs[161]. Le pédagogue dut bien confesser au lieutenant de police la bonne foi du coupeur d'habits ! Deuxième lacune, l'enseignement avait peu de prolongement technique avant la Révolution, si l'on excepte les travaux manuels des filles. En 1784, l'intendant rédigea un projet d'école du soir pour former des dessinateurs[162]. Les cours de géométrie et de perspective alterneraient avec la leçon d'atelier ; seuls les élèves riches paieraient leur scolarité et porteraient le titre d'académicien. Ce plan évoquait l'école royale gratuite de Paris[163], mais il n'eut pas de suite et la transmission des Arts et Métiers ne sortit point de l'apanage des jurandes. Au reste toute l'épaisseur économique et culturelle de la Révolution puis de l'Empire sépare cette époque du plaidoyer que fit plus tard Charles Dupin en faveur de la collaboration de l'enseignement et de l'industrie[164]. Auparavant l'alphabétisation suffit seule à mesurer le succès de cette formation rudimentaire.

Les témoignages ne suggèrent malheureusement l'aptitude des populations à la lecture que par des voies indirectes. Au fond il s'agit, à la suite d'un glissement documentaire, de décider de cette dernière par l'écriture. Certes l'œil et la main ont besoin d'apprendre en même temps ; au XVIe siècle les abécédaires enfantins en étaient convaincus. Mais après la scolarité, le déséquilibre grandissait entre la conservation des deux techniques. La vision demeurait un sens constamment sollicité par le décor urbain, en sens opposé le métier manuel atrophiait souvent l'usage de l'écriture. L'écrivain public, derrière ses lorgnons savants, propose encore ses services à l'époque révolutionnaire : pour quelques deniers, six d'entre eux écrivaient en 1792 les lettres de chacun et calligraphiaient les requêtes collectives, circonstances rares pour lesquelles il paraissait sans doute excessif à beaucoup d'entretenir un pénible bagage intellectuel. D'ailleurs le XVIIIe siècle demeure l'âge d'or de la communication orale ; il le doit à l'excellence des salons, à l'éloquence de la chaire et bientôt des assemblées, mais aussi à la place tenue par les commissions verbales à travers la société. La lecture publique des lettres de l'absent au village, celle des gazettes à la ville se répondaient comme deux modalités importantes des échanges de groupe. L'écriture rejaillissait en cascades de lectures. La fréquence des recours à la plume en était diminuée d'autant.

160. C. M. Cipolla, 1969.
161. Arch. dép. Calv., 1 B 2060, minute 41 du 20 janvier 1761.
162. *Ibid.*, C 1113. Etablissement conçu sur le modèle de ceux de Rouen, Besançon, Lyon.
163. A. Léon, 1968, p. 69-72.
164. C. Dupin, 1814.

Ces réflexions invitent à traiter les écritures grossières de nos registres de catholicité où l'encre crache et la main s'emballe anguleusement comme l'indice non d'un savoir qui se conquiert mais d'un apprentissage acquis dans l'enfance et défait chez l'adulte. L'examen des signatures de mariage doit s'attacher à la coupure fondamentale qui sépare toutes les graphies cursives ou grossières de l'incapacité complète, sanctionnée par une croix [165]. Ce critère détache ceux qui avaient bénéficié d'un enseignement élémentaire de ceux qui en furent privés.

Mais les données matrimoniales fourniront-elles un échantillon dont les conclusions soient extensibles à l'ensemble de la population qui vient d'entrer dans la vie professionnelle ? On peut encore améliorer l'indice en considérant seulement les premiers mariages ; ainsi disparaissent les dégradations statistiques que les secondes noces font subir à l'homogénéité du groupe. Restent les célibataires. A l'échelle collective il est possible que la réussite professionnelle ou l'insertion sociale, donc l'intelligence adaptative, soient des éléments positifs de la nuptialité. Ainsi le groupe des jeunes époux ne représenterait pas entièrement l'ensemble urbain. Des contrôles sont possibles ; ils ont été menés à la faveur d'une étude détaillée de la paroisse Saint-Gilles, où l'on a examiné les signatures des témoins de mariage indifféremment mariés ou célibataires et, pour l'essentiel, les amis de travail des intéressés [166]. Il apparaît que sous l'angle de l'alphabétisation, rien de clair ne sépare les deux populations. Passons alors aux résultats :

Part des analphabètes dans chaque catégorie de premiers mariages

	Hommes (%)	*Femmes* (%)	*Total* (%)
1740-1749	11	29	20
1750-1759	13	28	21
1760-1769	14	29	22
1770-1779	11	24	18
1780-1789	14	27	21

Dans chaque sexe, une étonnante stabilité ressort de ces proportions. Trop de circonstances obscures entourent encore la nuptialité et l'alphabétisation pour qu'on puisse donner une bonne interprétation des mouvements de cette statistique, pas même du progrès momentané qui semble affecter la décennie 1770-1779 où les aléas de la conjoncture pourraient avoir simplement contribué à différer les mariages des plus défavorisés dans l'attente du rétablissement économique. Dans l'ensemble, neuf hommes et sept femmes sur dix avaient reçu les rudiments d'une formation. Il est donc tout à fait impossible de croire à la floraison des Lumières dans un désert intellectuel et rien de

165. Dans l'ensemble des actes urbains, on ne rencontre jamais les chiffres symboliques ou les marques de métiers signalés quelquefois par L. Henry dans son *Manuel*.

166. Sur les raisons de ce choix, cf. J. C. Perrot, 1967.

comparable n'existe dans les pays qui amorcent leur développement de nos jours : les modèles explicatifs ne peuvent pas être échangés. D'ailleurs, la situation de Caen n'était pas insolite dans la moitié nord du royaume, l'enquête de Maggiolo l'a prouvé depuis longtemps [167] ; il en va de même pour la dénivellation qui frappe le sexe féminin. En tout cas l'immobilité des proportions détruit l'idée spontanée qu'un progrès linéaire ait animé le XVIIIe siècle. Les accélérations décisives s'étaient produites antérieurement. Les dates de fondation des petites écoles, évoquées tout à l'heure en note, laissent penser que le démarrage intellectuel couvrit une immense période qui s'étendait de la fin du XVIe siècle aux années trente du XVIIIe. Il serait sommaire d'en conclure qu'il précéda le changement économique, il est impossible de prétendre aussi qu'il y est consubstantiellement attaché.

Après tout, la stabilité des années 1780-1789 est peut-être un leurre. Il suffirait que la ville ait été une véritable matrice scolaire et que l'immigration ait continuellement dégradé les scores d'alphabétisation. Les tableaux ci-après répondent à ce soupçon.

Part des analphabètes dans chaque catégorie de premiers mariages

	Hommes		*Femmes*	
	Immigrants (%)	*Autochtones* (%)	*Immigrantes* (%)	*Autochtones* (%)
1740-1749	12	10	38	28
1750-1759	11	14	36	26
1760-1769	13	15	35	26
1770-1779	10	13	27	22
1780-1789	10	18	27	27

Chez les hommes, nous avons la surprise de constater que les immigrants l'emportent en savoir légèrement sur les autochtones dont la situation paraît se dégrader à la veille de la Révolution. L'urbanisation faisait-elle déjà sentir ses effets néfastes en pressant comme au XIXe siècle la main-d'œuvre locale enfantine vers la production ? Toujours est-il que les nouveaux venus n'appartenaient pas aux milieux les plus intellectuellement démunis des campagnes. Il se peut aussi que la scolarisation rurale, comme celle des villes, ait été menée à bien avant la période d'observation. L'immigration provenait de la pénurie — de travail ou de rémunération — mais pas de la misère. Elle jetait en ville des gens bien nés dont l'activité et les aptitudes l'emportaient peut-être sur les citadins ; les rustres faméliques et demeurés du roman picaresque n'appartiennent pas au décor urbain du XVIIIe siècle normand.

A la veille de 1789, l'immigration féminine en était arrivée au même point, après avoir rattrapé dans la décennie soixante-dix le quotient culturel des femmes indigènes. Comme le mouvement des arrivées s'amplifiait fortement

167. L. Maggiolo, s.d. Avant celui-ci, A. d'Angeville, 1836, avait déjà signalé la même situation, cf. 4e partie, 9e carte, « Instruction primaire ».

à l'échelle séculaire, il serait insolite d'imaginer que l'éventail des départs s'était refermé sur les migrantes les plus instruites. L'alphabétisation croissante des nouvelles venues traduisait probablement les progrès de l'instruction féminine dans le plat pays. Compte tenu des dénivellations de niveau, les femmes parvenaient donc en 1789 à l'équilibre de connaissances entre migrantes et autochtones que les hommes avaient connu dans les années quarante. La mobilité géographique nous a déjà habitués à ces décalages chronologiques.

L'anthropologie économique se souciera également de savoir si les analphabètes étrangers et indigènes s'enkystaient dans le tissu social. La formation d'un tel ghetto culturel aurait des conséquences sur la souplesse de la production en fournissant des victimes prédestinées à l'armée de réserve du travail. En même temps cet isolat affecterait spécialement la validité des conclusions économiques tirées des statistiques de main-d'œuvre en aggravant la portée du chômage déguisé.

Or l'observation montre que par la filière des mariages urbains se poursuivait une appréciable intégration des moins instruits au reste de la population. De surcroît l'échappatoire fonctionna sans ralentissement durant toute la période. Les mariages qui rapprochaient deux analphabètes profonds ne constituaient que 8 % en moyenne des premières épousailles. Cette minorité diluée à travers toutes les paroisses est inférieure à la masse critique passé laquelle naissent les problèmes sociaux [168].

	Nouveaux ménages entièrement analphabètes (%)
1740-1749	7,2
1750-1759	7,9
1760-1769	9,0
1770-1779	7,4
1780-1789	8,7

Un homme et plus de deux femmes sur six analphabètes gagnaient ainsi du champ dans la société urbaine à chaque cohorte matrimoniale. La discordance que le changement économique est susceptible de creuser entre l'expérience quotidienne et les nouvelles normes exigibles n'était pas accentuée par une solidification familiale complète [169].

168. D'innombrables enquêtes sociologiques montrent que les minorités les plus fortement ségrégées, celles de la race, doivent dépasser le seuil de 10 % pour se constituer en corps inassimilable et susciter le rejet. *A fortiori,* les autres groupes.
169. Sur le changement économique, créateur d'anomie sociale, voir l'excellente contribution de N. J. Smelser, 1963.

3. LA FAMILLE

Précisément le milieu parental exerce chez les individus une certaine prégnance sur le comportement économique. Les spécialistes de l'industrialisation, notamment W. A. Lewis et W. J. Goode, ont posé à ce sujet des problèmes qui donneront à réfléchir aux historiens [170].

Il apparaît que la famille élargie a pu constituer pendant longtemps l'unité économique dominante même dans les villes. Dans le petit monde anglais si proche des terres normandes, que décrit P. Laslett avec tant de persuasion [171], la cellule productive agglomérait aux XVIe et XVIIe siècles parfois des générations mères et filles, des branches fraternelles et presque toujours des enfants, neveux ou cousins en apprentissage. L'accrochage de ces réseaux de parenté ou d'amitié les uns aux autres constituait sans doute contre le malheur un système de garantie financière appréciable, mais il freinait le changement puisque tout être novateur allait se prendre chez lui d'abord, aux mailles de la tradition. A sa source, l'invention est un acte solitaire.

Pourtant, avant l'industrialisation, les modalités purement urbaines de l'économie favorisaient déjà la destruction de ce groupe étendu. La sanction de la réussite y était beaucoup plus individuelle qu'à la terre. La ville attirait souvent en son sein des hommes ou des femmes seuls. Une indépendance économique minimale y était requise lors de l'établissement dans la vie et n'était pas sans conséquence sur l'âge au mariage. Une fois constituée, la famille restreinte possédait plus de liberté dans son mode de vie, le choix de son domicile, l'usage de ses capitaux ; elle était tentée de risquer davantage ; les privilèges culturels et affectifs de l'aîné cessaient d'exercer leur pesée quotidienne dès la dispersion des enfants. Bref la parcellisation des tâches dans la cité suscitait le fractionnement familial puis s'en nourrissait. La vie urbaine préparait l'avènement des travailleurs solitaires de l'âge industriel bien avant que la loi Le Chapelier ne leur eût imposé un statut juridique d'isolé. Si la généralisation des familles réduites aux époux et jeunes enfants est un produit de la ville et l'une des conditions du changement industriel ou commercial, si elle est accidentellement de surcroît en harmonie avec l'essor du libéralisme économique, il faut rechercher cet élément précurseur au XVIIIe siècle.

Le recensement de 1793, à défaut de documents directs plus anciens, apporte une réponse précise car la date est trop précoce, surtout en province, pour que la conscription et l'émigration aient modifié sérieusement les données d'Ancien Régime. Voici le nombre moyen d'habitants par ménage en 1793 :

Faubourgs	3,6	Echantillon de 6 131 habitants
Centre artisanal et commercial	3,6	Echantillon de 5 262 habitants
Centre résidentiel	6,6	Echantillon de 4 133 habitants

Cette statistique repose sur la moitié de la population urbaine domiciliée par chance dans les quartiers les plus divers ; pour le reste du recensement les

170. W. A. Lewis, 1967 ; W. J. Goode, 1963, pp. 230-249.
171. P. Laslett, 1969, surtout les chapitres 1 et 2.

habitants furent enregistrés par maison, îlot et rue sans distinction de foyer. Les chiffres montrent que la domesticité alourdissait dans les quartiers aristocratiques la cellule familiale du double de son poids. Ailleurs c'était bien le triomphe sans partage du groupe conjugal nanti d'un ou deux enfants.

Assurément la ventilation détaillée serait plus intéressante ; mais des recenseurs consciencieux ont été au-devant de cette question en rivalisant de détails sur deux échantillons de 882 et 1 013 personnes, implantées les unes dans le quartier artisanal, les autres dans le centre résidentiel [172]. Tout d'abord, nous enlèverons partout les domestiques pour constater que le quartier riche obéit à la loi commune :

Centre résidentiel : 3,2 habitants par ménage
Centre artisanal : 2,9 habitants par ménage

Certes la densité par ménage pâtit également de cette soustraction dans le quartier artisanal, mais beaucoup moins et elle n'est si basse qu'en raison des veuves, des célibataires, des gens âgés qui n'ont plus leurs enfants près d'eux.

D'ailleurs voici la répartition des foyers selon le nombre de personnes par ménage.

Personnes	*Ventilation des foyers du centre résidentiel* (%)	*Ventilation des foyers du centre artisanal* (%)
1	21,5	22,0
2	23,4	26,3
3	19,6	22,4
4	9,8	16,5
5	12,3	6,6
6	7,6	2,2
7	2,5	1,5
8	1,4	1,5
9	1,1	0,7
10	0,8	0,3

Les ensembles de plus de six personnes étaient en nombre insignifiant ; dans chaque échantillon, le ménage modal était celui de deux personnes et le mode des gens vivant ensemble appartenait au groupe de trois personnes. On ne saurait vouloir une épure plus parfaite de famille conjugale. L'analyse verticale des générations montre d'ailleurs la rareté de la coexistence des trois âges autant que la fréquence des générations uniques :

172. Arch. dép. Calv., L, recensement de Caen. Quartier résidentiel : rue des Carmes, rue Coupée, 1 013 hab. Quartier artisanal : rues Vilaine, Calibourg, des Cordeliers, Pémagnie, du Civisme, Tour-d'Eglise, aux Namps, 882 hab. Respectivement 275 et 272 foyers.

Répartition des foyers selon le nombre de générations réunies

	Une génération (%)	*Deux générations* (%)	*Trois générations* (%)
Centre résidentiel	46,5	51,0	2,5
Centre artisanal	44,0	53,1	2,9

Ainsi, bien peu de grands-parents se trouvaient en mesure de transmettre quotidiennement un savoir-faire quelconque à leurs petits-enfants. Cette coupure pédagogique minimisait évidemment le poids des traditions et pouvait encourager l'évolution des techniques, l'assimilation des plus récentes trouvailles. Elle tirait son origine de l'écologie et non de la démographie. En effet l'enquête approfondie de la paroisse Saint-Gilles, décrite beaucoup plus loin, montre l'existence d'une proportion croissante de parents survivants au mariage de leurs enfants [173].

	Ligne masculine		*Ligne féminine*		*Les deux réunies*	
	Pères (%)	*Mères* (%)	*Pères* (%)	*Mères* (%)	*Pères* (%)	*Mères* (%)
Avant 1775	36,6	54,4	43,8	62,5	40,2	58,4
Après 1775	40,4	58,1	48,2	62,3	44,3	60,2

Peu importe ici que l'augmentation des survivants provienne de l'extension de la longévité ou de la baisse de l'âge au mariage ; retenons que deux pères sur cinq vivaient encore aux noces de leur fils et, plus favorisées sans doute par la mortalité et l'âge assez tendre de leurs filles, trois mères sur cinq. De nombreux grands-parents survivaient, mais de loin comme nous l'observions plus haut, à l'entrée dans la vie et aux années d'apprentissage des jeunes générations.

Réduite à celle du père, l'image familiale du métier souffrait d'apparaître démunie d'épaisseur temporelle ; son attrait se faisait plus fragile. La mobilité professionnelle verticale, mesurée dans le même moule statistique, révèle une dérive considérable des pères aux fils.

Profession de l'époux en fonction de celle du père

	Identique (%)	*Différente* (%)
Avant 1775	50,5	49,5
Après 1775	52,0	48,0

173. Enquête sur la période 1756-1792 : 889 mariages.

La tradition familiale n'était donc pas assez forte pour combattre vraiment un changement économique éventuel. Au contraire il semble qu'elle l'ait épousé avec la souplesse qu'il fallait attendre de cellules conjugales relativement disponibles. Dans ses tendances, la mobilité professionnelle entre générations reflète les cycles longs de la conjoncture :

Mobilité	*1755-1774* (%)	*1775-1792* (%)
Des services à la production	43	18
De la production aux services	21	35
A l'intérieur des services	12	20
A l'intérieur de la production	24	27

Durant la première période la faveur du secteur productif signifiait la bonne santé économique, l'aisance des investissements, la pression de la demande. Dans les temps gris de la deuxième époque, le mouvement vers les services déguisait la difficulté de vivre : tout chômeur est en puissance un agent des services.

La malléabilité des familles élémentaires ne pouvait cependant être idéale. En effet, jusqu'en 1791, la Coutume de Normandie maintint dans l'ordre juridique les chaînes lignagères que la vie urbaine avait tranchées dans le quotidien. Comme le changement économique suppose, puis entraîne souvent une nouvelle répartition des investissements, un système civil capable de brider la liberté personnelle des producteurs ne lui était-il pas contraire ?

En ce sens, la législation normande surpassait en France toutes les autres. Une pyramide d'obligations assujettissait les filles aux garçons, puis tous les enfants réunis, fussent-ils majeurs, aux parents ; puis la mère au père, puis le patriarche enfin se voyait lui-même ligoté dans l'intérêt des lignages. Je vais essayer d'exposer les conséquences économiques de ce tribalisme prédateur dont l'archaïsme tient à la fixation précoce du droit normand [174]. En effet, la réforme de 1583 avait repris essentiellement la *Summa de Legibus Normanniae* du XIIIe siècle et sa validité demeura complète jusqu'à la Révolution, fors les « articles placités de » 1666 qui portaient sur des points secondaires [175]. Les Coutumes de l'Ouest ont un fonds nobiliaire ; en surplomb la Normandie gardait une tour féodale et le droit roturier s'y était modelé définitivement sur le droit noble [176]. L'isolat juridique fut encore accentué par les procédu-

174. Les exposés qui envisagent directement les conséquences familiales et financières de la Coutume sont anciens, mais bien documentés : J. Cauvet, 1847-1848 ; Ch. Lefebvre, 1911, 1917 ; R. Genestal, 1930. Plus récentes et précieuses, les mises au point de J. Yver, 1952 a et b. De nombreuses communications aux Semaines d'histoire de Droit normand, devenues les Journées d'histoire du droit et des institutions des pays de l'Ouest de la France, après la guerre, furent consacrées au même sujet. La *Revue d'histoire du droit français et étranger* en donne des résumés à chaque session. Les Commentaires anciens de la Coutume sont nombreux. On peut s'en tenir à Basnage et au *Dictionnaire* de Houard.

175. R. Besnier, 1935, p. 16 sq.

176. Suggestive démonstration de J. Yver, 1952 b, pp. 48-50.

res appliquées en cas de silence des textes, puisqu'au lieu de recourir aux Coutumes voisines (Bretagne, Picardie, Ile-de-France, Anjou), comme il est de règle en France, la Normandie s'adressait à son propre parlement[177].

Basnage écrit que la Coutume met les êtres vivants « en une curatelle générale et perpétuelle ». Mais il s'en fallait bien qu'elle exerçât des rigueurs égales sur les deux sexes. La condition la plus précaire était faite « naturellement » aux filles, à moins qu'elles ne fussent seules héritières, et dans ce cas, la loi, se désintéressant de la situation, permettait entre elles un partage égal. En toute autre circonstance, la présence d'un garçon anéantissait les droits féminins, en ligne collatérale totalement ; en ligne directe, les parents ou bien à leur mort les frères ne devaient à la fille ou sœur... qu'un mari. Un peu de chance : ils s'en débarrassaient sans dot[178] : une fille mariée n'héritait pas de ses parents lorsque ceux-ci voulaient garder le patrimoine aux héritiers mâles. Sinon, toutes les filles réunies ne pouvaient obtenir qu'un tiers des meubles et immeubles. Les filles célibataires ne seront même jamais propriétaires de ce tiers, mais usufruitières. Point n'était besoin de les pousser au couvent, il suffisait aux frères de décourager les prétendants. La même rigueur couvrait les successions collatérales où les frères excluaient les sœurs et les descendants des frères, les descendants des sœurs. « Nul doute, affirme Ch. Lefebvre, les jeunes filles étaient recherchées pour leur mérite plus que pour leur avoir »[179] ! Avec moins d'humour, disons que l'ascension sociale par les femmes présentait bien des difficultés. Surtout la pénurie des capitaux interdisait toute entreprise économique aux filles âgées. Dans les recensements, nous les retrouvons innombrables, ces vieilles servantes, ces journalières cassées, lessivières ou dentellières de rien, qui rêvaient sans doute de s'établir couturières, marchandes de modes ou d'amadou.

Envers leurs parents, la dépendance économique des enfants des deux sexes n'était pas moindre. Dans cette province où la communauté fut sévèrement interdite entre époux, on pourrait imaginer une dévolution accélérée des biens en faveur des enfants au décès de père ou mère. Nullement. Les héritages étaient arrêtés, en partie si la mère survivait (le douaire prélève le tiers des biens du mari), en totalité lorsque l'homme exerçait son droit de viduité. De même que les filles devaient attendre le décès de leurs frères pour hériter, de même les générations successives ne parvenaient financièrement adultes qu'à la mort du dernier des auteurs de leurs jours. Jusque-là, leurs revenus indépendants étaient une rareté. D'ailleurs la Coutume défendait aux parents

177. M. Reulos, 1934-1935. Autre exemple de l'obstination du Parlement de Rouen : son attitude devant l'Ordonnance testamentaire de 1735, cf. H. Regnault, 1933. En outre on n'observe guère plus de deux exemples de contamination par le droit romain : l'arrangement des tutelles, l'inaliénabilité dotale.

178. Coutume de Normandie, art. CCL à CCLII. Voir R. Bataille, 1927, et R. Besnier, 1930. Sur la dévolution du tiers des biens et le « mariage avenant » que les filles sont en droit d'exiger, cf. art. CCLIV et CCLVIII de la Coutume.

179. Ch. Lefebvre, 1917, pp. 114-124. 1) Par son primitivisme la Coutume de Normandie ressuscite tous les problèmes que l'échange des femmes et la passation des biens posent à l'ethnologie. 2) Par son fixisme, elle se prêterait à une analyse structurale. 3) Quels rapports ce système de parenté juridique qui règle la transmission du capital entretient-il avec les réseaux de parenté réels ? Voici un beau sujet à la dimension des ordinateurs.

de faire un legs à tel ou tel enfant, les donations entre vifs étaient tolérées mais comme simples avances d'hoirie à rapporter au partage dans la masse successorale. Bien entendu les enfants naturels n'avaient aucun droit à la fortune des parents et ne recevaient que la portion des meubles (soit le tiers) transmissible aux étrangers. De même le père conservait le droit, à peine entamé par le parlement, de s'opposer au mariage des enfants [180].

Au sein du foyer, l'épouse trouvait à son tour une position à ce point amoindrie qu'à la disparition du chef de famille, la puissance paternelle sur les mineurs lui échappera pour venir reposer entre les mains du fils aîné s'il est majeur [181]. La sujétion féminine commençait au mariage si bien que les filles sortaient de l'ombre du père pour gagner celle du mari. Aussi minimes que soient ses apports et quelques successions qu'elle recueillît ensuite, l'épouse ne pouvait s'opposer à leur aliénation. Elle devait évidemment obtenir l'autorisation maritale pour se livrer au commerce ou à l'industrie ; elle ne pouvait y consacrer que la valeur de ses meubles, généralement amputés d'un tiers consigné au mari sous forme de don mobile et ses immeubles dotaux étaient intouchables. En cas de séparation, elle perdait meubles et conquêts, tandis que la protection de la justice remplaçait celle de son mari sur les immeubles de sa dot [182]. Enfin elle ne devait attendre aucun don immobilier de son mari [183], alors que celui-ci pouvait d'autre part léguer le tiers de ses acquêts et conquêts à un étranger.

Mais cette rudesse coutumière ne profitait guère en fin de compte au chef de famille. En effet la législation normande fut encore plus patrimoniale que patriarcale. Un étonnant léviathan civil protégeait l'accès des biens propres à chaque branche. Au décès d'un chef de lignée, les dettes retombaient par exemple sur les héritiers des biens meubles, à défaut sur les bénéficiaires des acquêts, en dernier recours seulement sur les nouveaux tenants des biens patrimoniaux [184]. En l'absence d'héritier direct par le sang, le patrimoine devait descendre au travers du rameau voisin le plus proche dans le tronc paternel : c'est la représentation des propres à l'infini. De son vivant, le *de cujus* n'avait aucun droit à instituer un héritier [185]. D'ailleurs tous les actes qu'il aurait pu passer en contradiction de la loi successorale étaient frappés de nullité : la Coutume prenait sa place et permettait avec une incroyable facilité toutes actions de la parentèle en retrait lignager ou en clameur de bourse ; par là c'était le retour au *statu quo* [186]. Les commentateurs de la loi ont parlé de copropriété des branches sur les biens individuels.

Loin de se borner à conserver un capital bloqué, la législation visait en outre à le grossir, du moins à en accroître les immobilisations. Elle conférait le statut d'immeubles à des biens meubles comme les rentes de toute nature, la présentation aux offices vénaux, l'argent monnayé recueilli dans les héri-

180. Commentaire de Basnage sur l'article CCCLXIX de la Coutume.
181. Art. CCXXXVII.
182. Question traitée dans les Placités de 1666.
183. Art. CCCCX et CCCCXXII, cf. R. Besnier, 1936.
184. J. Yver, 1932, 1937 et 1956.
185. Placités de 1666, art. LIV.
186. Le retrait lignager concerne en Normandie à la fois les propres et les acquêts.

tages directs[187]; enfin les acquêts rentraient dans les biens patrimoniaux lorsque leur origine n'était pas clairement prouvée ; par tous ces traits, la Coutume figeait bien une part du capital de chaque génération. Manifestement mieux adaptée à une société où la richesse terrienne l'aurait emporté sur tout, elle rendait problématique la séparation du capital d'entreprise et du capital familial. Une fois que celui-ci se serait dégagé de celui-là, comment en assurer la liquidité au sein du patrimoine ? La Révolution, en piétinant la Coutume, renouvela les conditions de l'investissement économique et rendit de la vivacité à la circulation des biens.

Pourtant la situation est moins simple qu'il n'y paraît. L'estuaire de la Seine, astreint à la même législation, était devenu depuis le XVIe siècle un brillant foyer de commerce et d'industrie. Faut-il penser que le capital marchand s'était constitué sur l'excédent des revenus fonciers disponibles, ou plus rapidement encore sur l'assurance maritime et l'armement ? Le même problème se poserait en terre anglaise, imprégnée de coutumes normandes.

Outre la fraude pure et simple et la dissimulation concertée en famille, plusieurs échappatoires fonctionnaient à vrai dire depuis le XIIIe siècle. La plus universelle concernait les biens en bourgage, c'est-à-dire, à l'origine, les tenures non féodales. Beaucoup de villes, Caen notamment, bénéficiaient de ce statut. Il redonnait aux femmes une existence juridique plus solide : elles pouvaient prétendre à la moitié des conquêts du mari ; les filles venaient à la succession des parents de pair avec les garçons ; les rentes constituées sur des biens en bourgage suivaient le sort du fonds[188] et les maris n'y obtenaient que l'usufruit, non la propriété de l'héritage des épouses.

Les familles dont l'horizon dépassait la province avaient à leur disposition un autre moyen bien connu ; elles vendaient en Normandie pour racheter ailleurs en France où la dévolution des biens suivait un autre régime. Plus simplement, elles y passaient contrat. Il est certain que la partie haute de la province, voisine des pays de coutume parisienne, était mieux placée que la partie basse, cernée par l'espace juridique angevin et breton fort conservateur aussi. A la suite de pareils transferts, les tribulations de Mme du Bocage sont restées célèbres : tout ce qui concernait cette femme de goût, amie de Fontenelle, Voltaire et Condorcet, écrivain elle-même, membre des Académies de Padoue, Bologne, Rome, Lyon, Rouen, et de surcroît fort à son aise, intéressait les salons normands. Elle avait élu domicile à Paris depuis trente ans avec son mari P. J. Fiquet du Bocage lorsque celui-ci mourut. Son testament était daté de Dieppe en terre normande où il avait été receveur des tailles. Emotion ! A Dieppe, Fiquet aîné recevait tous les biens de son frère et le testament était nul. A Paris, sa part se réduisait au tiers et Mme du Bocage bénéficiait des dispositions qui la concernaient. Le procès gagna successivement le bailliage de Dieppe, le Chatelet, les deux parlements, le Conseil du Roi et de renvoi en appel, de nouveau le bailliage, les Hauts Jours de l'Archvêché et le Conseil supérieur de Bayeux ; nous étions au temps de Maupéou. La Coutume archaïque l'emporta[189]. Un mari moins étourdi n'eût pas engraissé les robins. La Coutume n'empêcha jamais en effet les grandes spé-

187. J. Cauvet, *op. cit.*, p. 19 sq.
188. Art. CCLXX de la Coutume.
189. G. de Beaurepaire, 1935.

culations commerciales et industrielles ni la constitution des sociétés. D'innombrables ventes à réméré et des arrangements sous seing privé, procédure chérie des Normands, procuraient l'argent nécessaire. Mais il reste probable que les milieux de Basse-Normandie, avec leurs affaires de moins haut vol, s'empêtraient davantage dans les lacs de la loi et demeuraient dans leur provincialisme plus attachés à leurs devoirs lignagers.

Les lettres de cachet, soigneusement conservées depuis 1750, peuvent vérifier l'exactitude de cette hypothèse. Si de nouvelles mentalités économiques avaient pris corps, ne se traduisaient-elles pas dans l'exaspération des conflits familiaux ? Avant que ne se soient consolidés les comportements adéquats, la tension éclatera entre les générations, elle sera d'autant plus vive que la prospérité paraîtra donner raison aux jeunes modernistes ; en revanche, l'incertitude de la conjoncture, le marasme des affaires serait de nature à faire régresser la contestation. Le tableau suivant présente donc la statistique des demandes d'emprisonnement instruites par l'intendance à la réquisition des familles de Caen et la part de celles qui s'appuient sur des raisons financières ou professionnelles[190]. La réponse des autorités ne doit pas intervenir ici.

	Demandes d'emprisonnement en chiffres absolus	*Proportion des motifs économiques* (%)
1750-1759	34	35
1760-1769	49	55
1770-1779	84	69
1780-1789	47	42

Sous le règne de Louis XVI, l'opinion et les pouvoirs publics se montraient de plus en plus critiques à l'égard de cette procédure. Il n'est pas étonnant que les données absolues attestent un déclin sensible entre 1780 et 1789. C'est la ventilation des motifs qui est significative. Après la poussée trentenaire et simultanée de la prospérité urbaine comme des conflits de génération, le retournement de la dernière décennie ramenait, on le voit, les comportements agressifs au niveau de la génération précédente.

Le détail des griefs éclaire assez bien d'ailleurs l'enjeu des désaccords économiques. Sur cent dix-sept demandes d'internement de ce genre, dix-neuf seulement se fondaient sur des conflits dans le choix d'un métier. Cette modeste proportion montre que l'opinion commune acceptait assez bien la fluidité professionnelle. Elle confirme les statistiques de la paroisse Saint-Gilles. Pourtant les familles étaient rétives, cela va sans dire, lorsque le choix de leur progéniture heurtait de face la hiérarchie des positions sociales. Dès lors, tous les débats économiques et culturels du XVIIIe siècle réapparaissent au miroir ; ils mettaient bel et bien en cause l'accomplissement personnel des individus[191]. La noblesse commerçante : le jeune d'Acher, écuyer, ne voulait

190. Dossiers personnels de lettres de cachet, Arch. dép. Calv., C 315 à 450.
191. D.C. McClelland, 1963, pp. 70-93, a montré les liens qui existent entre cet accomplissement et la croissance économique.

pas servir, il demandait son argent pour le faire fructifier. La dérogeance : le duc de Basly ne rêvait que de monter sur les tréteaux. La filiation professionnelle : le père Grafey-Renault attendait de son fils qu'il lui succède dans le négoce des chevaux ; le petit Jean-François Cailloué ne voulait pas être apprenti faiseur de bas ; Vanier, autre Jean-François, abandonnait ses études de science ; en revanche, A. Le Bastard Duclos reprochait à son vieux grigou de tuteur, riche marchand de dentelles, de l'avoir fait perruquier. Plus souvent reviennent les accusations de paresse, mais s'il était possible d'analyser un peu ce moralisme, ne verrions-nous pas apparaître le dégoût professionnel, l'erreur d'orientation, l'inadaptation ? Le jeune Lallemand ne travaille pas, soit, mais il répondait : « On ne m'a rien appris. »

Dans leur grande majorité, les autres sollicitations familiales contre les enfants s'appuyaient sur des divergences à l'égard de l'argent. Il faut en excepter seulement les tentatives de captation d'héritage que des curateurs abusifs ou quelque mauvais frère disimulaient sous le voile d'un conflit moral. Ailleurs le moindre des griefs se rapportait à la dissipation des biens. Or cette condamnation n'est pas plus claire que celle de l'oisiveté.

Aux yeux de l'économie, le gaspillage peut se définir comme un partage irrationnel entre la thésaurisation, l'investissement et la consommation, comme une erreur de clairvoyance dans la ventilation des investissements, une méprise dans l'emploi des forces de travail. Or la déraison, la cécité, la méprise économique sont contingentes au moment et à la société ; elles dépendent des objectifs et de l'échelle des temps. L'atelier de charité, raisonnable à Caen en 1787, ne le serait plus quelques décennies après, où il faudrait aussi bien ouvrir une école professionnelle. La définition du gaspillage est sociale, historique et là, tout est clair : dissipe son argent qui ne l'emploie pas comme moi. Aussi les dossiers de lettres de cachet qui, pour les trois quarts, veulent préserver un comportement financier traditionnel conservent leur intérêt bien qu'on n'ait pu déterminer un critère absolu du gaspillage.

Le changement économique, la prospérité, posaient aux mentalités du XVIIIe siècle plus le problème de l'avoir que celui du faire. De Sirius, l'examen naïf de l'état artisanal et commercial eût fait escompter l'inverse. Ce chiasme entre l'idéologie et les réalités, je le rencontre à toutes les pages d'une histoire où s'exprime si rarement, selon le mot de Bachelard, « la foudroyante vigueur de la liaison temporelle ».

III. LES CONDITIONS SOCIALES DU CHANGEMENT ÉCONOMIQUE

Si le changement économique échappait partiellement aux rigueurs de la routine familiale, n'était-ce point pour aller buter contre l'égrilloir corporatif ?

La position stratégique des communautés de métiers est bien connue. J.B. Say déjà en analysait l'importance [192].

192. J.B. Say, 2e éd., 1814, t. 1, pp. 229 sq.

1) Par ses règlements de fabrique l'institution freinait le remplacement des matières premières et l'essai de nouvelles pratiques ; elle invitait au sommeil technique.

2) Par l'organisation des cursus de main-d'œuvre, elle enveloppait les rôles économiques dans des relations interpersonnelles douées d'une faible plasticité ; contre l'apparition d'arrangements contractuels dans le travail, elle maintenait des rapports fondés sur le statut des agents ; au sein d'un triple partage (maîtres, compagnons, apprentis) se constituaient des sociétés presque égalitaires, d'où les règlements s'efforçaient de bannir la compétition ; en quelque sorte la corporation introvertissait l'activité de chacun[193] ; avec des victoires remportées sur soi, avec de l'économie, l'artisan pouvait espérer augmenter son profit mieux que dans l'extension de ses affaires.

3) Enfin, par ses activités commémoratives, charitables et même dévotes, la communauté entourait d'une nouvelle enveloppe le domaine du travail et l'accordait aux aspects culturels pérennes de la société. Chaque innovation avait à subir une sorte d'examen de passage où l'institution corporative jugeait de sa conformité avec les normes sociales et culturelles les plus communes, donc les plus usées. Il est bien possible que les corps de métiers aient constitué l'obstacle fondamental à l'accélération de l'histoire urbaine, les physiocrates le pensaient, Turgot les suivit ; mais nous allons reprendre cette question.

En regard des autres villes, l'organisation des métiers ne présentait pas à Caen d'originalité notable[194]. C'est dire qu'elle en épousait la minutie et paradoxalement l'imprécision ou l'arbitraire.

Certaines activités étaient entièrement libres : pas de règle de fabrication ni de recrutement, pas de contrôle, dans ce cas se trouvaient par exemple les faiseurs de limes. D'autres métiers étaient surveillés, sous l'angle de la technique, de l'accès à l'emploi, de la déontologie professionnelle, chaque intéressé prêtait un serment, mais ces jurandes pouvaient relever des tribunaux ordinaires comme chez les ouvriers du cuivre, ou bien du juge de police, ainsi chez les ferblantiers ; outre les jurandes d'autres métiers possédaient des statuts particuliers homologués en Conseil, par exemple les ouvriers de l'étain ; ce sont les véritables seules communautés. Les corps à statut national comme les chirurgiens, les imprimeurs sont d'une autre nature mais s'y rattacheraient pratiquement. En sus, ces distinctions claires mais arbitraires n'étaient pas respectées. Le lieutenant de police déclarait en 1731, à propos de tels ou

193. Sur la difficulté de l'innovation dans les sociétés à statut, T. Parsons a fait des réflexions intéressantes, 1951. Dans un sens voisin, W. A. Lewis, 1967, p. 50. Dans la société du XVIIIe siècle, beaucoup de procédures limitent la concurrence et transforment des situations contractuelles en statuts. Ainsi le temps d'apprentissage est identique pour tous, quelle que soit la rapidité avec laquelle les intéressés assimilent leur métier. Chez les compagnons, le passage au rang supérieur ne repose qu'en apparence sur la compétition ; j'aborderai un peu plus loin la place à donner au « chef-d'œuvre ». Enfin, chez les maîtres, des dispositions comme la limitation du nombre des apprentis, l'interdiction d'ouvrir une seconde boutique, la rotation aux fonctions de garde quasi automatique brident la concurrence.

194. Je me réfère surtout aux descriptions de E. Martin Saint-Léon, 1909 ; Fr. Olivier Martin, 1938 ; E. Coornaert, 1941.

tels artisans-commerçants libres : « Ils sont censés, si l'on veut, faire corps et communauté à l'égard de Sa Majesté, et cette communauté *quoique non existante,* est sujette aux mêmes impositions qu'une véritable communauté. »[195]

Ce commentaire atteste l'existence de solutions intermédiaires entre le droit et le fait ; l'un pouvait exister sans l'autre. Le lieutenant général ajoutait d'ailleurs une définition génétique des corps de métiers où le monopole volontaire constituait le principal :

> « Pour avoir les prérogatives de communauté et acquérir ou conserver à l'exclusion des autres ou concurremment avec elles, une portion de commerce, il faut une *volonté actuelle de composer une communauté,* une espèce d'association, des règlements autorisés, une prestation de serment, des préposés du corps pour veiller à l'observation du bon ordre. »

Effectivement il est à peu près sans exemple que la monarchie, longtemps favorable au dirigisme, ait refusé d'authentifier les statuts d'un corps décidé à en supporter les charges. La chronologie des lettres patentes reflétera donc à travers la bienveillance du pouvoir, les options économiques fixistes des métiers. Il n'est pas étonnant qu'elles aient beaucoup divergé selon les branches et les époques[196].

Entrée des activités dans les communautés par octroi de Lettres patentes

	Avant 1600	*1600-1649*	*1650-1699*	*1700-1749*
Production				
Alimentation	1			27
Textile	1	2	9	
Vêtement	1		1	3
Cuir	11		3	5
Bois			11	1
Métaux	3	2	10	4
Papier		3	5	
Conditionnement			5	
Services				
Transport	2			7
Négoce	1		2	4
Hygiène	1	1		2

La production et les services furent très inégalement touchés par les règlements ; dans la production, toutes les branches sauf celle du bâtiment étaient plus ou moins gagnées, mais deux brèches immenses laissaient s'échapper la

195. Arch. dép. Calv., C 2810. Consultation au sujet des aubergistes, rôtisseurs, cuisiniers.

196. Pour dresser cette statistique, on se reporte aux Arch. dép. Calv., C 2797 : a) état général des Communautés de Caen vers 1750, b) second état dressé entre

majorité des activités de services : en bas de la hiérarchie, les gens de maison et les journaliers, à l'autre extrémité le grand négoce, les activités libérales et l'administration. En effet, l'armée, la magistrature, l'enseignement formaient bien par exemple des corps constitués, mais point de communautés, ils n'organisaient pas la fixité juridique des techniques et ne combattaient pas la compétition, loin de là [197].

La chronologie demi-séculaire révèle l'importance du colbertisme sur la naissance des statuts ; cette philosophie industrielle semblerait se prolonger loin dans le XVIIIe siècle. La périodisation par règne révèle mieux à quel point le siècle de Louis XIV avait été celui de l'intensité réglementaire :

Louis XIII	:	8 activités nouvelles statuées
Louis XIV	:	73 activités nouvelles statuées
Louis XV	:	26 activités nouvelles statuées

Après la décennie 1730-1739 cesse à peu près toute nouvelle « incorporation » ; le freinage de la liberté économique maintiendra sa pesée mais sans aggravation. Si le lien causal de ce *statu quo* avec l'essor urbain n'est pas démontré, du moins jusqu'à la suppression des anciennes communautés en 1779, la simultanéité fut pourtant bien grande.

D'autre part les branches étaient entrées à des époques diverses dans l'ordre réglementaire. Pour le textile, les métiers du papier, le conditionnement, la cristallisation socio-économique était achevée avant le XVIIIe siècle ; elle

---

1776 et 1779 et attribué par erreur aux années 1750. La plupart des textes statutaires nous sont parvenus, mais ils sont éparpillés dans plusieurs séries départementales et nationales. Les références suivantes peuvent rendre service ; sauf mention spéciale, il s'agira des Archives départementales du Calvados. Barbiers, perruquiers, étuvistes, 6 E 21. Bouchers, 6 E 44. Boulangers, 6 E 52. Boutonniers, C 2910. Carleurs, savetiers, 1 B 2032. Cartiers, cartonniers, papetiers, feuilletiers, dominotiers, 6 E 58 et 1 B 2036. Chandeliers, graissiers, beurriers, chopiers, C 2878 et 6 E 62. Charrons, 6 E 67. Chirurgiens, 6 E 69. Cordonniers, 1 B 2031 et 6 E 75. Cuisiniers, rôtisseurs, poulailleurs, charcutiers, traiteurs, C 2810 et 1 B 2031. Drapiers drapants et sergettiers, C 2857. Epiciers, apothicaires, 6 E 18. Etaimiers, plombiers, 6 E 106. Faiseurs de bas, 6 E 37 et Arch. mun. Caen, HH 16. Fripiers, 1 B 1976. Gantiers, C 2884. Imprimeurs, libraires, 6 E 114. Mégissiers, parcheminiers, 6 E 155. Menuisiers 6 E 117. Merciers, chaussetiers, 6 E 94 et C 2856, voir aussi Arch. nat., F 12 758. Panetiers, vanniers, bouteillers, marchands verriers, 6 E 154. Passementiers, Arch. nat., F 12 758. Pâtissiers, 6 E 166 et 1 B 1991. Potiers, beurriers, croquetiers, 6 E 34, et Arch. mun. Caen, HH 5 bis, également Arch. nat., F 12 758. Selliers, lormiers, carrossiers, coffretiers, bahutiers, bâtiers, bourreliers, 6 E 172, 1 B 1982. Serruriers, arquebusiers, horlogers en gros volume, arbalétriers, maréchaux-blanchevriers, taillandiers, cloutiers, 6 E 176 et C 2891. Tailleurs d'habits, C 2924. Tanneurs, corroyeurs, 6 E 195 et C 1927. Toiliers, C 2951, 6422 et Arch. nat., F 12 758. Tonneliers, C 2892. Tourneurs, futailliers, cornetiers, 6 E 154.

197. F. Olivier Martin, 1938, chap. 8, p. 473 sq. L'auteur a quelques difficultés à élaborer une théorie générale des corps susceptible d'inclure à la fois les communautés de métiers et les corps constitués ; il y parvient cependant, mais précisément parce qu'il s'en tient au droit public de préférence à l'aspect économique ; cf. l'introduction, p. XII.

était également fort avancée dans les métaux, le bois, le cuir. Au contraire, la première moitié du siècle nouveau revient à deux autres branches jusque-là fort réservées. Comme le réflexe corporatif est une réaction contre la baisse des qualités produites ou l'essor quantitatif des unités de production, il est intéressant de rapprocher les domaines où se manifeste cette inadaptation temporaire à la « consommation de masse » : c'était l'alimentation d'abord, l'artisanat du vêtement ensuite. Bref, vers 1750, à l'issue de la période de solidification juridique, le partage de la liberté et des contraintes s'opérait ainsi :

	Main-d'œuvre libre sans statut ni jurande	*Main-d'œuvre totale*	*Degré de liberté (%)*
PRODUCTION			
Agriculture	219	219	100
Alimentation	273	946	28,8
Textile	109	1 343	8,1
Vêtement	0	441	0
Cuir	0	399	0
Bâtiment	143	143	100
Bois	42	295	14,2
Métaux	20	280	7,1
Papier	0	90	0
Conditionnement	0	9	0
Total	806	4 165	19,3
SERVICES			
Transports	70	195	35,9
Négoce	71	409	17,3
Gens de maison	2 291	2 291	100
Services divers	308	308	100
Santé, hygiène	57	168	40
Reste des services	1 396	1 396	100
Total	4 193	4 767	86,5

Sur le plan de la disponibilité professionnelle, services et productions apparaissaient donc en situation contrastée. Cette remarque demeurera en corrélation parfaite avec les conclusions du chapitre précédent sur la main-d'œuvre. La force inégale des communautés explique que les premiers aient progressé en se divisant, les seconds en s'alourdissant.

Jusque-là, l'influence économique des communautés a été déduite de leur nature réglementaire. Mais ce point de vue ne peut suffire.

Il faut observer en premier lieu l'efficacité du freinage technologique selon les branches et relire les statuts.

Dans le secteur productif, l'alimentation tenait forcément une place à part. Sur les matières premières, les statuts ne faisaient que des observations de nature médicale sans imposer pour autant des aires ou des procédures d'achat. Ainsi les animaux de boucherie subissaient un examen de santé ; les diverses qualités de farine correspondaient obligatoirement à des usages différents ; les graisses, suifs et beurres des chandeliers devaient être classés selon la provenance animale, etc.[198]. Sur les fabrications le règlement fut toujours très vague, les denrées devaient être bien cuites ou bien apprêtées, la diligence de l'artisan faisait le reste. Ce laxisme technique apparaissait également dans l'artisanat du vêtement : les filières de production et la qualité des matières ne donnaient lieu à pas une précision. Au plus les listes limitatives de produits empêchaient l'extension horizontale des fabriques[199]. En ces deux domaines la législation, dans son libéralisme, reflétait son apparition tardive.

Contre-épreuve : les industries du cuir, du bois, des métaux, du papier et du conditionnement s'étaient donné fréquemment des technologies précises et bloquées ; leurs statuts étaient presque toujours plus anciens. Dans le travail du cuir, le traitement au suif et à l'huile de la matière, la mise en œuvre des bâts et des empiècements, la garniture des selles, la superposition des semelles de cordonnerie avaient été prévus une fois pour toutes[200]. Gêne lourde et bien appréciée comme telle : en 1741, l'intendant avait suggéré de fixer plus absolument les procédures de tannage : c'était quinze mois de chaux vive, le nettoyage des peaux au couteau, puis trois séjours de cinq mois, dix mois, cinq mois dans les fosses à tan, sans addition d'orge ; les artisans le firent reculer, ils voulaient se réserver le choix des durées et des apprêts, puis des possibilités de substitution puisque le tan était rare[201]. En menuiserie, des astreintes identiques recommandaient non seulement le bois sec et sans aubier mais les combinaisons d'essences exclusives pour les portes, les fenêtres ou les meubles[202], les matériaux des futailles[203] et ceux de la boissellerie. Il en allait de même dans le conditionnement avec la paneterie et vannerie[204]. Dans les nobles arts du feu et de la métallurgie, une minutie philosophale réglait par exemple les alliages de l'étain et les grains de remède tolérés avec le titre[205]. A plus forte raison, chez les serruriers et armuriers,

198. Arch. dép. Calv., 6 E 44, Statut des bouchers, art. XII à XVIII. *Ibid.*, 6 E 51, Boulangers, art. IV. *Ibid.*, C 2878 et 6 E 62, Chandeliers, graissiers, beurriers, art. IV, XIII et XVII.

199. Un exemple : les boutonniers, Arch. dép. Calv., C 2910. Douze fabrications autorisées : cordons à chapeaux, moules de boutons, colliers, cordelières, cordons, pendants d'oreilles, porte-manchons, glands, jarretières, franges, courtines, gances.

200. Successivement Arch. dép. Calv., C 2927, Corroyeurs ; 1 B 1982, Bourreliers, art. IX ; 6 E 672, Selliers, art. VIII ; 6 E 75, Cordonniers, art. VII.

201. *Ibid.*, C 2925, Projet de réforme de l'intendant de La Briffe.

202. *Ibid.*, 6 E 117, Menuisiers, art. VII, Liste des fabriques, VIII à X, Matières premières et fabrication.

203. *Ibid.*, C 2892, art. XIV-XV des tonneliers ; 6 E 152, Tourneurs, liste des fabriques, art. XV et XXII.

204. *Ibid.*, 6 E 154, Panetiers, art. XV et XVI.

205. *Ibid.*, 6 E 106, Etaimiers, art. X à XIII. Le grain de remède est une marque posée près du poinçon pour chiffrer l'écart entre l'alliage réel de l'objet et sa composition théorique. Pour les étains caennais : 4 grains de tolérance. Trois alliages étaient permis : a) étain fin, 100 livres pesant l'étain de glace pour 100 livres de cuivre fin ; b) deuxième étain, 10 livres de plomb pour 100 livres d'étain fin ; c) troisième étain, 18 livres de plomb pour 100 livres d'étain fin.

la trempe et l'ajustage[206]. Ailleurs la qualité des papiers chez les cartiers et cartonniers devait être à la mesure des falsifications qui tenteraient les joueurs : papier d'Auvergne au verso, papier au pot sur le dessus, deux feuilles de « mainbrunne » intercalées, peinture à cinq couleurs parmi lesquelles nécessairement l'indigo et le vermillon[207]. Chez les imprimeurs se conjuguaient les impératifs intellectuels : chaque apprenti savait le latin, lisait le grec, et policiers : la lettre « M » des corps de fonte, *ne varietur,* était déposée pour retrouver les impressions clandestines[208].

Enfin le textile formait la branche où s'était par excellence appesantie l'influence de l'état, si bien que les anciennes jurandes avaient perdu leurs statuts indigènes pour revêtir la règle royale. On le reverra ; qu'il suffise pour l'instant de savoir que le cahier des obligations portait sur l'origine des laines ou des fibres, que chaque opération préliminaire (comme le filage) ou postérieure (le calandrage, l'apprêt des draps, le blanchiment des toiles, la teinture) ajoutait ses contraintes, tandis qu'au centre du processus, le tissage obéissait à des normes de dimension, de robustesse (fils à la trame) et en outre à des servitudes de matériel, notamment en bonneterie[209], où la règle imposait les métiers de 22 plombs à 3 aiguilles dans la jauge de 3 pouces.

Dans les services, à l'inverse, la volonté législatrice de chaque communauté se trouvait confrontée à des activités plus abstraites qui échappaient à la prise. Voici qui peut expliquer encore la ductilité si différente des deux secteurs. Dans les branches du négoce ou de l'hygiène, par exemple, il s'agissait seulement de codifier les programmes de l'apprentissage[210] ou la nomenclature des ventes[211]. Rien n'était dit, ne pouvait être dit sur les procédures de marché, de financement ou de comptabilité des marchands négociants puisqu'elles dépendaient de l'envergure de leurs affaires.

La corporation exerçait donc des effets variés. On ne peut lui imputer l'ensemble des routines artisanales. Le bâtiment, entièrement dépourvu de règlement, n'en restait pas moins une industrie de gros bataillons et petites machines[212]. Dans le textile, placé cependant sous contrôle continu, certaines innovations étaient possibles et même souhaitées des inspecteurs des manufactures comme l'adoption des rouets anglais. Au fond, peut-être, devrait-on renverser complètement ces explications. Lorsqu'une corporation se donnait des statuts et qu'elle en poursuivait l'enregistrement, de nombreux motifs l'animaient, mais toujours l'inquiétude, le besoin de sécurité ; les intéressés répètent sans trêve qu'ils ont dû se « garder des entreprises » de tel ou tel. Après

206. Arch. dép. Calv., 6 E 176, Arquebusiers, serruriers, maréchaux-blanchevriers, liste de fabriques, art. XV, Procédures, art. XXXV, XXVI, XLI, XLIV.

207. *Ibid.,* 6 E 58, Statuts du XVIIe siècle, précisés en 1738. Cf. 1 B 2036, art. XXXIII.

208. *Ibid.,* 6 E 114, Arrêts du Conseil qui étendent à la province les règles des imprimeurs parisiens, art. XX du titre IV.

209. *Ibid.,* C 2857, Drapiers-drapants ; 6 E 37 et Arch. mun. Caen, HH 6, Bonnetiers, en particulier art. III.

210. Arch. dép. Calv., 6 E 69, Statuts des chirurgiens, titre III, art. XXV, titre V, art. XXXII à LIX.

211. *Ibid.,* C 2856 et 6 E 95. Chez les merciers, immense article XI, en forme d'inventaire, des objets permis à leur commerce.

212. Voir plus loin les chapitres sur l'urbanisme.

Schumpeter l'expression devient étrange. Ainsi la paresse inventive que nous voulons déduire des règlements était déjà sans doute dans ces métiers qui allaient rédiger leur charte. Le piétinement technique a sécrété l'ordre corporatif qui lui donnait en retour l'abri juridique propre à son maintien. Briser cette souricière, tel sera de Turgot à Le Chapelier l'objectif d'une révolution juridique partiellement contrôlée bien qu'étalée sur quinze ans.

IV. LA SIGNIFICATION DES CONFLITS DE MÉTIERS ET DU *NUMERUS CLAUSUS*

De surcroît, autrefois, l'immobilisme du processus de fabrication n'était pas ressenti comme un frein décisif au changement économique. Les branches artisanales s'attachaient moins au progrès de la productivité, objectif moderne, qu'à l'élargissement de leur gamme de productions. Nous le disions tout à l'heure, au lieu d'entreprendre quelque chose, elles entreprenaient volontiers sur quelqu'un et dans l'espace continu de l'économie, il s'agissait d'ajouter des unités semblables et d'occuper les marges de la profession en poussant les métiers voisins à reculer. Le changement procédait du dynamisme des plaideurs plus que de celui des techniciens. Aux yeux de beaucoup, il tendait davantage à la redistribution des profits et à la limite du capital qu'à son augmentation. En dépit de leur vigueur intellectuelle, les théoriciens de l'état stationnaire ne semblent pas avoir appréhendé cet aspect des économies préindustrielles avant J. St. Mill qui notait dans une hypothèse théorique analogue « quoique le capital en somme n'augmente plus, quelques individus deviennent plus riches et d'autres plus pauvres » [213].

S'il en est bien ainsi, la propension au changement apparaîtra dans les conflits entre métiers et les efforts de regroupement qui les ont sanctionnés. Dans un système presque immobile, il n'est pas impensable de voir des activités pilotes couper leurs amarres. Comme cette analyse n'a pas été souvent pratiquée, il faut l'établir minutieusement par branche à travers les archives de corporations et celles de l'intendance où les causes collectives étaient toujours évoquées.

1) *Alimentation.* La profession avait été secouée par une série de procès internes ponctuels, surtout dans le premiers tiers du XVIIIe siècle, lors de la rédaction des statuts : beurriers et chandeliers, cuisiniers-éleveurs de volailles, aubergistes contre rôtisseurs, bouchers-chandeliers. Un conflit des chandeliers, marchands de graisse contre les corroyeurs déborda la branche [214]. Mais les grandes batailles affectèrent seulement deux métiers. Les vinaigriers et distillateurs constituaient une activité d'avenir dès que se fut déclenchée, à la fin du XVIe siècle l'alcoolisation de la Normandie ; depuis le règne de Louis XIV,

213. Cité par M. Lutfalla, 1964, p. 171.

214. Il s'agit des procès collectifs, non des différends individuels. Dans ces analyses, la profession citée la première est toujours la demanderesse. Voici les références, respectivement, Beurriers, 1713, Arch. dép. Calv., C 2838 ; Cuisiniers, 1717, *ibid.*, 6 E 91 ; Aubergistes, 1730, *ibid.*, C 2810 ; Bouchers, 1761, *ibid.*, 6 E 50 ; Chandeliers, marchands de graisse, 1727, *ibid.*, 6 E 81.

nous les voyons engagés pour un siècle dans une procédure de partage avec les tonneliers qui avaient gardé le droit de remplir leurs futailles et s'étaient adjoints aux premiers en 1757 [215]. Plus conquérants encore, les épiciers portèrent en tous sens des coups innombrables : contre les pâtissiers, les merciers, les corroyeurs, les apothicaires, les chandeliers, marchands de graisse, les bouchers [216]. A chaque occasion, le débat concernera les procédures terminales de fabrication ou de conditionnement des produits alimentaires ou des drogues (jusqu'à la cire et au plomb) dont les épiciers voulaient contrôler la vente et les prix. Le plus acharné et le plus long des conflits les dressa contre les apothicaires qu'un arrêt du Conseil leur avait attachés en 1751 [217]. Conflits de dynamisme commercial dans une ville plus délicatement nourrie et mieux soignée ? L'étude des relations de groupes pose au moins la question.

Les réunions de métiers enregistraient-elles des victoires sur ces lignes de feu concurrentielles ? Avant de répondre il faut souligner la portée qu'elles revêtiraient. L'histoire du XXe siècle a prouvé que l'agrégat de forces économiques dissemblables est en réalité un marché où le faible, à l'inverse du puissant, s'affaiblit davantage. Bien que la permission fût donnée aux deux parties d'exercer le métier du partenaire, rien ne pouvait empêcher non plus cette issue dans les unions professionnelles conclues au XVIIIe siècle. Les détenteurs de capitaux, de connaissances ou de main-d'œuvre en tiraient seuls les bénéfices ; l'association consommait la victoire des plus forts.

A l'égard des jonctions professionnelles, la branche alimentaire se diviserait en deux. Certains métiers étaient suffisamment lourds pour garder leur individualité : la boulangerie, la boucherie [218]. Partout ailleurs triomphèrent les communautés les plus dynamiques. Les aubergistes obtenaient l'union avec les rôtisseurs ; les vinaigriers expulsaient les tonneliers de leur profession. Les épiciers et vendeurs de drogues, débarrassés des apothicaires, contrôlaient par leur supériorité financière le marché des produits « fins » [219] :

La signification de pareilles ententes doit être bien claire : leur effet peut être neutre sur la division du travail telle que la concevait A. Smith. Elles ne signifient pas que des fusions d'entreprises allaient se produire. Ces traits appartiendraient à l'économie du XIXe siècle. Par contre, elles permettaient l'effacement des artisans qui travaillaient une seule matière et devaient obéir aux fluctuations du marché devant ceux qui, plus fortunés, maintenaient ou

215. Vinaigriers de 1678, Arch. dép. Calv., 1 B 1985, à 1758-1760, *ibid.*, C 2827. Arrêt d'union avec les tonneliers, le 22 novembre 1757, *ibid.*, 1 B 1985.

216. Contre les pâtissiers, 1716, Arch. dép. Calv., C 2810 ; les merciers, 1716, *ibid.*, C 2810 ; les corroyeurs, 1727, *ibid.*, 6 E 81 ; les apothicaires de 1741 à 1779, Arch. mun. Caen, HH 13, Bibl. Mancel, mss. 99, Arch. dép. Calv., 6 E 18 ; les chandeliers, 1780, *ibid.*, C 2878 ; les bouchers, 1780, *ibid.*, 6 E 100.

217. Le 8 août 1751, Arch. dép. Calv., 6 E 18.

218. Je cite une fois pour toutes les nouvelles corporations rétablies après les édits de Turgot, Arch. dép. Calv., C 2786 : Etat des communautés d'Arts et Métiers créées et établies dans la ville de Caen par Edit du mois d'avril 1779 (trente-quatre communautés). Les bouchers ont été rejoints par les charcutiers en 1779.

219. Pour cet arbre professionnel, Arch. dép. Calv., 1 B 1998, C 2838, 6 E 18 et 6 E 90, Arch. mun. Caen, HH 13.

étendaient l'éventail de leurs offres en sacrifiant une part du profit. Un processus plus primitif était donc à l'œuvre : défavorable à ceux qui vont de la marchandise à l'argent, il profitait à ceux qui partent de l'argent. L'histoire des conflits de métiers raconte à sa manière la priorité chronologique du capitalisme commercial sur le développement industriel.

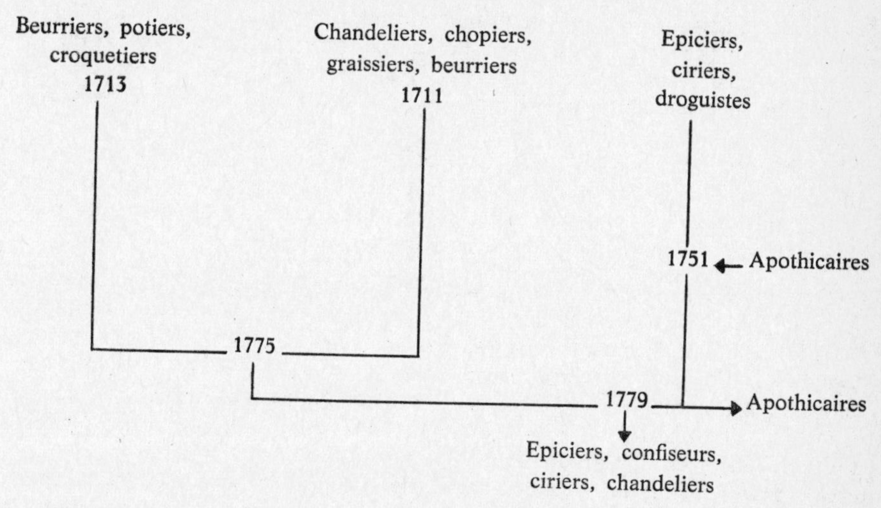

2) *Textile.* En regard de son avance technique sur les autres métiers, de la qualité et du prix de ses produits, l'industrie textile de Caen surprend par son ataraxie procédurière. Les tondeurs s'en étaient pris aux merciers entre 1695 et 1700, puis à leur tour, les chaussetiers de 1700 à 1716 [220]. Ceux d'entre eux qui pratiquaient seulement le négoce se détachèrent des fabricants pour rejoindre leurs adversaires à l'issue des procès et la querelle s'éteignit. Au cours du XVIIIe siècle le textile demeure une branche froide que trouble tout au plus en 1754 une action des passementiers contre les fripiers [221].

A une exception près, l'absence d'entente professionnelle ratifie cette impression. Les drapiers drapants, tisserands, sergiers, foulons, peigneurs et cardeurs formaient une communauté depuis 1669 qui se retrouve telle quelle après 1779 ; de même les bonnetiers et faiseurs de bas [222], les filassiers [223], les teinturiers [224]. Le groupe ne connut qu'une seule agrégation : encore se fit-elle à son détriment, les boutonniers, vainqueurs dans l'industrie du vêtement, tirèrent à eux, en 1779, les passementiers et les toiliers. Les métiers du textile n'étaient-ils pas trop spécialisés pour avoir gardé leur dynamisme ? Si nos préalables sont bons, en tout cas, le textile avait cessé d'être un moteur du

220. Drapiers tondeurs, 1695-1700, Arch. dép. Calv., C 2856 et 6 E 95. Chaussetiers, 1700-1716, *ibid.*, C 2856.
221. Arch. dép. Calv., C 2883.
222. Statuts de 1690, Lettres patentes de 1691, Règlements de 1700, 1721, 1737, cf. Arch. dép. Calv., C 2852 et C 2786.
223. Art. XXXIV des nouvelles communautés, *ibid.*, C 2786.
224. *Ibid.*

changement économique dans la ville. Il faudra revoir dans l'étude de la production urbaine cet insolite phénomène d'érosion.

3) *Artisanat du vêtement.* Voici une branche qui conquit son indépendance au XVIIIe siècle, en luttant en même temps à l'amont contre l'industrie textile et à l'aval contre le négoce des merciers et fripiers. Ainsi s'expliquèrent les procédures interminables des boutonniers contre les passementiers de 1715 à 1769 et plus brefs, les orages des tailleurs contre les fripiers en 1745, des chapeliers contre les merciers en 1767 [225]. Entre métiers voisins au sein de la branche, la compétition n'était pas très vive à l'exception de la zizanie réciproque des tailleurs et des couturières [226].

Les réunions consacrèrent ces victoires à la marge. Les boutonniers emportaient en 1779 la permission d'ouvrer la toile, les passements et rubans ; sans plus de difficulté, les chapeliers débordaient vers le cuir, en direction des pelletiers et fourreurs, les tailleurs vers les fripiers d'habits [227], purs marchands.

4) *Cuirs, peaux et fourrures.* Ce groupe d'activités présente une image renversée du précédent : de fortes et durables compétitions internes contrastaient avec l'indifférence aux branches voisines. Les tanneurs s'étaient opposés aux corroyeurs de 1707 à 1746, ceux-ci aux cordonniers entre 1733 et 1742, les savetiers aux cordonniers de 1733 à 1752, ceux-ci, ralliés aux selliers et bourreliers, aux corroyeurs de 1727 à 1742, puis encore les selliers et les mégissiers aux bourreliers en 1741-1746 [228].

Ces procès infinis où s'étaient bornés les projets de chacun se terminèrent par des regroupements. Ils eurent moins de portée que les annexions dont fut victime l'ensemble professionnel de la part de l'industrie du vêtement ou des métaux [229] à la fin du siècle, son espace économique s'était donc appauvri.

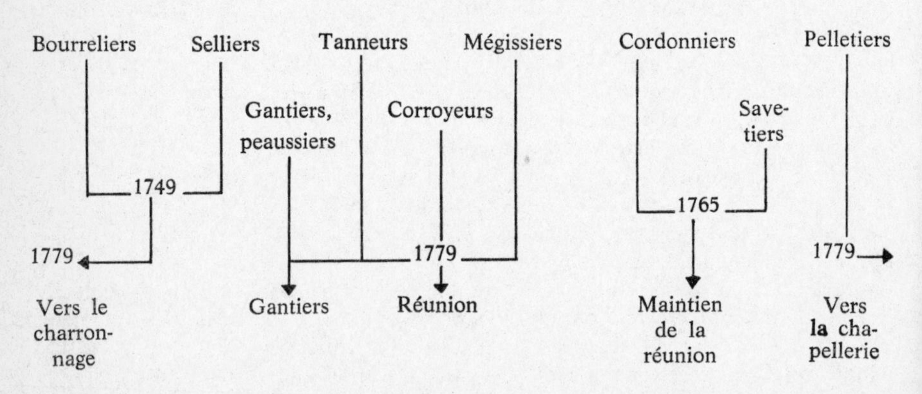

225. Attaque des boutonniers et rispostes successives en 1715, 1723, 1737, 1769. Cf. Arch. dép. Calv., 1 B 2027, C 2908, C 2912, 6 E 158 ; Tailleurs, 1745, *ibid.*, C 2883 ; Chapeliers, 1767, *ibid.*, C 2829.

226. En 1712-1719, Arch. dép. Calv., 6 E 190, puis en 1743-1745, *ibid.*, 6 E 89.

227. Art. II, VIII et IX des nouvelles communautés, *ibid.*, C 2786.

228. Tanneurs, *ibid.*, 6 E 201 ; Corroyeurs, savetiers, *ibid.*, 6 E 81 et 168 ; Selliers et bourreliers, *ibid.*, C 2921.

229. Art. VIII, X, XXV, XXIX, XXX des nouvelles communautés, *ibid.*, C 2786. Pour les réunions antérieures, en particulier en 1765, les cordonniers et les savetiers, cf. *ibid.*, C 2835.

5) *Bâtiment.* L'absence de communautés de métiers dans la branche explique que nulle action juridique n'ait pu opposer des groupes de producteurs entre eux. Ceci ne veut pas dire que la compétition n'existait pas entre les entreprises mais elle s'exerçait silencieusement en dehors de toute sanction légale, selon les règles concurrentielles de l'économie libérale et l'analyse de l'urbanisme le montrera plus loin bien clairement. En regroupant tous ensemble les métiers de la construction, l'Edit de 1779 n'ajoutait donc rien à un état de fait plus ancien où coexistaient une fois de plus l'archaïsme technique et le modernisme financier.

6) *Bois.* La structure du comportement économique dans cette branche rappelle celle de l'artisanat vestimentaire par l'extroversion des conflits. Les tourneurs s'étaient attaqués à l'impérialisme du négoce par deux fois, à l'encontre des merciers en 1719, des fripiers en 1745 ; ils avaient aussi cantonné le cuir (les bâtiers en 1741) ; les menuisiers les imitèrent (contre les selliers en 1736-1739 et les fripiers, 1745, 1754) aussi bien que les fabricants de bois de siège et tapisseries (contre les merciers en 1737-1743)[230].

Ce dynamisme externe allait de pair avec l'économie des querelles de famille. Le rattachement des fripiers, brocanteurs de meubles aux fabricants de sièges et de vigoureuses ententes internes témoignent de son succès ; un arbre professionnel touffu apparaissait en 1779 autour de la menuiserie[231].

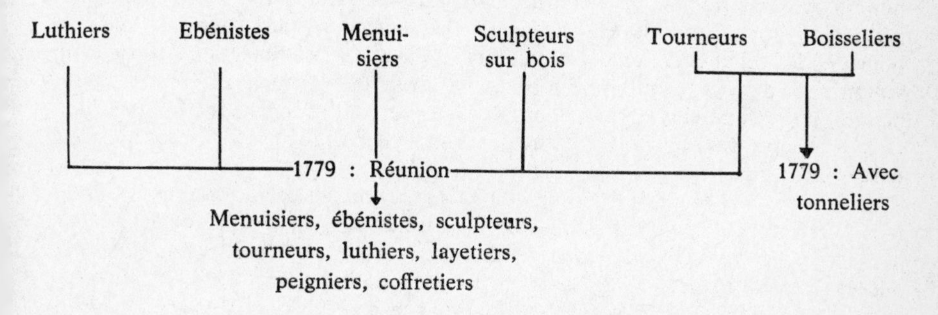

7) *Métaux.* Ce groupe industriel présente une combinaison d'attitudes originales. Le comportement des métiers de la fonte était tout à fait semblable à ceux du bois. Des actions processives entre 1745 et 1755 contre le négoce avaient pour objectif le monopole du marché : c'était le cas des étaimiers, des dinandiers et fondeurs de cuivre[232]. Cette identité de vues produisit l'entente facile, en 1779, des balanciers, fondeurs, chaudronniers, potiers d'étain[233].

Mais du côté de l'enclume et de la lime, l'agressivité interne évoquait au contraire la situation des cuirs et peaux. Les serruriers s'en étaient pris en 1727-1728 aux maréchaux tandis que ces derniers s'attaquaient aux coute-

230. Tourneurs, Arch. dép. Calv., 6 E 219 et C 2883 ; Menuisiers, *ibid.,* C 2883 et 6 E 121 ; Fabricants de bois de siège et tapissiers, *ibid.,* C 2929.
231. Art. XIX, XX, XXVI des nouvelles communautés, *ibid.,* C 2786
232. Etaimiers, *ibid.,* C 2883 et 6 E 107 ; Dinandiers, *ibid.,* C 2883.
233. Art. XXIV des communautés réformées, *ibid.,* C 2786.

liers[234]. Les accords de 1755 et 1779 établirent de nouveaux partages qui traduisirent la dislocation des anciennes unités et la lassitude plus que le succès[235].

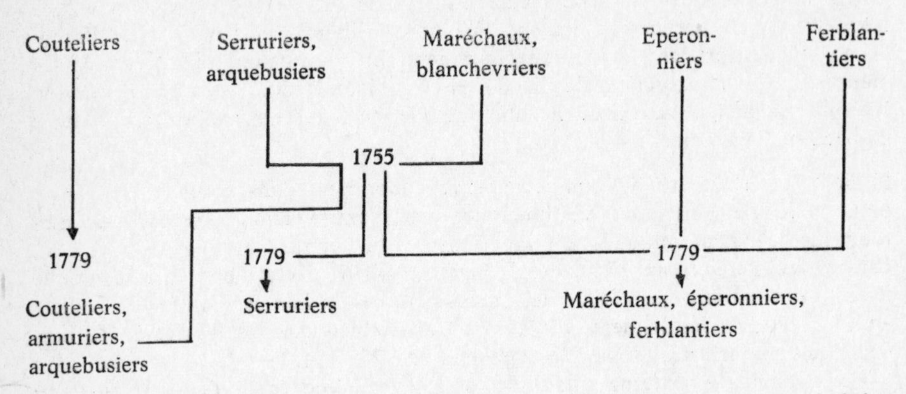

Seuls les charrons, demeurés en marge de toute procédure, avaient habilement attiré à eux les métiers du cuir associés à la production des équipages.

8) *Industries du papier et du livre, celles du conditionnement.* Elles avaient pour trait commun d'intéresser une main-d'œuvre rare et fort spécialisée, inexpugnable sans doute devant l'attaque des autres métiers urbains, menacée pourtant à l'échelle régionale et nationale. C'était en somme, à la réserve des volumes d'emploi, la situation du textile avec la même indifférence sur les marges professionnelles : aucun procès dans le conditionnement, un seul dans le livre contre des merciers trop tentés par la diffusion de la littérature populaire[236].

A la froideur processive correspondit la permanence du découpage industriel. Les imprimeurs-libraires demeurèrent isolés sous la tutelle royale de 1613 à 1789[237]. Les cartiers, papetiers, feuilletiers, statués en 1664, traversaient, hors d'atteinte, tout l'Ancien Régime[238]. Une seule entente sans conflit rapprochait dans le conditionnement et sur l'analogie de la matière première les faïenciers, bouteilliers, verriers et les vitriers[239].

9) *Secteur des services.* Le dynamisme des marchands-merciers occupa un rôle stratégique et pour ainsi dire exemplaire. Il ne saurait y avoir trop d'analyses sur cette activité, puisque les professions de la santé et de l'hygiène formaient

234. Serruriers, Arch. dép. Calv., C 2891, 6 E 176 ; Maréchaux-blanchevriers, *ibid.*, C 2891, 6 E 20 et 6 E 176.

235. Art. XXI à XXIII des communautés, *ibid.*, C 2786.

236. Libraires, 1735, *ibid.*, C 2885.

237. Le statut des imprimeurs libraires rédigé en 1613 n'avait pas reçu de lettres-patentes. Métier réglé par excellence, celui-ci devait se plier aux édits du roi. Cependant la jurande existait ; des gardes étaient enregistrés devant le lieutenant général de police. En 1779, les imprimeurs libraires conservèrent leur originalité, cf. Arch. dép. Calv., C 2886, 6 E 114, C 2786.

238. *Ibid.*, 1 B 2036, C 2786 et 6 E 58.

239. Art. XXXII des nouvelles communautés, *ibid.*, C 2786.

des communautés sans lettres patentes, réglées comme les libraires par le roi et sans initiative économique[240].

Ces merciers dont l'aventure rappellerait celle des six Corps parisiens, se formèrent en communauté en 1671. Le roi accepta leurs statuts en 1682[241]. En période de blocage et d'isolement réglementaire croissant, cette communauté vouée au commerce « en général » avait un avenir économique brillant devant elle. On allait la voir orienter la production régionale en informant les artisans du goût de la clientèle, provoquer des activités à la marge de plusieurs communautés urbaines en arbitrant les compétences et surtout amortir par ses stocks les prix fantasques : Guibray et la foire de Caen le prouvent. A ces agents de liaison-merciers, la Basse-Normandie dut la naissance d'un marché. Un vide économique s'effaçait, du moins la cadence martiale des marchands victorieux y fait songer.

Au temps du vieux roi, un procès des merciers, par exemple contre les chaussetiers (1700-1706) ou contre les tapissiers (1713) signifiait qu'un métier supplémentaire serait soumis à leur attraction. La rigueur du colbertisme avait créé d'elle-même ce carambolage professionnel.

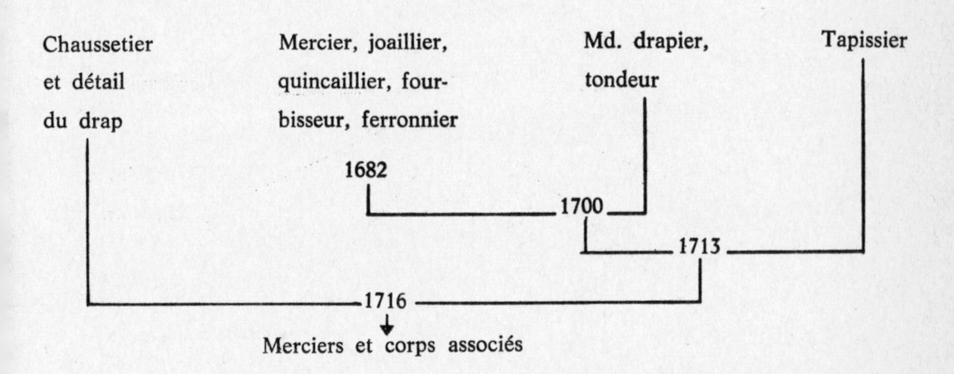

Dès lors les merciers allaient s'efforcer de contrôler la mise en œuvre terminale et le négoce d'une foule d'objets très élaborés. En dépit de la crainte qu'ils inspiraient aux échevins dès le XVIIe siècle de paraître bâtir un monopole[242], ils s'attelèrent au cantonnement des fabricants de bas (1715-1734), des toiliers (1730-1766), des fripiers (1745-1753), des passementiers et bonnetiers (1766-1770), des faïenciers en 1788[243] ; ils se portaient également

240. De nombreux procès individuels touchent la communauté des barbiers-perruquiers, mais leur nature est toute autre : il s'agit de manquement des personnes aux règles du métier ou de conflits avec les syndics, cf. Arch. dép. Calv., C 2811, 6 E 22-24.

241. Sur la constitution de cette communauté, *ibid.*, C 2856, C 2929 et 6 E 95.

242. Depuis la déclaration des statuts primitifs de 1671, où ils durent rassurer l'opinion publique en rédigeant une liste limitative des objets de leur négoce, cf. Arch. dép. Calv., 6 E 130.

243. Contre les faiseurs de bas, *ibid.*, 6 E 37, 6 E 43, C 2818, C 2819, Arch. mun. Caen, HH 6. Les toiliers, Arch. dép. Calv., C 2790, C 2847, C 2856-2858 ; les fri-

acquéreurs des brevets de maîtrise et des offices de contrôleurs créés en 1745 et 1767 [244].

Les projets d'entente professionnelle établis par l'intendance pour répondre à partir de 1758 aux soucis du bureau du commerce révèlent la puissance économique des marchands-merciers. On se proposait de leur réunir, et ce faisant de leur subordonner, neuf autres métiers appartenant aux branches du textile, du vêtement, du cuir, des métaux, du papier et des services d'hygiène [245].

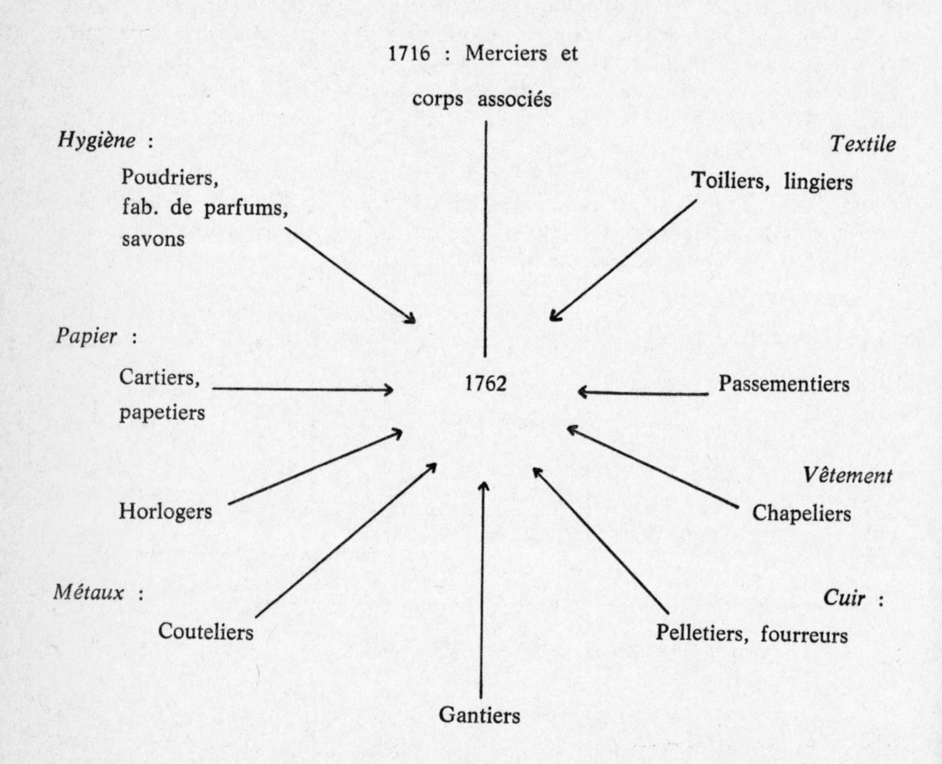

D'ailleurs, selon les autorités, les merciers trafiquaient déjà sur la plupart des objets qu'on allait leur ajouter. Cette agglutination doublerait l'effectif de la communauté primitive qui passait de 300 à 567 maîtres. Devant les perspectives d'essor économique et urbain qu'ouvrait la conclusion imminente de la paix, personne ne s'alarmait du démantèlement des vieilles corporations. C'était créer, à l'instar du bâtiment toujours concurrentiel et de l'alimentation où triomphaient les négociants d'épices et produits fins, un marché libre des biens de consommation.

---

piers, *ibid.,* C 2883 ; les passementiers et bonnetiers, *ibid.,* 6 E 98, 6 E 131, C 2859-2860, Arch. nat., F 12 758 ; les faïenciers, Arch. dép. Calv., 6 E 133.

244. Tradition ancienne, cf. déjà les créations de 1725, *ibid.,* C 2786, augmentées en 1745, *ibid.,* et en 1767, *ibid.,* 1 B 2066.

245. Arch. dép. Calv., C 2797.

Or ce libéralisme radical fut mis en échec à la résurrection des communautés de métiers de 1779 et l'agrégat primitif, victime de précautions antimonopolistes, dut éclater en cinq groupes [246].

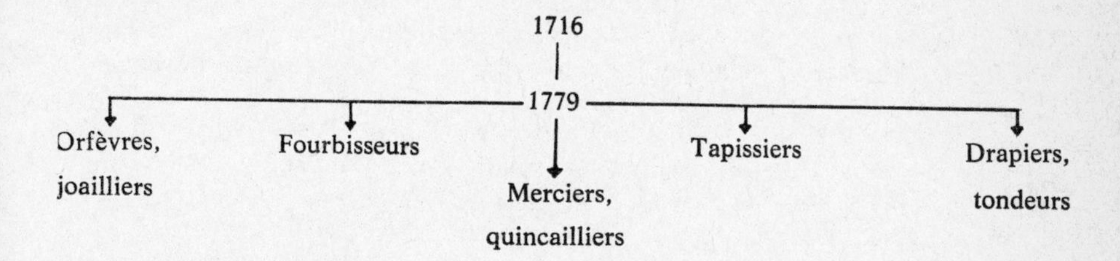

Plusieurs raisons expliquent cette apparence de renversement. C'est d'abord un effet de conjoncture. A cette date, l'évolution démographique de la ville s'était retournée, l'incertitude économique s'étendait à travers des hausses sectorielles trop fortes qui surprenaient les salaires et les revenus fonciers ; le mouvement des foires, la consommation urbaine s'étaient déjà contractés [247]. Alors que les difficultés cycliques peuvent être dans les sociétés industrielles l'occasion de gains de productivité appréciables, les économies anciennes régressaient en pareille circonstance vers les comportements traditionnels ; dans les familles aussi, nous avons rencontré ce retour au passé ; en ce sens, le décollage restait à réussir.

A la crise, le libéralisme économique s'était donc enlisé à travers des urgences sociales ; il en triomphera plus facilement au XIXe siècle. L'intendant notait que les fabriques de toiles étaient absolument tombées, que les tisseurs de bas étaient asservis aux marchands [248]. Dans un texte très clair de 1776, il s'en prenait aux merciers :

> « Ceux-ci ont le privilège singulier de pouvoir donner à leur commerce la plus grande extension en conservant la faculté de vendre tout pourvu qu'ils ne fabriquent rien. Ce privilège nuit essentiellement aux manufactures puisqu'il met le fabricant dans la dépendance du débitant. Celui-ci vit aux dépens du premier et s'enrichit de son industrie ; il seroit à souhaiter que le fabricant fût le maître de l'ouvrage qui sort de ses mains. » [249]

A ces motifs de circonstance s'ajouta paradoxalement l'effet d'une compétition structurelle dont l'issue fut loin d'être défavorable, à l'inverse, au véritable capitalisme commercial. En même temps qu'ils s'en étaient pris aux autres branches industrielles, les merciers avaient en effet croisé le fer avec leurs concurrents aux divers échelons de la hiérarchie marchande. Avec le colpor-

246. Art. I, V, VII, XXI et XXVI des nouvelles communautés, *ibid.*, C 2786.
247. Voir plus loin les chapitres sur la production et le commerce.
248. Arch. dép. Calv., C 2797.
249. Lettre au Contrôleur général du 11 août 1776, *ibid.*, C 242-250. Egalement la Lettre à Bertin du 21 novembre 1776 qui corrige légèrement la précédente, Arch. nat., F 12 751.

tage en 1753-1759, point de problèmes [250], ils l'avaient repoussé en campagne, du moins sous l'angle réglementaire. Mais le commerce de gros, entièrement libre, constituait un péril bien plus éminent puisqu'il débouchait sur la spéculation financière. Les merciers obtinrent en 1759 une ordonnance de police qui réduisait sur ce point l'initiative des particuliers. En vain, puisque l'Edit royal de mars 1765 étendait à toutes les personnes, hormis les magistrats, le droit reconnu aux gentilshommes depuis 1669 et confirmé en 1701 de commercer par « balles, caisses et pièces entières » [251]. Et cette liberté, N. de La Housse, bourgeois de Caen, allait la revendiquer peu après, lorsque les merciers voulurent déranger ses spéculations sur la dentelle.

Que faire ? En user aussi : les scissions de 1779 dans le négoce ne s'interprèteront pas comme un recul des forces qui favorisaient le contrôle de l'économie par le capital. Aux plus entreprenants, aux plus riches des merciers, aux guetteurs de l'espace commercial international, la porte d'évasion avait déjà été ouverte, la Déclaration royale du 6 février 1783 le redisait encore [252].

Procès et regroupements professionnels, tous ces événements fastidieux de la vie des métiers prononcent donc un jugement de tendance fort net sur le changement économique du XVIIIe siècle. Ils situent à leur vraie place les forces qui s'exerçaient dans les communautés. Le stock marchand y comptait plus que la machine. Chaque activité conquérante cherchait à s'emparer de la dernière valeur ajoutée à la fin du cycle des productions voisines. Le contrôle du processus entier de fabrication était moins attractif, parce que moins profitable ; on le laissait volontiers aux mains d'artisans devenus dépendants. L'organisation corporative n'a pas été défavorable aux métiers dynamiques et nantis d'argent.

En revanche on admet communément que les jurandes freinaient l'ascension individuelle grâce à un *numerus clausus* tacite des promotions à la maîtrise. Ce fait, s'il était avéré dans la ville de Caen, serait de grande conséquence. A l'abri des barrages sociaux dorment toujours les eaux de la paresse professionnelle. La fluidité de la main-d'œuvre est indispensable au changement économique. Pour finir de recenser les poids institutionnels qui pèsent sur le travail, nous devons donc examiner les problèmes de recrutement de la main-d'œuvre.

Existe-t-il une barrière corporative ? Les réceptions à la maîtrise peuvent d'abord suggérer une réponse sommaire. Les procès-verbaux nous sont en effet parvenus avec les archives policières ; de surcroît les établissements hospitaliers prélevaient quelques deniers de Dieu à chaque prestation de serment et tenaient une comptabilité pointilleuse des promotions professionnelles [253].

250. Arch. dép. Calv., C 2849 et C 2856.

251. Requête des merciers à Laverdy, *ibid.*, C 2859.

252. Arch. dép. Calv., 6 E 128 et C 6405. Cette déclaration étend les dispositions du 1er mai 1782, prises dans le ressort de Paris au territoire du parlement de Rouen. « Ceux qui font leur commerce par balle et sous corde... sans détail, boutiques et enseignes » ne peuvent être contraints à se faire recevoir dans les communautés d'Arts et Métiers.

253. Dans la série de police 1 B. Classement annuel des serments de maîtres et apprentis de 1730 à 1789, 1 B 1973 à 2015, 1 B 2028-2080. Dans la série des hôpitaux, *ibid.*, H. sup., liasse 23 (2 à 37). Voir aussi un nombre important de tableaux par ancienneté dans la série 6 E des Archives de corporations.

Les relevés annuels par branche ont été reproduits en annexe[254]. Des fluctuations importantes caractérisaient certaines activités. Dans les transports, les déchargeurs de la halle et du port étaient à la nomination de la ville qui y procédait par saccades. L'amplitude des variations chronologiques n'était pas moindre : lorsqu'une communauté avait des dettes, elle accueillait quelques maîtres supplémentaires disposés à l'aider ; dès qu'il était embarrassé, le roi vendait des lettres de maîtrise : observez l'afflux des serments, lorsque les citadins usèrent, deux ans plus tard, des créations de 1745. Enfin les derniers mois de 1779 et les années suivantes eurent une place tout à fait spéciale puisqu'il s'agissait, après table rase, d'enregistrer l'entrée dans les nouvelles corporations.

Les bilans décennaux épingleront mieux la tendance :

Réception des maîtres artisans et marchands

1730-1739	986	
1740-1749	1 155	
1750-1759	1 393	
1760-1769	1 033	
1770-1779	1 080	
1779-1789 [255]	1 250	dont 943 nouveaux maîtres
		307 anciens réincorporés

Jusqu'à la chute des vieilles communautés, le mouvement des entrées se séparait donc avec décision des tendances économiques générales. Corrigeons, il les précédait de dix à quinze ans. La fermeture du recrutement corporatif, en effet, anticipa de ce laps de temps, les premiers signes du marasme et il est difficile de croire qu'il n'y avait pas contribué en amortissant la compétition. Après l'Edit de 1779, le bilan des réceptions mêle les jeunes postulants et les anciens maîtres agrégés, fort réticents d'ailleurs, et qui parvenaient à tarif réduit dans la nouvelle communauté. Considérons seulement les postulants neufs ; sous cet angle, le renouvellement s'avérait au plus bas. Le rapprochement, dans la chronologie du chapitre précédent entre ce malthusianisme d'entreprise et l'évolution de la population active est limpide.

	Production		*Services*	
	Réception à la maîtrise	*Population active*	*Réception à la maîtrise*	*Population active*
1750-1759	100	100	100	100
Maîtrises, 1780-1789 ; Population active, 1792	72	135,2	55	115

254. Annexe 11. Mouvement de réceptions à la maîtrise.
255. Les réceptions dans les nouvelles communautés du second semestre de 1779 sont rapprochées de la décade 1780-1789. L'Edit d'avril 1779 n'a été enregistré à la Lieutenance de police que le 21 mai suivant.

Certainement le recrutement s'était refermé, mais sur quelles bases ? Conviendrait-il de céder à l'analogie des situations et d'évoquer, comme dans l'organisation seigneuriale, une certaine réaction ?

Du point de vue réglementaire, cette conclusion est insoutenable. Avant 1779, les fils de maîtres bénéficiaient de conditions financières qui disparurent à la réorganisation des communautés. En outre, à l'exception de la branche des métaux, l'accession à la maîtrise était moins onéreuse ou au pire équivalente aux conditions anciennes, comme le tableau suivant l'indique à partir des coûts moyens [256] ; il s'agit d'ailleurs de prix nominaux ; exprimés en pouvoir d'achat, tous les tarifs avaient baissé.

Coûts moyens, en livres, d'accession à la maîtrise

	Anciennes corporations		*Nouvelles corporations*
	Fils de maîtres	*Tarif plein*	*Tarif unique*
Alimentation	27	517	408
Textile	27	620	280
Vêtement	19	500	300
Cuir	12	319	287
Bois	8	454	366
Métaux	24	278	300
Papier	0	300	300
Conditionnement	0	300	300
Négoce	0	700	450

D'une autre manière encore, l'Edit de 1779 et la déclaration royale du 6 février 1783 avaient contribué à ouvrir l'accès de l'artisanat. C'était en assimilant à celles de la ville les maîtrises du faubourg de Sainte-Paix, dans la juridiction de l'abbaye de Fécamp, toujours beaucoup plus aisées à obtenir [257]. Finalement, la suppression des communautés de 1776, même tempérée par la résurrection de 1779, avait créé les possibilités d'une émulation industrielle et commerciale nouvelle. Ph. Lamare, bourgeois de Caen, l'a noté expressément dans son *Mémorial* : « Ce changement réveille tous les

256. Réception de fils de maître dans les anciennes communautés : Arch. dép. Calv., C 2797 (vers 1767). Réceptions des postulants sans qualité (1767) : Arch. nat., F 12 758. Réceptions aux nouvelles communautés, Arch. dép. Calv., C 2786. Dans les transports, réception gratuite délivrée par l'hôtel de ville. Dans les services de santé, les apothicaires sont hors corporation en 1779, les perruquiers-barbiers gardent la propriété de leur lettre d'exercice.

257. Les réceptions à Sainte-Paix ont été de tout temps la providence des compagnons pauvres. Bien entendu ce fut l'enjeu d'une longue querelle évoquée jusqu'à Versailles, Arch. nat., F 12 758, correspondance de Fontette en 1758. Protestations par exemple des faiseurs de bas (1765), Arch. dép. Calv., C 2819 et C 2906. Sur l'accueil mécontent fait à l'Edit de 1779 et à la déclaration du roi de 1783, cf. *ibid.*, C 2797, 1 B 2001, 1 B 2005 et 1 B 2006.

citoyens »[258]. En qualifiant la situation « d'espèce d'anarchie », le procureur au bailliage ne soulignait pas autre chose également que l'essor d'un libéralisme économique, désagréable dans sa nouveauté[259].

Au surplus, contrairement à ce qu'on avance parfois sans preuve, les corporations n'avaient jamais constitué un instrument de transmission héréditaire du pouvoir économique bien efficace. Puisque les réceptions à la maîtrise rappellent toujours la filiation des intéressés, il est aisé de dresser le tableau figurant la part des fils de maîtres dans chaque branche et chaque décennie.

Proportion des fils de maîtres dans les réceptions à la maîtrise

	1730-1739 (%)	*1740-1749* (%)	*1750-1759* (%)	*1760-1769* (%)	*1770-1779* (%)	*1780-1789* (%)	*Moyenne* (%)
Alimentation	56,9	54,7	57,8	45	35	21,7	45,8
Textile	61,7	44,6	54,9	77,7	48	66,6	57
Vêtement	32,5	48,2	47,7	49,8	37,3	32,8	42,1
Cuir	66,9	53,9	47,7	53,4	62,5	36,7	54,5
Bois	76,9	65,5	54,8	33,3	48,4	55,3	53,6
Métaux	63,9	32,8	36,5	59,7	39,7	33,3	44
Papier	25	35,7	40	31,8	25	37,5	30,4
Conditionnement	50	20	52,9	41	88	11	44,4
Négoce	49,5	34,7	39,6	47,6	29,1	64,5	42,1
Moyenne	52,6	47,6	49,2	50,1	37,3	32,8	45

Ces pourcentages concernent les 6 189 maîtres assermentés dans la période à l'exclusion des anciens titulaires réincorporés après 1779. Bien des fluctuations détaillées ont un sens qui échappera toujours. Je m'attacherai aux moyennes générales par branche et décennie. Evidemment, ces données n'ont rien à voir avec la mobilité professionnelle sur laquelle des indications ont été présentées plus haut. Il s'agit de mesurer ici le degré de blocage dans un statut. Les différentes industries y étaient inégalement sensibles. La fermeture était forte dans le textile dont la routine s'est déjà manifestée à travers l'étude des ententes professionnelles. L'alimentation, le vêtement, les métaux, le négoce, plus actifs, étaient aussi plus ouverts, mais la palme revenait à la branche des papetiers, cartiers, imprimeurs, que sa faiblesse numérique défendait mal des pressions extérieures.

La ventilation décennale prouve, d'autre part, que l'aristocratie économique des corporations était déjà défaite lorsqu'elle dut subir la sanction des lois. C'est à l'issue de la période de prospérité des années 1760-1769 que l'hérédité, jusque-là stationnaire, se prit à reculer et il est impossible de soutenir que le règlement de 1779 ait beaucoup aggravé une tendance qui aurait peut-être duré sans lui. Au reste les fils de maîtres n'emportent globalement que 45 % des maîtrises. Comptons encore quelques compagnons parvenus, que la Cou-

258. G. Vanel, 1905, pp. 40-44.

259. Requête du procureur au lieutenant de police, le 30 décembre 1779, Arch. dép. Calv., 1 B 2001.

tume de Normandie n'avait pas découragés d'épouser la fille d'un vieil artisan ; comment dire malgré tout que la barrière des métiers était véritablement juridique ? Non, l'obstacle ne tenait pas à la naissance, mais à l'argent, il concernait les compagnons qui n'avaient pas un an de salaire à dépenser en sus de leurs frais d'installation. D'ailleurs, quelle indépendance économique pouvaient-ils espérer avec de si faibles investissements, quand bien même leur eût été donnée la gratuité qu'apporta la Révolution ?

Faut-il préciser, au détriment d'une autre légende, l'inanité de la sélection par l'habileté professionnelle, puisque les corporations admettaient toutes de recevoir des maîtres « sans qualité », c'est-à-dire sans examen : les fils de maîtres étaient du nombre, les lettres royales dispensaient expressément de tout leurs acheteurs. Quel ne sera pas l'étonnement des plus mal informés des lecteurs en outre, lorsque l'examen des statuts de métiers leur révélera que le chef-d'œuvre n'était pas ce travail « capital et difficile » que définissent les dictionnaires de la langue d'aujourd'hui, mais qu'il se rapportait à la banalité des gestes quotidiens : tailler une semelle, monter une serrure, couper un habit, occurrences normales chez un cordonnier, un serrurier, un tailleur. Alors que les corporations sont abolies depuis dix ans, le *Dictionnaire* de l'Académie, dans son édition de l'an VII, saisit bien le glissement de sens qui l'emporta depuis le XIXe siècle. Il écrivait : « Chef-d'œuvre : 1) ouvrage que font les ouvriers pour faire preuve de leur capacité, 2) *figurément,* ouvrage parfait. »

Imaginons une société qui proposerait au choix un examen pour la conduite des véhicules, l'acquittement d'une somme d'argent, ou les deux à la fois. Les corporations fonctionnaient selon ce modèle de corruption si courant dans les économies pré-industrielles. Lorsque les tarifs s'uniformisèrent et que l'Etat, comme en 1779, se prit à en abaisser la quotité, lorsque les banquets de corporation se firent moins opulents et les gratifications forcées plus rares, la corruption devint lentement le prix d'un service : elle institutionnalisait et garantissait la règle du jeu économique, mais elle ne la fabriquait pas [260]. L'oblation demandée à travers les règles du métier n'ajoutait rien sans doute à la productivité, mais par le halo de respectabilité et de bon aloi qui en émanait, elle remplissait un rôle de publicité commerciale et d'intégration sociale. Cela explique qu'en dépit de facilités accordées à la production en campagne, tant d'activités soient demeurées obstinément urbaines. Dans les sociétés pré-industrielles, l'acte économique porte avec lui des messages sociaux [261].

La corporation servait d'abord à cette transcription. Son système hiérarchique était à peine en désaccord avec celui de la société, même dans le domaine des connaissances élémentaires. Les communautés laissaient circuler jusqu'aux fonctions de syndics, des analphabètes ; les gardes-jurés n'écrivaient pas beaucoup plus couramment que l'ensemble de la population, bien que la sélection se fût faite peut-être un peu plus sévère avec la crise :

260. Pourvu que la rétribution ne soit pas démesurée par rapport à l'acte économique et qu'elle soit régulière. W. A. Lewis, 1967, p. 424, suggère ce développement.

261. Cf. le bon article de J. Poirier, 1968.

	Syndics et gardes-jurés	
	Font une croix (%)	*Ecrivent cursivement* (%)
1730-1739	6	69
1740-1749	5	62
1750-1759	7	64
1760-1769	4	70
1770-1779	2	75
1780-1789	2	75

En même temps, des branches dynamiques pouvaient se donner des dirigeants assez peu dégrossis, l'artisanat du vêtement en fournirait un exemple, en contraste avec le textile :

	Syndics et gardes-jurés de 1730 à 1789	
	Font une croix (%)	*Ecrivent cursivement* (%)
Alimentation	4	69
Textile	2	71
Vêtement	10	57
Cuir	8	63
Bâtiment	2	80
Bois	5	70
Métaux	3	63
Papier	0	86
Conditionnement	0	32
Marchands	1	86
Hygiène	1	89

Enfin, la relative transparence de la réalité « démo-économique » à travers l'institution corporative permettait un fonctionnement sans à-coup de la production urbaine. Mais celle-ci était extrêmement diversifiée et présentait un profil inverse de la situation rouennaise ou lyonnaise avec leurs fabriques ramassées. Aussi, peu de conflits du travail : en 1721 une action des drapiers peigneurs contre les compagnons qui s'échappaient sans encombre vers des métiers moins touchés par la crise de structure[262] ; en 1743, une coalition des ouvriers cordonniers pour leurs deux sols par paire de chaussures[263] ; au-delà de cette date ne seront plus épinglés aux carrefours et sur les églises que deux ou trois affiches versaillaises portant défenses très générales de cabales[264].

262. Arch. dép. Calv., C 2858.
263. Avec grève et quarantaine, *ibid.*, 1 B 1979.
264. Notamment, Arrêt du Conseil du 2 janvier 1749 réimprimé à Caen chez Cavelier (Arch. mun. Caen, AA 57) et 1778, Arrêt du parlement contre les Compagnons du devoir, les Renards et les Gavots (*ibid.*, HH 28).

Chez les maîtres, les communautés n'étaient pas davantage ressenties comme particulièrement pesantes en 1789. L'opinion des cahiers de doléances se partageait ; une légère majorité des métiers fut favorable au renforcement de la liberté économique [265].

	Destruction des corporations : liberté	*Maintien de la loi de 1779 : diminution des droits d'entrée*	*Retour aux anciennes communautés*
Alimentation		6	5
Textile	1	1	2
Vêtement		1	1
Cuir		2	1
Bâtiment		1	1
Bois		2	
Métaux	1	2	
Papier			
Conditionnement			
Négoce			1
Hygiène	1	1	1
Total	3	16	12

Bref, la corporation n'était pas, selon les entrepreneurs, un obstacle au changement et nous avons pu mesurer en effet que ses bastions s'écroulaient chaque fois que des forces productives réelles pesaient dessus. D'ailleurs, aux yeux de tous, l'obturateur du changement était moins le juridisme des communautés que la ponction fiscale, obstinément dénoncée par les contribuables et même les administrations régionales, prétexte majeur des premiers événements révolutionnaires.

V. LES CONDITIONS FISCALES DU CHANGEMENT ÉCONOMIQUE

Les répercussions sociales ou politiques du prélèvement ne nous intéresseront pas pour le moment, mais seulement ses aspects économiques. Depuis un temps immémorial et bien avant le XVIIIe siècle, on distinguait déjà les impôts directs et indirects. Les premiers touchent davantage l'opinion, ils sont donc susceptibles d'avoir un retentissement plus immédiat sur le travail des agents. Mais cette influence n'est pas seulement psychologique ; elle s'inscrit dans la comptabilité. L'impôt sur l'ensemble des « facultés », c'est-à-dire en gros

265. F. Mourlot, 1912, p. 121.

sur le revenu, comme était la capitation, frappait aussi l'épargne éventuelle, tandis que l'impôt indirect ne pesait que sur la partie consommée des disponibilités de chaque contribuable.

Il me fallait donc établir ce partage décisif qui va peser sur les aptitudes à l'investissement et au changement. Ce ne fut pas sans mal ; une annexe particulière rend compte des résultats [266].

Impôts mis en recouvrement

	Total	*Impôts indirects*	*Part des indirects*
1740	386 849	264 252	68,3
1741	387 735	265 139	68,4
1742	364 190	241 593	66,3
1743	389 382	266 785	68,5
1744	375 697	248 722	66,2
1745	367 406	240 431	65,4
1746	388 816	256 176	65,9
1747	410 338	277 698	67,7
1748	410 421	275 076	67,0
1749	417 331	281 986	67,6
1750	393 513	298 230	75,8
1751	392 067	285 508	72,5
1752	430 254	323 820	75,3
1753	410 509	303 887	74,0
1754	433 527	325 587	75,1
1755	404 226	297 571	73,6
1756	414 973	307 820	74,2
1757	473 482	336 941	71,2
1758	500 586	331 411	66,2
1759	559 452	389 054	69,5
1760	581 328	305 538	52,6
1761	590 395	315 880	53,5
1762	580 082	303 811	52,4
1763	577 402	305 590	52,9
1764	468 546	297 151	63,4
1765	514 058	339 272	66,0
1766	487 031	310 116	63,7
1767	511 373	299 033	58,5
1768	523 800	307 403	58,7
1769	552 866	323 651	58,5

266. Les sources imprimées ont été citées lors de l'étude socio-démographique des rôles fiscaux. Pour les sources qui apportent les données chiffrées, cf. Annexe 12. Les calculs évoqués dans le développement ne prennent pas en compte les impôts des propriétés en campagne qui retombent sur les fermiers. Le faire-valoir direct est exonéré de taille. De plus, les vingtièmes des rentes et des offices, les droits d'enregistrement d'un rendement infime, d'ailleurs prélevés à la source, ne peuvent être facilement comptabilisés. Pour l'ensemble, il s'agit des sommes mises en recouvrement et non des rentrées fiscales effectives. En ville, au XVIIIe siècle, les non-valeurs sont infimes.

	Total	*Impôts indirects*	*Part des indirects*
1770	551 686	323 062	58,5
1771	553 946	325 321	58,7
1772	528 590	299 965	56,7
1773	541 784	313 159	57,8
1774	556 622	322 723	58,0
1775	592 831	353 323	59,6
1776	587 242	351 235	59,8
1777	627 108	347 532	55,4
1778	600 266	320 690	53,4
1779	592 599	313 023	52,8
1780	605 745	326 169	53,8
1781	617 424	337 848	54,7
1782	608 114	326 779	53,7
1783	690 029	330 997	47,9
1784	679 763	320 731	47,1
1785	668 466	309 434	46,3
1786	657 930	298 898	45,4
1787	569 366	283 905	49,8
1788	602 664	291 187	48,3
1789	597 830	286 675	47,9

L'indice nominal de prélèvement global compté pour 100 dans la décennie 1740-1749 devait atteindre 160 pour la décennie pré-révolutionnaire. Or, la population avait augmenté dans le même temps de 10 % environ. A effectif constant, la charge est ramenée par conséquent à 145. C'était une hausse moyenne, inférieure à celle des salaires modestes, identique à bien des prix marchands, inférieure aux revenus fonciers comme on le vérifiera plus loin. Bref le fisc n'était pas devenu, à travers le siècle, le Saturne dévorant que les pamphlets présentèrent en 1789. D'ailleurs les rôles comparés aux dénombrements font apparaître plus de 40 % de contribuables entièrement exonérés. Il est vrai que la hausse avait été irrégulière et, pour l'économie, le taux importe moins que les saccades. Or dans la seconde moitié du siècle, la bourrasque s'élevait à chaque guerre. Il faudra redonner aux conflits, tels que la guerre de Sept Ans ou la révolte américaine, une importance de premier plan sur la marche des affaires : elle se lit dans les chiffres ; Gregory King, à la fin du XVIIe siècle, l'avait déjà remarquée ; de notre temps, l'historien J. U. Nef abonde à juste titre dans le même sens [267].

En même temps, la pression des impôts indirects (don gratuit, hôtel-Dieu, droit de Coutume, gabelle, octrois municipaux et royaux) ne cessa de diminuer. Ils représentaient 67 % du total imposé entre 1740 et 1749 et même plus de 70 % de 1750 à 1759, mais tout juste 50 % à la veille de 1789. Leur indice final était à peine de 120 par rapport à la décennie initiale. Les taxes directes avaient crû beaucoup plus fort et comme elles sont plus pénibles, le mécontentement politique n'était donc pas sans aliment ; elles épongeaient

267. J. U. Nef, 1944.

entièrement, en particulier, le coût des guerres durant lesquelles il ne fallait pas attendre l'essor de la consommation et des impôts indirects.

Le bilan économique de cette gestion fiscale n'est pas neutre. D'un côté la hausse des impôts directs pesait sur les investissements tandis que la baisse relative des autres contributions poussait plus haut la consommation. Et l'Ancien Régime s'était ainsi donné sans le savoir les moyens de favoriser le changement économique par l'addition d'unités de production marginales, mais non par la révolution technique toujours assez coûteuse. Inconsciemment encore, il freinait le chômage ou lui donnait une sorte de déguisement.

Je ne crois pas qu'on ait beaucoup étudié ces problèmes pourtant attrayants et je me hasarderai encore à faire quelques remarques sur les deux formes du prélèvement. En ces matières « toutes d'opinion » : les impôts directs, la politique gouvernementale la plus sûre consiste à exempter le mieux possible les catégories qui soutiennent l'édifice politique et à taxer les gens dont on n'attend rien. C'est favoriser l'accumulation des capitaux là où ceux-ci, par la suite, pourront se ventiler conformément aux souhaits du régime [268]. A ce titre, la monarchie ne fit pas la preuve d'un grand machiavélisme. Voyons ce qui se passait à Caen au XVIIIe siècle. En 1740, la capitation des gentilshommes et privilégiés représentait les deux tiers de celle des bourgeois. On sait la part que la noblesse commerçante allait prendre à cette époque dans les industries de pointe comme les mines et dans le grand négoce. Peu importe au fond, en dépit du paradoxe, les différences de quotité qui pouvaient frapper les ordres entre eux, c'est leur variation qui compte sur les attitudes. Or en 1789, sans augmentation numérique, les privilégiés avaient rattrapé et dépassé de 14 % l'imposition bourgeoise [269]. Outre que cette politique justifiait à leurs yeux la fronde fiscale, n'amenuisait-elle pas le rôle initiateur que ceux-ci pouvaient remplir dans l'économie ? On conclura aussi bien, il est vrai, que la monarchie avait transféré d'elle-même cette fonction à la bourgeoisie.

Le mode de prélèvement est d'ailleurs susceptible de retentir autrement sur l'économie. Frapper les revenus de la terre ou des propriétés bâties lorsque ceux-ci sont généralement consommés ne porte pas une atteinte directe à l'infrastructure économique ; le résultat est presque indifférent sur les investissements productifs. Il en irait autrement si les profits devaient être pénalisés de front. Mais ils ne l'étaient pas, tant s'en faut. En 1740, l'impôt sur « l'industrie » représentait 21,3 % de l'impôt foncier. En 1789, seulement 3 % ; en valeur nominale absolue, celui-là avait décru de moitié. Là encore l'incitation au changement ne se heurtait pas au blocage fiscal.

Il faut scruter d'autre part les impôts indirects pour savoir les objets qui en formaient la base. Tout le système reposait sur la pancarte de l'octroi au prorata de laquelle étaient prélevés les taxes municipales, les aides, la taille tarifée, les droits de Coutume et les deniers de l'hôpital. Seule exception : la gabelle ; les citadins la payaient selon le système de la vente volontaire avec deux classes de contribuables. Les bases de la collecte demeurèrent

268. W. A. Lewis, 1967, pp. 416 sq., suggère beaucoup de réflexions.

269. Depuis 1777, le casernement (31 000 livres) est compté avec la capitation bourgeoise ; il faut l'en distraire pour comparer terme à terme.

stables depuis le tarif des marchandises de 1718 [270] : à l'exception des farines, la plupart des denrées d'épicerie, toutes les boissons, les viandes et les poissons étaient inscrits au tableau ; de même les bois et charbons ; les matières premières de l'industrie du cuir, du textile, de la teinture, de la construction, des métaux payaient les droits ; enfin les tissus fabriqués à travers la France et l'étranger. Toute perception était levée pour la foire.

Dans l'éventail des consommations, le secteur tarifé épargnait donc à la fois le pain et l'eau du prisonnier, l'orfèvrerie, les nappes de dentelle et les reliures de Derome ; les objets de consommation courante composaient toute sa prise. Mais ce qui devait, dans l'esprit du Conseil royal, faire son rendement engendra au fil des ans sa fragilité. Comme l'impôt était perçu à la pièce (de bois, de drap, etc.), au poids ou bien au volume, la hausse des prix abaissait régulièrement le taux de prélèvement. Le transfert des revenus opéré par la fiscalité indirecte était donc corrigé par celui qui provenait de l'inflation. La consommation et par elle, les changements dans l'appareil de production en étaient facilités.

Au fond l'épreuve de vérité indiscutable consisterait à comparer la masse de la fiscalité au revenu brut global des citadins. Mais cela supposerait une comptabilité d'une précision inaccessible faute de documents. Il est seulement permis de raisonner à la limite. Si l'on donnait par hypothèse à chaque personne active et chaque rentier chef de famille un revenu égal au salaire de 20 sols par jour, la fiscalité réelle opérerait sur cette masse une ponction de 13 %. Le revenu global était évidemment bien plus élevé et l'impôt d'autant plus faible : une poignée de deniers à la livre. D'ailleurs, quand on peut calculer ce rapport avec précision, comme pour la fiscalité des biens fonds dont on possède les baux, l'impôt prélève en moyenne 4,5 % du revenu. Cette légèreté fiscale des économies pré-industrielles est une « loi » que les experts contemporains relèvent également dans le Tiers Monde. Ne lui donnons toutefois au XVIIIe siècle qu'une portée citadine. La péréquation fiscale des campagnes était sans doute tout autre et les chapitres d'urbanisme montreront comment d'innombrables procédures financières rejetaient sur le plat pays la charge des travaux dont bénéficiait la cité alors qu'elle ne supportait directement aucune ponction seigneuriale ou ecclésiastique.

En tout cas le résultat est clair. Même lorsqu'elle n'encourageait pas l'investissement, la fiscalité réelle n'était pas de force à bloquer les transformations économiques urbaines.

CONCLUSION

Voici par conséquent, dans la ville de Caen, une situation bien banale. Les conditions écologiques avaient évolué en sens favorable et rendaient la main-d'œuvre plus disponible à toute transformation. La législation corporative du

270. Au cours du siècle, un premier tarif date de 1704 (Arch. dép. Calv., C 6481). Il a été retouché légèrement en 1718 par arrêt du conseil du 8 janvier. Il en existe de nombreux exemplaires, *ibid.*, C 1448 et Arch. mun. Caen, BB 83 ou CC 115.

travail n'était pas alors le verrou archaïque que l'on décrit lorsqu'on se réfère au blocage qu'elle engendrerait par hypothèse dans une société industrielle. Sur le front des véritables compétitions du siècle où se battait le capitalisme marchand, la réglementation cédait le pas facilement. Enfin l'impôt cristallisait plus d'oppositions politiques qu'il n'en suscitait au changement de l'économie.

Restaient donc les attitudes mentales, seules barrières résolument fixistes dans cette société provinciale où l'esprit du siècle n'avait su conquérir plus qu'un lot de francs-tireurs. Si les idées menaient ce monde économique, c'était en arrière.

CHAPITRE VIII

Les structures de la production

A Caen, la paresse des volontés parvient sans doute à entraver le développement de l'économie puisque le désir de changement est la condition préalable du progrès. Mais une telle observation ajourne simplement des difficultés que notre discipline ne paraît pas savoir résoudre en ce moment.

Comment persiste ou disparaît cette indolence ? Ses variations auraient-elles des fondements biologiques ? A l'échelle trans-séculaire, nous sommes en masse les descendants des familles les plus prolifiques du temps passé. Etait-ce au demeurant les plus dynamiques ? Nous ne pouvons répondre. Mais de toute façon, ces longues perspectives durant lesquelles dérive le patrimoine génétique et pourrait se modifier l'aptitude à l'initiative sont indifférentes à la courte période que nous examinons dans les préliminaires de la croissance. Eliminons en même temps l'idée qu'une modification appréciable des mœurs alimentaires ait pu transformer le ressort de la population de Caen [1] ; les consommations de la ville observées plus haut ne suggèrent pas des changements si profonds. Je ne soutiendrai pas plus que cette anthropologie économique stationnaire constituait la théorie d'un état matériel plus ancien, faute de pouvoir le démontrer, et je n'entrerai pas dans l'examen des rapports que l'infrastructure entretient, ou non, avec les mentalités car il semble que la matière appartient à l'opinion autant qu'à la connaissance.

Des obstacles culturels au changement ont été repérés dans le chapitre précédent. Il reste modestement à discerner s'ils allaient céder *hic et nunc*. Comment furent reçues les innovations ? Serait-il possible de retrouver la production urbaine à partir d'une étude de la productivité puisque les masses de l'emploi sont déjà pesées ?

1. Un très beau texte de John Holker le manufacturier est cité par A. Rémond, 1946, p. 91. Destiné à Trudaine en 1756, il envisage clairement cette éventualité : « A Saint-Etienne, il y a du travail, mais sans émulation... On se sert constamment des bras sans rechercher les inventions qui les peuvent suppléer et cette indolence m'étonne. Elle est presque générale en France dans le bas peuple... Le relâchement (des artisans) ne viendroit-il point de la dureté de leur position ? Ils sont pauvres... L'ouvrier anglais au contraire est à son aise, bien nourri, travaille avec liberté. Ces douceurs de la vie peuvent plus influer sur le génie que l'air ny le climat. »

I. L'INNOVATION TECHNIQUE ET COMMERCIALE

Dans l'économie dirigée d'autrefois, les initiatives locales ne passaient pas inaperçues. Qu'il s'agisse indifféremment d'inventions technologiques ou de greffes d'entreprises à vocation neuve sur la chaîne des productions anciennes, le regard critique des corporations et celui de l'Etat s'exerçaient immédiatement. De ces deux contrôles, nous gardons les archives exhaustives qui permettent de dresser le tableau chronologique des nouveautés urbaines au XVIIIe siècle.

Dates	*Productions*	*Innovations*	*Sources (sauf mention, Arch. dép. Calv.)*
1720-1721	Bas de laine	Métiers de 22 plombs à 2 aiguilles	C 2852
1729	Lainage du drap	Cardes de fer au lieu de chardons	C 2847
1732	Filature de laine	Nouveaux mélanges de provenance	Arch. nat., F 12 1369 A
1738	Foulage	Craie au lieu de terres grasses	C 2843
1741	Blanchiment des toiles	Sur pré, en hiver au lieu de mars	6 E 21
1744	Amidon	Création d'une fabrique	C 2805
1744	Foulage des ratines	Fiente de porc et urine	C 2882
1745	Foulage des serges	*Id.*, plus un système de pompes	C 2858
1749	Métallurgie	Acier et fer travaillés au charbon de terre de Littry	C 3022
1760	Coutils, façon de Bruxelles	Nouvelle « manufacture »	C 2950
1760	Blanchiment des fils	Gros lait et résines	C 1355
1762	Taille des fausses pierres	Nouvel outil	C 2893
1764	Toiles	Mélanges lin-chanvre	C 6422
1764	Faïences	« Manufacture » à Sainte-Paix	C 2881
1765	Filature	Dévidoirs et rouets décrits par J. Holker en 1751 [2]	C 2858, 7 C, et P. Jubert [3]
1767	Sucre	Raffinerie Laveine	C 2920
Vers 1770	Sucre	Raffinerie Dudouet	C 2920
1769-1770	Dentelles	Machine inventée par Longuet	C 2829
1771	Rubanerie	Mécaniques de Pestel à tissage multiple	Arch. nat., F 12 758
1774	Velours de coton, mouchoirs en fil, siamoises	« Manufacture » Pouchet	C 2859

2. A. Rémond, 1946, p. 139.
3. P. Jubert, 1969, pp. 471-481.

Dates	*Productions*	*Innovations*	*Sources (sauf mention, Arch. dép. Calv.)*
1774	Teintures, papeteries	Procédé lyonnais diffusé par Gonin	C 2934
1776	Eclairage	Procédé italien de composition des chandelles	C 2878
1780	Tissage des « bayettes »	« Manufacture » Longuet	C 2853
1780-1781	Hydraulique	Machines à puiser l'eau	C 4117, 6 C 4
1781	Toiles	Calandre à cylindre en cuivre chauffant	C 2860
1782	Hydraulique	Machine à élever les eaux pour l'adduction (Delapoterie).	C 1116
1783	Toiles indiennes, persanes, mousselines, futaines, damas, siamoises	« Manufacture » Chauvin	C 2860 et Arch. nat., F 12 1420
1784	Etoffes feutrées et chapeaux	« Manufacture » Longuet (Caen et Biéville)	C 2829
1784	Combustible	Aggloméré tourbe, glaise et charbon de terre	C 3025
1786	Tissus de gaze	« Manufacture » Voisin	Arch. nat., F 12 758
1786	Toiles peintes	« Manufacture » des Suisses Perret-Burk	Arch. nat., F 12 1405 A

Comme on le voit tout de suite, les deux versants du siècle ne sont pas également partagés. Mais le doublement des initiatives entre 1750 et 1789 est à coup sûr conforme au rythme économique national. En même temps, bien que se maintienne une forte prépondérance du secteur textile, la diversité des tentatives techniques ou commerciales s'accentue. Dans la première moitié du siècle, deux initiatives seulement s'étaient détachées de ce lot avec l'installation d'une raffinerie d'amidon et les expériences de réduction et de travail du fer au charbon. Entre 1750 et 1789, huit entreprises concernent la fabrication de produits alimentaires (sucre), les dérivés des corps gras (chandelles), les terres à feu (faïence), le combustible (combinaisons tourbe-charbon de terre), l'hydraulique (élévation et distribution de l'eau). Ainsi les processus de division professionnelle repérés dans la main-d'œuvre s'accompagnaient en même temps d'une certaine effervescence créatrice.

Il ne faut pas tarder davantage à trier dans ces innovations celles qui viennent de la naissance d'entreprises et celles qui procèdent de la technique. Le premier groupe exprime le dynamisme des affaires, non pas celui des découvertes. A ce titre encore, la deuxième moitié du siècle s'était taillé la part du lion. Contre une modeste « manufacture » d'amidon née en 1744 — le terme est pris au sens du XVIIIe siècle —, apparaissent une faïencerie en 1764, deux raffineries de sucre en 1767-1770, une fabrique de velours de coton (1774), un tissage de bayettes en 1780, une entreprise de feutres en 1784, de gaze et de toiles peintes en 1786. Mais tous ces établissements faisaient appel à des procédés éprouvés ailleurs, parfois de tout temps ; la nouveauté n'existait que dans l'implantation locale.

La deuxième catégorie rassemble des innovations techniques. Ne serait-ce pas le lieu privilégié, à côté des emprunts, d'applications originales ? En vérité, il n'en était rien. Dans la première moitié du siècle où règne une intensité réglementaire exceptionnelle, l'ingéniosité des fabricants s'exerça surtout contre les institutions : on saisirait moins le perfectionnement de la production ou de la productivité que l'effet des fraudes industrielles. Sous cette rubrique se rangent les essais d'emploi de la chaux éteinte dans le blanchiment des toiles, de produits lactés sur les fils, de peignes de fer pour le lainage des draps, de craie dans le travail du foulon et généralement le mélange des matières premières dans tous les textiles. En somme on voulait simplifier le processus de fabrication, augmenter le profit sans toucher au temps de travail non spécialisé, au volume de la production, ni même en apparence au produit.

Or la monarchie était engagée depuis le XVIIe siècle dans une politique qualitative et ces démarches se heurtaient nécessairement aux interdictions gouvernementales. La méfiance de l'Etat s'en prit même alors aux innovations raisonnables : dans le tissage des bas de laine, on vit le pouvoir revenir en 1721 contre les autorisations, accordées depuis 1700, d'employer les métiers à 22 plombs de 2 aiguilles ; or le calibre des fils disponibles ne convenait pas aux plombs à 3 aiguilles qui tissaient trop fin [4]. Cette censure peu attentive aux aspects régionaux des problèmes s'inspire d'une philosophie économique globale héritée de Laffemas et Colbert ; elle est bien connue [5], son instrument est la corporation. Mais comme l'institution finissait d'épuiser son dynamisme local vers les années 1740, le contrôle étatique aussi se modifiait avec l'aide de l'inspection des manufactures. De répressif, il devint plus impulsif sous l'empire de la guerre de Succession d'Autriche qui avait révélé des problèmes économiques nouveaux. Les interdictions se raréfiaient ou se bornaient aux espaces urbains assujettis aux communautés de métiers ; à Caen, l'ultime veto de l'administration concerne tardivement, en 1764, le mélange du lin et du chanvre dans le tissage des toiles [6]. Exceptionnellement aussi, l'octroi d'un monopole venait désormais sanctionner une trouvaille ; dans notre ville, le dernier privilège remonte même au grand règne. Au contraire, après 1750, les encouragements portés à l'émulation prospective se multiplient, la disparition des corporations harmonisera simplement une politique gagnée au développement libéral des forces productives comme à l'espoir d'une baisse des prix.

Il est d'autant plus surprenant d'observer dans beaucoup de secteurs le retard local de ce nouvel esprit économique. On comprend à la rigueur qu'il se manifestât dans les domaines où n'existait aucune tradition.

Soit les techniques métallurgiques. Vers 1745, l'emploi du charbon de Littry, d'une médiocre teneur, posait de nouveaux problèmes au travail du fer ; les artisans caennais transposeront seulement les pratiques expérimentées avec le

4. Arch. dép. Calv., C 2852.

5. Cf. les travaux bien connus de P. Bondois et P. Boissonade. Egalement A. des Cilleuls, 1898 ; G. Martin, 1899 ; abondante bibliographie dans H. Sée, 1948, avec la collaboration de R. Schnerb ; mise à jour rapide dans F. Braudel et E. Labrousse, 1970, p. 748 sq.

6. Arch. dép. Calv., C 6422. E. Tarlé, 1910, a souligné cet aspect, p. 66 sq.

charbon anglais qui entre dans les ports normands depuis deux générations déjà [7]. De même en 1784, lorsqu'il s'agit de tirer parti, dans la vallée de l'Orne, de la tourbe identifiée à la suite des travaux portuaires, on tâtonne sur les techniques d'agglomération de ce mauvais combustible avec la houille de Littry ; en France même, les ouvrages de Jars ont pourtant vulgarisé des opérations beaucoup plus compliquées, la transformation du charbon de terre en coke par exemple, à Rive-de-Gier, depuis 1769 [8].

Dans les autres secteurs où la Normandie n'a aucune vocation traditionnelle, la diffusion des procédés nouveaux manifeste la même lenteur. Pour l'éclairage, il ne s'agit en 1776 que d'acclimater des procédés italiens, peu explicites d'ailleurs, pour l'épuration des matières premières. Retard aussi sur la technique du papier peint et l'impression en couleurs dans une province que Réveillon avait abandonnée dès 1765, après cinq ans d'efforts à Laigle ; réimportés en 1774 par le célèbre teinturier lyonnais Gonin, les procédés subventionnés par Trudaine se heurtent à l'indocilité des artisans de Caen et de Vire [9]. En hydraulique, les machines à puiser l'eau qu'on installe en 1780-1781 au port de Caen sont mues par la force animale, voire humaine, en même temps que celle des éléments [10]. Les projets d'élévation de l'eau pour la ville dessinés par Delapoterie en 1782, font encore appel à l'énergie de la rivière [11] et cependant des machines à vapeur fonctionnant à la pression atmosphérique étaient employées dans la région, depuis 1730 à la mine de Fresnes près de Condé-sur-Noireau, à partir de 1749 à Littry ; la machine de Watt à la vapeur d'eau était installée en France depuis 1779 [12].

L'industrie textile appartient, au contraire, depuis des siècles à la Normandie. Ch. Ballot et P. Mantoux ont décrit l'engrenage technologique qui la porte au XVIIIe siècle en Europe à l'avant-garde des branches productives et dans sa biographie érudite de John Holker, A. Rémond présente la Haute-Normandie si proche comme une des terres où fermente la contagion industrielle britannique [13], où l'installation d'ouvriers anglais fut l'effet d'un espionnage économique délibéré depuis 1738 [14]. Que d'efforts aussi, de la part de Versailles,

7. Procès-verbal de ces expérimentations dans Arch. dép. Calv., C 3022.

8. Jars, 1774-1781, t. 1, p. 325. Quinzième mémoire, « Manière de préparer le charbon minéral, autrement appelé Houille, pour le substituer au charbon de bois dans les travaux métallurgiques ».

9. Lettre de Trudaine à l'intendant Fontette le 25 mai 1774, Arch. dép. Calv., C 2934. Cf. Ch. Ballot, 1923, p. 561 sq.

10. J. C. Perrot, 1963, n°s 155-159.

11. *Id.*, n° 100 ; Mémoire dans Arch. dép. Calv., C 1116.

12. Ch. Ballot, 1923, pp. 383-416 ; J. Payen, 1969.

13. P. Mantoux, 1959 ; T. S. Ashton, 1955. L'introduction en France : Ch. Ballot, 1923, A. Rémond, 1946.

14. A. Rémond, 1946, p. 24, ne souligne pas assez ces efforts préliminaires qui expliquent le succès de la greffe anglaise sur le textile français. Dans une requête au Contrôle général de décembre 1740, Morel, futur inspecteur des Manufactures à Caen et bon anglophone, rappelle qu'il s'est expatrié volontairement en 1738 à l'incitation du gouvernement français, pour observer les manufactures britanniques. D'un premier voyage il a rapporté en fraude des échantillons de tissus. Puis sur l'ordre de Fagon, il repart dessiner des calandres. Dix ans plus tard, ses correspondants anglais continuent de lui envoyer, à la demande de Trudaine, des ouvrages techniques sur les sujets les plus divers : l'édification des ponts, l'économie politi-

après 1750, pour capter auprès des inspecteurs « les idées nouvelles, leur écrivait-on, que votre travail et votre expérience pourront vous fournir » [15], pour aider à l'invention de tissus nouveaux, pour lâcher bride à « l'imagination des manufacturiers » [16]. Impulsions monarchiques, exemples d'outre-Seine, rien n'a troublé la chrysalide artisanale de Caen.

Les retards s'échelonnent de quinze à cinquante ans et plus sur l'avant-garde française, la Basse-Normandie est à un siècle de l'Angleterre. En filature, les dévidoirs et les rouets britanniques ont le mérite de standardiser (poids, calibre, longueur) la matière première. J. Holker les avait décrits et employés depuis 1751 en Haute-Normandie ; Morel ne les introduit pas ici avant 1765 et les fileuses les adoptent enfin lorsqu'ils sont périmés par la Jenny [17]. Dans le tissage et l'apprêt, l'étincelle inventive ne fait pas long feu. C'est peu de chose de songer en 1744 à utiliser l'urine de porc pour le dégraissage des ratines, comme on se prend à le faire partout en France au milieu du siècle. Longuet se flattait vers 1785 d'avoir imaginé une machine à tisser la dentelle dès les années 1767-1770 [18]. Elle multipliait la productivité de l'ouvrière par vingt et c'était une œuvre de pionnier puisqu'on rapporte au lillois Leturc l'idée d'un métier à bobines dont l'Académie des Sciences se félicita en 1776 [19]. Mais bons apôtres, Longuet et son père « sentirent en même temps que cette machine, devenant un jour publique, causerait le plus grand préjudice au peuple de la ville. Cette réflexion les fit frémir et comme ils étaient seuls dépositaires du secret, la machine fut anéantie aussitôt qu'inventée ». La mécanique avait sans doute quelque autre défaut, car ses inventeurs avaient moins de scrupules à payer leur main-d'œuvre en-dessous du tarif ; il n'est pas possible de les croire en tout.

Les autres « innovations » ? Des ricochets bien amortis. En 1771, l'entrepreneur Pestel installe des métiers à rubans qui tissent plusieurs pièces ensemble, mais ces mécaniques ont fait leur apparition en Hollande à la fin du XVIIe siè-

---

que (J. Child), puis la « culture du lin, celle du houblon, la façon de faire la bière, le cidre, la construction des digues, des chemins et sur les manufactures des toiles ». Quatre ans passent encore, Morel a organisé une filière discrète par Paulmier, domicilié dans Goldensquare à Londres, et son propre frère à Dunkerque pour faire venir des outils : tire-lignes à ressort pour l'impression du cuir, fourchettes de fer utilisées au pointage, pinces, alènes, emporte-pièces, roulettes, Arch. dép. Calv., C 2852 et C 2921. Il s'agit sans doute d'approvisionner l'atelier des Willson, nouveaux corroyeurs de cuirs à cardes. Voir A. Rémond, 1946, p. 37, n. 34.

15. Arch. dép. Calv., C 2853, Montaran à l'inspecteur Roullier, lettre du 20 janvier 1757.

16. Ainsi les Lettres patentes du 5 mai 1779, celles du 4 juin 1780, puis de 1781 créent dans ce but des secteurs textiles libres, parallèles à celui des étoffes réglées, Arch. nat., F 12 1235.

17. Arch. dép. Calv., C 2858, 7 C, Manufactures ; A. Rémond, 1946, p. 139 ; P. Jubert, 1969, pp. 471-475 surtout. John Holker puis son fils maintiennent continuellement la Haute-Normandie à une innovation d'avance. Première Jenny française installée par Holker à Sens en 1771 et aussitôt à Rouen. Cependant le décalage général France-Angleterre persiste ; il concerne beaucoup plus le coton que la laine. M. Lévy-Leboyer, 1964, étudie merveilleusement ces aspects économiques dans ses deux premiers chapitres.

18. Arch. dép. Calv., C 2829.

19. Rapport Montigny, Van der Monde, Vaucanson, Laplace, cf. Ch. Ballot, 1923, p. 273 sq.

cle et depuis 1735 dans la région de Saint-Etienne[20]. En 1774, le premier velours de coton sort des ateliers Pouchet à Caen, voilà trente-quatre ans encore de retard sur Rouen ; au même moment, la grosse fabrique de Saint-Sever fondée par Holker en 1752 comptait près de deux cents métiers[21]. Sous l'impulsion de Brown, inspecteur des Manufactures à Caen, lié aux Milne, inventeurs de la machine à carder, et aux milieux rouennais, la calandre à cylindre chaud pénètre en ville de 1781 à 1783, pour lustrer les toiles ; les modèles de l'atelier Pierre Chauvin rappellent ceux qu'on débarquait clandestinement d'Angleterre dans les années quarante ; leur mérite en 1781 consiste à recopier assez bien les cylindres de la Basse-Seine[22]. En 1786, les métiers de Michel Voisin pour fabriquer les voiles de gaze sont aussi des emprunts et la même année les techniques de l'impression sur toile viennent de Suisse par le canal de Perret et Burk, mais elles mettent surtout en œuvre un savoir de teinturier, l'usage du rouge des Indes, expérimenté depuis 1740-1750 en Normandie même par le chimiste Hellot[23].

Bref, l'industrie urbaine est trop peu inventive, trop régulièrement entraînée pour qu'on puisse éviter de chercher, outre les raisons de la routine intellectuelle, celles qui viendraient des données économiques régionales.

En effet, de plus vastes explications socio-politiques laissent insatisfait. Dans toute la France, le même esprit réglementaire s'appliquait au début du siècle avec une efficacité semblable ; il n'a pas étouffé spécialement la technologie locale. Lorsque s'adoucit progressivement l'Etat-gendarme, les Caennais ne tardèrent pas plus que d'autres à voir en lui une institution providentielle. Avant qu'ils n'aient songé à demander des subventions, ne les leur proposait-on pas ? Dès 1760-1761, la monarchie offre, par le ministère de Trudaine, 4 livres de gratification pour une pièce de coutil aux trois entrepreneurs de La Motte, Brard et Paisant qui essaieront ces toiles, façon de Bruxelles[24]. En 1762 elle propose des avantages à un lapidaire qui venait d'essayer un nouvel instrument de taille[25], des exonérations fiscales aux artisans qui se plieraient à la production des bayettes à l'anglaise[26]. Depuis les années 1764, les fabricants s'adressent eux-mêmes à l'intendance pour avoir des facilités foncières (manufacture de porcelaine), pour obtenir des fileuses expertes puis, en fin de compte, des gratifications : 1 000 livres pour l'atelier à calandrer, 300 livres pour celui des mousselines et gazes, 300 livres pour les toiles peintes[27]. Les travaux de l'Assemblée provinciale dans l'été 1787

20. *Id.*, p. 254.
21. A. Rémond, 1946, pp. 49-60.
22. Surtout Arch. dép. Calv., C 2860. L'initiative de cette implantation vient d'ailleurs en 1781 de Holker junior lui-même.
23. Bibl. Mazarine, mss. 2723.
24. Correspondance avec l'intendant Fontette, Arch. dép. Calv., C 2950.
25. *Ibid.*, C 2893, Arrêt du Conseil du 18 mai 1762.
26. *Ibid.*, C 2893. Les « bayettes » sont des étoffes de laine, traditionnellement écoulées par le commerce britannique en Espagne. Le contrôle des finances stabiliserait le vingtième d'industrie des artisans volontaires. Dans un autre mémoire du même dossier, il est question de franchise fiscale complète.
27. Arch. nat., F 12 1420. Subvention apparemment annuelle, interrompue en 1786 (Arch. dép. Calv., C 2860, Lettre de Tolosan). Gaze, Arch. nat., F 12 758 ; Toiles peintes, Arch. dép. Calv., C 2954.

montreront que l'opinion unanime confessait la nécessité de ce protectionnisme [28].

Pas plus que l'attitude du gouvernement, celle des corporations ne méritera d'être tenue responsable du moindre développement urbain. On sait déjà qu'elles n'élevaient pas bien haut leurs remparts sociaux. Etaient-elles aptes encore à freiner l'essor industriel ? Doutons-en à la vue de leurs interventions, toutes localisées durant l'agonie des jurandes. En 1772, Pierre Pestel eut maille à partir avec les Rubaniers pour ses mécaniques, mais il était le plus gros fabricant de la communauté ; contre lui, une « troupe de maîtres ouvriers qui ne paient presque point de rôle » [29] voulait défendre son pain : la corporation apparaît ici comme une institution démocratique, d'ailleurs contestée, puis vouée à l'échec par l'inspection des manufactures favorable à « la liberté des arts, de tous les citoyens, de tous les méchaniciens ». En 1776, au contraire, « un tas de gros fins chandeliers », selon la requête gouailleuse de Ch.-F. Pellier, entraîne cette autre communauté à faire des misères au pauvre novateur, vieux soldat du roi qui connaît les techniques italiennes : défense de riches marchands qui entendent ne pas risquer leur suprématie, barrage aristocratique [30]. En réalité la frontière toujours circonstancielle de l'affrontement économique passait au sein des producteurs ; dans cette discordance entre l'institution et la réalité productive, Turgot puisait des arguments abolitionistes ; au moins peut-on soutenir que les communautés avaient cessé de suivre quelque ligne économique que ce soit.

Ainsi, lorsqu'il s'agit en 1783 d'introduire les calandres à chaud, les négociants firent leurs comptes. Au lieu d'expédier leurs plus belles marchandises aux ateliers de finition rouennais, ils trouveraient ici les mêmes services. Mais les petits marchands usaient déjà sur place de vieilles presses froides pour les toiles de pacotille. La joie et l'inquiétude se partageaient la communauté : le gotha du commerce urbain se déclarera seul en faveur du calandreur entreprenant [31]. En 1787, une égale divergence sur la fabrique des toiles peintes sépare les marchands de blanc ou d'écru et les commerçants liés aux ateliers de la Seine, mais à l'inverse les heureux sont alors les petites gens qui écouleront les produits semi-finis du plat pays, et les mécontents, ceux du grand roulage. Sans doute la corporation des drapiers-merciers écrivit en janvier 1789 un *Mémoire* pour les Etats généraux, ouvertement hostile aux mécaniques et aux inspecteurs des Manufactures [32]. Je ne vois dans cet unanimisme qu'une farce plaisante : il y a d'abord le paraphe de ceux qui faisaient campagne pour

28. C. Hippeau, 1863-1869, t. 2, 2e part., p. 336. Documents tirés des archives du gouverneur d'Harcourt. Procès-verbaux de l'Assemblée provinciale : « Situation des manufactures ».

29. Arch. dép. Calv., 6 E 165.

30. *Ibid.*, C 2878. Appui de la clientèle en faveur du requérant, « particulièrement un nombre prodigieux de servantes qui bénissoient Dieu, de leur avoir envoié le supplyant pour la bonne chandelle, disant Monsieur et Madame en sont enchantés. »

31. *Ibid.*, C 2860, 22 novembre 1783. Certificat des marchands et négociants de Caen en faveur de Pierre Chauvin. Trente-trois noms, parmi lesquels la haute société protestante comme toujours à Caen : les Lamy, les Dan de la Vauterie, les Paisant.

32. C. Hippeau, 1863-1869, t. 3, 2e part., pp. 187-189.

l'introduction des machines quelques années plus tôt et ces articles VII et X sont là pour consoler les petites gens de métier que la rencontre fâcheuse du traité de commerce franco-anglais avec la crise mettait en difficulté ; d'ailleurs le reste du texte exige en toutes choses la liberté économique. Cette nuit du 4 août des industriels doit surtout protéger la cité des luddites dont s'enfièvrent au même instant la Haute-Normandie et la ville de Falaise toute proche [33]. Les corporations, dans leur dernier quart d'heure, n'ont donc pas retrouvé la cohérence, encore moins le pouvoir économique, elles sont feuilletées en strates selon la richesse et le partage des entrepreneurs et des fabricants ; elles nous enseignent à reconnaître le pouvoir de l'argent sur l'institution, non celui de l'institution sur la technologie.

Les ravages que le capital exerce sur la cohésion des communautés poussent à se demander si les coûts n'étaient pas un obstacle plus sérieux à la multiplication des innovations. L'exemple de la Basse-Seine revient à l'esprit ; lorsqu'il installa en 1752 sa manufacture de velours de coton à Saint-Sever, J. Holker dut avoir recours à quatre bailleurs de fonds à Darnétal, Rouen et Paris [34] en sus des allocations du Contrôle général en nature et en argent (60 000 livres en dix ans) ou des gratifications sur l'octroi. Dans ses entreprises ultérieures à Montigny, Vernon, Evreux, Bourges, Sens, derechef toujours plusieurs participations financières. Pourtant cet exemple ne convainc pas tout à fait. Il fallait bien que ce *self-made man,* porteur d'idées expatriées, rencontrât des porteurs d'argent. Que ces derniers aient été de grands négociants ne signifie pas que l'innovation du XVIIIe siècle mobilisait de gros capitaux. A l'exception des mines et des forges où la rénovation se pose précocement dans la dimension de l'ère industrielle, les autres progrès sectoriels appartiennent au bricolage artisanal : rappelons-nous le petit garçon, chez Adam Smith, qui automatise sa tâche pour gagner le temps de jouer. Au fond ces inventions une à une ne sont ni *capital-saving,* ni *labor-saving ;* elles communiquent souvent à l'observateur, et parfois au contemporain rétif, une impression de patinage industriel. Et là où sont restées des observations locales chiffrées, il est possible de prouver que les sommes à engager étaient minces, que le capital ne courait presque pas de risques ; seul était en jeu le revenu du capital et le profit de l'entrepreneur.

C'est le cas de toutes les substitutions de matières premières sans renouvellement de l'outillage, en qui l'Etat vit si longtemps des essais de dénaturation. Ensuite les instruments récents sont peu de chose, comme dans la filature où les dévidoirs à l'anglaise seraient jeux d'enfants pour les tourneurs et boisseliers. Parfois, sans autre appareil, un simple tour de main suffit : lorsque les tisseurs font savoir au contrôleur général Bertin leur répugnance à faire des bayettes en 1762, invoquant l'épuisement de leurs moyens, l'investissement ne les gêne pas puisqu'on emploierait les métiers habituels, mais bien plus l'incertitude des ventes en Espagne [35].

Voici encore les comptes d'installation et de fonctionnement de la manufacture de porcelaine proposée par Suset en 1763-1764 [36]. Dans les dépenses

33. Ch. Ballot, 1923, rappelle ces événements, pp. 18-21.
34. A. Rémond, 1946, p. 54 et plus loin, p. 92 par exemple.
35. Correspondance de l'intendant, le 24 août 1762, Arch. dép. Calv., C 2853.
36. *Ibid.,* C 2881.

d'établissement, le local tient une place prépondérante ; en réalité il ne s'agit que de trouver une maison commode ; elle pourrait être louée pour le prix de deux salaires ouvriers annuels ; l'achèterait-on, qu'elle garderait ensuite sa valeur négociable, tant les locaux industriels restent peu différenciés au XVIIIe siècle. C'est dans une maison bourgeoise que s'établit aussi la raffinerie de Laveine, paroisse Saint-Jean, en 1767 [37]. A la porcelainerie, le four, les moulins, les tours sont estimés 3 000 à 4 000 livres. Le capital de roulement s'élève à 400 livres par semaine, 20 000 livres par an, réparties en coûts de main-d'œuvre et de matières premières ; mais il n'est jamais nécessaire de disposer de cette somme puisqu'elle se renouvelle par les ventes, les marchés hebdomadaires, les foires de Caen et Guibray, échéances de paiement traditionnelles. Et même en amortissant le capital fixe, le calcul montre qu'une production de vingt-cinq à trente douzaines d'assiettes par jour suffirait à doubler la mise en quelques années ; le vrai pari est commercial et non productif.

Isaac Pouchet s'est trouvé en 1774 dans la même situation lorsqu'il voulut implanter sa manufacture de velours de coton. Il disposait de 30 000 livres, plus qu'il n'en fallait [38]. La difficulté n'était pas de solliciter les commanditaires, ni le risque de perdre le capital, mais d'asseoir un profit en détournant l'approvisionnement régional de ses foyers traditionnels : Rouen, Vernon, Evreux, Nantes, par élimination des frais de transport dans le prix de vente. Avec la fabrication des ratines et des couvertures, l'empêchement relève de l'approvisionnement, les matières premières exigées sont plus fines que la laine normande [39].

La comptabilité de l'atelier de calandrage fait ressortir une situation où la finance est également secondaire. Dépenses prévues en 1781 :

Location de deux salles (100 m^2 en tout)	50 à 100 livres
Construction de presses, plateau et tables	1 400 livres
Cylindre de 8 pouces de diamètre	2 400 livres
Roue de 4 pieds, manivelle et axes	900 livres
Fourneaux	400 livres
Fournitures de bois	250 livres

En 1783, les investissements réels, un peu plus élevés, montèrent à 6 422 livres [40], non compris le local. Une gratification officielle de 100 livres les fit redescendre en-dessous de l'estimation. Quelques années après, en 1786, le capital initial d'un autre atelier, les toiles peintes Perret et Burk, atteignait juste 10 000 livres [41].

37. *Ibid.*, C 2920, Lettre de Trudaine à Fontette du 6 juin.
38. *Ibid.*, C 2859, Observations de l'inspecteur Morel sur la requête présentée à Trudaine.
39. Avec des laines importées, le tissu revient, à l'aune, 9 et 10 sols de plus qu'il ne faudrait dans la compétition (Arch. dép. Calv., C 2853, Lettre de Ch. Longuet le 6 mai 1780). Même situation pour les ratines ; et 20 sols de trop pour les couvertures.
40. *Ibid.*, C 2860.
41. Arch. nat., F 12 1405 A.

II. LES CAUSES DE L'INERTIE INDUSTRIELLE

Ces données numériques débusquent donc le faux prétexte des pénuries financières alléguées ici et là contre le changement, et qui en douterait, dans une ville où les immobilisations commerciales et le portefeuille des billets atteignent plus d'une fois des centaines de milliers de livres par entreprise ? Mais les ébauches des inspecteurs aux manufactures indiquent une meilleure voie d'exploration : elle conduit vers les campagnes normandes où doivent se puiser les matières premières et partiellement la main-d'œuvre d'une industrie condamnée à l'étouffement lorsqu'elle dépend du commerce éloigné.

Les consommations de Caen nous avaient donné l'occasion de signaler la fécondité du terroir provincial à l'exception de quelques paysages du Cotentin et, plus totalement, du Bocage. Or cette richesse a bel et bien détourné l'agriculture normande de se faire servante de l'industrie.

Dans la campagne de Caen, lin et chanvre réunis, selon les enquêtes de l'an II à l'an IV, occupaient encore bien moins du dixième des surfaces cultivées [42] ; dans une paroisse sur deux on les ignorait complètement ; les qualités restaient médiocres. Le fil à dentelle, dont j'ai cartographié les provenances dans une étude précédente [43], se tirait de Hollande ou de Picardie ; les longs transports gardent leur raison lorsqu'ils servent, comme ici, une industrie gourmande de travail.

Mais les manufactures de draps, les tanneries, les faïenceries consommaient du cru et l'innovation se heurtait aux déficiences des produits de base. La filature de laine à l'anglaise demande ainsi une matière plus nette, homogène, moelleuse que les toisons du Cotentin dont on fait de trop gros fils, ensuite resserrés et cassants sur les portées [44]. Or la vocation agricole du pays était alimentaire ; une aisance relative fermait les oreilles paysannes aux prières des industriels. L'entrepreneur expliquait en vain le parcage intensif du mouton [45] et Daubenton, la sélection des ovins [46] ; la commission intermédiaire rabâchait dans ses procès-verbaux les mêmes prescriptions [47]. Mais ici, l'on pense au mouton à viande [48], la générosité limoneuse de la plaine de Caen n'a pas rendu les paysans

42. Arch. dép. Calv., L, District de Caen, dossiers agriculture et subsistances.
43. J. C. Perrot, 1957.
44. Arch. nat., F 12 1369 A, Mémoire de Morel en mars 1765 sur la décadence des serges, avec l'examen de Holker.
45. Arch. dép. Calv., C 2853, Lettre du 6 mai 1780. Les premières tentatives ont eu lieu en 1759-1760, *ibid.*, C 3000.
46. Les expériences de Daubenton remontent aux années 1766-1769. Elles ont fait l'objet de comptes rendus à l'Académie des Sciences ; cf. *Histoire et Mémoires de l'Académie,* 1777 et surtout avril 1784. Ces textes édités à part furent envoyés dans toutes les subdélégations normandes. Entre-temps, l'auteur avait publié son célèbre ouvrage (Daubenton, 1782). Sur la diffusion de ces expériences, Arch. dép. Calv., C 2850, et A. J. Bourde, 1967.
47. C. Hippeau, 1863-1869, t. 2, 2e part., pp. 336-338.
48. Arch. dép. Calv., C 3000. Mémoire sur le troupeau recherché par Trudaine. Dans sa réponse Morel signale en 1765 la réputation des moutons de boucherie de Vassy, Condé, Villers, Aunay, Cabourg et plus loin de Caen, Avranches et Pontorson. Les bons troupeaux à laine viennent de La Hague.

très spéculateurs ; ils tolèrent qu'on achète les toisons sur le dos des brebis par peur de la pénurie [49], et tout au fil du siècle revient la déploration des drapiers : « Les herbageurs ont chargé plus en bœufs qu'en moutons » [50].

Ainsi les campagnes de Basse-Normandie n'acceptèrent de l'agriculture à l'anglaise [51] que la part où elles retrouvaient leurs préoccupations : la rotation plus fine des cultures céréalières, le défrichement des dernières terres vaines, le développement des prairies, des tâches fort consommatrices de travail humain à l'exception de la mise en herbe [52]. En regard les essais de garance au Cotentin, les mûriers du maréchal d'Harcourt, les moutons britanniques des frères Guerrier à Bellême comptent peu, bien moins que les réponses agricoles de la Haute-Normandie moins féconde, aux besoins des industriels rouennais.

A un autre niveau encore, l'existence de ce riche bassin alimentaire handicape peut-être le changement industriel : il augmente les exigences de la main-d'œuvre. Certes, les paroisses rurales sont très peuplées. Lorsqu'on peut enfin, dans les premières années révolutionnaires, saisir tout en détail, la densité des communes du Calvados [53] dépasse assez souvent 100 habitants au kilomètre carré, atteint presque toujours 75 à 80. Mais cette population dont l'essor est médiocre et la propension à migrer dans les villes croissante, constitue un marché de travail assez rigide. La terre exige beaucoup de bras, en revanche elle nourrit beaucoup de monde, les paysannes ne sont pas prêtes à saisir le rouet à n'importe quel tarif. Sur un plan général, on sait d'ailleurs que l'offre individuelle de travail fait problème à tous les niveaux du développement économique [54]. En amont du tissage urbain, « les laines sont chères en Basse-Normandie, les mains-d'œuvre y sont aussi plus coûteuses qu'ailleurs par la rareté des ouvriers » [55]. Dès la Régence, la fileuse gagne 7 et 10 sols à travailler

49. Commentaire de l'Arrêt du Conseil du 2 juin 1699, Arch. dép. Calv., C 3000.

50. Arch. dép. Orne, C 20, Rapports sur les foires de Guibray, par exemple 1745, 1747, 1752, 1770.

51. Le sujet est traité excellemment par A.-J. Bourde du point de vue des idées agronomiques dans son ouvrage anglais, 1953, et des réalisations dans son article de 1958.

52. A. Davies, 1968.

53. J. C. Perrot, 1965, 1966 a et b.

54. R. Sourdain, 1966, a proposé une critique intéressante des thèses marginalistes sur cette question. L'histoire pourrait étudier ce problème, par exemple, à travers les archives policières qui sanctionnent et commentent le travail dominical de manière assez claire pour qu'on puisse opérer un premier tri entre les motivations religieuses et économiques.

55. Arch. dép. Calv., C 2853, Mémoire intitulé : « Imitation des manufactures anglaises dans la généralité de Caen », s.d. (vers 1780). Cette situation dure depuis la fin de Louis XIV. Dans Arch. dép. Calv., C 2858, le « Mémoire sur les draps de la manufacture royale » entre 1715 et 1724 annonce que les trois quarts des métiers sont arrêtés parce que les fileuses font défaut. Consulter ensuite Arch. nat., F 12 561, sur la manufacture des serges de Caen, 1734 à 1736. Puis F 12 1369 B, observations de Bocquet en 1756. En 1764, l'inspecteur écrit : « Combien d'augmentation ne ferions-nous pas valoir sur chacun des états, si nous pouvions avoir abondamment cette main-d'œuvre depuis si longtemps désirée ? » (Arch. dép. Calv., 7 C) et six mois plus tard : « La main-d'œuvre, en fait de filature, a volontiers manqué dans la plus forte partie des manufactures d'ycelle. » Puis en 1766, les villageoises se

1 livre de laine que le peigneur apprête — il est vrai, beaucoup plus vite — pour 2 sols 6 deniers ; comme en Haute-Normandie, les paysannes savent placer les maîtres en concurrence et proposer leurs services à deux ou trois fabricants simultanément [56].

Les doléances industrielles perpétuelles sont confirmées par les inspecteurs des Manufactures, Bocquet puis Morel qui avait eu le loisir d'observer en outre, avec J. Holker, la situation du pays rouennais. Dès 1735, un de leurs rapports analysait parfaitement les mobiles des fileuses. Leur activité textile n'était pas devenue, au contraire du glissement observé dans les générations anglaises contemporaines [57], un métier principal ; il demeurait refoulé par « le besoin réel des journaliers pour les ouvrages de la campagne ». Il n'avait d'attrait que si la hausse des grains menaçait d'écrêter le budget quotidien. En bas prix, « une indolence générale » s'empare « de cette partie du peuple qui ne conoist point la prévoyance et qui pendant la vilité du pain et du cidre ne manque jamais de se refuser au travail ».

Dans les sociétés industrielles, la pénurie de main-d'œuvre rend les entrepreneurs ingénieux à mécaniser. Etait-ce possible au XVIIIe siècle ? Le rouet à l'anglaise n'apportait pas de remède, son effet standardise la production mais n'augmente pas la productivité. La Jenny vint trop tard, en des temps économiques si précaires qu'on n'osa pas l'acclimater en Basse-Normandie avant 1789. Au contraire, le dernier carré des fileuses était évidemment celui des plus actives, des plus expertes, le malthusianisme de la qualité en tirait quelque orgueil. Depuis 1734, les inspecteurs ressassent un argument du XVIIe siècle où semblait se résumer l'essence des choses : « L'expérience a toujours prouvé que les marchandises ne sont jamais si bonnes que dans les temps où on en fait le moins » [58]. Ainsi, comme les vœux de l'autorité, la « Nature » s'opposait à une production massive et mécanisée.

Les plaisantes et fécondes campagnes exerçaient enfin leur attrait sur la composition des patrimoines urbains qu'elles détournaient vigoureusement des placements industriels. Pour exprimer statistiquement cette captation et faire ressortir un mirage plus envoûtant que partout, les documents locaux sont malheureusement peu pertinents. La législation coutumière retirait aux contrats de mariage, aux testaments et aux inventaires après décès, tout droit de regard sur le foncier. La plupart des actes de partage en ligne directe ou collatérale étaient passés sous seing privé. Ils ne furent portés au bureau de contrôle que si la jouissance des nouveaux propriétaires devait être prouvée, parfois quinze

---

dérobent, « à moins qu'on ne les paie, pour filer, beaucoup plus cher que par le passé ».

56. Le temps passé à filer une livre de laine varie dans des proportions qui défient la mesure selon la grosseur du produit demandé. Je citerai l'exemple local le plus important. Filature pour les serges de Caen : 1 livre de laine par fileuse en deux jours (1731, Arch. dép. Calv., C 278). Pour toutes les autres opérations, voir la durée du travail dans le « Mémoire sur les manufactures de Caen », s.d. (entre 1712 et 1724) dans Arch. dép. Calv., C 2858. Sur la concurrence des maîtres auprès des fileuses jusqu'en Haute-Normandie, *ibid.*, C 2852, Mémoire de Bocquet du 26 septembre 1761.

57. P. Mantoux, 1959, notamment chap. Ier, 1re part., « L'ancienne industrie et son évolution », pp. 25-74.

58. Arch. nat., F 12 561, Manufactures de Caen.

ou vingt ans plus tard, lors d'une prise d'hypothèque ou d'une action en justice[59]. La table alphabétique des lots et partages d'immeubles contrôlés au bureau de Caen de 1719 à 1789 montre que cette occurrence était bien rare en dépit des traits procéduriers que la *vox populi* attribuait dès ce temps-là aux Normands.

Nous observerons cet échantillon où figurent 472 propriétaires à Caen. Il ne s'agit que d'immeubles réels (maisons, terres) ou fictifs (rentes constituées), non de la totalité des patrimoines. On se proposera seulement de mesurer l'attrait de la terre sur la fortune foncière des citadins pour les deux versants du siècle :

Fortunes immobilières

	1719-1744			*1745-1789*		
	Nombre (%)	*Volume financier* (%)	*Valeur moyenne (livres)*	*Nombre* (%)	*Volume financier* (%)	*Valeur moyenne (livres)*
En rentes seules	0,9	0,4	6 464	3,8	4,9	19 313
En rentes et biens-fonds urbains	58,9	14,8	3 180	56,4	19,5	5 263
En rentes et biens-fonds urbains et ruraux	40,2	84,8	26 638	39,8	75,6	38 298

A quelques dixièmes près, le pourcentage des titulaires de biens immobiliers également possessionnés à Caen et dans la campagne se stabilise vers 40 % de l'ensemble ; la passion de la terre n'a pas cédé devant d'autres placements. D'une période à l'autre, les porteurs de rente gagnent trois points, les propriétaires de fonds purement urbains perdent un peu de leur suprématie numérique. Mais les masses relatives ne sont pas remises en question. D'autre côté, les volumes financiers cumulés dans chaque catégorie et la valeur moyenne d'estimation des biens[60] spécifient davantage le comportement des propriétaires. Ainsi la faveur des rentes constituées s'est affirmée et elle atteint une minorité d'adeptes exclusifs ; la forte hausse des valeurs moyennes fait pressentir l'intérêt récent qu'y apportent les gens fortunés. La hausse globale de l'immobilier purement citadin tire son origine des plus-values que l'étude de l'urbanisme nous fera retrouver[61].

59. L'ouvrage de Mme G. Vilar-Berrogain, 1958, permet d'évaluer l'originalité de la Normandie. La comparaison des registres de contrôle avec la table montre d'autre part que le scribe a laissé passer 25 % des partages dans sa récapitulation sans les apercevoir dans la masse des pièces. Aucun tri sur l'importance des successions ou leur localisation dans cet oubli : c'est ce qui compte pour nous. Les dispositions provinciales sont rappelées dans D. Houard, 1780-1782, articles « Contrats », « Lots », « Seing-privé », « Succession ».

60. Ne pas assimiler la valeur d'estimation à la valeur vénale des propriétés. Pour atténuer les effets du contrôle fiscal, la première d'entre elles est traditionnellement minorée d'un quart environ dans tous les actes publics. Les vérificateurs des vingtièmes le savent bien et le disent souvent.

61. Plus loin, l'Urbanisme, chap. XI.

Pour l'instant la plus intéressante des trois rubriques est la dernière. En dépit d'un léger effritement (des 4/5e aux 3/4) qui a profité aux deux autres, la catégorie des propriétaires urbains nantis à la ville comme à la campagne rassemble un volume écrasant de cet échantillon d'annuité successorale foncière. En même temps, l'estimation moyenne atteint un niveau huit fois plus élevé avant 1745, sept fois après. La terre constituait bien l'horizon nécessaire de toute richesse immobilière citadine. Il faut alors avouer un parallélisme bien convaincant entre cette politique de placement et la diffusion de modèles économiques où la sagesse rurale, contre-industrielle, apparaît si courante. Bien entendu une telle pratique est ancienne, générale dans toute la France. Elle dévoile clairement, en dépit de sa justification affective nouvelle, un type de promotion sociale approprié aux structures seigneuriales du XVIe et du XVIIe siècle. Mais quelle aimantation supplémentaire ne doit-on pas attendre d'une région plantureuse où l'intérêt économique collaborera avec le profit social ! C'est pourquoi il faudrait atteindre les patrimoines complets pour mesurer jusqu'où l'attrait foncier pouvait refouler le capital mobilier : meubles meublants, portefeuille de créances, stocks de marchandises et d'outils, intérêts commerciaux ou industriels. La dévaluation coutumière des archives notariales incite encore à leur trouver des substituts.

On songe d'abord aux bilans de faillite dont l'usage est familier aux historiens [62]. Il est bien vrai que ces documents déposés au greffe du tribunal consulaire, en l'occurrence depuis 1760, comporteront des éléments complets, chiffrés et classés par catégorie de patrimoines et j'utiliserai ces papiers auxquels les hasards de la saisie ont parfois ajouté des correspondances commerciales, des listes de créanciers et débiteurs, l'histoire des malheureuses entreprises [63] :

Tableau des faillites

1760-1764	3
1765-1769	7
1770-1774	35
1775-1779	31
1780-1784	23
1785-1789	38
Total	137

Ces 137 faillites sont réparties en 75 entreprises de production et 62 entreprises de services.

Cependant l'intérêt conjoncturel de cette source limite en deux sens sa valeur structurelle : 1) le patrimoine y est photographié au stade ultime de son dépérissement alors que sans doute on l'a déjà amputé, pour survivre quelque temps, de ses éléments les plus liquides ou les moins précieux, la ventilation s'écartera de l'éventail courant ; 2) on peut également craindre que les hasards économiques (pertes, vols, incendies, marasme) ne soient pas seuls responsables

62. Récemment, S. Chassagne, 1970, en a tiré un bon parti pour l'étude de l'Anjou.
63. Arch. dép. Calv., 13 B 57 à 13 B 78 (de 1760 à 1790). Sous l'Empire, les saisies du tribunal de commerce ont fait tomber dans le domaine public des archives privées antérieures à la Révolution. J'ai consulté 3 Ua 651, 654, 655, 657, peu de choses dans 3 Ua 598.

des faillites ; une répartition anormale du patrimoine n'aurait-elle pas rendu l'entreprise plus fragile ? En somme, les maux héréditaires préexisteraient aux maladies contractées. Pour étudier les postes d'investissement, il faut découvrir des fortunes saines, dont l'effritement ne s'est pas produit dans la période observée.

Les dossiers déposés à l'intendance pour obtenir des sauf-conduits ou des surséances répondent à cette exigence ; en effet, le bénéfice de la loi était précisément accordé pour éviter l'amputation du patrimoine sous le coup d'une difficulté accidentelle, souvent minime et jamais passible, en tout cas, de la déclaration de faillite ; il s'étendait bien au-delà des entreprises artisanales et des maisons de commerce car les rentiers et officiers du roi étaient admis à y recourir. La bienveillance publique ne valait que pour les patrimoines sainement gérés, puisque ne pouvaient être arrêtées les poursuites pour le recouvrement des légitimes de puînés, des pensions viagères, aliments, médicaments, loyers de maisons, gages de domestiques et journées d'artisans. C'est donc bien, au sens physique du terme, le hasard qui choisira l'échantillon[64] dont voici le volume quinquennal et l'origine :

	Total des dossiers	*Requêtes accompagnées d'états chiffrés et complets*
DATES		
1760-1764	5	4
1765-1769	19	
1770-1774	90	76
1775-1779	123	
1780-1784	145	109
1785-1789	90	
ORIGINE		
Production	98	93
Services	226	62
Inactifs	148	34
Total général	472	189

64. Législation générale : Ordonnance sur le commerce de 1667. Déclaration du 23 décembre 1702, enregistrée à Rouen le 12 janvier 1703 sur les Lettres d'Etat ; Déclaration de 1778 pour le paiement des dettes. Les arrêts sont accordés par le roi sur requête des intéressés après enquête de l'intendant et avec l'accord du plus grand nombre de créanciers (Arch. dép. Calv., C 481, Lettre de Bertin à l'intendant le 12 avril 1779). L'arrêt de surséance n'a pas lieu en matière criminelle (Arch. dép. Calv., C 497) ; il ne peut retarder le paiement des arrérages des rentes foncières ou des baux emphytéotiques, il est accordé pour pertes au service du roi, déboires patrimoniaux ou commerciaux ; il ne concerne pas les embarras qui viendraient de cautionnements procurés par endossement de lettres de change pour éviter la fraude de connivence (*ibid.,* C 524). Les sauf-conduits concernent généralement des affaires de moindre envergure. Le consentement des créanciers est également requis (*ibid.,* C 516 et C 517). Le postulant fera apparaître qu'il est soumis aux ris-

Existe-t-il chez ces producteurs et ces rentiers une même adhésion aux valeurs foncières, une égale indifférence à l'investissement industriel ? La ventilation des fortunes entre 1760 et 1789, à travers les faillites, demandes de surséances et sauf-conduits (326 patrimoines) l'affirme :

Ventilation	*Agents économiques en situation viable* (%)	*Agents économiques en faillite* (%)	*Inactifs* (%)
Argent liquide et bonnes créances à trois mois	25,2	21,9	2,0
Mauvaises créances	3,5	26,8	0
Participation industrielle et commerciale extérieure	0	0	0,5
Marchandises	10,9	26,3	0
Outils, mobilier de travail	0,8	0,2	0
Charges, brevets	0	0	4,8
Rentes constituées	17,4	0,8	23,1
Meubles meublants	4,2	6,2	non évalués
Biens-fonds	38,0	17,9	à part 69,6

Les volumes patrimoniaux observés (10 166 878 livres) s'élèvent respectivement à 4 163 576 livres, 3 737 322 livres, 2 265 980 livres.

Ces données souffrent, on vient sans doute de le remarquer, des imperfections traditionnelles aux ventilations que nous procurent les documents anciens, fussent-ils notariés. L'argent liquide est toujours sous-évalué parce que facilement dissimulable : chez les entrepreneurs en faillite, il ne représenterait, à les entendre, que 0,3 % des patrimoines. A un moindre degré, la rubrique des meubles meublants donne presque toujours lieu à une minoration, on y défalque largement la part privilégiée des épouses ou des enfants, on tient à démontrer la sobriété estimable de son cadre de vie.

Les autres postes patrimoniaux attestent au contraire des immobilisations patentes qu'on avait bien dû compter. Mais là se trouvent aussi les réponses aux questions industrielles de ce chapitre.

Dans les entreprises normales, il apparaît que la somme des capitaux retenus dans le circuit professionnel (créances de toutes qualités, marchandises, outillage) atteint en moyenne 40 % du patrimoine. Là-dedans, l'outillage est infime : quelques métiers à tisser, le marteau, l'enclume, la varlope ; tout va à l'appareil commercial : stocks de matières premières, marchandises, crédit à court terme. Au surplus, comme au siècle précédent déjà, chaque artisan ou négociant se sent la vocation d'un rentier ; il l'est, d'ores et déjà, puisque son capital immobilier, où le local industriel compte peu dans la confusion écologique d'autrefois, représente réel ou fictif 55,4 % de la fortune[65].

---

ques de force majeure. L'amputation du patrimoine qu'on cherche à éviter par ces requêtes peut se produire au cours des années suivantes. Les premières demandes sont toutes antérieures à cet événement. C'est fondamental pour nous. Les dossiers sont aux Arch. dép. Calv., C 481 à C 589.

65. Rappelons que l'immobilier fictif est fait de rentes foncières et hypothécaires.

A quel prix l'investissement financier des technologies nouvelles pourrait-il se faire une place dans cet éventail ? Il faut remarquer l'inélasticité des immobilisations professionnelles, d'abord la médiocrité du stock de marchandises. Dans ces entreprises convenablement gérées, le dixième du patrimoine suffisait à assurer les offres. Ensuite on soulignera le rôle du crédit, en économie traditionnelle il tenait lieu de publicité commerciale ; c'était en réalité la forme cachée du *dumping* contemporain : accorder des délais de paiement sans intérêt de foire en foire ou baisser les prix, est tout un. Ainsi il n'était guère pensable de freiner les ventes d'une maison pour y prélever l'argent qui augmenterait les stocks par un gain de productivité. Restait possible l'amputation du capital immobilier, souvent majoritaire.

C'est ici que la Coutume normande se conjugue avec la richesse du terroir pour convaincre l'entrepreneur de n'en rien faire. La dissuasion ne cédera que si le profit marginal escompté l'emporte assez franchement sur le revenu foncier pour triompher du prestige social attaché à la glèbe. On tiendra compte de surcroît de l'effet multiplicateur de l'investissement technique sur les immobilisations correspondantes qu'il va enclencher dans les stocks et les billets de commerce. Si la rotation ne s'accélère pas, 1 000 livres d'outillage de plus, c'est bientôt une augmentation plus que proportionnelle des marchandises et du crédit commercial en circulation ; il conviendrait donc que le profit marginal étanchât l'intérêt de sommes très supérieures à l'immobilisation supplémentaire de capital fixe. On comprend que les entrepreneurs aient douté de cette issue [66].

La répartition des avoirs en faillite complète le portrait composite de l'artisan ou commerçant, mais elle démasque aussi les rides de la physionomie. C'est d'abord un outillage plus dérisoire si c'est possible, mais surtout le gonflement des stocks qui ont immobilisé, ici, contre 1/10e ailleurs, plus du 1/4 des patrimoines, en dépit d'une politique commerciale aventureuse et proche de la braderie, vers la fin du siècle. Voici en effet, par période décennale, la part comparée des créances douteuses dans les bonnes et mauvaises maisons :

	1760-1769	*1770-1779*	*1780-1789*
Entreprises normales	3 %	3,4 %	3,8 %
Entreprises en faillite	13,6 %	27,6 %	28,2 %

Pour sortir de l'engrenage, augmentation des stocks-liquidation à perte, les patrons en difficulté tentaient de réinsuffler de l'argent frais dans leur comptabilité. Les vases communicants qu'ils établissent alors entre les divers postes de leur fortune sont tout à fait éloquents. Leur portefeuille de rentes constituées disparaît le premier. Dans les maisons bien gérées, les décisions, toutes choses égales, auraient été identiques, comme en témoigne l'affaissement

66. L'économiste polonais Michael Kalecki, présenté au public français par M. Lutfalla, 1966, fait intervenir dans son analyse critique du développement de l'économie capitaliste le risque croissant encouru par les rentiers bailleurs de fonds, pour montrer que le progrès indéfini n'a pas de nécessité physique (préface, p. XIX, et chap. 15, « Les facteurs de développement », p. 131 sq.). Dans l'autofinancement ce risque demeure pour l'essentiel.

de ce poste lorsque l'incertitude économique des vingt dernières années s'accentue :

	1760-1769	*1770-1779*	*1780-1789*
Immobilisation en rentes	35,2 %	23,4 %	11,5 %

Ces rentes jouaient donc le rôle de placement à long terme, mais elles sont liquidées bien avant le foncier. Alors qu'elles tombent à rien dans les avoirs cumulés en faillite (0,8 % contre 17,4 % dans les patrimoines courants), les biens-fonds, encore à la moitié de leur niveau normal (17,9 % au lieu de 38 %), demeurent le sanctuaire de fortunes que les partages de succession contrôlés nous ont décrites si largement assises en campagne. Dans la bourrasque, les faillis confessent toujours les valeurs dominantes de la société.

Ce n'est pas la ventilation des fortunes rentières qui les contredira. A l'échelle globale, le rôle très modeste tenu par les investissements en offices n'est pas surprenant à Caen ; une étude sociale rappellerait que cette grosse ville n'eut pas de parlement ni de cour des aides, les charges y demeuraient subalternes. En revanche, les autres postes font bien voir de quels placements les citadins oisifs attendaient leurs revenus. Pas des commandites, certainement, ni des prêts commerciaux (0,5 %) (d'ailleurs la seule banque d'affaires sur la place, la maison Gaultier et associés avait fait faillite dans les années 1775 ; les entrepreneurs devaient compter sur eux-mêmes). Mais de belles rentes foncières (23,1 %), des immeubles cossus et des champs opulents (60 % des fortunes environ, si l'on estime au 1/10e les meubles meublants) composaient un patrimoine idéal, une terre promise vers laquelle était en marche, de son purgatoire artisanal ou marchand, la classe « stérile » des physiocrates.

Ces fortunes suggèrent bien que leurs possesseurs n'étaient en rien les chefs d'entreprise que de rares économistes locaux nous ont paru esquisser et dont Schumpeter fera la théorie sur des observations du XIXe siècle. On peut voir en quelle étroite mesure le commerce et l'industrie allaient éloigner les Bas-Normands de la terre : leur unique objet était d'y ramener plus sûrement et plus vite. Les artisans et négociants de Caen sont des « coloniaux » de la vie économique ; plaise à Dieu, ils s'empresseront de faire fortune, de réaliser leurs affaires et de revenir au foncier.

Si cette interprétation est bonne, les hypothèses suivantes vont mériter maintenant l'épreuve.

1) La recherche de profits assez rapides pour amener le désinvestissement immobilier colore cette économie d'un caractère spéculatif, elle maintient en suspension dans la société un certain nombre de chevaliers d'industrie, de tempéraments joueurs, en un mot d'amateurs que le développement du capitalisme industriel étouffera. Pour vérifier cette thèse, il faut observer la moins « fantaisiste » des branches industrielles, celle des mines.

2) L'objectif du profit élevé limite au moindre coût les investissements. Et pour cela, l'entreprise industrielle est plus mal placée que la commerciale. A l'échelle urbaine, est-ce le glissement de l'une à l'autre et le désinvestissement ? Le textile qui incorpore à Caen le maximum de technique et de main-d'œuvre convient par excellence à cet examen.

3) Le profit de certaines catégories particulières est d'autant plus facile que les collectivités se chargent des immobilisations inévitables. Ce fut le cas au XVIIIe siècle de l'aménagement routier et portuaire. Ici, l'accumulation primitive avait été payée par tous, mais ses bienfaits rejaillissaient d'abord sur les négociants. L'antériorité du capitalisme marchand sur tout autre est bien connue des historiens, mais elle a été plus souvent déduite d'analyses sociales que d'observations économiques. En somme, contre la loi des débouchés de J.-B. Say, ce sont les opinions d'Adam Smith qu'il faut vérifier.

Chemin faisant, l'examen de ces trois hypothèses nous aura fait parcourir l'essentiel de l'économie urbaine et éclairé sur le sens des variations rencontrées dans la main-d'œuvre.

III. L'ARCHAÏSME DES SPÉCULATIONS MINIÈRES

La mine est le domaine des gros investissements et des bénéfices incertains. Comment l'activité dans cette branche symboliserait-elle, même subsidiairement, les comportements économiques urbains ? Ne vient-on pas de les décrire en quête des sécurités foncières ?

Le paradoxe est moins fort qu'il n'y paraît ; des traits de mentalité collective peuvent être allégués d'abord. Avant l'ère industrielle, il était plus rare, en effet, de voir les agents économiques situer leurs calculs dans leur vraie dimension. Etablir les principes individuels d'une gestion financièrement optimale, telle a été pour la bourgeoisie, selon Sombart, la lente acquisition de plusieurs siècles d'apprentissage[67]. Les conduites nostalgiques analysées au chapitre précédent indiquent que la province n'avait pas achevé cet apprentissage au XVIIIe siècle ; Dupont de Nemours soutenait déjà cette thèse contre la Chambre de commerce de Normandie en 1788[68]. Dès lors, il n'est pas incroyable de voir coexister aux deux extrémités du comportement économique, très inégalement partagés bien sûr, l'investissement sans risque et le pari aventureux. C'est la notion d'enjeu calculé qui manquera le plus en cette occurrence, où se dévoileront des ressorts moins visibles et pourtant présents dans les autres secteurs des affaires urbaines.

Pour opérer ce détournement, l'industrie minière bénéficiait d'arguments affectifs puissants. L'extraction de richesses souterraines, demeurées jusque-là

67. W. Sombart, en traduction française, 1926, surtout 2e partie, p. 129 sq., et 1932, les deux volumes.

68. (Dupont de Nemours), 1788, p. 57 : « On regarde comme une maxime générale que tous les hommes sont habiles pour leur intérêt. L'expérience montre chaque jour que cette maxime, toute vraisemblable qu'elle est, n'a pas l'exactitude qu'elle devrait avoir. L'éducation de la jeunesse est si mauvaise, la justesse d'esprit est si rare, les anciennes habitudes ont tant d'empire, les combinaisons un peu étendues sont si fort au-dessus de la portée de la plupart des hommes, qu'il n'y a rien de plus commun que de trouver des gens, même à réputation en ce genre, qui n'entendent pas leurs véritables intérêts sur les objets dont ils se sont occupés toute leur vie. »

inaccessibles, flatte le versant magique de la conscience humaine. N'est-ce pas le relais raisonnable de l'alchimie dont H. Metzger a montré la persistance dans les sciences exactes du temps [69] ? Les rêveries de la terre n'ont pas seulement une réalité dans les instances poétiques où Bachelard les a décelées ; elles étaient alors vécues dans le quotidien.

Lorsque les citoyens de Caen, sous l'égide du subdélégué, entreprennent discrètement des forages aux portes de la ville, en 1788, les uns pensent qu'il s'agit d'extraire des tourbes ou lignites, les autres de retrouver les statues d'or de Guillaume que la légende y a placées [70]. En 1779, deux étrangers assurent qu'ils ont trouvé deux mines d'argent fort longues et courbes, en figure de croissant, non loin de Bayeux. Renseignements pris, l'intendant constate que les paroisses citées n'existent pas [71]. En 1780, un receveur des domaines du Roi fait état à Torigni de cinabre, de marcassite, de mercure et d'or ; enquête ; c'est une vieille galerie comblée de pyrites et le subdélégué de Saint-Lô ajoute : « Quelques-uns, plus jaloux que les autres du merveilleux, exagèrent singulièrement » [72]. En 1789 enfin, c'est un potier de Lison, un potier le façonneur des terres malléables, qui signifie au contrôleur général Bertin l'emplacement d'une mine d'or mystérieuse près d'Isigny ; quelques fouilles vaines coûteront 354 livres à l'intendance pour détruire la fièvre des villageois [73].

Des légendes historiques nourrissaient cet onirisme ancré dans le sous-sol, l'épopée du Potosi n'avait pas disparu sans doute entièrement de la mémoire européenne. Des faits aussi : dès la fin du XVIIe siècle, l'Angleterre débarque sur les quais normands son charbon de terre. Comment penser que des bassins sédimentaires également adossés de part et d'autre du Channel aux massifs anciens puissent être si dissemblables et que le Seigneur ait refusé aux bons catholiques ce qu'il octroyait aux hérétiques ?

Surtout, par une législation diligente et favorable, le souverain allait indiquer à ses sujets toutes les perspectives de l'activité minière au long du XVIIIe siècle.

Depuis Colbert, la surveillance des mines appartenait au contrôleur général et au grand maître des mines qui usèrent longtemps de leurs droits avec légèreté. En s'appuyant sur la Coutume de Normandie, analogue sur ce point comme en beaucoup d'autres aux lois anglaises, des entrepreneurs maîtres du sol s'étaient octroyé la propriété du sous-sol. Signe d'un nouvel intérêt, l'arrêt du Conseil de 1741 prescrit à tous les exploitants de remettre leurs titres pour examen [74]. Puis l'arrêt de 1744 fixe exactement les mesures à prendre pour la sécurité du travail, rappelle les dispositions bienveillantes du pouvoir devant les demandes de concession, prévoit des exonérations fiscales importantes (le dixième d'industrie), précise le renvoi vers l'intendant, néces-

69. H. Metzger, 1923. Les liens de la prospection et de l'ésotérisme étaient manifestes au XVIIe siècle. Lire M. de Bertereau, 1640.

70. G. Vanel, 1905, Mémorial de Ph. Lamare, pp. 75-76.

71. Arch. dép. Calv., C 3024, Correspondance d'octobre-novembre 1779.

72. *Ibid.*, C 3026, Enquête de 1781.

73. *Ibid.*, C 3023, Mars 1789.

74. *Ibid.*, C 3019. Le mémoire sur l'exécution de l'arrêt envoyé aux intendants insiste sur les aspects techniques mal connus des Français, ajoute-t-il : la qualité des sols, les infiltrations, le pompage des eaux, l'aération, le boisage. Cette enquête aboutit au règlement du 14 janvier 1744 (qui est dans le même dossier).

sairement bien disposé, des procès avec les propriétaires du sol. Ce règlement a l'ampleur d'une charte professionnelle valable pour les gîtes de charbon et de métaux. S'y ajoute la création en 1781 de quatre inspecteurs, d'un intendant des mines de France en 1782, d'une école en mars 1783 [75] ; à partir de 1784, les généralités constituent leur collection de minéraux [76].

En contrepoint, l'Etat n'avait pas cessé de manifester son attention aux établissements en activité. De là, une suite d'enquêtes nationales dont les résultats locaux subsistent pour 1741, 1764-1765 et manquent, comme presque partout, en 1783 [77]. Puis un double plaidoyer pour les charbons et les métaux. D'un côté, la dégradation des forêts, les besoins prioritaires de la marine, la cherté du chauffage parlent en faveur de la houille : à partir des années 1780, l'intendance diffuse elle-même de grandes affiches publicitaires qui vantent les mérites du charbon de terre épuré [78]. En 1784, un arrêt du roi permet à chacun de fabriquer sa tourbe ; en 1785, un autre interdit tout péage sur la circulation intérieure du combustible [79].

D'autre part, l'extraction des métaux est considérée depuis les années 1770 comme un devoir national d'émancipation économique. « Le fer, déclare Ber-

75. Arch. dép. Calv., C 3020, Arrêt du Conseil du 21 mars 1781. Visite annuelle des inspecteurs dans les provinces ; tenue d'un journal des découvertes. Dès cette année-là, l'inspecteur Duhamel parcourt la généralité de Caen. L'intendant général nommé en 1782 est un ancien commissaire départi, La Boullaye. L'arrêt de 1783 rappelle d'autre part les dispositions de 1741 sur la sécurité, le recensement des puits, des mineurs et des quantités extraites. Thème général : « L'art de découvrir et d'exploiter les mines n'a pas fait dans [le] royaume les progrès dont il était susceptible ». Le roi accordera douze places de boursiers aux enfants de plus de seize ans des directeurs et des principaux ouvriers. L'école est à l'image de celle des Ponts. Elle sera pourvue de deux chaires : 1. chimie-minéralogie ; 2. géométrie souterraine-hydraulique. Le cycle d'études durera trois ans ; dix-huit heures de cours par semaine de novembre à fin mai.

76. Lettre de La Boullaye, le 31 août 1784 (Arch. dép. Calv., C 3020). Le double des échantillons est envoyé à l'école.

77. B. Gille, 1964, pp. 62-65 ; M. Rouff, 1922 ; Arch. dép. Calv., C 3019, Enquête de 1741, réponses le 27 avril 1741 ; il n'y a pas trace en 1742 de rapport particulier sur les mines de charbon ; enquête de 1764, réponse du 12 mai 1765. Pour atteindre l'observation suivante, il faut gagner l'Empire, voir les documents élaborés en 1811-1812 dans Arch. nat., F 20 103.

78. Arch. dép. Calv., C 3020, *Avis au public,* imprimé à Paris. Cette publicité présente tous les traits qui apparaîtront chez Balzac dans *Grandeur et décadence de César Birotteau ;* c'est-à-dire qu'elle s'oppose entièrement à celle du XXe siècle. Là encore les styles publicitaires révèlent les anthropologies économiques. La séduction commerciale d'aujourd'hui vante l'attrait du mystère et le dépaysement : tel appareil de cuisine se fait curieusement électronique, l'automobile de sport « un monstre merveilleux », tout objet est de « conception révolutionnaire ». La publicité du XVIIIe siècle, qu'elle s'exerce en faveur du riz, du pain de pomme de terre ou du combustible, cherche au contraire à démontrer que rien n'est changé et que le nouveau vaut l'ancien. Ici : chaleur aussi douce que le bois et même plus égale ; pas plus cher et même meilleur marché ; plus d'incendie de cheminées « qu'on ne ramone jamais » ; économie bien « démontrée » pour les forges.

79. Arch. dép. Calv., C 3020. L'arrêt du 22 octobre 1784 casse un privilège accordé en mars 1783 à un certain Gabriel Latour. L'arrêt sur la libre circulation date du 28 octobre 1785.

tin à l'intendant de Caen, est le métal de première nécessité ; notre marine seule en consomme pour plusieurs millions, et à peine les forges de France en fournissent-elles la vingtième partie » [80]. Les incitations ne manquaient pas non plus, puisque les indemnités versées aux propriétaires des fonds restèrent inchangées de 1680 à 1786 au taux de plus en plus déprécié d'un sol par tonneau de minerai de 500 livres pesant. A cette famine de métaux se rattachent évidemment les enquêtes sur les forges dont l'étude a été abordée plusieurs fois par B. Gilles et P. Léon [81]. Il nous reste trace des états dressés sur ordre de Terray en 1772, du Bureau du commerce en 1783, du Comité du salut public en l'an III [82], sans compter le bilan de la main-d'œuvre occupée au travail du fer et de l'acier durant le printemps 1754 [83].

L'attention officielle portait certainement ses fruits dans un public assez vaste. Des mémoires sur les mines paraissaient à l'Académie des Belles-Lettres en 1760-1761. En 1786, celle-ci avait mis au concours un prix de 400 livres : « Existe-t-il des mines de charbon de terre près de Caen et quels seraient les moyens les plus avantageux à employer pour leur exploitation ? » [84]

Pourtant il est remarquable (et conforme à l'attrait foncier exercé dans les autres terroirs plus riches de la généralité) que les pionniers en ce domaine appartiennent au Cotentin et aux confins du Bocage. Depuis 1731 des recherches avaient eu lieu dans les paroisses du Lorrey, de Beaumont, Placy, La Chapelle-en-Juger pour un montant de 290 000 livres, en 1734 à Pierreville dans l'élection de Valognes et à Surtainville ; en 1741 à Vaudreville près Montebourg avec quatre mineurs de Valenciennes ; en 1742, à Baines, Tournières, Saint-Martin et Notre-Dame-de-Blagny [85]. Dans cette préhistoire minière de Basse-Normandie aux échecs si nombreux, les privilégiés furent généralement les seuls parieurs : de Bonneval, d'Avoust du Tilloy, M. d'Octeville, le chevalier de Théville, le marquis de Matignon, avec une grande incompétence, risquaient et perdaient des dizaines de milliers de livres, 40 000 livres pour le seul d'Octeville. Au bout de trois ou quatre ans, c'était l'abandon, à Surtainville chez le marquis de Matignon, à Saint-Sauveur-le-Vicomte sur le domaine du comte de Toulouse. En face de cette prospection désolante en matière de combustible et de métaux rares, les « ferrières », repérées depuis fort longtemps, passeraient pour des succès. Le duc de Valentinois alimentait les forges de Danvou avec son gisement de Brémoy et le comte de Flers celles de Larchamp et Halouze avec le minerai de son fief ; la généralité d'Alençon possédait des gisements célèbres.

80. *Ibid.,* C 3020, Lettre du 15 mars 1770.

81. B. Gille, 1947, étude des sources, pp. XV-XXV ; *ibid.,* 1960 ; P. Léon, 1960 a, pour le Dauphiné ; ajouter les ouvrages anciens, de Des Cilleuls, 1898, et G. Martin, 1900.

82. Arch. dép. Calv., C 2987 ; Arch nat., F 12 680 ; Enquête de l'an III, résultats en ventôse an IV ; Arch. nat., F 11 325.

83. Arch. dép. Calv., C 3023.

84. *Ibid.,* C 3024, Mémoires de M. Delaveyne ; cf. aussi G. Vanel, 1905, *Mémorial,* pp. 135-136.

85. Arch. dép. Calv., C 3019 et C 3026. La plus importante de ces tentatives regarde la mine de mercure de La Chapelle-en-Juger, près de Saint-Lô. On poussa les puits jusqu'à 80 mètres de profondeur. L'exploitation n'a pourtant duré que

Depuis les années 1740, il faut observer plus longuement la réussite des houillères de Littry, non loin de Bayeux, à la fois parce qu'on s'approche géographiquement de Caen, parce qu'on peut saisir aussi les complicités financières et administratives que la poursuite de l'entreprise exigeait et surtout enfin parce que des habitants de notre ville participèrent directement à l'affaire. Littry demeure le modèle auquel rêvent jusqu'à la Révolution beaucoup de citadins tranquilles, le seul mirage capable de dévaster les patrimoines fonciers. Il révèle les pulsions spéculatives dormantes dans l'économie urbaine traditionnelle. Après cet avertissement, il sera plus facile d'en repérer d'autres, dans le textile en particulier.

En 1742, le marquis de Balleroy, gouverneur du duc d'Orléans, cherchait du minerai de fer pour alimenter sa forge [86]. Son homme de confiance, Auvray, trouva du charbon. Une concession exclusive à Littry, Crouay et paroisses voisines vint garantir la découverte en 1744. Alerté par le marquis, le directeur des mines du royaume surveilla les premières fouilles, fit venir un régisseur et vingt-cinq ouvriers flamands [87]. Au bout de trois ans, deux fosses étaient ouvertes, l'investissement s'élevait à 150 000 livres. Le marquis de Balleroy les récupère alors en vendant les deux tiers de son privilège à une compagnie parisienne [88]. Il lui reviendra un tiers des profits lorsque les actionnaires auront amorti leurs fonds et alors que lui-même ne conserve plus aucun capital dans l'affaire. C'est un bel exemple de spéculation. Mais parallèlement à la concession minière, le propriétaire primitif avait obtenu des privilèges pour installer deux verreries qui utiliseraient le charbon. Peu après 1748, le marquis procède à un deuxième désengagement en revendant ses droits au profit futur de la mine et à l'établissement des verreries.

Là se présentent les capitaux de Caen. Un protestant, Signard d'Ouffières, fonde une société de plusieurs négociants, aidée de quelques Rouennais [89], pour racheter les parts du fondateur. Et cette deuxième entreprise s'apprête à vivre en parasite sur la première. Elle est d'autant mieux placée pour cela que le deuxième directeur technique de la mine, Auvray, cependant porteur d'un douzième à Paris, est lié d'amitié avec les Caennais. Littry devient une école pratique de prospection, des concurrents comme Busnel viendront s'y former

---

neuf ans ; les associés, souvent parisiens, ont reculé devant les dépenses occasionnées par les infiltrations d'eau.

86. G. Lefebvre écrivit en 1926 une étude sur « Les mines de Littry » ; elle fut republiée en 1954. Cet article appartient à l'histoire sociale plus qu'économique et plus à la Révolution qu'au XVIIIe siècle. Les documents importants pour la perspective envisagée ici sont aux Arch. dép. Calv., C 3022 à C 3024.

87. Le premier directeur, flamand, est un Mathieu, de la famille des célèbres prospecteurs du Nord, cf. J. Trénard, 1966, pp. 62 sq. et 94-95.

88. Contrat du 6 juin 1747 devant Laidiguière, notaire au Châtelet. A la fin de l'Ancien Régime, la compagnie par part se compose de Malbert, Bailly de Gallardon, d'Obremes, de Sestre pour Mme de Saint-Priest, Héricart de Thury, Le Cousturier, Lefoin et Fayolle (Arch. dép. Calv., C 3024).

89. Composition de la société en 1772 (Arch. dép. Calv., C 3023) : Signard, Rouhier, Binet, Baudouin. Interventions de Crevel auprès de l'intendant (*ibid.*, C 3022, lettre du 30 mars 1749) : « Je vous demande en grâce ... si l'occasion s'en présente, de vouloir bien donner du crédit à l'entreprise dont il s'agit. » En 1763, la compagnie parisienne sollicite par Le Cousturier et obtient l'installation d'une autre verrerie (*ibid.*, C 2973).

avant de prétendre fouiller le sol aux limites de la concession ; une compagnie d'épurage des charbons naîtra pour associer d'autres appétits locaux à l'aubaine. Chemin faisant, la compagnie caennaise prospérait, on estimait en 1774 qu'elle avait engrangé 200 000 livres de bénéfice net, elle s'était même offerte auparavant à prêter de l'argent à la société parisienne qui parvenait tout juste au même moment à l'amortissement de ses mises de fond. En revanche, Caen refusait de participer avec Paris à de nouveaux investissements. On comprend la méfiance des Parisiens, le renvoi d'Auvray dès 1757, les éloges qu'on fit de lui dans les *Mémoires* de Caen et les propositions de rachat mutuel émises par les porteurs des deux compagnies.

Peu importent ici les aléas journaliers de la production [90]. A l'échelle du demi-siècle, P. Léon observe une croissance de 483 % [91]. Voici en livres pesant les données qui nous sont parvenues :

Production annuelle (en livres pesant)

1748-1751	6 000 000
1753	12 900 000
1757	20 200 000
1760	12 900 000
1769	19 700 000
1781	20 400 000
1785	26 000 000
1791	35 000 000

Mais il faut décrire les réseaux d'intérêts et d'influence qui ne manquaient pas de symboliser, aux yeux des citadins, l'entreprise et de leur faire entrevoir des profits rapides dans cette branche industrielle : pour 700 000 livres d'investissement amorti, le bénéfice annuel était compris en 160 000 et 195 000 livres avant la Révolution [92].

La première bataille économique met en jeu, de 1742 à 1754, la qualité du combustible ; elle fait apparaître de quel renfort pouvaient disposer des prospecteurs titrés et des compagnies bien introduites à Paris. Les essais initiaux

90. Sous la direction de Mathieu, puis d'Auvray (1742-1757), l'entreprise doit affronter simultanément des difficultés financières (plusieurs emprunts), techniques (infiltrations, perte de la pompe à feu), commerciales (concurrence anglaise). Les directeurs suivants, Delaville et Besson l'aîné (1757-1785) ont remporté des succès comptables sinon techniques : les guerres les avaient opportunément débarrassés du concurrent anglais à deux reprises ; le dernier « patron » d'Ancien Régime, Noël reprit la prospection ; en 1789, cinq puits, dont trois en exploitation. Quelques trop rares renseignements chez G. Lefebvre.

91. P. Léon, 1960 b, p. 177, calcule sur la période 1748-1791, si je comprends bien. Soit quarante-trois ans, comptés alors que l'exploitation est en route depuis deux ou trois ans de façon que n'apparaissent pas des taux vertigineux. En 1747, il existait déjà deux fosses. Le boisseau de la mine contenait 22 pots plus le comble de 4 pots. Il pesait, selon les qualités de charbon, de 86 à 110 livres.

92. Niveau global d'investissement à diverses dates, soit en 1747 : 150 000 livres ; 1749 : 300 000 livres ; 1754 : 500 000 livres ; 1774 : 700 000 livres (capitalisation à 5 % de l'intérêt des emprunts).

reçurent l'estampille officielle par une lettre du contrôleur général Orry [93]. Ils se déroulèrent simultanément à Caen et Rouen. Le procès-verbal des expériences de forge tentées le 24 décembre 1742 par six blanchevriers, taillandiers et maréchaux-ferrants de la ville révèle que le charbon chauffe et soude convenablement mais il est dispendieux car il contient de la terre et des pierres. A Rouen, même opinion dans une raffinerie de sucre, une teinturerie, chez des serruriers, des maréchaux. Le marquis de Balleroy ni l'opinion ne semblent alors s'être souciés beaucoup de ces conclusions. Au demeurant ce fut bientôt la guerre et la pénurie de houille anglaise. Dans ce protectionnisme involontaire réside une des premières chances de Littry tandis que le retour de la paix contribua sans doute à expliquer le dernier dégagement du premier prospecteur. Mais dès janvier 1749 la qualité du charbon bayeusain fut remise en cause ; les Dieppois et Rouennais, forgeurs d'ancre, se plaignent de sa médiocrité ; on ne peut l'utiliser qu'avec des mélanges anglais ; la Chambre de commerce de Normandie, dont on voit bien les intérêts, souligne que la houille normande serait employée si elle en valait la peine ; que sa qualité l'emporte sur celle du voisin britannique et tout ira bien, « la nation angloise est trop habile et trop sage pour entreprendre de lutter contre la nature ».

Nouvelles expériences en mars. Devant un subdélégué peu au fait des intentions de l'intendant, un procès-verbal des maréchaux-blanchevriers enregistre les mêmes doléances : consommation double, nécessité des mélanges ; un maître artisan dira même qu'il faut employer deux fois plus d'ouvriers. Les administrateurs de la mine s'émeuvent alors et décident l'intendant à reprendre les essais [94]. En juin 1749, une savante mise en scène prépare les voies d'un rapport favorable. Décidée chez un adversaire, l'épreuve est brusquement transportée, « pour commodité », chez Signard d'Ouffières, cheville de la compagnie locale houillère. Elle donne entière satisfaction au lieutenant du bailliage qui rédige le procès-verbal. Dans le brouhaha final, le directeur des mines s'offre à prouver que son charbon est propre à la forge des socs de charrue « et à l'instant le nommé Rossignol, maréchal ... s'étant trouvé par hasard dans ladite cour ... s'est offert » et l'a trouvé fort bon. Désormais l'intendant peut louer le combustible auprès du contrôleur général et dénoncer les intérêts des commerçants affidés aux Anglais : « Vous entendez Monsieur ce que cela signifie. » Les compagnies minières sont ainsi parvenues à accréditer l'existence d'une cabale dirigée contre eux : bonne terre ne saurait mentir ; maintenant les essais dûment organisés par la voie officielle à Brest et Calais en 1750, à Caen en 1754, seront entièrement favorables. Le charbon français a toutes les qualités du terroir, il est « bon, vif, âpre et collant bien ».

L'estampille de l'Etat laissait cependant entier le problème des coûts. L'examen des données montre pourtant que dans ce domaine aussi les spéculateurs pouvaient attendre baucoup. Il faut éclairer ce point dans les années cruciales (la décennie quarante) où s'installent les mines, puis revoir à la fin de l'Ancien Régime comment la compétition commerciale avait évolué.

93. Les procès-verbaux des expériences successives figurent dans Arch. dép. Calv., C 3022 et C 3023. Cf. également *ibid.*, 6 E 36, Corporation des blanchevriers, la supplique des « intéressés aux mines » présentée le 26 mai 1754 à l'intendant.

94. Selon le directeur de Littry, Auvray, les artisans caennais se sont fait le mot pour éviter l'interdiction du charbon anglais.

Prenons conscience d'abord de la maîtrise absolue du charbon anglais sur les côtes normandes, dans une situation de libre échange. Mais le gouvernement reste maître de ses tarifs douaniers et depuis le XVIIe siècle, le combustible étranger était soumis à un droit de 12 sols pour 100 livres pesant. Si la barrière céda partiellement après la guerre de Succession d'Espagne, ce fut pour retrouver bientôt son niveau primitif [95] :

(Pour 100 livres pesant)	
Sous la Régence	3 sols 2/10
1731	4 sols 5/10
1741	12 sols

Grâce à un heureux concours de circonstances, l'exploitation de Littry fut ainsi protégée dès l'origine par une politique minière nationale très favorable. Les prix de vente anglais s'établissaient alors en 1742 comme ceci :

(En sols pour 100 livres pesant)	
Caen, au quai	28
Caen, chez les débitants	29 et 30
Le Havre	28
Rouen	40
Dieppe	32

C'était encore une concurrence insurmontable, mais la deuxième chance des puits normands vint, on le sait, de la guerre d'Autriche. La houille de Littry conquiert aussitôt le marché de Caen où elle est acheminée par terre, faute de pouvoir emprunter en toute sécurité la Manche. Inversement les ports de Haute-Normandie reçoivent par des voies détournées un combustible britannique grevé de taxes alourdies (19 sols 9/10e aux 100 livres) :

Charbon de Littry		*Charbon anglais*	
Caen	: 32 sols	Le Havre	: 48 sols
		Rouen	: 54 sols
		Dieppe	: 56 sols

Les préliminaires de paix mirent à forte épreuve ce marché naissant. « Les Anglois qui avoient fait pendant la guerre des amas immenses de charbon dont ils n'avoient plus le débouché, en ont apporté dans les ports de Normandie, des quantités si considérables que les intéressés sont à la veille de ne plus trouver de débit du leur » [96], note le contrôle général. Cette compétition place les négociants normands et leurs partenaires parisiens à bonne école spéculative. Le volume de l'extraction les mettait en assez bonne posture devant les besoins :

95. Arch. dép. Calv., C 3019. Ce tarif est celui du temps de paix. Pendant la guerre, en 1744, le droit fut à peu près doublé. De 1763 à 1784, il a pu atteindre 14 sols aux 100 livres pesant, grâce aux conversions de mesures. En 1784, les taxes ont été modérées pour Rouen et Le Havre. Conséquence du traité, à l'extrême fin de 1788 elles sont ramenées à 8 sols. Cf. J. Trénard, 1966, pp. 86-87.

96. La lettre de Machault à l'intendant le 27 décembre 1748 expose les doléances des actionnaires (Arch. dép. Calv., C 3022).

Production de Littry en 1748 (livres pesant)	*Ventes anglaises en 1748 (livres pesant)*	
6 000 000	Le Havre	500 000
	Rouen	7 500 000
	Dieppe	3 250 000

En effet, l'extraction normande montera à 12 millions de livres cinq ans plus tard. Mais il avait fallu pour cela étendre le marché.

Les mineurs interviennent alors auprès du pouvoir pour qu'on élève les taxes. Machault d'Arnouville leur oppose le *dumping* par lequel riposteront les **Anglais,**

> « il serait à craindre, quels que puissent être les droits, que les fournisseurs anglois ne prissent party de donner pour un temps leurs charbons, non seulement sans profit, mais même avec perte, prévoyant qu'il ne s'agiroit que de patienter deux ou trois ans pour faire abandonner la mine de Littry. »

Dans un nouveau mémoire, les actionnaires réclament l'interdiction totale des houilles anglaises à Rouen, Caen, Dieppe, Le Havre. A tout le moins, devrait-on garnir aux frais du Conseil des magasins de charbon français dans les principales villes normandes. La Chambre de commerce de Rouen, à l'inverse, publie que ces interdictions « affoiblissent la bonne correspondance entre les nations, elles indisposent, elles attirent des représailles ».

Dans ces conditions concurrentielles, il apparut assez vite que la fixation des prix relevait de facteurs complexes assez nouveaux pour le commerce local. Le coût de revient est un élément peu élastique. Il faut également supporter les réactions de l'adversaire : lorsque, en 1749, le charbon normand parvient à Calais pour 4 livres 10 sols le baril de 250 livres pesant, le combustible anglais vendu jusque-là 7 livres 10 sols est ramené à 5 livres. Resteraient les douanes, fort maniables lorsque le gouvernement veut bien se laisser convaincre ; mais ici, contre l'intérêt des armateurs, ce fut non. Alors, un dernier élément : les transports. A la fin de l'Ancien Régime, les associés de Littry l'ont emporté sur ce chapitre. Voici les tarifs comparés des années 1785-1786 :

	Charbon de Littry (100 l.)		*Charbon anglais (100 l.)*
	Menu	*Gros*	
Caen	27 s.	31 s.	32 s.
Rouen	25 s. 3 d.	29 s. 3 d.	40 s.

Dans les prix normands, la part des transports est élevée. Pour 100 livres pesant dans les deux qualités, voici la ventilation :

	Eléments		*Total cumulé*	
	Menu	*Gros*	*Menu*	*Gros*
Coût de revient à l'extraction	8 s. 6 d.	8 s. 6 d.	8 s. 6 d.	8 s. 6 d.
Bénéfice de la mine	1 s. 6 d.	5 s. 6 d.	10 s.	14 s.
Transport à Caen par route	16 s.	16 s.	26 s.	30 s.
Bénéfice du détaillant	1 s.	1 s.	27 s.	31 s.
Transport à Rouen :				
Littry-Isigny (route)	7 s.	7 s.		
Isigny-Rouen (mer)	7 s.	7 s.	24 s.	28 s.
Bénéfice du détaillant	1 s. 3 d.	1 s. 3 d.	25 s. 3 d.	29 s. 3 d.

Caen se trouve à la limite de la zone où ce combustible pondéreux véhiculé par route peut encore concurrencer le charbon anglais. Cela permet de comprendre pourquoi les bateliers de la ville, saisissant l'occasion d'un profit maximal, alignaient leurs tarifs sur ceux de la route, pour aller prendre du charbon à Isigny. Au-delà de cette distance, une quarantaine de kilomètres, l'alibi tarifaire du roulage disparaissait au contraire ; il fallait recourir au transport maritime, bien moins cher. Cette dénivellation reculait considérablement les limites de l'aire de vente et creusait le profil des coûts en fonction de la distance [97]. Elle expliquait les prix rouennais plus bas que les tarifs de Caen ; elle permettait aux petits vaisseaux charbonniers normands de s'aventurer sur les côtes picardes et jusqu'à Calais à l'abri de la digue douanière [98].

Cependant, en amont du circuit, la mine est à 23 kilomètres de l'embarcadère d'Isigny. Toute la politique du marquis de Balleroy, puis des associés de Littry, s'est concentrée sur cette section de roulage. Y comprimer les coûts de transport, c'était étendre le marché ; transférer ces investissements à la charge de la généralité, c'était le moyen de maintenir un taux de profit plus élevé. Dès le milieu du siècle se dessine dans cette entreprise d'avant-garde un comportement très caractéristique du capitalisme commercial.

Le propriétaire primitif fit valoir dans ses premières requêtes l'intérêt du bourg de Balleroy à obtenir une route commerciale pour Isigny via Littry. Le bureau des Finances rendit le 24 mai 1745 un jugement en ce sens, confirmé par un arrêt du Conseil le 19 mai 1748. En l'occurrence, la collusion du pouvoir et des intérêts miniers est éclatante. Sous la menace d'une fermeture définitive dont le gouvernement ne voulait pas, les associés étaient parvenus à faire classer frauduleusement la route Balleroy-Littry-Isigny dans la catégorie des liaisons de bourg à bourg, dotées d'une largeur de 16 pieds. Ainsi les voitures à quatre roues allaient y circuler. Du même chef, la viabilité incombait à l'Etat qui devait y procéder par le système des corvées. Les paroisses de Mestry, Colombières, Bricqueville, Bernesq, Lison, Cartigny, les châtelains du Molay se plaignirent vigoureusement des expropriations et des prestations de travail :

97. Thünen, dans son *Etat isolé,* a étudié la déformation des aires économiques en fonction de l'existence des routes et des voies d'eau.

98. La disparition de la taxe de 12 sols/livre pesant sur les charbons étrangers aurait contraint Littry à la fermeture, on le voit sur le tableau précédent.

> « Les intéressés à la mine, lit-on dans une requête de 1749, vollent le Roy, pillent impunément le public et s'engraissent du suc des malheureux. Ils sont coupables des crimes de péculat et de concussion ; on devroit leur faire subir la peine portée à l'ordonnance de François Ier du mois de mars 1545. » [99]

Peine perdue, les « traitants », ainsi qu'on les appelait, firent presser les travaux, recouper les tournants et aménager la chaussée.

La réussite de l'entreprise ne s'explique pas sans une coalition au moins implicite où se retrouvent actionnaires, administrateurs publics et grands propriétaires. Il est possible de préciser : l'intendant et ses subdélégués. Celui-là écrivait dès l'origine : « Rien ne doit plus troubler l'exploitation de M. de Balleroy » lorsque le chevalier de Théville avait voulu se faire prospecteur auprès de lui [100] ; en 1750, le subdélégué de Bayeux s'employait à minimiser les contraintes exercées par la nouvelle route. En second lieu, on rencontrerait les agents des Ponts-et-Chaussées. L'étude d'urbanisme fera saisir bien d'autres spéculations auxquelles les a portés la fièvre de bâtir et d'ouvrir des communications. L'habileté de la compagnie de Littry fut de recourir dans sa propre gestion aux hommes de confiance des Ponts. En 1769, le directeur de la mine était le sieur Besson l'aîné qu'on retrouvera quelques années après aux travaux de Cherbourg en attendant que l'intervention conjuguée du pouvoir et de l'ingénieur en chef le place à la tête de l'aménagement portuaire à Caen vers les années 1780 [101]. En 1785, le nouveau directeur, Noël, est le frère de l'entrepreneur cherbourgeois de la digue, plus tard au service des Ponts-et-Chaussées à Caen ; leur père était géomètre au bureau des Finances, cette administration chargée, comme on sait, de la voirie [102]. Aussi, les projets d'aménagement pour le trafic lourd de la rivière d'Aure, comme de l'Orne jusqu'à Argentan, émanaient à la fois des Mines et des Ponts ; une formation et une technicité voisines rapprochaient ces milieux tous deux ordonnateurs de gros travaux.

La troisième coterie liée d'intérêt à la mine se rencontrerait aux salons de la Société d'Agriculture. Ce club de citadins agronomes et de grands propriétaires distillait un élixir tout anglais d'attitudes économiques : l'amélioration des terres, l'encouragement des haras, la prospection du sous-sol. Derechef, Littry sut associer l'élite de ces *farmers* à sa prospérité en leur consacrant ses sous-produits.

Sans doute la vertu de l'exemple intervient dans la consommation domestique ; Gauguin, prospecteur de Caen, constatait en 1785 que « sans l'exemple des seigneurs qui ont brullé du charbon de terre, jamais les bourgeois n'en auroient brullé ... il ne s'agit donc que d'exciter cette émulation parmi les gens de la campagne » [103]. Mais par ces remarques l'observateur ancien confirme aussi les analyses de D.-S. Landes pour lequel le développement

99. Dossier des plaintes (Arch. dép. Calv., C 3023).

100. *Ibid.*, C 3022, Correspondance intendant-contrôleur général Orry.

101. Lettre de Genas de Rubercy le 12 août 1769, *ibid.*, C 3023. Sur le rôle de Besson et de son frère à Caen, voir plus loin les chapitres consacrés à l'urbanisme.

102. G. Lefebvre, 1954, p. 110, n. 6 ; J. C. Perrot, 1963, p. 319.

103. Mémoire du 8 septembre 1785, Arch. dép. Calv., C 3020.

industriel est entraîné par une demande solvable antécédente. La chiquenaude qui mit en marche la production minière pourrait bien se trouver dans les besoins des puissants agriculteurs [104] : le poussier, le menu charbon, les tailles trop pierreuses servirent de combustible pour des fours à chaux installés par la compagnie. Un mémoire de 1754, glissant sur l'intérêt bien entendu de la mine, souligne la portée agronomique de cette industrie : la partie orientale de la province « n'ayant point d'autres engrais pour les terres que la chaux, l'avantage qu'elle retire de l'établissement de la mine de Littry est immense et évident » [105] : le tonneau de chaux était, en effet, passé en quelques années de 25 et 30 livres à 12 livres. Les grandes exploitations du Cotentin et du Bocage voyaient s'ouvrir devant elles les perspectives de la nouvelle agriculture. En vingt ans, les mineurs, opportunément glissés dans le sillage des victoires physiocratiques, gagnèrent cette bataille de l'engrais. Le subdélégué de Bayeux constatait en 1772 : « Les paroisses les plus éloignées du bocage viennent chercher cette chaux pour accommoder et engraisser leurs terres et ce commerce cesseroit assurément par la rareté du bois » si la mine modifiait sa politique des ventes ou laissait en plan l'extraction.

Littry est au confluent d'événements indépendants. La politique douanière, la guerre d'Autriche providentielle, la complicité des Ponts, l'appui des grands propriétaires. Mais l'innovation, le gain de productivité n'avaient guère de part au succès ; on ne s'était pas soucié de remettre en marche la pompe à feu achetée par Auvray, une fois que les eaux l'eurent détériorée dans la décennie 1750-1760. Les entrepreneurs de moins haut vol pouvaient-ils sentir le hasard de cette rencontre, ou faire agir les mêmes ressorts ? Il faut en douter, mais l'essentiel est leur comportement fiévreux, peu calculateur, primitif en bref. Trois types de spéculation décalquent Littry dans la décennie pré-révolutionnaire.

Premier plagiat : le voisinage topographique. En 1785, Busnel, cousin normand d'un ancien directeur de Littry, M. de La Ville, et son associé parisien Savary de Serisy, ancien secrétaire au contrôle général, demandèrent le démembrement de la concession Balleroy [106]. Ils obtinrent permission de fouilles dans les paroisses voisines, Vaubadon, Saint-Pierre-du-Mont, Commes, Noron, avant qu'on ne s'aperçût de la tentative de spoliation : Busnel était un transfuge de la compagnie mère. L'année suivante Littry fut menacée d'encerclement à l'ouest par une nouvelle demande de concession du fait de la compagnie Pyron-Perrier. Parallèlement, cette entreprise entendait se ménager l'exclusivité de la fouille pour le charbon et le cinabre sur l'ensemble du Cotentin ; empêchée d'agir à Littry, elle obtint gain de cause sur la presqu'île, s'assura la collaboration de l'entreprise Busnel et commença quelques fouilles au Plessis dans l'élection de Coutances puis au Mesnildot dans le ressort de Saint-Lô [107]. Les associés ravagèrent quelques terres, ne purent boiser leurs fosses et cessèrent de payer leurs dizaines de mineurs. Le fond de la spécu-

104. En somme il s'agit d'étendre à l'essor de cette mine la démonstration de P. Bairoch, 1966, pp. 5-23, relative aux rapports entre la sidérurgie et l'agriculture. La thèse si intéressante de D.S. Landes a été exposée en 1969.
105. Sur ce charbon à chaux, notamment Arch. dép. Calv., C 3023.
106. Dossier, *ibid.,* C 3024.
107. *Ibid.,* C 3021.

lation est bien clair, il ne s'agissait que d'acquérir et céder des privilèges. Après la permission de 1787, Perrier s'empressait de céder ses droits à Pyron ; ce dernier, un an et demi plus tard, revendait ses intérêts à Busnel ; à son tour, celui-ci trouva en avril 1789 une équipe de négociants commanditaires à Caen, en la personne de Dujardin, Breban l'aîné, Caille-Desfontaines, adversaires d'une autre société d'investissement, Tubeuf et Sorel frères, qui se vouait à la prospection des mines de plomb [108].

Ces pratiques conduisent à évoquer un deuxième type d'entrepreneur, proche de l'escroc [109]. Tubeuf s'était déjà essayé à la recherche géologique à travers le royaume, dans le Rouergue, à Luzarches, à Villeneuve-Saint-Georges, avant d'obtenir le plomb, industriellement mythique, du Cotentin. Protégés par le duc d'Harcourt, les frères Jacques-Joseph et Pierre-Bernard Sorel, marchands de Caen, s'associèrent avec lui pour passer du plomb au charbon. L'enquête de 1787 nous les montre à pied-d'œuvre, superbement installés au château de Pierreville, dessinant les plans d'une fonderie et de deux verreries, mais ils sollicitent en même temps un secours de 300 000 livres pour leur houillère de rêve tandis que pas une tranchée n'est ouverte. En 1789, c'est à Carteret qu'ils sont sur le point, diront-ils, d'atteindre le charbon [110].

Ils eurent des imitateurs : J.-Ch. Pierre, receveur de la loterie royale à Caen — la rencontre de la spéculation avec le jeu de hasard est presque symbolique — demandait en 1784 une concession sur l'ensemble de l'élection ; il n'avait rien trouvé ni même cherché, l'administration remarquait : « Il n'a point de preuve plus certaine ... que celles qui sont données par la nature du sol, des eaux qui s'en écoulent et la tradition des anciens habitants » [111]. Le monopole de l'Orne, rive droite, lui fut cependant accordé. Deux puits symboliques de 40 pieds (à Etavaux et Troarn) justifiaient la prorogation du privilège et entretenaient l'espoir d'acquéreurs éventuels. Plus subtils, les frères Gaugain, Georges et Jean-François, bourgeois de Caen, songèrent à relier la spéculation sur le sous-sol et la concession des terres vaines ou des marais. De l'une à l'autre, une transition habile avait été ménagée : les marécages, les basses landes laissées de tout temps aux inondations, recèlent de la tourbe ; on devine en même temps le plaidoyer, il était inadmissible de laisser les pauvres hors de la prospérité charbonnière quand le bois est si rare ; les miséreux auraient ramassé le mauvais combustible de surface et les frères Gaugain exploité les couches profondes [112]. La requête portait sur la vallée de l'Orne et de nombreuses paroisses de l'élection ; on désirait une commission royale de recherches pour éviter l'indemnité due aux communautés et pour emporter en toute propriété une part de l'extraction. Mais l'intendance était soucieuse de ménager les villageois, elle se contenta de rappeler que la

108. *Ibid.*, C 3024, Mémoire de Busnel le 6 juillet 1789.

109. Situation valable dans tout le royaume (J. Trénard, 1966, p. 74).

110. Dossier Sorel, Arch. dép. Calv., C 3028. Est-ce la famille « Porel » signalée alors fautivement, par Rouff ? Sur Tubeuf, industriel peut-être sérieux ailleurs, mais ici, en Normandie, pur chevalier d'industrie, voir M. Rouff, 1922, et P. Trénard, 1966, p. 94.

111. Requête et enquête de 1784 (Arch. dép., Calv., C 3025).

112. Requête de janvier 1786, *ibid.*, C 3020.

récolte des tourbes n'était pas soumise à privilèges. D'ailleurs les terres vaines étaient réduites dans la plaine de Caen.

Enfin, troisième genre de prospection, les initiatives prises à titre privé par le personnel des Ponts-et-Chaussées. Déjà, lorsqu'il demeurait à Caen vers les années soixante-dix, Laveyne sondait les banlieues de la ville. En 1784, le sous-ingénieur Delapoterie que nous avons croisé pour ses projets hydrauliques, constitua avec des commanditaires parisiens une société d'exploitation des terrains compris entre la Seulles et l'Orne. Elle reçut un privilège d'un an [113]. L'appui de l'inspecteur général des mines Duhamel était acquis tout entier à ce promoteur nourri dans le sérail. Quand les espoirs se concentrèrent sur la paroisse de Feugerolles en amont de Caen, une nouvelle société, par action de 2 000 livres, fut créée en ville sous la direction de Ledault, négociant place Royale, Fleurian et Travers ; 64 000 livres furent investies, une concession de vingt ans obtenue, des subsides et la protection du gouvernement sollicités. L'entreprise avait retrouvé, hormis le charbon, les conditions qui firent le succès de Littry.

Pour ses aléas, pour la rapidité éventuelle des profits (il faut revendre les concessions obtenues, non sans doute les exploiter, car la productivité peut alors tarder, comme à Littry même), l'entreprise minière occupe une situation limite. Observons les enseignements obtenus dans cette lunette grossissante, ils ont valeur heuristique :

1) Le succès de la mine auprès des citadins prouve dans les faits que la spéculation n'est pas étrangère à l'économie routinière ; elle y est même fortement attachée comme nous l'avions supposé, donc nouveauté et progrès ne se confondent pas.

2) Entre les entreprises qui réussissent et celles qui échouent, la différence vient de facteurs étrangers à la qualité de la gestion ou de la technique.

3) Pour cette raison, l'innovation ne joue pas ici un rôle plus notable que dans l'ensemble urbain ; de 1742 à 1789, aucun progrès de la productivité n'est repérable, la main-d'œuvre croît comme la production.

4) L'obstacle financier est réduit en l'absence d'une véritable industrialisation de la branche, les investissements sont divisés, amortis par tranche, ils peuvent être ajournés sans péril pour l'exploitation ; il peut même se produire un désinvestissement passager [114].

5) La recherche du profit rapide incite à solliciter la protection gouvernementale ; la politique des privilèges colbertistes a laissé sa trace dans les comportements économiques. Mais une barrière, plus décisive que celle des disponibilités financières, sépare les citadins selon l'audience qu'ils peuvent trouver à Versailles et Paris. Le temps des « sièges sociaux » parisiens commencerait-il pour la grande industrie ? Si l'on veut mais l'interprétation reste superficielle.

113. Dossier Delapoterie, *ibid.*, C 3025 ; G. Vanel, 1905, Mémorial, pp. 152 et 184.
114. Ainsi pour les pompes à feu.

6) En réalité, deux groupes de pression se rencontraient et s'associaient souvent, la noblesse industrielle [115] et les grands corps techniques des Mines ou des Ponts. A la veille de 1789, la France s'engageait sur une voie anglaise que la Révolution vint déranger.

7) La réussite, fortement indépendante, de la maîtrise industrielle tient beaucoup à la domination commerciale. Pour cela une gamme étendue de conduites s'offre au négociant : déplacement des sources de matières premières, substitution de véhicules, ouverture des voies de communication, ventes à perte, crédit, présentation publicitaire des produits, manipulation des douanes et des taxes intérieures.

8) Le raffinement des pratiques commerciales fait un curieux contraste avec le primitivisme industriel. Cette remarque vient à l'appui des conclusions écrites deux chapitres plus haut sur la ventilation des personnes actives. L'économie du XVIIIe siècle était susceptible de se *compliquer* — dans les techniques de communication, d'échange, de distribution — sans *progresser* du même pas dans la productivité ni même la production. En un mot elle présentait l'image inverse du temps présent.

9) Le terme de croissance, utilisé en économie comme en urbanisme, est un transfuge des sciences de la vie. Dans sa première patrie sémantique, il se rapportait aux ensembles animés, d'où ce halo d'implications harmonieuses ; la croissance d'un être suit en effet un programme dans le temps, fonctions et organes demeurent dépendants. Tout cela, en économie, devient approximation et même tromperie. Il n'y a pas de sens unique dans l'émergence du progrès [116].

IV. L'EFFONDREMENT DE LA DRAPERIE

D'après les enseignements tirés de la main-d'œuvre, le textile l'emporte en volume sur toutes les activités urbaines. En même temps, cette branche connaît une croissance de l'emploi record dans la deuxième moitié du siècle [117], jusqu'à composer presque la moitié de la population occupée dans la production. Puisque l'innovation était ici extrêmement lente, le changement se présenterait-il seulement comme l'addition d'unités de fabrication semblables ? La réponse est entièrement négative ; en réalité le ressort ne se trouve pas dans l'accroissement de la production, mais dans la recherche du profit le plus élevé et cette quête a entraîné des substitutions de la main-d'œuvre et des transferts de capitaux industriels vers le commerce. L'étude de ce textile, plus intérieur à la ville que la prospection minière, donne en même temps au diagnostic porté sur la fièvre du charbon une autre dimension.

115. M. Rouff, 1922, 3e partie, chap. 1er, pp. 173-206. Sur Littry même, voir pp. 58, 223, 302, 304, 326, 330, 427, 435. G. Richard, 1962.
116. Contre A. Marshall, 1898, republié en 1925, et Corrado Gini, 1959, VI ; E.T. Penrose, 1952, pp. 804-819, me semble avoir entièrement raison.
117. Voir plus haut, chap. VI.

1. LA DRAPERIE DE LUXE

Dans un vaste ensemble où les entrepreneurs se disputent souvent des matières premières analogues et la même main-d'œuvre, une fragilité suprême affecte l'activité la plus ancienne et la plus restreinte : l'histoire de la draperie de luxe préfigure le reste.

Au début du XVIIIe siècle une firme urbaine unique produisait des tissus de laine fine : draps et ratines. La manufacture Massieu avait été fondée en 1652. Comme le rappelle l'enquête de 1738, elle prit très vite « rang entre les plus belles du royaume et le premier entre celles de la généralité de Caen » [118]. Sa réputation reposait sur l'emploi des meilleures laines d'Europe, tirées de la province de Ségovie, et sur un savoir-faire que les entrepreneurs huguenots avaient emprunté à l'Angleterre et aux Pays-Bas. La maison prospéra lentement jusqu'en l'année 1690, où un privilège royal vint lui donner de nouvelles chances [119].

Les faveurs administratives comportaient un aspect technique : le secret sur les portées de fils de l'étoffe [120] et le droit de teinture des laines par dérogation au monopole de la communauté intéressée ; un aspect commercial : la permission d'ouvrir un comptoir de vente à Paris ; une exemption fiscale : le logement militaire, la dispense des charges publiques, des obligations de tutelle ou curatelle. La conjonction du monopole et de la guerre d'Espagne favorable à l'approvisionnement hispanique, engendra une prospérité qui ne passa point le retour de la paix ; mais il faut ajouter le poids des banqueroutes rouennaises (60 000 livres), les pertes en billets de la banque Law (100 000 livres) pour expliquer que l'entreprise, dans un dernier sursaut, se soit tournée, après la crise agricole de 1725 et le marasme de 1726, vers des fabrications courantes telles que les pinchinats ou les demi-ratines faites de laine locale. Cette reconversion put sauver quelque temps la manufacture, puis après un marasme de quinze années, la firme s'éteignit en 1741. Les mésaventures de l'industrie urbaine raffinée sont en général bien connues au XVIIIe siècle. La double statistique des métiers disponibles ou arrêtés rendra compte ici, de ce désinvestissement continuel et saccadé [121].

118. Arch. dép. Calv., C 2852, Réponse de l'intendant à l'enquête de 1738.

119. Mémoire anonyme de 1737, *ibid.*, C 2858. En requérant un privilège, Massieu fait observer qu'il a travaillé plusieurs années en Hollande et en Angleterre ; et aussi Arch. nat., F 12 1369 A. Les Lettres patentes du 17 septembre 1690 lui ont été confirmées en janvier 1697. Les petits-fils du fondateur, Michel et Pierre Massieu, ont obtenu continuation des exemptions royales le 1er août 1730.

120. Les voici telles qu'elles furent communiquées, non sans réticences, en 1731 et 1738 : draps façon d'Angleterre, 90 portées de 40 fils plus les lisières rots de 2 aunes 1/4 de long, pièce d'étoffe de 24 aunes avant le foulage ; ratines, 105 portées de 40 fils plus les lisières, rots de 2 aunes, pièces de 24 aunes ; demi-ratines, 50 portées de 40 fils plus les lisières, rots de 1 aune, pièces de 24 aunes ; pinchinats, 45 portées de 40 fils sans lisière, rots de 1 aune 1/8, pièces de 27 aunes. Arch. dép. Calv., C 278 et C 2858.

121. Sources de ce tableau : Arch. nat., F 12 562, F 12 1369 A, G 7 1685. Arch. dép. Calv., C 2858. Voir aussi L. Fontvielle, juin 1969, p. 1225.

Manufacture Massieu

	Draps et ratines		*Pinchinats et demi-ratines*	
	Métiers		*Métiers*	
	Nombre total	*Inactifs*	*Nombre total*	*Inactifs*
1652-1690	10			
1692	12			
1692-1714	17			
1715	18	6		
1716	15	9		
1717	8	16		
1718	17	7		
1721	10	?		
1725	8	7		
1726	12	11		
1727	6	5	5	0
1730	13	4	6	0
1733	7	2	3	0
1734	4	2	6	0
1735	5	1	6	0
1736	5	2	6	0
1737	7	2	4	0
1738	5	2	6	0
1739	4	3	4	2
1740	5	2	3	3
1741	Fermeture et vente du matériel			

Aussi déficients que soient les vestiges de l'enregistrement, le mouvement de la production peut être rapproché de ces immobilisations mécaniques, depuis l'apogée de la firme en 1715 jusqu'à sa chute en 1740. En effet, le nombre des pièces fabriquées dans chaque catégorie de produits rend compte des véritables fluctuations : la dimension des tissus caennais est demeurée stable contrairement à ce que T. J. Markovitch observe pour l'ensemble de la généralité dans les premières années du siècle [122].

Et puisque l'occasion est venue, disons comment on souhaiterait mesurer cette production. Sans doute le nombre de pièces est un renseignement insuffisant lorsque la surface tissée varie dans le temps. Les aunages sont préférables, mais établis avant le travail du foulon car les pertes diffèrent à la fois selon la nature de l'étoffe et les particularités de chaque pièce. En moyenne le rétrécissement croît comme la qualité.

122. T. J. Markovitch, août 1968, pp. 1530-1531, et surtout p. 1534. La décision de prendre en compte les surfaces de tissus produites et non le compte des pièces représente un progrès fondamental que toutes les études doivent adopter. Mais l'application n'ira pas sans mal. A la page 1530, l'auteur écrit que les pièces d'étoffes de Caen avaient une longueur de 46 aunes en 1708. Or j'observe les longueurs sui-

Pertes de surface au foulage

	(%)
Serges	38
Frocs	45
Revêches	46
Pinchinats	51
Demi-ratines	53
Ratines	53
Draps « anglais »	55

La mesure de surface permet donc de mieux cerner les quantités produites, elle démasque les variations de métrage sous lesquelles peut se dissimuler une hausse des prix à la pièce [123]. Mais ce n'est pas le meilleur critère d'appréciation des qualités. Les inspecteurs des manufactures le savaient et s'attachaient surtout à compter les portées de fils. Là, pour une largeur étalon d'une aune, des différences d'une autre nature séparaient les tissus de Caen :

Nature des chaînes	*Fils à l'aune (1,18 m)*
Revêches	1 000
Frocs	1 600
Serges	1 600
Pinchinats	1 600
Draps « anglais »	1 600
Demi-ratines	2 000
Ratines	2 100

Hormis dans le tissage des serges, ces portées sont restées identiques ; mais l'exception est intéressante. En 1762 les serges furent réduites à 1 560 fils à l'aune, puis en 1766 à 1 480 fils, tandis que les largeurs, comme d'ailleurs les

---

vantes avant et après foulage : draps Massieu, 24 et 18 aunes ; ratines, 24 et 18 aunes ; demi-ratines, 24 et 18 aunes ; pinchinats, 27 et 22 aunes ; serges, 50 et 45-47 aunes ; frocs, 48, 38-40 aunes ; revêches, 47, 40-42 aunes. Il s'agit donc d'une moyenne. Est-elle pondérée selon la production, et cette pondération est-elle toujours possible ? Non, car les rubriques de draperies courantes sont mêlées à plusieurs reprises au cours du XVIIIe siècle. Les mêmes difficultés se reproduisent avec les largeurs. Par exemple, avant le foulage : draps « anglais », 2 aunes 1/4 ; ratines, 2 aunes ; demi-ratines, 1 aune ; pinchinats, 1 aune 1/8 ; serges, 1 aune 1/2 ; frocs, 3/4 aune ; revêches, 1 aune 1/8. Heureusement ces dimensions sont restées stables. Comme T. J. Markovitch présente des conclusions contraires pour l'ensemble de la généralité (*op. cit.*, p. 1530), je cite les sources qui permettent de conclure que Caen faisait exception. Pour la manufacture Massieu, la permanence des dimensions résulte d'un texte de 1731 ratifié par un autre de 1738 qui les présente comme n'ayant jamais évolué (Arch. dép. Calv., C 278 et C 2852). Pour les serges, mesures identiques en 1668 (*ibid.*, C 2857), 1708 (*ibid.*, C 2852), 1731 (*ibid.*, C 278), 1738 (*ibid.*, 6 E 96), 1756 (*ibid.*, C 2858), 1762 (*ibid.*, HH 12), 1766 (*ibid.*, HH 12 et C 2859). Frocs, mêmes mesures en 1668 (*ibid.*, C 2857), 1731 (*ibid.*, C 278), 1738 (*ibid.*, 6 E 96). Revêches, 1731 (*ibid.*, C 278), 1738 (*ibid.*, 6 E 96), 1756 (*ibid.*, C 2858).

123. L'idéal serait de pouvoir réduire la longueur dans le commerce de gros (achats à la pièce) et la largeur dans le commerce de détail (achats à l'aune de longueur).

longueurs des pièces, demeuraient stables. Le critère des surfaces n'enregistrerait donc rien. En réalité ce changement signifie que la grosseur du fil a augmenté et la qualité du tissu légèrement diminué.

Au fond la considération cumulée du diamètre et du nombre de fils pourrait ressortir d'un tableau des matières premières employées et s'il était disponible par année, ce dernier fournirait une autre pesée claire de la production. Ce n'est pas le cas. Lorsqu'on peut faire des mesures, par hasard comme en 1737, on voit d'importantes différences séparer la production de luxe des draperies courantes. Les ratines consommaient 350 grammes de laine de Ségovie au mètre carré, les serges 235 grammes de laine du pays [124]. A son tour, le même poids de fibres dissimulera des divergences d'aspect, de résistance, que le goût du temps pondère de ses jugements subjectifs. Le statisticien se trouve renvoyé à l'évolution du produit en valeur après avoir mesuré les limites des tableaux en volume (c'est-à-dire en surface) et en poids. Aucune de ces données prises isolément ne fournit donc une appréciation complète de la production, mais il est impossible de les capter ensemble et bien souvent le hasard choisit sans nous. Pourtant elles ne sont pas substituables et un indice d'origine composite ne vaudrait rien. Revenons aux tissus Massieu après ces précautions [125].

En dépit de lacunes trop importantes, la statistique fait bien apparaître la chute, par paliers successifs, de la draperie fine. En contrebas des 20 000 m² annuels de 1715, voici un premier replat de 12 000 m² de tissus dans les années 1716-1720, puis, amputés de moitié, les 6 000 m² de la décennie suivante et, à la moitié encore, 3 000 m² en moyenne entre 1730 et 1740.

La confrontation du produit et de l'appareil de production éclaire la sensibilité de la firme aux orientations du marché. Dans les vingt-cinq dernières années (1715-1740), les frères Massieu démobilisent leurs capitaux selon les contractions de la vente au lieu de lutter contre elles par la baisse des prix. On enregistre en effet une hausse lente du prix de l'aune de drap (15 livres 10 sols en 1715, 16 livres en 1725, 17 livres en 1730 ; 1733 : 17 livres 10 sols ; 1735-1740 : 18 livres) tandis que le niveau d'utilisation des métiers dans l'année de fermeture reste très semblable à l'époque de la prospérité :

Pièces de drap fin produites annuellement

	Par métier disponible	*Par métier réellement actif*
1715	9,6	14,5
1740	8,8	16,6

Ainsi, la mise à pied du personnel, la vente des métiers excédentaires et le réemploi du capital fixe en d'autres placements constituaient le seul régulateur capable sans doute de maintenir le taux de profit et peut-être même de l'augmenter légèrement, comme fait elle-même la production par métier.

124. Arch. dép. Calv., C 2858.

125. Sources à l'annexe 13, Arch. nat., F 12 561, F 12 1369 A et B. Dimensions : draps et ratines, 48 aunes carrées (66,80 m²) ; pinchinats, 30, 35 aunes carrées (42,30 m²) ; demi-ratines, 24 aunes carrées (33,40 m²)

Pour apprécier ce rendement industriel quelques renseignements sont encore nécessaires [126].

Chaque pièce d'étoffe demandait quinze jours de travail au tisserand. Par métier battant la production représente sept à huit mois d'activité seulement. Ce très faible amortissement du matériel tient à la difficulté de rendre disponible en même temps matières premières et personnel. L'unité de production occupe vingt-cinq personnes ; à la main-d'œuvre professionnelle stable des tisserands, foulons, peigneurs et tondeurs, s'ajoute un volant important de journaliers utilisés au dégraissage, à la teinture, à la manutention et au pliage. La période des travaux agricoles les détourne du textile. Il suffit, en effet, que les salaires offerts temporairement dans la plaine de Caen dépassent la rémunération urbaine stable : soit à la consolidation de la livre tournois, 5 sols pour les femmes et 12 sols pour les hommes.

Cette hémorragie estivale de main-d'œuvre, bien connue, n'est pas seule responsable de l'atonie. Dans les étoffes de luxe, l'approvisionnement en matières premières constitue un autre goulet difficile à desserrer. Via Rouen, l'arrivée de la laine d'Espagne est soumise aux pulsions du grand commerce, puis du cabotage ou du roulage. Et cette fois, les basses eaux du trafic se placent en hiver durant lequel les fileuses campagnardes seraient susceptibles de travailler. Ainsi, trop souvent, les fluctuations des dates de la récolte et les aléas atmosphériques déjouent les prévisions de l'emploi et des stocks.

Dans les mêmes années trente où le déclin déjà ne peut plus être enrayé, les documents comptables permettent de décomposer les coûts moyens de production. Voici le prix de revient de l'aune linéaire de ratine complètement apprêtée :

Laine de Ségovie	6 l. 15 s.
Filature	10 s.
Tissage	15 s.
Foulage, tondage, dégraissage, teinture, apprêts : travail professionnel (2 hommes à 18 sols par jour) et matières	1 l. 10 s.
Travail de manœuvre :	
(7 hommes à 12 sols)	3 l. 10 s.
(7 femmes à 5 sols)	1 l. 9 s.
Taxes	5 s.
Total	14 l. 14 s.

Dans ce calcul, il ne m'a pas été possible de faire intervenir l'amortissement du matériel et des installations, faute de documents. On peut penser qu'après soixante ans d'activité et en l'absence certaine de modernisation, ce poste était presque négligeable à l'aune de tissu. Le plus frappant demeure le coût très élevé des matières, 55 % dans un objet de luxe qui devrait incorporer beaucoup de travail. En réalité le raffinement du produit découlait d'abord de la laine sur le prix de laquelle l'entrepreneur n'avait aucun pouvoir. Les procédures de filage et tissage étaient au contraire toutes banales. La partie essen

126. Les renseignements qui suivent proviennent de la Bibl. mun. de Caen, ms in-fol. 43, des Arch. dép. Calv., C 278, C 1852, C 2858, et des Arch. nat., F 12 5[illegible] et F 12 1369 A.

tielle du secret de fabrication se rapportait à la chaîne du tissu[127]. L'étonnement s'accroît à l'examen du coût de la main-d'œuvre dans lequel la rémunération minimale des tâcherons était prépondérante. Finalement l'inélasticité des prix de revient était donc très forte.

A la même époque, les ratines se vendaient 17 livres l'aune. Ce bénéfice brut de 16 % rémunérait le capital circulant, la vendeuse, les fonctions de direction et le profit de l'entrepreneur. Or la période des ventes revenait surtout au printemps ou en été avec les foires et la reprise du trafic vers Paris. Entre-temps, le capital-marchandise, improductif, s'accumulait. Cette viscosité diminuait d'autant le profit. Dans la dernière décennie, l'entreprise Massieu rapportait à son maître 2 500 à 3 000 livres, bon an mal an : c'est un tout petit gain. En 1741, Fagon faisait remarquer à l'inspecteur des Manufactures que notre drapier « n'abandonne ... cet établissement que parce qu'il s'y trouve forcé par la non-consommation des étoffes », et l'intendant écrivait quelques mois plus tard : « Le sieur Massieu achève d'employer ses matières, après quoy il cessera tout à fait de travailler, il s'est déterminé pour un commerce maritime qui l'occupera à l'avenir tout entier. »

Une semblable évasion du capital industriel vers le négoce a la qualité d'un symbole. A la limite inférieure de la rentabilité, celui-là ne peut s'accumuler qu'en dépassant le taux productif de la rente foncière ; au-dessus, l'attrait des profits ascendants l'aspire dans le commerce. Dans cette conjoncture de déclin, il faudrait retourner l'analyse marginale, si les données le permettaient, et se demander comment le prix des facteurs de production tendait à s'adapter aux coûts de l'unité fabriquée immédiatement inférieure jusqu'à ce que, le profit cessant avec la production, le résidu de capital dégagé s'investisse ailleurs.

2. LA DRAPERIE DE QUALITÉ COURANTE

Du reste, la menace de l'effritement industriel s'est abattue au XVIIIe siècle sur tous les secteurs de la draperie ; notamment sur les étoffes courantes, les serges.

Les serges ou lingettes, tissées de laine locale (Bessin, Pays d'Auge, plaine de Caen) et vendues en blanc pour être teintes à volonté, font la doublure des habits cossus, les livrées des domestiques, servent à certains usages d'ameublement (tours de lit, rideaux) et à l'habillement des troupes. La diversité des usages, le relais de la consommation militaire assuré contre le rétrécissement des marchés pendant la guerre, place ce textile dans une position commerciale plus avantageuse que les draps de luxe. D'autre part, les forces productives se présentent selon un éventail social tout différent. A la manufacture précédente intégrée, s'opposent maintenant, chose habituelle, le fabricant outillé d'un ou deux métiers et le marchand qui prête souvent les matières premières ou les mécaniques. Démuni de capitaux et d'atouts commerciaux, le premier des deux se reconvertirait difficilement, il doit poursuivre sa tâche s'il habite la ville, il est peut-être plus exigeant si le tissage est une

127. Arch. dép. Calv., C 2852, réponse aux observations de 1738 : le principal est « la juste combinaison » des portées de fils.

activité secondaire des villages circumurbains [128]. Enfin le travail de la serge est jumelé avec celui des frocs et revêches. Ces étoffes grossières, faites des retombées de la laine des premières, vêtent les paysans et les journaliers ; elles amortissent les coûts de fabrication mais représentent moins de 10 % de la production [129]. Socialement, économiquement, la draperie courante offre donc une résistance plus efficace au naufrage. Les statistiques vont le prouver.

L'entreprise Massieu était établie en ville sous les yeux de l'inspecteur et constamment surveillée ; l'enregistrement du produit de la fabrique des serges est un peu plus difficile ; la segmentation du travail, le nombre des maîtres l'expliquent. L'inspecteur des Manufactures se fondait sur les archives des bureaux de contrôle. Dès le milieu du siècle, le pouvoir central s'est soucié de leur exactitude, il convenait qu'elles donnaient seulement une image approchée de la production. On attribuait en général les imperfections des états à l'incompétence des gardes jurés dans les petits bourgs et à l'éloignement des centres de fabrication [130].

Ces griefs sont fortement atténués à Caen par la qualité des contrôleurs et la proximité des autorités, alors qu'ils s'aggravent, depuis les lettres patentes du 13 février 1675, en campagne où l'autoconsommation et le commerce de gré à gré échappent largement à l'observation [131]. Depuis les années 1770, la fronde a gagné le bureau de Cherbourg avec la complicité du lieutenant de police, accessoirement les contrôles de Vire et Condé-sur-Noireau. Dans le Cotentin l'inspecteur est si mal reçu dorénavant « qu'il n'est point tenté d'y retourner sans ordre précis du ministère » [132], et il faut attendre les lettres patentes du 1er juin 1780, attentives à distinguer, de plombs différents, les textiles libres et réglementés pour que reprenne au loin une statistique de qualité [133] ; elle n'avait pas démérité au chef-lieu, de l'aveu même des autorités.

128. Mémoire de 1768 sur la fabrique des draps de la généralité, Arch. dép. Calv., C 2853, et correspondance de l'inspecteur avec l'intendant (1764). Les tisserands demeurent à une petite lieue de marche du centre : La Maladrerie, Cussy, Authie. Ils fabriquent dans les intervalles laissés par les travaux agricoles : arrêt de juin à fin septembre, de la fenaison à la moisson des sarrasins dans le Bocage ; *ibid.*, C 2858.

129. Les frocs sont des pièces plus étroites que les serges mais, en revanche, les revêches sont plus larges. Les longueurs sont à peu près identiques (de 47 à 50 aunes avant le foulage). Les surfaces produites lorsqu'on les additionne sont équivalentes à une quantité identique de pièces de serges. C'est pourquoi la statistique du XVIIIe siècle ne distingue pas, généralement, les trois sortes de tissus.

130. Arch. nat., F 12 1369 B, Lettre de M. de Bonneval à l'inspecteur Bocquet, 7 juin 1747.

131. Les lettres patentes accordent la liberté de fabrication aux tisserands ruraux. L'inspecteur Morel ajoute ce commentaire à l'état des draperies (1er semestre 1766) : cela « empêche qu'ils ne présentent leurs marchandises aux bureaux de visite lorsqu'elles ne doivent point être vendues dans les villes moiennant quoi l'objet de leur commerce ne peut être connu », Arch. dép. Calv., 7 C, Draperie.

132. *Ibid.*, C 2854, Mémoire Godinot de Ferrières du premier semestre 1771 ; cf. aussi le mémoire de 1772 (*ibid.*, C 1362). Le fait vaut d'être remarqué dans un corps d'administrateurs dévoués et compétents ; voir F. Bacquié, 1927.

133. Texte des Lettres enregistrées à Rouen le 14 juillet, *ibid.*, C 2843. Elles sont complétées d'un arrêt du Conseil du 17 juin 1781 qui confirme l'existence des

Malheureusement ces précieux états semestriels font assez souvent défaut en dépit du mariage des archives locales et parisiennes. La comptabilité d'octroi m'a semblé offrir dans le deuxième demi-siècle quelques données de substitution. Pour en mesurer les limites il faut pénétrer dans ce système de taxations. Les draperies étrangères à la ville étaient frappées aux barrières d'un droit uniforme de 20 sols aux 100 livres pesant ; le textile autochtone enregistré à la halle aux draps était soumis au contraire à une lourde taxe de 7 livres 10 sols à la pièce. Comme ces octrois disparaissaient entièrement pendant la foire franche, une très faible part de la production courante était commercialisée dans l'année car les fabricants profitaient de l'exonération pour vendre. Lorsque les états des foires et des manufactures permettent la comparaison, dans la décennie 1746-1755 par exemple, l'observation montre la constance du rapport entre les quantités produites et les quantités vendues en foire. Il en résulte que le reliquat enregistré à la halle pour payer l'octroi varie également comme la production, si ce n'est que l'enregistrement peut y être retardé de quelques mois. L'ajustement des données partielles de l'octroi en valeur et celles de la production, calculé sur la base des années 1762-1771, m'a permis de proposer des résultats indicatifs pour compléter les lacunes de 1772 à 1780 [134]. En 1778, il est possible de comparer l'approximation tirée de l'octroi et la statistique directe de la production, la première rend compte de la seconde avec un excès de 6,2 %. De toute façon le sens de l'évolution ne fait aucun doute : le compte des maîtres fabricants et celui des métiers manifestent une décadence continue depuis le début du siècle et prolongée très tard par une résistance opiniâtre [135].

Depuis le XVIIe siècle la production suit une marche descendante analogue au reste ; dans le tableau de l'annexe, il n'est pas nécessaire de transcrire les surfaces puisqu'elles ne connaissent pas de changement, mesurées à la sortie du métier [136] ; les serges représentent sensiblement 90 % du total chaque année.

Leur déclin ne présente pas toutes les modalités de celui des draps fins.

1) Il est sûr qu'il a commencé vingt ans plus tôt. On le voit déjà très sensi-

---

bureaux de contrôle à Caen, Vire, Saint-Lô, Valognes, Cherbourg, Condé-sur-Noireau (*ibid.*, C 2848), d'une instruction de l'intendant le 25 août 1781 (*ibid.*, C 2849), de deux autres arrêts le 27 septembre et le 22 décembre 1781 (*ibid.*, C 2848).

134. Sources de la production : Arch. nat., F 12 561 et 1369 B, Arch. dép. Calv., 7 C, Draperie, et C 2854. Sources d'octroi, Arch. mun. Caen, CC 165 à CC 176.

135. Sources : aux cotes de la note précédente ajouter Arch. nat., F 12 1369 A ; Arch. dép. Calv., C 278, C 2859. Le nombre de fabricants s'entend des artisans dépendants et indépendants. Ces derniers étaient notablement moins nombreux : en 1731, 120 seulement ; en 1769, 27 sur 130 ; dans la dernière décennie, moins de 10.

136. Annexe 13. On a vu plus haut en note pourquoi, sur le plan des surfaces, il est légitime, pour une approximation, de confondre les trois variétés de draperie courante. Les sources sont identiques à celles qui précèdent. Ajouter encore Arch. dép. Calv., C 2852 et Bibl. nat., mss. fçs 8037. L'enquête de 1708 a été étudiée d'un point de vue neuf par T. J. Markovitch, août 1968, mais elle n'était pas inconnue des historiens de la Normandie, cf. P.-M. Bondois, 1933 et janvier-mars 1938. Quelques aperçus généraux chez Ph. Sagnac, 1908-1909. A l'échelle urbaine, les problèmes de la production textile au XVIIIe siècle ont été abordés pour le grand centre d'Amiens par P. Deyon, avril-juin 1962.

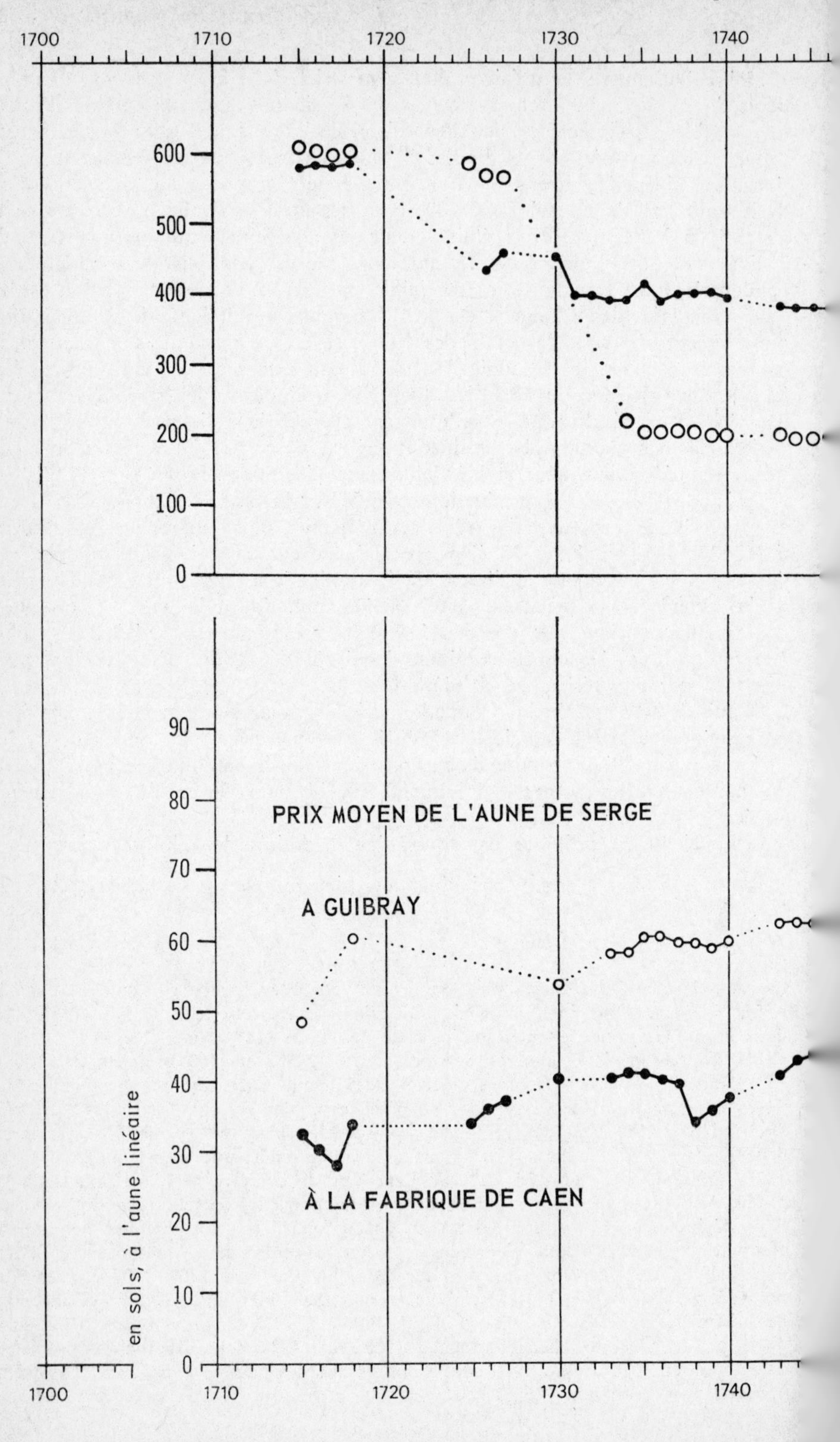

1700
1710
1720
1730
1740
600
500
400
300
200
100
0
90
80
70
60
50
40
30
20
10
0
PRIX MOYEN DE L'AUNE DE SERGE
A GUIBRAY
À LA FABRIQUE DE CAEN
en sols, à l'aune linéaire
1700
1710
1720
1730
1740

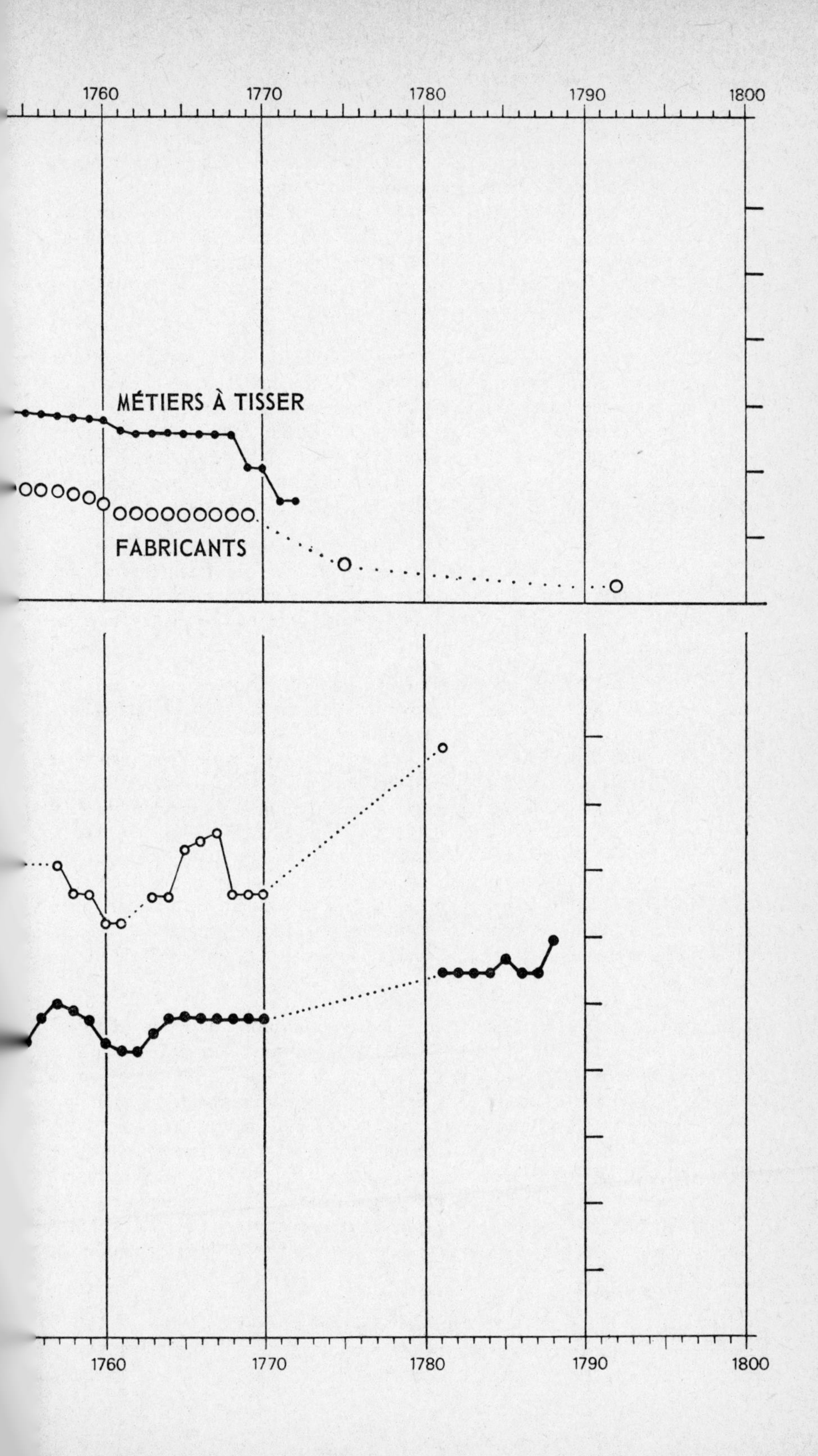
1760
1770
1780
1790
1800
MÉTIERS À TISSER
FABRICANTS
1760
1770
1780
1790
1800

ble durant la guerre de Succession d'Espagne alors que des facilités d'approvisionnement entretenaient encore la manufacture de luxe. La ponction fiscale accrue, le détournement de revenu engendré par la hausse des grains comprimaient la demande de ces produits courants plus que l'armée ne les stimulait. En dépit des lacunes du relevé qui occultent les années de crise générale entre 1692 et 1699, puis de nouveau vers 1709, empêchant de mesurer le *stress* le plus aigu, l'impression l'emporte qu'après chaque secousse, cette industrie abandonnait ses positions sans retour.

2) Entre la guerre de Succession d'Espagne et celle de Sept Ans, la production suit une pente régulièrement décroissante, toute contraire à la hausse de la population urbaine. La défaillance de la fabrique ne s'explique donc pas directement par l'amenuisement des débouchés locaux ni même régionaux. D'ailleurs, presque toutes les serges proposées sur les foires de Caen et Guibray passent dans les mains des acheteurs ; les inspecteurs le redisent continuellement au Contrôle général en 1746, 1752, 1754, 1761 et plus tard en 1773 par exemple [137].

Il est vrai qu'il faut s'entendre sur ce débit dont la facilité apparente dissimule la domination des marchands, favorisés par le fisc sur les fabricants. Les états des foires sont nets sur ce mécanisme, entre autres le rapport de 1754 : les draperies, voit-on écrit,

> « quoique de meilleure qualité que l'année dernière, se sont vendues d'abord avec une légère diminution de prix, mais les marchands profitant de la nécessité où sont les fabricants de Caen de vendre les étoffes de leur fabrique pendant les 8 jours de franchise pour profiter de ce privilège qui leur épargne 3 sols par aune, les ont forcés à la fin de se soumettre à une diminution considérable. » [138]

Outre l'exploitation sociale que je n'envisage pas ici, ce texte suggère une mise en coupe vorace et déraisonnable du secteur industriel. Si les fabricants sont contraints de travailler au ras de leurs prix de revient, le moindre incident met en cause leur survie économique. La population productive ne peut se reconstituer après chaque perte, à l'image de ces forêts en équilibre climatique défavorable.

3) Cette interprétation fait bien comprendre pourquoi, dans la dernière phase, après la guerre de Sept Ans, la dégénérescence de la draperie prend la figure de la chute des corps, indifférente à la prospérité de la décennie soixante, indépendante des oscillations de la crise générale postérieure. Il faut donc observer de plus près les conditions et les coûts de production.

A l'opposé de la manufacture Massieu, où le désinvestissement semble contrôlé par le propriétaire bien qu'à son corps défendant, le recul fut ici certainement imposé aux fabricants par leurs pertes. Dans les années 1715-1717, la production, par rapport à la puissance mécanique installée, s'établit à un taux déjà très faible de 8 pièces par an. Comme celle-ci demande au

137. Arch. nat., F 12 1232 ; Arch. dép. Calv., C 1361 et C 1362.
138. *Ibid.*, C 1361.

tisserand quinze jours pleins de travail, les métiers battent en moyenne quatre mois par an. Mais on n'oublie pas qu'il s'agit, contrairement à l'atelier des Massieu, d'une industrie implantée aussi dans les écarts autour de la ville et d'un travail hivernal. En aval du siècle, en 1770-1772, la production annuelle par métier est tombée à 4,5 pièces ; donc l'emploi du matériel a diminué de moitié, sa rentabilité également ; le tissage n'est plus saisonnier, il est épisodique. Dans le même temps la contraction du nombre des fabricants est plus forte que celle des métiers : en 1715, certains artisans dépourvus de matériel s'employaient comme compagnons chez leurs confrères dépendants ou indépendants des marchands (9,5 métiers pour 10 maîtres). Dans la décennie 1760-1770, la proportion s'est élevée à 19 métiers pour 10 maîtres. Cette concentration, au sein du marasme signale l'élimination des plus faibles, mais elle n'assure pas de gros revenus aux survivants ; en voici la preuve.

Les coûts de production des années 1730 sont connus. On peut les rapprocher des données Massieu [139]. Pour une aune linéaire de serge, les prix se subdivisaient ainsi :

Laine	20 s
Filature (7 fileuses)	7 s.
Tissage (1 tisserand)	3 s. 2 d.
Peignage, tondage et foulage, apprêt (7 compagnons et manœuvres)	9 s. 4 d.
Total	39 s. 6 d.

Il faut déduire de ce prix 1/6e de la valeur de la laine récupérée au tondage pour être employée à la fabrication des frocs et revêches, soit à l'aune 3 sols 4 deniers, et ajouter au contraire 3 sols de taxes. Le coût définitif se monte à 39 sols 2 deniers.

Nulle indication sur l'amortissement du matériel. Mais comme chez les Massieu, en période de reflux de la puissance mécanique installée, la valeur vénale du métier à tisser était faible, et les réparations pratiquement gratuites puisqu'on prélevait les pièces détachées sur le rebut. De surcroît, les marchands fournissaient souvent les métiers. Contre vingt-cinq personnes dans la draperie fine, quinze travailleurs, fileuses comprises suffisaient ici par métier battant. Les tâches professionnelles et manœuvrières étaient réduites : le tissage coûtait cinq fois moins cher, autour de lui la préparation et la finition douze fois moins. D'autre part la laine locale valait près du septième seulement de l'espagnole ; le prix de revient baissait finalement dans la même proportion [140]. En effet la part des matières premières et celle de la main-d'œuvre comptaient à peu près pour 50 % chacune ; cette proportion, qui faisait tout à l'heure la fragilité de la draperie de luxe assujettie à la laine lointaine, semble au contraire banale dans les étoffes courantes.

139. *Ibid.*, C 278, C 2858 ; Bibl. mun. Caen, mss. in-fol. 43. L'appréciation de la laine est surfaite dans ces documents parce qu'on tient compte de l'octroi. Mais dans leur grande masse les achats de matières premières s'effectuent à la foire franche de Caen. J'ai adopté ces derniers prix.

140. De même les temps de fabrication exprimés en surface d'étoffe avant le foulage sont favorables à la draperie courante. Production maximale par métier, ratines Massieu : 96 aunes carrées par mois ; serges : 150 aunes carrées par mois.

L'aune linéaire de serge se vend 40 sols. Le profit du tisserand-fabricant, au-delà de la rémunération du travail manuel pris en compte plus haut, représente 2 % sur lesquels il faudrait encore prélever l'intérêt du petit capital investi en laine — si le marchand n'en fait pas l'avance — et celui des versements anticipés de salaires aux membres de l'équipe.

Il est donc bien vrai que dès le premier tiers du siècle, le fabricant cédait à peu près ses étoffes à prix coûtant. Il se trouvait dans l'impossibilité d'investir grand-chose dans la production, *a fortiori* de modifier, le cas échéant, sa dépendance à l'égard des marchands drapiers, merciers ou teinturiers. Bien qu'il ne soit pas dans les plus faibles, son salaire journalier de 21 sols ne le lui permettait guère [141]. Enfin, on mesure l'intérêt des fabricants à proposer leurs étoffes à la sortie de l'hiver lors de la foire de Caen dans le temps de Pâques. Alors la taxe d'octroi tombait et le profit s'accroissait de 7,5 %, y compris l'intérêt des immobilisations sur deux ou trois mois. Les artisans un peu aisés étaient ainsi les seuls à pouvoir accumuler un modeste pécule.

En revanche les rares éléments dont on dispose sur la comptabilité des marchands font éclater le contraste. Dans les mêmes années trente, les serges de Caen achetées 90 livres pièce aux fabricants sont revendues 30 kilomètres plus loin, trois mois plus tard, à la foire d'été de Guibray, 25 % plus cher, souvent davantage [142]. Après déduction des frais de transport, assez minces puisque les envois étaient groupés par charretée, la rémunération du marchand s'établissait donc à un niveau très honorable : on se rappellera la brièveté des immobilisations en capital.

Il est bien regrettable que l'état de la documentation ne permette pas de répéter postérieurement plusieurs comptes de ce genre. Pourtant on peut extraire de l'évolution à longue échéance quelques éléments sûrs.

1) L'évolution des prix de la matière première est lente mais, semble-t-il, la progression très régulière. Selon la qualité la laine locale s'achetait :

20 à 22 sols/livre pesant dans la décennie 1730-1739 ;
22 à 26 sols/livre pesant dans la décennie 1760-1769 ;
25 à 30 sols/livre pesant dans la décennie 1770-1779 ;
28 à 34 sols/livre pesant dans la décennie 1780-1789.

Soit une augmentation de 50 % en soixante ans [143].

2) Voyons maintenant leur prix à Caen et à Guibray [144]. Leur variation se déroule généralement en harmonie de sens, mais les lacunes sont trop nombreuses pour qu'il soit utile de calculer la corrélation. La mobilité plus forte des prix marchands de Guibray apparaît assez à l'œil nu, comme dans les

141. Il faut quinze jours pour tisser une pièce qui mesure 45 aunes toute apprêtée. Cadence journalière : 3 aunes linéaires à 7 sols.

142. Prix : 120 livres la pièce, Arch. dép. Orne, C 23.

143. Sources : états des manufactures comme ci-dessus, de même Mémoires sur la généralité, Mémoires sur les laines : Arch. nat., F 12 561 et F 12 1369 A et B ; Arch. dép. Calv., C 278, C 2854, C 2998-3000, 7 C, Draperie ; Bibl. mun. Caen, in-fol. 43. Les données de M. El Kordi, 1970, p. 239, sont des estimations douteuses de prix de gros (Arch. dép. Calv., C 2712-2741).

144. Sources : états des manufactures déjà citées. Foire de Guibray : Arch. nat., F 12 1235 ; Arch. dép. Orne, C 20 à C 23 ; Arch. dép. Calv., C 1367 à C 1416.

années trente où nous remarquerons en passant que les profits calculés plus haut représentaient un minimum largement dépassé de 1733 à 1738.

Reprenons plutôt les observations à travers le temps. Entre la décennie 1730-1739 et 1780-1789, les prix de fabrique ont augmenté en moyenne de 37,5 %. Dans cette hausse, la montée des matières premières (qui représentent la moitié du coût de revient du produit) est forte de 50 %, elle se répercute pour 25 % ; le reste, soit 12,5 %, se rapporte à l'augmentation de la masse salariale combinée avec la rémunération du tisserand-fabricant. C'est peu de chose, notablement moins que la hausse de bien d'autres taux salariaux comme on le verra, et cela était attendu dans cette atmosphère de décadence sectorielle.

En revanche, dans les mêmes dates, au moins en 1781 où nous pouvons la mesurer, la hausse des prix marchands à Guibray s'élève à 50 % de la valeur primitive. C'est dire qu'elle a suivi et même dans l'intervalle assez souvent anticipé celle de la matière première ; le profit commercial a creusé sa place dans le profit industriel.

Est-ce l'inflexibilité aveugle des négociants qui leur fait accepter l'étouffement de la manufacture plutôt qu'une modération des gains unitaires ? Si l'on ne savait pas l'habileté qu'ils ont déployée à se tourner vers d'autres secteurs du textile, plus attrayants, on le penserait. La draperie de Caen éprouve en effet, au sein même de la généralité, des difficultés alarmantes devant la production campagnarde dont la valeur enregistrée à défaut de volume se maintient à peu près. Il n'est donc pas nécessaire de rappeller en outre la concurrence flamboyante des étamines mancelles, filigrane inscrit dans toutes les statistiques normandes [145]. A partir des valeurs nominales, la part indiciaire de Caen dans la production de la généralité s'inscrit à l'annexe 13.

En cinquante ans la production caennaise au sein de la généralité est tombée du 1/5e au 1/100e. Sur la base 100 en 1762, la valeur produite dans l'intendance, après les faiblesses des années 1770, regagne son rang dans la dernière décennie mais la draperie de la métropole régionale s'est enfoncée dans le néant. Les indices moyens des périodes extrêmes font encore mieux saisir le contraste :

	Généralité moins Caen	*Caen*
1742-1749	109,2	236,1
1781-1787	114,3	23,9

Ce contraste presque perpendiculaire des deux mouvements mérite un arrêt.

1) La qualité des étoffes ne peut en effet l'expliquer ; rien ne ressemble plus aux échantillons de la ville que l'album textile de la généralité. A Vire et dans sa campagne, les tisserands produisaient avant tout un drap commun que se partageaient les paysans normands ou bretons et que d'avisés Nantais proposèrent à l'Amérique depuis 1778 [146]. Les droguets et tiretaines du Bocage voisin :

145. F. Dornic, 1955.

146. Mémoire de la foire de Guibray, Arch. dép. Orne, C 20, 1716, 1754, 1770, 1778. Il existait en très petite quantité une variété de draps fins à Vire, Arch. dép. Calv., C 2843.

Fresne, Saint-Pierre-d'Entremont, Condé-sur-Noireau, étoffes très défectueuses [147], faisaient moins d'honneur à leurs fabricants que les serges, façon de Caen, tissées justement sur les mêmes métiers. A Saint-Lô, à Bayeux, c'étaient encore des serges généralement communes, à Cherbourg du drap de troupe. Valognes, la raffinée, avait bien un sort à part, avec des draps de laine précieuse de La Hague, mais la fabrique, réduite à quarante pièces annuelles, succombait à l'approche de la Révolution.

2) Il est vrai qu'il ne faut pas mettre davantage toutes les provenances courantes sur le même pied d'importance. Durant le XVIIIe, Vire et le Bocage l'emportèrent d'année en année sur les autres centres de la généralité : Bayeux, Cherbourg, Saint-Lô ; à la veille de la Révolution, la dénivellation était à 10 000 pièces d'étoffes contre 300. Pas plus que la qualité des étoffes, n'interviennent donc les facilités commerciales d'approvisionnement et ventes, minimes dans les paroisses bourbeuses et retirées du Bocage, meilleures dans les villes drainées de routes royales, excellentes à Caen.

3) On oppose généralement aux XVIIe et XVIIIe siècles draperies urbaine et rurale. Pour cette fois, le contraste est assez peu explicatif. Chaque ensemble drapant se partage entre ville et campagne selon les stades de la production. La filature était généralement paysanne, le tissage mixte, l'apprêt urbain. Admettons cependant que les proportions variaient, plus urbaines à Caen, plus rurales à Vire. Il faudra reconnaître aussi que cette distinction ne correspondait pas vraiment au partage entre la production libre et réglementée et que celui-ci ne coïncidait pas à son tour avec l'absence ou la présence des corporations de métiers : les teinturiers, les foulons formaient partout des jurandes, les fileuses nulle part. Au surplus, l'influence des communautés, on le sait, n'était pas décisive sur la production et dans la dernière décennie les draperies libres ont été autorisées partout.

4) Le succès du Bocage, le marasme et parfois l'effondrement des autres centres nous invitent par contre à revenir vers les hypothèses avancées sur la localisation des industries [148].

Dans le premier cas, sur des terres médiocres, le plus faible rendement agricole minorise l'ensemble des caractères économiques de la région : le produit brut (en volume et en valeur), les revenus, en particulier les salaires. Dès que nous rencontrons une image globale de la population — à partir de l'an II [149] —, la densité absolue apparaît aussi forte que dans la plaine de Caen, et par conséquent, relativement aux ressources, beaucoup plus lourde. Une main-d'œuvre excédentaire, constamment disponible, entretient une certaine pression sur les rémunérations. La mise en valeur des terres vaines, à supposer qu'elle ait eue quelque importance, n'aurait pas effacé le phénomène car toute entreprise de ce genre était dégressivement productive.

Dans la région de Caen, la situation est inverse. Jusque vers l'apogée démographique urbain des années 1775, l'offre de travail y est en particulier beau-

147. Caractéristiques dans Arch. dép. Calv., C 2843 et C 2844.
148. Voir plus haut, chap. V, *in fine*.
149. J. C. Perrot, 1965, notamment la carte, p. 102.

coup moins élastique ; en ville, l'immigration suit avec retard la demande ; autour de la cité plusieurs témoignages explicites ont été donnés plus haut sur cette question dont l'exposé était lié à l'innovation [150]. Des conséquences en découlent ici sur les coûts et les profits variables du textile. Je vais proposer une explication théorique de ce mécanisme puis vérifier si elle convient. Il faut bien préciser que le renversement démographique de 1775 limite son champ d'application à la période antérieure, mais à cette date, la draperie urbaine est déjà morte.

Pour comprendre ce qui s'est passé, il serait bon de revenir dans le cadre de l'entreprise au coût moyen des serges normandes et de tenter de lui comparer le prix de revient marginal d'une pièce d'étoffe supplémentaire. Dans l'hypothèse d'une faible croissance de la production, la matière première entraîne la même dépense ; le travail du tisserand est identique aussi en durée et en rémunération car il existe toujours, on l'a vu, une marge importante entre le nombre total des métiers disponibles et ceux qui sont en activité, c'est-à-dire un excédent de capacité productive. Mais les autres postes du prix de revient : rémunération des fileuses et des manœuvres, varient de façon très différente au Bocage et dans la plaine.

Dans le premier cas la main-d'œuvre rurale s'offre en abondance et tend à s'accommoder de salaires inférieurs à ceux qui ont cours. L'émigration apporte une autre traduction du même phénomène. En langage comptable, le coût marginal gardera donc longtemps une propension à rester en-dessous du coût moyen. Et si, dans la deuxième moitié du siècle, la production globale bocagère stagne en termes monétaires, diminue légèrement en termes réels, c'est que les deux coûts se sont rapprochés et qu'en sus du tassement de la demande, l'offre de travail épuise son exubérance soit par détérioration du mouvement naturel démographique, soit par trop d'émigration, soit enfin par l'enrichissement agricole.

A Caen et dans son plat pays, situation renversée. Le volume de l'emploi supplémentaire disponible dans la filature rurale descend vers zéro. Le taux de salaire d'une nouvelle fileuse l'emporte tendanciellement sur la rémunération moyenne. Le coût marginal de la draperie dépasse le coût moyen. Dans le schéma théorique — et bien classique — de l'évolution des prix de revient que j'emprunte par exemple à R. Barre [151], le Bocage reproduit la situation de droite et la région de Caen, la zone de gauche.

De cette première courbe, en fonction de la production, il est possible de déduire celle des profits réalisables, moyens et marginaux dans l'hypothèse où l'écart entre les prix de vente et de revient resterait stable. Dans la courte durée, c'est une règle et pour les serges de Caen, il en va de même en longue période où la hausse des prix de fabrique éponge même difficilement celle des salaires.

Dans le Bocage, le profit possible se situe près du croisement des deux courbes et peut-être légèrement en-deçà. Il existe une faible incitation à forcer les décisions des acheteurs et à accroître la production. La fabrique de Caen, à l'inverse, augmenterait son profit unitaire si la production recu-

150. Dans les premiers développements de ce chapitre.
151. R. Barre, 1956, t. 1, pp. 459-460.

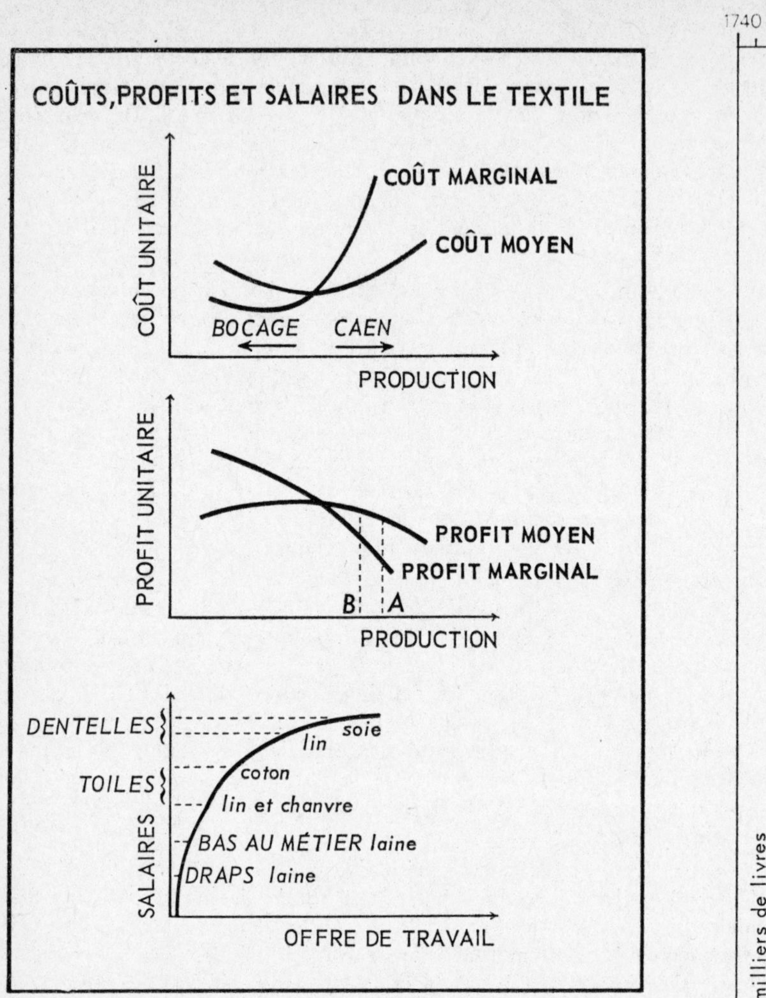
COÛTS,PROFITS ET SALAIRES DANS LE TEXTILE
COÛT UNITAIRE
COÛT MARGINAL
COÛT MOYEN
BOCAGE
CAEN
PRODUCTION
PROFIT UNITAIRE
PROFIT MOYEN
PROFIT MARGINAL
B
A
PRODUCTION
DENTELLES
TOILES
SALAIRES
soie
lin
coton
lin et chanvre
BAS AU MÉTIER laine
DRAPS laine
OFFRE DE TRAVAIL
1740
25
20
15
10
5
0
milliers de livres

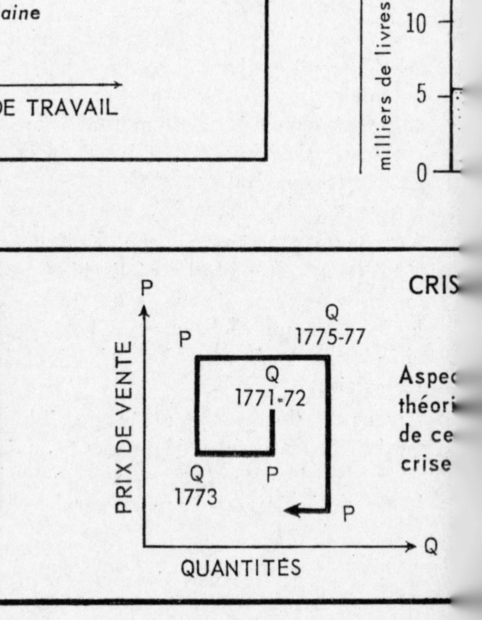
CRIS
P
Q
1775-77
P
Q
1771-72
Q
1773
P
P
PRIX DE VENTE
QUANTITÉS
Q

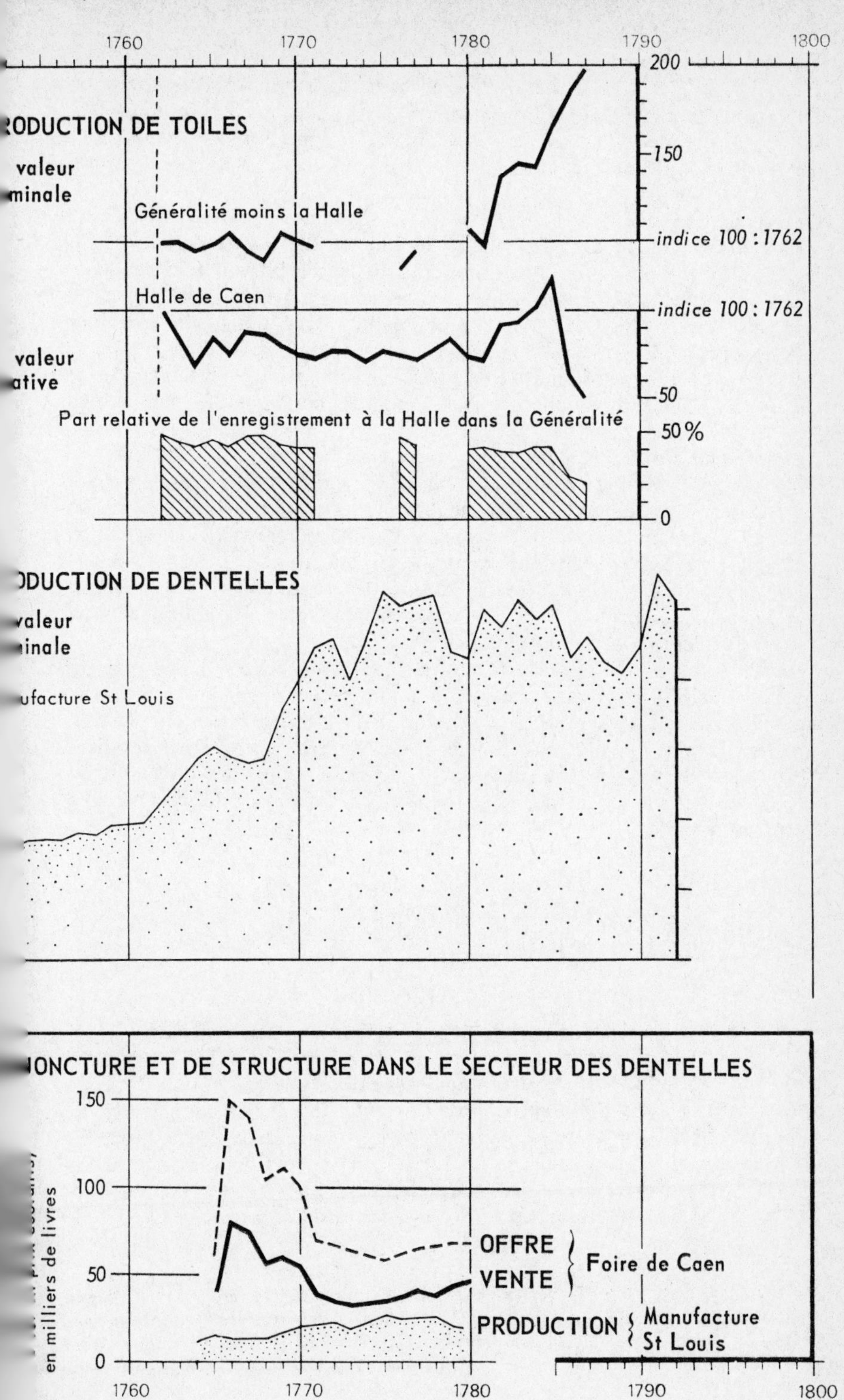
1760
1770
1780
1790
1800
ODUCTION DE TOILES
valeur
minale
Généralité moins la Halle
Halle de Caen
valeur
ative
200
150
indice 100 : 1762
indice 100 : 1762
50
Part relative de l'enregistrement à la Halle dans la Généralité
50 %
0
DUCTION DE DENTELLES
valeur
inale
ufacture St Louis
ONCTURE ET DE STRUCTURE DANS LE SECTEUR DES DENTELLES
150
100
50
0
en milliers de livres
OFFRE
VENTE
Foire de Caen
PRODUCTION
Manufacture
St Louis

lait de A vers B, et le marché du travail rural (filature) se détendrait. S'y ajouterait d'ailleurs un gain supplémentaire engendré par la diminution du capital fixe (les métiers à tisser notamment). Augmenter au contraire la production, ce serait devoir consentir à payer des salaires de plus en plus élevés.

Nous avons raisonné jusqu'ici comme s'il s'agissait à Caen d'une pénurie généralisée de main-d'œuvre. En réalité le phénomène est sectoriel. L'essor successif, répété, de plusieurs autres branches du textile lui a donné naissance. A diverses reprises les fileuses et les jeunes manœuvres se sont détournés de leurs activités traditionnelles pour prendre des occupations mieux rémunérées, telles que la draperie ne pouvait en offrir ; ainsi le chômage dans la draperie n'a pas provoqué une baisse générale des salaires jusqu'en 1775 ; au-delà, cette branche du textile est trop diminuée pour compter sur le plan urbain.

Il existe donc un troisième schéma théorique de nature à expliquer les deux précédents : celui de l'offre du travail en fonction du salaire, mais il présente un degré de généralité plus étendu. Jusqu'ici, nous étions au niveau de l'entreprise et maintenant voici le cadre économique régional. Les doléances des drapiers suggèrent l'échelonnement des rémunérations que je retiens provisoirement ici : la filature de la laine pour les serges, puis pour la bonneterie, la filature des lins et chanvres, puis du coton pour les toiles, enfin la fabrication des dentelles de lin et de soie.

Le graphique proposé ajoute l'idée que chaque augmentation d'une quantité donnée des salaires provoquait la dérive d'une fraction grandissante de la main-d'œuvre ou, si l'on veut, que le pouvoir de la draperie à retenir sa main-d'œuvre fut de plus en plus faible sous l'effet de ces surenchères cumulées. L'observation des autres branches de textile dira maintenant si les hypothèses précédentes sur les coûts, les profits et les salaires expliquent convenablement les apparences.

V. LA TRAJECTOIRE INDUSTRIELLE DE LA BONNETERIE

Plusieurs raisons font de la « manufacture » de bas au métier la rivale privilégiée de l'industrie du drap et ce n'est pas sans motif que les sergiers lui donnaient une si grande place dans leurs plaintes.

Cette activité s'était d'abord développée en toute liberté pendant la majeure partie du XVIIe siècle. Des statuts corporatifs la fixèrent tardivement en 1689 [152]. Mais la jeunesse du métier demeura manifeste par rapport à la rigidité ancestrale de la communauté drapante. Toute latitude était laissée aux artisans dans leurs procédés de tissage pourvu que les articles précieux soient de

152. Arch. dép. Calv., 6 E 37, Règlement en trente-huit articles, rédigé le 13 décembre 1689, enregistré au greffe du lieutenant de police le 9 février 1690, confirmé par Lettre Patente en avril 1691, transcrit au Parlement et au Bailliage les 26 mai et 2 juin.

quatre fils, que les bas de laine aient deux fils. Les maîtres s'étaient fait reconnaître le droit d'apprêter et teindre à leur gré les matières premières [153] ; ils vendaient eux-mêmes leur production ; enfin, nul malthusianisme : à son entrée, l'aspirant ne payait que 20 livres à la communauté et 1 écu pour la cire de la confrérie.

D'autre part, la gamme des produits et des matières se trouvait beaucoup plus riche. Par l'emploi simultané de la laine, du lin, du coton et de la soie, la bonneterie échappait à la contiguïté totale avec chacune des autres branches du textile. Dans la courte durée, dans le temps séculaire aussi bien, des replis partiels étaient toujours possibles lorsque le contact concurrentiel tournait au désavantage du producteur. Les fabricants n'étaient pas, comme dans le drap ou la toile, condamnés à poursuivre ou à périr. A l'inverse, en même temps, leurs intérêts s'affirmaient au plus intime de chaque province du textile. Ainsi les articles courants composaient la plus grande part de la production urbaine et celle dont le débouché était toujours le plus probable. La compétition y fut aussi la plus vive. Les fabricants de bas étaient consommateurs de la même laine normande, demandeurs de main-d'œuvre commune : les fileuses, les cardeurs, les garçons apprêteurs, les ouvriers teinturiers. L'histoire du conflit importe donc beaucoup à la connaissance des captations qui font le dynamisme des systèmes industriels encore presque stationnaires ; or la bonneterie a profité de plusieurs avantages dans la bataille.

Ainsi, par accident, la législation royale fut d'abord exceptionnellement favorable. Il n'est pas rare d'observer de telles rencontres au berceau des industries prospères. Tout à l'heure, c'était, pour la houille normande à peine découverte, le remède providentiel de la guerre et le répit concurrentiel. L'arrêt du Conseil de 1700 ici fit presque autant puisqu'il institua dans la fabrique des bas le monopole exclusif de dix-huit villes dont la nôtre faisait partie [154].

L'espace économique de la vallée de la Seine appartenait si peu à Caen que les faveurs identiques accordées à Rouen et Dourdan ne pouvaient gêner la métropole de la Basse-Normandie. En revanche, la volonté royale creusa devant elle, vers l'ouest et le sud, un vide industriel qui coïncidait avec l'aire commerciale traditionnelle de la cité : la Bretagne, sans autre lieu de fabrication que Nantes, méridionale, également excentrique, les Marges armoricaines, le Perche, les pays de la Loire puisqu'il fallait gagner Poitiers vers le sud pour trouver d'autres mécaniques à faire des bas. Dans cet immense domaine, peut-être le huitième ou le dixième du royaume, les artisans installés durent disparaître ou venir solliciter la maîtrise des villes privilégiées (article premier de l'arrêt), tandis que la fabrication et le transport des métiers

153. Echec des teinturiers en 1715 dans leur tentative de revenir au monopole (Arrêt du Conseil du 10 juillet, Arch. dép. Calv., C 2814).

154. Plusieurs exemplaires de ce texte très important : Arch. dép. Calv., C 2858, 6 E 37 ; Arch. mun. Caen, HH 6. Titre de l'arrêt du 30 mars 1700 : « Arrêt portant Règlement pour les maîtres ouvriers faiseurs de bas au métier et autres ouvrages tant de soie que de fil, laine, poil, cotton et castors ». Villes autorisées : Paris, Dourdan, Rouen, *Caen,* Nantes, Oléron, Aix, Toulouse, Nîmes, Uzès, Romans, Lyon, Metz, Bourges, Poitiers, Orléans, Amiens, Reims. L'arrêt figure in extenso dans le *Dictionnaire* de Savary à l'article « Bas ».

étaient sérieusement contrôlés et la protestation des artisans écrasée, Saint-Lô en apporte l'exemple.

Au contraire, la prospérité de la branche ensoleilla opportunément, à Caen, les froides conjonctures de 1709 ; elle permit sans doute à la ville de dominer l'engourdissement du vieux règne. L'avance était trop forte en 1715, en effet, pour que l'extension du privilège à Bayeux et Falaise inquiétât sérieusement la fabrique ; il ne faut écouter que d'une oreille la plainte des artisans caennais [155]. En 1721, l'interdiction de produire les bas courants à deux fils de laine fut plus gênante [156], mais elle portait préjudice à tous les centres de Normandie, comme on l'a souligné plus haut à l'article des innovations, puisqu'elle s'accordait mal à la qualité de la laine locale. Au surplus, la résistance passive allait être assez efficace, la province avait rencontré l'appui de bien d'autres régions productrices aussi mal loties et le *Nouveau Règlement général* de 1743 dut réitérer l'obligation des trois fils dans la bonneterie d'estame [157] parce que les ordres précédents n'avaient pas été suivis.

Cependant la volonté du pouvoir de balancer ses faveurs par un contrôle assidu de la production et la marque obligatoire des objets fabriqués avait été de plus mauvais augure pour le dynamisme de cette branche. L'Edit de 1708, qui créa quatre-vingts charges d'inspecteurs pour l'ensemble du royaume, fut purement bursal puisque le financement incombait aux corporations et retombait en définitive sur les coûts de production ; l'arrêt d'octobre 1710 supprima les droits de marque, oui, mais contre un rôle de 20 000 livres sur les fabricants de la généralité [158] : c'était une prime indirecte à l'ingéniosité des maîtres les plus entreprenants, pourtant onéreuse à l'ensemble. D'ailleurs deux autres mesures, échelonnées de 1721 à 1729, réintroduisirent successivement le droit de regard des inspecteurs des manufactures et la marque elle-même des articles de bonneterie [159]. Tout s'était donc passé comme si le succès de cette activité attisait continuellement les convoitises fiscales du pouvoir.

En même temps, les villes privilégiées durent se défendre contre une concurrence têtue qui remettait en cause, chaque année plus universellement, le monopole local de 1700. Jusqu'aux fabricants des places favorisées, chacun y donnait la main dans l'ombre, en organisant le transport des métiers vers les bourgs ruraux moins exigeants sur le taux des salaires [160]. Cette pression,

155. Il est très excessif d'écrire, comme les intéressés l'ont fait, que la production périclite, Arch. dép. Calv., C 2818.

156. Législation, *ibid.*, C 2852 et 6 E 37. Les fabricants menacent d'abandonner leurs métiers. Chantage trop disproportionné pour être crédible et qui ne trouble pas l'administration.

157. Législation, *ibid.*, C 2813 à C 2815, C 2818, 6 E 37. Le fil d'« estame » ou d'étain, employé dans les qualités communes (les plus conséquentes aussi dans la production en volume) est fait de laine retors tirée à feu. Cf. Jaubert, 1801, article « Bas au métier ». Le fil d'estame avait été en vain interdit depuis 1700, voir les doléances des drapiers (*ibid.*, C 2858).

158. *Ibid.*, 6 E 37.

159. *Ibid.*, *C* 2814, Arrêts du Conseil du 30 septembre 1721 et du 27 septembre 1729. Par une décision du 26 août 1743, fut même institué un inspecteur particulier de la bonneterie parisienne.

160. Sur ce chef, nombreuses condamnations relatées dans Arch. dép. Calv., C 2815.

combinée avec le libéralisme du second demi-siècle, eut raison de la législation primitive. L'arrêt du Conseil du 25 mars 1754 permit d'établir partout des métiers à bas, celui du 9 février 1758, de transporter *ad libitum* les mécaniques nécessaires en France et à l'étranger [161]. Nulle réalité de droit ou de fait ne pouvait dorénavant remettre en cause la généralisation des fabriques et la législation se bornera, en 1781 et 1789, à préserver, par des droits sélectifs, une certaine dénivellation entre les prix étrangers et français [162]. Le monopole absolu de Caen dans son aire occidentale avait ainsi duré huit ans (1700-1708) et, sous une forme presque aussi rigoureuse, un demi-siècle (1700-1754).

Le nombre des métiers ou des maîtres, le volume de la production ne sont pas enregistrés annuellement comme la comptabilité des toiles et draps. Il n'est plus possible de présenter maintenant mieux que des estimations éparpillées [163] :

	Fabricants			*Métiers*	*Production journalière*
	Maîtres	*Compagnons*	*Total*		
1666	18				
1690					
1700				40	
1726	111				
1731	120	300	420		Stable en l'absence de gain de productivité : 3 bas/métier
1740					
1750			500	500	
1757	139	562	701		
1759	150	450	600		
1775					
1776	144				
1792	112	144	256		

L'évolution séculaire, malgré tout, ressort bien de ces piètres données. Les économistes attentifs aux dispositions réglementaires verront avec plaisir la concordance qui s'exprime, de 1700 à 1754-1758, entre la prospérité de la bonneterie et les faveurs de la législation. Contre-épreuve en amont : une fabrique dans l'enfance, puis, dès l'arrêt du Conseil, « un essaim de fabricants de bas venu inonder la ville », comme l'écrivaient les sergiers jaloux [164] ; en aval, au contraire, le reflux est manifeste, et surtout la contraction de la

161. *Ibid.*, 6 E 37 et C 2814.

162. *Ibid.*, C 2814. Les ouvrages de bonneterie indigènes sont taxés à 5 % de leur valeur, les étrangers à 10 % (Arrêt du Conseil du 25 octobre 1781) ; en 1789, les bonneteries de fil extérieures paient 66 l. 13 s. 4 d. au quintal plus 10 s. pour livre ; les articles de soie 100 l. et 10 s. pour livre.

163. Sources : Arch. dép. Calv., C 2858 ; Arch. nat., F 12 1369 A ; Arch. Vincennes Génie, place de Caen, I, pièce 21, Mémoire Du Portal.

164. Requête des marchands drapiers-sergers au roi et au Conseil de commerce, sans date (vers 1730), Arch. dép. Calv., C 2858.

main-d'œuvre salariée : 1757, quatre ouvriers par maître ; 1759, trois ; en 1792, un ; le nombre des métiers servis par les ouvriers s'est effondré.

Dans l'observation du textile ancien, cependant, les explications juridiques ont trop servi et je les crois paresseuses. Les textes réglementaires nous sont parvenus en liasses épaisses, il est facile de les exposer, agréable enfin d'argumenter. On l'a fait très souvent, par exemple, pour l'évolution de la draperie urbaine, déduite de règlements pointilleux. Explication partielle [165]. Il serait plus exact de reconnaître que le droit cède toujours devant les faits dynamiques ; que seules les réalités mourantes baissent la tête devant la loi. Faute de pouvoir peser avec précision les éléments qui concourent à la vie d'une industrie, tentons au moins de précipiter le mélange en ses composants.

En l'espèce, il faut se diriger par conséquent vers la comptabilité. Dans les années trente, comme avec les draps, l'étude du coût unitaire est possible [166]. Pour la facilité des comparaisons, je lui donnerai d'abord la même présentation, en distinguant bas fins et bas courants.

Prix de revient de la douzaine de bas

	Bas fins	*Bas communs*
Matière première : laine	24 l.	4 l. 16 s.
filature		1 l. 12 s.
Tissage du maître fabricant	2 l. 8 s.	2 l. 8 s.
Machineur	12 s.	12 s.
Peigneur	8 s.	8 s.
Manœuvres, opérations de teinture	4 l.	4 l.
Total	31 l. 8 s.	13 l. 16 s.

Plus que dans l'industrie du drap fin, le prix de la laine domine le coût de de revient de la bonneterie de luxe ; les intendants avaient bien sujet de considérer, avec J. Holker, la sélection des moutons comme une voie du perfectionnement industriel. Ici la disparité des postes de dépense est à son maximum et la matière première revient trois fois plus cher que la main-d'œuvre. Ainsi la rareté de la fibre l'emporte sur la valeur du travail, sans doute parce que celui-ci était, relativement à la situation des sociétés industrielles, beaucoup plus mal rémunéré. Dans la production des bas courants la laine n'intervient plus, au contraire, que pour 35 % dans le prix de revient et le reste,

165. Evidemment je ne veux pas éliminer mais tempérer cette explication institutionnelle. Il est sûr qu'avec la liberté d'entreprise retrouvée, la concurrence est devenue sévère. C'est l'argument des bonnetiers de Caen en 1759 (Arch. dép. Calv., 6 E 37). Les marges armoricaines, démunies jusque-là, s'équipent en fait rapidement : V. Dauphin, 1932, a étudié le cas d'Angers où la fabrique de bas s'installe en 1755-1756 justement. En 1776 : 90 maîtres dans la ville ; en 1782, dans tout l'Anjou : 200 métiers, 4 000 ouvriers, c'est le niveau de Caen, dorénavant.

166. Sources, Arch. nat., F 12 1369 A ; Arch. dép. Calv., C 278 et C 2852.

65 %, représente, à l'exception minime des achats de teinture, des salaires versés. Comme les qualifications, les procédures de tissage et les rémunérations sont identiques dans les deux qualités de bas, la différence est dans la matière.

Entre la bonneterie commune et la draperie courante la même occurrence se reproduit ; une autre manière de souligner leur situation relative sera de comparer, à valeur vénale identique, le poids de matière utilisé dans les deux branches vers 1730 [167] :

		Prix en livres	*Poids de laine en livres pesant*
Serge	1 pièce	90	50
Bas	30 paires	90	17

Le paradoxe de la draperie se retrouve donc ici amplifié ; l'objet courant incorpore proportionnellement plus de travail salarié que l'article de luxe et dans le capital circulant (au sens d'Adam Smith), le capital variable (au sens de Marx), seul pourvoyeur de plus-value, tient une place majoritaire [168].

On imagine le bouleversement que la mécanisation des tâches allait apporter plus tard dans ces prix. A longue échéance, la composition du capital rendait ici spécialement attirante l'industrialisation. Ce n'est donc pas seulement pour des raisons technologiques (telles que la standardisation des produits, la grossièreté des finitions) que naquit la production de masse, mais aussi parce qu'à l'origine, elle trouvait sa rentabilité maximale à se substituer au travail manuel le plus courant.

Cependant il faut introduire quelques considérations de plus sur le coût des bas. Ainsi les taxes. Le prix de la laine incorpore ici, comme pour les draps, une somme de 7 s. 6 d. au cent de toisons ou au cent pesant de fibre lavée ; mais cet octroi fonctionne comme une taxe ajoutée au transport, il se fond dans le prix d'achat de la matière première et n'intervient pas comme élément autonome du coût des bas. D'autre part, la fabrique ne paie rien sur son produit contrairement à la draperie. Il y avait là une situation extrêmement avantageuse et de grosse conséquence sur le rythme des ventes : nul besoin en effet d'accumuler des stocks pour profiter des foires franches ; l'uniformité des coûts assurait un débit beaucoup plus égal dans l'année et, partant, la rotation rapide du capital circulant ; pour une dépense équivalente à la draperie, des immobilisations réduites dont l'intérêt sera faible, ainsi un profit plus appréciable ; ou bien, pour des immobilisations équivalentes à la draperie, la possibilité d'acheter des laines de qualité supérieure, de hausser les salaires et de dominer le marché du travail (fileuses, peigneurs, tâcherons apprêteurs et teinturiers). Nous retrouvons les hypothèses par lesquelles nous avions terminé l'examen des tissus de laine.

En fait d'innombrables témoignages d'opinion suggèrent que toutes ces conduites ont été essayées en même temps par les fabricants de bas. Avant

167. Calcul facile grâce à la requête des marchands drapiers (vers 1730) qui examine précisément ce problème (Arch. dép. Calv., C 2858).

168. A. Smith, 1802, trad. fr., t. 2, p. 198 sq. ; K. Marx, dans l'édition de ses œuvres économiques de 1963, t. 1, pp. 751-764. *Le Capital,* livre I, 3e section, chap. 8, « Capital constant et capital variable ».

de les analyser, poursuivons l'examen des coûts. La bonneterie est libre d'octroi, mais une taxe était cependant prélevée sur le capital fixe, sur les métiers. Elle s'élevait au début du siècle à 7 l. 10 s. annuellement par mécanique ; épisodiquement même elle doubla [169] ; des requêtes persuasives peignirent les fabricants sur la paille, si bien qu'un arrêt du 18 mars 1730 réduisit ce droit à 3 l. 15 s. De toute manière, son effet était faible sur les frais d'une unité de production réunissant dix personnes. Chaque métier sortait trois bas par jour, pour 250 jours de travail annuel le poids de la taxe sur une douzaine d'articles s'élevait à moins de 2 sols plein tarif, à 12 deniers depuis 1730. D'ailleurs ce prélèvement avait ses bons côtés, il incitait au plein emploi du matériel ; la législation conviait les artisans à calculer leurs investissements fixes au plus juste et les détournait des facilités courantes chez les drapiers qui laissaient dormir leurs installations.

Ceci pousse à scruter de plus près les mécaniques à bas. Presque tout concourt à les opposer aux métiers à serges. Les premières sont métalliques, œuvres de précision construites par les serruriers ou les blanchevriers, ces ancêtres de nos ajusteurs. Légères, donc transportables, pour ainsi dire inusables, jamais périmées en l'absence de perfectionnement technique, donc toujours négociables. Les seconds avec leur encombrement, leur grossier bâti de bois tout bricolé de réparations donnent à la draperie son caractère de branche lourde du textile, le capital fixe n'y garde de valeur que *in situ*. Et même si peu ! Au milieu du siècle, sur la pente déclive de l'activité, le matériel d'un peigneur défunt est évalué à 25 livres, celui d'un drapier à 50 livres [170]. Les métiers à bas conservaient au contraire leur valeur marchande. Les bilans de faillite fournissent des estimations. En 1734, un métier avec ses ustensiles est estimé 110 livres, d'autres, en 1740, 60 livres à 70 livres ; en 1772, une machine avec un rouet et six vieux dévidoirs de peu, 177 livres [171] ; en 1775, à l'époque où cette industrie connaît des difficultés, une mécanique ancienne en état de marche se vend encore 200 livres [172]. De combien l'objet neuf surpassait-il ce prix au temps de la prospérité ? On ne sait. A titre d'exemple, fixons une valeur de 300 livres. Lorsqu'on étale l'amortissement sur vingt-cinq ans, la surcharge par douzaine de bas n'excédait donc pas 3 sols. En y ajoutant la taxe sur le métier, les coûts paraissent majorés d'environ 4 sols, soit au total 14 livres et 31 livres 12 sols pour les deux qualités. Là s'arrêtent nos calculs. Faute de données chiffrées, l'intérêt du capital circulant dont le volume dépend de la rotation ne peut être compté.

A la même époque, les prix de vente s'élèvent respectivement à 18 et 45 livres pour les différentes qualités. Le profit réalisable par douzaine de bas

169. Le produit de cet impôt perçu avec l'octroi revient par moitié à la ville et aux hôpitaux, Arch. dép. Calv., C 2818.

170. Arch. dép. Calv., 8 E 2964, Inventaires après décès de P. Le Marchand (29 avril 1740) et Robert Gastebled (9 décembre 1740).

171. *Ibid.*, 8 E 2957, Inventaire de Ch. Brehier, 25 novembre 1734 ; *ibid.*, 8 E 2964, Inventaire de J.-L. Vincent le 8 mars 1740 ; Inventaire de J. Hermant, 6 septembre 1740 ; *ibid.*, 8 E 3010, Inventaire de J.-J. Le Boucher du 13 février 1772.

172. Par exemple, Arch. dép. Calv., 13 B, Faillite Dupont le 15 février 1775 : **4 métiers à bas, soit 800 livres.**

représente environ 28 % et 42 % [173]. Avec le drap, l'écart est si fort qu'il anéantit les marges d'imprécision qu'on s'est données inévitablement dans les calculs (l'intérêt du capital circulant). Mais résumons autrement le parallèle des productions courantes.

A valeur vénale égale (une pièce de serge, cinq douzaines de bas), le bénéfice net varie de moins de 2 livres à 20 livres. A temps de fabrication équivalent (une pièce de serge, 45 bas), l'écart va de 2 livres à 15 livres. Rappelons encore la vitesse très différente de reconstitution des réserves ; les serges se vendaient presque toutes en une fois : fortes immobilisations, peu de bénéfices ; les bas se négocient toute l'année, le capital initial était peut-être recouvré et remis chaque trimestre dans le circuit ; seules des comptabilités de fabricants révéleraient le profit annuel réel du métier. Mais l'enrichissement des maîtres artisans, mesuré au taux unitaire des gains réalisables, ne fait pas de doute, en dépit de leurs propres dénégations, du moins dans la première moitié du siècle. Ces profits furent en partie consommés, c'est probable ; cependant les trésoreries d'entreprises en tiraient également plus d'aisance. D'où plusieurs effets.

1) La pénétration des fabricants de bas dans le commerce et la préparation de la laine. La bonneterie emporte les plus beaux fils, déclare le *Mémoire sur la Généralité* de 1731 [174]. Les drapiers-sergiers ne cessent de déplorer cette concurrence à l'issue de laquelle les apprêteurs et cardeurs deviennent les obligés des bonnetiers : « Deux manufactures si considérables se détruisant, et l'une faisant tomber l'autre, il est juste d'y pourvoir » [175]. Plus que sur l'art de la laine, l'empire des faiseurs de bas s'étend à l'approvisionnement. On sait qu'au fond leurs besoins en matières premières sont modestes, mais ils achètent de grands excédents, tissent leurs produits courants avec les éche-

173. Comme plus haut dans la draperie, j'ai essayé de dégager un taux réalisable pour une unité de production isolée : un fabricant, un métier, un objet. Je l'obtiens en déduisant du profit brut les coûts afférents à la rémunération de l'entrepreneur (en l'occurrence, le fabricant travaille au tissage) et l'intérêt des sommes investies dans la production. Il n'est pas possible, ni même utile de compliquer le calcul jusqu'à prélever le loyer du local puisque celui-ci ne fait qu'un avec le foyer domestique, ni la ponction infinitésimale relative au dixième d'industrie avant sa réorganisation en vingtième. Les discussions sur la composition et la formation du profit sont bien connues. Voir Schumpeter, 1934 ; F. H. Knight, 1942 ; P. A. Samuelson, 1953, t. 1, pp. 664-681. La conception marxiste du profit est longuement exposée dans *Le Capital,* livre III, cinq premières sections (cf. *Œuvres, Economie,* t. 2, 1968, pp. 874-1284). Une analyse intéressante de cette théorie est apportée par J. Marchal et J. Lecaillon, 1958-1970, t. 3, p. 196 sq. Marx a souligné une précaution méthodologique essentielle : il faut introduire soigneusement la vitesse de rotation du capital dans la comparaison des taux de profit. Ceux-ci sont évidemment calculés par rapport au capital engagé et non pas aux rentrées d'argent venant des ventes. Comment extraire enfin le profit réel d'un compte d'exploitation et d'une balance profits et pertes ? C'est un autre problème sur lequel J. Bouvier, F. Furet et M. Gillet, 1965, ont apporté des réflexions.

174. Arch. dép. Calv., C 278.

175. *Ibid.,* C 2858.

veaux médiocres, revendent les meilleurs à une hauteur prohibitive [176]. Pour la première fois une zone de spéculation apparaît à nos yeux dans le textile.

2) Le détournement de la main-d'œuvre est bien plus général que celui de la matière, ses effets sont mieux connus et depuis le début du siècle, les drapiers plaintifs assistent à cette hémorragie. Déjà les ouvriers tondeurs et apprêteurs formés chez Massieu l'abandonnaient pour trouver de meilleures rémunérations auprès des fabricants de bas ; les fileuses de laine s'abstenaient d'œuvrer pour les sergiers [177]. En 1734, les métiers du drap sont encore arrêtés faute de matières premières, les fileuses ne veulent pas les approvisionner [178]. Sans doute la pression des salaires allait-elle s'exercer partout en France au milieu du siècle contre les drapiers. L'inspection des manufactures de Rouen dénonçait également la rareté des ouvriers en 1747, « ce qui les a rendus tellement arrogants qu'il est d'une difficulté extrême de les contenir et de leur faire fabriquer les marchandises » [179]. Mais l'économie régionale avait suscité ici une pénurie bien plus précoce, bien plus durable, à ce point profonde qu'il n'était pas de solution. Après 1750, la raréfaction des ouvriers mal payés achèvera la manufacture des serges ; Bocquet, l'inspecteur, ajoutait en 1756 : « La diminution des fabriques devient trop suivie pour être mise au nombre des variations ordinaires du commerce » [180], et son successeur, en 1765 : « La manufacture de bas est une des plus considérables du royaume ... les fabricants se sont emparés des meilleures fileuses auxquelles ils payent des sommes plus fortes que ne le peuvent faire les fabricants sergers » [181].

La prospérité de la bonneterie et l'agonie des tissus de laine sont donc parfaitement simultanées entre les années 1700 et 1760 ; mieux, l'examen de l'offre de travail déduite des profits vient de montrer qu'une véritable corrélation rattache ces phénomènes aux questions de salaires. Le déclin de la manufacture de bas en répétera l'observation et la preuve.

En effet, la bonneterie s'est heurtée à son tour, depuis le milieu du XVIIIe siècle, à une double fuite de la main-d'œuvre. De Montaran, excellent connaisseur de l'industrie des toiles, avait diagnostiqué la première vers 1759. Les fileuses, selon lui, « abandonnent volontiers la filature de la laine qui est nécessairement grasse, malpropre, gâte leurs habits et porte une odeur peu agréable, pour se livrer à la filature du coton qui n'a aucun de ces inconvé-

176. Ainsi s'explique le paradoxe que le lecteur découvrira dans les textes : les fabricants de bas sont accusés d'acheter le meilleur et d'utiliser le moins bon (Arch. dép. Calv., C 2858, réponse des drapiers à une requête des fabricants de bas le 6 octobre 1721 sur les malfaçons de la laine ; certificat des gardes en décembre garantissant l'absence des laines tirées à feu dans les articles de bonneterie).

177. Arch. nat., F 12 1369 A. Le placet de Massieu au contrôleur général Desmaretz en 1714 signale un phénomène analogue chez Van Robais à Abbeville (Requête des drapiers vers 1720, Arch. dép. Calv., C 2858).

178. Arch. nat., F 12 561, visite de l'inspecteur Bocquet en mai. Quelques métiers battants à Vaucelles, Sainte-Paix ; mais à Saint-Gilles, Saint-Julien, au Bourg-l'Abbé, c'est le silence dans les ateliers. Autour de la ville (La Maladrerie, La Folie, Curcy, Ardennes), on avait pu constater la même situation en avril.

179. Arch. dép. Calv., C 2852, Mémoire à l'intendant.

180. Arch. nat., F 12 1369 B, Etat du second semestre 1756.

181. *Ibid.*, F 12 1369 A, Mémoire au contrôleur général, 5 mars 1765.

nients »[182]. On pourrait ajouter aussi bien à cette fibre le lin et le chanvre. Mais l'évasion vers la toile n'est qu'une issue, et la plus traditionnelle pour cette main-d'œuvre en quête de mieux-être ; à dire vrai, un petit lot de fileuses n'avait cessé de se détourner modestement de la laine dès le début du siècle, puis vers 1750 l'attrait du travail propre l'emporta de mieux en mieux sur la routine. C'est une première nouveauté.

Bientôt un deuxième déplacement de main-d'œuvre fit oublier celui-ci. Depuis les années 1760, le développement étonnant des dentelles couvre ville et campagne de travailleuses en chambre, d'ouvroirs, d'ateliers enfantins. Voici trouvée une industrie fine, faite d'entrelacs de lin ou de soie, qui porte avec elle tant de séductions : la légèreté de l'outillage et son prix dérisoire, le profit élevé de l'entrepreneur-mercier, la promotion de l'ouvrière moins besogneuse pense-t-elle, elle-même, certainement mieux payée de sa peine et créatrice de beauté lorsqu'elle répète à la lumière normande de sa fenêtre les gestes peints par Ver Meer.

En 1765, « la fabrique de dentelles, dont il se fait en cette ville un commerce de plus de quatre millions chaque année », confie l'inspecteur des Manufactures, a mis le comble aux difficultés de la laine[183]. L'année suivante, les fabricants de bas reprennent à leur compte les plaintes des sergiers d'antan, « ils ne peuvent plus trouver d'ouvriers, pas même de fileuses depuis que ... les filles et femmes se sont uniquement livrées à faire des dentelles parce qu'elles trouvent à ces ouvrages un bénéfice sans comparaison plus considérable qu'à tout autre ouvrage »[184]. A la veille des événements révolutionnaires, les toiliers déploreront aussi cette concurrence[185].

Avant de pénétrer dans ces nouveaux secteurs, une dernière attention donnée aux fabricants de bas nous montrera comment, à l'instar de Massieu, la défense de leurs intérêts les porta vers le négoce.

Dans les années 1765, leur première riposte fut défensive. Il ne leur était pas possible de revenir au monopole régional qui les avait enrichis au temps de la prohibition. Ils tentèrent du moins de contrôler la production marginale qui se développait dans le faubourg de Sainte-Paix, soumis à ses propres règles corporatives. La procédure et la corruption des instances administratives, jusqu'au niveau le plus élevé, disent le désarroi de la communauté. L'inspecteur des Manufactures consentit lui-même à introduire les fabricants dans l'intimité des employés du Conseil de commerce et près du contrôleur général où l'eau-de-vie de pomme leur servait d'ambassadeur : « Une douzaine de bouteilles de liqueurs des plus fines de ce pays ycy ; ce petit panier arrivera à Paris par le carrosse ordinaire à votre adresse ... franc de tous ports. » « Ils se préparent, ajoutait l'inspecteur à M. Quesnel, à vous envoyer un paté de saumon frais qui sera fait totallement en maigre et en état d'être mangé

182. *Ibid.,* F 12 565.

183. *Ibid.,* F 12 1369 A et Arch. dép. Calv., C 2858.

184. Mémoire des fabricants de bas à M. Boulin de Quincey, le 23 janvier 1766, Arch. nat., F 12 758.

185. Arch. dép. Calv., 7 C, Etat des toiles, premier semestre 1784 : « La paix n'a point encore fait diminuer les prix des cotons filés à cause de la rareté des fileuses qui, pendant la guerre, s'étant adonnées à la fabrique des dentelles où elles gagnent davantage, ne veulent plus retourner à leur premier métier. »

dans la saison où nous sommes »[186]. Vaines libéralités à l'orée d'une décennie où les règlements corporatifs allaient disparaître !

Vers 1780, les plus aisés des fabricants de bas ont trouvé la vraie riposte : commerciale. Ils cessent de disputer la main-d'œuvre experte aux marchands de dentelles comme aux toiliers pour exploiter, en intermédiaires, leur label et leur science du marché. Les protestations des bonnetiers modestes, empêchés de les suivre, nous mettent sur la voie de ces nouveaux profits issus de la greffe des produits picards dans le négoce caennais[187]. Les fabricants sont devenus entrepreneurs dans les villages du Nord où ils ont engagés des facteurs ; ils donnent des laines à tisser, font venir ces bas non cousus ni même foulés ou apprêtés, assurent la finition et vendent sous leur marque des ouvrages d'un prix séduisant à travers toutes les provinces de l'Ouest. Voici l'un d'eux, le sieur Boullay, dont la seigneurie artisanale s'étend sur neuf paroisses proches du Beauvaisis, autour de Belleuse et Grandvilliers ; sous sa houlette, dix-neuf métiers, cent cinquante personnes œuvrent à la fabrication de bas qui porteront la marque de Caen outre le petit plomb picard.

Ce glissement des fonctions explique les mouvements de la statistique rapportée plus haut. En 1757, 562 compagnons munis de leurs certificats d'apprentissage s'activaient auprès de 139 fabricants. En 1792, 112 maîtres n'utilisent plus ensemble que 144 ouvriers professionnels. Par son enchérissement, sa raréfaction — sectorielle —, la main-d'œuvre a provoqué le désinvestissement artisanal, l'élimination des fabricants gagne-petit, l'évasion vers le négoce. Sous d'autres espèces et dans une autre dimension, c'est la répétition des succès que la draperie avait connus au XVIIe siècle lorsque les fileuses étaient tributaires de la ville à 4 et 5 lieues d'éloignement. C'est encore la rente de situation urbaine qui permet ici l'écoute attentive des marchés, l'innovation commerciale, l'accumulation du capital, partant la domination des patientes campagnes. Enfin, l'enchaînement de ces prospérités successives confirme avec une beauté géographique la condamnation morale des villes dévastatrices des vraies richesses économiques. De la draperie à la bonneterie, aux toiles et indiennes, à la dentelle enfin, l'activité urbaine gravit les degrés du luxe, de l'inutile même, si l'on admet, en rigoureux physiocrate, que l'homme du XVIIIe siècle vit seulement de pain !

Il reste à observer les deux derniers stades de cette mutation qu'une nouvelle attitude sociale à l'égard du travail a certainement favorisée. La fileuse de laine était devenue pour le XVIIIe siècle une pauvresse aux doigts souillés de suint et, pis encore peut-être, une paysanne. En revanche, l'amour de la province pour ses belles armoires lestées de linge épais, de nappes et de serviettes damassées conservait au lin, au chanvre, bientôt au coton par le truchement des toiles peintes, toutes les lettres de noblesse qui s'attachent au superflu. Jusqu'en ville et dans la bourgeoisie, les filles à marier devaient savoir filer le lin. Dans une infinité de demeures, chez les avocats, les négociants, les notaires, dans la noblesse, le rouet en bois fruitier poli par le jeu de mains délicates demeurait comme l'instrument des ouvrages de dames. A

186. *Ibid.*, C 2989, Lettre du 12 mars 1765.

187. Arch. nat., F 12 1397 ; Arch. dép. Calv., 1 B 2006, Requête des syndics fabricants de bas ; *ibid.*, 6 E 38, nouvelle communauté des bonnetiers. Tous ces dossiers évoquent les liens d'affaires avec la Picardie.

plus forte raison, loin devant le métier à tapisserie, le coussin à dentelles et ses bloquets en bois tourné, en os, parfois en ivoire, récompensait l'habileté des petites filles et divertissait les aïeules. Ouvrons les inventaires après décès des décennies témoins de la croissance urbaine, 1730-1740 et 1770-1780. Après avoir éliminé les défunts et défuntes qui tiennent de près ou de loin au textile professionnel, les fileuses, les tisserands, les bonnetiers, les dentellières, etc., nous constaterons le succès croissant des instruments d'amateurs :

Pour 100 inventaires	*1730-1740*	*1770-1780*
Présence de rouets à filer lin et chanvre	26 %	36 %
Présence de métiers à dentelles	4 %	20 %

A coup sûr, l'opinion publique conférait à ces activités un air de bon aloi, une respectabilité qui facilita, qui appelait même le glissement professionnel.

VI. LE MIMÉTISME DE L'ÉVOLUTION DANS L'INDUSTRIE DES TOILES

L'industrie de la toile nous a laissé des archives qui l'emportent sur toutes autres par le volume et la confusion. L'exubérance réglementaire traduit à sa manière l'échec répété des pouvoirs à saisir les mille nouveautés que les fabricants offraient à l'engouement du public. L'extrême imperfection de la comptabilité révèle aussi l'ingéniosité des entrepreneurs à faire échapper leurs produits au regard des inspecteurs par la dissémination des ateliers ; la reconnaissance officielle d'un secteur entièrement libre sanctionna leur réussite. Jamais la séparation du capital et du travail ne s'avérait aussi profonde dans les branches précédentes, ni le profit plus difficile à saisir, ni plus vifs les heurts des fabricants et des entrepreneurs. Traduction spatiale singulière de cette structure : la ville produit accessoirement mais reste toujours le centre nerveux des décisions d'investissement, des achats et des ventes dans son aire campagnarde. Elle suscite l'essor rural, mais elle draine les plus-values considérables qui s'attachent à la finition (le blanchiment, l'impression, le calandrage) et le profit que permet la connaissance des débouchés. Elle exerce les droits régaliens de toute économie développée en face du plus faible.

Il n'est pas malaisé de montrer les imperfections sensibles de notre outil statistique. Le désarroi de l'autorité royale le démontre assez. C'est de 1664 que nous parvient le premier règlement pour la fabrication et le commerce des toiles en Normandie [188] ; il fut complété par un second texte relatif aux dimensions des pièces en août 1676 [189] ; conformément aux vœux du roi, les toiliers se donnèrent alors des statuts de manufacture. En 1693 et 1716 deux autres arrêts généralisèrent les règles de dimensions et introduisirent de nou-

188. Arch. nat., F 12 751, Arrêt du Conseil du 18 janvier 1664.
189. Arch. dép. Calv., C 1355.

velles variétés de toiles, enfin le règlement de mars 1731 prescrivit le nombre de fils en trame et en chaîne dans chaque catégorie de tissus [190].

A ce moment-là, Caen et sa région présentaient déjà une production extrêmement diversifiée qu'on peut résumer ainsi [191] :

	Variétés		
	Selon les matières premières	*Selon la largeur (en aune)*	*Selon la longueur (en aune)*
Toiles	3 : lin chanvre étoupe	4 : 0,66 0,75 1 1,25	*ad libitum :* de 20 à 70
Grenades et joncs	1 : lin et coton	2 : 0,75 0,88	*ad libitum :* de 20 à 60
Serviettes ouvrées	3 : lin chanvre étoupe	3 : 0,66 0,75 1	*ad libitum :* de 24 à 72
Nappes	3 : lin chanvre étoupe	3 : 1,33 1,50 2	*ad libitum :* de 20 à 60

Chaque catégorie d'articles est ainsi ouverte à des manipulations de surfaces qui déguiseront des changements de prix inavoués, du moins dans la statistique en valeur, car il semble bien que les ventes se soient toujours conclues à l'aune linéaire, les clients savaient mieux que nous ce qu'ils achetaient. D'autre part les longueurs présentaient heureusement moins de variations que ne leur en permettaient les règlements. Les aunages mesurés à la foire de Guibray montrent que les fabricants n'acceptaient pas de compromettre leur réputation dans la tricherie et se pliaient en gros à la coutume. De 1708 à 1742, par exemple, les nappes ouvrées de Caen ont 50 aunes et subissent même un allongement à 60 aunes entre 1729 et 1733 ; les serviettes restent stables à 48 aunes, les toiles mesurent 60 aunes jusqu'en 1716, puis durablement 50 aunes par la suite.

Mais l'activité des autorités n'allait pas cesser en 1731 avec la rédaction de ce corps complet d'instruction. Le 20 décembre 1740, une nouveau règlement concernant les toiles unies et ouvrées de la généralité fut promulgué. Dans cet ouvrage de 128 pages imprimées, quatre-vingt-trois articles concernent les seules toiles de Caen [192]. Les ordonnances de l'intendant se multi-

190. Arch. nat., F 12 751 et F 12 758, Arch. dép. Calv., C 2951 et C 1964. « Statuts et Règlements pour les manufactures des coutils, toiles œuvrées et non œuvrées tirtaines, droguets, bazins et futaines qui se fabriquent dans la ville et faubourgs de Caen, pour être observés à l'avenir sous le bon plaisir du roi et de justice, par les maîtres du métier de toilier ».

191. Arch. nat., F 12 758, Nomenclature de l'inspecteur des toiles Roullier.

192. *Ibid.*, F 12 838, Arch. dép. Calv., C 2940, Arch. mun. Caen, HH 26.

plièrent aussitôt pour en assurer l'application [193], notamment en juillet 1742 avec l'installation des bureaux de visite. Cette nouvelle nomenclature introduisait cependant peu de changement dans la nature des pièces, si ce n'est qu'elle consacrait la naissance des basins et futaines unies ou rayées en travers, c'est-à-dire la progression du coton mêlé au lin. L'importance des années 1740-1742 est ailleurs.

On voit alors s'organiser le contrôle de la production rurale jusque-là fort peu surveillée et sa taxation. Or le droit de marque de 1 sol à 3 sols selon les qualités est exclusivement perçu, et jusqu'en foire franche, sur les toiles foraines offertes par les campagnes. Les articles fabriqués en ville par les maîtres de la communauté ou les ateliers hospitaliers y échappent, bénéficiant d'une prime supplémentaire à la vente. Les contemporains interprétaient volontiers l'aménité du pouvoir comme une compensation aux charges corporatives urbaines ; en réalité bien d'autres aspects déguisés de la fiscalité royale — le financement de l'urbanisme en donnera des preuves irréfutables — aboutissaient à l'exploitation du monde rural. La monarchie des Lumières n'aurait-elle pas oublié au fond jusqu'au souvenir des révoltes paysannes dans sa crainte exclusive des émotions urbaines ? Son étonnante vacuité de l'été 1789 donnerait la mesure de sa surprise en même temps que la sanction de sa politique économique déséquilibrée.

La législation de 1740-1742 eut sans doute duré jusqu'à cette chute politico-économique si la querelle des toiles peintes n'était venue susciter le besoin d'un nouvel ajustement réglementaire. Il importe d'entrer un peu dans cette question, l'une des plus célèbres controverses du siècle ; on y montrera moins la puissance de l'opinion contre les derniers vestiges du colbertisme, occurrence déjà si souvent rencontrée, que les données techniques ou commerciales qui permirent aux toiliers, après quelques hésitations, de servir leurs intérêts tout en flattant le droit au luxe du public [194].

Lorsque Louis XIV interdit l'impression des toiles en 1686, finalement le souci de celer aussi un retard technique l'animait. Tolérer en outre l'usage de ces tissus aurait créé une pression de la demande à l'importation qui eût favorisé les ennemis du royaume. Economistes officiels et soldats avaient un intérêt égal à la prohibition. Mais cette autarcie perdit de sa logique avec le retour de la paix en 1715. Désormais la fragilité de l'interdiction se mesure à la répétition des arrêts qui fulminent contre l'entrée, le port et l'usage des indiennes en 1715, 1721, 1726, 1730, 1736 [195]. Chemin faisant les teinturiers ont affiné leur art. Dans le secteur voisin de la laine, le règlement de 1737 déploie un tel chatoiement qu'il semble ne rester, les coloris une fois maîtrisés, qu'un modeste effort à poursuivre pour obtenir une bonne impression ; ce

193. Arch. dép. Calv., C 2944 à 2946, C 6422. De 1708 à 1760, trente ordonnances des commissaires départis concernent la mise en œuvre des règlements royaux sur les toiles.

194. Beaucoup d'ouvrages ont été consacrés à la question, notamment E. Depitre, 1912, H. Clouzot, 1926. En Normandie, Beaumont, 1901, P. Leverdier, 1926. Le succès du coton a préparé celui des indiennes, on trouvera chez Lecomte, 1900, une mise au point technique sur cette fibre.

195. Dossiers d'archives sur cette question, Arch. dép. Calv., C 2843, C 2944, C 2945, C 2947, Arch. nat., F 12 565. Y ajouter les réflexions averties de F.V. de Forbonnais, 1755, et de l'abbé Morellet, 1758.

sera effectivement le cas dans les vingt années suivantes parallèlement à la technique des papiers peints. Les écarlates de Venise, rouges de garance et cramoisis à l'alun, les violets pourpres ou amarantes, les gris brunis, lavandés ou ramiers, le gris perle et castor, mille teintes de bleu du pastel à l'indigo, de vert jauni à la sarrette, de fauve couleur de racine sont aux mains de tous les maîtres du grand teint[196].

On sait que le renversement des options économiques du siècle s'est effectué dans les années cinquante. Bien des aspects en ont déjà été repérés localement dans les opinions sur le travail, l'histoire des corporations, le soutien de l'Etat aux entrepreneurs ou la mutation de la fabrique des bas. C'est aussi depuis 1749 que les manufacturiers et les commerçants de toute la France portent sur la place le débat des toiles. Contre l'avis conservateur des Pasquier ou Bonneval et les opinions mitigées des députés des ports au bureau du Commerce[197], de Montaran et Forbonnais avec une certaine réserve, Gilly et l'abbé Morellet avec fougue, se prononcent pour l'abrogation des règles de 1686. Montaran écrivait : « Le port et usage (des toiles peintes) sont deffendus sous des peines rigoureuses ; cependant leur consommation augmente tous les jours. Toutes les maisons de campagne en sont meublées... toutes les femmes de tous les différents états, excepté du Bas-peuple, en remplissent leur garde robe et les portent même ouvertement excepté aux spectacles et aux fêtes publiques »[198]. Et il se prononçait en faveur de l'impression des toiles fabriquées en France, sinon des cotonnades achetées à l'extérieur. L'argument des adversaires, parmi lesquels figure notamment la Chambre du commerce de Normandie[199] est d'ordre socio-économique : la fabrique et l'impression des nouveaux articles occuperont moins de bras que l'artisanat traditionnel (dix personnes par métier) ; en outre on appellera bientôt les cotonnades écrues étrangères, d'où le retranchement à redouter des salaires, de la consommation et des consommateurs ; maintiendra-t-on la prohibition ? Alors « on n'aura point de toiles peintes, on aura des hommes ».

Il n'existe guère de preuves que les entrepreneurs de Caen aient partagé l'avis des manufacturiers de Haute-Normandie tout-puissants à la Chambre du commerce ; au contraire la forte césure de la fabrique entre la ville et les campagnes pouvait inciter ceux-là à vouloir ajouter un nouveau genre de finition à leur actif. Or les lettres patentes du 5 septembre et du 28 octobre 1759 tranchèrent le débat en ce sens, permettant l'entrée des cotonnades étrangères et l'impression des toiles nationales à l'abri de taxes différentielles[200]. Pendant vingt ans encore Caen et sa région se bornèrent à alimenter

196. Arch. dép. Calv., C 2931.

197. Liste dans Arch. nat., F 12 565 : Nantes, Bordeaux, La Rochelle, Saint-Malo, Marseille, Bayonne et une ville continentale, Lyon.

198. *Ibid.*, F 12 565, opinion de M. de Montaran au bureau du commerce.

199. Arch. dép. Calv., C 2947, Mémoire sans date, probablement vers 1757.

200. Législation indécise, retouchée plusieurs fois dans un sens favorable aux producteurs français, d'abord par arrêt du 3 juillet 1760 (montant des droits) du 19 juillet 1760 (dispositions particulières pour l'importation des mouchoirs de coton), du 7 septembre 1764 (prohibition des mousselines) ; puis dans le sens du libéralisme par l'arrêt du 13 août 1772 (modération des droits), voir Arch. nat., F 12 565, Arch.

les zones productrices en toile écrue demi-coton, puis des citadins accordant un peu plus à l'innovation installèrent eux-mêmes des presses.

Contemporain de ces changements (siamoises de 1774, indiennes de 1783, atelier Perret-Burk depuis 1786), le nouveau Règlement de 1781 pour les toiles de la généralité allait en exprimer la philosophie économique[201]. La seule prescription ferme demeurait la marque du fabricant et du bureau de visite. Au-delà commençait la liberté. Tout d'abord le secteur réglementaire apparaissait d'une telle exubérance qu'il faut se borner à le résumer grossièrement.

	Eléments variables			
	Nombre des variétés	*Catégories de largeurs*	*Catégories de matières premières*	*Nombre de fils de chaîne*
Toiles unies	105	10	2 (lin, chanvre)	1 250-6 150
Toiles unies moyennes	24	6	2 (lin, chanvre)	1 150-2 150
Toiles ouvrées pour nappes	70	16	2 (lin, chanvre)	1 150-5 300
Toiles ouvrées pour serviettes	80	13	2 (lin, chanvre)	700-4 050
Toiles de coton	1	1	1 (lin et coton)	2 500
Futaines	1	1	1 (lin et coton)	1 900
Basins	1	1	1 (lin et coton)	1 425
Grenades	2	2	1 (lin et coton)	2 000

En fin de compte, 284 variétés de toiles réglementées pouvaient être enregistrées au bureau de Caen. Encore les longueurs resteraient-elles selon la coutume de 40 aunes à 70 aunes. Mais, d'un autre côté, le règlement de 1781 instituait un secteur libre où tout était admis pourvu que soit apposée une estampille à l'huile et au noir de fumée[202].

L'examen de cette législation montre le faible parti qui doit être tiré des statistiques de production. Jusqu'en 1781, les inspecteurs avaient obtenu qu'on distinguât les toiles, les joncs, basins et grenades, les serviettes et les nappes.

---

dép. Calv., C 2945. Enfin 1785 (arrêts du 10 juillet et 10 novembre) marque un retour aux précautions protectionnistes, paradoxal en apparence à l'heure prochaine du traité franco-anglais.

201. Lettres patentes du roi du 16 février 1781, enregistrées au parlement le 22 mai : Arch. dép. Calv., C 2936, C 6422 ; ordonnance d'application de l'intendant le 21 avril 1783. Lettres patentes du 26 août 1784, enregistrées le 1er février 1785, sur la vérification des étoffes (*ibid.*, C 2843). Arrêts du Conseil des 10 novembre 1785 et 19 janvier 1786 sur la marque (*ibid.*, C 6422). Toiles réglées : marque rectangulaire ; toiles libres : marque octogonale.

202. Avant 1781, les droits de marque variaient selon la nature et la longueur des pièces. Depuis cette année-là, sera perçue une taxe uniforme de 2 sols ; cette prescription pousse les fabricants à ne pas rogner la dimension des pièces (Arch. nat., F 12 838). Pour les étoffes libres, les gardes notent en 1786 : « Celles qui entrent dans le commerce ont ordinairement 60 aunes, mais il n'y a point de règle dans les ouvrages que font faire les particuliers pour leurs usages » (Arch. dép. Calv., 7 C, non coté, Etat des toiles).

C'était déjà trop peu, compte tenu des subdivisions de chaque rubrique, pour savoir comment évoluait au juste la production en volume ; après cette date les bureaux renoncent à toute finesse d'enregistrement au profit d'une addition globale des pièces. Par ailleurs, la production exprimée en valeur mêle de manière identique les hausses de prix éventuelles et les glissements de catégories ; seules les réflexions des inspecteurs permettent dans la dernière décennie d'attribuer à l'augmentation des matières premières le gonflement du bilan. Ces données bloquées souffrent enfin des imperfections inhérentes aux statistiques industrielles que la dégradation de l'autorité aggrave *in fine*.

Au milieu du siècle, l'inspecteur se félicitait du bon fonctionnement des halles, « il y a commis préposés, disait-il, ... qui font très bien leur service, tiennent les registres, veillent à la bonne qualité, s'opposent aux abus des gardes et autres, perçoivent les droits ... ils sont fort utiles »[203]. Après la guerre de Sept Ans, comme pour les comptes de la draperie, la situation se détériore en commençant par la presqu'île cotentinoise ; les fabricants de Cherbourg tiennent le bureau en quarantaine, puis bientôt ceux de Coutances ; en 1768, les blanchisseurs de Caen sont surpris à travailler des toiles sans marque[204] ; en 1769, l'abstention partielle gagne le Bocage, Condé, Athis, Sainte-Honorine. L'enregistrement reprit cependant de la régularité lorsque le Règlement de 1781, par sa souplesse, rendit la fraude moins attrayante, du moins autour de Caen[205].

Quelques années isolées, une série continue de 1762 à 1787, ce sont tous les vestiges des comptes de la halle à Caen[206] :

Pièces de toiles fabriquées annuellement dans la ville et les environs

1715	984	1737	3 000
1722	3 405	1762	10 503
1729-1730 (moyenne)	2 872	1763	9 435

203. Arch. nat. F 12 838, Lettre de Bocquet à l'intendant le 25 février 1758.

204. Arch. dép. Calv., C 2967 et C 2968, Observations de Morel pour le premier semestre 1769.

205. Les campagnes plus retirées sont restées après comme avant hors de prise sérieuse. C'est pourquoi la comptabilité globale, encore raisonnable en ville, devient une illusion économique à l'échelle nationale. En 1784, le garde-juré de Sainte-Honorine-la-Chardonne écrit de sa plume inexperte à l'inspecteur des Manufactures (Arch. dép. Calv., 7 C, sans cote, Etat des toiles) : « Je suis sûr à n'en point douter qu'il vient des marchands de Troyes dans nos cantons qui achettent des pièces en écru et en blanc, que la majeure partie n'est pas revêtue des marques de bureau, que ces pièces sont au messager de Caen et Falaise sans paraître ni au bureau de Caen ni à celui de Falaise. Il y en a encore quantité qui tiennent la routte de Bretagne et du Maisne, il n'est pas facille de réprimer cette fraude, parce que les fabriquants sont rusés et ne manqueront pas de bonnes défaittes, ayant la liberté de sortir leur marchandise de la manufacture, pour aller soi-disant à Caen ; j'ai aussi un puissant soubçon qu'il existe de fausses marques... Il est probable que nous ne marquons pas la moitié des pièces qui se fabriquent non compris celles que l'on porte à Caen. »

206. Arch. nat., F 12 521, F 12 758, F 12 838, F 12 1420 ; Arch. dép. Calv., C 2948, C 2953 et suivants ; 7 C, sans cote, Etat des toiles.

1764	8 962	1776	10 086
1765	10 794	1777	9 757
1766	9 814	1778	10 173
1767	11 622	1779	11 057
1768	11 489	1780	9 852
1769	10 822	1781	7 964
1770	10 144	1782	8 022
1771	9 788	1783	8 300
1772	10 381	1784	8 491
1773	10 336	1785	10 230
1774	9 601	1786	5 634
1775	10 344	1787	4 449

Les quatre premiers chiffres de ce bilan doivent subir une majoration. En effet, jusque vers 1740, faute d'entrepôt, les toiles de la campagne étaient portées directement chez les marchands [207]. L'état de 1731 permet cependant de fixer un plafond à ce renfort grâce à la comparaison des outillages. La corporation des toiliers urbains, dont le travail enregistré ne connaît pas d'interruption nette, dispose de 350 métiers ; les campagnes de l'élection, aux activités saisonnières, possèdent alors 100 métiers. Le déficit maximal de la statistique n'atteint donc pas le tiers de la portion comptabilisée et la production globale s'élève au plus haut à 4 000 pièces. Ce défaut d'enregistrement disparaît comme on l'a vu avec les règlements de 1740-1742.

En dépit de ses lacunes, cette statistique suffit à montrer comme un fait essentiel l'essor de la production. Encore modeste à l'âge d'or de la bonneterie, la manufacture des toiles se retrouve florissante dans les années soixante, tandis que celle-là s'échappait vers le commerce et la finition. Ainsi semble confirmée la concurrence que les deux branches se livraient sur le marché de la main-d'œuvre et cela est vrai : dès les années trente, les fileuses gagnaient 5 à 7 sols par jour à la laine, 9 à 12 sols au lin et au chanvre [208], mais la réalité est plus nuancée. La fabrique des toiles n'a dû son succès qu'à sa transformation, précoce également, en activité capitaliste et spéculative. Elle sera dominée très tôt par des entrepreneurs non fabricants.

Les conditions d'approvisionnement avaient dès l'origine favorisé ce glissement. De la première à la seconde moitié du siècle, celles-ci n'ont pas varié [209]. La production locale reste très insuffisante en quantité comme en qualité. Pour le lin, par exemple, les laboureurs préféraient les semailles d'automne, car la plante vient mieux, les sécheresses d'avril-mai lui causent moins de ravages qu'elles n'en font dans les semis de printemps, mais le fil obtenu a moins de finesse. Seuls, les terroirs de Bavent, dans la vallée de la Dives, et le lointain Avranchin cultivaient une variété grise de qualité supérieure. Le chanvre a peut-être fait plus de progrès, surtout dans le Bessin. Pourtant, dans les deux cas, il faut importer. Le chanvre d'appoint provenait du Maine ; le

207. Arch. dép. Calv., C 278, Mémoire sur l'élection de Caen, décembre 1731.
208. *Ibid.*
209. Par exemple Arch. dép. Calv., C 278, pour les années 1730. Dans les décades 1760-1790, *ibid.*, C 2966 sq., notamment C 2981, Enquête de Necker sur la culture des chanvres, 1779, et aussi *ibid.*, C 3000.

lin, majoré de 30 % de ses prix, du pays de Caux, de la Picardie, de Flandre via Calais et plus encore de Hollande. C'est dire l'importance des relations d'affaires, la nécessité des voyages pour opérer les tris intéressants, l'avantage des transports groupés, la prime immédiate offerte aux négociants aisés sur les fabricants. Cette inégalité se retrouve, amplifiée, dans l'approvisionnement en coton puisque la meilleure fibre provient de la Guadeloupe via Le Havre ; Saint-Domingue et La Martinique fournissaient des qualités plus courantes. Mais les systoles de la guerre offraient aux marchands avisés et « enharreurs » de beaux profits avant que se réveille le circuit oriental émanant, après maintes ruptures de cargaison, d'Andrinople, Smyrne, Acre et Chypre.

D'ailleurs le trafic des matières premières ne connaissait pas de sens unique. Produites en Normandie ou venues de loin, les précieuses fibres faisaient l'objet d'une spéculation qui dépassait une fois de plus l'horizon des tisserands. Le coton s'éparpillait dans le Bocage, le Maine et la Bretagne. Le beau lin de Tinchebray et Domfront s'échappait vers l'est du royaume. Le subdélégué s'en avisa un jour par hasard : « Le commerce que l'on fait de partie de ces fils à Troyes est caché. Je ne l'ai découvert que par un voiturier qui y fait quatre ou cinq voyages par an et qui m'apporte en retour du vin de champagne »[210]. Il en résultera de notables variations annuelles dans les qualités les plus rares (pour les batistes), une hausse séculaire très forte stimulée par la concurrence dentellière et contre laquelle il n'était d'autre prévention que de tomber sous la coupe des négociants usuriers de matières premières. Ces fluctuations, cet enrichissement ne sont pas supposés. Les comptes de manufacture à l'hôpital général permettent d'établir une série continue pour le fil de lin qui démontre le triplement des prix nominaux en soixante ans et des variations inter-annuelles fortes parfois de 15 %[211].

En amont de la fabrique, l'approvisionnement exige donc le double investissement du capital et des capacités commerciales ; mais les négociants appelés dans la place n'ont cessé d'y étendre leur contrôle.

Il ne leur déplut pas de susciter des concurrents aux fabricants en approvisionnant depuis le début du siècle l'atelier de l'hôpital alimenté de main-d'œuvre enfantine et pourvoyeur des bourgeois[212], en encourageant l'ouverture d'un autre centre chez les pauvres renfermés, que la communauté ne parvint pas davantage à anéantir[213]. Au surplus, la « garde capitaliste » qui entoure le métier n'avait cessé de s'épaissir.

Au temps de Louis XIV, seuls les marchands toiliers apparentés à la corporation prétendaient tirer parti du travail des fabricants. Dans les années 1730, il devient clair que les propriétaires de capitaux les plus divers les ont rejoints, qu'ils ne se bornent pas à faire œuvrer le métier pour leur usage, mais vendent en gros. Les fabricants s'en plaignirent au Conseil du commerce ;

210. Lettre de Meslé à l'intendant 1er juin 1776 (*ibid.*, C 3000). Cf. aussi la lettre du garde de Sainte-Honorine citée plus haut (*ibid.* 7 C).

211. *Ibid.*, H sup., registre sans cote, Manufactures de l'hôpital général, cf. annexe 13.

212. Arch. nat., F 12 1420, Enquête de l'intendant Guynet le 26 novembre 1715.

213. Arch. dép. Calv., C 2953, en 1741 vingt métiers sont en activité dans cette maison.

ils avaient dressé dès 1729 une première liste de spéculateurs sur les toiles. Là, de fait, rares étaient les entrepreneurs apparentés, fût-ce de loin, au textile : un blanchisseur, un fripier, un chapelier feutrier. Mais on rencontrera, venue de tous les horizons professionnels, la classe moyenne des artisans qui ont quelques économies : un vitrier, deux boulangers, des jardiniers, un sellier, un fabricant de chaussures, un cartier ; puis les métiers à l'écoute des campagnes par le roulage ou les colporteurs : les cabaretiers, les vinaigriers, les aubergistes ; les gens que la correspondance commerciale n'effrayait pas : un imprimeur, un sergent, un huissier, deux chirurgiens, un maître à écrire ; les grands marchands de drogues et épiceries, ils étaient neuf des plus huppés, devenus maîtres du coton des Iles et des fils de Hollande ; enfin les bourgeois et surtout les dames veuves rentières [214]. Les gens intéressés dans les toiles appartenaient donc à tous les niveaux de la société ; leurs motivations variaient sans doute beaucoup. Les uns cédaient à l'attrait des petits placements aisément liquides, d'autres, les aubergistes, aux propositions des rouliers ; les épiciers complétaient leurs cargaisons maritimes avec du lin ou du coton ; les veuves échappaient au contrôle familial si rigoureux sur le foncier.

Dans ce conflit, l'inspecteur des toiles prit leur parti à tous, parce qu'il voyait en eux les artisans du développement de l'industrie rurale, et c'est bien ce qui blessait la communauté urbaine, du moins sa fraction la plus riche, déplorant « un nombre de particuliers de toutes les professions qui ont établi des espèces de manufactures dans les environs de la ville, où ils font fabriquer (des toiles) ou bien ils les achètent en écru et les font blanchir... » [215]. L'intendance, consultée à l'issue de longues actions en justice puis au Conseil du commerce, opinait aussi pour la liberté, ne serait-ce que pour assurer l'ordre public, car les bourgeois sur-payaient leurs fileuses. Le lieutenant de police et la juridiction de la foire, enfin, levaient les saisies opérées par les toiliers [216]. L'arrêt du Conseil du 18 décembre 1731 confirma donc la défaite des fabricants [217]. C'était une folie de leur part de vouloir remettre en cause, trente ans plus tard, au temps de la querelle des toiles peintes, l'emprise des merciers, ces puissants détenteurs d'argent ; ils échouèrent ainsi une seconde fois (arrêt du 15 janvier 1760), reculant et ferraillant autour du droit de visite jusqu'en 1766 [218] où ils durent supporter, avec la hausse des fibres, la tutelle des capitaux. C'est l'époque où le transfert de la production, dans sa majorité, s'est effectué en faveur des campagnes pour lesquelles travaillent

214. Les entrepreneurs se fondent sur la liberté du commerce de gros garantie dans les édits royaux d'août 1669, décembre 1701, avril 1727.

Liste dans Arch. nat., F 12 758, allusions dans Arch. dép. Calv., C 2948. Nous retrouvons ici les conclusions de F. Crouzet 1965, pp. 589-642, sur le cas britannique. La croissance industrielle doit peu au capital terrien et aux banques ; le développement interne des entreprises est facilité, surtout dans le textile, par la faiblesse des investissements nécessaires ; les capitaux extérieurs à l'industrie sont apportés par quelques marchands.

215. *Ibid.*, F 12 758.

216. Arch. nat., F 12 758, prises de 1729 ; Arch. dép. Calv., C 6422, prises de 1739.

217. *Ibid.*

218. Arch. dép. Calv., C 2970, C 2953 et C 2954, 6 E 213.

désormais les neuf importantes curanderies et blanchisseries des pourtours de ville.

Montée de l'investissement commercial toujours préférable, désinvestissement industriel. En dépit des apparences statistiques, le secteur des toiles n'échappe pas à ces deux caractéristiques urbaines. Si les comptes n'étaient pas si misérables, ces deux mouvements croisés apparaîtraient en pleine lumière chronologique. Tout de même, observons ceux de l'outillage et des entrepreneurs pour la ville *stricto sensu*[219] :

	Capital fixe : les métiers	*Entrepreneurs fabricants*
1715	318	66
1717	318	64
1722	397	83
1723	392	88
1726	365	83
1727	342	81
1730	328	76
1731	364	82
1740	350	76
1762	200	78
1770	150	?
1786	?	51

Une certitude fruste s'en dégage, l'apogée de l'équipement urbain s'établit entre les années vingt et quarante. A dix personnes par métier[220], la fabrication des toiles pouvait occuper 3 500 à 4 000 personnes, y compris les fileuses des écarts. Industrie géographiquement réunie lorsqu'on la compare au tissage rural qui allait prendre le relais dans la deuxième partie du siècle et dont la concentration est financière ; ici cinq métiers en moyenne par fabricant. Après 1750, les données sont erratiques, elles suggèrent la double réduction des fabricants et des métiers, mais celle-ci bien plus que proportionnelle à celle-là ; la moyenne des mécaniques est ramenée à trois par entreprise. Tout se passe comme si n'avaient subsisté que les plus modestes artisans. Effectivement, un mémoire d'août 1765 fait remarquer que trente toiliers sont devenus de purs débitants en boutique ou en « magasin », c'est-à-dire en gros[221].

La production spécifiquement urbaine peut être rapprochée de cet équipement ; elle épouse dans les grandes lignes le même rythme croissant et

219. Lambeaux de renseignements dispersés : 1715-1717, Arch. nat., F 12 1420 ; 1722-1724, Arch. dép. Calv., C 2948 ; 1725-1730, Arch. nat., F 12 521 ; 1730, *ibid.*, F 12 758 ; 1740-1762, *ibid.*, F 12 521 ; 1770, Arch. dép. Calv., C 2790 ; 1781-1786, Arch. nat., F 12 521, pour les fabricants seulement. Quand les données figurent pour les deux semestres de l'année, je prends la moyenne. La poussée du capitalisme commercial, déduite de sources tout à fait différentes, a été bien soulignée par R. Oberlé, 1971.

220. Cf. les précisions du Mémoire sur l'élection en 1731 (Arch. dép. Calv., C 278).

221. *Ibid.*, C 2950.

décroissant tandis que le plat pays, tombé dans l'orbite de la ville, semble prendre le relais [222].

Depuis le Règlement de 1781, la statistique confond les étoffes urbaines ou campagnardes et distingue les toiles libres et contrôlées. Mais, à cette date, le chassé-croisé des courbes productives était chose faite. Le tracé de la fabrique urbaine avait culminé comme les équipements de 1720 à 1740 — et peut-être aussi dans les années suivantes, le défaut des comptes empêche de le savoir —, en tout cas la décennie 1760-1770 faisait déjà apparaître des volumes affaissés de moitié. Dans l'intervalle de ce vide statistique, la production rurale, contrôlée par les marchands toiliers, les bourgeois ou les négociants, montait en pente raide ; entre 1730 et 1760, elle s'était accrue d'environ 800 % ; en ville, à la fin de ce processus, les simples fabricants se disaient ruinés par la concurrence des campagnes [223].

Il reste à s'entendre sur le sens de cette apparente envolée rurale ; d'ordinaire, au XVIIIe siècle, les statistiques industrielles ne présentent pas, sur plusieurs décennies consécutives, de ces cadences de doublement. Aussi bien, il n'y eut pas, ici non plus, un essor global de la production bas-normande, mais élargissement de l'emprise urbaine sur l'activité régionale. En effet, le nombre des pièces de toiles fabriquées dans la généralité était demeuré stable depuis les années 1730 :

1715	23 982 pièces	
1729-1730	28 393 pièces	(deux semestres consécutifs)
1762-1771	27 923 pièces	(moyenne sur 10 ans)
1780-1787	27 667 pièces	(moyenne sur 8 ans)

Cependant que la ville parvenait à en assujettir le tiers (en volume) et la moitié (en valeur, donc la meilleure part) à un contrôle qui s'exerçait tantôt à l'approvisionnement, tantôt au débouché, parfois aux deux extrémités de la production.

Des doléances de fabricants domiciliés dans le Bocage et jusqu'au pays d'Argentan en Alençonnais, décrivent vers 1778 les aspects hebdomadaires de cette domination urbaine. Pour être à la halle foraine du lundi où sont visitées les toiles qu'ils vont vendre ou rapporter aux commerçants de la ville, les convoyeurs quittaient leurs maisons perdues à la brune ; les chevaux lourdement chargés s'ébranlaient sur les minuit - une heure. Mais les remparts et les clochers de la cité ne se dessineront qu'à l'aube ; puis ce sera l'attente aigrelette à l'octroi, à la halle, chez le négociant : une longue journée de démarches que ces messieurs de la ville, affairés, prolongent jusqu'au soir où ils arrêtent leurs comptes. Les toiliers pauvres s'enfonceront alors dans leur nuitée de dix lieues, les prodigues ou les fourbus pousseront la porte des auberges où festoient déjà les plus riches en joyeux maquignons : l'industrie alimente par bien des canaux le négoce urbain [224].

Et il est vrai que les fabricants des campagnes n'étaient pas tous des petites gens. Dans les lacunes de la prise urbaine, les plus habiles d'entre

222. Mêmes sources que pour l'équipement. Résultats, annexe 13.
223. *Ibid.*, C 2790, Assemblée du commerce de la ville, fin mai-début juin 1770.
224. *Ibid.*, C 6406, Arrêt du Conseil d'avril 1778 sur requête des fabricants de Sainte-Honorine-la-Chardonne, Athis, Argentan, Flers, etc.

eux avaient su reconstituer à leur tour les liens de dépendance inventés à Caen ; et devenus « citadins » des bourgs ruraux, ils se ménageaient une clientèle de tisserands. En 1785, le garde-juré de Sainte-Honorine et Athis a préparé l'état descriptif des cinquante entrepreneurs de son ressort : plus de mille métiers battaient pour eux[225] ; dans la morte saison, le plus opulent distribuait du travail à 110 tisserands, tandis que dans la région de Canisy, une structure professionnelle inverse l'emportait, assujettie sans médiation à la ville : 172 fabricants pour 295 métiers[226].

Les statistiques de la halle de Caen portent donc le témoignage des pulsations de l'influence urbaine, non celles de la production régionale.

Elles suggèrent un effritement de l'attraction urbaine qui semble coïncider avec l'application du Règlement de 1781, mais le sous-enregistrement des produits campagnards entre 1760 et 1780 put aider à renforcer l'empire apparent de la ville. D'autre part, les débouchés traditionnels des entrepreneurs de Caen s'adressaient aux toiles réglementées. Il n'est pas sûr que les citadins aient voulu dominer le marché des étoffes libres, ni même qu'ils en aient eu le pouvoir. Les toiles de fantaisie, marquées au chiffre d'obscurs bureaux de la campagne, Athis, Sainte-Honorine, Canisy, Vire — mais qu'importe, leur prix seul était attrayant — prenaient donc le chemin direct de la Bretagne et du Maine. Cette captation d'influence acquit une force décisive depuis 1786. A cette date, la ville ne commercialisait plus que le quart ou le cinquième du produit de la généralité. Trois ans avant la Révolution politique, l'émancipation de la campagne était en marche au moins sur ce point. Il est vrai qu'au même moment la métropole régionale avait eu le temps d'affirmer sa maîtrise dans le dernier phylum du textile normand : l'industrie dentellière.

VII. UNE INDUSTRIE URBAINE EXEMPLAIRE : LA DENTELLE

Les études relatives à cette activité sont nombreuses et médiocres. J'avouerai volontiers qu'elles disent tout ce que l'on peut savoir, mais avec banalité. La réflexion des érudits est-elle abusée par la futilité de la matière, par la pertinence qu'un faux pittoresque établit aujourd'hui entre les dentelles et les couleurs du XVIIIe siècle — au point de les associer à la guerre du temps ? En tout cas, ces travaux ne saisissent pas l'originalité et l'importance du métier[227]. La dentelle me paraît occuper, au contraire, sous Louis XV, la place des objets inutiles de notre époque : une situation limite, non pas marginale, et dans laquelle se dessine avec clarté la marche de l'économie. La description locale que j'ai donnée de cette activité autrefois me servira de point de départ[228].

225. *Ibid.*, 7 C, Ventilation : fabricants avec 1 à 10 métiers, 18 ; avec 11 à 50 métiers, 30 ; avec plus de 50 métiers, 2.

226. *Ibid.*, 1 métier, 102 fabricants ; 2 métiers, 50 fabricants ; plus de 2, 20 fabricants. Pour la dernière décennie, cf. Arch. nat., F 12 838.

227. J. Seguin, 1875 ; E. Lefebure, 1887 ; L. de Laprade, 1905 ; P.-M. Bondois, 1921 et 1922. Localement, on lira P. Drouet, 1900 ; G. Lesage, 1909 ; G. Noé, 1910.

228. J.C. Perrot, 1957.

La diffusion des dentelles dans le royaume, et spécialement en Normandie, fut un effet du colbertisme. Ce ministre souhaitait qu'on y supplantât le point de Venise, comme il s'en était ouvert en 1673 à l'ambassadeur français près des Doges [229]. Or ce projet économique rencontra, dès son origine, un plan social plus ancien : celui d'offrir un travail à de vastes fractions de la population purement consommatrices, les pauvres, les enfants, femmes ou vieillards, les invalides. Propos ambivalent s'il en fut puisque, né de l'alliance des clercs avec l'Etat, il cherche à sauver d'un coup les corps et les âmes en plaçant le travail rédempteur sous le regard de la loi morale. Aux sources de la Workhouse anglaise se retrouverait la même dualité d'objectifs [230]. Dès le milieu du XVIIe siècle l'impulsion royale secondée ici par la compagnie des dévots groupée autour de M. de Bernières et Saint-Jean Eudes, avait permis l'institution à Caen d'une maison des Petits Renfermés et d'un hôpital général, bientôt les foyers de cette nouvelle branche industrielle [231]. Le succès des « hôpitaux-manufactures » ne s'est pas démenti jusqu'à la Révolution, au prix de quelque glissement de sens. Pour d'innombrables réformateurs, l'utilité sociale l'emportait peu à peu sur l'aiguillon moral, la régénération chrétienne se transformait en œuvre de guérison médicale ; Condorcet parlera finalement de faire travailler les paresseux « qui sont une espèce d'estropiés » [232]. En Normandie même cette évolution fut jalonnée de plaidoyers où nous retrouvons des figures déjà familières, l'abbé de Saint-Pierre, Viallet, Duperron, Longuet, Demandolx [233].

La réussite des manufactures se mesure à leur extension. Les ursulines de Caen, établies depuis 1624, introduisirent bientôt les dentelles dans le travail des jeunes filles qu'elles se chargeaient d'éduquer. Dès sa fondation, au milieu du XVIIIe siècle, le dépôt de mendicité à Beaulieu poursuivit la même tradition. Sur le modèle de ces internats, paroisses et quartiers s'étaient donné des ateliers de demi-pensionnaires, de même que les campagnes, telles que Bernières depuis 1704, Cléville vers 1750, Luc-sur-Mer en 1767, La Délivrande ; des maîtresses dentellières de la ville essaimaient parfois beaucoup plus loin, l'une d'entre elles était devenue en 1785 la directrice de la Manufacture royale à Versailles [234].

229. Lettre du 21 juillet 1673 à l'ambassadeur de France (Arch. de la Marine, B 23, f° 138).

230. Un bref résumé et une bibliographie essentielle dans *Palgrave's Dictionary of Political Economy,* rééd. 1963, t. 3, pp. 672-674.

231. Arch. dép. Calv., C 803, respectivement Lettres patentes de février 1640 et juin 1659.

232. Condorcet, 1781. Le concours de l'Académie de Châlons en 1777 sur les moyens de détruire la mendicité a relancé dans toute la France de telles considérations. Elles sont devenues spécialement nombreuses entre 1780 et 1792. On connaît bien, d'autre part, l'activité du Comité de mendicité de l'Assemblée constituante présidé par le duc de La Rochefoucauld-Liancourt.

233. Castel de Saint-Pierre, 1724 ; Viallet, 1766, publié en 1767 ; Duperron, de l'Académie de Caen, 1778 ; Longuet, 1779 ; Demandolx, 1780.

234. Arch. dép. Calv., C 1503, Enquête de l'intendance de 1723 ; dépôt de Beaulieu, *ibid.,* C 701 ; G. Noé, 1910, chap. III, section II ; manufacture de Cléville, C 615, Lettre du curé Quesnel, 17 février 1778. Sur Mme Bardel, cf. P. Bienvenue, 1954.

Tous ces établissements fonctionnaient sur le même modèle. Voici la fabrique de Noyers, fondée en 1764 par le maire de notre cité, Gosselin de Manneville [235]. L'entrepreneur avait attribué une maison, un jardin et une gratification de mise en chantier à la directrice, Mme Duval. L'apprentissage des jeunes ouvrières âgées de 5 à 15 ans [236] durait deux mois, mais elles ne pouvaient se présenter sans une carte aux armes des Manneville, dispensée par le maître du lieu ; elles acquittaient une taxe d'une livre pour les leçons et payaient 10 sols mensuels leur place au banc de travail. Passé les quatre premiers jours d'initiation, l'apprentie travaillait au profit de la directrice ; une partie de la recette revenait cependant en nature à la fillette puisqu'elle obtenait la propriété de son métier à l'issue du temps probatoire. Après cela, promue ouvrière, astreinte encore à une leçon de lecture, d'écriture, de catéchisme et au paiement de sa place, elle pouvait espérer un salaire journalier de 2 sols 9 deniers environ, sur huit mois de l'année, car l'atelier fermait ses portes en août pour les récoltes, puis de décembre à février pendant les froids.

A. Smith a souligné dans un texte célèbre que l'homme en société « promeut constamment des fins qui ne font pas partie de ses intentions ». L'analyse dont Marx et Weber donnèrent des confirmations brillantes et diverses qualifie fort bien également le développement des ateliers. D'un côté le fondateur, M. de Manneville, « ne veut que retirer les cent cinquante livres qu'il donne à Mme Duval » et il prête le local. Son bon vouloir ne fait pas de doute. Mais les règlements de la fabrique instituent la directrice dans le pouvoir de prélever un profit appréciable sur le travail des enfants et l'arment d'une autorité absolue. On ne distribuera aucun métier ni la moindre poignée de fils hors de la manufacture pour que les ouvrières persistent à acquitter le prix des places ; l'absence d'une demi-journée fera perdre la vacation entière, mais à la tombée du soir, les chandelles s'allumeront aux frais des travailleuses qui œuvrent « en silence et avec modestie ». La maîtresse renverra celles qui la mécontenteraient et si leur « méchanceté » est en cause, elle gardera pour elle le métier à dentelle qu'elle leur doit. La meilleure des fondations était également une entreprise profitable ; d'ailleurs chacun se laissait gagner à cette insensible transformation. Si la rotation des effectifs s'accélérait, les fondateurs soulignaient les bons côtés de la conjoncture, « ces enfants instruits en instruisirent d'autres chacun dans leur voisinage », écrivait le curé de Cléville de sa propre manufacture et il se réjouissait de la disparition de ces « pelotons d'enfants ... qui livrés à la fainéantise ... se répandoient dans les environs » [237]. Si les filles ne suffisaient plus à la demande commerciale, on prenait les garçons sous le couvert des mêmes arguments (ils ne sont plus désormais « absolument oisifs ») et quelle que soit leur fonction professionnelle ultérieure.

On ne saurait trop souligner la portée économique de ces ateliers d'apprentissage. Bien entendu, les jeunes ouvrières étaient destinées à se disperser au bout de cinq à dix ans pour devenir des travailleuses à domicile. Mais elles avaient, chemin faisant, grossi les profits d'un secteur en expansion. D'autre

235. Arch. dép. Calv., E, fonds Gosselin de Manneville, 1760-1786.
236. Moyenne des âges à l'entrée : huit ans et demi.
237. *Ibid.*, C 615, Lettre du 17 février 1778.

part, la lutte contre l'oisiveté doit être débarrassée de ses attendus édifiants ; avec elle apparaît un fait économique important : c'est la mise au travail des enfants sous une forme socialement organisée et très différente de l'aide familiale non rémunérée qui l'emportait auparavant. L'entrée dans le circuit monétaire de cette main-d'œuvre enfantine sur laquelle s'appesantit la rudesse conjuguée des pressions sociales et familiales, coïncide, de 1750 à 1841 — au moins jusqu'à la loi défectueuse du 22 mars[238] —, avec les premiers pas industriels du pays.

Comment en apprécier l'influence sur la dimension des ménages ? En tout cas les paradis de l'enfant ne passeront plus désormais le premier lustre de la vie. Le règlement que Mme Bardel, dentellière caennaise, transportait avec elle dans sa manufacture versaillaise laisse présager l'effort qui devait être imposé à des organismes immaturés[239]. A peine écourtée en hiver — par économie de luminaire — la journée commençait à 6 heures et finissait à 20 heures pour être suivie du nettoyage des locaux. Entre-temps, dix heures et demie de travail compté à l'horloge et deux heures d'instruction élémentaire attendaient les petites filles de 6 à 15 ans. L'atelier du XVIIIe siècle préfigurait donc les formes du travail en usine, l'usine moins la machine, mais avec l'agglutination de la main-d'œuvre, la mesure des temps, la discipline et les punitions d'atelier. La manufacture des enfants annonce à la veille de la Révolution la « machinofacture » où, vers 1830, se retrouveront hommes et femmes mûrs des mêmes générations. Elle prépare le terrain de greffes industrielles déchirantes pour la tradition et lorsqu'on oublie — avec effort — les mutilations sociales qu'elle a suscitées, on dira qu'elle fut sûrement exemplaire.

L'industrie de la dentelle introduit encore deux autres traits de modernisme dans l'économie urbaine.

Par exemple, la coupure complète entre la conception et l'exécution du travail, le dessinateur de modèles et l'ouvrière ; son corollaire est la spécialisation des dentellières elles-mêmes. Jamais dans la draperie, les toiles ou le tissage des bas le salarié ne s'est trouvé sous une dépendance si pure. C'est en effet l'entrepreneur qui devient ici le chef d'orchestre de cette division du travail le long de laquelle le matériau ne redevient pas marchandise : du travail seul est vendu. D'abord chaque maison possède sa carte d'échantillons et ses patrons qu'elle distribue aux ouvrières, bientôt celles-ci s'attacheront à un modèle unique pour augmenter leur cadence. Les dentelliers Pigeon-André écrivent, par exemple, à un client de Bernay, en 1769 : « Je vous prie encore de faire en sorte de m'envoyer le bout de mignognette [c'est un type de dentelle] ... afin que je vous la fasse faire, vu qu'il ne m'a point été possible d'en avoir le patron parce que l'ouvrière qui la faisait est morte »[240]. A l'atelier d'apprentissage de Noyers, les enfants mêmes se spécialisaient en grand milieu, en champ et coude noir (les « blondes » noires sont de fil de soie), en milieu élongé ou pressé, etc.[241]. On connaissait encore le petit pied (ou « picot » pour les robes et poignets), la dentelle à béguin, les

238. P. Pic, 2e éd., 1902, p. 542, paragr. 767.
239. P. Bienvenue, 1954.
240. Arch. dép. Calv., 3 Ua 636, correspondance active, 24 octobre 1769.
241. *Ibid.*, E, fonds Gosselin de Manneville.

bouquets détachés, les croix de Malte, le pavé... Le marchand André faisait faire des dessins à Paris, à Dieppe : « Vos dessains de mode ... le plus tôt qu'il vous sera possible », quand il ne copiait pas les échantillons de la cour ou les modèles d'Alençon ; il écrit à Denne, un confrère établi au bourg du Sap, en 1786 : « Nous n'en avons pas (d'échantillon) qui approche de ces dessains, nous avons essayé de les faire monter à quelqu'une de nos ouvrières... » [242]. La diffusion des modèles est d'autant plus aisée que les merciers ne font pas seulement fabriquer, nous le verrons, mais négocient toutes sortes de produits étrangers ou font assembler à l'aiguille des éléments de provenance hétérogène.

Ainsi le porteur d'invention — le dessinateur ou l'entrepreneur lui-même — devient l'artisan du succès. La réalisation n'est plus jamais son fait ; dans cette branche, d'ailleurs, le « travail professionnel » du textile classique a disparu, il ne s'agit plus que de trouver une main-d'œuvre spécialisée et c'est peu de chose. La directrice de Noyers estimait que quatre jours suffisaient à mettre une dentellière à son métier : quarante heures d'initiation après lesquelles ne comptera que la rapidité du travail. Dès que se manifeste historiquement la séparation du cerveau et de la main, celle-ci est asservie ; cette aliénation se rattache aux rapports financiers noués entre les agents de la production, mais les déborde avec la force d'une contrainte extérieure à la structure sociale. Finalement, ce n'est pas l'homme que la machine remplaça, mais l'homme-machine.

Enfin, dernier signe prophétique de la branche : une période de consommation originale. R. Barre a souligné dans sa thèse l'intérêt de dresser la hiérarchie des biens selon la durée de leur emploi [243] ; une enquête de ce genre éclaircirait sans doute les aspects peu parlants de la conjoncture. Mais il s'agit ici d'autre chose : de structure. La « mortalité » des objets apparaît, en effet, très différente selon le niveau de l'économie. Dans la société du XVIIIe siècle dominée par l'agriculture, tous les biens de consommation, excepté la nourriture, *a fortiori* tous les biens de production, durent très longtemps et cette longévité engendre l'élasticité de la demande. Il existe évidemment un domaine où cette remarque ne s'est jamais appliquée : le marché de luxe. Dans les milieux les plus raréfiés de la cour et de la ville, la décision d'achat paraît venir de l'opinion des consommateurs isolés ou groupés : on renouvelle rapidement l'objet parce qu'il est démodé. Bien sûr, la réalité est inverse, les biens se démodent parce qu'il est possible de les renouveler, mais peu importe ; dans cette classification, les dentelles forment une branche originale parce que, devenues de consommation courante, elles gardent en même temps les traits obsolètes du luxe. Sur le premier point, aucun doute, tableaux, gravures, documents d'archives et jusqu'au linge des enfants abandonnés, tout atteste l'universalité de leur usage : les coiffes des paysannes, les robes et fichus des bourgeoises, le linge des demoiselles, les plastrons et poignets des citadins. La correspondance commerciale des dentelliers éclaire assez la deuxième assertion. Rarement le succès des mêmes modèles passe l'année. Le trimestre est entré dans le temps économique. La maison Drogart-Morand, à Tournay, se plaignait en 1788, par exemple, d'avoir reçu le rebut des marchandises

242. *Ibid.*, 3 Ua 636, Lettre du 2 mars 1786.
243. R. Barre, 1950, p. 94 sq.

de Caen : « Nous vous prions de nous envoier *de suite* des échantillons de ce que vous avés *de plus nouveau* ... de nous l'expédier *de suite,* mais plus par l'entremise de Melle Masson, je veux les avoir *droit à mon adresse pour ne point être dans le cas d'attendre* deux ou trois mois » [244]. Pour accélérer la diffusion des cartes de modèles, les marchands s'entendaient à ne pas les renvoyer à leur propriétaire et les passaient de mains en mains. En 1782 les albums de la maison André feront le tour de Valenciennes selon une chaîne de correspondants entendue d'avance [245].

Dans la dernière décennie, les négociants n'avaient plus cette patience et pour éviter les allées et venues du courrier, faisaient expédier tout droit des ballots d'assortiments complets ; ils choisissaient puis renvoyaient les invendus, quitte à tromper un peu les messageries : « Déclarer boutons, et faire attacher à la ficelle deux ou trois boutons pour leur confirmer que c'est véritablement des boutons ; comme dentelle ... cela me couste moitié plus de port » [246]. Déjà la fébrilité professionnelle donne le ton comme si le XIXe siècle sonnait à l'horloge : « Vous me dites que [ma nièce] serait charmée de me voir, mais il me serait bien impossible vu que nos occupations sont sy continuelles que, à peine puis-je faire un pas dans la journée ; encore est-il presque 3 heures après midy que ma femme et moy nous n'avons pas encore goûté » [247], griffonne à la hâte un marchand entrepreneur.

Et lorsque le cycle trimestriel de la dentelle (dessin, achat de fils, exécution, assemblage, offre et vente) semble se ralentir un temps comme dans les années 1780, la manipulation du marché de luxe paraît aux principaux négociants le meilleur moyen de relancer les produits courants. Les archives d'Elie de Beaumont montrent bien cette double appartenance [248]. Des contemporains avisés avaient perçu l'attrait que l'image du produit exerce sur les consommateurs ; les commerçants huguenots de la place Royale, La Fosse-Chatry en tête, firent composer des mémoires au meilleur publiciste de la région, Elie de Beaumont (l'ami de Voltaire, l'avocat de Calas), le duc d'Harcourt les distribuait à l'intendant, au duc de Coigny, à Mme de Lamballe ou à la comtesse de Polignac. Mais surtout, ajoute La Fosse : « Dites à Madame Bertin d'inoculer (à la reine) le goût des « blondes » et qu'elle en mette partout où elle pourra, elle fera seule autant que tous les ministres, c'est dans son goût ... que des milliers de malheureuses femmes et filles trouveront les secours indispensables. »

« Vendre » des dentelles à la reine, c'est aussi, pour deux sous de blondes, vendre un « port de reine » aux soubrettes de la ville. Cette petite opération de magie commerciale emprunte déjà, avec l'inoculation, les miettes scientifiques de son temps. C'est un trait du langage de la publicité.

Pourtant l'exemple frôle le paradoxe. La moins mécanisée des branches n'est-elle pas celle qui suscite aussi, dans ses établissements pionniers, les

244. Arch. dép. Calv., F, fonds André, correspondance passive, Lettre du 6 septembre 1788.
245. *Ibid.,* 3 Ua 636.
246. *Ibid.,* Correspondance active, Lettre du 6 juillet 1774.
247. Lettre du 13 février 1773.
248. G. Le Sage, 1909, pp. 429-436, notamment les lettres des 19 juillet et 30 juillet 1779.

ateliers, les formes sociales les plus proches du monde industriel ? La surprise s'atténue lorsqu'on se souvient de leur rôle pédagogique. La finalité était d'y préparer une main-d'œuvre abondante et experte et leur recette, la concentration du travail en l'absence de concentration du capital. En un mot, les « industriels » avaient appris à gouverner le travail bien avant de gouverner l'énergie mécanique[249].

Cette solution était d'ailleurs inscrite dans la composition organique des finances nécessaires à la production des dentelles. L'investissement y était presque nul. Le coussin ou « tambour » avec ses fuseaux — les bloquets — revenait à 36 sols auxquels s'ajoutaient 2 sols d'épingles destinées à retenir les fils entrelacés sur le modèle de papier[250]. Aucune usure n'était à prévoir. Les matières premières — et les plus précieuses telles que la soie — comptaient pour une part modeste. Les ateliers d'enfants, où le travail était bien plus faiblement rémunéré que celui des ouvrières chevronnées, en donnent une certaine idée : à Noyers, en 1766, le capital circulant comprenait 78 % de salaires contre 22 % de fournitures. Il est vrai qu'ici, on démonte et remonte le fil à des fins pédagogiques, mais à l'hôpital les achats de fibre ne dépassaient pas le tiers du produit de la manufacture lorsque les relevés nécessaires ont été établis entre 1715 et 1720.

D'ailleurs, en organisant socialement le travail, n'était-il pas possible d'obtenir un rendement supérieur à celui qu'on pouvait espérer du progrès technique ? Dans ce débat ouvert par Babbage au XIXe siècle, les manufactures de dentelle tiennent pour le premier point et le Caennais Longuet, lorsqu'il construisait sa machine, pour le second. La première solution l'a emporté : en France, contrairement à l'outre-Manche, une relative abondance de main-d'œuvre a longtemps compensé l'investissement et cette règle reste vraie bien que la dentelle normande ait partiellement conquis sa main-d'œuvre sur le reliquat du textile[251].

D'importantes conséquences pour le profit découlent, en effet, de cette faible intensité du capital requis. A. Barrère a montré d'abord que le bénéfice moyen par unité investie était en pareille circonstance d'autant plus élevé[252]. Puis au fond le raisonnement à la marge et l'analyse marxiste rendent compte, sans se contredire, du succès de l'industrie dentellière. En expansion des ventes, l'embauche d'une ouvrière supplémentaire ne coûtait pas cher et l'élasticité de l'emploi, accru de la réserve enfantine, reculait très loin l'apparition des rendements d'entreprise décroissants. En même temps l'augmenta-

249. S. Moscovici, 1968, pp. 545-546, analyse habilement les rapports alternatifs qui s'établissent entre les ressources « naturelles » et les savoir-faire, « Les premières ne peuvent être obtenues qu'en présence des seconds. »

250. Les renseignements qui suivent sont extraits des archives déjà citées : manufacture de Noyers, hôpital général, dépôt de mendicité de Beaulieu, fonds Pigeon-André.

251. Ch. Babbage, 1834, en trad. fr., pp. 375-376. Sur la mécanique à dentelle, voir au début de ce chapitre les remarques consacrées à l'innovation. Sur ce rôle de la main-d'œuvre, se rencontrent à la fois l'historien M. Lévy-Boyer, avril-juin 1968, pp. 281-298, et l'économiste J. Mouly, 1963, n° 3, p. 462 sq.

252. A. Barrère, janvier 1959, pp. 22-43. L'auteur définit l'intensité de capital comme le rapport anticipé entre la dépense d'équipement et la dépense totale pour la production (équipement + salaires de la main-d'œuvre supplémentaire qui l'utilise).

tion du capital variable distribué produisait celle de la plus-value ; elle-même alimentait à son tour pour une part plus appréciable qu'ailleurs l'emploi, donc le capital variable, et ainsi de suite.

Le profit « limite » des ateliers est calculable. Mais guère celui des entreprises privées malgré les archives saisies en faillite après la Révolution : les registres de vente y étaient mieux tenus que les cahiers-journaux qui relatent l'achat des matières premières et la rémunération des ouvrières, trop de feuilles volantes jettent ici une perturbation continuelle. Au dépôt de mendicité de Beaulieu, en 1773-1775, le bénéfice net mensuel des entrepreneurs représente en moyenne 138 % des coûts de production dans le même temps [253]. Des profits si élevés en découlent, après qu'on ait déduit encore la rémunération du travail de l'entrepreneur, que seule la structure hospitalière les explique : la mansuétude royale assurait le vivre et le couvert des ouvrières, leur salaire était fixé au 1/6ᵉ de la différence entre le prix de vente des ouvrages et celui des matières premières ; c'est une règle dont l'arbitraire est complet au regard de la pratique économique et de semblables taux donnent aux manufactures hospitalières leur qualité motrice dans la production courante, sans en faire des entreprises témoins de la branche.

Aussi bien, des années quarante à la Révolution, la fabrication des dentelles est sortie des ateliers. Aucune entrave corporative ne l'avait jamais gênée, la restauration des corps de métiers en avril 1779 [254] consacra en même temps la liberté formelle de l'ouvrière et sa sujétion au fabricant puisqu'elle ne pouvait commercialiser le produit de son travail au grand jour :

> « N'entendons comprendre dans les dispositions [de l'Edit] le métier de couturière, celui d'ouvrière en linge, en broderie et *en dentelle,* permettons aux filles et femmes d'exercer librement les dits métiers sans même être tenues d'en faire leur déclaration, *pourvu qu'elles ne tiennent pas boutique ouverte.* »

L'Etat institue par conséquent le groupe des entrepreneurs en gestionnaire financier de la branche. Voici les vrais patrons de cette grande manufacture invisible qui rassemble la main-d'œuvre dispersée aussi solidement que le feraient les murs de l'usine.

Partant, la ventilation des tâches se conformera grossièrement à la logique économique. Les dentellières de la campagne, plus difficilement accessibles aux fluctuations de la mode et aux ordres des marchands, moins expertes aussi, étaient affectées aux articles de série, les bordures par exemple. Les remarques d'un facteur occasionnel d'André, lorsqu'un client revint en avril 1789 sur un grosse commande de 900 mètres de lisière, illustrent la viscosité du processus, « les 48 ouvrières sont dispersées dans divers villages à trois et quatre lieues à la ronde, je n'ay point d'autres ressources ... que de démonter [l'ouvrage] à mesure qu'elles vont me le rapporter » [255] ; or cet homme demeurait à Etrepagny, près des Andelys : l'entreprise s'était dilatée

253. Arch. dép. Calv., C 701.
254. Texte de l'édit, *ibid.,* C 6405.
255. *Ibid.,* F, fonds André, 30 avril 1789.

aux dimensions de la province. En revanche le travail fin, l'assemblage, les demandes pressantes étaient réservées à la main-d'œuvre la plus proche, mieux payée peut-être parce que plus fidèle et surtout régulière, mais constamment pressée, menacée aussi par l'immense armée de réserve des campagnes.

Cependant l'emploi est demeuré vigoureusement rassemblé en ville : l'agglutination offrait l'occasion d'économies externes supplémentaires par l'effacement du transport ou la faculté de trier la main-d'œuvre. Toute entreprise nouvelle puisera longtemps dans ce volant d'ouvrières. Inexistantes au milieu du siècle, les dentellières formaient ainsi en 1792 une masse compacte de 1 635 salariées, 84 % de tout le textile ; il faudrait ajouter à cela les ouvrières occasionnelles qui ne se sont pas fait recenser comme telles, une quantité indéchiffrable mais probablement très élevée. Le textile autrefois masculin est devenu sous cette espèce une activité féminine. L'identité de la population employée demeure très partiellement puisque les fileuses, apprêteuses ou calandreuses des draps ou de la bonneterie sont conquises, mais l'offre de travail a mis beaucoup de femmes supplémentaires au métier, et le déclin des secteurs anciens jeté bien des hommes au chômage. Derechef, l'influence de ce nouveau cours des choses sur la dimension des familles n'était peut-être pas négligeable. En tout cas, les prospérités du textile ont bien pu se succéder, les mêmes travailleurs en ont rarement profité. C'est une vieille règle économique, que des fractions toujours nouvelles de la population se lèvent les unes après les autres vers un peu plus d'aisance sans pouvoir assurer leur pérennité par un glissement professionnel opéré en temps opportun. Le même phénomène de substitution se retrouvera à plus forte raison dans la classe des entrepreneurs, mais pour l'exposer, il faut saisir en même temps l'histoire dynamique de la branche entière.

L'enregistrement du produit de l'industrie dentellière n'a jamais été effectué. Une estimation de l'inspecteur des Manufactures Morel le porte annuellement à quatre millions de livres dans les années soixante-cinq, pour la ville secondée de sa campagne. L'aire considérée est vague et le chiffre hypothétique. Mais le renseignement, fût-il tenu pour un ordre de grandeur, indiquerait que cette activité avait pris peu à peu une place éminente dans la création des richesses urbaines, loin devant le reste du textile. Les indicateurs numériques et les témoignages écrits disponibles ne contredisent pas ce jugement, même s'ils ne sont pas en mesure de ratifier le niveau suggéré en termes absolus. A défaut du volume de la production, essayons au moins de percevoir un rythme d'évolution.

Les comptes de l'hôpital général Saint-Louis fournissent un bon thermomètre de ce mouvement ; la sensibilité de l'instrument me paraît facile à établir ; Des origines à l'épanouissement de la dentelle, les manufactures hospitalières se trouvèrent les mieux placées des entreprises pour accuser l'essor global du métier, grâce à l'abondance de la main-d'œuvre comme à son très faible coût ; ainsi leurs ateliers de filature ou de boutons s'effacèrent progressivement devant cet appel exigeant. Mais lorsque la prospérité dentellière s'établit, les sources d'approvisionnement, les circuits de vente se compliquèrent, les exigences de la clientèle en matière de dessin s'accrurent ; l'entreprise « charitable » était distancée : sa finalité est aussi ailleurs, elle ne fournit à l'hôpital que des ressources d'appoint, ne produit que des pièces de qualité courante, annonce le travail des prisons au XIXe siècle. Dès lors, elle enregistrera avec finesse la nouvelle orientation structurelle de l'industrie par une cassure de son propre rythme. Après cette entrée du marché dans une autre dimension, les fluctuations de la fabrique hospitalière traduisent bien encore un mouvement économique effectif, mais il ne serait pas étonnant qu'il varie à contretemps. En effet, la clientèle se repliera sur les articles courants, bon marché lorsqu'elle boudera par nécessité la dentelle fine des fabricants. Malheur des merciers, bonheur des hôpitaux ; la prospérité des ateliers se logera dans les creux du mouvement général.

On doit revenir au produit de la manufacture Saint-Louis, voir si les mécanismes économiques généraux et les documents littéraires permettent de souscrire à ces hypothèses [256].

Il faut regretter l'absence d'un compte détaillé en volume qui est impossible à dresser, la vie éphémère des variétés de dentelle y fait obstacle. Le produit en valeur n'inclut pas des coûts salariaux indépendants (rappelons-nous le mode particulier des rémunérations), ni même un taux de profit capricieux (car la variation des coûts marginaux est tamisée par la nature hospitalière de l'institution), mais des prix de matières premières dont nous connaissons, pour le lin du moins, la hausse annuelle [257]. Cependant, bien que la manufacture ne soit pas sortie des qualités courantes, nous ne savons pas si la part des matières dans la ventilation du prix de vente est restée ce qu'elle était en 1715-1720 où elle représentait 31,3 % du total. On s'abstiendra de pondérations dont le principe, parfaitement justifié, conduirait à des résultats incontrôlables. La courbe brute en valeur majore progressivement la production réelle d'une certaine fraction, cela est certain. Mais si le rapport coût de matières premières/chiffre d'affaires était stable (il est probable que le perfectionnement des modèles tend à le faire baisser), la majoration ne dépasserait pas un quart *in fine* et ne remettrait pas en cause l'allure de la courbe.

Les années 1771-1772 partagent le mouvement de la manufacture en deux périodes fort différentes. La première est celle d'une croissance continue, à peine interrompue de 1765 à 1768 par une légère régression. Après 1771, l'élan est cassé, la production oscille en valeur de part et d'autre du même niveau.

Des témoignages dispersés attestent unanimement que cette première phase coïncide avec la prospérité de l'ensemble de la branche. Au début du XVIIIe siècle la dentelle n'intéressait personne ; le peu qui s'en faisait était négocié par les riches merciers et les passementiers de surface plus médiocre ; les uns et les autres parvinrent aisément en 1715 à contenir les visées des boutonniers, également besogneux, sur ce commerce. Le changement s'amorça dans la décennie quarante, au moment où se confirmait le déclin du textile urbain. En vingt-cinq ans, le succès fut prodigieux. C'est en 1765 que les dentelles sont cotées pour la première fois en foire. L'inspecteur des Manufactures jetait alors ce regard significatif sur l'histoire du métier :

256. Produit de l'hôpital d'après le registre des ventes, cf. G. Noé, 1910, pp. 32-33. Cf. annexe 13.

257. Voir en annexe 13 le prix du fil de l'hôpital. Pour 1715-1720, la part des matières premières dans le produit est minutieusement calculée dans Arch. dép. Calv., C 635.

« En examinant ce qu'étoit jadis la fabrique de dentelles à Caen, on voit qu'elle ne consistoit qu'en une espèce de picot pour attacher aux poignets des chemises ; on doit à présent regarder cette branche d'industrie comme nouvelle car on est parvenu à imiter très bien les dentelles des Flandres et d'Angleterre. » [258]

Conséquence : depuis 1766, les merciers cherchent à obtenir le monopole de l'activité, désormais trop intéressante pour être partagée ; c'est le sens d'une longue action judiciaire contre les passementiers qui s'engage au tribunal de police et gagne rapidement le parlement, puis le conseil du roi, avant d'être renvoyée à l'intendant, assez favorable à la concurrence de tous. Aussi les entrepreneurs de dentelle étaient dix-huit en 1750, puis quarante-six en 1776 [259] ; à ce groupe d'activité exclusive s'ajoutaient plusieurs centaines de merciers et passementiers, fabricants et vendeurs occasionnels alléchés par une demande supérieure à l'offre.

Le changement structurel diagnostiqué dans les comptes de la manufacture Saint-Louis a-t-il bien eu lieu vers 1771-1772 ? Plusieurs éléments semblent le confirmer. Il est certain qu'il a été précédé d'une baisse générale des ventes qu'on a pu croire d'abord cyclique. L'état des foires l'enregistre avec sensibilité depuis 1768, bien que les quantités échangées à cette occasion soient résiduelles en face du marché annuel [260] :

Vente des dentelles à la foire (en livres)

	Marchandises	
	apportées	*vendues*
1765	60 000	40 000
1766	150 000	80 000
1767	140 000	75 000
1768	105 000	57 000
1769	110 000	60 000
1770	100 000	54 000
1771	70 000	40 000
1772	68 000	37 000
1773	64 000	35 000
1774	62 700	36 000
1775	60 000	36 000
1776	62 000	39 000
1777	65 000	42 000
1778	66 000	40 000
1779	68 000	45 000
1780	68 000	48 000

258. *Ibid.*, C 2912, Mémoire du 24 mai 1766.
259. *Ibid.*, C 5537.
260. G. Noé, 1910, p. 42, et Arch. dép. Calv., C 1363, C 2990.

Les premières faillites des merciers empêtrés dans leurs fusettes apparaissent en 1769. En 1771 enfin, un premier bilan paraît possible à l'inspecteur :

> « Les dentelles de fil et de soie ont beaucoup diminué et il y a lieu de craindre encore de plus grandes diminutions car la fabrication s'en ralentit visiblement de jour en jour ; quantité de dentellières manquent d'ouvrage, un atelier de 300 de ces ouvrières vient d'être fermé à Caen. » [261]

L'intendant conclut deux ans plus tard : « La situation ... est critique depuis la chute de la manufacture de dentelles qui faisait subsister plus de 20 000 personnes dans la ville de Caen et au moins 20 000 dans les paroisses de l'élection » [262].

Par sa longueur, cette crise dépasse les fluctuations que la fabrique avait connues jusqu'ici : les ventes en foire ne commenceront à reprendre qu'en 1776. Mais son mécanisme également est original. L'hypothèse théorique qui en rend le mieux compte semble s'apparenter à la toile d'araignée des économistes [263]. Il est visible en effet que la capacité de production, sous l'effet du gonflement de la main-d'œuvre, vient de dépasser l'élasticité de la demande. Cet afflux sur le marché de l'emploi avait été enregistré par Morel en 1771 : « La plupart des filles et femmes du peuple de la ville et de la campagne n'ont point d'autres ressources que leur métier à dentelle. Plus des deux tiers des bourgeoises et même quantité de pauvres personnes de condition sont dans le même cas. » En sens inverse, le marché s'était simultanément refermé avec les restrictions temporaires apportées en Angleterre à l'introduction des dentelles normandes [264].

Une offre trop abondante a entraîné la chute des prix : c'est dans les deux sens (baisse des ventes, baisse des prix) que s'interprètent les propos de l'inspecteur relatés plus haut ; la chute des prix provoque à son tour le resserrement de la production, mais ce dernier prépare un renchérissement prochain qui stimulera la reprise des fabriques, etc.

Ces mouvements isostatiques des prix et de la production précèdent l'invention d'une nouvelle vitesse de croisière, c'est-à-dire une autre structure de la branche, mais ils sont plus compliqués dans la réalité. Notamment parce que le rythme propre de la dentelle rencontre celui des matières premières, en désaccord avec lui dans le temps.

261. J. C. Perrot, 1957, p. 225 ; Arch. dép. Calv., C 1362, Mémoire du 14 juin 1771.

262. Correspondance de l'intendant, février 1773, *ibid.*, C 2626.

263. H. Schultz, Tinbergen, U. Ricci sont, d'après R. Barre, 1950, les premiers économistes à avoir proposé cette explication. Cf. chez ce dernier les « Problèmes théoriques de l'analyse de développement », p. 173 sq.

264. Arch. dép. Calv., C 2912 ; l'intendant écrit en mars 1773 au contrôleur général : « Je crois que, s'il est possible par quelqu'un des moyens indiqués dans le Mémoire des négociants [ce dernier texte est perdu] ou par d'autres que vous jugerez [à] propos, d'engager le gouvernement d'Angleterre à se relâcher de sa sévérité sur cette branche de commerce, l'émulation et l'encouragement renaîtront... on m'assure d'ailleurs que les négociants anglois font aussi des démarches auprès de leur ambassadeur, pour le même sujet. »

Reprenons, par exemple, l'examen des belles années 1771-1772. La production courante symbolisée par les courbes de Saint-Louis atteignait des sommets qui ne seront pas retrouvés d'ici longtemps. La pression de la demande de matières premières en 1771 et les anticipations pour les années suivantes ont provoqué une hausse moyenne de 6 % du fil de lin, effective en 1772. Cette augmentation persiste en 1773, alors que les ventes puis la production chavirent au creux de la vague, ce n'est qu'en 1774 que le prix du fil baisse paresseusement de 3 % alors que la fabrique commence à repartir. La même discordance apparaît plus fortement entre 1786 et 1789 à travers une hausse de 14 % du fil, couplée depuis 1787 avec la chute du marché courant. De tels cisaillements étaient parfaitement ressentis. En 1773, le maître en dentelles Pigeon écrivait à la maison Hendrik Blom de Haarlem : « Vous me parlez... de faire une augmentation sur vos fils, faites je vous prie votre possible pour m'envoyer encore ce baril aux mêmes conditions ordinaires ... Car les pauvres ouvrières qui l'emploient sont dans la dernière des misères », et un peu plus tard dans l'année, « si faire se peut ... ne point l'augmenter ... car je ne sais comment m'y prendre pour parler aux pauvres ouvrières de leur enchérir le fil » [265].

Voyons maintenant les conséquences de cette cassure jusqu'à la Révolution. Quelle adaptation de structure la crise allait-elle entraîner ? Deux ripostes au fond se sont enchaînées, leurs effets concourent d'ailleurs au même résultat. 1) Un réflexe instinctif porta les dentellières, dès les premiers symptômes de ralentissement, à abandonner le fil de lin. « Les ouvrières quittent tous les jours le fil et prennent la soie », écrit un entrepreneur dès l'été 1772. Le prétexte invoqué est classique, nous l'avons rencontré autrefois dans la draperie et la bonneterie, le fil est trop gros, il n'est pas assez blanc [266]. En réalité, la production courante est remise en question. Pigeon constate comme ses confrères, en 1778, que les ouvrières ne veulent plus faire de dentelles à poignets, le vieux « picot » de jadis [267]. La main-d'œuvre s'est convertie spontanément au produit de luxe où elle trouve une rémunération plus élevée et sur le marché duquel sa dextérité ancienne la place avantageusement.

2) Une telle issue devait s'accompagner d'un virage identique des fabricants pour ne pas conduire à la catastrophe. Or leur clairvoyance, aiguillonnée par l'intérêt, permit cette adaptation, une des rares réussites industrielles de la ville. Pourtant l'ironie, mais aussi la nature profonde de l'économie urbaine, veulent que cette réussite ait été commerciale avant tout. Et cela se comprend. Aux niveaux immaturés où se situe l'agglomération, la faiblesse de la demande régionale déprime un jour ou l'autre la production des biens superflus. Pour que celle-ci se développe indépendamment des indices agricoles et manufacturiers locaux, il convient que s'étende le marché extérieur. De tels mouvements ne sont pas incompatibles avec une économie presque stationnaire par ailleurs ; ils en expriment la vérité essentielle, nous l'avions déjà

265. *Ibid.*, 3 Ua 636 et F, fonds André, Lettres du 12 mai et du 16 septembre 1773 ; orthographe restituée.

266. *Ibid.*, Correspondance Pigeon, Lettres du 18 mai 1772, 17 mars et 22 septembre 1774 ; 14 mai 1777 ; 3 septembre 1778, etc.

267. *Ibid.*, Lettre à Malafait, 3 mai 1778.

rencontrée dans le microcosme corporatif où les métiers s'acharnent à « entreprendre » les uns sur les autres.

Il y eut donc deux générations successives de fabricants entre 1750 et 1789 ; la seconde apprit à sortir de sa province. Aventure périlleuse : tant de fabricants dentelliers gisent depuis 1775 dans les archives de faillites. Pestel l'aîné, 63 500 livres de dettes commerciales contre 14 000 livres de marchandises et un fonds de 21 000 livres ; Roussel, passementier, 58 600 livres de dettes pour 24 000 livres en boutique ; Benard l'aîné, 17 638 livres ; les Levandier frères et sœur, 39 500 livres ; Roullier, 103 300 livres de dettes contre 52 000 livres de marchandises ; La Rivière, Lambert, Caly, de 20 000 livres à 30 000 livres ; Briand, 59 000 livres, etc. [268]. Mais les archives Pigeon-André nous permettront de suivre avec quelques détails de plus l'histoire d'une petite dynastie dont le roman économique exemplaire pourrait aussi s'appeler *Père et Fils.*

Lorsque le fondateur de la maison meurt en 1777 « d'une goutte remontée à la poitrine », c'est une affaire qui paraît touchée de longue date par le renversement de 1771-1772. Le chiffre d'affaires annuel, tiré des registres de comptes, est éloquent [269] :

	(*Livres*)		(*Livres*)
1767	15 530	1779	6 480
1768	16 686	1780	3 682
1769	18 587	1781	4 874
1770	18 893	1782	3 658
1771	15 813	1783	13 291
1772	19 340	1784	21 820
1773	13 260	1785	18 338
1774	17 169	1786	25 808
1775	17 025	1787	30 103
1776	13 753	1788	29 807
1777	10 169	1789	37 623
1778	6 740		

268. Respectivement faillites du 29 mars 1775 ; 7 mars 1776 ; 7 mars 1777 ; 2 octobre 1778 ; 16 janvier 1778 ; 23 janvier 1781 ; 18 octobre 1781 ; 11 décembre 1781 ; 8 octobre 1781, Arch. dép. Calv., série 13 B.

269. *Ibid.*, F, fonds André, 3 Ua 636-637 et 3 Ua 660. Depuis mon article imprimé en 1957, j'ai pu retrouver le registre « brouillard » qui m'a permis de compléter le compte de 1789, d'où la différence de 8 086 livres qu'on peut voir. Les documents disponibles sont les suivants : Le *registre brouillard* (1765-1774, 1782-1790) est utilisé au cours de la journée comme un calepin de brouillon ; tout y est inscrit en vrac, envois, ventes en boutique, prêts d'argent, de fil, comptes des dentellières, mais il existe aussi des feuilles volantes ou des billets agrafés ; les articles sont destinés à être recopiés chaque soir sur le Journal, ils seront alors biffés. Le *Journal* (1768-1791) met au net les opérations précédentes. Le *Grand livre* (1782-1790) établit sur deux colonnes, débit-crédit, la balance de chacun des commerçants en rapport avec la maison, le solde est calculé de temps à autre et réglé par billet ou lettre de change. Le *Registre d'achat* détaille les acquisitions avec aunage, les prix, le mode de paiement. Chaque type de dentelles porte un numéro qui se rapporte au *Catalogue d'échantillons,* sans date, mais certainement contemporain des années 1780-1790. La *Correspondance passive* est classée par ordre alphabétique ; on possède un registre de *Correspondance active* (copies de lettres envoyées) de 1789 à 1793.

Mais en 1782 un jeune entrepreneur, André, entre par mariage dans la maison et ressuscite la prospérité de l'affaire. Au prix de quel renversement structurel ? De 1772 à 1789, la comparaison des meilleures années de chaque génération peut faire saisir la nature de ce sauvetage.

Le trait le plus frappant de l'entreprise primitive était en effet son ancrage provincial, par conséquent la double dépendance des sources d'achat et des points de vente. Lorsque le fil de lin ne provenait pas des campagnes normandes, il passait presque nécessairement par la porte commerciale rouennaise qui draine la production flamande et picarde ; de son côté, le marché de la soie se ramassait sur les foires, Guibray notamment, que fréquentaient régulièrement les Tourangeaux, les Parisiens et les Lyonnais. A l'abri de ces verrous régionaux, la puissance des intermédiaires fut sans partage et la rigidité saisonnière des flux de matières premières totale. Or la géographie des achats guidait également celle du négoce. Les relations d'affaires nouées en amont se monnayaient pour l'écoulement des dentelles en aval, si bien que l'aire des ventes piétinait en retour devant les mêmes portes. La carte de 1772 met en évidence cette réplique commerciale de l'approvisionnement :

Répartition des ventes

	(%)
Caen	15
Aire rouennaise	37
Pays d'Auge et plaine de Neubourg	14
Aire de la foire de Guibray : Perche, Maine, Alençonnais	21
Marges bretonnes	8,2
Cotentin	4,8

La crise a donc contraint les entrepreneurs en dentelles à périr ou à franchir l'obstacle ; suivons le jeune André dans ses efforts d'adaptation. Pour les matières premières, il s'agit d'aller à la source : Amiens, Lille, Tournai, Rotterdam, Haarlem lui fournissent le lin depuis 1782, Lyon et Paris, directement la soie. Parallèlement, il faut étendre l'aire de vente, nouer des relations nouvelles, quitter son clocher. Dès que le soleil sèche les campagnes, notre marchand court la poste avec sa malle d'échantillons, le voici chaque année à Lille, Douai, Arras, Amiens. Un exemple : en février 1785, il est en Bretagne, en mars à Fougères, en avril à Rouen, en été à Lille, Bailleul, Douai, Cambrai et Arras, en septembre à Rennes, en octobre à Tours et Nantes, en novembre à Lorient ; quatre mois plus tard, son hivernage normand prend fin, mars le retrouve sur la route des Flandres ; un négociant tournaisien écrivait en 1787, des Pays-Bas autrichiens : « Notre sieur André fait deux voyages en cette ville chaque année. »

Un type de cellule familiale d'un nouveau genre prend forme, où l'épouse au foyer, solitaire mais diligente, est devenue une associée ; elle conclut les premières démarches, redouble les offres : « Mr. Joffrin de Rouen nous a remis votre adresse, écrit-elle à Laurent Bessé de Lorient, peut-être vous ne seriez pas faché de trouver une maison de confiance en cette ville » [270] ; elle expédie

270. Lettre du 12 juin 1771.

les commandes et s'initie à une comptabilité chaque jour plus compliquée. Le temps n'est plus où le vieux fondateur de la maison poursuivait en foire les marchandes de modes pour deux sous d'arriérés, où il refusait du crédit à Rouen : « J'estime mieux ne pas prendre d'intérêt tel que vous me proposez car dans le commerce, l'argent comptant sert bien, je ne puis acheter qu'avec mon argent comptant » [271].

Bien sûr, la prudence de la maison est toujours en éveil, André met en garde son cousin La Chainée établi depuis peu à Rotterdam et bientôt en route pour New York : « Je vous prie, cher cousin, de prendre toutes les précautions possibles pour nous lier dans de bonnes maisons, pour peu qu'elles soient douteuses, nous ne voulons pas leur vendre » [272] ; mais l'éloignement implique le risque, les procédures de paiement différées, la lettre de change, le recours aux banquiers de Rouen, Lille [273]. En même temps il offre des possibilités de spéculation, sans parler de contrebande. Les dentelliers saisissent toutes les occasions d'achat groupé, ils se sont faits négociants ; André s'intéresse aux mousselines, aux denrées d'épicerie, il charge La Chainée de prospecter le marché new yorkais, il s'offre à acheter des fourrures. Tant d'efforts ont abouti à dilater notablement l'espace commercial de la maison. En 1789, depuis l'apogée de la première génération, le chiffre d'affaires a doublé :

Répartition des ventes en 1789

	(%)
Caen	19
Aire rouennaise	18
Pays d'Auge et Neubourg	12
Aire régionale de la Guibray	3
Marges bretonnes	2,5
Cotentin	8,5

Mais dorénavant s'ajoutent :

La Flandre et les Pays-Bas autrichiens	16,5
La Picardie	13
Paris et la région parisienne	5
Lyon	2
Tours	0,5

Entre 1790 et 1793, le marché va s'étendre encore à Anvers, Londres, Hambourg, accessoirement à Gênes.

Sans aucun doute, les « manufacturiers » ont ouvert à la dentelle les débouchés nord-européens. Par là, Caen retrouve les dimensions de son espace climatique et culturel vrai : du Cotentin au Danemark, les rives de la Manche et de la mer du Nord. Mais la ville perd à l'inverse, sur ce point, une attache économique de rechange, cette sorte d'empâtement commercial dans les terres

271. Lettre du 28 avril 1787.
272. Lettre du 28 juin 1786.
273. Notamment Dethiefris à Lille, Schlencher, Lepetit, Savary à Rouen.

falaisiennes ou alençonnaises, dans le Maine, le Perche, la frontière bretonne, où, tel Gulliver, elle peut rester ligotée des générations, dans l'intervalle d'une éclipse maritime, par les menus réseaux du colportage et des foires, le négoce des cidres et des toiles, le cheminement des piétons en quête d'ouvrages. Une seule branche d'activité étaie pour l'instant l'idée de ce renversement, mais le fait méritera tout à l'heure d'autres observations, ne serait-ce que pour sa coïncidence temporelle avec les grands travaux d'aménagement portuaire.

En attendant, une autre remarque : le commerce tend encore à prendre ici le pas sur la fabrication. Les dentelles de la ville circulent dans cette aire nouvelle, mêlées à des produits de toutes provenances et montées en pièces composites selon les règles du goût et du profit. André achète à Rouen, revend à Paris, prélève à Gisors ou Beauvais ce qu'il offre à Cherbourg. Le chiffre d'affaires, alimenté pour une part à ce va-et-vient d'achat et de revente, ne traduit donc plus rien de la production locale. Mais en échange, la radiation du profit commercial, fondé sur l'écart des prix, engendre par sa chaleur financière, en ville même, l'idée créatrice, entretient le besoin d'ouvrières expertes tour à tour à réparer, maquiller, enchaîner les motifs. La production urbaine a un rôle de maintenance des activités commerciales plus rémunératrices. N'est-ce pas ce qui ressortait déjà de la bonneterie ou des toileries ? Ainsi les vagues successives du textile dessinent à chaque génération la ligne du profit maximal. Toutes les fois qu'il a été possible de l'apprécier numériquement, l'écart avec le métier précédent confirme cette interprétation ; mais les branches qui n'ont pas disparu, comme la draperie, ont été sauvées par le négoce ; leur histoire présente deux phases chronologiques.

CONCLUSION

Au fond, peu de citadins du XVIIIe siècle, hormis les compagnons emportés dans le déclin, ne verraient de difficultés à admettre que les populations rurales doivent être les seules productrices, jusque dans l'ordre industriel, tandis que les villes, centres des décisions administratives, perfectionneraient seulement leurs fonctions tertiaires, c'est-à-dire en un sens, leur mode de prélèvement sur les campagnes. Dès qu'elle est rêvée en utopie à venir, la ville apparaît en effet aux contemporains comme le lieu de l'échange, non celui de la manufacture. Paris, dans *L'An deux mille quatre cent quarante,* aura ses magistrats, ses négociants, son élite cultivée ; des ouvriers ? si peu ! S. Mercier consacre des chapitres aux impôts, au luxe, au commerce, pas un à l'industrie. D'ailleurs la cécité s'étend au présent puisque Grosley peut décrire *Londres* en 1770, trois volumes durant, sans évoquer d'autres ateliers que de sculpture de marbre et de porcelaine fine. On a pu voir que même la ville commerçante portait encore trop d'agitation au gré des milieux éclairés de Caen. Beaucoup d'autres cités acceptaient ces postulats, la thèse opposée serait sans doute l'exception. Est-ce une ruse de l'histoire, innocente ou coupable ? Les philosophes se prononceront.

Il faut s'en tenir à quelques conclusions économiques. Sous la concurrence des campagnes, le volume de la production urbaine, secteur après secteur, tend à décroître. On ne peut pas soutenir en effet que le textile était seul de son espèce. Par exemple, l'évolution des tanneries caennaises reproduit le même processus. En 1725, 92 entrepreneurs étaient établis dans la ville[274] ; depuis le milieu du siècle, leur nombre se stabilise à 22. Il s'agit moins de concentration que de désinvestissement. Sur 378 fosses à tan, 53 sont détruites, 185 sont vides. La production de plus de 8 000 cuirs forts annuels sous la Régence est descendue à 1 500 en 1748, pour se fixer autour de 2 400 dans les années 1760-1770. Entre-temps, parties de zéro, les manufactures campagnardes de l'élection se chiffrent à une dizaine en 1748, à 16 en 1765. Les bureaux de l'intendance remarquent à cette date que la branche n'a pas de commerce avec l'étranger, que l'approvisionnement et les ventes tournent dans le triangle Rouen, Caen, Guibray, c'est-à-dire encore le même espace commercial. Pour une raison analogue, les papetiers-cartiers de Caen ne peuvent faire mieux que de contrôler le produit des moulins du Bocage. Etendre l'aire des ventes serait le seul moyen de pousser la spécialisation industrielle, de maintenir la production à son niveau ou de l'augmenter. En sens inverse, les défaites de l'économie urbaine (la draperie, par exemple) peuvent être interprétées comme le fruit de « l'agression » commerciale extérieure. Dans un monde faiblement progressif, toute victoire est payée d'une déroute ailleurs. Seul le bilan commercial, s'il est franchement positif, peut entraîner la production, dans laquelle J.-B. Say, prenant le processus au milieu, voyait la clé des débouchés.

Comment interpréter maintenant l'évolution globale de la population active dans la production et le problème du progrès urbain ? Certes, dans le sens d'aujourd'hui (où l'évolution de la productivité commande la croissance), rien de tel ne s'observe à Caen autrefois. Le secteur des biens de production (branche des métaux, par exemple) est peu mobile. Le capital utilisé par travailleur stagne, au mieux comme dans les tanneries ou le bâtiment, nous le verrons à travers l'urbanisme ; parfois, à l'inverse, il se produit une régression du capital fixe, comme dans le textile. C'est que l'argent, dont aucune société ne dispose en abondance, n'est utilisé que là où la main-d'œuvre est impuissante à le remplacer. C'est le cas du commerce et de ses lourdes immobilisations ; nous allons aborder ces questions.

En attendant, deux résultats un peu divergents sont acquis dans la sphère productive.

1) Une main-d'œuvre abondante a été mise au travail ; les statistiques professionnelles le montrent tout particulièrement dans le textile, secteur massif, de surcroît doté de la croissance des effectifs la plus forte (191 % en cinquante ans). En valeur, puisqu'il n'y a pas eu gain de productivité, la production urbaine pourrait avoir augmenté dans les mêmes proportions que la main-d'œuvre, bien qu'on ne puisse donner une valeur numérique à ce produit.

2) Or il n'y a pas eu addition d'unités mais substitution d'activités. Sous l'affectation professionnelle théorique des recensements se déguise un ample chômage « technologique » de compagnons tanneurs, de tisserands, de teinturiers... en voie d'assimilation aux journaliers. Voilà qui réduit ce beau palmarès à des proportions plus modestes. Que réserve l'évolution commerciale à cette population errante aux frontières de la production et des services ?

274. Pour tout ce qui suit, Arch. dép. Calv., C 2925. Cf. aussi H. Depors, 1932.

CHAPITRE IX

Les structures de l'échange

Depuis plusieurs chapitres, des observations convergentes invitent catégoriquement à faire de l'échange, non de la production, le moteur de l'économie urbaine au XVIIIe siècle. Vont en ce sens les transformations de la nomenclature professionnelle, la complication des activités de service ou le glissement par strates chronologiques de l'industrie textile. Le moment est donc venu de retrouver l'enracinement spatial de l'économie caennaise, et sans quitter le point de vue macro-économique ni le domaine des mouvements longs : *trend* et cycle Kondratieff, d'envisager la ville comme un lieu d'offres et de demandes avec leurs aires. En même temps, cette nouvelle étude s'efforcera de gagner un point de vue plus général que celui des analyses commerciales traditionnelles. Les statistiques de transactions en foire, les mouvements de navires au port ne sont pas des renseignements négligeables, mais les documents numériques d'autrefois restent toujours insuffisants. Il faut concentrer leur clarté douteuse sur un champ ouvert à l'ensemble de l'activité urbaine : l'aménagement de ses réseaux de communication et l'étendue de sa domination ; non seulement les transactions marchandes mais les prestations de services que la ville peut offrir à sa région ; la circulation des biens, mais aussi celle des personnes ou de l'information.

I. L'ÉCHANGE ET LES ÉCHANGES

1. L'ÉCHANGE, MOTEUR DE L'ÉCONOMIE URBAINE

Or le terme très général d'échange caractérise bien cet ensemble de problèmes et se place au niveau d'abstraction qui convient : il sera suggestif de considérer, dans les chapitres suivants, les transformations de l'urbanisme comme la traduction en langage écologique d'un système économique particulier, comme sa trace dessinée sur le sol, inscrite dans la police quotidienne. Parviendra-t-on à bien saisir cette identité thématique autour de la circulation, de la communication ? Alors serait assuré quelque chose de plus qu'un lien rhétorique entre la population, l'économie et l'urbanisme ; un objet autonome de connaissance apparaîtrait. Contre le temps présent où les économistes entendent mal les urbanistes, et les urbanistes les hygiénistes ou les démographes [1], l'étude de Caen nous aurait reporté au berceau des sciences humaines

1. Précisément la reconstruction de Caen après 1944 offrirait dans cette perspective, matière à un bel ouvrage.

descriptives. Des topographies médicales écrites sous Louis XVI aux enquêtes socio-industrielles de la première moitié du XIXe siècle, de Vicq d'Azir à Villermé, s'était en effet constitué un domaine unique d'observations. Il s'est ensuite disloqué et même si l'on n'accepte pas totalement les analyses de Mumford sur la crise urbaine contemporaine, que le cloisonnement des études aggraverait peut-être autant que celui des remèdes, il demeure passionnant de partir à la recherche de cet objet perdu et de s'interroger sur sa convenance avec la réalité.

La puissance motrice des échanges à travers l'Europe du XVIIIe siècle a trouvé dès cette époque ses meilleurs analystes en Angleterre, la nation d'économie la plus raffinée. Les progrès de cette découverte s'aperçoivent aisément depuis Cantillon, le visionnaire plus britannique que français, jusqu'à Smith et Malthus. Les observations d'Adam Smith en particulier coïncident tout à fait avec ce que nous savons déjà de l'économie caennaise. Acceptons le même départ [2].

Le commerce, nous explique-t-il, élargit les marchés, augmente la valeur des produits, comme le remarque aussi Malthus, et provoque la concurrence, donc la spécialisation industrielle, prélude lointain de la division du travail. Le succès dépend donc de l'essor des transports routiers, maritimes et fluviaux. Dans ce fragment d'analyse, la pensée anglaise va de l'économie spatiale (circulation des richesses) à la production (industrie) : l'une entraîne l'autre. Mais elle est peu explicite sur le moteur commercial de ce développement, sur son accélération ou son engourdissement. Parler de propensions variables ici et là revient seulement à nommer la difficulté. Or il est possible de spécifier la réflexion des classiques selon les lieux et les catégories d'agents de manière à dévoiler une dynamique du changement. En effet, l'espace commercial n'est pas abstrait et homogène, les aires d'échange s'étendent aisément ou difficilement. Ainsi les régions côtières pourraient avoir le monde entier à leur discrétion. Certaines analyses de la *Richesse des Nations* (l'ouvrage s'insère entre le triomphe colonial de la guerre de Sept Ans et les déboires de l'indépendance américaine) vont en ce sens.

De surcroît, au sein de chaque province, les villes ont des rapports privilégiés avec l'extérieur par les routes, les rivières, les ports et elles bénéficient d'un avantage croissant d'agglomération puisque la majeure partie de ces équipements profitables incombe à l'Etat, c'est-à-dire en dernier ressort aux paysans [3]. Dans la ville, même situation [4]. L'ensemble de la population participe à la maintenance de services et d'édifices utiles d'abord aux négociants. Halles et

2. R. Goetz-Girey, 1966, a analysé ces rapports entre la pensée et les faits économiques. Dans l'année 1776 où paraît la *Richesse des nations,* Condillac soutient en France des thèses souvent semblables (*Le commerce et le gouvernement*).

3. Les campagnes ne perdent pas tous les bénéfices de l'aménagement routier mais les paient proportionnellement bien plus cher que les villes. En leur faveur, W.-A. Lewis, 1967, p. 317, fait remarquer que la création des voies de communication a pu suffire à faire baisser la mortalité, en l'absence de toute croissance de la production, lorsque la diversité climatique engendre l'irrégularité régionale des récoltes. C'est tout à fait le cas français au XVIIIe siècle. Il n'y a pas de contradiction entre la fin des famines, l'essor de la population et la stagnation globale de la production agricole, s'il y a, d'autre part, progrès du stockage, progrès de la mouture et progrès des échanges.

4. Sur la place des agglomérations dans l'économie globale, la plupart des études font des remarques identiques. Cf. N.S.B. Gras, 1922 ; C. Sjoberg, 1959 ; R. Courtin et P. Maillet, 1962 ; F. Guyot, 1968.

quais, postes et bourses abaissent les coûts marginaux. L'investissement commun porte le commerce bien plus que l'industrie et cet avantage est énorme en un temps où l'entrepôt des marchandises, l'échange d'une information ne sont pas choses banales ; on se souvient du transport du charbon de Littry. L'économie spatiale éclaire, par conséquent, l'étude du profit puisque la ligne de plus grande pente des bénéfices conduit à l'extension des marchés, assurée elle-même par la croissance des villes.

Ainsi le fait urbain témoigne de l'inégale répartition des richesses, il l'entretient, l'accentue même sans doute. A cette époque la ville est à la fois le domaine géographique et le domaine logique du changement.

Pour confronter ces hypothèses à la réalité normande, il faut établir d'abord le progrès des échanges urbains avec l'extérieur. Or le calcul direct est impossible. En France, aucune ville ne constitue une monade comptable. Le produit annuel de l'octroi présente une signification limitée puisque de nombreux objets échappent à la taxe d'entrée ou de fabrication *intra muros*. Les variations du rendement fiscal dans chaque branche ont elles-mêmes une portée ambiguë car elles proviennent de tarifs différents selon les qualités, perçus à la pièce, non *ad valorem*. Rappelons l'exemple simple du commerce des boissons assujetties dans leur ensemble à l'impôt. Le montant global des entrées additionne des droits inégaux sur le cidre, le vin, la bière, l'eau-de-vie. Comme les décomptes partiels font défaut, une hausse de produit fiscal peut signifier : 1) une augmentation générale de la demande ; 2) un glissement du commerce du cidre vers le vin taxé plus haut, mais sans proportion avec son coût ; ou encore le développement de la demande d'eau-de-vie ; 3) une diminution de la consommation, par suite le marasme des achats de gros et le développement du commerce de détail proportionnellement plus imposé. D'autres documents permettent quelquefois de ventiler les divers postes de consommation ; ce n'est pas toujours le cas. De surcroît, on le sait, les ventes en foire échappaient à l'octroi ; sans doute reste-t-il des états statistiques, d'ailleurs lacunaires, mais il n'est pas possible de juxtaposer les indices en valeur et poids. Pour des raisons voisines, le mouvement des bateaux au port ne sera pas susceptible de comparaison avec l'octroi perçu au quai.

2. LA MÉTHODE DÉMOGRAPHIQUE D'OBSERVATION DES ÉCHANGES

Faute de mesure directe, tout autre indicateur est bon pourvu qu'il soit global. On songe une fois de plus à la population active. Mais la coupure entre production et services, pertinente pour l'étude du produit industriel et d'ailleurs discutable (Marx aurait placé les transports dans le secteur productif) est maintenant insuffisante puisque les artisans commercialisent leur fabrication. Du moment qu'il s'agit de faire ressortir un effet de domination urbaine : la croissance des échanges positifs de toute nature avec l'extérieur, un autre tri s'impose. Il va séparer les branches d'activité d'usage exclusivement interne et celles qui servent à la fois la ville et le dehors. Cette distinction pourra rester imparfaite, il faut convenir, il me semble, qu'elle est cependant fort acceptable.

Dans la première catégorie se rangent : l'agriculture dans le terroir de Caen ; l'alimentation sauf les épiciers à clientèle régionale et les aubergistes ou cafetiers dont l'activité est liée en grande partie à la population en transit ; l'artisanat du vêtement : pour l'essentiel, la coupe et l'essayage impliquent la résidence et, dans les campagnes, le vêtement est de confection largement domestique ; la branche du bâtiment, insuffisante devant les besoins de la grande poussée d'urbanisme, nous le reverrons ; celle du bois, dont les produits pondéreux sont intransportables à l'exception très minoritaire de l'ébénisterie fine (en 1792, une dizaine d'artisans sur plus de 230). Une fraction des services prend place dans la même catégorie : la rubrique des services divers avec leurs pelotons de journaliers, fendeurs de bois, rempailleurs, etc. ; la domesticité ; la branche de l'hygiène : les enquêtes de la Société royale de médecine nous montrent en effet la campagne normande saturée de chirurgiens, de barbiers plus ou moins infirmiers et « rebouteux » — à trois lieues de la ville, de surcroît, les bourgs de la plaine ont leur médecin et leur sage-femme ; le clergé, puisque le siège épiscopal est implanté à Bayeux ; l'administration municipale.

Le deuxième groupe réunit le reste de la population, soit dans la production : le reliquat de l'alimentation, le textile, l'artisanat du cuir, les métaux, le papier et le livre, le conditionnement. Il s'agit de biens portables, pour lesquels existe dans les villes mineures et les campagnes un déficit partiel ou total, susceptibles également d'être envoyés vers toutes les autres agglomérations importantes. Dans les services, plusieurs catégories ont aussi vocation à se tourner vers l'extérieur : le transport, le commerce pur à tous les échelons de la hiérarchie, l'enseignement, en particulier l'Université, l'armée, l'administration régionale, la justice et les professions libérales qui s'y relient (les avocats par exemple).

Le tableau ci-après présente, sur la base 100 en 1750-1760, la situation enregistrée en 1792, pour les trois catégories de population active indépendante, dépendante et totale d'après les données brutes recueillies trois chapitres plus haut :

	Population		
	Indépendante	*Dépendante*	*Totale*
ACTIVITÉS PUREMENT INTERNES			
Production	94,2	181,4	110,8
Services	45,3	135	110,8
Total pondéré	74,6	140,5	110,8
ACTIVITÉS INTERNES ET EXTERNES			
Production	97,1	249,3	152,8
Services	126	111,6	125,5
Total pondéré	109,6	243	143,8

En deux générations l'avantage gagné par les activités qui débordent de la ville est évident. Ainsi des glissements de fonction économique concordent bien avec ceux qui ont été enregistrés pour commencer dans les images et les définitions de la cité. Dans le même laps de temps la population urbaine, souvenons-nous, était passée de l'indice 100 à 109,3. En ce cas, la main-d'œuvre totale employée dans les activités intra-urbaines a suivi à peu près uniquement l'essor démographique : elle est à l'indice 110,8. Au contraire l'emploi dans les branches internes-externes s'est accru beaucoup plus vite, il atteint 143,8. C'est un aspect des conquêtes urbaines, et pour ce qui relève des biens matériels, du progrès des échanges. On peut tirer d'autres remarques de la comparaison des emplois dépendants et indépendants dans chaque catégorie de production et de services.

1) Dans la production, la croissance des travailleurs dépendants est toujours forte pour des volumes presque stationnaires de patrons artisans, mais elle s'accentue particulièrement dans les activités mixtes internes-externes (249,3 contre 181,4 pour la production à usage intérieur). Traduction socio-économique de cette remarque : dans le mouvement de croissance moyenne de la taille des entreprises, l'effet de concentration est spécialement sensible parmi celles qui bénéficient des débouchés extérieurs, l'industrie de la dentelle revient en mémoire.

2) Cette observation ne vaut pas pour les services. Les indépendants y sont fortement déprimés dans les activités internes, légèrement croissants dans le secteur mixte mais dans les deux cas la main-d'œuvre dépendante présente des indices très modestes de croissance (35 et 11,6 %).

La partition de l'emploi entre toutes ces catégories introduit au calcul des multiplicateurs urbains [5] et il est possible d'expliquer théoriquement plus au fond cette divergence entre production et services qui a déjà été soulignée lors de l'établissement des comptes généraux de la population active. Considérons le produit global de toutes les activités économiques urbaines [6]. On peut l'assimiler à une fonction de deux variables : le stock de capital employé dans la production et les services, et la quantité de travail utilisée de part et d'autre.

Sur l'évolution de ces deux variables, le chapitre industriel précédent apporte déjà quelques réponses dans l'ordre de la production. Dans le court terme le stock de capital serait évidemment à peu près stable, donc le produit total dépendrait du volume du travail, mais à l'échelle demi-séculaire, il n'en va pas nécessairement de même *a priori*. Or on sait que l'innovation industrielle fut très limitée en ville, de toute manière peu onéreuse en capitaux. Dans la branche majeure du textile, le glissement du drap à la bonneterie puis à la toile et à la dentelle a même provoqué la décrue sensible de l'intensité du capital fixe.

Un retour vers l'échantillon de données fournies par les surséances et les sauf-conduits permet de l'apprécier depuis 1760. Dans les fortunes de producteurs, la part du capital total investi dans les affaires, à l'exception du fonds immobilier d'entreprise qu'on ne peut distinguer des locaux d'habitation s'établit ainsi :

1760-1769 : 45,9 %
1780-1789 : 38,4 %

En valeur nominale absolue, le capital moyen par entreprise a même baissé de 8 994 livres à 5 173 livres dans cette période. Mais chaque conversion du textile, par exemple, assurait en revanche une compensation, elle a joué le rôle qu'aurait pu tenir une innovation technique. La hausse des profits augmentait

5. J. C. Perrot, 1974.

6. Dans ce raisonnement, je suis la voie décrite par R.-J. Ball, 1964, p. 246, pour l'étude de l'équilibre macro-économique. J. Marchal et L. Lecaillon, 1970, t. 4, pp. 232-322, y renvoient fréquemment.

le rendement du capital dans une proportion qui lui permettait de rattraper la baisse des immobilisations comme l'illustre le chapitre précédent.

Le produit total dans la production avait donc tendance à évoluer comme la variable travail surtout. Or celle-ci peut être serrée d'assez près, du moins en indice, à travers les statistiques qui précèdent car on y trouve bien la mesure de la quantité de travail généralement employée et non celle du travail disponible en ville (travail employé = travail disponible — chômage) ; en effet, dès qu'il se trouve durablement sans travail, le citadin dépourvu de rentes quitte la ville ou relève de l'assistance des paroisses et les documents nous ont permis de faire état de cette catégorie dans les inactifs (indice 104,3 en 1792, contre 100 dans la décennie 1750-1760). Conclusion : le montant total de la production urbaine a augmenté en valeur essentiellement du fait des variations de l'emploi. Le domaine le plus dynamique est celui des branches à vocation extérieure.

Le secteur des services se présente tout autrement. D'abord sa structure est beaucoup plus complexe. Entre les activités purement intérieures à la ville et celles qui touchent au dehors, le partage de la main-d'œuvre indépendante et dépendante est même durablement inversé.

Services intérieurs à la ville

	Indépendants	*Dépendants*	*Total*
1750-1760	26,4	73,6	100
1792	10,8	89,2	100

Pour l'intérieur de la ville, la stagnation des fonctions administratives, l'augmentation des services biologiques (médecine, chirurgie, hygiène) ne parvient pas à compenser, chez les indépendants, l'effondrement de l'encadrement religieux consécutif à la révolution. Chez les dépendants, compte tenu d'une osmose rapide entre les gens de maison et les journaliers, le bilan numérique global est impressionnant et de plus croissant. Au contraire, dans les services dont le rayonnement s'étend au-delà de la ville, le poids spécifique des deux catégories d'actifs s'oppose de manière permanente au précédent comme on le voit ci-dessous :

Services intérieurs et extérieurs à la ville

	Indépendants	*Dépendants*	*Total*
1750-1760	96,3	3,7	100
1792	96,8	3,2	100

Or cette dissymétrie ne tient pas essentiellement au principe de rangement qui a été retenu. Il est vrai que le corps enseignant, les employés de l'administration régionale ou des services de maintenance militaire sont placés avec les indépendants aux côtés des auxiliaires de justice, des membres des professions libérales

et aux côtés des négociants petits ou grands, parce qu'une analogie socialement et économiquement constitutive a été relevée entre la possession d'un capital intellectuel et d'un capital financier. Mais dans les activités purement urbaines, le même critère s'appliquait aux fonctions municipales ou religieuses. C'est donc bien que les talents — préalablement formés par une instruction onéreuse — et l'argent constituent les moyens par lesquels la ville développe son influence, son pouvoir de commandement au dehors. Nous partagerons désormais l'emploi indépendant dans les services internes-externes selon ce double critère.
1) Soit le groupe composé des professions libérales, des professeurs, des administrations civiles et militaires. L'emploi y est à l'indice 154 en 1792 par rapport à 100 en 1750-1760. A supposer même que le capital engagé dans la formation de ces agents économiques et dans l'exercice de leur métier n'ait pas augmenté, non plus que sa productivité, le produit de leur activité a crû au moins du fait de leur volume. C'est un phénomène analogue à celui de la production.
2) Et maintenant le deuxième ensemble formé par les actifs indépendants du commerce et des transports. L'emploi en 1792 y est à l'indice 96 par rapport à 1750-1760. Mais la capitalisation active de ces branches ne compense-t-elle au-delà ce léger affaissement dans leur produit total ? Celle-ci s'accroît en effet dans la seconde moitié du siècle en poids relatif et en chiffres absolus. A partir de 1760, l'évolution des fortunes saisies dans les demandes de surséances et sauf-conduits permet de l'enregistrer. La part des capitaux consacrés aux activités économiques dans les patrimoines concernés augmente :

1760-1789 : 33,8 %
1780-1789 : 45,5 %

Leur valeur nominale moyenne également, de 14 483 livres à 19 389 livres, soit 33 % de hausse. Le produit total des services commerciaux a donc progressé par adjonction de capital même si le rendement marginal de l'investissement baissait par rapport au rendement moyen, éventualité que les documents ne permettent pas d'établir à l'échelle statistique, mais que le glissement des entrepreneurs de la production vers le commerce rend peu probable : on se rappelle le passage du drapier Massieu au négoce.

Les Anglais avaient d'ailleurs remarqué, pour leur part, depuis le début du XVIIIe siècle, cette capitalisation du commerce évidemment plus précoce chez eux. Dans un premier mouvement d'inquiétude, ils déploraient les mœurs qu'elle allait répandre : la vente au rabais, la publicité et surtout la substitution de l'argent au travail. « This is managing trade with a few hands », commentait Defoe dans son *Complet English Tradesman*[7]. Avant de prononcer cette critique, le romancier venait de décrire la mutation du commerce drapier entre Warminster et Northampton. Sombart eut parfaitement raison de conférer à cette anecdote une dignité symbolique[8]. A première vue, l'épisode n'est qu'une historiette économique, la capture d'un trafic par un riche entrepreneur, l'aventure banale des économies stationnaires ; mais Defoe est mort en 1731, et déjà ses éditeurs soulignent en 1745 combien l'auteur avait tort de déplorer ces révolutions commerciales maintenant si courantes et les lueurs de l'essor économique précisent une nouvelle interprétation : l'injection de capitaux supplémen-

7. Defoe, 1745, p. 151 sq.
8. W. Sombart, 1926, p. 194 sq.

taires dans le commerce allait en fait multiplier les courts-circuits interurbains, détacher les productions les plus compétitives, donc les plus exportables, élargir l'offre de travail dans la production.

Or, de la même manière, par la montée de ses activités extraverties, Caen s'est bien approchée du modèle anglais dans la deuxième moitié du XVIIIe siècle. Dans ce processus, la rente de situation propre à chaque ville joue un rôle capital. Il faut donc savoir si les avantages de la cité se sont maintenus ou accentués et si, en premier lieu, le progrès des communications a favorisé financièrement comme outre-Manche, enveloppé dans le temps et canalisé dans l'espace l'essor des échanges.

Il existe chronologiquement deux réponses successives à cette question. L'histoire des routes normandes apporte la première ; les épousailles tardives de Caen avec la mer, la seconde.

II. LE RÉSEAU ROUTIER

Les communications terrestres en Normandie sont à l'image des difficultés que la ville rencontre dans son assise urbaine [9]. Sous une atmosphère saturée d'humidité, lavée de pluies fréquentes, les couches imperméables du Bocage, les argiles du Bessin et du Pays d'Auge, les limons pâteux de la plaine de Caen opposaient aux animaux et aux voitures un obstacle désespérant. Jusqu'à une date avancée dans le siècle, les courriers étaient toujours en retard [10]. D'ailleurs, à la Toussaint, une partie de la province s'endormait dans son hivernage humide, les marais de la Dives et de la Touques se couvraient d'eau, la baie des Veys au pied du Cotentin se pénétrait de saumure marine, les rivières se faisaient infranchissables, les Ponts-et-Chaussées rentraient leurs pelles jusqu'à Pâques [11]. D'un bout à l'autre de l'année, les terres « toujours humides », « fongeuses » [12] engloutissaient les cailloutis qu'on y déchargeait chaque printemps et la jante des roues déchirait aussitôt cette mince pellicule lorsque le chemin n'avait pas été empierré. Sous l'Empire encore, le préfet relève

9. Données générales sur les routes françaises dans J. Letaconnoux, 1909, et G. Livet, 1959.

10. Notamment celui de Rouen, capital pour le commerce. Cf. Arch. dép. Calv., C 3055, les remarques de 1762.

11. La Sée coupe régulièrement la route entre Mortain et Vire : rapport de Loguet, ingénieur des Ponts en 1764 (Arch. nat., F 14 140 A) ; la route de Dives est couverte d'eau les trois quarts de l'année. C'est en 1776 seulement que *L'instruction et observations sur l'entretien des parties de routes et chemins déjà faits* envisage le projet de mettre des ouvriers aux réparations d'hiver (Arch. dép. Calv., C 3448). En novembre 1756, les marchandises caennaises pour Carentan et Valognes sont perdues dans les Veys (*ibid.*, C 3055). La route de Saint-Malo « absolument impraticable dans les hyvers est même on ne peut plus difficile et dangereuse dans cette saison » (juillet 1777), *ibid.*, C 3091. Même situation dans le Bessin, à Subles, Arganchy, Planquery, Les Oubeaux, huit mois de l'année (Arch. nat., D IV bis 94) ; dans la plaine de Falaise (*ibid.*) ; dans le Bocage (Arch. dép. Calv., C 3050).

12. Témoignages répétés : Arch. nat., F 14 786, D IV bis 94 ; Arch. mun. Caen, S 6.

sur la route de Honfleur « des trous qui ont presque un mètre de profondeur et tellement dangereux que quelques voitures y ont resté il y a peu de temps, d'autres y ont renversé après avoir cassé leurs essieux, d'autres enfin s'y trouvent journellement enfoncées jusqu'aux moyeux » [13].

Pour éviter l'embourbement des « vitoirs », les rouliers empruntaient les accotements ravinés et cahoteux, puis bientôt les terres riveraines labourées. Les routes de glaise indéfiniment ravivées par les besoins du trafic laissaient sur la plaine de Caen comme des cicatrices urbaines visibles de chaque clocher. Dans les terroirs d'argile et le Bocage, elles s'enfonçaient au contraire dans les broussailles, les haies vives, les arbres touffus : c'était le chemin des mares [14]. Dans le Pays d'Auge, « en plein été et avec le temps le plus beau, un voyageur, quelque bon cheval qu'il ait, est obligé de le mener souvent par la longe et de faire le quart du chemin à pied » [15].

C'est à ce piège que le prenaient couramment les malandrins. Attaques des diligences et des voitures de recettes, embuscades meurtrières jalonnèrent les routes vertes du XVIIIe siècle, promises à devenir en 1944, dans le langage des armées, l'« enfer des haies ». En mai 1739, des marchands furent dévalisés près de Carentan ; en 1762, la recette fiscale de Vire était cambriolée sur la route de Caen malgré les escortes de la maréchaussée, le courrier de la poste aux lettres, lardé de coups de couteau dans la forêt de Saint-Sever ; en 1808 encore il fallut essarter la route de Caen à Falaise pour lutter contre les détrousseurs [16].

Des obstacles naturels si pressants rendirent convaincants les plaidoyers de l'intendance et des Ponts auprès de Versailles. Et comme on partait de très bas, l'investissement routier allait procurer aux communications un mieux spectaculaire. A l'article *Normandie* de son dictionnaire, l'abbé Expilly constatera que « peu de provinces ont autant et d'aussi belles routes ». Toutes choses égales sans doute.

L'outil administratif et technique de ce renouveau est bien connu, mais le corps des Ponts-et-Chaussées nous a laissé, de surcroît, des archives immenses, un réseau de plans routiers, d'observations topographiques et économiques qui permettraient d'écrire l'authentique géographie de l'ancienne France qui nous manque [17]. Enfin, du point de vue des transferts économiques de richesses entre campagnes et villes, il reste beaucoup à dire sur le financement des

13. Arch. nat., F 14 786, Lettre de juillet 1811.

14. Textes de toutes les époques entre 1723 (Arch. dép. Calv., C 3076) et 1813 (Arch. nat., F 14 789).

15. Pétition le 8 mars 1792 des habitants du canton de Crèvecœur à l'Assemblée législative, Arch. nat., D IV bis 94.

16. Respectivement Arch. dép. Calv., C 6370 et C 4393 ; Arch. nat., F 14 785.

17. Cavaillès, 1946 ; J. Petot, 1958 ; A. Le Page, 1908. Les états imprimés des Ponts-et-Chaussées destinés à l'adjudication des travaux (par exemple, Arch. dép. Calv., C 1110) constituent une source topographique et économique de premier ordre. Dix rubriques : 1) description et dimensions de la voie (courbes, pente, largeur), 2) alignements et courbes de raccordement (avec leur triangulation), 3) pentes et contre-pentes, 4) terrassements et escarpements (avec la dimension des accotements, fossés et talus), 5) chaussées (pavées, empierrées, gravillonnées), 6) ponts, aqueducs, cassis, rigoles, 7) approvisionnements, 8) fournitures, plantations, élagages, 9) qualité des matériaux, 10) dépenses et faux-frais.

travaux. D'abord, est-on bien conscient de l'énormité de l'enjeu ? Dans l'intervalle d'un siècle, l'entretien et la construction des routes sont devenus une modalité absolument prépondérante de l'investissement collectif. Leur financement en apporte la preuve dans la généralité de Caen en même temps qu'il montre comment le mode de prélèvement a servi sans interruption les intérêts du chef-lieu.

L'année 1757 marque un tournant dans cette histoire fiscale. Jusque-là, l'entretien et la construction des voies relevaient, selon leur importance, comme dans toute la France, d'une double astreinte. Les chemins de paroisses, les sentiers vicinaux, les allées des châteaux revenaient entièrement aux propriétaires riverains. Les routes de ville à ville, de bourg à bourg, cataloguées grands chemins royaux, étaient à la charge des paroisses situées dans un rayon de deux lieues. Comme la lieue était alors appréciée localement à 2 600 toises, le couloir fiscal dessiné par chaque route s'étendait à 10 kilomètres de part et d'autre de la voie [18]. Dans les contrées mal irriguées comme le Cotentin ou le Bocage, quelques campagnes écartées échappaient ainsi à l'imposition ; en outre, les villes principales, Caen au premier chef, s'étaient appuyées sur le coût de leur viabilité interne pour obtenir une exonération complète.

De nombreux manuscrits administratifs qui émanent des Ponts et de l'intendance déplorent tout au long du siècle l'inefficacité et l'impopularité de ce prélèvement qui s'opérait en travail et en charrois. La suppression de la corvée en nature était également un vœu que beaucoup de physiocrates formulaient dans leurs ouvrages avant que Turgot ne le réalisât en 1776. Mais l'originalité de l'intendance de Caen fut d'avoir anticipé de vingt ans cette mesure générale [19]. Sans doute, les liens de M. de Fontette avec les économistes ne furent pas étrangers à la décision ; dans le préambule de son ordonnance du 30 juillet 1757, l'intendant évoquait bien également le souci d'équité fiscale qui lui faisait désirer la diminution des charges [20]. Toutefois il obéissait aussi à des raisons géopolitiques contraignantes : depuis 1755, l'Angleterre menaçait par ses prises la navigation atlantique et jusqu'au cabotage de la Manche, depuis 1756 la France était engagée dans la guerre de Sept Ans ; pour la Normandie commença une période de repli continental durant laquelle le perfectionnement des voies routières devint urgent. Il n'est pas besoin d'attendre le blocus napoléonien pour constater que les guerres ont entraîné dans l'Ouest français un vaste balancement économique terre-mer. Les réformes de l'intendant Fontette se proposaient donc avant tout l'efficacité. L'objectif fut atteint au détriment des campagnes sans que ne soient sérieusement entamés les privilèges urbains.

18. Voir, en 1723, les « Observations sur l'élargissement des grands chemins royaux », Arch. dép. Calv., C 3448. Dans la seconde partie du siècle, les Ponts-et-Chaussées calculent la lieue de route sur la base de 2 000 toises, mais les changements de base fiscale dont nous allons parler rendent cette diminution sans effet sur l'imposition des paroisses. En Normandie, le problème est posé depuis l'abbé de Saint-Pierre, 1708.

19. F.-J. d'Orceau de Fontette, 1760. La « Lettre à M. Dupont... » publiée dans le *Journal de l'Agriculture, du commerce, des arts et des finances,* 1767, t. 4, évoque l'expérience Fontette. E. Faure, 1961, donne, p. 286 sq., une bonne mise au point sur les systèmes de Fontette et de Turgot.

20. Texte de l'Ordonnance dans Arch. mun. Caen, CC 35.

En effet, l'ordonnance de 1757 astreignait à une contribution, légèrement modulée il est vrai selon l'éloignement, toutes les paroisses situées au double de la distance primitive des grands chemins royaux : désormais un couloir de 40 kilomètres de large. L'examen de la généralité de Caen montre que pas un lieu n'échappait maintenant à l'imposition. D'autre part, chaque village s'empressait, comme le choix lui était offert, de se libérer par une cotisation en argent, perçue au prorata de la taille [21]. L'édit de Turgot adopta bien en 1776 une version différente, celle des vingtièmes de biens-fonds, mais l'opposition des parlements détourna la mesure qui pesait exclusivement sur les propriétaires et la base primitive fut maintenue en Normandie jusqu'en novembre 1788 [22]. Le nouveau système qui prenait en compte la capitation à côté de la taille n'aura vivoté qu'un an ; et quelle année fiscale : 1789 !

Le régime de 1757 portait deux conséquences manifestes.

1) Il provoqua un extraordinaire afflux de ressources. Après quelques tâtonnements, les taillables furent en effet imposés à 27,5 % du premier brevet, y compris les frais de collecte [23]. Chaque année, 650 000 à 700 000 livres de capitaux augmentés des 45 000 livres du fonds de charité vinrent s'investir dans les communications de la généralité [24]. C'était en valeur l'équivalent d'un million de journées de corvéables que personne ne pouvait espérer auparavant. Désormais l'entretien pur et simple céda fréquemment le pas à la reconstruction de routes neuves dont l'intendance, sans distinguer villes et campagnes, se plaisait à faire valoir l'utilité commune pour l'agriculture, le commerce et « tous les ordres de citoyens qui sont dans le cas de voyager » [25].

2) Mais la ville de Caen ne s'était pas bornée à recevoir les profits nécessairement plus rapides de cet investissement, elle échappa généralement aux dépenses. Il s'est donc produit un déplacement de richesses aux origines multiples.

L'imposition répétait d'abord l'inégalité géographique de la taille. Celle-ci était, en effet, renforcée dans les pays exempts de gabelle et ne tenait pas compte de la richesse territoriale des différentes élections. Le rapport du premier brevet au vingtième simple des biens-fonds fait apparaître l'avantage du nord de la généralité sur le sud-ouest [26] :

21. En juin 1776, l'intendant écrit que dans le système Fontette « il est presque sans exemple » que les communautés aient accepté de faire l'ouvrage (Arch. dép. Calv., C 242-250).

22. Arrêt de la Cour de Rouen du 27 novembre 1788, Arch. mun. Caen, CC 35.

23. Arch. dép. Calv., C 3448, « Instruction et Observations sur l'entretien des parties de routes et chemins déjà faits dans la Généralité ». La base retenue est de 5 s. 6 d. du principal.

24. Lettre de l'intendant à d'Ormesson, le 26 février 1776, *ibid.*, C 234-241.

25. Réponse de l'intendant au contrôleur général, 16 juin 1776, *ibid.*, C 242-250. Depuis 1774, les propriétaires expropriés sont remboursés en totalité pour les fonds bâtis et de 50 % à 75 % pour les terres. Cf. le Rapport du procureur général au département, Arch. nat., F 1 C III, Calvados, 7.

26. Calculs de péréquation fiscale opérés par l'intendance sur la moyenne des années 1770-1775, Arch. dép. Calv., C 3448. Cf. également la Lettre de l'intendant du 16 juin 1776, *ibid.*, C 242-250.

Indice de la taille (base 100, montant du vingtième)

Elections du Nord		*Elections du Sud, Sud-Ouest*	
Caen	175	Saint-Lô	300
Bayeux	213	Coutances	330
Carentan	163	Avranches	263
Valognes	203	Vire	388
		Mortain	302

L'élection de Vire, par exemple, payait environ le double de celle de Caen.

D'autre part la ville bénéficiait du système de l'abonnement et du tarif si bien qu'elle ne cotisait à la taille de son élection, déjà favorisée, que pour une part continuellement minime, tandis que les citadins, jusqu'aux bourgeois roturiers, jouissaient d'une exemption de fait pour leurs biens en campagne. Jusqu'en 1766, de surcroît, les officiers municipaux refusèrent de verser la moindre somme ; au-delà, une transaction passée avec le contrôle général porta la cotisation urbaine à 6 000 livres annuelles [27]. Après avoir été longtemps exonérée, la cité allait donc contribuer pour un centième seulement à l'investissement routier dans le dernier tiers du siècle. Est-il besoin d'ajouter que les fonds collectés sont versés à une masse commune ? Sans cette pratique, les transferts de charge dont l'intendance elle-même était bien consciente ne pourraient s'opérer [28]. Enfin, comment ne pas s'apercevoir que les villes engrangeaient, outre le profit économique, d'appréciables bénéfices sociaux puisque l'appel de la main-d'œuvre purgeait la population active de ses chômeurs ; dès 1739, un ingénieur des Ponts-et-Chaussées remarquait après quelques essais d'adjudications : « Ces ouvrages produisent un bien nécessaire ... les villes de Caen et Bayeux s'aperçoivent déjà de ce secours par la diminution d'une troupe de mendians qui y abondoient de tous côtez » [29].

Pourtant tous ces avantages fiscaux ou sociaux ne sont que préliminaires ; il faut maintenant envisager les finalités du réseau de communications. A cet égard, il est inutile de distinguer en Basse-Normandie les voies administratives et militaires des routes commerciales ; les deux objectifs se recouvrent, les conflits maritimes imposaient en même temps l'obligation de faire circuler rapidement les nouvelles ou les régiments d'est en ouest et de remédier à l'interruption du cabotage entre la Basse-Seine et la Bretagne en reportant le trafic sur le continent. Chaque campagne de rénovation routière relevait d'un couple lié d'arguments politiques et commerciaux [30]. A l'origine, la tension maritime internationale déclenchait les décisions d'investissement routier, mais le travail, par sa longueur, ses difficultés, trouvait peu à peu son autonomie ; pour des raisons d'opportunité fiscale, une part des réalisations était d'ailleurs subordonnée au

27. Arch. mun. Caen, CC 36, Requête des officiers municipaux et échange de correspondance avec l'intendant.

28. Arch. dép. Calv., C 3448. Les élections de Caen et Bayeux utilisent régulièrement les fonds de Vire et Saint-Lô.

29. Rapport sur les chantiers, le 31 mai 1739, Arch. dép. Calv., C 2614.

30. Fort bien exposé dans une lettre de l'ingénieur Lefebvre à l'intendant Esmangart, 23 décembre 1779, *ibid.*, C 3451.

retour de la paix. La prospérité des lendemains de guerre, si visible après la fin de Louis XIV ou la guerre de Sept Ans, est la moisson des efforts consentis sur terre en même temps que le fruit de la bonace retrouvée sur les côtes. Les battements militaires de l'investissement sont en effet très perceptibles. Voici les pulsations initiales de la route royale princeps de Basse-Normandie, Paris-Cherbourg [31] :

	Aménagement des tronçons	*Début des travaux*	*Achèvement*
Guerre de succession			
d'Espagne, 1702-1713	Lisieux-Caen	1712	1725
d'Autriche, 1743-1748	Caen-Bayeux	1745	1754
de Sept Ans, 1755-1763	Bayeux-Carentan	1755	1760
	Carentan-Cherbourg	1761	1778

Mais il ne s'agissait, en temps de guerre, que d'une chiquenaude. Après cela tout prenait son mouvement propre et par l'aisance fiscale revenue, les années de paix étaient celles des grands achèvements. La statistique générale du réseau de la généralité en témoigne dans son découpage chronologique ternaire [32] :

Périodes	*Nature des travaux*	*Définition du réseau royal en longueur*
Succession d'Espagne à succession d'Autriche, 1702-1742	Réfections ponctuelles	468 000 toises
Succession d'Autriche à guerre de Sept Ans, 1743-1763	Reconstruction 5 000 toises par an	728 000 toises
Guerre de Sept Ans à la Révolution, 1763-1789 :		
- années de paix	Reconstruction 12 900 toises par an	880 000 toises
- années de guerre	Reconstruction 12 400 toises par an	880 000 toises

La guerre de Sept Ans a donc acclimaté définitivement l'idée d'une reconstruction des voies de communication. Désormais, chaque année, 10 à 20 kilomètres de routes anciennes sont reprises à partir de l'infrastructure, empierrées, gravillonnées ou pavées, bordées de fossés d'écoulement. En même temps les frais d'entretien diminuent sur le réseau restauré en dépit de la hausse des matériaux et des salaires. La lieue (comptée pour 2 000 toises dans les Ponts) exigeait annuellement 1 070 livres de réparations routinières vers 1750, mais seulement 892 livres au début de l'indépendance américaine, 700 livres à la Révolution [33] et les économies dégagées se reportaient sur le réseau neuf.

31. *Ibid.*, C 3448, C 3468 à C 3472. Dates des hostilités sur la côte.
32. *Ibid.*, C 3448, C 3468.
33. *Ibid.*, C 3448, « Instruction et Observations », déjà citées ; « Mémoire pour servir de réponse aux questions contenues dans la lettre de M. Necker. »

Cependant, l'établissement des routes exerçait un rôle pédagogique sur l'esprit comptable des administrateurs. Tandis que les inspecteurs des manufactures et des foires restaient à des estimations globales en valeur de leurs indicateurs économiques et se bornaient à supputer leurs conséquences sur le prix de l'argent, l'emploi, l'investissement, les ingénieurs apprirent depuis l'après-guerre de Sept Ans à être plus précis.

Par exemple, l'établissement minutieux de leurs coûts permet de ventiler la répartition des dizaines de millions de livres que la généralité dépensa en travaux selon les trois postes ci-dessous [34] :

— Retour aux propriétaires fonciers pour indemnité	13 %
— Affectation aux entrepreneurs pour matières premières et profit	44 %
— Part salariale	43 %

On ne pourrait mieux démontrer comment ce prélèvement, effectué en priorité sur la terre (par la taille), alimente en parts égales le profit et l'emploi industriel.

Mais la route enseignait encore aux administrateurs un autre comportement du monde économique nouveau : le calcul prévisionnel. Pour la première fois, l'avenir apparaît dans la compatibilité sous une forme mesurée. En 1773, un plan de travail de quinze ans est envisagé ; saluons la date de cette rencontre entre la prospective économique et les corps techniques de l'Etat, nous sommes dix ans après les énormes réveils que la guerre de Sept Ans imposa pour l'ensemble de la société française. Encore quatre ans, puis, en 1777, le coût global des travaux est chiffré : 19 227 000 livres, chiffré, non pas estimé comme devant. Car on a tenu compte de l'ouverture de nouvelles carrières et même de la réfection de leurs chemins de desserte. Enfin apparaissent, au sens strict, les premières fourchettes de croissance proposées au pouvoir politique ; à lui de trancher entre trois options [35] : une cadence raide qui achèvera le réseau en trente ans moyennant un investissement annuel lourd de 856 000 livres, un rythme moyen sur quarante ans à 693 000 livres, un rythme lent demi-séculaire à 595 000 livres, proche des taux en usage depuis le rétablissement de la paix.

La pression des Ponts-et-Chaussées en faveur de l'accélération ne fait pas de doute. Mais il est clair, de surcroît, que jamais n'est apparue aussi nettement la contrariété du développement économique avec les structures sociales d'Ancien Régime, matérialisées dans un système fiscal dont l'inéquité crée l'inefficacité. Sous le régime de la corvée, écrivent les ingénieurs, « ceux qui profitaient des routes ne les faisaient pas, ceux qui les faisaient n'en avaient que faire », sous l'imposition de la taille, ajoutent-ils, les journaliers des campagnes sont mieux lotis, mais c'est encore trop peu « aux yeux de l'exacte justice ». L'émergence d'une nouvelle conscience économique a donc entraîné une critique sociale d'autant plus menaçante qu'elle émane des comptables, non des idéologues : nous sommes au niveau tellurique de la Révolution française.

Toutefois l'acuité des administrateurs présente des limites, elle est sensible aux inégalités du prélèvement, indifférente à celles de la répartition. « Telle était alors la logique des intendances », peut-on lire dans un Mémoire de

34. *Mémoire* de 1777, *ibid.*, C 3468.
35. Ce texte fondamental pour l'étude des mentalités économiques figure dans Arch. dép. Calv., C 3448, Réponse à la lettre de Necker, le 8 septembre 1777.

l'an XII au Conseil général du Calvados, « chacune n'était occupée que de sa ville et d'ouvrir de belles étoiles de routes à ses portes » [36]. Ce texte pose le problème de la domination de Caen sur le réseau du XVIIIe siècle.

Or il n'est pas difficile d'établir les faits.

1) La reconstruction des routes qui irriguent la capitale de la généralité a bénéficié effectivement d'une priorité chronologique que le tableau suivant met en valeur [37].

Itinéraires	*Commencement des travaux*
Paris-Caen-Cherbourg	1712
Rouen-Caen-Rennes	1738
Caen-Saint-Malo	1738
Caen-Falaise	1740
Caen-Vire	1750
Caen-Mayenne	1755
Rouen-Caen-Granville	1760
Caen-Honfleur	1762

Ces mises en chantier révèlent un choix sans ambage et d'Ormesson répétait en 1737 à l'intendant de Vastan de concentrer ses soins sur les liaisons de Caen avec Paris, Alençon et la Bretagne [38]. En revanche, très généralement, la reconstruction des routes royales du Bessin, du Bocage et du Cotentin a commencé bien après [39].

Itinéraires	*Commencement*
Bayeux-Creully	1740
Cherbourg-Saint-Malo	1750
Bayeux-Saint-Malo	1760
Cherbourg-Touraine	1761
Carentan-Portbail	1765
Valognes-Saint-Sauveur	1765
Longraye-Torigni	1765
Cherbourg-Les Pieux	1768
Coutances-Pont de la Roque	1768

Itinéraires	*Commencement*
Granville-Avranches	1768
Valognes-Barfleur	1775
Isigny-Falaise	1777
Carentan-Coutances	1777
Port-en-Bessin-Falaise	1778
Isigny-Saint-Lô	1779
Bayeux-Cerisy	1779
Valognes-Carteret	1780
Paris-Granville par Falaise et Condé	1784

36. Arch. nat., F 14 786.

37. Paris-Cherbourg : Arch. dép. Calv., C 3468-3472, C 3478 ; Rouen-Rennes : *ibid.*, C 3577 à C 3585 ; Caen-Saint-Malo : *ibid.*, C 3652-3655 ; Caen-Falaise : *ibid.*, C 3621 ; Caen-Vire : *ibid.*, C 3674-3675 ; Caen-Mayenne : *ibid.*, C 3636 à C 3639 ; Rouen-Granville : *ibid.*, C 3546-3549 ; Caen-Honfleur : *ibid.*, C 3619, et Arch. nat., F 14 785.

38. Arch. dép. Calv., C 3450.

39. Bayeux-Creully : *ibid.*, C 3702 ; Cherbourg-Saint-Malo : *ibid.*, C 3733-3740, C 3759 ; Bayeux-Saint-Lô : *ibid.*, C 3704 ; Cherbourg-Touraine : *ibid.*, C 3746-3753 ; Carentan-Portbail : *ibid.*, C 3720, C 3730 ; Valognes-Saint-Sauveur-le-Vicomte : *ibid.*, C 3872 ; Longraye-Torigni-sur-Vire : *ibid.*, C 3672 ; Cherbourg-Les Pieux : *ibid.*, C 3744-3745 ; Coutances-Pont de la Roque : *ibid.*, C 3760-3761 ; Granville-Avranches : *ibid.*, C 3448 ; Valognes-Barfleur : *ibid.*, C 3865-3866 ; Isigny-Falaise : *ibid.*, C 3777-3787 ; Carentan-Coutances : *ibid.*, C 3722 à C 3727 ; Port-en-Bessin-Falaise : *ibid.*, C 3813-3817 ; Isigny-Saint-Lô : *ibid.*, C 3788-3790 ; Bayeux-Cerisy : *ibid.*, C 3692-3701 ;

Enfin, douze liaisons royales toutes situées dans le Cotentin et le Bocage attendaient encore à la Révolution leur premier coup de pioche [40].

2) La priorité initiale a entraîné un achèvement précoce des voies caennaises qui est mis en valeur ci-dessous [41].

Etat des routes royales dans la généralité
(fin de l'Ancien Régime)

	Routes desservant la ville	*Routes ne desservant pas la ville*
Longueur du réseau en toises	293 000	561 500
Réseau reconstruit	236 500	151 500
Rapport du travail fait à l'ensemble	80 %	27 %
Travaux en cours	56 500	177 500
Rapport des travaux faits et en cours à l'ensemble	100 %	58 %

Ainsi toutes les routes royales de Caen avaient bénéficié d'une décision de reconstruction, le travail s'achevait lorsque la Révolution survint. Dans le reste de la généralité un peu plus de la moitié du réseau était promis à un remodelage prochain, un peu plus du quart de la longueur totale, seulement repris. 3) L'orientation générale des routes caennaises rend à la fois les investissements plus coûteux et les améliorations plus sensibles que dans le système résiduel de la généralité. En effet, dans le premier cas, à l'exception des voies vers Falaise et Mayenne, l'ensemble des chemins prend le sens est-ouest (Lisieux-Carentan, Rouen-Granville, Rouen-Rennes, Caen-Saint-Malo, Caen-Honfleur) et coupe à la perpendiculaire le réseau hydrographique, nord-sud pour l'essentiel. Les ouvrages d'art sont particulièrement nombreux et la statistique prérévolutionnaire fait apparaître ici un pont pour 1 380 toises de route en moyenne [42]. Dans le reste de la généralité, hormis sur la voie Falaise-Granville, la situation est inversée ; on compte au même instant un pont pour 2 530 toises de chemin.

Valognes-Carteret : 3867 ; Paris-Granville : *ibid.*, C 3521-3529 ; sur cette dernière route, importante, on observe quelques travaux d'entretien avant 1750 dans la portion Granville-Vire ; mais c'est ici le cul-de-sac. Jusqu'en 1774 une controverse sur les tracés les plus utiles stérilise la route. Contre le projet Vire-Tinchebray-Domfront, le Contrôle général décide de poursuivre Vire-Condé-sur-Noireau-Falaise.

40. Arch. dép. Calv., C 3448, routes en 1785. Arch. nat., F 1 C III, Calvados, 7, routes de 1790, Rapport de l'ingénieur en chef Lefebvre au Conseil général. Il s'agit de Cherbourg-Rennes par Coutances-Avranches ; Montebourg-Saint-Pierre-Eglise ; Cherbourg-Barfleur par Saint-Pierre ; la chaussée du Pont-l'Abbé entre Valognes et Coutances-Carentan ; Cherbourg-Granville, route de côte ; Coutances-Bretagne par Hambye ; Avranches-Domfront ; Falaise-Bretagne ; Vire-Avranches ; Saint-Lô-Périers ; Vire-Domfront ; Pontorson-Rennes.

41. Arch. dép. Calv., C 3448, Arch. nat., F 1 C III, Calvados, 7.

42. Etat des routes en 1785, Arch. dép. Calv., C 3448.

Bref les routes de Caen sont plus chères, indépendamment de leur plus grande largeur (Paris-Cherbourg, 12 à 20 mètres), mais le bénéfice qu'elles confèrent aux communications de la ville est décisif. En effet la route se laisse toujours suivre à la trace vaille que vaille, mais les cours d'eau arrêtent tout en hiver.

Le dynamisme du XVIIIe siècle se mesurera encore mieux au nombre des ponts qu'au toisage des empierrements [43].

Généralité de Caen

	Réparation des ponts	*Construction ou reconstruction*
1710-1719	4	0
1720-1729	4	1
1730-1739	0	5
1740-1749	3	3
1750-1759	3	7
1760-1769	10	12
1770-1779	9	24
1780-1789	21	42

Cette statistique rend évident un parti qui éloigne pour longtemps la Normandie du modèle anglais ; les ouvrages d'art ont compromis en amont la navigabilité des rivières, courtes et peu aisées, il est vrai, dans la province. A ce compte, les deux dernières décennies valent mieux que tout le siècle pour assurer le succès de la charrette, mais dès 1740, la cadence des constructions doublait à peu près tous les dix ans. L'aménagement routier nous ramène à la partition du XVIIIe siècle en deux versants. Vers 1740-1750 s'est bien produite une mutation des moyens d'échange.

Or la grande révolution des chemins de fer, postérieure d'un siècle, a souvent rejeté dans l'ombre celle des routes que beaucoup minimisent parce qu'elle ne touchait pas vraiment aux vitesses ; mais les volumes ? Dans une telle perspective, le développement général de l'économie, qui lui est contemporain, devient

43. Des sources exhaustives d'une grande richesse permettent d'établir cette statistique : *ibid.*, C 3891 à C 4062. Sur ce tableau triomphant demeurent trois ombres : 1) le franchissement de la Dives au niveau de Troarn reste périlleux tout l'hiver et la basse vallée est inondée (Arch. nat., D IV bis, 94, Requête des paroisses de la vallée en 1790, *ibid.*, F 14 788, Lettre du maire de Troarn au préfet le 5 janvier 1806) ; 2) les ouvrages sur l'Orne sont rares car on n'a jamais perdu l'espoir de la rendre navigable ; il faut utiliser les bacs dont la liste immuable figure, par exemple, dans Arch. dép. Calv., C 3036 : d'amont en aval, Amayé-sur-Orne, Fontenay, Athis, le Cours Royal, et Saint-Gilles à Caen, Colombelles, Bénouville ; 3) entre Isigny et Carentan, la route de Cherbourg est coupée par l'Elle et la Vire aux Veys. La mer envahit le passage deux fois par jour sur 440 mètres, « très difficile en tout temps, souvent périlleux et quelquefois même impraticable », constatent encore, en l'an V, les ingénieurs du département (Arch. nat., F 14 787). Des projets de ponts et de digues ont été maintes fois établis au XVIIIe siècle. Pour le Grand Vey en 1757, pour le Petit en 1713, 1755, 1770, 1786.

difficile à expliquer [44]. L'extrême sensibilité de la période prérévolutionnaire en face des affameurs — c'est-à-dire, en langage économique, des transporteurs — suggérerait pourtant une autre interprétation qu'on va mettre en lumière dans l'espace commercial de Caen. Ce n'est pas assez de mesurer alors l'allongement et l'amélioration des chemins, il faut montrer que cet investissement a bien induit un bouleversement pondéreux. Le progrès des échanges apparaîtra sous son vrai jour, comme l'équivalent d'une croissance de la productivité et le mouvement économique séculaire deviendra plus compréhensible [45].

En effet la bonification du réseau a transformé, homogénéisé les transports. Au début du XVIIIe siècle normand coexistaient deux modes de déplacement des personnes et des marchandises. Sur les grandes voies, l'essentiel du trafic était assuré par les voitures à quatre roues que nous décrit un mémoire de 1723 avec leurs huit pieds de long entre essieux et une largeur de six pieds de roue à roue [46]. La charge utile, 4 000 à 5 000 livres pesant, était à peine inférieure à celle des carrosses et des engins des messageries ; les chevaux, jusqu'à une dizaine, ne pouvaient suivre que le milieu du chemin, à moins qu'ils ne choisissent les labours au-delà des fondrières latérales. Les dessertes vicinales, les chemins creux si courants dans le Pays d'Auge, le Bessin, le Bocage et le Cotentin leur étaient interdits. C'était là le domaine du transport à dos d'animal, tellement universel que la « somme » de cheval demeurait l'unité de poids la plus employée sur les marchés ou la foire, et tellement infranchissable que les administrateurs du XVIIIe siècle expliquaient le succès de la distillation par les difficultés du convoyage des cidres. Ce double système de transport présentait beaucoup d'inconvénients. Pour alimenter le réseau secondaire et capillaire, on fractionnait les marchandises au risque de les avarier ; pour nourrir les voies principales, les bourgs s'engorgeaient de bêtes de somme coûteuses ; en tout sens les ballots s'éternisaient aux lieux de rupture de charge. Nulle régularité du trafic, nul souci du temps.

La route nouvelle a rapproché ces deux mondes en réduisant le moyen de transport des marchandises à un modèle unique. De nombreux témoignages attestent l'apparition des voitures à deux roues puis leur succès modelé sur l'aménagement du réseau.

Ainsi la déclaration royale de 1724 qui limitait l'attelage de ces engins à quatre chevaux l'hiver et trois l'été passa d'abord inaperçue en Basse-Normandie. Ce type de voiture était donc pour ainsi dire inconnu. Les premières plaintes datent de 1745, lorsque les voituriers du sel avouent s'en servir avec cinq et six chevaux pour 3 500 livres de charge et demandent une dérogation d'attelage [47]. En 1767, à la prière de Bertin, le Consulat s'étend longue-

44. M. Morineau, 1971.

45. L'amélioration du réseau peut entraîner la diminution des pertes et avaries comme celles du temps de transport. Conséquences : baisse des stocks immobilisés, réduction du prix de revient, essor de la concurrence. E. Chamberlin, 1933, a bien montré, pour la période contemporaine, le rôle de paravent joué par les hauts frets, à l'abri desquels se poursuivent les productions locales. En un sens, c'est l'essor des routes qui met un point final à la draperie de Caen.

46. Arch. dép. Calv., C 3448, « Observations sur l'élargissement des grands chemins royaux de la généralité ».

47. Requête du 12 mars 1745, *ibid.*, C 3076. De 4 000 à 5 000 livres pesant, la « deux roues » exige entre 6 à 9 chevaux. Voir également dans ce dossier un projet de l'intendance, antérieur d'un an, pour limiter la charge à 3 000 livres.

ment sur le nouveau mode de transport et souligne ses avantages : la charrette à deux roues va partout, on en use par économie, mais le texte ajoute que son emploi ne fait pas encore le dixième du roulage [48]. Or en quinze ans, le renversement est chose faite et l'intendant écrit en 1782 à Joly de Fleury que la voiture à essieux multiples est oubliée, tout est à deux roues [49]. Le revêtement des routes neuves permet de supporter maintenant 4 000 à 5 000 livres par essieu pourvu que les jantes soient d'un type large qui devint obligatoire en 1790 [50]. La capacité de transport de ces voitures peu onéreuses, de construction toute légère et moins dispendieuses en bêtes de trait vaut désormais celle des chariots primitifs. Voici par exemple le blé de messidor an II convoyé entre Cherbourg et Caen [51] :

Charge utile

3 000	à	4 000	livres :	10 voitures
4 000	à	5 000	livres :	6 voitures
plus	de	5 000	livres :	3 voitures

Dans la décennie prérévolutionnaire, leur multiplication était telle que le surmenage des voituriers et l'encombrement des chemins atteignaient une limite jugée dangereuse pour l'époque. Sur les routes qui menaient à Caen, depuis 1786, la maréchaussée dut pénaliser de 30 livres les rouliers qu'elle surprendrait à somnoler dans leur charrette au lieu de conduire les chevaux [52].

Mais la pénétration des voitures à deux roues au plus retiré des campagnes fut plus importante que leur premier succès sur les routes neuves. Chaque conflit maritime, la guerre de Sept Ans par-dessus tout, leur fit gagner des aires de transport qu'elles conservaient à la paix [53]. Victoire difficile dont la fièvre des échanges augmentait le coût : ne lançait-on pas des charrettes de 9 000 et 10 000 livres pesant sur les traces des vieux chevaux de somme ? On dut hérisser les roues de clous pour éviter le patinage et coupler jusqu'à seize et dix-huit bêtes pour passer les fondrières. Pourtant, même à ce taux, le gain était appréciable puisque la somme traditionnelle pesait 300 livres ; c'était le doublement de la charge utile par animal.

La preuve la plus manifeste du succès de ces voitures repose dans la dégradation rapide des routes secondaires et des chemins vicinaux. L'administration s'en émut au temps de Turgot. Le mal était d'autant plus profond que les voies bordées de haies infranchissables constituaient des passages obligés où les bordiers astreints à l'entretien se bornaient à enlever les boues, excellents engrais, et creusaient davantage les chemins [54].

Ainsi, par enchaînement, la réfection des grandes routes, qui avait permis le succès de transports plus économiques, entraîna en une sorte d'appel d'air la reconstruction du réseau secondaire. Une analogue diffusion des progrès était

48. Réflexions communiquées à l'intendant en juin 1767, *ibid.*, C 3050.
49. *Ibid.*, C 3077.
50. Rapport du procureur syndic au Conseil général, Arch. nat., F 1 C III, Calvados, 7.
51. Blé danois, transporté par terre, Arch. dép. Calv., L, Subsistances.
52. En application de l'Ordonnance royale du 4 février, *ibid.*, C 3054.
53. Jusqu'au transport des huîtres, depuis 1779, *ibid.*, C 3077 et C 3451.
54. *Ibid.*, C 3448, « Instruction et Observations », 1776.

d'ailleurs en même temps à l'œuvre par contact dans l'urbanisme, mais restons pour l'instant au niveau de ces campagnes que saisit un universel frémissement pour écouter leur plaidoyer et dater les travaux.

Il nous semble être pris, tous intérêts d'ordres et de niveaux sociaux confondus, à travers un concert qui retentira une seconde fois dans la France des chemins de fer locaux. Pour commercialiser les fruits de la terre, acheminer les produits de l'industrie, de toutes parts s'élèvent des requêtes, affluent les offres de contribution dont les archives des Ponts-et-Chaussées portent le témoignage d'ensemble. S'y côtoyaient les hauts dignitaires de l'Eglise, les abbés de Savigny et de Marmoutier, l'agronome évêque de Saint-Lô, celui de Coutances [55] ; les princes du sang, le duc d'Orléans [56] ; la gentilhommerie normande, les marquis de Blangy, de Sallen, du Mesnil Tove, les comtes de Montamy, de Mathan, de Canisy, de Carbonnel, de Bricqueville, les comtesses de Faudoas, de Trévières, etc. [57] ; des administrateurs comme l'ancien intendant, le marquis de Fontette ; des parlementaires : le président d'Aligre, Lamoignon ; des avocats : Elie de Beaumont [58] ; un banquier parisien : Le Couteulx ; un propriétaire de moulins à papier pour sa manufacture [59] ; des officiers garde-côtes dans l'intérêt de leur service [60] ; l'amirauté et les armateurs [61] ; enfin, surtout, la foule anonyme des paroisses, soucieuse de détourner ou de prolonger la route des châteaux par celle du bois, de la pierre, des engrais, du blé, du cidre ou des bestiaux [62].

Voir les travaux d'ouverture ou de réparation de ces voies secondaires, c'est retrouver la chronologie des succès de la voiture à deux roues [63], tandis qu'en même temps, le rayonnement de Caen sur sa généralité persiste aussi sûrement que dans le réseau principal, selon un rythme décennal croissant : 1760-1769 : 3, 1770-1779 : 30, 1780-1789 : 42.

55. Arch. dép. Calv., C 3717, C 3852 et C 3855, C 3803.

56. *Ibid.,* C 3717, chemin de Bouhons à la route Carentan-Coutances.

57. Successivement, *ibid.,* C 3773 et C 3845, C 3800, C 3804, C 3686, C 3774, C 3793, C 3794, C 3842, C 3720, C 3862. Lorsqu'un seigneur sollicite un chemin, il est d'usage qu'il y contribue, cf. la lettre d'Ormesson à l'intendant, le 10 mai 1777 dans Arch. dép. Calv., C 4703.

58. *Ibid.,* C 3777 sq., C 3686, C 3848, C 3721.

59. *Ibid.,* C 3777 sq., C 3877.

60. *Ibid.,* C 3848.

61. *Ibid.,* C 3848.

62. Ainsi à Marcelet en 1764, *ibid.,* C 3795 ; Courseulles en 1767, *ibid.,* C 3613 ; Montebourg en 1777, *ibid.,* C 3803 ; Octeville en 1778, *ibid.,* C 3808 ; Hamars en 1782, *ibid.,* C 3628, C 3633 ; Saint-Fromond en 1783, *ibid.,* C 3838. Les Ponts-et-Chaussées penchent en faveur des intérêts publics lorsque ceux-ci viennent en contradiction avec ceux des châteaux. Voir le rapport de Legendre en 1763 sur la route de Caen en Bretagne par Villers (Arch. nat. F 14 140 B).

63. Les archives des chemins de liaison aux grandes routes sont classées en ordre dispersé dans la série C du Calvados entre 3676 et 3879. J'ai procédé au tri nécessaire à la statistique ci-dessus. Les routes secondaires aboutissant à Caen figurent en C 3613 : Caen-Courseulles ; C 3614-3616 : Caen-Creully ; C 3627 : Caen-Feuguerolles ; C 3628-3633 : Caen-Hamars ; C 3635 : Caen-Louvigny ; C 3671 : Caen-Saint-Pierre-sur-Dives par Vimont. La largeur des voies secondaires n'a pas été standardisée avant 1790. Le Conseil général du Calvados distingue alors deux catégories : a) 10 pieds de large et 8 d'accotements, b) 8 pieds de large et 6 d'accotements (cf. Session de décembre 1790, Arch. nat., F 1 C III, Calvados, 7).

Dates	*Liaisons secondaires directes avec Caen*	*Branchements des campagnes sur les routes de Caen*	*Liaisons avec d'autres routes*	*Total*
1760-1764	0	1	2	3
1765-1769	0	0	0	0
1770-1774	1 : Orbois	1	1	3
1775-1779	2 : Feuguerolles Louvigny	10	15	27
1780-1784	3 : Sainte-Paix-Route de Mayenne Creully Hamars par Maltot	16	11	30
1785-1789	2 : Courseulles Saint-Pierre-sur-Dives	5	5	12
Total	41		34	75

Voilà des chiffres nettement favorables à notre ville. Une ère de travaux immenses, sans précédent dans l'histoire des échanges, avait donc tourné deux fois à l'avantage de ses marchands, poussant toujours plus loin leur présence possible. Encore, pour une cité liée à la Manche par sa vallée comme celle-ci, la politique maritime devait-elle également présenter une alternative au développement commercial. On l'examinera, mais pour en saisir l'attrait croissant, il convient d'observer la ville, jouant d'abord de la suprématie terrestre, tirant le meilleur parti de ses capacités de domination fortifiées par l'investissement routier.

III. LES APTITUDES DE LA VILLE A LA DOMINATION DES ÉCHANGES

L'échange des nouvelles, des personnes et des marchandises enregistre une première ligne de succès dont le développement des postes et messageries atteste l'ampleur. En 1741, les services qui desservaient directement l'étape de Caen comptaient 48 chevaux ; en 1760 : 63 ; à la Révolution : 117 [64]. En regard les autres villes de la province demeuraient loin derrière. Voici par exemple le développement comparé de la desserte en animaux de poste de Caen et Cherbourg sur la base 100 en 1741 [65] :

64. Etat général des postes, comparaison, 1741-1760, Arch. dép. Calv., C 3050 ; état de l'an II, Arch. mun. Caen, F 14.

65. Mêmes sources que ci-dessus, plus Cherbourg, poste aux chevaux, fin de l'Ancien Régime, Arch. dép. Calv., C 3052.

	1741	*1760*	*Fin Ancien Régime Révolution*
Caen	100	153	285
Cherbourg	100	100	144

A la fin de l'Ancien Régime, Caen était arrivée, pour la première fois de son histoire, à disposer de liaisons régulières et journalières vers Paris, Rouen, Alençon et Cherbourg, tri-hebdomadaires pour Vire, Avranches et Saint-Lô [66]. Et depuis 1785, les postes avaient conquis une entière précision ; l'avance de la sphère des échanges sur celle de la production mérite d'être soulignée sous cet angle de la mesure des temps [67]. Mais bien d'autres éléments attestent la vive pression des besoins de circulation [68] : l'augmentation des procédures pour les accidents, pour les montures surmenées, le développement des entreprises privées de transport. En 1745, l'intendant pensait encore protéger les messageries officielles en interdisant aux rouliers les voyages réguliers, le port des personnes, les paquets de moins de 50 livres, le déchargement aux auberges ; en 1776 il n'était plus question que de tirer profit de la situation en vendant des permis [69]. Et encore, l'essor de la location des chevaux de selle et d'attelage qui conduisit à sa réglementation en 1782 [70] ; d'ailleurs l'augmentation des tarifs en vingt ans depuis le milieu du siècle, traduit à sa manière la charge inégale du réseau et les volumes majeurs du trafic [71].

Pourcentage de hausse entre 1750 et 1770

Direction de Paris	34 %
Direction de Cherbourg	27 %
Direction de Bretagne (Vire, Avranches surtout)	2 %

Enfin le développement du commerce des chevaux : la ponction parisienne sur l'élevage normand — « une des principales ressources de cette province pour les nobles, les ecclésiastiques et les laboureurs », comme l'atteste une procédure au Conseil de 1784 — était telle qu'à la fin de l'Ancien Régime toutes les bêtes rétives « cornards ou siffleuses » trouvaient preneur sur la foire de Caen [72].

Si la ville sut exercer son pouvoir de commandement sur une vaste région que les routes faisaient entrer dans l'échange, c'est aussi qu'elle en avait conquis les moyens juridiques.

66. Etat des postes au 1er janvier 1789, *ibid.*, C 3057.

67. Arch. dép. Calv., L, district de Caen, divers. Le maître de poste de Caen écrit en 1793 que depuis huit ans, « le service de la malle d'icy à Rouen et Cherbourg n'a jamais souffert aucun retard... ». Le service de la diligence pour Paris se fait « avec exactitude ».

68. *Ibid.*, C 3056.

69. Ordonnance de l'intendant du 20 août 1745, Arch. mun. Caen, HH 38 ; Lettre de l'intendant au Contrôleur général, 1776, Arch. dép. Calv., C 242-250 ; Arrêt du Conseil du 20 mai 1785, *ibid.*, C 3056.

70. Ordonnance de police du 1er mars 1785, *ibid.*, 1 B, année 1785.

71. Tarif des chevaux « quites » en 1750, 1757, 1770, *ibid.*, C 3058.

72. Les marchands normands ont décidé de ne retenir que trois affections rédhibitoires : la morve, la pousse, la courbature, Arch. nat., F 12 516.

Sur ce deuxième front, certaines victoires étaient très anciennes. Ainsi, depuis le XVe siècle, la place s'était donné les facilités de poursuivre en tous lieux le règlement des transactions faites en ses murs, d'interdire aux forains la vente hors des marchés, de nommer un corps complet de peseurs et mesureurs assermentés qui garantissaient les transactions sur les céréales, fruits, poissons, le textile, les cuirs, épiceries et drogueries [73]. Et dans ce domaine chaque création bursale fit l'objet de rachats systématiques au sein des corporations ou de la municipalité [74]. En effet, dans le sillage de chaque besoin royal, la ville, disons plus étroitement le corps des marchands, accrochait sa nacelle. Cette alliance objective du pouvoir et des intérêts commerciaux est un des faits économiques les moins ressentis des contemporains ; il compte cependant parmi les plus efficaces. Le financement des routes en apportait tout à l'heure un exemple, l'urbanisme en fournira d'autres. A la charnière des deux domaines, comme autant de monuments symboliques, s'élevèrent *intra muros* les innombrables bureaux de marques corporatifs ou municipaux par lesquels se prélevaient à la fois les deniers de César et se maintenaient les contrôles de la grande cité sur le produit négociable des villes mineures et des campagnes.

Le pouvoir discrétionnaire des bureaux sur la commercialisation est évident. Refuser la marque, c'était renvoyer le produit aux ténèbres du colportage, au solde opéré dans un porte à porte clandestin. L'étude de la production a permis d'évoquer la surveillance des draps et des toiles, son succès pour asseoir le pouvoir des marchands. Mais beaucoup d'autres exemples afflueraient. Après l'élimination du monopole de Caen sur la bonneterie, la ville avait reconquis une partie de ses avantages en 1737 en installant rue au Canu, paroisse Saint-Etienne, une halle où s'opérait le tri des marchandises étrangères qui allaient entrer en compétition avec celles de la cité [75] ; d'ailleurs les marchands ne tardèrent pas à prendre le contrôle exclusif de l'outil en éliminant les fabricants [76].

D'un autre côté, chaque fois qu'une enclave de liberté subsistait dans le domaine commercial, la ville secondée par l'autorité monarchique préservait les avantages des résidents. Sur tous les marchés alimentaires, l'accès des marchands et des bourgeois était réservé en premier lieu pour leurs propres transactions. En 1783 encore, les marchands de cuir obtinrent un privilège analogue de soixante minutes pour leur halle [77].

A la foire royale, pourtant déliée de liens dirigistes et fiscaux, les merciers avaient ouvert leur bureau de surveillance et les arrêts de 1765-1766 avouèrent également leur compétence, exclusive de celle des fabricants [78]. Plus généra-

73. Copie en 1759 des privilèges de la ville octroyés par Lettres patentes de septembre 1466, et confirmation, Arch. dép. Calv., C 6478.

74. Cf. par exemple, l'attitude des merciers soulignée par l'inspecteur des Manufactures en 1781, *ibid.*, C 2860.

75. Texte de l'Arrêt du Conseil du 9 juillet 1737 dans Arch. dép. Calv., C 2815 et 6 E 37. Bureau ouvert trois jours par semaine de 15 heures à la nuit, transféré en 1783, rue Hamon. Ce transport est un aspect, parmi d'autres que nous évoquerons, de la concentration des affaires.

76. Lettres patentes du 13 février 1765, Arch. dép. Calv., C 2815. Renforcement de la surveillance, par l'édit du 5 mai 1780, les Lettres patentes du 1er juin 1780, l'ordonnance de police du 1er août 1783.

77. Ordonnance de police de 1783, Arch. dép. Calv., 6 E 196.

78. *Ibid.*, C 2860, les arrêts évoqués datent du 13 février 1762 et du 28 février 1766.

lement les juges du pavillon de la foire (c'était une émanation de l'échevinage) ne manquaient jamais de procéder dans l'intérêt du commerce urbain. Un entrepreneur de Lisieux se plaignait en 1767 :

> « Ces messieurs font grâce à ceux qu'ils veulent, ils se contentent seulement à les faire contribuer et se font des sommes très considérables de tous les marchands fabricants à tant par pièce et partagent entre eux ; et pour dire qu'ils font exactement leurs visites, ils en saisissent quelques pièces seulement pour la forme, pour faire le report de leur exactitude, mais malheur à celuy qui n'a pas leur suffrage, car il devient la victime. »[79]

On ne saurait mieux dire le processus par lequel le commerce extérieur devait lier partie et bientôt tomber dans la dépendance des milieux urbains.

Mais c'était évidemment contre les débitants sans pas-de-porte, « sans talent » précise un mémoire de 1759 [80] et où pullulaient les étrangers vrais ou supposés, « tantôt juifs, tantôt lombards, aujourd'hui colporteurs et demain auvergnats » [81], que se déployaient les ordonnances propres à assécher les petits ruisseaux au profit des grands courants : 1731, 1740, 1759, 1773, la répétition des textes montre sans doute leur inefficacité mais il existait trop d'ennemis dans la place, depuis les « amateurs du bon marché » jusqu'aux aubergistes receleurs. Et comme le regrat s'alimentait aux fabriques rejetées dans l'enfer, les deux secteurs commerciaux se portaient en fait mutuellement [82].

Hors le bon usage de la fiscalité et l'appui royal, les marchands caennais avaient d'ailleurs d'autres voies collectives d'accès à la puissance commerciale. C'en était une de contraindre les étrangers à user des porteurs de la halle ou des « francs-brements » — les dockers du port — sous un tarif officiel et de se faire dispenser de la même astreinte par la cour du Parlement [83] ; une autre, de donner l'estampille officielle d'agents assermentés à certains courtiers habiles à parler pour tout leur corps devant les marchands du dehors isolés (comme dans le commerce des drogues et épices) [84].

La création, en 1785-1786, des *Affiches, Annonces et Avis divers de Basse-Normandie* soulignait encore, sous la houlette de Caen, l'émancipation du pays bas de toute dépendance à l'égard de Rouen et de l'autre partie de la

79. Requête de Morin, fabricant de Lisieux, le 6 juin 1767, *ibid.*, C 2859.
80. *Ibid.*, C 1355.
81. Magnifique sentence de police du 10 mai 1773, *ibid.*, C 2859. A rapprocher du Mémoire précédent : les colporteurs donnent « le similor pour l'or, les strass pour des pierreries fines... la Nation ambulante n'a rien qui parle pour elle ».
82. Aux documents précédents, ajouter les textes réglementaires dans Arch. dép. Calv., C 6405.
83. Dispositions légales dans Arch. mun. Caen, HH 15, et Arch. dép. Calv., 6 E 108 : Lettres patentes du 30 janvier 1719, Ordonnance de l'amirauté du 1er juillet 1733, Sentence de police de l'amirauté du 1er août 1770, Jugement du Parlement de 1771.
84. « Etat des charges de courtiers et agents de change, des officiers jurés auneurs, des droits de poids-le-Roi, des places ou commissions de porte-faix dans les douanes ou sur les ports », 1788, Arch. dép. Calv., C 2994.

province [85]. Ce journal, dont le privilège revenait à un négociant et la rédaction à un avocat, était un organe commercial destiné à couvrir tout l'espace compris entre la Bretagne, la Touraine et la vallée de la Seine. Il publiait le prix des denrées, les tarifs et les horaires des messageries, l'état du marché immobilier ; une publicité naissante y trouvait place. Surtout il assurait par ses petites annonces (offre et demande) une première bourse régionale de l'emploi. Le journal commence la longue ascension séculaire qui le mènera, vainqueur des livrets colportés, jusqu'au bord des âtres paysannes. Double victoire liée, de la ville sur la campagne (aucune publication sur l'agriculture en cette province) et de la mesure des temps sur l'immobilité : quelle distance en effet, de la presse périodique et de ses messages syncopés à l'ordre éternel et plein des almanachs !

Outre ces outils de fortune, la ville tenait par devers elle des éléments plus directs de domination régionale. Dans l'ordre juridique : le tribunal consulaire ; dans les structures d'accueil commercial : les foires et marchés.

Le consulat de Caen est avec celui de Vire, d'ordre mineur, une création contemporaine des conflits de la succession espagnole en 1710 ; plus tard, la création du siège de Granville en 1769 devait être une conséquence de la guerre de Sept Ans [86]. Contre les armateurs, qui tenaient exclusivement pour la juridiction des amirautés, mais dont la voix faiblissait en temps de course maritime, les négociants arrachèrent en la circonstance des concessions importantes. En effet il était fondamental pour l'avenir du libéralisme économique auquel se rattachaient leurs intérêts que les premiers tribunaux à bon marché, sans vénalité des charges, sans épices et de fonctionnement électif, soient ces juridictions commerciales dont la Révolution étendra les principes aux instances civiles et criminelles. Nul avocat, nul procureur ; qui se présentait en demandeur payait 5 sols seulement et 2 sols de contrôle, une sentence contradictoire coûtait 3 sols 4 deniers et 1 sol 8 deniers pour en avoir la minute, l'enregistrement des condamnations s'étageait de 9 à 30 sols, etc. [87].

Des dispositions particulières à la province, comme celle de l'hypothèque sur les meubles, avaient dès l'origine renforcé le pouvoir de l'institution [88]. Une jurisprudence constante, notamment en matière de connaissance des faillites, avait assuré son succès sur les juridictions ordinaires au point que les bail-

85. Une collection complète du journal aux Arch. dép. Calv., des précisions sur sa fondation chez G. Vanel, 1905, dans le *Mémorial de Ph. Lamare,* pp. 149-150.

86. J. Chatellier, 1938, Ch. de la Morandière, 1959, montrent bien les couples antagonistes guerre et paix, terre-mer, négociants-armateurs, à l'œuvre dans la création du consulat de Granville. Organisation du Consulat de Caen : Arch. dép. Calv., C 2994-2995, et notamment la réponse de 1782 à l'enquête du garde des Sceaux sur ce type de juridiction. Beaucoup de papiers et le registre de correspondance du Consulat sont conservés dans Arch. mun. Caen, FF 23 et FF 24. Le fonds judiciaire proprement dit, celui des familles notamment, est dans la série 13 B.

87. Tarif des droits perçus depuis 1717, Arch. dép. Calv., C 2994.

88. Les créances prennent rang dans l'ordre chronologique de leur reconnaissance à la fois sur les meubles et les immeubles. Cf. la lettre de Machault à l'intendant de La Briffe, le 14 octobre 1747 (*ibid.,* C 2994).

liages ne pouvaient obtenir, en cas de poursuites criminelles, qu'une brève communication des comptabilités marchandes [89]. Une vive pression des consuls s'était exercée pour étendre leur compétence aux affaires courantes de 2 000 livres, assimiler billets et lettres de change et contraindre victorieusement les marchands de Basse-Normandie à se détourner de la Chambre de Rouen [90]. Le succès dépassa même leurs désirs : les juges marchands se plaignirent depuis 1780 d'être rivés aux audiences, des journées entières chaque semaine, et la requête au roi de juillet 1786 soulignait que l'extension des affaires exigeait locaux et crédits gouvernementaux [91].

Or, dans ce tribunal des affaires économiques, l'attribution des sièges ne fit jamais la balance égale entre la production et les échanges. Le Consulat se recrutait sur la base des cent plus notables marchands et négociants ; c'est dire qu'y figuraient presque exclusivement les branches de dimension régionale : mercerie, dentelles, bonneterie, commerce des drogues et épices, joaillerie et tout le secteur des ventes en gros. La permanence du corps était assurée par la présence aux côtés de deux nouveaux juges annuels d'un ancien consul promis à devenir prieur, et, depuis 1782, les magistrats en exercice avaient obtenu de dresser à partir des cent électeurs une liste de trente éligibles. Les mécanismes des suffrages révolutionnaires (1791, l'an III) eurent des bancs d'essai dans les juridictions commerciales d'Ancien Régime [92] et cette diffusion institutionnelle à partir de l'épicentre économique devrait être scrupuleusement observée si l'on veut confronter les théories de l'histoire à l'observation. Ainsi de façon analogue, les réformés avaient fait dans ce genre de tribunaux l'apprentissage des compétences juridiques dont ils donnèrent tant de preuves après 1789. En 1785, un protestant, M. L. Lamy, fut élu juge-consul et le tribunal reconnaissait alors que « les branches les plus lucratives » du commerce urbain étaient aux mains de la R.P.R. ; aussi le refus du garde des Sceaux d'entériner ce choix n'allait guère durer ; couronnement prévisible, Lamy sera quelques années plus tard député à l'Assemblée constituante [93].

89. La dévolution des faillites est précisée par les Déclarations du 7 décembre 1712, 10 et 13 juin 1716, 27 juillet 1717, 18 juin 1718. L'arrêt du Parlement en forme de règlement du 4 mai 1750 détermine les formalités du prêt des livres commerciaux aux bailliages. Toutes les contestations avec les juges ordinaires sont décidées en faveur des Consuls, cf. Arrêts des 6 mai 1761, 16 juillet 1765, 13 juin 1766, etc., dans Arch. mun. Caen, FF 24, Registre consulaire 1786, f° 357.

90. Arch. mun. Caen, FF 24, Lettre des consuls au garde des Sceaux du 24 mai 1766 ; Ordonnance de septembre 1779 pour obliger les marchands à déposer leur bilan à la juridiction la plus proche de leur domicile.

91. Arch. dép. Calv., C 2995, et Arch. mun. Caen, FF 24. Lettre des juges consuls à l'intendant, le 22 décembre 1780 ; Requête de 1786 à l'intendant : il existe deux jours de vacation, mercredi, vendredi ; les autres jours sont en partie consacrés aux procès-verbaux, aux témoins, aux conciliations. Requête analogue au roi en 1786.

92. Arch. dép. Calv., C 2995, et Arch. mun. Caen, FF 24. Le nouvelle procédure électorale fut officialisée par un arrêt du Parlement du 17 décembre 1782. A cette date, le corps électoral comprend 15 anciens prieurs, 33 anciens consuls et 63 négociants. Les listes nominatives attestent la puissance numérique des merciers, marchands de dentelles et des négociants en épices.

93. Arch. mun. Caen, FF 24, correspondance de décembre 1785 entre le garde des Sceaux, le Consulat et le Bailliage.

Enfin, si le tribunal consulaire mérite tant de déférence historique, c'est également pour les prolongements extra-judiciaires de son influence. Le gouvernement l'a consulté à l'instar des intendants ou des municipalités sur les grandes orientations de sa politique : le contrôle ou la liberté de la production, le maintien des communautés ou leur abolition. Il en a fait une Chambre de commerce sans lui en donner le titre, il a prêté plus d'attention aux magistrats consulaires qu'aux maîtres de fabrique [94]. D'ailleurs les négociants entendaient bien jouer ce rôle d'eux-mêmes lorsqu'ils établirent depuis la décennie 1780 un réseau étroit de correspondance avec Rouen, Alençon, la Picardie ou la Champagne.

Dans la vie économique quotidienne, d'autre part, la ville de Caen avait établi dès le XVIIe siècle une régulation des foires et marchés avantageuse et stable ; la série annuelle des almanachs, l'enquête de 1725, les indications portées sur le recensement de 1793 le confirment [95]. Au sommet de la pyramide, la capitale de la Basse-Normandie cumulait en effet tous les bénéfices attachés à ce type d'échanges périodiques.

Autour d'elle, le niveau élémentaire du commerce de subsistance comprenait une couronne de neuf marchés situés dans un rayon de deux à trois lieues : Clinchamps, Cheux, Saint-Sylvain, Creully, Argences, Troarn, Bretteville-sur-Laize, Colleville et La Délivrande. Mais chacun d'entre eux n'offrait qu'une ouverture hebdomadaire ; avec trois séances par semaine, la suprématie de Caen était d'autant mieux marquée que la ville s'était assuré l'exclusivité des transactions un jour ouvrable sur deux, lundi, mercredi, vendredi [96]. L'ouverture simultanée des halles aux tissus ajoutait un attrait de plus aux marchés frumentaires de Caen puisque les campagnes y faisaient enregistrer leur production et la négociaient en même temps. Dans leur lutte pour la domination des toiles, par exemple, les marchands de Caen, un instant désarmés entre 1777 et 1784, avaient obtenu que les transactions occupent durablement une partie de la semaine purgée de la concurrence des grands marchés de Canisy et de Saint-Lô [97].

Dans la constellation des foires annuelles, le prestige de Caen brillait mieux encore. Certes des villes mineures éloignées dans le Bocage, parfois même des bourgades infimes avaient conservé d'une tradition millénaire la coutume de tenir des rencontres annuelles nombreuses. La difficulté des communications quotidiennes contribuait au maintien des quatorze foires de Mortain, des quinze réunions de Montbray, mais il s'agissait en somme de gros marchés de la journée ; à ce compte-là, la capitale de la province avait aussi une

94. *Ibid.*, cf. en mars 1778, le Mémoire des juges consuls au Conseil « dans lequel on discute l'utilité et les inconvénients qui peuvent résulter, soit de l'exécution des règlements, soit d'une liberté illimitée de la fabrication ».

95. Almanach de 1690 par exemple, Bibl. Mancel, impr. 783 ; Enquête de 1725, Arch. dép. Calv., C 1357, C 1358, C 1359 ; almanach de 1733, Bibl. Mancel, imp. 811 ; Etat de l'an 1793 à l'an II, Arch. nat., F 20 311.

96. A l'exception de Clinchamps, les autres bourgs s'animent à raison de trois le mardi, un le jeudi, quatre le samedi.

97. La halle aux toiles s'ouvre le vendredi. Le report momentané au lundi suscite la compétition contre laquelle s'élèvent les marchands dans une requête à Tolosan le 5 décembre 1784. Cf. Arch. dép. Calv., C 1357 et C 6886.

demi-douzaine de tenues privilégiées [98]. Les grandes transactions n'apparaissent que dans les foires pluri-journalières ; elles entraînent seules le concours massif des vendeurs attirés par les franchises, le développement du commerce local par le gîte et la restauration, l'établissement d'un cours variable des produits entre l'ouverture et la fermeture, la naissance d'un marché de l'argent et du crédit. Sur ce terrain, Caen avait peu d'adversaires dans sa généralité. Saint-Lô offrait aux marchands une foire de quatre jours et une autre de trois jours, comme Carentan, Isigny, Lessay, Périers, Le Teilleul puis venaient Coutances et Condé-sur-Noireau avec quarante-huit heures de transactions [99]. Rien de comparable aux deux semaines de la grande foire de Quasimodo qui élargit le renom commercial de notre ville aux confins du royaume et jusqu'en Angleterre.

IV. LES FOIRES DE CAEN ET GUIBRAY

1. COUPURE ARBITRAIRE DES DEUX MANIFESTATIONS

La foire de Caen mérite une attention détaillée et renouvelée [100]. D'après les états de marchandises apportées et vendues que dressaient les inspecteurs des Manufactures, on la considère généralement comme la troisième du pays derrière la méridionale Beaucaire et Guibray la normande, installée dans un faubourg de Falaise ; mais les ventes de Caen dépassaient celles de Guibray vers la fin du siècle. Et d'ailleurs cette conception doit être révisée. Elle tire surtout son origine, me semble-t-il, de la césure administrative de la Basse-Normandie qui a dispersé sur deux intendances l'élaboration des statistiques entre les mains d'inspecteurs différents : Guibray appartenait, en effet, à la généralité d'Alençon avant de trouver, avec son entrée dans le département du Calvados à la Révolution, un rattachement plus conforme à la réalité démographique et économique [101].

En réalité les foires de Caen et Guibray constituaient depuis longtemps un appareil commercial géminé qui doit être examiné d'un bloc. Peu importe l'antériorité de Guibray, qu'une tradition obscure fait remonter à Guillaume

98. Premier lundi de carême, premier vendredi d'après-mi-carême, lendemain de la Trinité, Saint-Michel, le 28 octobre, le 26 décembre, voir Th. Raulin, 1894.

99. Arch. dép. Calv., C 1358.

100. E. Levasseur, 1914 ; H. Sée, 1927 ; P. Jubert, 1937 ; C.-E. Labrousse, 1944 ; livre 1, chap. 4, pp. 105-112.

101. La coupure entre les foires de Caen et de Guibray est encore admise, sans doute pour des raisons de commodité qu'explique le caractère général de l'œuvre par P. Léon dans C.-E. Labrousse, P. Léon, P. Goubert, J. Bouvier, Ch. Carrière, P. Harsin, 1970, 3ᵉ part., chap. 5, p. 509, L'élan industriel et commercial. Contrairement à ce qu'affirme la grande édition du *Dictionnaire universel de commerce* de Savary, 1759-1765, t. 3, 1761, p. 246, les inspecteurs de Caen n'ont pas la visite des marchandises de Guibray, mais ceux d'Alençon. Cette erreur confirme d'ailleurs la thèse que nous soutenons : l'opinion du XVIIIᵉ siècle rattache spontanément les deux institutions.

le Conquérant, sur Caen instituée par Louis XI et réorganisée par lettres patentes de mai 1594[102]. Au XVIIIe siècle, certaines ressemblances étaient devenues parfaites, secondées par la proximité des lieux (34 km) et des temps (trois mois d'intervalle). Les deux foires se détachaient ainsi dans l'ensemble français par une importante et identique longueur de quinze jours ; les mêmes franchises leur étaient attachées, notamment l'exemption des droits d'octroi[103]. Jusqu'au concours de la même noblesse empressée et, sur les tréteaux, des baladins et vendeurs d'orviétan, tout assurait l'homogénéité sociale des deux événements. Peu importe aussi que les transactions de Guibray l'aient emporté pendant un certain temps, si la métropole régionale parvenait à garder un contrôle profitable sur l'ensemble. C'est l'assertion qu'il faut établir maintenant.

1) Commençons par le domaine foncier. Le contraste des régimes de propriété auxquels les deux aires de foire étaient astreintes tournait à l'avantage de Caen. Ici la ville avait gardé la nue-propriété des loges ; elle tirait certains profits de baux à rente, de taux variable, qu'elle avait consentis depuis mars 1600, tout en conservant en propre une part des fonds. Le développement de l'enclos et l'extension des loges restaient à sa discrétion et elle avait su préserver le caractère indigène des fieffataires comme le prouve la ventilation de 1774[104] :

Domicile des bénéficiaires	*Valeur des loges* (%)
Caen	83
Rouen	6,9
Lisieux	3,9
Autres villes de Normandie (dont Falaise-Guibray : 0,5 %)	3,9
Reste du Royaume (Amiens, Niort, Paris, Poitiers)	2,3

Surtout cette « municipalisation » du sol avait contenu la spéculation sur les emplacements et, partant, la hausse des loyers demandés aux marchands. Caen offrait ainsi des services moins coûteux que Guibray.

Là-bas, le sol, entièrement approprié, était devenu l'enjeu de surenchères incessantes depuis l'essor de la foire sous la Régence[105]. Dès les années 1730, quelques grandes fortunes s'investissaient dans les loges : Angot, bourgeois de Falaise venait d'acheter pour 50 000 livres toute une rue de la foire. Le mouvement de concentration se poursuivit jusqu'à la fin du siècle. Les propriétaires riches ou titrés comme le marquis de Versainville, M. et Mme de Bernonville et, dans leurs rangs, la noblesse et les négociants de Caen étaient

102. Texte de ces lettres dans Arch. nat., F 12 1232.

103. On notera le parallélisme des échanges de correspondance entre le contrôleur général Orry et les deux intendants. Arch. dép. Calv., C 6407, Lettre à Caen du 26 décembre 1744 (et réponse envoyée le 3 décembre 1746) ; Arch. dép. Orne, C 22, Lettre du 2 juillet 1745.

104. Arch. dép. Calv., C 6482.

105. Sur les loges de Guibray : Arch. dép. Orne, C 21 à C 23 ; Arch. nat., F 12 1235. Les habitants de Guibray et Falaise, les aubergistes se sont vu interdire de louer des locaux aux marchands depuis 1693. Le monopole de l'enclos a une base réglementaire.

devenus les maîtres de la foire, ils dictaient leurs prix de location ; vers 1750, jusqu'à 500 livres par semaine la loge simple. Les plaintes perpétuelles des commerçants, les avis de l'intendant d'Alençon montrent qu'ils parvinrent ainsi à détourner de Guibray — donc à orienter vers Caen — une part des transactions de détail.

2) La juridiction comparée des deux foires révèle la même asymétrie. Les échevins de notre ville étaient, de fondation, juges conservateurs de l'institution. Chaque année, ils se transportaient solennellement au pavillon principal pour y tenir leurs assises, trancher les procès des marchands, surveiller de pair avec l'inspecteur franchises et produits.

Toutes les fois que la police royale venait les troubler, l'escalade au Conseil du Roi tournait, comme en 1737, à leur avantage[106]. Bref, la foire se présentait comme un organisme chargé d'une force autonome si redoutable qu'elle faisait reculer les intendants. Fontette avouait en 1759 : « Je crois qu'une police pour les foires est nécessaire ; mais je ne sais trop si ma compétence est bien établie et s'il n'est pas à craindre que je me commette »[107].

Le concert des intérêts municipaux et commerciaux bernait peut-être même la puissance royale beaucoup plus profondément qu'il n'y paraît. Avec ses exemptions totales de taxes, la foire ne tenait-elle pas le rôle que les colonies firent jouer au vaisseau de permission ? Il se pourrait bien. Les vieilles lettres patentes de 1601 avaient pensé étrangler la fraude en stipulant que, dans les quinze jours de vacation, quatre seraient destinés à l'apport des marchandises, huit à la vente, trois à l'enlèvement ; mais elles tombèrent en désuétude au XVIIIe siècle et, de son propre chef, la ville leur substitua une ordonnance le 23 avril 1741 (confirmée par les Aydes de Rouen en 1743) qui déclarait les marchandises de la foire exemptes d'octroi en tout temps. A leur entrée en ville, les balles étaient seulement cachetées, puis entreposées chez leurs propriétaires pour des mois et des mois. Imagine-t-on des milliers de rubriques annuelles, collectées à travers l'octroi de dizaines de barrières, jamais contrôlées dans la fièvre de l'ouverture[108] ?

A l'opposé Guibray ne fut jamais l'instrument de la ville de Falaise, trop modeste pour imposer sa loi. La police de la foire, l'examen et la marque des marchandises incombaient à quatre syndics aidés de receveurs. Ces personnages émanaient des quatre cités les mieux représentées dans les affaires : Falaise, Rouen, Paris et Caen précisément[109]. Sous l'égide du syndic caennais d'ailleurs, leur politique visait d'abord à tirer parti du volume des affaires ; ils tentèrent par exemple, entre 1739 et 1744, d'imposer un deuxième plomb forain aux marchandises ; ils voulaient surtout contenir l'autonomie

106. Arch. dép. Calv., C 1361, « Contestation entre les officiers municipaux et les officiers de police de la ville de Caen au sujet de la foire franche de ladite ville », 1737.

107. *Ibid.*, C 1356, « Observations sur l'ordonnance concernant les foires », en 1759.

108. *Ibid.*, C 6407. Correspondance Orry-intendant de la Briffe en décembre 1744 puis en 1746 avec Machault. La situation décrite vaut pour le reste du siècle, cf. note du greffier de la ville pour l'intendant le 6 décembre 1779, *ibid.*, C 2988.

109. Sur l'organisation quadripartite de Guibray, Lettre de Orry le 2 juillet 1747, Arch. dép. Orne, C 22. Et sur la politique des syndics, *ibid.*, C 21.

de Falaise : ils protestèrent victorieusement lorsqu'en 1771 les corporations indigènes entreprirent de visiter les loges. Bref la balance n'est pas égale, Caen, maîtresse chez elle, surveille aussi Guibray.

3) La domination indirecte de la capitale normande sur la foire de Guibray s'opère enfin très efficacement grâce à la politique routière. Dès 1714, le pouvoir avait pris conscience de l'isolement de Falaise [110] ; mais la desserte de Caen répondait à des besoins plus variés, elle fut assurée en priorité. En 1740, Guibray était enfin reliée à l'extérieur par une route neuve ; ce fut précisément l'axe commercial Caen-Falaise. Désormais, jusqu'à la fin du siècle, les marchandises emprunteront de Paris, Rouen, de Bretagne via Avranches, ce passage obligé qui alimente en « passe-debout » les octrois de la capitale bas-normande. En effet, la reconstruction des voies secondaires Isigny et Port-en-Bessin - Falaise (1777-1778) comptait pour peu de chose ; l'ouverture de la route Paris-Granville par Falaise ne fut décidée qu'en 1784, on discutait encore en 1789 d'une liaison directe à venir avec la Bretagne et avec Rouen [111].

A l'orée du XIXe siècle le verrou caennais gardait donc toute sa solidité. Ainsi le conseil d'arrondissement de Falaise s'emportait toujours en l'an X : « On aura peine à croire que le lieu où se tient la foire ... ne soit accédé que par des chemins impraticables à l'exception de la route d'Argentan à Caen... Pourquoi faut-il que tout ce que nous envoyent Rouen et la Flandre fasse un long circuit par Caen ? » [112] La partialité des Ponts apparaît évidente sur ce point. En effet, l'ingénieur en chef Lefebvre, si brillant, si diligent, n'eut pas un mot tant qu'il fut dans la généralité de Caen pour les travaux de son ressort qui eussent aidé Falaise. Promu inspecteur général, désormais parisien et libre de ses jugements, le voici écrivant en l'an XI sur les « longs détours » du commerce de Falaise et la nécessité de la liaison avec Rouen qui, « traversant un des pays les plus fertiles et les plus industrieux de la France, fait partie de celle de Lille et de Dunkerque à Rennes, Saint-Malo, Brest et Nantes, et par conséquent de la grande communication entre tous les ports de la mer du Nord ... et tous ceux bordants l'Océan » [113].

Ainsi, sur trois plans importants, la base foncière des aires de foire, la juridiction commerciale et le contrôle des produits, les accès routiers, le magnétisme de la ville la plus riche s'exprime aisément à travers le couloir marchand rénové en 1740 : à quelques lieues de Caen, Guibray est une foire de grande banlieue.

Au reste, il serait erroné, après ces conclusions, de chercher à Caen les traces d'une rivalité contre Guibray. Nulle animosité devant les plus belles de ses performances ; le négoce caennais était chez lui dans les deux foires, leur double réussite faisait la sienne et d'ailleurs Guibray offrait l'occasion d'imputer aux frais de transport des hausses de prix substantielles dont on a mesuré plus haut l'ampleur dans le commerce des serges. Vérité des prix sur place,

110. Arch. dép. Orne, C 20, Lettre du contrôleur Desmaretz à l'intendant de Brou, Marly, 25 juillet 1714. L'état des chemins s'oppose au développement de Guibray.

111. Arch. nat., F 14 140 A, pour la Bretagne ; F 14 785 pour Lisieux et Rouen.

112. Lettre de son président A. La Frenaye, Arch. nat., F 14 789.

113. Raport de l'ingénieur Lefebvre sur une lettre du préfet du Calvados, 12 fructidor an II, Arch. nat., F 14 788.

spéculation un peu plus loin, aux portes de Falaise. Ce partage des rôles ne pouvait réussir que dans la mesure où les deux foires étaient parvenues à une certaine complémentarité. C'est désormais l'idée qui va guider notre analyse.

Il est facile d'établir un tel rapport à travers l'aspect structurel des transactions. D'abord le calendrier des deux manifestations.

La foire de Caen s'ouvrait le lundi de Quasimodo, à la reprise annuelle des transports terrestres. Sans doute les routes étaient-elles mal égouttées, mais leur qualité compensait ici ce défaut ; d'ailleurs on cheminait plus lentement mais il y avait abondance d'équipages en cette saison. Guibray tenait ses assises à partir du 16 août et dans l'été normand, les chemins sont à peu près secs, mais ils demeuraient là de terre battue à l'exception de Caen-Falaise [114]. La rotation des charrois s'accélérait par rapport au printemps, en revanche les bêtes de trait, occupées aux champs, se faisaient plus rares.

Cette ventilation chronologique entraînait plusieurs conséquences. La foire urbaine se déroulait pendant la morte-saison agricole après les semailles de printemps, avant la fenaison. Les propriétaires aisés des campagnes y avaient un accès facile. Les notables et la noblesse n'avaient pas encore quitté leurs maisons de ville ; à cette date de l'année où un déplacement l'eût fait hésiter, cette clientèle était donc à pied-d'œuvre. Enfin les marchands bretons et saintongeais, dont on attendait toujours l'arrivée avec impatience, sur qui reposait souvent la « bonté » de la foire, étaient pressés de compléter au printemps l'armement des vaisseaux et leurs cargaisons [115]. Lorsque s'ouvrait dans l'été la foire rurale de Guibray, l'environnement changeait du tout au tout. Les campagnes argileuses, les terres froides du Bocage étaient encore couvertes de moissonneurs : nul loisir. De leurs châteaux, notables et gentishommes gagnaient alors Falaise à la recherche d'un divertissement plus que d'un marché ; ces deux catégories d'acheteurs étaient secondaires. En revanche, le commerce lourd y venait reconstituer ses stocks, notamment dans le textile, en prévision de l'hiver, tandis que le grand négoce breton préparait avant les transactions de Lorient — la vente de la Compagnie des Indes survenait en septembre-octobre — la matière des retours coloniaux [116]. A la foire de la ville se pressait donc surtout une clientèle de détail et d'objets de luxe, à la foire des champs, une clientèle de gros. D'un côté se déroulait d'abord un commerce régional ou interrégional, de l'autre un commerce national ou international.

114. Foire de Caen, aucun changement dans le déroulement : Arch. nat., F 12 1232, texte de janvier 1718 ; Arch. dép. Calv., C 2988, note de décembre 1779 ; Arch. nat., F 12 1232, Requête des officiers municipaux d'avril 1792. Foire de Guibray, *ibid.*, Arch. dép. Calv., C 1361 et C 6407 ; Arch. dép. Orne, C 22.

115. Les Bretons et les Malouins ont une importance capitale sur le mouvement des foires normandes. Cf. Arch. dép. Calv., C 1361, C 2989 ; Arch. dép. Orne, C 20 ; Arch. nat., F 12 1232. Ainsi, par exemple, à Caen les marchands bretons « contribuent beaucoup à fixer le sort de cette foire », rapport de l'inspecteur en 1742 ; même réflexion en 1744, 1745 sur le succès des armements de Saint-Malo, en 1746 sur l'influence des ventes de Lorient, en 1747 sur le commerce breton affranchi de la peur anglaise, sur les Bretons, les Poitevins, les Saintongeais en 1763, sur les meilleures disponibilités bretonnes en 1769, leur raréfaction en 1776.

116. Texte très explicite sur cette complémentarité, lors de la controverse de 1757 sur le déplacement de la date de Guibray : c'est la requête à Trudaine des échevins de Falaise et des syndics de Paris, Rouen, Caen, Arch. dép. Orne, C 22.

Mais le calendrier entraînait d'autres liens qui fortifiaient la dépendance des deux rencontres pour la plus grande sécurité des marchands. Bien qu'un espace de trois à quatre mois seulement les séparât, ces foires n'appartenaient pas en effet au même régime conjoncturel. Caen, au temps de Pâques, relevait du statut d'abondance ou de pénurie monétaire engendré par la récolte précédente. Guibray, en deuxième quinzaine d'août, reflétait déjà les anticipations commerciales des nouvelles moissons. Dans l'analyse de courte période, il serait fâcheux de confondre sans avertissement les transactions par millésime. Ou bien il faut souligner la portée que cet amalgame peut effectivement prendre pour les marchands normands, les caennais surtout qui fréquentaient les deux foires plus régulièrement que les commerçants lointains.

Pour ceux-là, le chiffre d'affaires jumelé dans l'année civile représentait une sorte de moyenne mobile calculée sur deux ans ; l'effet des anomalies climatiques se réduisait, un volume moyen de transactions devenait probable et c'est lui qui fait la solidité des maisons. En quelque sorte les deux foires assuraient mutuellement leurs risques ; Caen surtout, la première en date du calendrier, renvoyait couramment ses difficultés à l'été. L'invendu regagnait les arrière-boutiques pour une brève période. Le marché de l'argent à court terme montre mieux encore la souplesse dont la ville bénéficiait.

Selon une coutume très stricte, les billets, lettres de change et tous effets négociables en foire n'étaient pas exigibles à Caen avant la deuxième semaine de transaction. D'ici là, les ventes et les achats s'étaient fortement amorcés, les débiteurs avaient bénéficié d'un crédit tacite gagé, pour ainsi dire, sur les marchandises apportées. Puis, lorsque l'année était mauvaise, la Guibray s'offrait, trois mois plus tard, comme le meilleur recours contre les procédures en justice. « Jamais on avoit vu l'argent aussi rare, déclare l'inspecteur en 1769, presque tous les porteurs de billets protestés se sont contentés d'en faire faire de nouveaux dont l'échéance a été fixée à la prochaine foire de Guibray » [117]. A Caen, le crédit peut donc être modulé à trois mois ou à un an et, de toute façon, il est reporté à l'exercice agricole suivant. A Guibray, le crédit à court terme est consenti moins aisément parce que les paiements tardent neuf mois et comme l'échéance se produira dans le même cycle agricole, les achats spéculatifs fondés sur l'espoir d'une meilleure vente sont limités. La foire de Caen traduit mieux que Guibray les anticipations des agents ; elle jouera plus efficacement un rôle de relance économique. La première foire de l'année révèle un pari sur les besoins, la seconde un constat.

Enfin on a probablement remarqué déjà une différence de nature entre les deux dates. La foire de Caen inaugurée le lundi de Quasimodo était rattachée au calendrier mobile de Pâques, elle pouvait commencer entre le 30 mars et le 3 mai. La Guibray s'ouvrait invariablement le 16 août. Les variations de cet intervalle renforçaient l'interdépendance des affaires. Plus les fêtes pascales étaient précoces, mieux la foire de Caen s'en trouvait (par exemple 1765, 1770, 1774, 1777), et l'inverse se produisait dans les occurrences rapprochées (par exemple 1735, 1740, 1748, 1753, 1764, 1772, 1786) [118]. Des achats

117. Cf. la note du greffier de la ville sur la foire, le 6 décembre 1779, Arch. dép. Calv., C 2988 ; Rapport de l'inspecteur en 1769, *ibid.*, C 2989.

118. Observations de l'inspecteur des Manufactures, *ibid.*, C 1362, C 1363 et C 2989 ; Arch. nat., F 12 1232.

se reportaient alors sur la foire estivale (le réassortiment des tissus d'hiver par exemple) ; certains commerçants éloignés réduisaient à un seul leurs déplacements. Cette situation qui renforce la nécessité de considérer ensemble les deux manifestations, présentait des inconvénients pour le *leadership* caennais. Certains marchands y furent sensibles et tentèrent en 1757 d'obtenir le report de Guibray en septembre-octobre pour équilibrer le crédit à court terme[119]. Ils échouèrent devant l'opposition des syndics de la foire estivale appuyés sur les commerçants bretons et à Caen même sur les négociants en gros intéressés au maintien des échanges internationaux[120]. Au reste la mobilité du calendrier religieux, connue de longue date, causait ici moins d'ennuis que là-bas, l'oscillation climatique imprévisible de la moisson.

Les pages qui précèdent ont démontré la structure liée des deux foires. Mais la portée de ce couple d'événements dans les échanges généraux de Caen n'apparaît pas encore, ni la portée des statistiques dressées par les inspecteurs des Manufactures. Les épaves numériques dispersées à Paris, Caen et Alençon prendront un sens seulement après ces deux investigations.

Le caractère excentrique des foires dans la vie économique ne fait pas de doute. Des secteurs particulièrement massifs leur échappaient presque complètement. Celui des denrées alimentaires périssables ou difficiles à stocker comme le blé, faute de greniers assez vastes, et le bétail, faute de prairies circumurbaines suffisantes. D'ailleurs une suspicion immédiate aurait frappé les échanges frumentaires ouverts aux étrangers. Avec leurs 2 000 à 3 000 bovins, autant d'ovins et quelques centaines de porcs, les foires normandes firent toujours, d'autre part, piètre figure en face du marché de Poissy alimenté par la province via Le Neubourg[121]. Donc, sur ce point, il n'existe aucun rapport de proportion entre les foires et le volume annuel des transactions locales.

En second lieu l'événement est unique dans le cycle des saisons et bien qu'ici le dédoublement amortisse un peu les risques en offrant une seconde chance, les aléas météorologiques pesaient très fort sur le chiffre d'affaires. Deux semaines de soleil ? Le succès de la foire était presque assuré. « Le beau temps ... a beaucoup contribué à faire valoir tout le détail, mais principalement celuy des choses qui se consomment dans le pays ou dont on peut se passer, ou différer l'emplette », écrivait l'inspecteur de Caen en 1741 ; la même chance se rencontra en 1742, 1752, 1761, 1776, 1777, 1788, la liaison contraire en 1751 où la Manche en tempête avait jeté au rivage force cargaisons, où les chemins fondaient sous les rafales de pluie, de même en 1769, 1787. Par exception la Guibray de 1725, tout à fait noyée, fut reportée en septembre avec la foire de Sainte-Croix[122], mais d'ordinaire la rencontre était

119. Requête des anciens prieurs, juges-consuls et notables marchands ; note de l'inspecteur des Manufactures, juin 1757, Arch. dép. Calv., C 1356 et C 6407.

120. Arch. dép. Orne, C 22, Requête contraire à la précédente, émanant des échevins de Falaise et des syndics de Paris, Rouen, Caen. Parmi les négociants de Caen favorables au maintien des dates traditionnelles, les plus notables des marchands en gros Tardif de Petiville, Duperrey, Crestey, Hermerel, N. Joly, Neveu.

121. Voir un décompte particulièrement précis du bétail dans l'état des marchandises apportées à Guibray en 1721.

122. Arch. dép. Calv., C 1361 ; Arch. nat., F 12 1232 ; Arch. dép. Orne, C 20. Cette foire Sainte-Croix est nommée souvent la petite Guibray.

simplement manquée pour le commerce. A ce titre non plus, la foire n'avait pas de lien significatif avec le mouvement annuel des affaires. En réalité cette institution, mauvais baromètre de l'ensemble, servait des besoins socio-économiques précis. Encore étaient-ils susceptibles d'évoluer indépendamment les uns des autres. Les données statistiques traduisent un phénomène complexe de fonctions.

La plus durable appartient à l'instance sociologique. A côté des pèlerinages et des fêtes votives, la foire satisfaisait dans une vaste population un besoin de rassemblement et de contacts. Or on ne doit pas s'attendre à voir cette pulsion sociale s'atténuer au XVIIIe siècle avec le développement des échanges. Les routes fatales aux foires ? On l'a dit trop catégoriquement sur la foi d'un bilan partiel. Si la croissance des transports était créditée d'un tel effet en général, qui pourrait expliquer par exemple la place de notre moderne salon de l'automobile dans la vie nationale où persiste, comme sous l'Ancien Régime, le double aspect de la fête de communion et du commerce ? Bien mieux, la permanence de ce rôle culturel s'est renforcée le long du XVIIIe siècle par la croissance des populations urbaines. En 1732 déjà, l'inspecteur Bocquet l'avait souligné expressément :

> « Il est certain que le nombre des hommes s'est bien multiplié depuis quelques années. Les villes sont pleines d'hommes élevés dans la paix, qui n'ont pu se destiner que pour le travail ou le commerce, ce qui procure de nouveaux établissements et par conséquent beaucoup d'émulation... Les uns et les autres peuvent y réussir à la faveur des besoins de la délicatesse et de la dépense qui augmentent tous les jours. » [123]

Mais les foires ne tiraient pas seulement parti de l'accroissement numérique « des particuliers .. des villes et des campagnes qui ont accoutumé de réserver toutes leurs emplettes » pour elles [124]. Un autre fait social venait jouer un rôle accélérateur : l'évolution des besoins. Depuis 1750, l'inspecteur des foires atteste souvent cette mutation désormais patente et probablement plus ancienne : « L'universalité du luxe, l'extension sans bornes des besoins de la vie » [125] et il y revient par exemple en 1759 : « Le faste et l'amour des commodités qui augmentent sensiblement chaque jour et qui ont consacré l'usage de mille superfluités. »

Bref, c'est dire qu'à cette époque le commerce des marchandises prenait lentement ses distances par rapport aux déterminismes agricoles. Ce décollage n'est pas indépendant de l'amélioration des transports, l'équivalent, nous l'avons dit, d'une augmentation de la productivité et condition préalable pour que le dynamisme propre de la consommation acquière une nouvelle autonomie. Le mémoire de 1760 remarquait avec clairvoyance :

> « Plus on observe les foires, moins elles paroissent dépendre des événements généraux du commerce ; si elles y sont liées, c'est de si loin qu'ils n'y peuvent influer que des variations... Le

123. Rapport sur la foire de Caen, 1732, Arch. nat., F 12 1232.
124. *Ibid.*, Rapport de 1730.
125. *Ibid.*, Rapport de 1750, et 1759, Arch. dép. Calv., C 1361.

> commerce des foires est plus fixe que le commerce en général, il roule sur des objets de consommation annuels à peu près aussi égaux que certains ... Dans les circonstances de la plus grande langueur du commerce, nous ne voions que de foibles différences entre les montants des mêmes foires. » [126]

Comme les subsistances primaires n'entraient pas dans leur sphère, cela signifie que d'autres biens plus durables avaient acquis la même nécessité et qu'ils figuraient dans le minimum, inélastique désormais, requis par l'opinion : les textiles, les cuirs et peaux, les drogues et épices, la quincaillerie, etc. A cet égard les foires exerçaient une fonction de pédagogie de la consommation. Vitrines d'objets, elles agaçaient des désirs, voici les ennemies jurées du « sage » campagnard. Ce rôle social si fondamental d'acculturation à l'achat a entretenu continuellement, il entretient encore la vie des grandes démonstrations commerciales [127].

Les foires eurent d'autres finalités économiques qui regardent les négociants. L'une des plus constantes résidait dans la traduction précoce et tout à fait visible qu'elles donnaient de l'innovation commerciale. La naissance et la disparition rapide des rubriques retenues par les inspecteurs, notamment dans les domaines du textile, de la bimbeloterie, de la mercerie montrent l'essoufflement de la statistique à suivre l'état de l'offre depuis les années quarante. Cette innovation ne vaut pas seulement pour les marchandises, mais pour les vendeurs. Les foires enregistraient plus vite que les boutiques la pesée du monde extérieur sur la province. Elles étaient annonciatrices de l'expansion des échanges, instrument de sondage. Chaque année, les principaux négociants et les inspecteurs y commentaient les avances ou les reculs des Bretons et Malouins [128], des marchands de Tours, Poitiers, Amiens ou Paris.

Caen et Guibray acclimatèrent ainsi deux catégories exotiques de négociants dans l'horizon provincial en l'espace de quarante ans. Le commerce juif d'abord. Première mention, 1741. C'était alors une simple antenne d'achat pour le vêtement, la passementerie, l'orfèvrerie, permise par le Conseil du Roi, comme le rappelle Orry en septembre 1741 et janvier 1742 [129]. Mais en 1743, dans l'émoi général, les commerçants juifs vinrent en grossistes et prirent le monopole de la soie en réduisant leurs bénéfices : « La nouveauté, la curiosité, la variété de leurs marchandises, le bon marché et la prévention, tout a été pour eux », écrit l'inspecteur Bocquet qui poursuit : « On a fait une visite exacte de leurs étoffes ... elles se sont trouvées revêtues des formes prescrites par les règlements. » A la Guibray suivante, le subdélégué Barbot faisait les mêmes constatations, les marchands juifs vendaient à bas prix des étoffes

126. Rapport sur la foire de Caen, 1760. Même thème déjà en 1759 (*ibid.*, C 1361).

127. Le mémoire de 1759 le dit expressément « les foires se soutiennent contre toute espérance... elles contribuent beaucoup à entretenir dans le commerce intérieur une activité et une circulation dont le défaut est plus à craindre que celui de l'espèce ». Le mémoire de 1735 soulignait déjà l'inélasticité de la consommation d'épicerie. Arch. nat., F 12 1232.

128. A travers tout le siècle, on l'a vu, les Bretons sont guettés avec attention.

129. Arch. dép. Calv., C 1356.

légères et irréprochables ; désormais, chaque année, leurs progrès seront fidèlement analysés et l'enseignement de leur système de crédit assimilé [130].

Sous Louis XVI, la pénétration anglaise à la faveur du traité de commerce fit rejouer aux foires un rôle analogue d'avant-garde marchande, avec, il est vrai, une légère variante puisqu'il s'agissait de l'apparition légale d'un trafic jusque-là clandestin. En effet, depuis plusieurs années, la contrebande avait attaché économiquement les deux rives de la Manche par le relais des îles. « Les marins de nos côtes fréquentent assez celles d'Angleterre pour trouver moyen de faire le commerce qui les accomode », écrivait ainsi le sieur Vitrel, de Cherbourg, en 1769. Quatre ans plus tard un marin malchanceux était encore appréhendé au retour de Jersey avec vingt-quatre paires de bas de laine :

> « L'importation frauduleuse de ce genre est immense et se pratique avec impunité par des femmes qui l'exercent journellement en se faisant des vêtements, des bas et bonnets qu'elles introduisent et dont il est difficile de se saisir par l'inconvénient de [les] dépouiller de leurs habillemens et de violer la décence publique. » [131]

Or, en dépit de son aspect spectaculaire, le commerce de contrebande garde toujours un volume souffreteux. La sensibilité des foires normandes aux plus précoces courants d'échange apparaîtra d'autant mieux que les draps anglais — notamment les « tamises » — y furent mis en vente dès 1778-1779 sous la double complicité des marchands amiénois et rémois ; en 1785, suivirent les velours et la bonneterie, en 1786, les mousselines et les toiles peintes [132]. Au printemps de l'année 1787, alors que l'exécution du traité de commerce était encore seulement prochaine [133], les foires enregistrèrent tout de suite la présence de facteurs anglais. « ils étaient porteurs de cartes d'échantillons, ils ont fait des offres de services à différens marchands qui les ont acceptées ». Puis ce fut, comme dans le processus juif, l'arrivée des marchandises pour la session suivante et, partant, la reprise de l'analyse commerciale : les lainages apparaissaient inférieurs, les cotonnades et la bonneterie fort belles au contraire, les gazes et mousselines françaises soutenaient la comparaison mais la faïence anglaise était prise d'assaut ; on scrutait jusqu'aux achats britanniques : les chanvres et cotons filés, la laine du Cotentin, pour discerner les nouvelles orientations du marché [134].

130. *Ibid.*, C 1361 ; Arch. dép. Orne, C 21 ; Arch. nat., F 12 1232. C'est en 1755 que l'inspection des foires relève la combinaison du bon marché et du crédit.

131. *Ibid.*, F 12 1369 B, Lettre à Morel inspecteur des Manufactures le 27 janvier 1769 ; Arch. dép. Calv., C 6422, Ordonnance de l'intendant le 13 octobre 1773.

132. Arch. nat., F 12 1235, Guibray en 1778-1779 ; Arch. dép. Calv., C 2989, Caen en 1785 ; *ibid.*, C 2989 et C 2945, Caen en 1786.

133. Dansin, 1868 ; F. Lefebvre, 1873 ; C. Bloch, 1901 ; Wallon, 1901 ; F. Dumas, 1904 ; H. Sée, 1930 ; L. Cahen, 1939.

134. Rapport sur la foire de Caen de 1788, Arch. nat., F 12 1232, et Arch. dép. Calv., C 2989. Les conséquences du traité sont mal connues, elles se sont ajoutées à celles de la réforme monétaire de 1785 qui perturbe les changes. Quelques allusions dans G. Thuillier, 1971, p. 1049. Voir aussi L. Dermigny, 1955, pp. 480-493.

Jusqu'à la Révolution, l'intérêt des foires comme organe d'information, comme outil de prévision conjoncturelle, ne s'est pas démenti, à la surprise des inspecteurs qui prédirent deux fois leur recul définitif devant les baisses longues de 1732-1752 et 1768-1784. Cependant leur sensibilité faisait en même temps la fragilité de leurs succès. Dès qu'elles étaient acquises en foire, les trouvailles commerciales tournaient à l'avantage du négoce en général. Entre ces deux pôles de l'échange, la dialectique qui mène de l'innovation à l'assimilation est toujours tendue. L'examen des finalités économiques traditionnelles de la foire le montre bien.

Depuis le Moyen Age on reconnaissait d'abord à ces manifestations le mérite éminent d'activer, d'équilibrer les échanges monétaires. L'inspecteur Bocquet l'affirme toujours en 1730 : « La circulation de l'argent, le débit des marchandises tant en gros qu'en détail et la régularité des payements doivent concourir pour la bonté d'une foire », il ajoutait dans la même perspective en 1737 : « La Basse-Normandie qui a manqué de débouchés depuis plusieurs années compte sur le commerce des foires comme le plus propre à luy procurer un reflux de l'argent qu'elle a répandu » [135].

Cette fonction de réanimation prenait un sens très actuel après la dislocation des temps de guerre. L'internationale des négociants retrouvait alors par les foires le chemin de l'entente. « Leur empressement à renouer leurs anciennes correspondances et à en former de nouvelles fait aujourd'huy de tous les négociants de l'Europe une espèce de corps dont les intérêts particuliers, tous différents qu'ils sont, viennent se réunir au bien général », nous sommes en 1749 [136]. Ces professions de foi libérale ne recouvrent jamais complètement au XVIIIe siècle d'anciens penchants mercantilistes et c'était une joie d'enregistrer en 1761 les « enlèvements extraordinaires » opérés pour les Espagnols, en 1762 pour les Allemands et les Espagnols, en 1764 les colonies, qui venaient grossir le stock monétaire de la nation et surtout de la Normandie.

Dans le marasme, le développement du crédit est plus important qu'en période prospère ; à ce titre tout favorisait les foires depuis le XVIIe siècle : la régularité des tenues, la présence d'une juridiction financière impartiale et gratuite, d'une caisse des dépôts et consignations pour les lettres et billets échus, l'affluence qui permettait les règlements multilatéraux ; Caen et Guibray faisaient pénétrer dans le vaste Nord-Ouest français les procédés de règlement affinés dans le négoce international mais raréfié du XVIe siècle. Plus la conjoncture était mauvaise, plus efficace paraissait leur rôle dispensateur des crédits à un an et meilleure la position de la foire la plus urbanisée, la plus proche des capitaux disponibles, celle de Caen [137].

Or cette fonction s'est dépréciée au long du XVIIIe siècle parce qu'elle était en train de s'enraciner dans les pratiques courantes. Les liaisons d'affaires régulières, un contrôle plus attentif de la solvabilité des entreprises permettaient de se passer des foires et d'organiser un marché de l'argent plus souple. On le reconnaît dès 1730 : « Les marchands entre eux se pressent moins

135. Observation de Bocquet à Caen, Arch. nat., F 12 1232.
136. *Ibid.*, F 12 1232.
137. Sur ce sujet, les observations de Bocquet inspecteur de la foire et Roullier inspecteur particulier des toiles en 1728 sont très pertinentes (*ibid.*, F 12 1232 ; Arch. dép. Calv., C 1361).

qu'autrefois ... d'autant qu'ils examinent avec plus de soin la sûreté des crédits qu'ils font »[138]. On a observé plus haut le triomphe de ces nouvelles pratiques d'une génération de marchands dentelliers à l'autre. Le mémoire de 1738 en avait donné une analyse pertinente pour le reste du textile :

> « Les payements ne se font plus dans les foires avec l'ancienne exactitude, les moyens de négocier le papier se sont multipliés, les termes se reculent aisément et vont tomber également dans toutes les saisons de l'année, ce qui fait pressentir que par la suite les foires deviendront aussi peu considérables pour la circulation de l'argent que pour le débouché des marchandises. »[139]

Un rôle pilote s'effaçait.

Quelques autres suivirent le même chemin. Longtemps, depuis Colbert surtout, les foires avaient ménagé des espaces de liberté au milieu d'un commerce global très réglementé, très imposé par le fisc et freiné dans ses pulsions concurrentielles. Dans les enclos de Guibray et de Caen, la seule astreinte au plomb de fabrique, les franchises d'octroi, le concours de toutes les provinces réalisaient quelques conditions du libéralisme. Mais avec la deuxième moitié du siècle, l'aménagement des voies royales progressa en Normandie comme on sait. La portée sociale de la route n'était pas défavorable aux foires, mais ses effets économiques le furent sans doute possible.

Jusque-là l'augmentation des frais de foire (le loyer des loges, l'hébergement) était plus que compensée par l'économie et la sécurité qu'obtenaient les négociants en groupant leurs transports sur des artères difficiles. Aussi bien les fabriques rurales presque toujours inaccessibles transféraient en deux fois leur production courante dans le circuit breton par le même canal ; les villes secondaires y puisaient leur assortiment et le rapport de 1758 ajoute : « Les particuliers aisés croyoient faire le plus grand acte d'économie en y venant s'approvisionner des choses qu'il leur sembloit devoir payer beaucoup plus cher dans le cours de l'année »[140]. L'amélioration du réseau de circulation déprécia ces services. Pour la première fois, les marchands de Guibray constatèrent en 1739 l'essor des transaction directes. A cette date, la route royale rénovée de Caen à Paris était carrossable en toutes saisons et l'accumulation des marchandises pour une vente ramassée, inutile ; la rotation du capital marchand s'accélérait. En même temps, il n'y avait plus rien à gagner sur des prix qui avaient rejoint ceux de la vie courante ; le commerce de l'épicerie donnait à l'inspecteur l'occasion de l'observer dès 1742. Sans doute demeurait la franchise de l'octroi au lieu de la vente, mais ses bienfaits furent progressivement réduits par la montée des contrôles sourcilleux de la ferme générale : en 1786 leur ampleur inquiétait même l'administration[141].

138. Rapport sur la foire de Caen, 1730, Arch. nat., F 12 1232.

139. *Ibid.*, le 15 mai 1738, même dossier.

140. Arch. dép. Calv., C 1361.

141. Arch. nat., F 12 1232, Lettre de Le Page sur la foire de Caen : « On ne peut nier aussi que les employés des fermes chez tous les petits marchands de cette généralité et qui ont été suivis d'accomodemens pécuniaires n'aient beaucoup nui aux achapts et aux approvisionnements... en effet dans la seule vue de se procurer

Et puis surtout, la route conduisit insensiblement aux fabriques les plus éloignées : c'est l'acquisition de la deuxième moitié du siècle. Le mémoire de 1758 en salua les premiers effets ; désormais les négociants envoyaient leurs facteurs et faisaient « dans les sources mêmes, un commerce inconnu ». Ils triaient à loisir et écrémaient la production ; la qualité des offres en foire baissait, l'usage des échantillons l'emportait sur l'assortiment immédiat. L'opinion publique en porte témoignage en 1768, 1773, 1774, 1775 à Caen, en 1778 à Guibray. Mais la chronologie des lamentations prend de l'intérêt lorsqu'elle est rapprochée des travaux de circulation. Que se passait-il dans les années 1775 ? Le lancement des routes secondaires, le branchement des campagnes sur le réseau général. Pour les fabriques rurales, la médiation des foires n'était plus nécessaire dorénavant.

2. LA STATISTIQUE DES FOIRES

Maintenant nous savons mieux ce que le mouvement des foires peut restituer du commerce urbain. Rien qui tienne aux consommations de subsistances et rien du commerce en général. Si le rôle social de telles manifestations tend à croître comme la population et la prospérité globales, leur utilité économique se maintient seulement comme courroie de transmission des nouveautés commerciales et s'atténue pour le crédit et la circulation. Bref, dans le long terme, deux propensions contraires se disputent le champ. Voyons le résultat, essayons de le décomposer. Mais d'abord que mesurons-nous ?

Un mouvement d'affaires en valeur que les inspecteurs des Manufactures ont été chargés d'établir. La qualité des hommes est rassurante, fondée sur une longue fréquentation des ateliers [142] ; de surcroît les préposés sont généralement deux, l'inspecteur général spécialisé dans la draperie s'appuie sur un confrère chargé des toiles [143]. Mais l'enregistrement des marchandises appor-

---

de l'argent, les employés entrent chez un marchand, examinent les marchandises, saisissent ce qu'ils trouvent sans marque, menacent le marchand de l'amende de 1 000 écus, l'effrayant et finissant par luy rendre tout... au moyen d'une somme de 50 à 60 livres. De cette manière il arrive qu'un marchand est saisi et rançonné plusieurs fois de suite pour les mêmes objets. »

142. Par exemple, en 1744, l'inspecteur Boré écrit à l'intendant d'Alençon pour lui annoncer qu'il accompagne journellement son beau-frère aux Gobelins et à la Manufacture de Saint-Denis. Ensuite il se rendra à Guibray puis repartira s'informer de la draperie à Louviers, Elbeuf, aux Andelys avec un confrère (Arch. dép. Orne, C 21). De même Godinot de Ferrières, inspecteur à Caen était élève des Manufactures de Rouen (Arch. nat., F 12 838). Les inspecteurs fournissent les états statistiques en trois exemplaires et les mémoires d'observations en quatre (Arch. dép. Calv., C 2990).

143. « L'annuaire » des inspecteurs comporte quelques imprécisions. Voici ce qu'on peut extraire des Arch. dép. Calv., C 2858, C 2989, et des états de statistique ; des Arch. dép. Orne, C 20, C 21 et des états de Guibray ; des Arch. nat., F 12 1232, et 1369 B : à Caen, l'inspecteur principal au début du XVIIIe siècle est Etienne Bocquet, il a exercé trente-cinq ans ; en 1726, son fils a reçu la survivance de cette fonction ; Guillaume-Jean-Etienne Bocquet du Hautbosq la remplit jusqu'à sa mort en 1762 ; Godinot de Ferrières le remplace momentanément puis en 1763 cède la place à l'inspecteur en titre Morel jusqu'en 1770. En 1771, Godinot revient

tées et vendues soulève de grosses difficultés et pour des centaines de produits dont il faut noter les volumes ou les prix unitaires, le travail devient gigantesque. Ainsi comme toujours, l'étude des sources pourrait nourrir un épais chapitre d'observations. Courons seulement ici aux conclusions.

1) Les inspecteurs visitent dans le détail les marchandises issues directement des fabriques ; c'est-à-dire des produits exclusivement normands, car tout ce qui vient d'ailleurs passe par l'intermédiaire des négociants. Dans les ventes provinciales l'erreur éventuelle provient donc surtout de la fraude. Entre 1770 et 1778, on constatait à Guibray que beaucoup de participants n'avaient qu'une boutique pour la montre et plusieurs greniers de Falaise les ravitaillaient au long de la foire ; en 1774, l'inspecteur a porté la valeur globale des toiles à 3 800 000 livres en reconnaissant que la réalité devait atteindre 6 000 000 de livres [144]. La différence crée un malaise.

2) Les marchandises qui ne sortent pas de l'officine des producteurs — en un mot la plus grande partie du fonds de foire — sont estimées par enquête auprès des marchands. Sur la valeur du procédé, les inspecteurs, gens assez lucides, ne tarissent pas de critiques. Bien sûr, ils ne reprennent pas à leur compte ce mémoire anonyme et sans date — 1714, probablement le subdélégué de Falaise — qui déplorait leurs complaisances pour les gros marchands, « gens puissants et accrédités, qu'ils craignent et chez lesquels ils n'ozent entrer », mais ils en approuvent sûrement la note générale : « Il ne paroist pas qu'il y ait aucun fonds à faire [sur les Etats] pour connoitre la vraye valeur des foires ». Ils confessaient facilement leur méthode, comme en ce texte de 1754 : « Et lors de notre visite nous [avons] interpellé les marchands droguistes de nous déclarer la quantité de drogues médicinales qu'ils peuvent débitter ... ils nous ont déclaré que leur vente pouvoit monter à 25 000 livres. » Ces estimations ne pouvaient être exactes. Elles servaient trop souvent de base à la taxe du plomb forain. Le subdélégué de Falaise disait en 1716 que l'état des toiles ne méritait aucune attention, que celui des draperies était en somme « fort inutile » ; l'inspecteur ambulant de Lazowski le reconnaissait encore à la Guibray de 1784 : « Le commerce masque ordinairement ses opérations », et Le Page à Caen, en 1788 il est « extrêmement difficile de connoistre au juste la véritable valeur d'une foire et de saisir l'idée qu'on doit s'en former. Très peu de marchands sont de bonne foi sur leurs ventes et sur la rentrée de leurs fonds ; il y a souvent autant d'opinions sur la bonté d'une foire qu'il y a d'intérêts différents » [145].

Bref les états des foires sous l'Ancien Régime valent les statistiques communales agricoles du XIXe siècle. Elles relèvent du même tour de main si joliment raconté par le subdélégué de Falaise en 1716. Le schéma de M. de Louvois,

---

officiellement, il exerce jusqu'en 1782 ; Brown lui succède pour 1783 et 1784, puis cède la place à Le Page qui l'occupe jusqu'à la Révolution. A Guibray, l'inspecteur principal au début du XVIIIe siècle est un certain Boré, Barbot le remplace en 1728, Boré fils le seconde pour les toiles. En 1755, mais peut-être avant, l'inspection appartient au sieur Martin. De 1759 probablement à 1781, la tâche est confiée à Brunet, puis à la fin de l'Ancien Régime à Vital.

144. Arch. dép. Orne, C 20. Sauf indication contraire, toutes les références de cette étude de source émanent de ce dossier et des états des deux foires.

145. Arch. nat., F 12 1232 et 1235.

disait-il, « n'a servi depuis la mort de ce ministre que de modèlle aux inspecteurs qui s'en servent comme d'une estrivière qu'ils allongent ou raccourcissent suivant qu'ils apprennent par la commune renommée que les foires ont esté bonnes ou mauvaises ». Il est donc particulièrement vain de prendre en considération des rubriques trop spécialisées pour en suivre l'évolution. Au mieux, seules les ventilations par grande masse conservent un sens.

3) Avec un succès divers, certains perfectionnements ont été tentés pendant le XVIIIe siècle. Les inspecteurs étaient invités depuis 1715 à se trouver sur les lieux quinze jours et même trois semaines avant l'ouverture des foires pour enregistrer à loisir les arrivées de marchandises, mais les astreintes du métier les ont souvent contraints d'y renoncer. On avait pensé doubler la statistique en valeur par celle des transports en volume. Une expérience fut tentée à Guibray en 1721. Elle se révéla stérile parce que les mêmes marchandises apparaissaient véhiculées sous des modalités très diverses. Par exemple, les draperies arrivaient par chartées, sommes de cheval, par ballots, balles et pièces, la quincaillerie par caisses, tonneaux ou bien en vrac. Le compte général présentait donc un cumul sans signification commerciale [146]. En 1763, le nouvel inspecteur de Caen, Morel, reprit la critique des états traditionnels, « trop confus et peu satisfaisants ... ce qui me fait croire que le travail de mon confrère n'a été que de pure spéculation sans aucune réalité » [147]. Il se proposait de faire éclater les tableaux habituels en autant de rubriques qu'il existait de types réels de marchandises pour cerner la vérité, à moins, poursuivait-il, « qu'il ne plaise à votre Grandeur m'ordonner de les continuer dans la même forme ... sans entrer dans un détail qui à la vérité seroit plus clair, mais aussy plus étendu, plus difficile par conséquent plus pénible, mais aussy plus méritant ». Il semble bien que l'administration royale ait commis un contresens sur les propositions de Morel. En apparence elle les suivit : ainsi parurent dans les années 1770, à Caen et Guibray, des tableaux statistiques imprimés dont les lignes étaient notablement augmentées : quatre-vingt-six dans notre ville au lieu d'une cinquantaine. Mais les progrès étaient annulés, d'autre part, car les nouvelles divisions ne comportaient plus généralement la mention des prix unitaires et le détail des pièces. Enfin l'imprimé, dans sa forme fixe, allait figer une nomenclature qui retarda bientôt sur l'évolution commerciale. Les beaux états chiffrés de Louis XVI sont un manteau de Noé, ils voilent l'embarras de l'administration.

4) En définitive, le XVIIIe siècle a hésité, sans prendre un parti définitif, entre plusieurs principes de rangement. Il les employait même simultanément. Tantôt il choisissait les matières : draps, toiles, quincaillerie, etc. D'ailleurs ces rubriques changeaient de généralité suivant les époques et au même moment selon les secteurs. On observe côte à côte une catégorie : acier, dinanderie, quincaillerie ; une autre : épingles ; une autre : étain ; une autre : chaudrons, marmites, chandeliers de cuivre, objets en fer [148]. Ou encore, en 1763, cinq rubriques mélangées

146. On aboutit en effet à une énumération dans le goût de Pantagruel : 930 charrettes, 1 795 sommes dc cheval, 260 tonneaux, 136 poinçons, 35 850 livres pesant, 5 138 ballots, 8 750 boisseaux, 445 balles, 400 pièces, 125 caisses, 40 minots, 1 boucaut, 8 milliers, 5 rames, 30 corbeilles, 1 160 rôles de tabac.
147. Lettre à Trudaine, le 27 juin 1763, Arch. nat., F 12 1232.
148. Comparer les états de 1718 et 1763, par exemple.

pour les étoffes de soie, la passementerie d'or et d'argent. En d'autres circonstances, les états distinguaient les provenances. C'est le cas souvent des textiles locaux : draps de Caen, Valognes, Cherbourg, revêches de Lisieux, étamines du Mans, etc. Enfin, ailleurs, le partage était opéré d'après l'origine des négociants indépendamment ou presque du contenu : marchands de Rouen, de Paris, de Tours... Dans ce cas une subdivision précisait s'il s'agissait de détaillants ou de grossistes, une énumération sommaire et changeante situait le gros de leur contribution : textile, mercerie, orfèvrerie ainsi de suite. De surcroît, ces trois principes, matière, provenance, identité des vendeurs furent combinés dans un souci de précision qui interdit les regroupements éventuels. On lira, par exemple, « Marchands Tours vendant en gros étoffes de laine de Languedoc, Berry, Poitou, Amiens, Auvergne et autres lieux » et « Marchands de Paris vendant étoffes de soye de Lyon, Tours, Paris, draps de Sedan, d'Abbeville, d'Elbeuf, Languedoc et autres, toutes sortes de serges et d'étami-nes » ; mais les mêmes produits, mêlés à d'autres, sont susceptibles de repa-raître chez les marchands de Caen, Rouen, Abbeville. Il n'est pas possible de faire ressortir comment évoluait chaque volume provincial apporté et vendu. Dans les années les plus explicites, une ventilation par catégorie de produits demeure difficile.

5) Enfin, couronnement des confusions. Les états sont truffés d'erreurs d'addi-tions, de décalages de rubriques, d'omissions qui se répercutent ou non dans le bilan total selon qu'elles ont été commises dans le mémoire primitif ou dans les copies. Ajoutons que la matrice était quelquefois conservée sur place, tantôt envoyée à Paris, si bien que chaque fonds d'archives comprend au hasard des originaux et des minutes [149]. Déplorons surtout, en dépit de la pluralité des sources, les nombreuses et graves lacunes de la série.

Les comptes généraux exprimés en livres tournois sont renvoyés en annexe [150], tandis que les analyses qui vont suivre adoptent pour plus de clarté une traduc-tion indiciaire.

Le choix de la base est inspiré par deux objectifs : 1) se pourvoir d'une année moyenne dont les valeurs, également distantes des hauts et des bas, ne travestissent pas le mouvement par des effets de perspective ; 2) prendre un repère également disponible dans les statistiques de la production, spéciale-ment le textile. L'année 1762 répondait à ces conditions.

149. Le mémoire anonyme de Guibray en 1714 se livre à une critique chiffrée des états de 1713. Entre les tableaux et le commentaire il relève des discordances de 25 %, par exemple, dans la draperie. Pour en rester à la foire d'été, on observe une erreur sur les étamines en 1713, sur le drap de Niort en 1715 ; en 1778 un « mastic » étalé sur quatre rubriques (tiretaines, frocs, étamines, droguets). En 1779 : erreur chez les épiciers ; en 1781, erreur sur les cuirs, la quincaillerie, la papeterie. A Caen, il y a erreur sur les ceintures en 1737, les draps du Poitou et la quincaillerie en 1738, les boissons en 1749, discordance flagrante dans la petite mercerie entre 1761 et 1762, discordance entre les états conservés à Caen et Paris pour les toiles en 1739, 1752, divergence entre les états généraux conservés à Caen sous deux cotes d'archives différentes (C 1361 et C 2990).

150. Voir annexe 13 ; sources Guibray, Arch. dép. Orne, C 23 ; Arch. nat., F 12 1235. A Caen : Arch. dép. Calv., C 1361-1363, C 2965, C 2989-2990 ; Arch. nat., F 12 1232.

Les bornes chronologiques de l'observation découlent de la nécessité. En amont de 1732 ne subsistaient que des sources partielles. Rien d'intéressant notamment pour Guibray, et pour Caen, les seules années 1704-1718 et 1726-1731. Puisque l'analyse des deux foires doit aller de pair, elle se trouve reportée à la décennie 1730-1740. A partir de là, tant bien que mal, les séries s'améliorent. Elles cessent cependant en 1780 pour Caen et en 1781 pour Guibray. Dans l'intervalle, heureusement, se déroulent tous les événements urbains importants : glissement de la production, essor démographique, progrès du réseau routier. Le mouvement des foires peut leur être confronté.

Pourtant les lacunes de la statistique, entre 1781 et 1792, sont tout à fait déplorables. Les mémoires d'observations n'apportent qu'un substitut qualitatif. A Guibray, pas la moindre série quantitative d'appoint. Mais la foire de Caen laissait l'espoir d'obtenir un indicateur, sinon un indice du mouvement. L'hôtel de ville, comme juridiction marchande, a conservé pour 1779-1790 le registre des poursuites engagées pour défaut de paiement des titres de crédit en foire : les billets et lettres de change souscrits à l'échéance d'un an. Or le total annuel des condamnations dépend de deux facteurs : 1) le montant des effets consentis l'année précédente : celui-ci varie en raison inverse du succès de la foire ; 2) les difficultés de paiement enregistrées à la foire suivante, inverses également du succès de la nouvelle rencontre commerciale. Ainsi les condamnations de 1779 portent un témoignage sur les foires de 1778 et 1779 ; la variation de leur montant, par exemple, de 1779 à 1780 s'effectue en sens inverse du mouvement des marchandises vendues dans les foires 1778-1779 et 1779-1780. L'amplitude de ces mouvements contraires a-t-elle été parallèle sur dix ans ? Les deux courbes disponibles ont une période de recouvrement trop faible (1778-1779, 1779-1780) pour qu'on puisse l'affirmer. Cette reconstitution par ajustement sera donc présentée avec de fortes réserves, à titre d'hypothèse destructible [151]. Il est possible, en effet, que le critère pénal atténue les variations de la foire lorsqu'en période difficile comme 1788-1789 les marchands se donnaient des délais supplémentaires à l'amiable. Les commentaires porteront essentiellement sur la période 1732-1780 où les données proviennent des estimations officielles.

L'importance des deux foires jumelées apparaît alors comme un phénomène économique de taille nationale [152].

151. Voici les sources : Arch. mun. Caen, FF 18-19, Recouvrement judiciaire des billets à un an (et plus, exceptionnellement) émis en foire, en livres (sols négligés) :

1779	41 505	1785	25 749
1780	50 204	1786	36 775
1781	33 931	1787	46 148
1782	37 195	1788	41 923
1783	32 109	1789	69 621
1784	36 378	1790	57 147

152. Cette analyse ne tient pas compte de la consommation des marchands en foire qui, très tôt, dans le XVIIIe siècle, disparaît des états statistiques.

Foires de Caen et de Guibray : analyse comparative et cumulée (indice 100 : 1762)

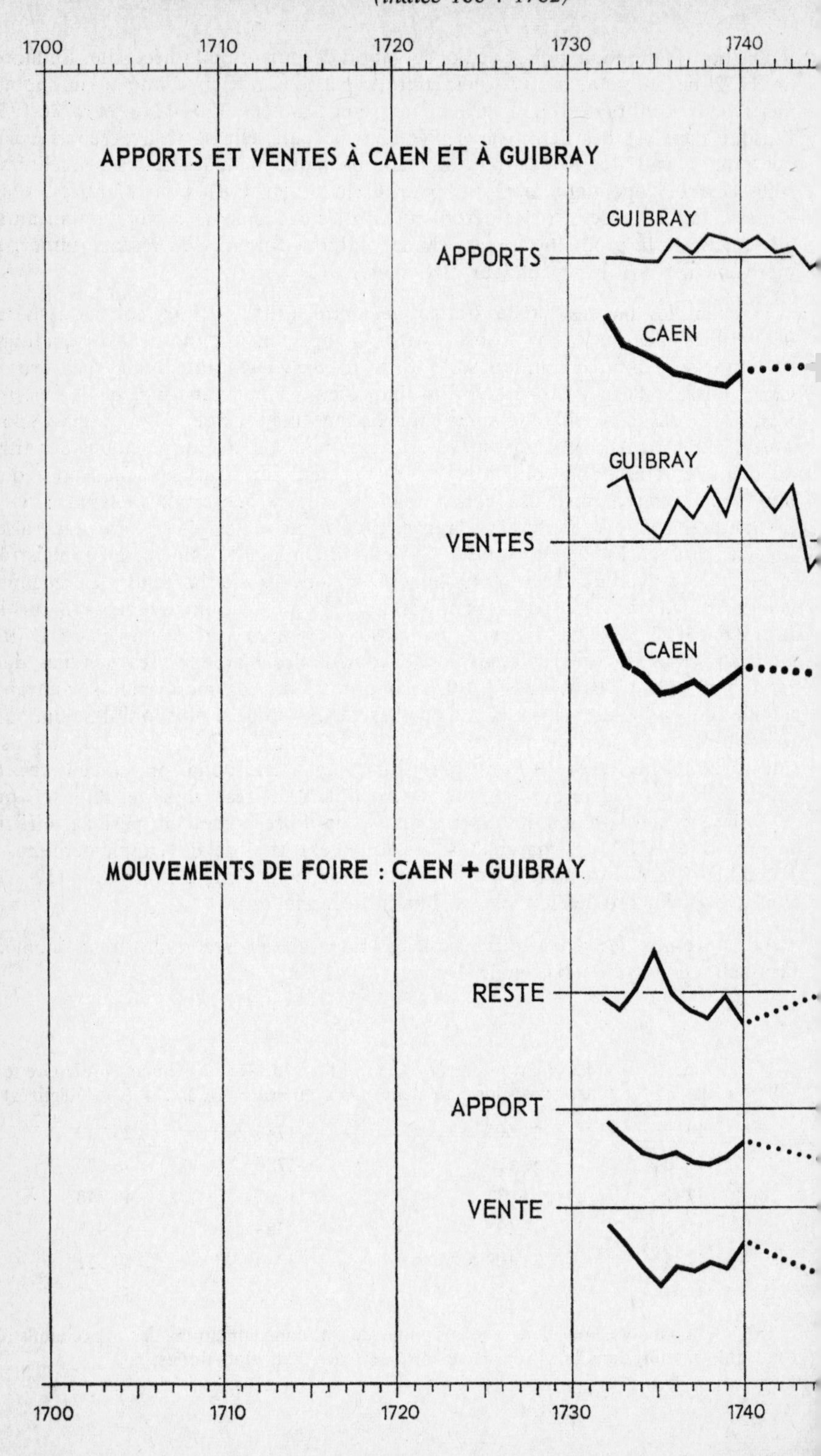

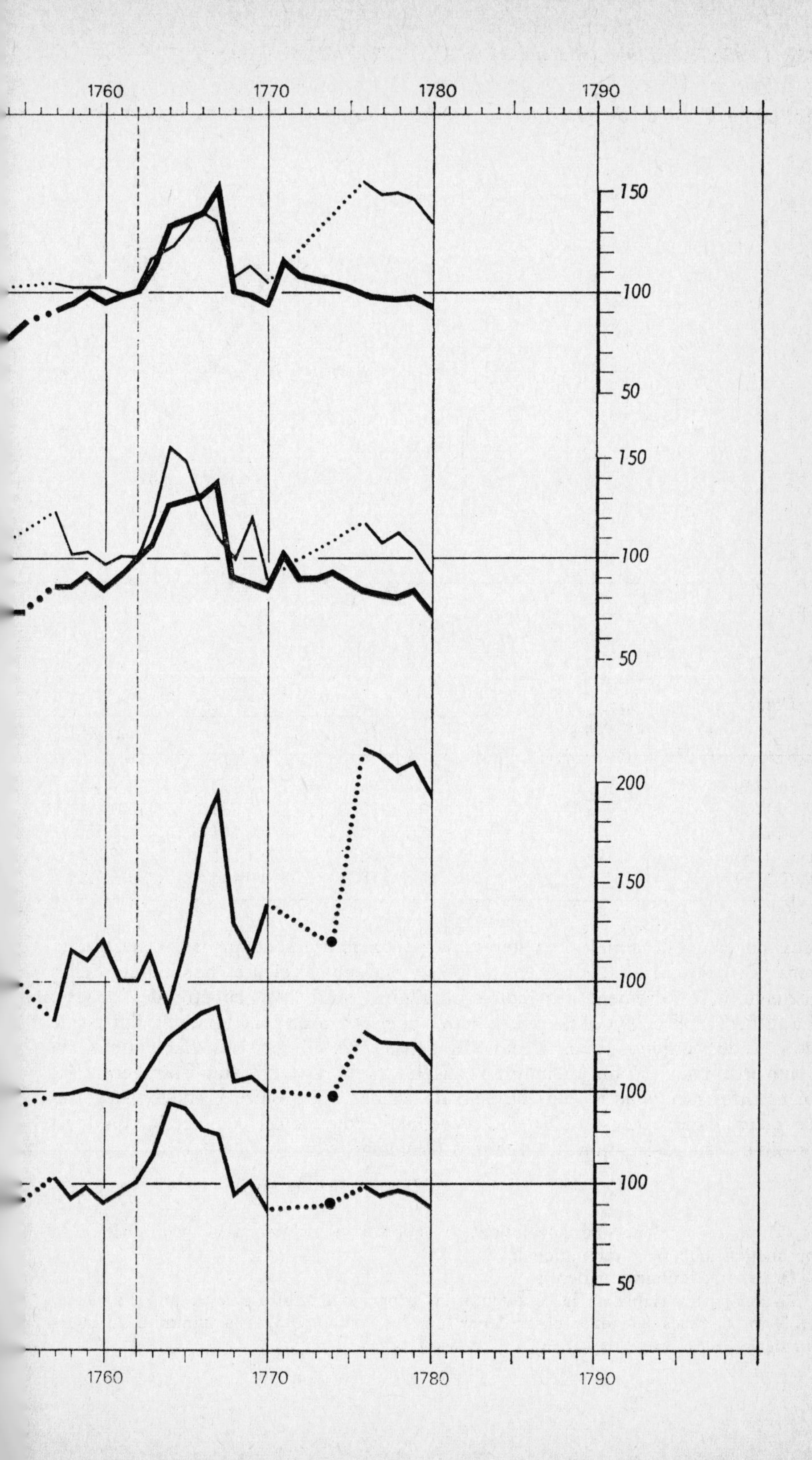

1760
1770
1780
1790
150
100
50
150
100
50
200
150
100
100
100
50
1760
1770
1780
1790

Foires de Caen et de Guibray : proportion des ventes par rapport à l'offre

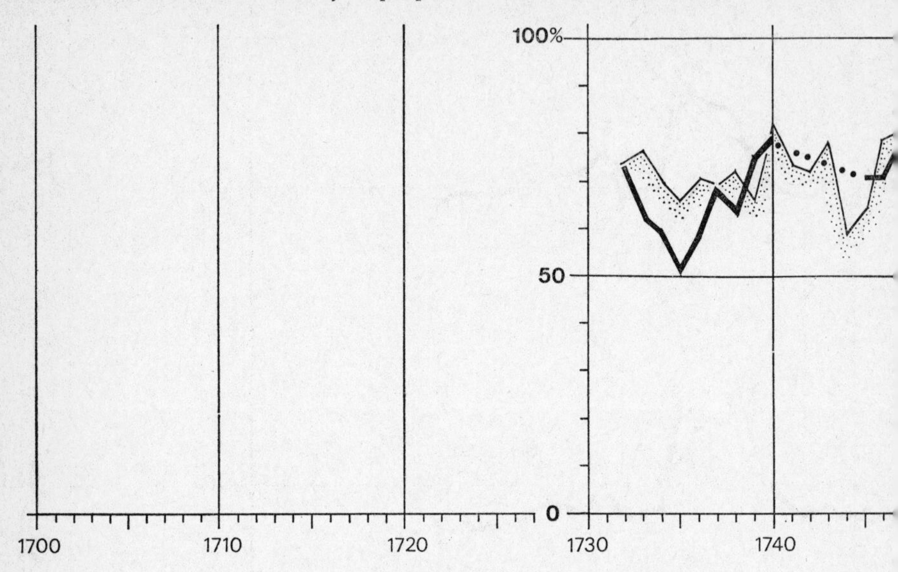

Dates	*Années prises en compte*	*Moyenne annuelle en livres*		
		Apport	*Vente*	*Reliquat*
1730-1739	8	10 406 859	7 210 411	3 196 448
1740-1749	5	9 882 309	7 275 223	2 607 086
1750-1759	6	12 560 140	9 240 581	3 319 559
1760-1769	10	14 844 087	10 794 191	4 049 896
1770-1779	6	14 896 182	8 980 460	5 915 722

Ces moyennes décennales, en livres tournois stabilisées depuis 1726, ne traduisent pas des transactions en volume, mais en valeurs nominales ; elles incluent nécessairement des hausses unitaires variables, peut-être des baisses. La difficile approche des prix réels est en effet renvoyée plus loin, elle fait partie de l'étude conjoncturelle. Il ne s'agit pas d'établir ici les fluctuations du commerce total urbain en nature, mais les rapports qui s'établissent entre les biens offerts et vendus, puis au sein de chaque foire entre grandes catégories de marchandises. C'est l'efficacité, l'originalité d'un outil commercial qu'il est possible d'apprécier, non des volumes d'échange [153].

153. Il est évident que l'évolution des apports nominaux n'est pas reliée à la production régionale ou nationale :

1) les prix unitaires varient ;

2) une part variable de la production est proposée en foire chaque année ; l'achat croissant dans les fabriques observé par tous les contemporains la minimise au cours du siècle.

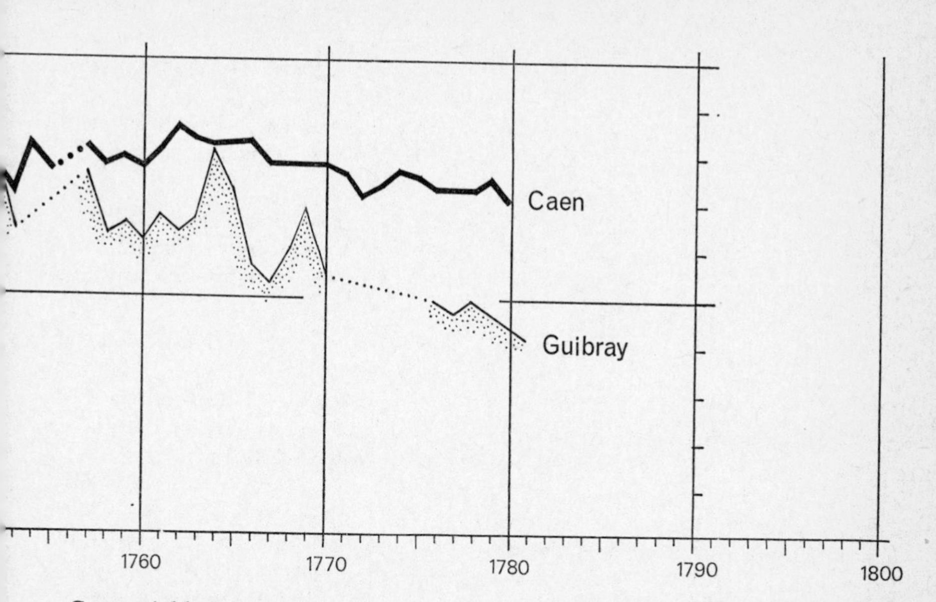

Ces variables d'apport et de vente, liées nécessairement entre elles, parlent d'abord un langage économique autonome. En valeur nominale, l'offre a crû de 40 % entre les décennies extrêmes de la statistique et la demande de 24 %. Le reliquat avait tendance à augmenter ; de fait, en chiffres absolus, son niveau moyen double à peu près de 3 à 6 millions de livres. Le marasme s'installait-il dans les foires normandes ? Non puisque les ventes ont augmenté continuellement des années trente à la décennie 1760-1769 et que l'affaissement 1770-1780 pourrait avoir une simple portée conjoncturelle. Il existe une autre interprétation. Avec des marchés mieux approvisionnés, la diversification de l'offre entraînait l'augmentation plus que proportionnelle du volant de marchandises requis pour que se produise un essor des achats. En ce sens l'offre était motrice, elle courait devant la demande ; les décennies 1750-1759 et 1760-1769 en donnent l'exemple. Entre les deux termes de l'échange, l'élargissement de l'écart devenait signe de prospérité et, fondé sur un essor réel de l'industrie, accentué par la diffusion des transports, il a peut-être maintenu la hausse des prix dans des limites raisonnables, épargné au XVIIIe siècle le galop monétaire du XVIe siècle.

Cependant les mécanismes de marché ne fonctionnent pas dans un seul sens. D'un côté les apports en foire révèlent les attentes des vendeurs, une sorte de pari sur la clientèle, mais de l'autre ils s'établissent à un niveau que règle

---

Symétriquement, l'évolution des ventes nominales en foire n'est pas liée au mouvement du commerce global en livres constantes ; c'est-à-dire à la consommation. Comme ci-dessus, il existe deux perturbations :

1) la fluctuation des prix et peut-être surtout la dispersion de la fluctuation ;

2) l'évolution du comportement des acheteurs, en l'espèce le développement attesté du commerce en boutique (gros et détail) ainsi que la vente sur échantillon.

l'évolution tendancielle des ventes précédentes. Et même dans les moyennes décennales paraît à son tour cet effet induit de la demande sur l'offre. Il explique que les apports aient continué à croître lentement en 1770-1779, entraînés par les fortes ventes de la période précédente, tandis que la demande simultanée fléchissait déjà. L'inélasticité des deux facteurs suscite des mouvements de rattrapage, parfois disproportionnés, qui s'amortissent lentement au fil des années.

Bien qu'elle soit brouillée dans le temps court par les aléas agricoles qui donnent aux prix des subsistances un rôle autonome, cette interaction de l'offre et de la demande en foire est plus finement perceptible dans les statistiques annuelles présentées en indice.

Ainsi au retournement de conjoncture entre 1764 et 1768, la baisse nominale des ventes anticipe de trois ans celle des apports. En sens inverse, le tonus de l'offre dans les années 1776-1779 tire à lui une clientèle sensiblement boudeuse encore en 1774. Mais finalement, dans cette statistique, la colonne des restes calculée par différence des valeurs nominales de l'offre et de l'achat est la plus intéressante. Une fois de plus, comme dans bien d'autres occurrences économiques et démographiques, le siècle de Louis XV se scinde en deux périodes vers les années cinquante. Auparavant, des offres et des achats remarquablement équilibrés engendraient des reliquats stables (variation entre les extrêmes : 60 points d'indice) ; en même temps, ce bol d'air résiduel dans les transactions restait modeste : le souffle commercial était court. Tout s'éveille après 1750. Ce n'est pas la « croissance entretenue » mais du moins le mouvement qui domine ; les déconfitures et les gains exceptionnels sont devenus possibles. Les reliquats, c'est-à-dire les matériaux mêmes de la spéculation, s'accroissent fortement et surtout leur dispersion (131 points d'indice). Au moment où les menaçait une remise à jour complète des processus de distribution, ces manifestations annuelles se sont révélées les meilleurs alambics du circuit argent-marchandises-argent.

Cette remarque donne à penser que la foire citadine pouvait se comporter très différemment de sa partenaire campagnarde. Une meilleure irrigation routière, une clientèle plus versatile, de l'argent tout près dans la ville ne portaient-ils pas plus haut sa vivacité que dans Guibray où se négociait, en dehors des progrès décisifs de la circulation, un commerce de gros peu influençable ? La comparaison des indices (1762, base 100) répondra clairement [154].

154. Indicateur des ventes à Caen, poursuivi sur la même base à partir du mouvement renversé des traites commerciales déférées à la juridiction de la foire :

Dates	*Indices*	*Mémoires d'observation*
1778-1779	83,8	
1779-1780	80,6	
1780-1781	86,5	
1781-1782	85,5	
1782-1783	87	
1783-1784	86	1784 : convenable

La différence du mouvement des apports est sensible. Caen se détache par des variations séculaires considérables. Dans la base 100 en 1762, la valeur nominale passe du minimum 42,3 en 1739 à 148,7 en 1767. A Guibray, les écarts extrêmes sont compris entre 94,5 et 153,5 lorsqu'on élimine l'année 1781 pour laquelle il n'y a pas de parallèle possible. Dans les ventes le même contraste apparaît. Les indices urbains s'étalent de 31,8 (1735, 1738) à 136,8 (en 1767), soit une dénivellation de 105 points d'indice. A Guibray les fluctuations indiciaires sont comprises dans les années comparables entre 89,3 (1770) et 158,3 (1752) ; l'éventail se referme à 69 points. Il y eut presque toujours ici plus d'aisance dans les variations de l'offre, donc plus de risques et de compétition ; l'influence de la ville était perceptible dans les comportements économiques. Le dynamisme de Caen s'opposait à la routine de Guibray, la belle croissance nominale des apports et ventes depuis les années trente d'un côté, à la grande stabilité de l'autre.

Dans ces conditions, l'avance de Guibray allait s'évanouir au long du XVIIIe siècle. Jusqu'au milieu du siècle, l'offre dépasse là-bas le double de celle de Caen et les ventes ont été jusqu'à trois fois et demie plus importantes ; mais on observera que l'avance de ces dernières s'estompait depuis les années 1745 et regagnait un niveau juste égal à celui des apports, autour de 200 % du chiffre d'affaires caennais. Or les vingt années suivantes, durant lesquelles les masses monétaires mises en jeu dans les foires croissent fortement, consacrèrent le succès de Caen. Désormais les apports de la foire pascale, en hausse vive, allaient rattraper ceux de la tenue estivale. C'était presque chose faite sur la cime de 1767 où Guibray l'emporta de 3 % seulement. Mais le triomphe des ventes urbaines s'est manifesté de manière plus précoce et plus complète. Pendant dix ans, de 1759 à 1768, le chiffre d'affaires de Guibray s'est établi en dessous du niveau de Caen et parfois même très loin (1767 : 71 %). La ville a conquis la première place.

La dernière décennie observable rétablit une certaine avance de Guibray, plus nette sur le plan de l'offre (moyenne indiciaire 1776-1780 : 173,6 %), plus laborieuse dans le domaine des ventes (moyenne correspondante : 113,2 %). Bref la foire de Caen était mieux armée pour tirer parti de la prospérité générale et y conquérir des avantages à peu près définitifs, Guibray pour résister aux difficultés. Nous retrouvons dans ces comportements l'opposition entre la sensibilité et l'immunité conjoncturelle déjà repérée dans le partage des clientèles. Au surplus, la colonne des restes révèle le prix payé par Guibray dans sa reconquête tardive et médiocre. Pour l'emporter à 113,2 % dans les transactions entre 1776 et 1780, il fallut souffrir un reliquat de 338 % par rapport à Caen, tandis que la moyenne de ce même indice s'était établie à 177 dans la période précédente (1750-1769).

A ce point d'écartèlement, l'avantage que peut présenter un vaste éventail de produits, stimulant de la clientèle, s'efface devant le poids de l'invendu,

---

1784-1785	89,5	1785 : supérieur à 1784
1785-1786	85,5	
1786-1787	82,5	
1787-1788	84	1787 : supérieur à 1786
1788-1789	74	1788 : supérieur à 1787
1789-1790	78,5	

inutilement transporté deux fois. Mais, de toute façon, la foire de Guibray ne présentait-elle pas une rentabilité séculaire plus faible que celle de Caen ? On a dit son accès malaisé, ses loges onéreuses. L'écoulement comparé du stock des marchandises fournira une réponse décisive.

En quelque sorte, cette statistique considère les deux foires comme des machines à vendre et elle exprime le rendement de tels moteurs. Sous cet aspect, la périodicité ternaire observée plus haut reparaît. Jusqu'au milieu du siècle, dans les années comparables, les deux foires n'eurent pas une efficacité très différente ; toutefois l'avantage revenait encore en ce moment à Guibray : la moyenne des pourcentages de transactions y atteint 72,2 contre 68,5 à Caen. A l'époque suivante (1750-1769), les succès de la ville en valeur nominale ont été contemporains d'une forte croissance du rendement. La moyenne des proportions vendues était montée ici à 79,3 tandis qu'elle descendait à 67,5 à Guibray. Pour les marchands, la foire urbaine était désormais beaucoup moins coûteuse et les frais de transport mieux étalés. Or cet avantage s'est accentué dans la dernière décennie enregistrée. Entre 1770 et 1780, la ville écoule toujours les trois quarts des marchandises apportées en foire (74,9 %) ; au même moment il n'existe plus à Guibray qu'une chance sur deux de vendre (moyenne du quotient : 51,6). Chaque produit négocié supportait en ce cas le prix de trois voyages : l'aller simple augmenté de l'aller et retour d'une quantité égale de marchandises invendues. La présence démographique et financière de la ville s'est donc manifestée avec un succès croissant, indépendamment de la masse des transactions, jusque sur la rentabilité des foires. Lorsqu'on aura rappelé enfin son aptitude à aimanter l'espace grâce aux routes, comment douter de son pouvoir de domination ?

Si le halo citadin projette une telle brillance sur les foires, il est opportun de se confier à une chronologie spécifiquement urbaine pour entrer dans l'intérieur des transactions. On décidera d'observer le détail des ventes à l'orée du développement démographique de Caen dans les années 1735-1739, puis à peu près à son apogée entre 1775 et 1779 (faute de mieux car 1770-1774 serait plus indiqué sur ce point)[155]. C'est une tâche difficile comme on le présume d'après la flexibilité des rubriques ; des regroupements nombreux ont été obligatoires dans la draperie notamment[156]. La présence d'un poste de marchandises diverses assez lourd est fâcheuse mais nécessaire pour tenir compte de la venue et de la disparition de certains produits et surtout pour comparer Caen et Guibray : on vendait ici des livres et seulement du papier là-bas ou de la bonneterie beaucoup plus variée dans un cas que dans l'autre, etc.

155. Encore doit-on se contenter à Guibray des années 1777-1779 en raison des lacunes.

156. Un tel secteur regroupe à Guibray : les serges de Caen, les étamines de toutes provenances, celles de Château-Gontier, les serges de Falaise (marchands et fabricants), celles de Saint-Lô, d'Ecouché, les étoffes rases, les draps de Valognes, Cherbourg, Vire, les tiretaines de Condé, les frocs de Lisieux, les droguets de Niort, les draperies de toutes les provenances extérieures à la Basse-Normandie débitées par les marchands de Rouen, Amiens, Paris, Reims et Tours. A Caen, il faut ajouter les draps d'Argentan, ceux de Chartres, les étoffes du Poitou, du Languedoc, de Sedan.

Les ventes annuelles moyennes des périodes 1775-1779 (à Caen) et 1777-1779 (à Guibray), sur la base 100 de la moyenne quinquennale 1735-1739, permettent d'identifier les secteurs les plus conquérants :

Produits	*Guibray* (*1777-1779*)	*Caen* (*1775-1779*)
Draperies (total)	77	128
Draperies (par les Bas-Normands)	82	99
Soieries	48	381
Toiles	309	865
Laines, poils, fils	202	479
Quincaillerie, équipement métallique	135	257
Orfèvrerie	54	154
Tapisseries	43	92
Papier	169	442
Cuir	35	737
Epicerie, drogues	21	198
Bétail	126	314
Divers	93	277
Total	92	248

Ainsi il n'est pas une catégorie de marchandises où Caen n'ait résisté ou progressé mieux que Guibray en valeur nominale. Des branches commerciales se sont effondrées en cinquante ans à la foire d'été : les soieries, l'orfèvrerie, les articles de tapisserie, le cuir, les drogues et denrées d'épicerie. A Pâques, en ville, elles se défendaient comme la tapisserie ou progressaient parfois de manière considérable comme le cuir ; il en irait de même pour la miroiterie ou pour les marchandises de mercerie que le désordre des rubriques a fait ranger dans les articles divers. Une évidente parenté réunit pareil lot de produits : ils appartiennent tous au commerce de luxe. L'influence de la ville sur ce négoce est compréhensible. Elle l'est également dans le domaine du bétail lorsqu'on se souvient du rôle de Caen dans le transit des bovins vers l'Ile-de-France et de la pression exercée sur l'élevage normand en matière d'animaux d'attelage. Enfin le secteur du papier avec des indices différemment croissants, 169 là-bas, 442 ici, traduit le même enchaînement : l'offre et la demande sont liées spécialement à la ville.

Restent deux catégories de biens, les produits métalliques et le textile. Dans le premier groupe se rangent à la fois des objets de consommation durable tels que la vaisselle d'étain, les chaudrons, les épingles et des produits d'équipement : ciseaux, marteaux, scies, instruments agricoles, mécaniques industrielles rudimentaires. Les ventes progressent en valeur nominale à une cadence modeste à Guibray, un peu plus vive à Caen (135 et 257) mais les secteurs de pointe ne sont pas là. Et puisque les foires pourvoient mieux aux besoins des campagnes que les boutiques ouvertes en tout temps aux citadins, on peut penser que l'équipement rural se développait au ralenti.

La branche du textile offre de plus vifs contrastes. Ses matières premières se négociaient facilement à la fin du siècle. En valeur, les transactions avaient doublé à Guibray, presque quintuplé à Caen. Mais l'étude de l'artisanat nous a montré souvent des voies d'approvisionnement autonomes qui ne doivent rien aux foires, comme l'achat des toisons de laine sur pied, les commandes directes de coton au Havre, de fil en Picardie et dans les Pays-Bas ; la part de ce poste dans le total des transactions montrerait qu'il demeurait négligeable. En revanche, le négoce des tissus de laine pure ou mêlée à d'autres fibres et celui des toiles offrent de frappantes différences. Le succès du secteur léger apte à tous usages : le vêtement, le linge de corps, celui de la maison et jusqu'à l'ameublement, est prodigieux surtout à Caen (indice 865 contre 309 à Guibray). La fureur des toiles, des « indiennes », si souvent attestée dans les correspondances commerciales, se trouve confirmée dans les chiffres ; c'est par excellence le domaine des « enlèvements » bretons ou coloniaux. En regard le déclin relatif ou absolu de la draperie (77 à Guibray, 128 à Caen) est un phénomène qui dépasse les transactions en foire. Outre l'effondrement particulier de la production caennaise et le piétinement du Bocage que traduisent les mauvais scores des marchands de Basse-Normandie, on se souvient que tout le textile du Nord-Ouest français, celui de la vallée de la Seine notamment [157], subissait le même discrédit. Dernière remarque sur ce tableau : l'analogie qui ressort entre la rubrique des marchandises diverses et les transactions globales à Guibray comme à Caen (93 et 92, 277 et 248) prouve que ce groupe de produits fort variés se comportait comme l'ensemble du négoce en foire et que son influence fut particulièrement neutre sur son tonus général. On en tire la conviction que le tri des postes ainsi agencés traduit bien le dynamisme contrasté des deux manifestations. Toutefois le poids respectif des rubriques n'apparaît pas, ce sera l'objet des deux derniers tableaux.

Guibray, moyenne annuelle des ventes en valeur

Produits	*1735-1739*		*1777-1779*	
	Valeurs absolues	*(%)*	*Valeurs absolues*	*(%)*
Draperies des marchands étrangers à la Basse-Normandie	1 327 460	25,5	996 100	20,7
Draperies des marchands bas-normands	711 720	14,1	580 130	12,0
Soieries	140 000	2,7	66 600	1,4
Toiles	429 733	8,4	1 330 000	27,6
Laines, poils, fils, cordes	46 200	0,8	93 300	1,9
Quincaillerie	70 200	1,4	95 100	1,9
Orfèvrerie	17 800	0,3	9 600	0,2
Tapisseries	22 800	0,4	9 800	0,2
Papier	12 200	0,2	20 300	0,4
Cuir	508 000	9,9	200 600	4,2
Epicerie, drogues	568 000	11,0	119 200	2,4
Bétail	124 450	2,4	157 400	3,3
Divers	1 187 220	22,9	1 105 639	23,8
Total	5 165 583	100,00	4 783 769	100,0

157. P. Dardel, 1966.

Caen, moyenne annuelle des ventes en valeur

Produits	*1735-1739*		*1775-1779*	
	Valeurs absolues	*(%)*	*Valeurs absolues*	*(%)*
Draperies des marchands étrangers à la Basse-Normandie	328 350	19,1	599 400	14,1
Draperies des marchands bas-normands	613 130	35,0	609 360	14,0
Soieries	85 600	4,9	326 000	7,5
Toiles	131 798	7,5	1 140 660	26,3
Laines, poils, fils, cordes	22 220	1,2	106 400	2,5
Quincaillerie	98 450	5,6	252 800	5,8
Orfèvrerie	22 000	1,2	33 800	0,7
Tapisseries	40 000	2,3	36 800	0,8
Papier	9 600	0,5	42 400	1,0
Cuir	34 400	1,9	253 400	5,8
Epicerie, drogues	135 080	7,7	266 880	6,1
Bétail	75 790	4,3	237 800	5,5
Divers	155 264	8,8	430 600	9,9
Total	1 751 682	100,0	4 336 300	100,0

Les quatre colonnes de chiffres peuvent être comparées en deux fois.

1) *Caen et Guibray en 1735-1739.* En dépit d'un volume beaucoup plus important de produits divers à Guibray (22,9 % contre 8,8 %), les deux foires présentaient bien des trais communs. Au premier rang, l'ampleur du commerce du drap : 40,4 % des transactions à Guibray, 54,1 % à Caen ; la ville apparaissait le haut lieu du drap régional, 35 % de la masse générale de la foire, tandis que Guibray présentait une ventilation plus conforme à ses horizons nationaux (14,1 % seulement du drap du pays). Les toiles se plaçaient des deux côtés dans un rang analogue et secondaire, le cinquième ou moins encore de la draperie. Mais en tenant compte des matières premières et des soieries tout le textile représentait la moitié des ventes à la foire des champs et 67 % à la ville. Le département moteur est bien là. Le reste des rubriques n'était que poussière, sauf le cuir et l'épicerie à Guibray et derechef l'épicerie à Caen. Tout au plus la foire urbaine possédait une légère avance relative pour les marchandises rares (orfèvrerie, tapisserie, papier) et les biens durables (produits de la métallurgie).

2) *Caen et Guibray de la première à la seconde période.* Les rubriques d'objets divers ont peu varié dans leur opposition, elles progressaient toutes deux de manière infime. Les grandes révolutions concernèrent le textile. La place relative des draperies, partout en recul, tendait à l'homogénéité mais elle se retrouva un peu plus importante à Guibray (32,7 %). Le drap s'était donc mieux maintenu devant les marchands grossistes aiguillonnés par le commerce national et international et moins bien face à la clientèle privée qui fréquentait surtout la foire de Caen. Au premier chef, le désastre avait frappé ici la

production locale dont l'écoulement passa de 35 % à 14 % du chiffre d'affaires total. Au drap s'opposait maintenant la toile, ce n'est pas une surprise. Son importance relative a plus que triplé ; les deux secteurs du textile venaient presque maintenant à parité. Ailleurs l'effritement fut général, à Guibray et particulièrement pour la place du cuir et des denrées d'épicerie. De telles matières appartenaient déjà au commerce de luxe, apanage traditionnel de Caen. Justement ces tableaux soulignent, en valeur monétaire et en pourcentage, combien le négoce précieux tenait finalement peu de place. N'était-ce pas là, d'ailleurs, que l'avantage du marché occasionnel sur la boutique demeurait le plus faible ?

Au total l'histoire des foires, comme naguère celle des routes, illustre le même pouvoir d'attrait urbain. Pourtant le moment est venu d'observer les limites de cette réussite. La suprématie de Caen recélait en effet une fragilité naturelle : elle était d'abord continentale. L'expansion du négoce maritime dans le XVIIIe siècle, ses effets indirects sur les techniques financières, l'accumulation des capitaux, l'innovation commerciale, n'allaient-ils pas réduire l'influence de la ville ? Le risque était certain ; plusieurs épisodes de la vie économique urbaine attestent la timidité et même l'infortune ; tous ont des rapports avec l'horizon international et maritime.

V. LES FAIBLESSES DE L'ÉCONOMIE D'ÉCHANGE

Peut-être devrait-on déjà évoquer la méfiance que les initiatives de Law suscitèrent dans les milieux d'affaires citadins. Le financement de la Compagnie coloniale n'attira guère l'intérêt local ; les billets de la banque pénétrèrent tardivement en Basse-Normandie. Faute de hardiesse, les marchands ne purent pas profiter de l'abondance monétaire qu'ils engendraient avant la foire de Pâques 1720 ; c'était bien tard, dès le mois d'août suivant le papier retombait à Guibray dans le néant. Après tout, la pondération n'était pas déplacée en l'occurrence, mais elle apparaîtra tout au long du siècle comme une sorte de réflexe. On y sent le désarroi du marchand apprivoisé aux roueries de l'échange traditionnel et désarmé devant les pratiques financières qui viennent plus ou moins du large. Citons plusieurs traits de cet archaïsme.

Il se manifeste dans la pratique des ventes. Par exemple, le commerce de Caen, avec l'approbation de son consulat et de la juridiction municipale de la foire, s'est refusé à reconnaître jamais les procédés de ventes publiques aux enchères selon lesquels, dans la plupart des ports, étaient écoulées tant de cargaisons des Indes. Les motifs invoqués traduisent explicitement un esprit commercial passéiste : de telles ventes auraient trop de succès, le peuple y courrait, ne serait-il pas dupé ? En réalité, disait-on, elles ne profitent qu'aux étrangers. Le provincialisme empêchait de sentir qu'une grande place ne vit pas seulement de la demande locale [158].

158. Ordonnance de l'échevinage en foire, le 17 avril 1760. Cette interdiction réprime une pratique introduite l'année précédente par un marchand de Rouen. Cf. G. Vanel, 1905, pp. 124-126. Arch. dép. Calv., C 2988 et C 6480.

La constitution des sociétés commerciales suggère la même impression de timidité [159]. Il faut avouer d'abord la rareté de ces associations presque toujours sous seing privé, mais finalement transcrites au Contrôle des actes pour des raisons de prudence, et par là repérables dans les archives. Le commerce terrestre en était resté à la forme ancienne, rigide et périlleuse de la société en nom collectif qui stipule la responsabilité solidaire à raison des engagements de la nouvelle firme. C'est pourquoi ce genre de contrat ne pouvait drainer l'épargne extra-commerciale et la vogue durable des rentes foncières s'explique peut-être par la difficulté du public à trouver d'autres formes de placement assorti de la même sécurité. Au surplus, ces sociétés attachaient les marchands entre eux par des liens si précis qu'il leur était difficile de trouver des partenaires hors d'un cercle familial ou amical étroit. Voici la compagnie conclue en janvier 1758 par Françoise Le Cavelier, Michel Richard Dubuisson et François Eustache Duval [160]. Françoise était l'épouse veuve du sieur F. R. Dubuisson et Michel Richard, son fils ; seuls les liens éventuels de Duval avec les précédents nous échappent. La durée du contrat était limitée à six ans et son objet étendu à toutes les parties de la mercerie. Aucune dérogation de commerce en aparté n'était admise, les apports et l'état du stock devaient être régulièrement inventoriés. La mort de l'un des associés déclenchait le remboursement de sa part aux héritiers qui n'étaient en aucun cas habilités à lui succéder. Le sort reconnu aux créances antérieures à la fondation (les « dettes actives » de l'époque) est spécialement éloquent. Chacun poursuivait de son côté leur recouvrement pendant un an au sein de la firme. Passé ce terme, un nouveau ciment emprisonnait les associés car le reliquat des billets à terme était divisé en lots sans distinction d'origine pour être attribué privativement. Entrer en société revenait donc à épouser le passé commercial de ses associés en même temps qu'on engageait l'avenir par toutes sortes de restrictions aux projets de rupture. Le modèle culturel de ces compagnies est bien clair : c'est le lien matrimonial ; mais l'harmonie des rapports s'y fondait sur la contrainte plus que la liberté. Deux marchands extérieurs à la société étaient d'ailleurs préposés à trancher les différends et, par là, des concurrents pénétraient le secret des affaires et risquaient de défaire des réputations. L'outil commercial était mal adapté.

Les sociétés en commandites, à responsabilité limitée, apparaissaient évidemment dans le commerce maritime, mais comment ne pas leur trouver un air souffreteux ? Les prises de guerre en 1755-1756 constituent un échantillon au hasard des intérêts du négoce caennais et s'il ne dit pas son volume réel absolu, du moins se prête-t-il à l'étude structurelle.

Dans ces préliminaires de la guerre de Sept Ans, vingt et un navires de commerce saisis par les Anglais firent perdre aux commerçants de la ville 417 236 livres [161]. La somme est coquette mais elle se subdivisait en minuscules participations ; seules d'entre elles, sept dépassaient 10 000 livres et une 100 000 livres.

159. H. Lévy-Bruhl, 1938, pour les données générales.

160. Contrôlée le 13 janvier 1758, Arch. dép. Calv., 6 E 99, f° 135.

161. Pour tout ce qui suit, voir la statistique demandée par le secrétaire d'Etat à la Marine, Arch. mun. Caen, HH 31. Comparer avec J. Meyer, 1969, chap. 2, « Les sociétés commerciales ».

Dans cette liste, huit navires seulement appartenaient à des Caennais. La plupart étaient des brigantins de tonnage modeste (de 70 à 150 tonneaux) dont le port d'attache se situait à Honfleur. Quatre d'entre eux : les *Deux-Sœurs*, l'*Olivier*, le *Pierre-et-Marie*, le *Neptune*, relèvent d'un unique propriétaire : Signard d'Ouffières, un négociant protestant, avec Nicolas Guisle et François Rayer pour deux embarcations. Les quatre autres étaient en société ; les actionnaires figuraient tous parmi les grands marchands grossistes de la ville : Costey, Le Dault, Samuel Précourt, Duval Collet, le banquier Gaultier. Les étrangers étaient rares, des Rouennais pour deux huitièmes sur la *Cérès*, un Honfleurais sur le *Saint-Mathieu*, un Havrais pour cinq seizièmes sur l'*Elisabeth*. Au total, les porteurs de parts, de six à neuf par bateau, tenaient tous à la marchandise. Un seul bourgeois s'était engagé pour 300 livres de prêt à la grosse. La commandite n'avait pas drainé sur place des capitaux étrangers aux affaires. Les conclusions tirées jadis des bilans de surséances et de sauf-conduits sont pleinement validées dans ce nouvel échantillon. Cette remarque vaut également pour les cargaisons.

Sur les navires individuellement appropriés, la cargaison appartenait au maître de l'embarcation sauf dans le cas du *Neptune* où une compagnie avait été constituée pour le négoce de l'huile et des morues. La dimension spéculative apparaît seulement avec les navires en société. Sur la *Cérès*, les actionnaires avaient investi, outre les 25 000 livres du bâtiment, 36 000 livres au prorata des parts de navires que l'armateur avait immobilisées en retours de Terre-Neuve. Avec l'*Elisabeth*, la même formule s'appliquait au commerce des îles (parts cumulées sur le bateau : 30 000 livres, capital en cargaison au départ : 44 231 livres), mais il s'y ajoutait au retour 8 061 livres de marchandises véhiculées pour des tiers extérieurs à la société, et composées de cuirs, bois de campêche, sacs de café, caisses de sucre, et boucauts d'indigo.

L'horizon géographique de ces entreprises ne trahit pas spécialement l'archaïsme. Un navire arraisonné faisait le voyage Isigny-Rouen, un autre Caen-Rotterdam, un autre Livourne-Calais, quatre Honfleur - Terre-Neuve ; le dernier, au retour de Saint-Domingue, fut pris dans les Antilles. Il resterait à s'interroger sur l'aptitude au profit des sociétés caennaises. Seul le commerce des îles semblait, comme dans le reste de la France, apporter des bénéfices substantiels. Ainsi les frais d'entretien de l'*Elisabeth* étaient presque en totalité couverts par le fret supplémentaire consenti à des particuliers (8 061 livres pour 10 000 livres de dépenses). Le bénéfice réalisé aux Antilles avant la prise s'élevait à 50 % du capital initial consacré à la cargaison des sociétaires (22 616 livres pour 44 231 livres investies). Il aurait fallu compter, en cas de succès, les avantages réalisés sur les ventes au retour qui auraient amorti en un ou deux voyages le prix du navire ; au bout du troisième voyage réussi, les parts doublaient à chaque aller et retour. Encore ne s'agissait-il pas de trafic triangulaire car il n'existe aucune preuve que la traite s'intercalait dans le périple.

Enfin, dans les treize autres navires, nulle société ; les pertes des Caennais provenaient seulement, à l'exception de deux contrats de grosse, de la saisie des marchandises : du coton, du café, de l'indigo empaqueté aux îles, de la soude d'Alicante, du vin de Sète, des bouchons et du savon de Marseille. Le préjudice s'élevait à 43 535 livres, un peu plus du dixième de l'ensemble. Entre les places financières de premier rang qui les enserraient et les attiraient, Rouen et Saint-Malo, les capitaux de Caen parvenaient donc difficilement à une autonomie. Le degré de technique financière qui sépare cette ville des grands ports, de Nantes par exemple, reste considérable.

Deux domaines au moins attestent la difficulté, l'échec même de la ville dans l'organisation d'une aire commerciale un peu étendue. Le premier exemple met en scène le marché du papier normand. Caen n'était en rien productrice. Comment pouvait-elle réussir à dominer les transactions de cette fabrique extérieure ? Evidemment par la voie du bureau de visite. Les manufactures étaient situées dans les élections de Vire, Mortain et Valognes. Aussitôt sèches, les rames de papier devaient être obligatoirement véhiculées, selon les ordonnances, jusqu'à la capitale de la Basse-Normandie. Après la visite, la production était entièrement achetée par les négociants caennais, puis consommée sur place et pour une part embarquée vers l'étranger ou les autres provinces du royaume ; par là nous retrouvons le lien qui attachait cette activité au commerce maritime [162].

Des enquêtes échelonnées le long du siècle permettent de suivre la puissance installée des papeteries normandes :

Moulins à papier de la généralité [163]

1743	51
1765	50
1769	51
1771	51
1772	54
1776	55

Une très légère expansion était perceptible. Or les statistiques de commercialisation établies à Caen ne traduisent pas du tout ce mouvement [164].

Les fluctuations cycliques demeurent modestes. La guerre de Sept Ans paraît pourtant l'avoir gêné plus que les opérations militaires de la guerre de Succession d'Autriche ; l'importance des prises navales en 1755-1756 justifierait d'ailleurs cette impression. Mais l'effritement dominait en tendance longue. La moyenne des années mentionnées dans les décennies 1740-1749 et 1760-1769 l'enregistre avec sensibilité :

Commerce moyen

1740-1749	3 304 sommes
1760-1769	2 948 sommes

162. Sur la structure de l'industrie et du commerce du papier, voir le Mémoire industriel au contrôleur général de janvier 1742 (Arch. dép. Calv., C 2851), et pour les points de vente, C 2899. C'était en dehors de Caen, Rouen, Dunkerque, Calais, puis la Flandre, l'Allemagne, la Hollande, les Indes occidentales et la Nouvelle France.

163. Ces enquêtes émanent des inspecteurs des Manufactures, cf. Arch. dép. Calv., C 2899, C 2900.

164. Bureau du papier, quantités apportées à Caen pour le négoce (fractions de « sommes » négligées), *ibid.*, C 2905. Les années 1760, 1763-1764, 1771 sont atteintes à travers la recette du bureau : le droit est de 8 sols par somme. L'année 1771 est tirée des Arch. nat., F 12 838. La somme est estimée habituellement à 150 kg.

Commerce du papier : bureau de Caen

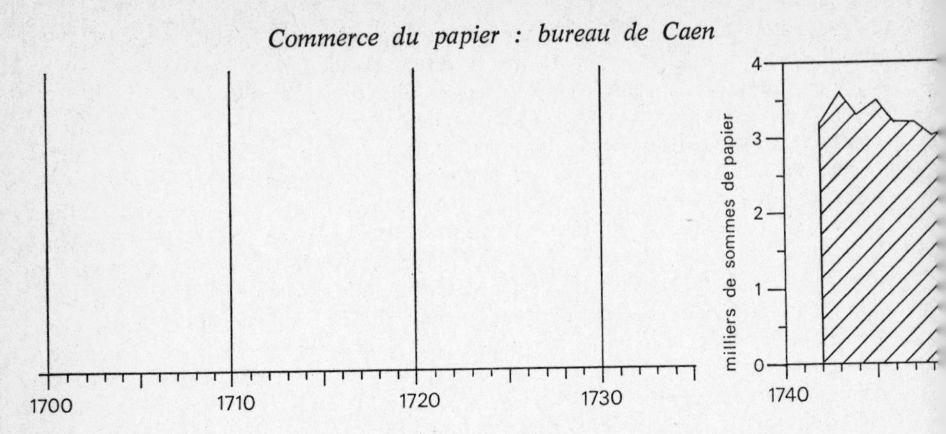

Or la responsabilité de cette demi-déconfiture retombait sur le négoce urbain. On pourra citer toutes sortes de traits qui révèlent chez nos marchands un sens commercial limité, un pouvoir d'attraction insuffisant. Les papetiers-cartiers n'avaient rien fait, par exemple, pour soutenir la réputation des fabricants normands. L'inspecteur des Manufactures les accusait, en 1765, de décourager les mieux intentionnés des producteurs en achetant indifféremment la bonne et la mauvaise marchandise [165]. Cette irrégularité leur valut des pertes de clientèle : le gouvernement hollandais décida de se fournir ailleurs après 1758. Sans leurs encouragements la pente des fabriques à la médiocrité s'avérait d'ailleurs difficile à remonter. Un arrêt du Conseil, en 1763, laissa bien inutilement aux producteurs la liberté d'utiliser les machines de leur choix ; lorsqu'une nouvelle enquête des Manufactures se déroula en décembre 1776, les imperfections continuaient. Les cadres de laiton pourvus de traverses épaisses laissaient des marques grossières sur la pâte ; par lésine, le collage s'avérait insuffisant, il était appliqué sur des papiers que les étendoirs, trop ventilés, avaient desséchés prématurément.

Mais ces motifs sont secondaires devant quelques autres. En réalité la maîtrise maritime de Caen restait surtout trop précaire pour que le négoce contrôlât les tenants et les aboutissants de cette branche. En amont la fuite des matières premières (les vieux linges récoltés dans toute la province) sévissait vers les débouchés bretons et anglais en dépit du gel de la collecte dans les paroisses côtières. Les arrêts du 17 septembre 1743 et du 18 mars 1755 stigmatisaient le cabotage frauduleux de Cherbourg. Celui du 17 décembre 1766 déplorait que les armateurs puissent se mettre en règle avec l'amirauté sans justifier le sort de leur cargaison, en prétextant des coups de vent qui les obligeaient à jeter du lest. En aval, les fabricants s'entendaient à organiser le transport direct de leur production vers d'autres provinces ou à Paris.

Devant ces menaces, les marchands de Caen agirent en ordre dispersé avec un esprit dépourvu d'intuition commerciale. Sans doute, certains avaient tenté d'entrer dans le circuit clandestin ; en 1767, leur syndic signalait des entrepôts secrets aux portes de la ville. Mais presque tous se confiaient aux recettes maladroites du passé. Le malthusianisme commercial était évident. Pour main-

165. Les éléments de ce procès sont tirés des Arch. dép. Calv., C 2896 à C 2900, et C 2906.

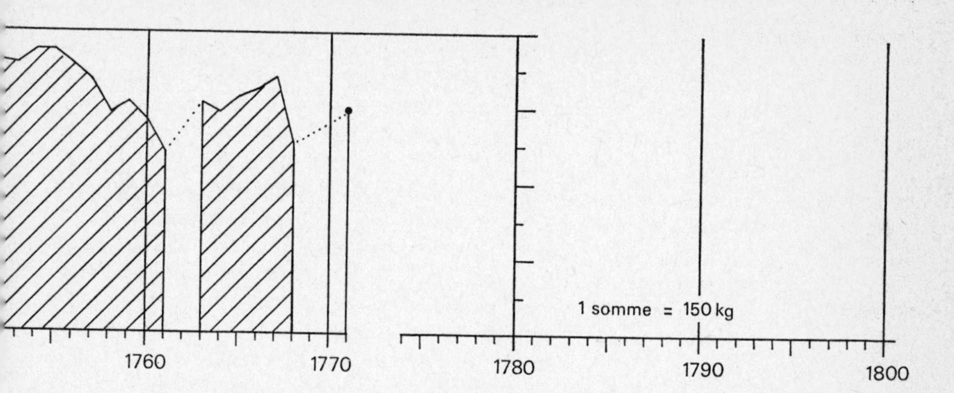

tenir leurs bénéfices, les marchands préféraient conclure des ententes oppressives contre les fabricants qu'ils obligeaient à la baisse et contre le public qui supportait les hausses de détail. L'intendance a combattu ces pratiques en 1752 sans réussir ; elle n'a pu s'opposer à l'installation d'un entrepôt officiel ouvert en 1779 à la requête du négoce. On l'avait habilement présenté au Conseil du Roi sous un jour fiscal séduisant ; sa finalité vraie renforçait au contraire le monopole stérilisant d'un groupe hostile à la compétition.

Faut-il voir dans l'échec de la ville à se doter d'une Chambre de commerce l'effet d'une semblable pusillanimité ? Certaines démarches de Caen manifestent bien la crainte plus que le dynamisme et voilà, quoi qu'il en soit, un deuxième exemple des limites imposées à sa domination.

La première tentative se déroula en 1759 [166]. Les juges-consuls de la ville avaient entraîné leurs pairs d'Alençon dans cette entreprise dont ils attendaient tout profit. Du moins le surplomb économique de Caen laissait espérer que les réponses aux sollicitations du roi et les requêtes envoyées de la province seraient conformes à son intérêt. Le contrôleur général M. de Silhouette transmit le mémoire à Trudaine et celui-ci fit savoir à l'intendant son opposition fondée sur le coût d'un tel organisme. En 1765, Laverdy reçut une nouvelle requête qui ne disimulait pas totalement ses véritables objectifs ni ses faiblesses.

Les commerçants de la ville cherchaient d'abord une satisfaction de prestige puisqu'Amiens ou Dunkerque, places bien inférieures disait-on, l'avaient reçue depuis peu. Planait encore ici l'ombre de Rouen, ville jalouse des richesses de la Basse-Normandie : le lecteur de la requête se sent pris dans les rets d'une politique de clocher, au plus loin des intérêts commerciaux. Ensuite le projet de Chambre s'étendait longuement sur la composition de l'assemblée, il réglait les pouvoirs du président — de droit le prieur du Consulat — et les préséances au terme desquelles les gentilshommes venaient les premiers puis les autres représentants de Caen, enfin les députés des autres villes. Le cérémonial de cette Chambre n'évoquait pas la démocratie commerçante ; l'étiquette des corps monarchiques s'y retrouvait toute et la délectation sociale

166. Documents en double : Arch. nat., F 12 908, F 12 909, et Arch. dép. Calv., C 2995.

tenait plus de place que l'efficacité économique. L'entrepreneur ou le cambiste ne sont pas de ce monde-là.

Pourtant les arrière-pensées commerciales n'étaient pas absentes du projet. Comment ne pas les soupçonner d'archaïsme puisqu'elles visaient à substituer un rempart institutionnel à un effort de compétition ? C'était en effet une démarche concurrente de Granville qui avait poussé Caen dans sa seconde requête : il fallait en prévenir d'autres, celles de Cherbourg, Alençon, Falaise et le nouvel organisme fut conçu pour que les sept députés de Caen puissent l'emporter sur ces quatre places rétives. Notre ville échappait d'autant mieux au procès d'intention qu'elle avait appelé à siéger quatre autres villes secondaires qui ne le demandaient pas ; ces fidèles clientes se nommaient Vire, Saint-Lô, Lisieux et Nogent. Mais l'écart entre les penchants coercitifs de Caen et les premières options libérales du gouvernement fut fatal au projet. Le contrôleur général classait bientôt la requête avec la mention marginale péremptoire « rien à faire » et Granville obtint peu après un consulat.

La maladresse, l'échec de cette démarche prennent source dans le retard du développement maritime caennais. L'administration royale et les marchands mêmes n'étaient pas encore convaincus de son avenir. La première requête en faveur de la Chambre de commerce avait fait sur ce point assaut de timidité, mentionnant « le grand nombre des ports qui bordent les côtes, peu connus par leur commerce à la vérité, mais peuplés de beaucoup de gens de mer et où l'on pourroit établir différents ports de pêche » [167]. Au milieu du siècle, Caen acceptait ainsi une position maritime subalterne. L'hydrographie complexe et périlleuse de la ville, l'envasement du port saisissaient le voyageur dès son arrivée ; à la réflexion, cet aspect prenant de l'urbanisme apparaît aussi comme essentiel dans le comportement économique [168]. Ne servait-il pas d'excuse à la résignation, comment triompher de la fatalité géographique ?

D'ailleurs sur ce trafic embourbé pesait encore un double handicap. Dans le Cotentin, la contrebande, dont on s'est déjà avisé, dissipait dans les chemins creux une part inappréciable du cabotage qui serait venu vers Caen [169]. La guerre enfin mettait à mal une flotte de faible et moyen tonnage, la seule qui pût accoster en ville, sans que la marine militaire retenue dans l'estuaire de la Seine, à Cherbourg et en Bretagne par des tâches urgentes ait les moyens de la protéger. La navigation côtière souffrait autant de risques que le trafic hauturier ; la Manche demeura jusqu'à l'Indépendance américaine, qui rameuta les patrouilles, une sorte de Méditerranée septentrionale où les petits corsaires d'Aurigny, Jersey et Guernesey, se jouant des bas-fonds et des brumes, écumaient le cabotage à chaque conflit. Piqûres dérisoires si l'on veut puisqu'on dénombrait en avril 1778 tout juste quatorze embarcations de course dans les îles, mais efficaces à si peu de frais ! Sartine, l'ouvrier du renouveau océanique, fut le premier à mettre au service de la Basse-Normandie quelques corvettes et chaloupes armées pour escorter des convois mensuels. Mais l'aisance maritime française fut de courte durée ; dès la Révolution, les

167. Arch. nat., F 12 908.

168. Voir plus haut, chap. II.

169. Le paradis de la contrebande s'étend du Cotentin jusqu'à Courseulles. Cf. en novembre 1790, la dénonciation portée par Bayeux contre ce trafic : Arch. nat., F 1 C III, Calvados, 7.

risques coutumiers réapparurent. Les doléances des charbonniers de Littry en portèrent témoignage à la direction des Ponts-et-Chaussées le 19 frimaire an IX : « Depuis que les Anglois sont maîtres des Isles Saint-Marcouf, écrivaient-ils, aucune embarcation ne peut se faire sans courir le risque de tomber entre leurs mains »[170].

VI. LE TRAFIC PORTUAIRE

Fantasque et toujours médiocre, le mouvement du port de Caen traduit fidèlement cette constitution asthmatique des échanges. Les congés de navigation délivrés par l'amirauté permettent de s'en faire une idée statistique[171]. Tandis que les permissions de sortie délivrées par l'autorité étaient en effet consenties pour une saison de pêche et ne fournissaient qu'une appréciation annuelle de cette activité[172], le commerce était soumis à l'astreinte des autorisations répétées. Nous avons conservé, pour la totalité du siècle ou presque, la mention des permis levés par les capitaines. Ils sont présentables selon un triple partage des destinations : la Normandie, le reste de la France, l'étranger ; les droits de balise permettent même de retrouver le tonnage des navires pour l'étranger ; dans les années 1783-1784 et 1786, des états détaillés fournissent toutes les indications souhaitables sur les volumes, le terme du voyage et le fret[173] ; enfin, dans ce qui suit, la basse vallée de l'Orne est considérée comme un ensemble et le trafic de l'avant-port Ouistreham-Sallenelles est confondu avec celui de Caen, comme il le fut d'ailleurs un certain moment dans les documents eux-mêmes.

L'ordonnance de marine de 1681 nous assure par ses dispositions que l'ensemble du trafic était bien atteint à l'exception d'un cas : les petits caboteurs navigant dans le ressort d'un même siège pouvaient se dispenser de prendre un congé de retour pour regagner en droiture leur havre d'attache[174] ; mais sur la côte normande, les ports les plus proches, Honfleur à l'est, Courseulles et Port-en-Bessin à l'ouest, disposaient de bureaux d'amirauté ; cette lacune s'élimine donc elle-même et il est possible d'aborder en confiance la structure séculaire du trafic. Les congés n'enregistrent évidemment que les sorties, mais il est clair que ce mouvement traduit aussi celui des entrées, à la réserve d'un léger chevauchement annuel des mois de décembre et janvier. Caen était en effet un port de rivière, d'accostage assez exigu où l'on ne s'attardait guère.

170. Arch. mun. Caen, FF 24, copie de la lettre des consuls de Caen à Sartine, avril 1778 ; Arch. nat., F 14 785, Requête des propriétaires de la mine de Littry à Cretté, directeur du département des Ponts-et-Chaussées, 19 frimaire an IX. En général, voir L. Vignols, 1927.

171. L. Vignols, 1930 ; J. Darsel, 1958. Les constructions navales ne sont pas nulles à Caen, mais elles restent secondaires : Alix, 1937 ; J.-J.-A. Le Goff et J. Meyer, 1971.

172. Voir plus haut, chap. V.

173. Ce matériel statistique se trouve aux Arch. nat., G 5, 13, Amirautés, Port de Caen.

174. Voir l'article « Congé » du *Dictionnaire* de Savary, 1759-1765.

Trafic du port de Caen : congés commerciaux délivrés au port
(indice 100 : 1762)

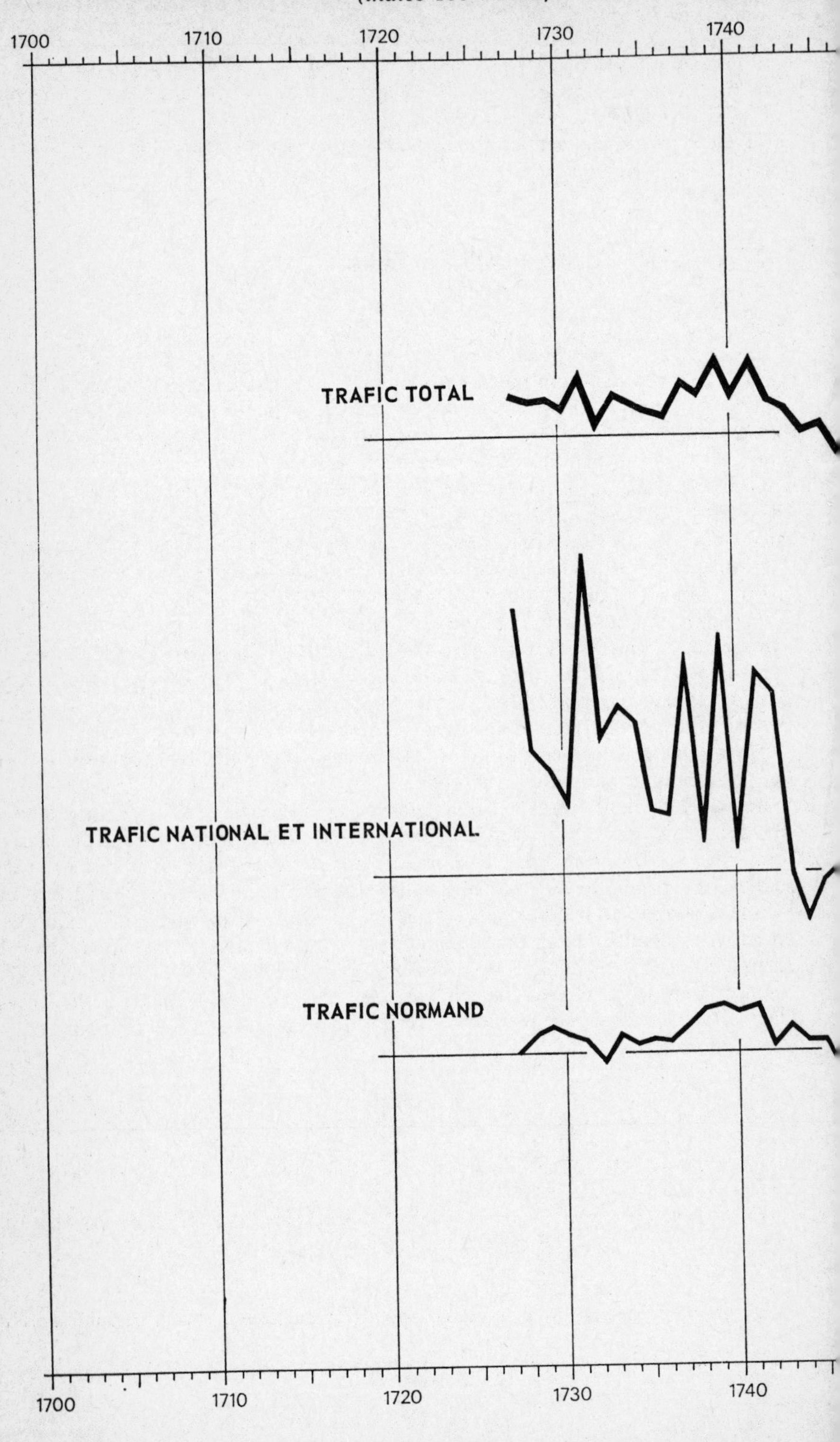

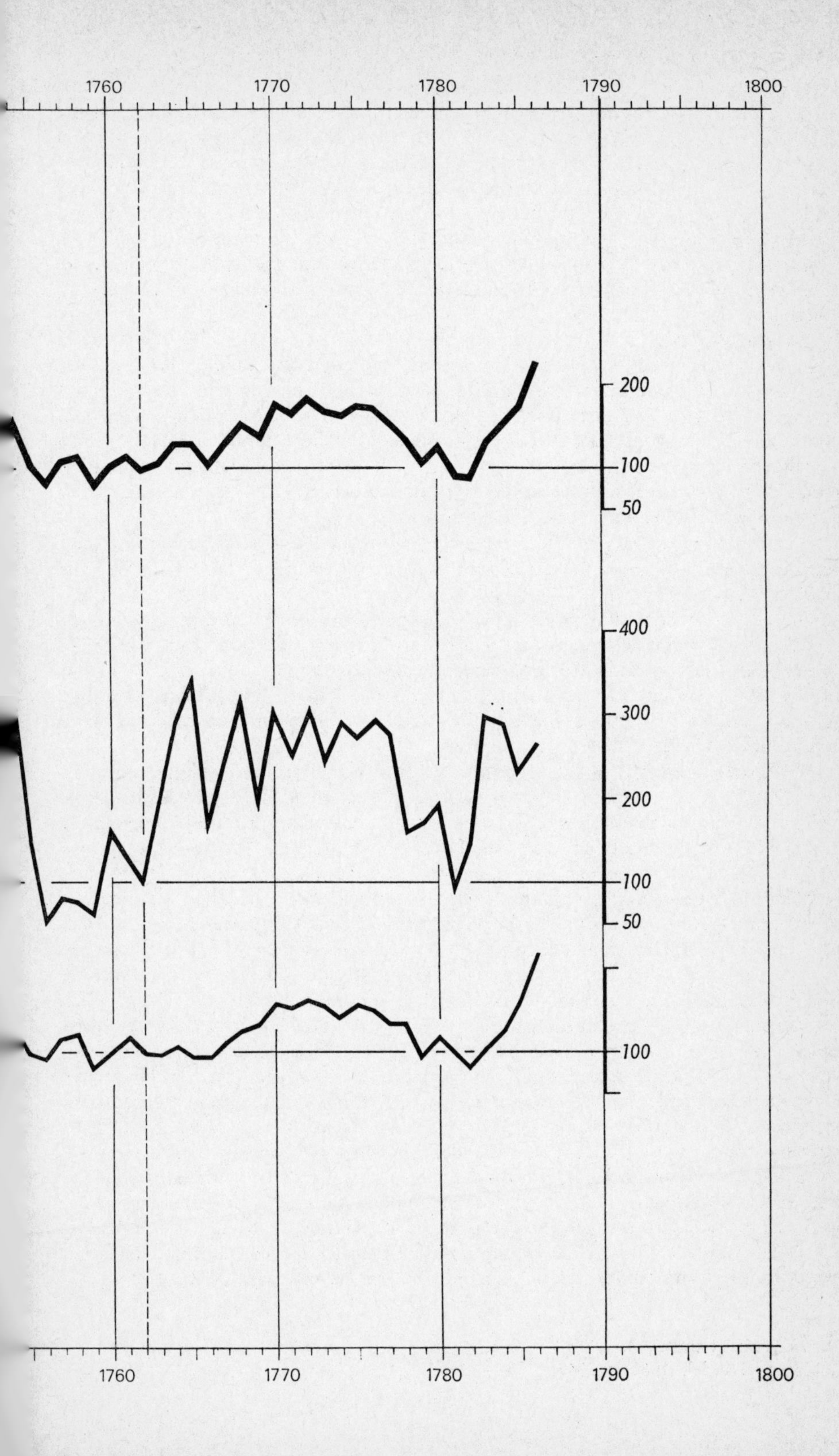

1760
1770
1780
1790
1800
200
100
50
400
300
200
100
50
100
1760
1770
1780
1790
1800

La statistique du mouvement transcrite en annexe fait découvrir un contraste entre la vallée de l'Orne et les ports mineurs de la côte [175]. Ceux-ci connurent un âge d'or entre 1745 et 1777, l'effondrement de leur activité coïncida avec la guerre d'Amérique et la course anglo-normande, mais leur survécut : le rôle captateur des voies terrestres mineures, intensément développées depuis 1775, intervient pour expliquer la léthargie maritime du rivage. Jusque-là, les cidres, les grains, le beurre, la pierre passaient par la côte vers Caen et l'estuaire de la Seine ; la route de terre épargnait maintenant deux transbordements.

Le trafic global de Caen n'accuse pas cette forme de dôme. Il répondait à d'autres fonctions et, transcrit dans la base indiciaire habituelle (1762 : 100), témoignait d'une grande tranquillité séculaire. Bien entendu les volumes annuels (de 165 à 479 navires) ne sont jamais supérieurs au tiers de ceux de Rouen et souvent même très en dessous. La dénivellation semblerait plus considérable encore si les tonnages nous étaients régulièrement connus [176], mais cette comparaison vaut peu ; la personnalité économique des deux villes différait en tout, la mer reste à conquérir ici.

Les trois temps faibles du mouvement correspondent aux périodes d'insécurité navale. La guerre de Succession d'Autriche creusa la dépression la plus vive : trois années, de 1746 à 1748, oscillaient entre les indices 77 et 85, entourées de pentes statistiques aux belles performances pacifiques, les années quarante en amont, cinquante en aval. Mais la guerre de Sept Ans, longue et sévère, n'a pas entraîné un affaissement comparable ; les deux années basses (à 79 et 85) étaient mêlées à 1757, indice 110, 1758 : 117, 1760 : 105, puis ensuite indices 119, 100 et 609. Enfin, pendant l'Indépendance américaine, le creux de la vague frôlait à peine l'indice 92.

Cet affermissement, que les conflits successifs mettent en vedette, pose un problème ; il commence trop tôt pour être seulement le fruit des mesures décidées sous Sartine après 1778 ; au mieux, elles l'auront étayé, encore se souvient-on qu'elles étaient sans effet au même moment sur le cabotage en déroute de Courseulles et Port-en-Bessin, trop insignifiant pour mériter une protection. Une seconde hypothèse suggère que le trafic caennais appartenait à un autre genre que celui des ports mineurs. Ceux-ci exportaient un surplus de production rurale dont l'écoulement s'est poursuivi après 1777 par d'autres voies. La capitale de la Basse-Normandie constituait de son côté un centre de consommation qui aimantait fortement la production régionale. A la sortie de Caen, parmi les produits agricoles, le cidre et le blé pouvaient seuls quelques années alimenter des embarquements ; l'administration, même physiocrate, se montrait réservée dans ses permissions. Les produits de l'industrie trouvaient leurs débouchés habituels dans les foires ; leur renom a peut-être beaucoup contribué au marasme maritime. Restaient quelques matériaux lourds comme la pierre de Caen que des bateaux plats portaient aux rives de la Seine, au Havre notamment tout à fait démunie pour la construction de ses quais. Passé cela, le trafic de redistribution sur une courte distance souffrait sans doute cruellement à la fois de la proximité de Rouen et du Havre et de la qualité croissante du réseau routier. Peut-on rendre sensible, dans ces conditions, la suprématie de la demande sur l'offre au port de Caen ?

175. Voir l'annexe 14.
176. P. Dardel, 1963, p. 247.

La séparation indiciaire des trafics proches et lointains révèle d'abord une hiérarchie très différenciée des besoins.

Dans les deux catégories de congés, la dispersion séculaire présente un vif contraste. Les navires qui levaient l'ancre chaque année pour les ports de Normandie appartenaient à une aire d'échanges assez réguliers et croissants :

1) La moyenne décennale indiciaire prouve le progrès :

1730-1739	122,4
1740-1749	111,0
1750-1759	102,2
1760-1769	107,5
1770-1779	144,2
1780-1786	129,0

Sans doute les conflits maritimes perturbaient-ils plusieurs décennies de 10 à 30 points d'indice ; la dépression la plus accentuée se situait ainsi au commencement de la guerre de Sept Ans, mais lorsqu'on oppose entre elles les périodes comparables, le mouvement de dilatation du trafic reparaît en période longue :

Décennies pacifiques		*Décennies troublées*	
1730-1739	122,4	1740-1769	106,9
1770-1779	144,2 (+ 11,8)	1780-1786	129,0 (+ 22,1)

La hausse est même relativement plus vigoureuse des premières guerres à la dernière : à l'essor tendanciel du cabotage s'était donc bien ajouté l'effet de l'écran naval aménagé par Sartine.

2) La standard-déviation décennale des indices annuels mesure, d'autre part, l'allure du changement [177] :

1730-1739	14,32
1740-1749	25,96
1750-1759	17,09
1760-1769	12,85
1770-1779	19,16
1780-1786	43,79

Ici, l'influence des conflits est entièrement brouillée à travers le calcul de l'écart-type. La dispersion s'est maintenue dans des valeurs faibles et voisines jusqu'en 1770-1779. Elle connaît, au contraire, une brusque dilatation dans les sept années finales. Au cours de la première période demi-séculaire, la régularité des mouvements de bateaux, même à travers les guerres, traduisait donc une structure d'échange inélastique ; celle-ci répondait à des besoins commerciaux plus impérieux que n'était efficace la dissuasion anglaise. Comme cette éventualité a plus de chances d'apparaître si la demande l'emporte sur l'offre que dans le cas inverse, la vraisemblance de notre hypothèse primitive sur le

177. La standard-déviation est la racine carrée de la moyenne arithmétique des carrés des écarts entre chacun des termes et leur moyenne arithmétique.

rôle importateur de la vallée de l'Orne se renforce. Il reste que les années 1780-1786 furent plus irrégulières : un changement s'était opéré dans la respiration portuaire. Laissons en suspens, pour quelques pages encore, l'examen de cette modification.

Il faut soumettre d'abord aux mêmes analyses le trafic national et international :

Moyennes décennales indiciaires

1730-1739	263,4
1740-1749	149,0
1750-1759	206,8
1760-1769	210,3
1770-1779	256,2
1780-1786	216,5

En ce domaine la hausse tendancielle séculaire du trafic n'apparaît donc pas avec la même netteté que dans le cabotage, pour autant que l'évolution du tonnage ne contrarie pas cette conclusion. En revanche les décennies frappées par les guerres accusaient un déficit sensible, bien qu'il fût en voie d'amortissement d'abord rapide, ensuite plus lent : indices 149 ; 206,8 ; 210,3 ; 216,5. Tout se passe donc comme si l'objet du trafic répondait à un commerce beaucoup plus élastique. La demande de produits lointains ou, en sens inverse, l'offre à destination des régions excentriques, semblaient pouvoir être aisément remises jusqu'aux années pacifiques, à moins que ce fret divisé, dûment emballé, ait emprunté la route pendant les guerres ; l'activité persistante des foires à ces moments-là fait croire à ce genre de compensation.

Ainsi le commerce maritime lointain ne satisfaisait pas des besoins vitaux, il pouvait prendre des volumes chaotiques selon les anticipations que les négociants se hasardaient à faire sur leur profit futur.

En moyenne les guerres se révélaient aussi en contrariété structurelle avec cette catégorie de trafic. Mais dans une matière spéculative comme celle-là, une telle corrélation subissait d'innombrables entorses année par année. Il suffisait en effet que les perspectives de profit, fondées sur les dénivellations internationales des prix, soient assez fortes. Les temps de guerre occupent souvent les deux extrémités de l'échelle indiciaire : a) 1746 : 186,4 ; 1760-1761 : 346,1 et 240,9 ; 1780 : 346 ; mais b) 1744 : 7,6 ; 1759 : 39,6.

Calculée comme plus haut sur les sorties de navires, la standard-déviation des indices du trafic national et international par période de dix ans traduit aussi une forte dispersion ; c'est un deuxième témoignage :

Ecart-type des indices de sortie par période

1730-1739	96,35
1740-1749	89,14
1750-1759	151,10
1760-1769	76,11
1770-1779	46,68
1780-1786	70,15

La comparaison de ces résultats avec ceux du cabotage souligne le caractère aléatoire du trafic à longue distance. Evidemment le caprice des négociants ni le hasard n'avaient quelque chose à voir dans ces variations, mais seulement des conjonctures marchandes éphémères dont nous avons perdu la clé. En tout cas, les horizons tour à tour bouchés et radieux en une rapide révolution désignent le commerce de spéculation. Pourtant le comportement de la dispersion avait changé dans le temps. L'influence de la guerre sur les écarts n'apparaissait pas mieux ici que dans le trafic côtier. Mais deux périodes trentenaires, de longueur équilibrée, s'étaient succédé. De la première à la seconde, un gain de régularité était sensible. Cela signifiait-il un glissement portuaire vers la satisfaction des besoins incompressibles ? Probablement. On se souvient d'autre part que le cabotage de la dernière décennie évoluait en sens inverse vers plus d'irrégularité. Ainsi le fait le plus frappant de ces rythmes de navigation réside en la convergence du trafic proche et lointain. Il se produisait vers la fin de l'Ancien Régime une certaine homogénéisation de l'espace maritime de Caen. Les chiffres beaucoup plus détaillés en 1783-1784 et 1786 permettent de l'appréhender.

Dans ces années, la ventilation mensuelle des navires et des tonnages à la sortie montre que l'identité des trafics n'était cependant pas devenue parfaite [178]. Les congés pour les ports français culminaient en été (juillet-août), un maximum secondaire en novembre coïncidait avec le temps du cidre ; l'étiage se situait en janvier-février. Les congés pour les ports étrangers l'emportaient surtout au printemps, spécialement en avril, leur plus bas niveau survenait en décembre. Voici la place des mois par rapport à une répartition homogène dans l'année [179] :

	Indice des tonnages sortis	
	Pour la France	*Pour l'étranger*
Janvier	38,4	71,6
Février	58,2	106,5
Mars	68,4	148,0
Avril	69,3	388,6
Mai	106,2	58,8
Juin	137,8	165,0
Juillet	154,7	62,7
Août	153,4	22,0
Septembre	93,4	41,2
Octobre	89,9	66,9
Novembre	137,4	60,5
Décembre	88,8	16,6

Les pointes d'avril et d'août attirent l'attention par leur analogie avec les dates de foire. Comme les navires en partance pour la France et l'étranger provenaient en grande partie des mêmes lieux, il s'avère que la foire de Caen suscitait un mouvement portuaire d'entrées et de sorties internationales, la foire de Guibray, un mouvement plus spécifiquement français. Cette nuance

178. Annexe 14.
179. Les mois ont été comptés en vraie grandeur, selon leur nombre de jours.

*Trafic national au port de Caen : répartition des tonnages à la sortie du port, selon l'*ORIGINE *des navires (1783, 1784, 1786)*

Le cercle gris représente le trafic national total à la sortie du port (100 %)

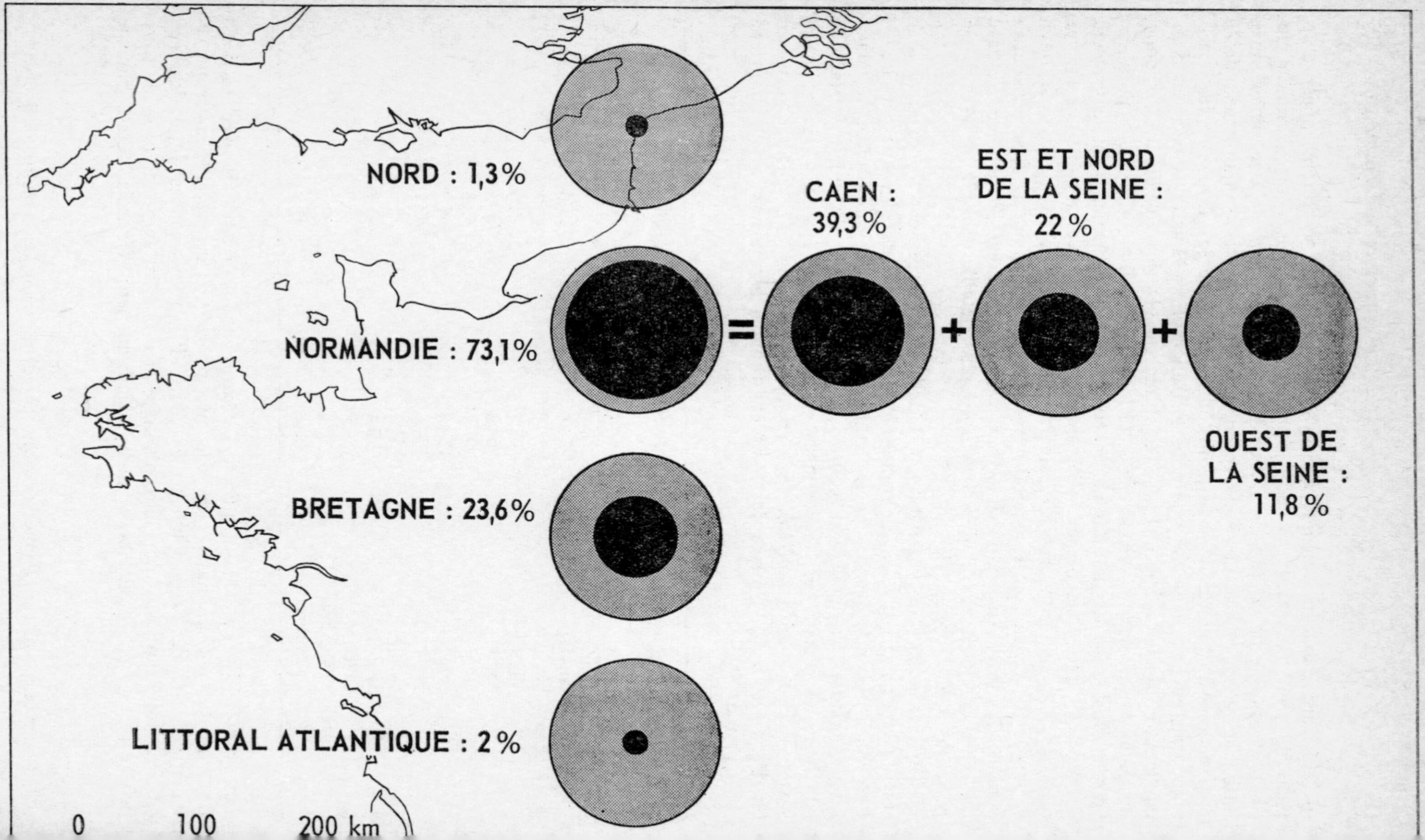

s'ajoute à celles qui distinguent déjà les deux foires. Mais quelle que soit sa destination, le trafic portuaire souffrait d'un handicap souvent pressenti et que confirment maintenant les archives précises de 1783-1784, 1786.

Caen entretenait un volume d'importation par son abondance monétaire et ne parvenait pas à les balancer par des exportations équivalentes. Une telle asymétrie rendait coûteuse la fréquentation de l'Orne et grevait le prix des marchandises. C'était l'obstacle le plus sérieux devant le progrès des échanges. Les tonnages des navires en partance se ventilaient en effet de la façon suivante :

Navires et tonnages selon les cargaisons (1783-1784, 1786)

Cargaisons	*Navires*	*(%)*	*Tonnages (tonneau de 2 000 l pesant)*	*(%)*
Lest	321	32,3	13 127	28,2
Pierres	522	52,4	27 377	59,0
Pavés	14	1,4	451	1,0
Bois de construction	15	1,5	973	2,1
Marchandises diverses emballées	124	12,4	4 460	9,7
Total	996	100,0	46 388	100,0

Un tiers des navires venus à quai repartait donc à vide. Lorsqu'on regarde à part les navires étrangers, la proportion devient écrasante : 86,4 % en nombre, 90,6 % en tonnage des vaisseaux européens n'avaient rien trouvé à transporter. Pour l'essentiel, seul le cabotage présentait un volume conséquent d'exportation avec les cargaisons de pierre, de pavé, de bois destinés au Havre ; c'était un trafic en vrac. Dans les marchandises emballées, les principaux postes de sortie revenaient au chanvre, au sel, aux vinaigres ; le fer, les grains comptaient pour presque rien. Détail caractéristique, on observait un petit tonnage de futailles vides, symbole de retours infructueux.

La faiblesse naturelle du port diminuait donc fortement le rôle qu'il aurait pu tenir comme tête de navigation. La ville ne formait qu'une étape occasionnelle dans les parcours nationaux et internationaux. D'où les discordances entre les ports d'attache et les destinations des vaisseaux qui faisaient escale. Séparons dans cette analyse le commerce national et international[180] :

180. Annexe 15.

Trafic du port de Caen : ventilation des tonnages, à la sortie du port, selon la DESTINATION *des navires (1783, 1784, 1786).*

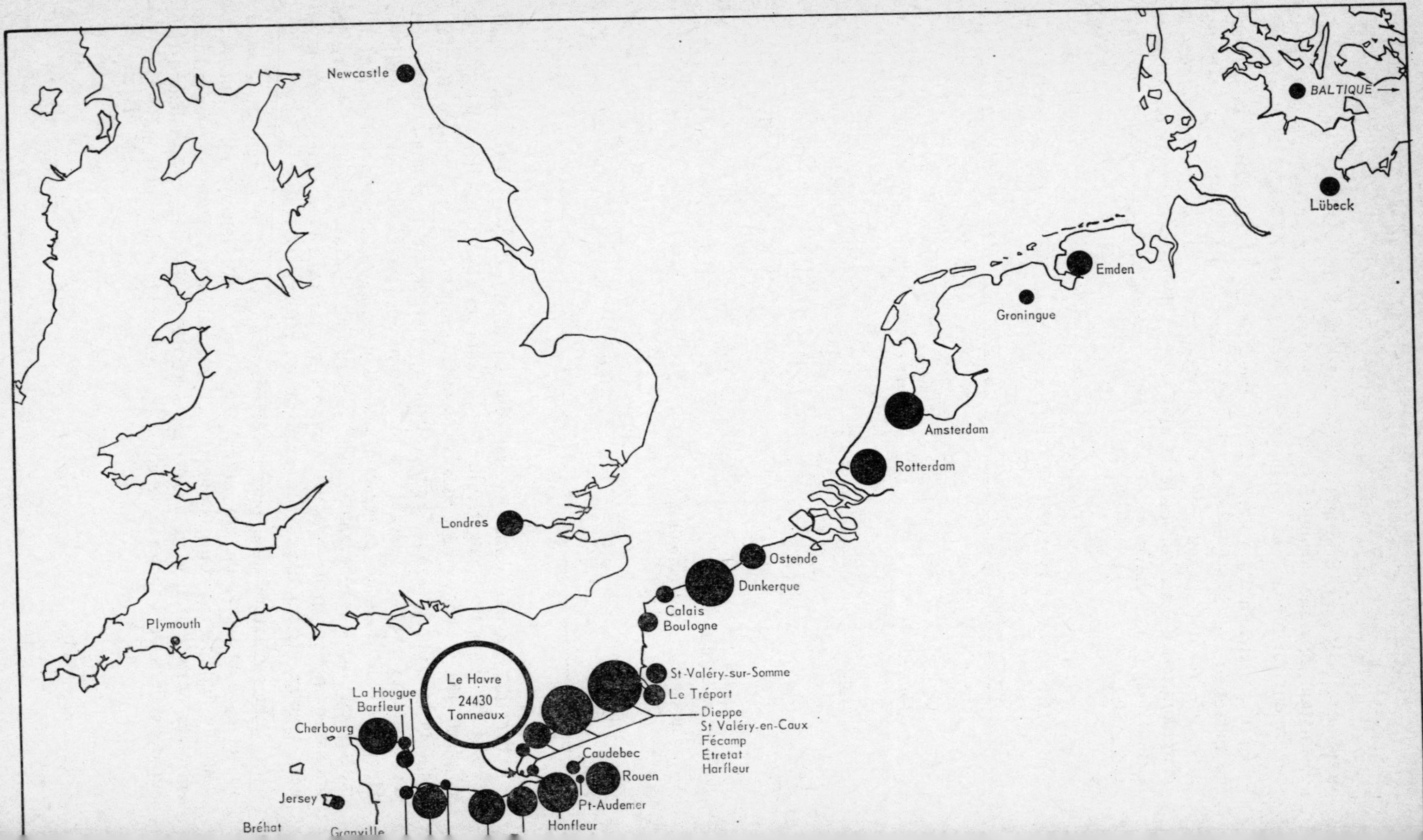

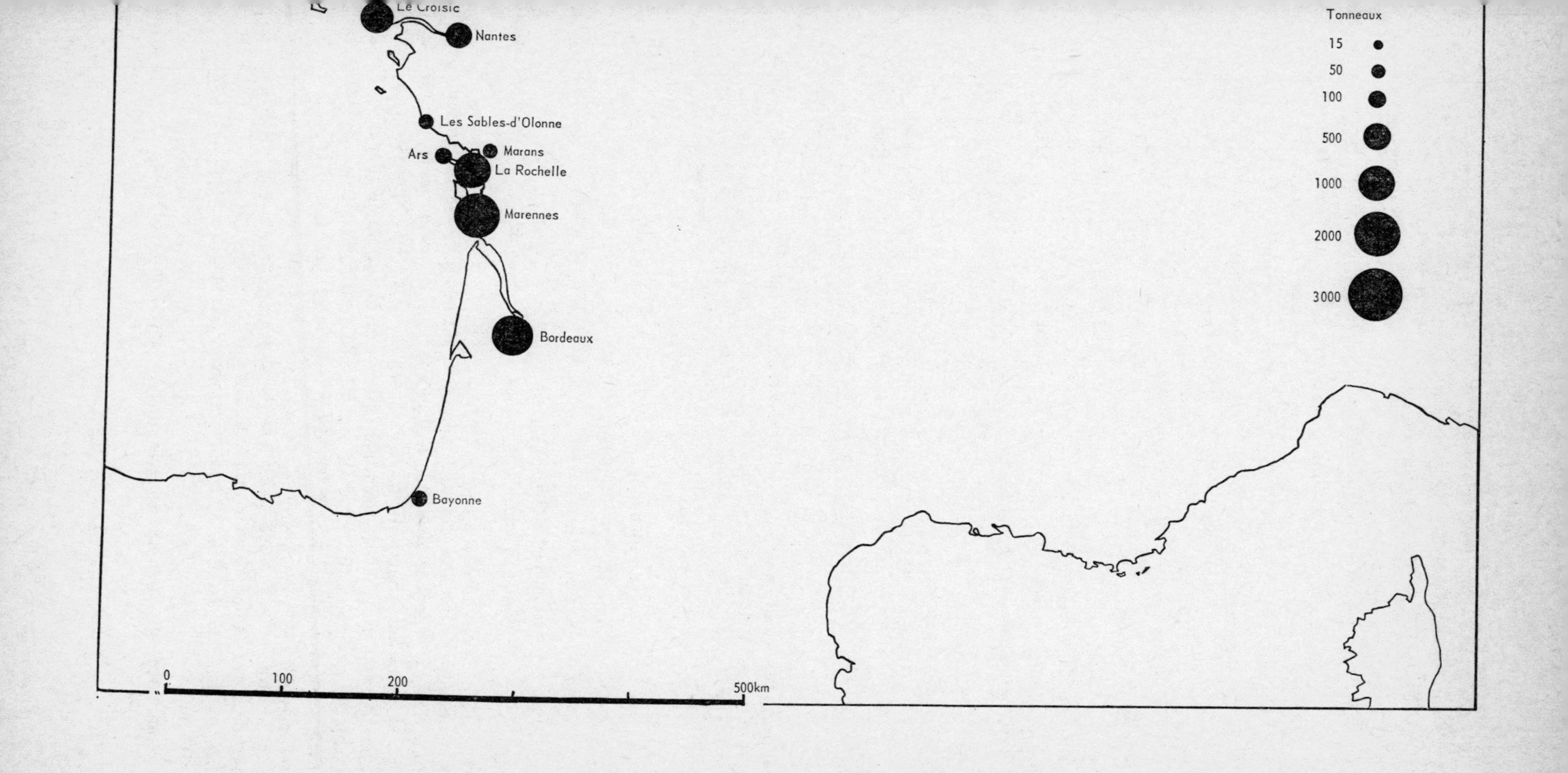

Le Croisic
Nantes
Les Sables-d'Olonne
Ars
Marans
La Rochelle
Marennes
Bordeaux
Bayonne
Tonneaux
15
50
100
500
1000
2000
3000
0
100
200
500km

Trafic national

	Ventilation des tonnages à la sortie de Caen en fonction	
	De la destination des navires (%)	*Du port d'attache (%)*
Littoral atlantique	9,1	2,0
Bretagne	5,7	23,1
Normandie occidentale jusqu'à la Seine	11,5	11,8
Normandie orientale depuis la Seine	68,5	21,5
Nord et Picardie	5,2	1,3
Caen		38,3
Etranger		2,0
Total	100,0	100,0

Le rapport des destinations aux havres d'attache des navires du royaume s'établit ainsi en tonnage :

	Destination/ port d'attache (%)
Littoral atlantique	482
Bretagne	25
Normandie occidentale	105
Normandie orientale	331
Nord et Picardie	426

Ainsi beaucoup de navires bretons passaient à Caen puis se dirigeaient vers d'autres rivages avant de regagner leur port. Seul le trafic de la Normandie occidentale, du Mont-Saint-Michel à l'estuaire de la Seine était à peu près équilibré. Vers la Normandie orientale, de Rouen à la Somme, partaient beaucoup plus de navires qu'il n'en était attaché ; les bretons étaient du nombre et l'immense majorité des bateaux de Caen. Le nord et le sud atlantique du royaume n'entretenaient pas avec Caen des relations régulières d'aller et retour ; le trafic était relayé par la flotte de Seine et par la Bretagne ; les navires de Caen étaient à peu près complètement absents des voies maritimes établies au sud de Nantes. Quelques navires étrangers s'inséraient dans ce courant national.

Le commerce international suggère des observations analogues.

Trafic international[181]

	Ventilation des tonnages à la sortie de Caen en fonction	
	De la destination des navires (%)	Du port d'attache (%)
Grande-Bretagne	16,7	8,8
Flandre et Pays-Bas	67,4	49,2
Allemagne	13,7	34,1
Scandinavie	2,2	0
France		7,9
Total	100,0	100,0

Les navires français intéressés dans ce trafic étaient tous attachés à Caen mais l'essentiel (plus de 90 %) du mouvement international dépendait des vaisseaux étrangers. Comme ils repartaient à vide dans la même proportion, la sujétion du port apparaît très forte. Ces navires ne se risquaient dans l'Orne que pour satisfaire à des commandes locales fermes passées par les autochtones lorsque le profit escompté l'emportait sur tout. Aucun supplément de trafic ou presque ne pouvait naître des circonstances et les chassés-croisés des étrangers en quête de fret introduisaient des décalages entre la destination et le port d'attache, dont voici le bilan.

Navires étrangers

	Destination (%)	Port d'attache[182] (%)
Grande-Bretagne	10,6	9,8
Flandre, Pays-Bas	55,4	55,2
Allemagne	11,8	35,0
Scandinavie	1,9	0
Autres ports français	20,3	0
Total	100,0	100,0

Le mouvement vers la Flandre et les Pays-Bas semblait assez balancé, mais il repartait un peu plus de vaisseaux vers l'Angleterre qu'il n'y en avait d'attachés et surtout le déséquilibre était complet pour les ports allemands. De très nombreux autres havres français recevaient la visite des vaisseaux étrangers dont le voyage était déjà partiellement amorti par les sorties d'argent caennaises. Dans les années 1783-1784, 1786, les bénéficiaires furent par ordre d'importance décroissante : Le Havre, La Rochelle, Honfleur, Bordeaux et Boulogne.

181. Annexe 15.
182. *Ibid.*

Bref la vie maritime locale n'était pas nulle. Les besoins de la consommation lui assuraient même certains prolongements dans la dimension nord-européenne si souvent ressentie comme l'harmonique de la Basse-Normandie. Mais ce trafic n'entraînait pas de son propre chef, la croissance des échanges. Le contraste demeurait complet avec l'ascension simultanée des ports coloniaux. Le dynamisme du commerce terrestre doit-il être tenu responsable de ce piétinement ? La relation n'est pas prouvée et la chronologie inciterait plutôt à postuler l'inverse. Si les meilleures routes construites au XVIIIe siècle balayèrent la province parallèlement à la côte d'ouest en est, c'est que n'avaient pu se constituer arrière-pays ni port dignes de ce nom selon un axe nord-sud. La « vocation » continentale de Caen se ramenait à un problème de géo-économie. Nulle barrière juridique, en effet, à l'essor maritime. Depuis le 21 septembre 1756, la cité avait reçu comme tous les grands ports atlantiques la permission de commercer directement avec les côtes américaines et les îles ; elle bénéficiait du droit d'entrepôt [183]. Mais la réalité nous est connue [184].

Au sein de la ville et jusqu'à la mer, un envasement inexorable détournait les navires ; aussitôt en amont, c'était une rivière d'alluvionnement rapide, de surcroît coupée de ponts ou de biefs, qui réduisait à rien la navigation pondéreuse [185]. Les remèdes étaient donc liés : ouvrir la rivière laverait les quais. On aurait créé à la fois le port et l'arrière-pays. La géographie et l'économie se rencontraient en un vaste projet d'urbanisme dont le retentissement dépassait infiniment la question des échanges. Réservons-lui, plus loin, une place centrale dans l'étude des transformations de la ville [186]. Cependant la chronologie a son importance tout de suite.

Les travaux s'ouvrirent vers 1780. Les dépenses immenses à prévoir, les barrières d'intérêts particuliers à renverser expliquent ce retard, mais la détermination des armateurs et des négociants était unanime depuis le milieu du siècle ; elle accompagnait donc l'essor des échanges continentaux, jamais opposés au marché océanique. Bien entendu, l'ouvrage se poursuivait lorsque commença, dans l'hiver 1788-1789, l'hibernation du grand programme commercial : elle devait durer vingt-cinq ans. Les statistiques maritimes qui cessent en 1786 ont tout juste enregistré cette année-là les effets de la première tranche de travaux conclue en 1784-1785. Encore indifférent au trafic éloigné, l'aménagement avait déjà permis un exceptionnel bondissement de la circulation vers les deux parties de la Normandie.

Dans le progrès des échanges, le dynamisme des entrepreneurs intervient donc à côté des richesses matérielles ; ici la vivacité des marchands, pourtant peu nombreux, se détachait loin devant la léthargie industrielle et l'attitude routinière des rentiers. Voulues par une minorité, les retrouvailles tardives de Caen avec la mer ouvraient au développement de la Basse-Normandie une voie anglaise, dessinée à travers un tâtonnement séculaire et merveilleusement adaptée aux rivages de par ici. Tout devenait possible : l'accélération de l'histoire économique et le développement. Avant que ne s'amorce l'ancrage conti-

183. Arch. dép. Calv., C 2788 et encore 8 E 16 ; Arch. mun. Caen, HH 30. Cherbourg était pourvue des mêmes prérogatives depuis le 8 juin 1756 et Granville les obtint le 29 décembre 1763.

184. Sur l'ensablement voir plus haut le chapitre II.

185. C. Hardouin, 1951.

186. Voir les chapitres suivants X, XI, XII.

nental de la période révolutionnaire et impériale, une sorte de bilan est souhaitable. Donnons-lui trois objectifs : appréhender l'espace économique trans-urbain et sonder l'horizon mental du grand négoce ; dresser l'état des contacts humains qui leur correspondent ; enregistrer les conséquences urbaines de l'essor des échanges.

VII. LES TERMES COMPTABLES ET QUALITATIFS DE L'ÉCHANGE

L'espace du commerce n'est pas enregistré directement dans la statistique du XVIIIe siècle. Pour obtenir quelques lumières sur ce sujet, il faut choisir un niveau d'analyse et trouver des indicateurs détournés.

La coupe se situera à égale distance de deux réalités peu significatives : au-dessus des activités de détail dont l'horizon se referme sur les murs de la ville car elles existaient partout ; au-dessous du grand commerce nord-européen numériquement trop raréfié et trop spécialisé, original cependant car il se détournait souvent, pendant sa phase d'impatience pré-révolutionnaire, de l'échelon intermédiaire français. Entre ces deux niveaux : la sphère véritablement motrice des échanges urbains ; elle est faite d'unités commerciales en prise sur une clientèle locale, régionale et nationale.

Les marchands-entrepreneurs merciers la symbolisent parfaitement grâce à la structure proto-capitaliste de leur activité, fondée sur le circuit argent-marchandises-argent. Une carte composite de leurs aires d'échange peut être extraite des bilans de faillite dans la branche au cours de la période 1788-1790 [187]. Les valeurs du débit et du crédit ont été cumulées pour tenir compte de l'ensemble des opérations commerciales :

Répartition géographique du volume des affaires

	(%)	
Caen	17,4	
Rouen	16,4	
Reste de la Normandie	14,1	
Bretagne, Vendée	11,5	(Cholet, Laval, Lorient, Nantes, Rennes, Saint-Malo)
Touraine	0,7	(Tours, Saumur)
Nord	4,8	(Abbeville, Amiens, Bailleul, Beauvais, Lille, Saint-Quentin, Valenciennes)
Est	1,6	(Bar-le-Duc, Reims, Troyes, Sedan)
Paris et sa région	28,3	(Meaux, Melun, Paris, Versailles)
Lyon et sa région	5,2	(Lyon, Mâcon, Saint-Chamond, Saint-Etienne)
Total	100,0	

187. Bases de la statistique suivante : Arch. dép. Calv., 13 B, Consulat de Caen, 13 B 57 à 13 B 78. Faillites Le Bouet, Hebert, Verel de la Pommeraye, Montignac, Lerat, Leroux, Rullie, Halbourg, Bunouf.

Cette statistique porte sur le marché à terme ; la part modeste des affaires purement urbaines s'explique sans doute par l'existence, ici non repérée, d'infimes tractations réglées au comptant ; celles-ci rapprochaient les merciers des autres détaillants, elles auraient donc dénaturé l'horizon commercial dans lequel nous voulions rester entre la boutique et le grand négoce.

A ce niveau, deux France coexistaient pour les marchands de Caen. Au nord d'une ligne médiane Nantes-Saint-Etienne, aucune région industrielle majeure ne leur était inconnue : c'était déjà presque trait pour trait la coupure chère à la statistique économique et sociale du comte d'Angeville [188]. Mais une nuit commerciale profonde couvrait la partie sud du royaume et la vallée de la Loire symbolisait un partage aussi épais que la frontière d'un Etat souverain. Avec l'étranger réel (comme l'Angleterre) ou fictif (comme cette France méridionale), les marchands de Caen ne communiquaient que par d'épisodiques contacts maritimes ou des intermédiaires en foire. Dans la France septentrionale, les zones de forts courants ne s'établissaient pas par hasard. De nouveau se manifestait la grande transversale ouest-est qui nous est familière : Bretagne, Normandie, région parisienne, passé laquelle ne subsistaient plus que des foyers satellites, le nord, Lyon, l'est du royaume. Cette carte confirme la valeur exemplaire des foires soutenues par des lignes de force identiques.

Au-dessus de ces transactions massives, l'œuvre fragile de quelques pionniers nouait en solitaire les fils de l'échange généralisé. L'étude de l'industrie dentellière, la plus spéculative, nous a montré la ligne de ce front de conquête : l'Allemagne, les Provinces-Unies, l'Angleterre. Les archives consulaires tracent à leur tour un bilan de l'horizon mental du grand négoce en cette fin de siècle économique.

Les préoccupations des principaux négociants composaient une attitude mentale qu'on retrouverait partagée des milieux productifs du XIXe siècle. En un sens, la rumeur de l'avenir montait bien de cette ville avant que le brouillage dirigiste de l'époque révolutionnaire ne s'établisse [189]. Contre la pente principalement agrarienne de la province, l'intérêt des entrepreneurs cherchait d'abord une reconnaissance institutionnelle. Mais les difficultés économiques et fiscales du moment donnaient aux propos des négociants une puissance d'avertissement beaucoup plus pressante que jadis, lors de la demande d'une Chambre de commerce. Ainsi, dès 1788, le Consulat était-il parvenu à se faire écouter de l'assemblée provinciale avec l'appui de son président, le duc de Coigny, et à constituer un bureau du bien public qui inspira la politique de l'emploi traduite par la municipalité [190]. Cette position de force ne fut pas difficile à défendre dans les années d'effondrement monarchique. L'esprit qui l'inspirait était conforme aux vœux du monde national des affaires vers lequel le développement des échanges avait enfin porté les milieux de Caen.

D'un certain point de vue, c'est le libéralisme pur. Les riches marchands s'efforcèrent de ruiner le mieux possible le système des contrôles traditionnels de l'économie. Ils secondaient ceux des leurs qui, en août 1790, se heurtaient

188. Angeville, 1836.

189. Vers la fin de l'Empire, Caen revient à la situation prérévolutionnaire. Cf. la bonne mise au point de J. Vidalenc, 1958.

190. Arch. mun. Caen, FF 24, registre de correspondance du Consulat.

encore, comme chez les épiciers négociants, aux dernières tracasseries des communautés de métiers, ils obtenaient le silence de l'administration sur les établissements formés spontanément hors du vieux système durant le même semestre [191] ; ils donnaient, de la loi Le Chapelier, l'interprétation la plus rigoureusement patronale en affichant les dispositions qui les servaient le mieux : la poursuite des coalitions, la liberté des salaires, la protection de la main-d'œuvre étrangère à la ville et peu exigeante ; ils cherchaient enfin de 1790 à 1792 l'anéantissement de l'amirauté qui persistait à régler la réception des armateurs contre le gré du tribunal de commerce [192].

D'autre côté, les négociants ne se faisaient aucun scrupule de reporter sur l'ensemble de la nation les coûts de ce libéralisme. L'espoir de domestiquer enfin l'Etat, au mépris de leur propre théorie, apparaissait très fort chez eux. Cette contradiction entre l'idéologie économique et la pratique a longtemps survécu, elle caractérise le développement français du XIXe siècle en regard des variétés anglo-saxonne ou allemande. En 1790, il est intéressant de l'observer au creuset d'une ville importante, mais surtout d'y voir se mêler les veines profondes du XVIIIe siècle : l'hostilité aux règlements économiques jointe à la quête d'un tissu légal protecteur. De la même manière, le nouveau libéralisme occupe tout l'espace conceptuel compris entre les deux figures oppressives et salvatrices de l'Etat. Le parcours était instantané de l'une à l'autre. Les marchands de Caen ne cessèrent, par exemple, d'accabler l'autorité centrale en juin 1790 pour obtenir la reconnaissance d'une institution commerciale plus étendue que l'ancien consulat, au point que les constituants leur conseillaient la prudence. Lamy, juge-consul autrefois refusé par Versailles pour fait de religion et maintenant député, devait modérer ses troupes : « La circonstance ne serait pas propice. Vos observations ... ne pourroient avoir pour baze que des événements passés » [193] ; il s'agissait de tirer vengeance à la fois de Rouen et des villes secondaires de Basse-Normandie. Mais en août, l'Etat, jusque-là sollicité, devint solliciteur ; encore était-il peu exigeant puisqu'il ne demandait qu'un avis sur l'amortissement des offices et des dettes de corporations, chapitre essentiel du programme libéral, lourd cependant d'implications fiscales. Aussitôt les milieux économiques firent silence et refusèrent toute réponse [194].

La contradiction des deux attitudes ne semblait donc pas ressentie. Finalement les négociants de la ville adoptaient en tout le point de vue de l'utilité ; on se souvient que les économistes locaux faisaient d'ailleurs peu de cas de la pensée théorique. Le domaine purement commercial fournira la matière de

191. *Ibid.,* F 5, Procès-verbal des incidents survenus au tribunal de police le 30 août 1790 contre les syndics épiciers ; Lettre du président du comité d'Agriculture et de Commerce aux officiers municipaux, le 9 novembre 1790 ; *ibid.,* F 4 et F 3, correspondance sur le Consulat, la police des ports et la navigation, 1791 et 21 mai 1792.

192. *Ibid.,* F 5, affiches imprimées chez G. Le Roy en application de la loi du 17 juin 1791 et relatives aux assemblées d'ouvriers.

193. *Ibid.,* FF 23, Lettre de Lamy aux consuls le 9 juin 1790. *Ibid.,* F 4 : le tribunal de Commerce est formé le 2 juillet 1790 par l'assemblée des marchands négociants, banquiers, manufacturiers, armateurs et capitaines de navires. Il est placé sous la présidence d'Auvray de Coursanne.

194. Arch. mun. Caen, FF 23, Lettre de M. de Cussy, membre de l'Assemblée constituante aux prieurs et juges-consuls, le 30 août 1790.

plusieurs remarques analogues en même temps qu'il dévoilera mieux les deux dimensions, désormais internationales, des intérêts caennais.

La première : le négoce avec l'Angleterre. Le sujet fut porté à l'avant-scène par le traité de commerce. En 1787, la Chambre de Rouen sollicitait l'avis des consuls d'ici sur les suites du pacte et soulignait le tort qu'il allait causer aux manufactures. La comptabilité des entreprises devait compter sur les secours du roi pour retrouver l'équilibre, disait-on en Haute-Normandie ; une circulaire rouennaise de l'été 1789 ajoutait : « Nos étoffes et nos toiles n'habillent plus l'Amérique ... à la faveur de ses méchaniques, l'Angleterre vend en France », Rouen demandait de l'aide. Or le consulat de Caen n'a pas répondu à cette proposition d'alliance [195]. Dans ses rangs, les négociants pesaient beaucoup plus lourd que les fabricants, les plus conséquents de la compagnie s'étaient liés à quelques maisons anglaises pour la distribution des produits *made in England* hors des temps de foire ; ils se firent les champions influents du libéralisme et de la non-intervention. La frange la plus minoritaire mais ouverte aux grands espaces commerciaux l'avait emporté. Elle devait triompher également dans la défense du trafic colonial triangulaire et l'apologie du système de la plantation. Mais dans cette deuxième dimension, le libéralisme économique, entièrement dissocié du libéralisme politique, exigeait à l'inverse de tout à l'heure une puissante pression sur l'Etat. Pas la moindre conscience de cette contradiction n'est perceptible.

Jusqu'à la guerre d'Indépendance américaine, aucun lien n'apparaissait entre le grand commerce caennais et la traite. Les négociants, intéressés au trafic colonial, plaçaient généralement leurs mises dans les échanges directs avec les Antilles, comme en témoigne le tableau des prises au début de la guerre de Sept Ans. Or la « découverte » du marché africain, si rémunérateur, fut contemporaine des nouveaux aménagements portuaires. La coïncidence est remarquable. Un nouveau continent s'ouvrait aux spéculateurs sur le modèle de la Basse-Seine et de Honfleur tout proches.

Initiateur, l'ancien capitaine négrier Le Vanier, bourgeois de la ville, fit éditer en avril 1781 un *Mémoire concernant les avantages du commerce maritime en France en temps de paix, avec quelques détails relatifs à celui de la Côte d'Afrique et des isles de l'Amérique* [196]. Dans la vaste littérature que l'apologie (ou le dénigrement) du commerce colonial lié à l'esclavage a suscitée depuis l'abbé Raynal, cette brochure n'est pas originale. Mais le lieu, la date, le choix de certains arguments en font le prix. L'auteur affichait en effet une pensée économique résolument libérale si l'on entend par là la conviction qu'il existe un seul déterminisme de la production et des échanges, celui du profit, et qu'il fonde des statuts sociaux sur lesquels la volonté humaine n'a pas de prise. Tous les arguments explicites du libelle sortaient en effet de cette sphère idéologique encore partiellement inexplorée. Résumons-les :

1) Les entreprises vont devoir quitter la préhistoire économique. Le Vanier évoque la faillite récente d'une maison de Caen (il s'agit sans doute de la

195. *Iibid.*, FF 23 et FF 24. Correspondance du 7 décembre 1787 et lettre circulaire imprimée du 31 août 1789.

196. A Caen, de l'imprimerie de G. Le Roy, 16 pages in-8 ; un exemplaire à la Bibl. Mancel, mss. (*sic*) 69 f° 154 sq.

banque Gaultier) lourde de 2 millions de livres. Cette firme avait proposé de rémunérer ses emprunts et dépôts à 4 % et 5 % annuellement, « il paroit, ajoute-t-il, que cette maison n'avoit pas fait un grand commerce de cet argent et que les intérêts annuels qu'elle payoit en ont absorbé partie des capitaux... j'avoue que je ne puis comprendre une telle inaction » [197]. Il fallait faire preuve de dynamisme et armer dix ou douze navires.

2) De cet esprit d'entreprise, l'auteur donne immédiatement un exemple ; il se propose de créer une société inter-urbaine (Caen, Rouen, Paris) en commandite pour aller chercher 900 Noirs à la côte. Mise dehors : 480 000 livres en 300 actions de 1 600 livres, remboursement du principal en deux voyages, gain net espéré en six ans : 495 000 livres. Ainsi le commerce caennais se haussera au niveau de « nos ennemis [qui] ne sont pas dans la même prévention » à l'égard du profit.

3) Restait à convaincre les consciences que les commerçants n'avaient pas grande part au système esclavagiste. Mais celui-ci dérive de la nature des choses, sous l'empire de qui sont assujettis la vie biologique, l'activité économique et l'ordre des sociétés.

> « Personne ne disputera que [les Africains] ne soient pas des hommes ; mais comme nous ? Non, parce qu'ils sont noirs et élevés dans un climat bien différent du nôtre qui leur donne en naissant un tempérament fort et robuste. Ils cultivent merveilleusement en très bonne santé les colonies. »

Dans l'harmonie préétablie que la nature nous révèle entre les esclaves noirs et le travail en zone tropicale, réside la preuve que la traite est bien une une nécessité physique. Le déversement des faits culturels dans l'univers naturel est commun sans doute à toutes les sociétés ; elles y trouvent leur repos. Mais il est plus sensible et, pour l'observateur lointain qui connaît la suite, plus choquant dans les périodes pré-révolutionnaires. Que proposons-nous ? concluait Le Vanier, sinon une ventilation de la main-d'œuvre noire dans l'intérêt général : « Il faut donc les aller chercher à l'Est de la zone torride pour les transporter à l'Ouest de la dite zone » [198] ; quant à l'évangélisation, « s'ils n'en profitent pas, c'est leur faute ou celle de leurs maîtres ou peut-être celle des missionnaires, mais cela n'est pas notre affaire ».

Ce plaidoyer regarde la réalité économique en face. Quel démenti au modèle anthropologique dont s'était nourrie jusqu'ici la société urbaine ! Mais dans la rapidité que l'ensemble du négoce met à l'adopter, il faut discerner l'ascension du commerce, la réalité d'un changement économique. Lors des premières années révolutionnaires, les troubles des Antilles fournirent, en effet, l'occasion aux marchands de Caen de rejoindre les intérêts des grandes places maritimes. Avec la satisfaction du parvenu, le consulat se mit à collectionner scrupuleusement, depuis décembre 1789, les missives par lesquelles les principaux ports du royaume le pressaient de s'allier à eux en faveur de l'esclavage et des plantations : Le Havre tout d'abord, puis la Chambre de

197. *Ibid.*, p. 13.
198. *Ibid.*, p. 5.

Rouen en janvier 1790, les colons de Saint-Domingue puis Nantes et Bordeaux en février-mars. En même temps, les libelles rédigés contre la Société des Amis des Noirs, ces « convulsionnaires », parvenaient à Caen par l'entremise d'un négociant de la ville, Le Cavelier, qui se rendait fréquemment au Havre pour ses affaires [199]. Le 26 mars 1791, les représentants du commerce urbain choisirent leur camp : « L'importance de cet objet nous a fait un devoir de joindre nos réclamations à celle des principales villes maritimes et commerçantes » [200]. C'était le parti d'un groupe de pression dont l'action était peu conforme aux thèses abstentionnistes défendues quelques années plus tôt, mais la nouvelle aurore économique paraissait à ce prix.

Cet Atlantique qui entre dans l'espace urbain nous maintient dans l'ordre commercial. Il serait bien plus difficile d'appréhender les autres aspects de l'échange : la circulation croissante des hommes ou des nouvelles, essence même du fait citadin. Quelques événements la font pressentir, l'essor de l'immigration, la croissance hôtelière, la naissance de la presse locale, le développement de la poste aux lettres. Un de ces indicateurs se prête au parallèle avec les aires commerciales, il faut le choisir. D'où venaient les hommes qui faisaient étape dans la ville à la naissance du nouveau monde économique que nous venons de saluer ? A quel rythme obéissaient-ils ?

Depuis mars 1790, les déclarations des aubergistes et autres logeurs collationnées par le bureau de police municipale apportent la réponse à ces questions [201]. J'ai pris le parti d'en donner l'analyse jusqu'en octobre 1791. Après cette date, en effet, les événements politiques locaux viennent brouiller l'image des contacts que la ville recevait régulièrement de l'extérieur : les premiers troubles contre-révolutionnaires éclatent à la fin de l'année après qu'un rassemblement général des familles nobles ait été discrètement préparé à travers toute la province et ses marges. Cet afflux accidentel ne fait pas partie des déplacements routiniers recherchés ici.

Dans la période observable de dix-neuf mois, 7 834 voyageurs ont cherché un gîte passager à Caen. Il est peu probable que beaucoup de personnes aient voulu passer inaperçues au sein du calme social revenu vers la fin de 1789 et pas encore dénoncé. Un peu moins de 5 000 hommes et femmes

199. Notamment la *Lettre de M. X. à M. Brissot de Warville*, le Havre, le 15 février 1790, impr., 12 pages et la *Seconde lettre de M. Le Picquier à M. Brissot de Warville : pour servire de réfutation à l'Addresse de la Société des Amis des Noirs à l'Assemblée Nationale.* Le Havre, le 1er mars 1790, 8 pages. Sur ces textes et la correspondance citée plus haut, voir les archives du Consulat, Arch. mun. Caen, F 6. Les pamphlets ci-dessus parviennent à mettre J.-J. Rousseau de leur côté : « en passant de la nature à l'état civil, l'homme perd sa liberté illimitée. » On lira encore un beau texte manuscrit : « L'Adresse des marins et des ouvriers de la marine à l'Assemblée Nationale portée par deux capitaines négriers » qui exige du pain et le maintien de la traite.

200. Arch. mun. Caen, F 6.

201. *Ibid.*, I 123 à I 133. A partir de l'an VI, les registres sont tenus par section. Ils s'arrêtent en l'an IX. Le premier registre (14 mars 1790 au 12 septembre 1791) contient une table des logeurs avec leur domicile. La profession, le but du voyage ne figurent pas assez régulièrement pour être exploitables. La durée du séjour est affectée de la même imprécision. On rencontre parfois la mention d'un voyageur « avec sa compagnie ». Dans les calculs suivants, la « compagnie » a été régulièrement appréciée au plus juste pour une personne.

abordaient ainsi la cité en un an et leur nombre moyen mensuel ne descendait pas en-dessous de 130. L'ampleur des contacts humains attestait donc un vif attrait urbain. Bien qu'on ne puisse comparer la situation de 1790 à celle d'époques précédentes, on peut supposer que les nouvelles nécessités commerciales, les progrès des communications avaient fait gravir à la ville des échelons décisifs de son développement.

Bien entendu la circulation des hommes restait encore tributaire des pesanteurs météorologiques et les contrastes saisonniers rappelaient l'empire de la France agricole sur la France marchande.

Mois	*Ecart indiciaire à la moyenne mensuelle pondérée 100 selon la durée réelle de chaque mois*
Janvier	32
Février	62
Mars	207
Avril (moyenne)	209
Mai (moyenne)	200
Juin (moyenne)	47
Juillet (moyenne)	51
Août (moyenne)	94
Septembre (moyenne)	102
Octobre (moyenne)	50
Novembre	32
Décembre	56

Ainsi les travaux des champs en été, les dangers de la route en hiver raréfiaient les déplacements, le printemps les amplifiait comme les archives commerciales l'avaient suggéré ; il existait enfin un maximum secondaire de septembre en prévision de l'hivernage après le renversement des trésoreries consécutif à la soudure.

Le domicile des voyageurs est repérable à 90 % (761 lieux-dits sur 7 834 me sont demeurés mystérieux). La classification qui figure en annexe [202] souligne la part normande très majoritaire des déplacements : 79,5 % de l'ensemble. Ainsi la carte des voyages recouvrait essentiellement celle des migrations, d'ailleurs certains clients d'aubergistes étaient peut-être en quête de logements définitifs. Dans les cinq départements, le Calvados fournissait plus de la moitié des effectifs normands et les campagnes du district de Caen, un tiers du total départemental. De surcroît, les déplacements latéraux à la côte venaient en harmonie avec les énoncés de la géographie routière : la Manche, le Calvados, la Seine-Inférieure abritaient 87,5 % des visiteurs, et la Normandie « continentale » (Orne, Eure) un petit reliquat.

Sur les arrivants, 16,1 % étaient domiciliés dans le reste du royaume. De tels déplacements coïncident bien aussi avec les liaisons d'affaires déduites des maisons en faillite. Dans la demi-France septentrionale, de rares départements étaient absents. Mais les déserts s'élargissaient au sud : les terres inconnues

202. Annexe 16.

cernaient le seuil du Poitou (Indre, Loir-et-Cher, Deux-Sèvres, Vendée) ; l'Aquitaine et les Pyrénées ignoraient en partie notre ville (Landes, Lot-et-Garonne, Pyrénées-Orientales, Ariège) ; et de même le Massif Central, à l'exception du puissant jaillissement auvergnat dont on soupçonne les propensions professionnelles (Corrèze, Creuse, Allier, Tarn, Aude). Enfin le Sud-Est depuis les Basses-Alpes jusqu'à la Corse se trouvait également hors d'attraction.

Par ailleurs, 126 personnes, soit 1,6 %, venaient de l'étranger. Mettons à part un fort contingent de 55 « Italiens », en réalité Savoyards, qui nous renvoient par-delà le Rhône, l'image des ressortissants auvergnats, un Polonais, un Tchèque et un Turc, une manière de cousin des légendaires Rica et Uzbek [203] et nous retrouverons l'univers des relations océaniques de la ville. L'Espagne atlantique avait envoyé 7 voyageurs, 3 venaient d'Amérique septentrionale, 6 des Antilles ; au plus proche, bien sûr, l'Angleterre, les îles anglo-normandes fournissaient un tiers des étrangers et les rives de la mer du Nord, un douzième. Enfin, 2,8 % de l'ensemble des arrivants n'avaient déclaré aucun domicile fixe. Leur qualité de voyageurs sans bagage, de comédiens, colporteurs de nulle part ou forains suffisait encore à écarter momentanément les suspicions de l'aubergiste.

Plusieurs courants de relations humaines se mêlaient finalement dans cette géographie des déplacements.

1) Sans doute les feux de la ville attiraient toujours une petite confrérie de chevaliers errants, assez argentés d'aventure pour frapper à la porte de l'hôte, mais on voit combien leurs rangs étaient clairsemés au crépuscule du XVIIIe siècle ; les mendiants eux-mêmes, qui ne figurent pas dans cette observation, étaient-ils si nombreux ? On a vu plus haut qu'on pouvait en douter.

2) Les campagnes du département constituaient un vivier très important de voyageurs. Certains services urbains (justice, enseignement, messageries, commerces rares) fonctionnaient d'ailleurs dans cette dimension administrative et bien des campagnards avaient aussi des familles à visiter en ville. C'était l'aire de domination de Caen.

3) Mais avec l'éloignement des voyageurs, l'influence des grands centres d'affaires l'emportait : Rennes, Le Mans, Paris (plus de 250 arrivées), Nantes, Bordeaux, Amiens, Lille, Lyon, Reims. La carte des déplacements humains, plus fine, plus dispersée, enveloppait également celle des affaires mais sans la défigurer. Elle l'anticipait peut-être à la marge et les ressortissants méridionaux de passage à Caen préparaient sans doute un amalgame économique des deux France encore imprévisible dans le commerce quotidien.

Deux réseaux humains attachaient en bref la ville à l'extérieur. L'un se nourrissait de suc campagnard ; voici que l'autre, au-dessus de la Normandie paysanne, court de ville en ville jusqu'à l'étranger et constitue la seconde patrie des citadins. Pour 100 voyageurs ruraux, les ressortissants des villes (chefs-lieux de départements et de districts) étaient 46 à venir du Calvados, 100 de la Normandie, 172 du reste de la France ; dans l'ensemble ils composaient plus de 4 clients sur 10.

203. Sous l'Empire, la désertion militaire ramènera en Normandie une pléiade de visiteurs clandestins, aussi exotique, cf. J. C. Perrot, 1965.

Origine des voyageurs français hébergés à Caen (1790-1791)

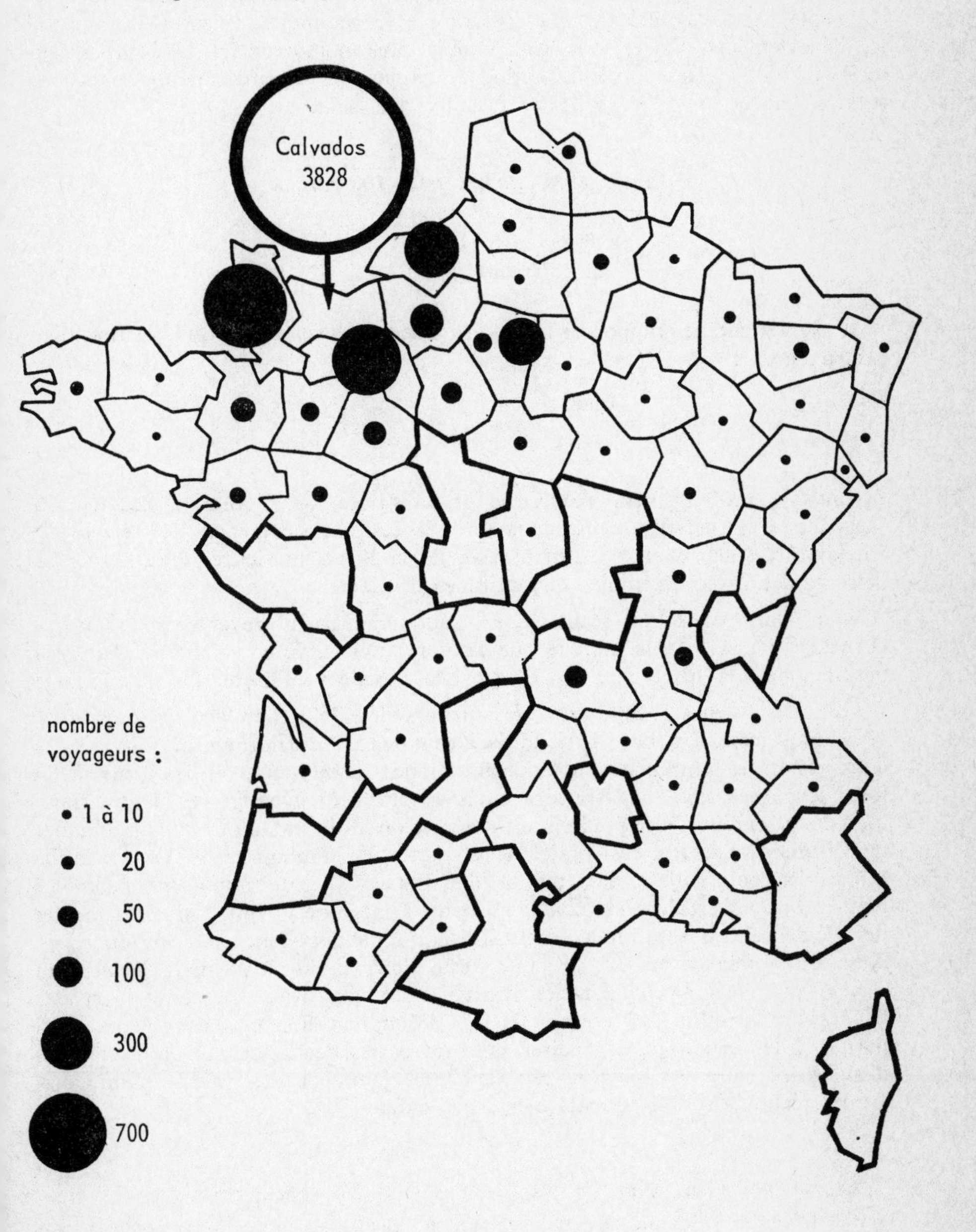

Les deux réseaux n'ont pas la même signification. Le premier révèle l'aptitude de la ville au commandement, le second traduit des échanges dans l'égalité. Ainsi la ville aimantait incontestablement son département ; selon le critère précédent, son influence s'étendait jusqu'aux frontières de la province et même sur ses marges. La géographie économique intervenait : avec les départements côtiers, les liens étaient plus nombreux et plus urbanisés, mais si l'on accepte cette signification du rapport voyageurs citadins/voyageurs ruraux, l'attraction de la ville s'y faisait moins sentir.

Voyageurs citadins pour 100 ruraux

Manche	106
Seine-Inférieure	423

Avec l'intérieur le rapport s'inversait, Caen redevenait la prédilection des campagnards :

Orne	46
Eure	63

Et dans le prolongement de l'Orne et de l'Eure, on ajouterait aisément la Mayenne et l'Eure-et-Loir. Comme en beaucoup d'occurrences se retrouvent ici, favorisées par la forte urbanisation de la Seine-Inférieure, il est vrai, les deux modalités continentales et maritimes de Caen.

Pour clore ce bilan séculaire, il faut maintenant revenir en ville. Si l'échange a pris le rôle moteur que l'observation suggère, comment n'aurait-il pas remodelé la hiérarchie des entreprises et leur ventilation topographique ?

Les rôles fiscaux : capitation des métiers de 1757, mobilière et passifs de 1792 nous mènent à ce carrefour de l'économie et de l'urbanisme. Soit à ces deux dates les entreprises comportant ateliers, boutiques ou les deux à la fois ; le négoce sans magasin sera envisagé plus loin. D'après ces deux ensembles documentaires, nous allons observer selon trois modalités topographiques déjà utilisées : centre résidentiel, centre artisanal, faubourgs [204], 1) la ventilation des points de commerce et d'artisanat, 2) leur importance cumulée d'après la cote fiscale dans chaque secteur. L'inégalité devant l'impôt selon les degrés de revenu se trouve nécessairement répandue dans tous les quartiers. Avec cette balance fausse, la pesée reste donc significative mais jusqu'à un certain point car la pondération variable des entreprises petites ou grandes ici et là réintroduit les erreurs de la péréquation fiscale dans chaque total partiel. Elle tend à homogénéiser la carte et les écarts des revenus cumulés d'entreprise entre les secteurs géographiques prennent des valeurs minimales. Or les résultats sont éloquents même par défaut [205].

204. En particulier, chap. III, VII, et plus loin couramment chap. XI.

205. L'annexe 17 donne le détail par branche. Seules les professions évoquées dans la capitation de 1757 ont été retenues évidemment en 1792 pour que la comparaison soit justifiée.

Entreprises au service excusif de la ville

	Répartition en nombre		*Répartition en importance*	
	1757	1792	1757	1792
	(%)	*(%)*	*(%)*	*(%)*
Centre résidentiel	21,0	24,6	23,2	35,2
Centre artisanal	48,9	46,8	49,5	47,5
Périphérie				
Sud-Est : sortie vers Falaise, Paris, Haute-Normandie	8,0	7,7	8,0	5,3
Ouest : vers le Bessin et le Bocage	12,0	14,8	11,9	8,0
Nord : la mer, le port	10,1	6,1	7,4	3,9
RÉCAPITULATION				
Centre	69,9	71,4	72,7	82,8
Périphérie	30,1	28,6	27,3	17,2
Mouvements au centre	+ 1,5		+ 10,1	
Mouvements à la périphérie	— 1,5		— 10,1	

Entreprises au service de la ville et de l'extérieur

	Répartition en nombre		*Répartition en importance*	
	1757	1792	1757	1792
	(%)	*(%)*	*(%)*	*(%)*
Centre résidentiel	17,6	17,6	18,2	20,6
Centre artisanal	44,6	49,9	53,2	64,5
Périphérie				
Sud-Est : sortie vers Falaise, Paris, Haute-Normandie	12,9	11,6	10,8	4,2
Ouest : vers le Bessin et le Bocage	16,3	13,8	10,8	7,8
Nord : la mer, le port	8,6	7,1	7,0	2,9
RÉCAPITULATION				
Centre	62,2	67,5	71,4	85,1
Périphérie	37,8	32,5	28,6	14,9
Mouvements au centre	+ 5,3		+ 13,7	
Mouvements à la périphérie	— 5,3		— 13,7	

Au milieu du siècle, une forte disparité affectait déjà la répartition numérique des entreprises entre le centre et la périphérie de la ville, bien que la population soit à peu près partagée en deux ; cet écart était même légèrement plus marqué pour les activités purement intérieures. Cette asymétrie s'est universellement accentuée par la suite. Il existe une corrélation entre le développement des échanges extérieurs observés dans ce chapitre et le regroupement au centre, plus que proportionnel, des entreprises orientées vers la consommation extra-urbaine (+ 1,5 et + 5,3 au centre).

L'indicateur fiscal complète le sens de cette évolution. Il fait apparaître par grande masse l'importance *a minima* des entreprises. On constate alors une deuxième concentration plus que proportionnelle. Les revenus d'entrepreneurs ont augmenté plus vite au centre que le nombre d'entreprises et plus rapidement encore, ceux qui provenaient des affaires régionales que ceux des activités entièrement internes (+ 10,1 et + 13,7). Il apparaît donc que la dilatation du marché exerce une influence sur l'implantation et qu'il existe une relation entre le rayonnement économique extérieur et la « densification » du noyau urbain. La ségrégation financière des quartiers s'accentue ; les activités les plus capitalistes s'ancrent au cœur de la cité.

Considérons, à titre d'ultime preuve, le déplacement numérique des maisons de banque, négoce et commerce de gros à travers la capitation bourgeoise de 1768 (faute de trouver le renseignement dans celle des métiers en 1757) et les rôles de la mobilière. C'est le centre résidentiel, dernier sanctuaire de la fortune, qu'elles ont investi, délaissant même les quartiers artisanaux qui avaient auparavant leur prédilection ; les faubourgs ne survivent ici que par la résistance du port à cette aimantation :

	1768 (%)	*1792 (%)*
Centre résidentiel	14	54
Centre artisanal	72	30
Faubourgs	14	16

Voici que l'économie nous conduit d'elle-même à l'urbanisme. Avant de quitter ce carrefour capital, quelques conclusions.

CONCLUSION

La ville de Caen fut, entre 1730 et 1792 le théâtre d'événements économiques originaux, sans doute différents de ceux qui affectaient la Normandie rurale. Mais par là, notre cité se rapprochait des grandes agglomérations du royaume. Ainsi la dimension urbaine paraît un niveau d'analyse pertinent, apte à faire saisir les aspects du changement [206].

Il aurait été souhaitable que cet examen aboutisse à l'établissement d'une comptabilité économique complète, conforme au plan d'études de J. Marczewski [207]. Son intérêt est indiscutable, sa mise en œuvre impossible. Aux fuites innombrables des statistiques anciennes, à leur absence trop souvent définitive, s'ajoutent les obstacles propres au cadre urbain : les mouvements de capitaux et de marchandises ne furent jamais enregistrés globalement à l'entrée ou à la sortie ; la production intérieure, les revenus, l'investissement et l'épargne demeuraient incomplètement mesurés, sinon négligés. Ces lacunes

206. F. Guyot, 1968, p. 11, souligne que tel est bien le cas, notamment dans les phases d'urbanisation. Caen se range au XVIIIe siècle dans cette catégorie.
207. J. Marczewski, 1965, en particulier, pp. 11-47 et 52-65.

imposent un recours continuel aux indicateurs de mouvement, interdisent l'accès aux volumes réels. D'autre part, bien des variables économiques liées sur le plan national à l'équilibre général deviennent, dans un horizon citadin où ne peuvent pas être établis les tableaux *input/output,* des quantités parasites dont le statut se rapproche des variables historiques exogènes. Un seul exemple : la rente foncière prélevée par les habitants sur la campagne [208].

Cependant tout effort susceptible de nous faire faire quelques pas vers l'idéal demeure bon. Et comme dans les sciences exactes, la difficulté peut être reprise là où cette étude l'aura laissée. Le versant démographique a paru le chemin le plus sûr, celui qui menait le plus loin dans la saisie entière de la ville. C'est à la population active, à sa ventilation intérieure que les autres séries économiques partielles ont été généralement confrontées, comme à la seule quantité observée en grandeur réelle. Ce rapprochement a permis d'éliminer certaines interprétations dans l'étude du changement, mais comme dans un système algébrique où les inconnues l'emportent sur le nombre des équations, il ne suffit pas à décider entre les explications qui demeurent possibles.

A ce stade d'incertitude, pourquoi négliger le renfort que peut apporter la confrontation de nos données partielles avec les idées économiques ? Celles de l'époque : la physiocratie, Adam Smith, et celles du premier XIXe siècle : le libéralisme anglais, les analyses de Marx, voire plus près de nous le marginalisme. Sans doute, la convergence momentanée des unes et des autres ne prouvera rien. On ne peut s'en rapporter à l'argument d'autorité. Mais dans le provisoire, elles posent les questions, orientent les progrès de l'analyse statistique par l'hypothèse et le raisonnement déductif, tiennent à notre disposition un répertoire de recherches à faire. Il en va de même des réflexions contemporaines sur le développement économique [209]. C'est un recours précieux de pouvoir en comparer quelques-unes à la chronologie du XVIIIe siècle. La datation des événements demeure en effet une partie fondamentale de l'histoire économique tant que l'appréhension des quantités globales reste inachevée. Nous résumerons cette succession.

Dans la ville de Caen, sans doute en beaucoup d'autres, le fait primitif est la croissance de la population des années 1730 à 1775 environ. A sa source, l'arrivée d'immigrants. L'événement renvoie à l'étude démographique et économique des campagnes françaises. C'est seulement en élargissant l'observation jusqu'au niveau national qu'il serait possible de dire si la France sortait alors de la souricière qui s'est longtemps refermée entre la croissance de la population et l'état de la production [210].

Quoi qu'il en soit, ce supplément de population active, probablement voué aux travaux agricoles en d'autres circonstances, s'offre dès lors à l'emploi

208. Dans le texte cité ci-dessus, voir les passages consacrés aux variables historiques. Chr. Morrisson, 1965, pp. 127-133, constate que les modèles économétriques ne sont applicables aisément que sur des périodes courtes pendant lesquelles aucun facteur exogène non mesurable n'intervient.

209. F. Perroux, 1967 ; A. Cotta, 1967, analyse les modèles descriptifs de croissance établis par les auteurs contemporains, principalement D. W. Jorgenson, G. Ranis et J.-H. Fei. Voir encore N. Kaldor, juin 1962, pp. 174-192.

210. M. H. V. Musham, 1970, étudie les fondements théoriques de cet important problème.

urbain dans la production artisanale et les services. Les statistiques sont trop imprécises pour dire qu'il s'est porté, selon les circonstances, vers l'un ou l'autre des secteurs. En tout cas, il a certainement introduit de la souplesse, accru l'élasticité du travail devant la demande des entrepreneurs, facilité les conversions. Son influence s'ajoutait à celle du vaste volant de main-d'œuvre féminine dont l'entrée dans la sphère monétaire, salariale, paraît s'être également accélérée : que l'on songe à l'essor des dentellières. Cette croissance démographique n'est pas la seule oblation économique des campagnes en faveur des villes, même si elle vient la première dans les années trente. La ponction fiscale sur le plat pays a permis, vingt ans plus tard, l'édification d'un grand réseau routier qui rapproche les marchandises éloignées et les place en compétition[211]. Partant, des activités textiles internes à la ville s'effondrent, comme les serges ; d'autres les remplacent, la dentelle par exemple, mais observons l'effet de ces glissements sur la population active.

Les substitutions industrielles ont créé des enclaves de chômage chez les tisserands, les teinturiers, les apprêteurs, etc. Le déclin du drap et de la bonneterie, le marasme final des toiles ont peut-être beaucoup fait pour accélérer par des départs le tassement puis la légère décrue de la population après 1775. Elle aurait donc une origine structurelle, l'examen postérieur de la conjoncture dira si le cycle a redoublé occasionnellement ces difficultés de fond ; dans ce cas, la pression de la main-d'œuvre pouvait également freiner la hausse éventuelle des salaires. C'est une nouvelle hypothèse à vérifier au chapitre de la conjoncture.

Mais la rotation des secteurs industriels agissait plus directement sur la ventilation de l'emploi en contraignant les sans-travail de la production à se proposer comme employés dépendants dans les services internes à la ville : la croissance du groupe domestiques-journaliers est en partie l'effet d'un chômage technique déguisé. Aussi bien des mécanismes des sociétés industrielles sont repérables sous les régimes économiques précédents[212]. Ils contribuent à écarter sensiblement l'économie urbaine du modèle stationnaire ; en réalité, la population ni la richesse n'y croissaient du même pas, par simple addition d'unités, bien qu'il y ait eu peu de changements dans les méthodes de production.

L'absence d'innovation persistait d'elle-même, probablement par la pression d'une main-d'œuvre peu stimulante pour le machinisme[213], d'autant que la modestie de son niveau de vie influait de manière également faible sur la consommation[214]. Or dans les économies d'autrefois, les biens de consommation : subsistances, textile, sont les premiers moteurs de l'expansion. Le croît démographique a donné une chiquenaude, mais pouvait-il faire plus ? Non.

211. A.H. John, 1961, observe la même liaison de croissance : population-commerce, dans l'Angleterre de la première moitié du XVIIIe siècle, couplée, il est vrai, avec une accélération de la production agricole que rien ne prouve en France.

212. F. Crouzet, 1966, en rencontre d'autres dans sa croissance comparée de l'Angleterre et de la France.

213. G.Y. Bertin, 1964, reprend après J. Robinson cet effet du niveau de population sur l'économie.

214. Il semble que les mercantilistes aient les premiers remarqué le rôle de la consommation, cf. M. Leduc, 1960.

La croissance de la main-d'œuvre, peu qualifiée, s'avérait incapable de s'entretenir elle-même : un manœuvre suscite peu d'emplois dérivés. D'où la fragilité démographique de la ville ; au XVIIIe siècle, selon la conjoncture, l'économie urbaine rejetait aussi facilement ses travailleurs qu'elle les attirait. Les progrès du moyen et du long terme semblaient devoir être remis en cause à chaque tournant du court terme. C'est exprimer sous une autre forme la sensibilité de la production industrielle devant le niveau variable des récoltes, comme nous le savons depuis les travaux de C.-E. Labrousse.

La difficulté des acquisitions économiques définitives se reflétait évidemment dans les attitudes mentales. Peu de gens aspiraient sans doute avec une conviction suffisamment agissante à devenir riches. Mais adhérer à la morale du sage économe était, pour beaucoup, faire de nécessité vertu. Caen était bien éloignée, quelques milieux du négoce exceptés, d'encourir le reproche que Stuart Mill adressera aux Américains, tant prisés en Normandie au XVIIIe siècle : « La vie de tout un sexe est employée à courir après les dollars et la vie de l'autre à élever des chasseurs de dollars » [215]. Ainsi, quand bien même l'économie n'était pas stationnaire, les mentalités le demeuraient et les énergies s'épuisaient dans l'impression que seule la reproduction simple des biens était possible.

Premier événement dans l'ordre chronologique, l'essor démographique a donc provoqué un simple frémissement économique, mais aucune traction en avant ou presque. Tout au plus le traumatisme migratoire, les disponibilités sur le marché de l'emploi accroissaient la réceptivité sociale au changement et mettaient la ville en condition d'utiliser le deuxième choc qui provient après 1750 de l'ouverture des communications.

Les analyses de J. Gibbs et F. Guyot fixent précieusement la portée théorique de cet événement [216]. On peut distinguer au fond deux voies préliminaires vers la croissance selon les pays et les époques. Dans le premier processus, tout commence par l'essor de la production agricole ; les zones rurales se développent plus rapidement que les villes et le taux d'urbanisation peut même décroître momentanément. Mais rien ne prouve qu'il en ait été ainsi dans la France du XVIIIe siècle. La croissance agricole présente trop de faux-semblants [217], et même si quelques progrès ont été enregistrés sur la bonne plaine de Caen par l'amélioration qualitative des céréales, comme on a cru le discerner [218], le gain profitait aux citadins par le biais de la panification et, derechef, par la rente foncière.

Dans la recherche d'une deuxième voie, l'analyse de la croissance considère les substituts possibles de l'essor rural : le stockage des biens et surtout le développement des transports, équivalents d'un progrès de la production. Voici des faits qui privilégient les villes. Nous avons essayé de montrer leur importance locale et combien les cités en sont redevables absolument aux campagnes dont le fléchissement compensé du niveau de vie, s'il s'avérait démontré,

215. J. St. Mill, 1873, trad. Guillaumin, t. 2, p. 302 sq. ; M. Lutfalla, 1964, donne cette citation p. 176. Dans l'édition Guillaumin de 1854 que j'ai consultée, elle ne figure pas au chapitre VI, livre IV, consacré à l'« Etat stationnaire » ; J. St. Mill ne l'a insérée que dans la première édition de ses *Principes.*

216. J. Gibbs, 1963 ; F. Guyot, 1968, p. 215 sq.

217. M. Morineau, 1971.

218. Voir plus haut chapitre V.

expliquerait l'impatience révolutionnaire de 1789. En tout cas, ces événements économiques prouvent que l'urbanisation a longuement précédé l'industrialisation ; dans bien des villes françaises, celle-ci n'a même jamais suivi de tout le XIXe siècle.

Plusieurs conséquences découlent de ce processus original.

L'amélioration des transports facilite de façon très inégale l'écoulement des produits de l'activité urbaine. Tout ce qui se dégrade vite (la consommation quotidienne), tout ce qui pèse très lourd, à moins de débouchés maritimes (matériaux de construction) est condamné à la consommation locale. Sur ce point la route ne créait donc aucun appel d'air. La statistique de l'emploi dans les activités intérieures de Caen l'a montré ; ces dernières suivaient la croissance de la population urbaine. En revanche, le textile, sous sa forme la plus sophistiquée, légère, onéreuse : la dentelle, et de même tous les autres produits de luxe voyaient s'ouvrir devant eux une vaste carrière d'échanges. Cette évolution détournait l'artisanat lourd de la ville ; elle n'acclimatait pas non plus les esprits à l'industrialisation urbaine du XIXe siècle qui sera métallurgique ou mécanique.

Mais elle accentuait l'asymétrie du capitalisme urbain, partageant plus profondément qu'avant les entrepreneurs en deux camps. Le premier, de proportions massives, comprenait des artisans isolés, dépourvus de capitaux — parfois, comme les tisserands, sur le chemin du désinvestissement —, par conséquent soumis à la clientèle locale ou aux commandes de l'autre partie. Celle-là, très « capitaliste » — souvenons-nous de la croissance des immobilisations dans la fortune des marchands —, profitait seule du changement [219] :

1) elle pouvait susciter l'emploi ; on a vu que cet effet multiplicateur ne s'exerçait pas dans l'entreprise commerciale elle-même, qui consomme plus de capitaux que de main-d'œuvre, mais indirectement dans la production (travail des enfants) ou dans les services (domesticité) ; 2) elle était enfin de taille à remodeler l'urbanisme conformément à ses nouveaux besoins : l'aménagement des marchés et du port l'illustrera bientôt.

La rencontre d'un levain si puissant invite à se demander quel bénéfice ou quelle contrariété l'économie de Caen pouvait en retirer dans l'ensemble [220].

Les raisons de fragilité ne manquent pas.

1) La base « capitaliste » de l'activité urbaine était numériquement trop étroite (cf. la statistique de la population active) pour entraîner la conversion des rentiers aux placements d'affaires. Bien mieux, la contamination des modèles sociaux jouait en sens inverse : le mirage de la pierre et de la terre persistait très fort chez les négociants, comme les fortunes analysées en requête de surséance l'indiquent. L'effet de blocage continuait donc.

2) Ces activités de pointe fossoyaient elles-mêmes leurs difficultés parce qu'elles portaient exclusivement sur des produits luxueux et durables. Plus l'économie urbaine se développe dans ces directions, plus elle est sensible à

219. Cf. l'analyse de M. Penouil, 1958, pp. 706-734, et sa nomenclature des types de capitalisme.

220. Dans un article de synthèse, D. Richet, 1968, pp. 759-787, insiste comme il faut le faire, je crois, sur la nécessité de prendre les villes comme belvédères économiques du XVIIIe siècle. Là, dit-il, est le « secret de l'accumulation primitive ».

la conjoncture. Les écarts de la foire de Caen, très supérieurs à ceux de Guibray, l'ont bien prouvé. Ici le présent le plus brillant ne garantissait jamais l'avenir. Devant les « révolutions » de la mode et du commerce, une inquiétude permanente entretenait la pusillanimité que nous avons relevée plusieurs fois, jusque chez les négociants. Le développement de l'exportation des biens et des services replaçait la ville sous d'autres liens de dépendance, après avoir tranché les sujétions primitives. Ce type de croissance appellera un examen attentif de la conjoncture.

D'un stade à l'autre, où sont malgré tout les progrès définitifs [221] ? Ils proviennent précisément, si je puis dire, de retombées conjoncturelles accumulées. Ainsi la croissance de sa taille affermit elle-même la résistance d'une ville au marasme. Non seulement les effets multiplicateurs y sont plus fréquents ; l'exemple prochain de la construction montrera une floraison d'activités dérivées (terrassement, charpente, vitrerie, serrurerie). Mais le capital fixe (maisons, ateliers, édifices publics hospitaliers, scolaires, infrastructure commerciale) suscite aussi l'utilisation et retient les utilisateurs ; l'agglomération réduit les coûts [222].

La nomenclature des métiers a montré d'autre part que les fonctions de la ville, les services offerts s'étaient diversifiés. En grandissant, elle devenait donc apte à couvrir dans leur totalité les besoins d'une zone plus vaste. Son pouvoir de commandement régional s'élargissait et compensait l'élévation du degré de dépendance qui l'attachait à l'extérieur à travers le commerce lointain. Les foires nous sont apparues tout à l'heure comme des vitrines commerciales ; mais une ville en essor démographique joue le même rôle de plus en plus efficacement ; elle exerce une démonstration permanente ; lorsqu'elle atteint un certain poids, de nouveaux besoins apparaissent. Les inspecteurs des Manufactures l'avaient noté vers le milieu du siècle dans l'habillement. La croissance vertigineuse des débits de boisson, cabarets et bouchons donne un autre exemple, à revoir dans une perspective d'hygiène sociale, mais très lié, déjà, à la fonction marchande.

Enfin toute ville de population croissante, d'aires commerciales en extension agit comme un groupe de pression de plus en plus éloquent, habile à tirer parti des redistributions du pouvoir administratif. Sous cet angle, la Révolution est l'époque bénie où Caen parvient à se débarrasser de la tutelle parlementaire de Rouen et attire l'évêque de Bayeux dans ses murs. La politique de la Chambre consulaire vers 1789 montre des négociants conscients pour leur part de ces enjeux dérivés.

En somme la circulation, l'échange ont bien été les ferments de l'économie caennaise. Les retrouverons-nous à l'œuvre, sous forme d'impératifs pratiques, de recettes de pensée dans l'urbanisme ? La démonstration serait intéressante ; l'investissement global y fut très important, plus encore le revenu et la plus-value foncière qui allaient en découler.

221. Cette question soulève un problème vierge chez les historiens. Comme souvent les économistes nous ont précédés, cf. F. Guyot, 1968, p. 271.

222. A. Weber, 1909, et Alfr. Marshall, rééd. 1962, p. 221, ont souligné, parmi les premiers, l'existence de ces économies d'urbanisation. Un exemple à Caen au XVIIIe siècle : la désaffection du cabotage normand à l'égard des petits ports et sa concentration sur la vallée de l'Orne.

Table des matières

BISCAYE FRERES
IMPRIMEURS
22, RUE DU PEUGUE
BORDEAUX (FRANCE)

1606. N° imprimeur 1911. Dépôt légal : 1er trimestre 1975.